5th Edition

Fundamentals of Nursing **Intervention & Skill**

기본간호학 이론서

장성옥 · 길숙영 · 진은희 · 차보경 · 박창승 · 김영희 · 임세현 · 김은재 · 이해랑 지음

군자출판사

기본간호학 이론서(제5판)
Fundamentals of Nursing Intervention & Skill

첫째판 1쇄 인쇄 2005년 1월 3일
첫째판 1쇄 발행 2005년 1월 10일
둘째판 1쇄 발행 2007년 11월 5일
셋째판 1쇄 발행 2012년 2월 25일
넷째판 1쇄 발행 2015년 2월 27일
다섯째판 1쇄 발행 2018년 3월 2일
다섯째판 2쇄 발행 2019년 2월 14일

지 은 이 장성옥 · 길숙영 · 진은희 · 차보경 · 박창승 · 김영희 · 임세현 · 김은재 · 이해랑
발 행 인 장주연
출 판 기 획 박문성
편집디자인 이민영
표지디자인 김영민
발 행 처 군자출판사
등록 제 4-139호(1991. 6. 24)
본사 (10881) 경기도 파주시 회동길 338(서패동 474-1)
Tel. (031) 943-1888   Fax. (031) 955-9545
홈페이지 | www.koonja.co.kr

ISBN 979-11-5955-273-1
정가 38,000원

저자약력

장 성 옥　고려대학교 간호대학 교수

길 숙 영　CHA의과학대학교 간호대학 교수

진 은 희　진주보건대학교 간호학과 교수

차 보 경　한서대학교 간호학과 교수

박 창 승　제주한라대학교 간호학과 교수

김 영 희　진주보건대학교 간호학과 교수

임 세 현　극동대학교 간호학과 교수

김 은 재　진주보건대학교 간호학과 교수

이 해 랑　진주보건대학교 간호학과 교수

머리말

현대 사회에서의 간호대상자는 과거 어느 때보다도 질 높은 삶을 추구하고 있으며, 그에 따라 대상자의 간호요구는 좀더 대상자의 삶의 질을 고려한 전인적인 관점에서 충족되어야 하며, 이를 위해서는 인간과 간호전반에 대한 보다 과학적이고 실질적인 간호지식을 필요로 합니다.

본서는 기본간호학 실습서와 같이 학습할 수 있도록 고안된 이론서이며, 제2판에 응급을 요하는 상황에서 정확하고 신속하게 간호를 수행할 수 있도록 응급간호부문을 추가하였고, 의료기관평가와 더불어 강조되는 환자 안전 간호로 변화되는 실무이론을 좀더 정련하여 제4판을 출간하였습니다. 제5판은 간호학 교육, 인증평가 관련 내용을 보완하여 구성하였습니다. 기본간호학 실습지침서가 간호행위의 구체적 기술에 초점을 둔 반면 본 이론서는 간호행위의 이론적 배경지식을 폭넓게 기술하여, 기본간호학을 배우는 학생은 이론적 배경지식을 실습 전에 충분히 접할 수 있도록 하였으며, 임상에 있는 간호사는 기본간호술과 관련된 이론적 측면을 참고할 때 도움을 받을 수 있도록 실무 위주로 이론적 지식을 구체적으로 기술하였습니다.

본서의 전반적 구성은 기본간호학의 학습목표에 중점을 두어 구성하였습니다. 따라서 간호대상자와 환경 단원에서는 대상자 간호와 간호환경조성에 필요한 간호학적 기본지식과 기본적 원리를 다루었으며, 대상자의 일상생활 요구와 관련된 간호 단원에서는 인간의 기본요구와 그와 관련된 간호문제를 해결하는 간호과정에 초점을 두어 구성하였습니다. 대상자 사정과 관련된 간호단원에서는 간호실무 상황에서 대상자 사정에 기본적이고 필수적인 지식과 간호술의 이론적 근거를 다루었으며, 부동대상자 간호 단원에서는 인간의 활동과 관련된 문제영역 및 중재방법과 그에 따른 중재 원리와 부동대상자를 간호하는 간호사의 신체역학 활용측면을 다루었고, 투약 단원에서는 투약과 관련된 원칙과 간호행위 근거를 서술하여 정확하고 효율적인 간호 실무에 기여하도록 구성하였습니다. 수술주기 단원에서는 수술과 관련된 합병증을 최소화하고 환자회복에 기여할 수 있는 간호지식과 절차를 기술하였으며 임종간호 단원에서는 임종환자와 가족을 돌보는 호스피스 간호를 임종환자와 함께 구성하였고, 응급처치간호 단원에서는 일상생활에서 흔하게 발생되는 응급사고에 신속하게 대처할 수 있는 응급처치와 관련된 간호지식을 다루어 간호의 기본적 개념과 필수적 간호 원리를 총괄적으로 다루도록 노력하였습니다.

따라서 본 기본간호학 이론서는 같이 출간되는 기본간호학 실습서와 함께 활용될 때, 전인적 간호접근으로 간호대상자의 간호문제 해결에 실제적 도움을 줄 수 있는 지침서가 될 수 있을 것이라고 생각하며, 앞으로도 좀 더 충실한 내용구성을 위해 지속적인 수정과 정련작업을 해 나가고자 합니다. 끝으로 본서가 나오기까지 지원과 격려를 하여주신 군자출판사의 장주연 사장님과 임직원 여러분께 감사드립니다.

2018년 2월
저자 일동

목차

PART I
FUNDAMENTAL OF NURSING

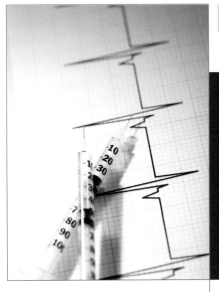

간호대상자와
간호환경

간호대상자와 간호환경 단원에서는 간호에서 간호대상자 및 대상자를 둘러싼 간호환경에 대한 이론적 관점을 정립하는데 초점을 둔 간호의 기본개념을 다루었으며, 간호 실무를 이끄는 주요한 틀로써의 간호과정의 구성개념 및 간호 실무를 의료인간 효과적으로 의사소통하도록 하는 간호기록의 원칙을 다루었다. 그리고 대상자의 안전 요구의 중심개념인 감염관리와 관련된 원칙 및 이론적 근거를 중점적으로 다룸으로 안전한 간호환경의 개념정립에 초점을 두었다.

간호의 기본 개념

학습목표

1 인간의 성장발달 기본 개념을 설명한다.

2 인간의 성장발달에 영향을 미치는 요인을 설명한다.

3 인간의 기본 요구 개념을 설명한다.

4 인간의 기본 요구 단계를 설명한다.

5 건강의 개념을 설명한다.

6 건강관련 모델을 설명한다.

7 건강에 영향을 미치는 요인을 설명한다.

8 질병이 개인, 가족, 지역사회에 미치는 영향을 설명한다.

9 건강증진의 개념을 설명한다.

10 건강 증진 행위에 영향을 미치는 요인을 설명한다.

11 건강관리 기관의 유형별 기능을 설명한다.

12 병원 환경을 설명한다.

13 입원간호를 설명한다.

14 퇴원 간호를 설명한다.

15 전동, 전실, 전과 간호를 설명한다.

16 간호의 개념을 설명한다.

17 간호 이론을 설명한다.

18 간호사의 역할에 대해 설명한다.

인류의 발달과 더불어 꾸준히 발달해 온 간호학은 인간의 건강과 관련된 인간, 건강, 환경, 간호간의 상호관계를 이해하고 이를 대상자에게 실천하는 학문이다. 간호의 개념적 이해는 간호현상과 관련되는 개념의 이해에 근거해야 한다.

제1절
인간

인간은 간호의 중심 대상으로 간호 활동의 중심 개념이며, 간호학의 연구 대상이므로 총체적 본질에 대한 이해가 필요하다. 인간은 살아있는 유기체로서 여러 하위체계로 구성되어 있고, 사회적 존재이며 동시에 영적 존재이다.

여러 이론가들이 간호를 정의하는 과정에서 간호를 받는 사람은 어떤 존재인가에 대한 명확한 정의를 내리고자 노력하였다 (표 1-1). 간호는 도움을 주는 입장이고, 이를 필요로 하는 대상은 건강과 관련된 문제를 가지고 있는 사람이라는 것이 지금까지의 견해이다.

간호학에서 인간에 대한 이해는 크게 두 가지 관점이 있다. 현상학적 접근 방법과 실존주의 사상에 크게 영향을 받아 인간을 전체적으로 파악해야 한다는 전인적인 관점, 실용주의적 경향과

의학 및 인접 학문의 이론에 많은 영향을 받아 인간을 여러 구성성분으로 이루어져 있는 개체로서 파악하는 특수구성론적 관점이 있다. 전인적인 견해는 인간을 세분화하지 않고, 각 부분의 합이 아닌 고유한 하나의 개체로서 각각의 분할 측면을 설명함으로써 인간에 대한 이해가 가능하다고 보는 입장이다.

인간학에서는 현상학적인 방법론을 취하는데 인간을 동물과 비교하는 관점, 인간과 비교하는 관점, 인간을 신과 비교하는 관점이 있다. 생물학적 입장은 인간이 다른 동물과 다르게 생물학적인 특징을 지닌 유기체라고 본다. 교육철학적 입장으로는 이상주의 입장, 과학적 실학주의, 실용주의적 입장으로 분류해서 볼 수 있다. 실용주의 입장에서는 인간이 고도로 복잡하고 섬세한 기계에 불과하다고 하여 인간이 정신적인 존재라는 것을 부인한다. 현대심리학의 견해는 행동주의 심리학과 인본주의 심리학으로 분류될 수 있는데, 행동주의 심리학에서는 인간이 자극에 대해서 반응하는 존재로서 뛰어난 기계보다 복잡하기는 하지만, 원칙적으로 행동에 대한 예측이 가능하다고 본다. 인본주의 심리학에서는 인간과 동물은 다르다는 것을 전제로 하여 인간의 주관성과 독특성을 강조한다. 사회학에서는 인간을 사회적인 관계와 문화에 의해 조건화된 행동 양상을 지닌 개별적인 존재로 본다.

표 1-1 인간에 대한 간호이론가들의 이해

이론가	인간의 특성
Nightingale	• 간호를 제공받거나 환경의 영향을 받는 존재로 질환에 대한 회복 능력을 가지고 있음. 회복에 적절한 환경이 존재할 경우, 대상자는 회복 능력이 있다고 생각함
Peplau	• 계속 발달하는 유기체로서 요구로 발생한 불안을 감소시키기 위해 노력하는 존재이며, 불안정한 평형 상태에서 살아감
Henderson	• 생리적, 심리적, 사회적, 영적 요소로 구성되어 있으며, 건강한 삶에 필요한 활동을 수행하기 위해 힘, 의지, 지식을 필요로 함
Abdellah	• 신체적, 정서적, 사회적 요구를 지닌 개인 및 가족을 돕는 것
Orlando	• 언어적이고 비언어적인 행위를 나타내는 존재로 상황에 대처하기 위한 요구와 능력을 지님
Levine	• 환경과 끊임없는 상호작용 속에서 계속 변화하고 통합성을 유지하기 위해 노력하는 유기체인 반면, 간호가 필요한 대상은 에너지를 보존하고 구조적, 인격적, 사회적 통합성을 유지하기 위하여 조력이 필요한 총체적인 인간
Johnson	• 생물학적, 심리적, 사회적 요인에 의해 조절ㆍ통제되는 행동과 행위를 통해 확인되는 개방적이고 상호관련된 체계
Rogers	• 통합성을 지니며, 부분의 합과는 다른 그 이상의 특징을 나타내는 존재
Orem	• 생물적, 상징적, 사회적으로 기능하며 학습과 발달의 잠재력을 가진 존재
King	• 사회적이고, 민감하고, 합리적이고, 지각하고, 통제하고, 목적있고, 행동지향적이고, 시간중심적인 존재
Betty Neuman	• 저항선, 정상방어선, 융통방어선을 지님. 인간은 생리, 정신, 사회 문화 및 발달적 측면을 지닌 복합체임
Roy	• 변화하는 환경과 끊임없이 상호작용하는 생리ㆍ심리ㆍ사회적인 존재
Watson	• 가치있고 돌봄을 받고, 존경받고, 양육되고, 이해되고, 도움을 받는 존재

1. 인간의 성장과 발달

인간의 발달 과정은 인생주기에 따른 일련의 역동적인 변화과정을 의미하는데, 이 과정은 개인에 따라 다양하게 나타난다.

1) 성장 발달의 원리

인간의 발달 과정은 인생주기에 따른 일련의 역동적인 변화과정을 의미하는데, 이 과정은 개인에 따라 다양하게 나타난다.

- 성장과 발달은 계속적이고 순차적이며 점진적이다. 모든 인간은 같은 형태의 성장형태와 발달 단계를 경험하게 되며, 각각의 단계는 일련의 순서에 따라 진행된다.
- 성장과 발달은 규칙적으로 진행되며 예측이 가능하다.
- 성장과 발달은 개별적이면서도 통합적으로 발달한다.
- 성장과 발달의 비율이나 속도는 일정하지 않다.
- 성장과 발달은 머리에서 신체 하부로 발달한다.
- 성장과 발달은 중심부에서 말초 부위로, 간단한 동작에서 복잡한 동작으로 이루어진다.
- 성장과 발달의 정도는 개인의 유전자에 따라 다르며, 각 개인은 최대의 잠재력을 추구한다.

2) 성장·발달에 영향하는 요인

(1) 유전

부모의 유전적 특징은 내·외적으로 아동에게 유전되어 발달의 특징을 규정한다.

유전적 특질은 개인의 신체적·정신적·사회적 특성의 많은 부분을 결정한다.

(2) 환경

태내의 직접적인 성장조건인 수태시부터 출생 후 부모와 형제, 자연환경, 기타 성장과 관련되는 여러 조건 및 개인을 둘러싸고 있는 사회·문화적 환경과 상황은 성장과 발달 과정에 영향하는 요인이다.

(3) 기질

기질은 개인의 행위 양상을 말하며, 이들 행위의 특성은 개인과 환경의 상호작용에 영향한다.

(4) 건강

건강은 환경에 대한 개인의 반응과 적응에 영향한다.

(5) 지능

지능은 새로운 것을 학습할 수 있는 인지적 능력으로 성숙과 학습에 중요하게 작용한다.

2. 성장과 발달에 대한 견해

체계적인 과정을 따라 이루어지는 발달 변화는 성숙론, 환경론, 상호작용론으로 구분된다.

1) 성숙론

성숙론(maturationism)은 인간 발달이 유전이 발달의 직접적인 요인이라고 보는 견해이다. 유전이나 생물학적 요인이 발달 변화의 본질과 과정에 영향을 미치는 것으로 보고, 유전적 물질은 생의 전반에 걸쳐 발달 과정에 계속적으로 영향을 미친다고 보는 견해이다.

2) 환경론

성숙론의 개념에 상반되는 발달 변화 개념은 환경론(environmentalism)이다. 환경론자들은 발달 변화란 학습과 훈련 경험의 결과라고 강조한다.

3) 상호작용론

유전이나 환경 요인 중 어느 하나만이 발달 변화의 과정이나 특성에 작용하는 것이 아니라 유전과 환경이 모두 상호 관련되어 있다는 견해가 발달의 상호작용견해이다. 최근에는 유전과 환경의 상호작용론(interactionism)으로 발달을 설명하는 학자들이 늘어나고 있다.

이들은 발달에 있어 유전과 환경을 독립적으로 분리하여 볼 것이 아니라 두 요인이 어떻게 결합되어 발달이 일어나게 하는가에 초점을 둔다.

4) 성장발달의 단계

인간발달의 단계를 구분하는 데에는 학자들마다 많은 차이를 보이고, 상반된 견해도 지닌다. 실제적으로 연령에 따라 인간의 발달 특징을 구분하는 것은 개인적인 발달 과정도 다르고, 각 사회의 구조가 독특하기 때문에 구분한다는 것이 어렵다. 개인마다 발달의 양상과 발달 단계에 도달하는 연령이 다르기는 하지만 유사한 사항들을 중심으로 분류해 보면 다음과 같다.

(1) 태아기(8주~출생시)

인간의 성장과 발달은 난자와 정자가 수정되는 순간부터 시작된다. 이 시기는 부모로부터 성적 특성을 부여받는 시기이며, 성격, 지적·신체적·심리적 기질이 영향을 받는 시기이다. 태아기 동안 일어나는 가장 현저한 변화는 신장의 증가이다. 태내의 발달은 연속적으로 발아기(preembryonic stage), 배아기(embryoninc stage), 태아기(fetal stage)의 단계를 거쳐 발달한다.

(2) 신생아기(출생~1개월)

신생아의 성장과 발달은 태아기의 영양 상태, 태교, 분만 후 양육 상태에 의해 영향을 받는다. 출생 시 신생아는 외부 환경에 적응해야하므로 몇 가지 신체적인 적응 과정을 거친다. 간호사는 신생아의 호흡기와 순환기에 나타나는 신체적 반응을 출생 후 5분 이내에 즉시 사정해야 한다. Apgar Score는 심박동, 호흡 정도, 근육강도, 반사, 피부 색 등 5가지를 점수화하여 최고 10점으로 한다. 정상 신생아는 7~10점이며, 4~6점일 경우 특별한 도움이 필요하다. 4점 이하는 즉시 도움이 필요함을 의미한다.

(3) 영아기(1개월~1년)

영아기는 성장 속도가 매우 빠른 시기로서 뇌의 크기는 성인의 절반 수준으로 성장하며, 체온이 안정된다. 운동 능력은 블록 쌓기, 걷기, 스스로 먹기 등을 하려고 노력하며, 눈의 초점이 맞춰진다. 1년이 되면 출생시 체중의 3배가 되고, 키는 1.5배가 된다. 영아의 건강에 영향하는 요소로는 적절한 영양섭취가 매우 중요하다. 모유는 항체가 풍부하여 면역력을 향상시키고, 소화되기 쉬우며, 지방과 칼슘 흡수력을 향상시키므로 처음 6개월에서 1년까지 섭취하는 것이 권장된다.

생후 1개월 동안 부모와 신생아는 강한 결속력을 형성하고, 상호 작용의 경험이 애착으로 발달된다. 놀이는 영아가 환경을 인지하고 통제하는 방법을 배울 수 있게 해 주며, 영아의 기질은 사회 · 심리적인 발달에 영향한다.

(4) 유아기(1세~3세)

유아기는 영아기만큼 빠르게 성장하지는 않는다. 유아기의 신체 비율이 변하여 사지는 몸체에 비해 길어진다. 신체 기능의 성숙과 더불어 정신 기능도 더욱 발달하게 된다.

가족은 이 시기에 언어발달과 대소변 가리기 훈련에 매우 중요한 역할을 하게 된다. 이 시기 동안 아동은 좀 더 독립적이 된다. 유아기는 운동 능력이 향상되고 호기심이 많은 시기이므로 약물 중독 사고가 발생하기 쉽다. 또한 위험에 대한 인식이 부족하여 화상, 낙상, 질식 등의 위험이 높고 호흡기 감염도 많이 발생한다.

(5) 학령전기(3~6세)

학령전기에는 빠른 언어 획득으로 사고의 범위가 넓어지고 부모와의 대화, 친구와의 접촉으로 기본적인 사회화가 이루어진다. 이 시기의 아동은 동성의 부모를 동일시하여 부모를 모방한다. 친구와의 놀이를 통해 사회적 역할을 경험하게 된다.

이 시기의 성장은 다소 둔화되어 사춘기까지 해마다 5~8cm씩

성장하며 신체 구성 비율은 성인과 비슷하게 된다. 이 시기에 배설을 조절할 수 있는 능력이 완성되고, 5세 경에 시력이 완전히 성숙된다.

(6) 학령기(6~12세)

학령기 아동은 성장이 둔화되지만 꾸준히 지속되며 신경 근육의 조정 능력은 세분화된다. 이 시기에 독립성이 확립되고 자아 정체성이 형성되기 시작한다. 사고의 발생 및 전염성 질환, 다양한 소아질환에 대한 이환율이 높은 시기이므로 능동면역이 요구되어 다양한 예방 접종이 필요한 시기이다.

(7) 청소년기(12~20세)

청소년기는 신체적, 정신적 성숙기로 신체 성장이 완성되며, 생식 능력을 갖게 된다. 여성의 경우 에스트로젠이, 남성의 경우 테스토스테론의 분비가 증가되어 2차 성징이 발현되는 시기이다. 이 시기에는 자신과 주변에 대한 탐색을 하고 자기 능력을 시험해보기 위해 모험적인 행동을 시도하기도 한다. 친구는 생활의 모든 측면에서 중요한 영향을 한다.

(8) 성인기(20~64세)

성인 초기에는 신체 기관의 기능과 감각, 인지적 지각, 근육 강도 등이 최고조에 달하는 시기이다. 이 시기에는 미래에 대한 계획과 목표를 설정해야 한다. 많은 업무를 수행하고 중요한 결정을 내려야 할 일이 많은 시기이다.

성인 후기에는 자녀 양육과 생계유지가 주요 과제가 된다. 여성의 경우 출산 능력의 상실을 경험하게 되는 시기이지만, 남성의 경우에는 생식 능력이 감소되는 시기이다. 신체적 능력이 감소함으로써 많은 스트레스를 경험하게 된다.

(9) 노년기(65세 이상)

노년기는 인생주기의 마지막 발달 단계로 신체 기능이 현저히 저하되는 시기이다. 이 시기에는 신체 기능의 효율성이 전체적으로 감소되며, 특히 심혈관계, 근골격계, 비뇨기계의 기능이 현저히 약화된다. 사회 · 심리적 스트레스에 대한 대처 능력이 저하되며, 경제적 능력을 상실하는 시기이다.

5) 발달이론

(1) Havighurst의 사회적 발달단계

Havighurst는 신체적 성숙과 문화적 영향을 관망하면서 사회적 발달과업 이론을 제시하였다. 신체적 기능 발달에 따라 운동 기능, 지적 기능, 사회적 기능, 정서적 기능이 증가되면서 경험하는 학습과 함께 사회적 발달을 수행해야 한다는 이론이다(표 1-2).

표 1-2 Havighurst의 발달단계

단계	특징
아동 초기(0~6세)	• 걷기, 먹기, 대소변 관리 • 언어 및 의사소통 능력 • 사회화 과정 및 판단력 형성
아동 중기(6~12세)	• 놀이 과정을 통한 신경근육계 발달 • 또래집단 형성 • 양심, 가치관 형성
청소년기(13~18세)	• 성별 신체적, 정신적 성숙 • 부모로부터 정서적 독립 • 가치 및 윤리체계 확립
성인 초기(19~30세)	• 배우자 선택, 취업, 사교관계 형성 • 가정관리 및 자녀 양육
중년기(30~60세)	• 사회적 영향력 및 경제 상태 절정 • 신체적 퇴행의 생리적 변화 수용 • 노화 부모로의 이행 준비
성인 후기(60세 이후)	• 신체적, 경제적 위축에 대한 적응 • 배우자의 죽음 수용 • 동년배와의 유대 강화

표 1-3 Freud의 정신적·성적 발달단계

단계	특징
구강기(출생~2세)	• 구강이 쾌락의 중심: 빨기, 씹기, 삼키기
항문기(2~4세)	• 항문괄약근을 통제하는 것을 학습하며, 배설의 즐거움을 알게됨
남근기(4~6세)	• 생식기와 성차에 대한 호기심 표현, 자위행위, 동성의 부모를 닮아감 • Oedipus & Electra complex 존재
잠재기(6~12세)	• 사회성 발달 현저 • 에너지가 신체적, 지적 활동으로 전환
생식기(13세 이상)	• 성숙한 성적 관계에 에너지 집중하며 사랑을 관심으로 표현

(2) Freud의 정신분석이론

Freud는 생물학적, 정신심리적 요구를 느끼는 기관은 구강 및 배설기관이며(표 1-3), 심리적, 본능적 충동, 신체적인 에너지원(libido)이 된다고 보았다. Freud는 인간의 성격 구조를 본능(Id), 자아(Ego), 초자아(Superego)로 설명하였다.

(3) Erikson의 발달이론

Erikson은 생물학적, 사회·문화적 영향을 포함하여 대인관계, 사회적 상황 등 사회·심리적 특성에 초점을 맞추어 발달 단계를 분류하였다(표 1-4).

(4) Piaget의 인지발달 이론

Piaget는 지능을 환경에 대한 인간의 적응으로 보고 연령, 문화적 배경 및 사회·경제적 요인에 따라 변동될 수 있으나 발달의 순서는 동일하다고 보았다(표 1-5). 이 이론에서 인간의 두뇌는 인지 구조를 변화시킴으로써 환경에 적응해 가는 능력을 기른다는 것이다.

3. 인간의 기본 요구

인간은 복합적인 존재로서 내외적 환경에 영향을 받는다. 인간의 행동, 자신과 타인에 대한 감정, 가치, 우선 순위 등은 신체

표 1-4 Erikson의 생애 주기에 따른 발달단계

단계	특징
영아기(출생~18개월)	· 신뢰감/불신감
유아기(18개월~3세)	· 자율성/수치심
학령전기(3~6세)	· 주도성/죄책감
학령기(6~12세)	· 근면성/열등감
청소년기(12~20세)	· 정체감/역할 혼미
성인초기(20~45세)	· 친밀감/고립감
중년기(45~65세)	· 생산성/침체감
노년기(65세 이후)	· 통합감/절망감

표 1-5 Piaget의 인지 발달단계

단계	특징
감각운동기(출생~2세)	· 자극(감각)에 대한 반응(운동)으로 행동
전조작기(2~7세)	· 환경에 대한 호기심
	· 한번에 한가지 생각을 할수 있으며 이를 언어로 표현
구체적 조작기(7~12세)	· 사물과 대상에 대해 논리적으로 생각
	· 보존개념 획득
	· 언어의 복잡화, 사고의 사회화를 이룸
형식적 조작기(12~15세)	· 합리적, 종합적 사고
	· 추상적, 논리적 개념 발달

적, 심리적 요구에 의해 초래된다. 이러한 요구들은 건강과 인간의 생존에 필수적인 것으로 인간의 기본 요구라고 한다.

개인마다 독특한 요구가 있으나 모든 사람들에게 공통된 기본 요구가 있으며, 이 요구의 충족 정도에 따라 개인의 건강 수준이 달라지게 된다. A. Maslow(1968)는 인간의 기본 요구 단계를 제시하였는데, 이는 어떤 요구들은 다른 요구보다 기본적인 것으로 인간은 그 요구가 충족되었을 때 비로소 그 다음 단계에 관심을 갖게 된다는 것이다(그림 1-1). 요구 단계는 우선순위에 따라 5가지 수준으로 분류하고 있다.

1) 생리적 요구

생리적 요구는 Maslow의 요구 단계 중 가장 기본이 되는 요구로서 우선순위가 가장 높다. 생리적 요구는 산소, 영양, 수분, 체온, 성, 신체활동, 수면과 휴식 등에 관한 것으로 생명 유지에 필요한 최소한의 요소들이다. 간호사는 대상자의 신체적 요구들을 파악하고, 스스로 할 수 있도록 도와주며, 필요할 경우 대상자의 능력에 따라 적절한 돌봄을 제공하도록 한다.

(1) 산소

산소는 모든 요구 중 생존에 필요한 가장 기본적인 요구이다. 체세포의 산화는 호흡기계와 순환기계에 의해 일차적으로 발생되며, 구조와 기능 변화는 산소요구량이 증가됨으로써 가능하게 된다. 간호사는 피부색, 활력징후, 정신 반응 등으로 산소요구량을 사정할 수 있다.

(2) 영양

적절한 영양은 에너지를 제공해 주는 동시에 신체의 대사과정에 필수적이다. 적절한 음식물 제공과 위장관계의 적절한 관리로 요구를 충족시킬 수 있다.

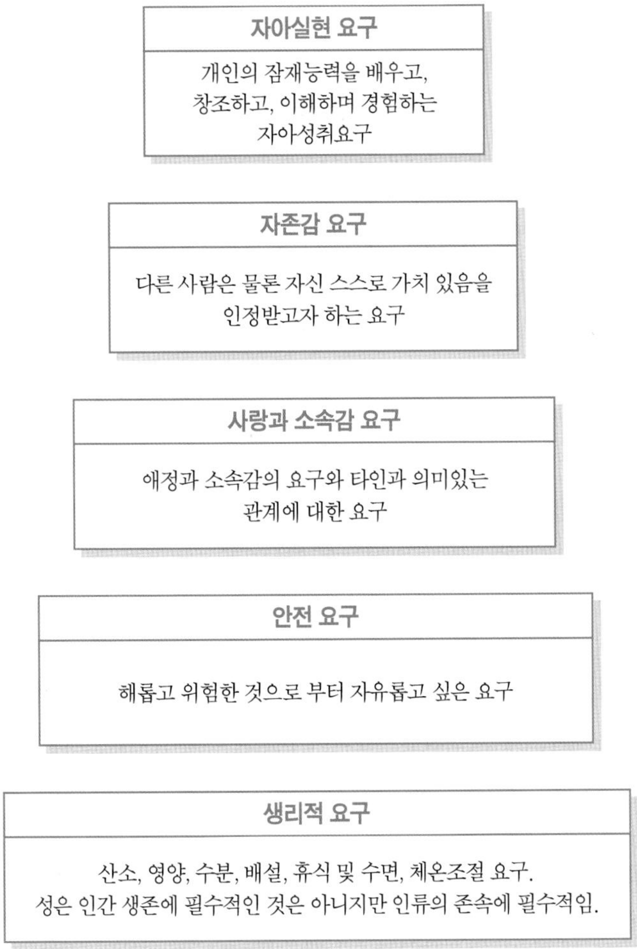

자아실현 요구
개인의 잠재능력을 배우고, 창조하고, 이해하며 경험하는 자아성취요구

자존감 요구
다른 사람은 물론 자신 스스로 가치 있음을 인정받고자 하는 요구

사랑과 소속감 요구
애정과 소속감의 요구와 타인과 의미있는 관계에 대한 요구

안전 요구
해롭고 위험한 것으로 부터 자유롭고 싶은 요구

생리적 요구
산소, 영양, 수분, 배설, 휴식 및 수면, 체온조절 요구. 성은 인간 생존에 필수적인 것은 아니지만 인류의 존속에 필수적임.

그림 1-1 Maslow의 인간의 요구 체계

(3) 수분

수분은 대사과정에 필수적인 요소로 적절한 수분 유지는 생명유지에 필수적인 요소이다.

(4) 배설

배설은 대사과정의 중요한 요소로 수분 및 전해질 유지 및 체내 대사물 배출에 필수적인 요소이다.

(5) 수면과 휴식

수면과 휴식은 신체 활성화 그 자체이다. 수면과 휴식으로 긴장이 일시적으로 완화될 수도 있고, 스트레스에 대처하는 자원이 될 수도 있다. 휴식과 수면에 대한 요구는 일상생활의 변화, 수면장애, 외상 등으로 인한 통증 등 여러 가지 요인들에 의해 저해될 수 있다.

(6) 체온조절

체온조절은 생명유지에 필수적인 것으로 극단적인 경우 사망에 이를 수 있다.

2) 안전 요구

안전요구는 신체적, 정서적 요소를 포함하는 요구로써 신체적, 정서적 안전을 포함한다. 신체적인 안전은 실재적, 잠재적 위험요소로부터 보호받는 것을 의미한다. 간호사는 다음과 같은 대상자들의 신체적 안전 요구에 광범위하고 다양하게 반응하여야 한다. 신체적 안전에는 감염 방지를 위한 손 씻기 및 무균법 적용, 장비의 적절한 사용, 투약에 대한 지식 적용, 대상자 이송 기술 적용, 가정 내 안전사고 방지 교육 등이 포함된다.

정서적 안전은 다른 사람들을 신뢰하고, 두려움, 근심, 걱정으로부터 자유로워지는 것을 포함한다. 대상자들은 낯선 병원 환경에 대해 불안해하며 정서적 안전 요구를 갖게 된다. 간호사들은 대상자들을 지지하고 격려하여 대상자들이 독립적으로 의사결정을 할 수 있도록 도와주며, 가능한 한 낯선 절차와 치료 방법에 대해 설명하여 대상자들이 정서적 안정을 취할 수 있도록 한다.

3) 사랑과 소속감 요구

우정, 사회적 관계 및 성적 사랑을 포괄하는 사랑과 소속감의 요구는 생리적 요구와 안전 요구 다음의 우선순위이다. 질병이 있는 경우 사랑과 소속감 요구를 충족하기 어려우며, 병원에서의 경우는 여러 가지로 제약을 받게 된다. 간호사는 대상자들이 사랑과 소속감에 대한 요구를 실현할 수 있는 방안을 다양한 방법으로 모색해야 한다.

4) 자존감 요구

자존감 요구는 자존감, 성취감 및 자신이 쓸모 있고 가치 있는 존재라는 느낌을 포괄하는 요구이다. 이 요구가 충족될 때 자신은 필요한 사람이라는 느낌을 갖게 되며 자신감을 갖게 된다. 그러나 반대의 경우에는 무기력과 열등감을 갖게 된다.

여러 가지 질병으로 자아개념이 변화되면 간호는 자아개념과 신체상 향상에 노력해야 한다. 대상자의 목표설정을 격려하고, 가족이나 그 외 중요한 의미를 지니는 사람들의 지지를 받을 수 있는 간호를 계획할 때 자아수용감과 가치감은 향상될 수 있다.

5) 자아실현 요구

자아실현 요구는 개인의 잠재력이 충분히 발휘된 상태로 여러 가지 문제점들을 해결할 수 있고 생활에 현실적으로 대처할 수 있음을 의미한다. 자아실현 단계는 일생을 통해 지속적으로 진행되는 것으로 Maslow는 이후 자아실현의 범주 안에 지식 추구와 미적인 요구를 포함시켰다.

제2절
건강

간호사의 역할은 대상자의 건강 증진, 질병 예방, 건강회복 및 대처과정을 돕는 것이다. 간호사의 활동은 다양한 환경에서 건강과 질병 상태에 있는 모든 대상자들이 최적의 건강 상태를 유지할 수 있도록 도와주는 것이다. 건강은 인간이 자신의 잠재력을 최대한 발휘할 수 있는 최적의 안녕 상태를 말한다. 대상자의 건강은 다양한 인간의 기본 요구, 가족, 문화 등의 영향을 받는다. 전인간호를 수행하기 위해서 간호사는 대상자들의 개별적인 안녕과 질병상태를 이해할 수 있어야 한다.

1. 건강의 개념

건강은 개인의 가치나 신념에 따라 달리 정의할 수 있다. 건강은 각 개인이 속한 개인, 지역사회, 사회구조의 상황에 따라 다르게 인식되고 있다. 인간은 일상활동을 하면서 건강에 대하여 수없이 언급하면서 생활하고 있다. 건강은 매우 추상적인 개념이므로 보건의료요원들 사이에도 이에 대한 정의가 일치하지 않는 경우가 있다.

세계보건기구(1948)는 "건강은 질병이 없거나 허약한 상태가 아니라 완전한 신체적, 정신적, 사회적 안녕상태"라고 정의하였다. 그후 1957년 세계보건기구의 전문분과위원회에서 건강은 유전적, 환경적 조건하에 적절한 생체기능을 나타내는 상태이며, 연령별, 성별, 지역별, 지역사회별로 정해진 기준치의 정상범위 내에서 정상 기능을 하는 상태라고 하였다. 이는 인간을 단지 육체와 정신의 관점에서 보지 않고 인간을 생활하는 존재로 여러 가지 부분들의 합이라기보다는 총체적이고, 환경 속에서 생활하고 있으며, 건강은 생산적이고 창조적인 삶이라는 보다 포괄적인 정의를 하였다.

여러 학자들이 건강에 대한 개념을 달리 이해하고 설명하고자 노력하였다(표 1-6). Temkin(1953)은 건강이라는 단어에는 명시적으로 정의되지 않았더라도 무병(absence of disease), 안녕감(a feeling of well-being), 개인생활이나 사회생활을 할 수 있는 능력이 포함되어 있다고 하였다. 즉, 건강의 기준에는 일상 활동을 수행하는 능력여부가 포함된다는 것이다. Travis는 건강교육에 초점을 두어 안녕 상태를 중요시하였다. Woodruff에 의하면 건강은 생물학적 · 심리적 · 사회적 건강으로 분류된다고 하였으며, 각자가 개인적 · 사회적 생활의 기능을 수행하는 능력으로 특징지워진다고 하였다. Seyle는 인간의 반응과 행동을 스트레스로서 설명하는 적응모형을 개발하였으며, 이 모형을 적용하는 건강관리분야에서는 이에 근거한 정의가 나오게 되었다.

표 1-6 건강에 대한 간호학자들의 견해

이론가	건강의 특성
Nightingale	• 개인이 최대한 역량을 발휘함으로써 안녕을 유지하는 것
Peplau	• 인격을 향상시키는 방향으로 나아가며, 창조적, 건설적, 생산적, 개별적, 사회적인 삶을 지속적으로 추구하는 인간 과정
Henderson	• 개인이 14가지 기본 요구를 독립적으로 충족시키는 능력
Abdellah	• 개인의 모든 기본 요구가 충족되고 실제적 또는 예기된 손상이 없는 상태
Orlando	• 적절하다는 느낌과 안녕감 및 정신적 혹은 신체적 불편이 없는 상태
Levine	• 적응이나 변화의 양상으로 보고 하나의 연속체로 간주함
Johnson	• 인간 행위 체계의 균형과 안정성으로 정의됨. 불안정이나 질병은 행위체계의 기능장애로 인식
Rogers	• 높거나 낮은 가치를 가친 행위 패턴을 확인하는 데 건강과 질병이라는 용어를 사용함
Orem	• 신체구조와 기능이 건전하고 완전한 상태
King	• 생의 주기 내에서 역동적인 상태
Betty Neuman	• 대상자 체계내 모든 부분 및 하위 부분의 조화나 균형
Roy	• 통합적이고 전인적인 인간에 도달해가는 과정
Watson	• 신체적, 정신적, 사회적 측면에서 기능 수준이 높고, 일상 기능이 적응 수준으로 유지되며 질병이 없는 상태

건강과 질병에 대한 여러 학자들의 견해를 종합해보면 건강은 인간유기체의 생의 주기(life cycle) 전반에 걸친 동적인 상태로서 일상생활의 잠재적인 가능성을 최대한으로 발휘하기 위해 개인의 자원을 최적의 방법으로 사용하여 내적 및 외적 환경의 변화에 끊임없이 적응하는 것이다.

2. 건강모델

건강과 질병에 대한 정의는 그 자체를 정의한다기보다는 건강모델이 건강과 질병에 관련된 개념을 설명하면서 함께 도출되었다.

1) 고수준 안녕모델

Halbert Dunn(1961)은 고수준 안녕모델(High-level wellness model)에서 건강은 최적의 건강 상태가 되는 가장 기초가 되는 개념이라고 하였다. 인간은 자신에게 가능한 안녕 상태, 즉, 최적의 기능 상태를 유지하는 것이다. 고수준 안녕 개념은 개인, 가족, 지역사회, 환경 등에 적용될 수 있다. 이 장에서 Dunn의 모델은 개인에게 적용한 사항에 초점을 두었다.

Dunn은 건강은 일정하게 고정된 것이 아니라 연속선상의 과정이라고 설명하였다. 건강-질병 연속선 개념은 건강과 질병은 유동적으로 변화하는 상태이기 때문에 인간의 건강 상태를 최고의 건강 상태에서 죽음 직전의 최저의 건강상태까지의 연속선상에서 변화하는 것이다(그림 1-2).

Dunn의 모델은 전인적인 것으로 간호사는 대상자가 모든 영역에서 최적의 잠재력을 발휘할 수 있도록 도와주는 역할을 한다.

2) 매개체-숙주-환경 모델

이 모델은 Leavell과 Clark(1965)에 의해 개발되었고, 개인 및 지역사회의 질병 원인을 기술하는데 사용되었다. 이 모델은 건강증진의 개념보다는 질병을 예측하는 경우에 더 유용하다.

이 모델에 의하면 개인이나 집단의 건강과 질병 수준은 매개체, 숙주, 환경의 역동적인 관계에 의해 결정된다고 보고 있다. 이 경우 매개체는 질병을 유발할 수 있는 내적, 외적인 요소의 존재나 결핍을 말한다. 숙주는 질병에 감수성이 있거나 면역력이 없는 개인이나 집단이며, 환경은 개인이나 집단에게 질병발생을 증가시킬 수 있는 물리적, 사회적, 경제적 및 기타 요소를 말한다(그림 1-3).

3) 건강신념 모델

Rosenstock(1974)은 개인이 건강과 관련하여 인식하고 신념하는 것을 근거로 이 모델을 개발하였다. 이 모델은 질병에 대해 지각된 민감성(perceived susceptibility to a disease), 지각된 심각성(perceived seriousness of a disease), 행동의 가치성(perceived value of action) 등 세 가지에 기초를 두고 있다.

지각된 민감성은 대상자 자신이 어떤 특정 질병에 걸릴 것인지 아닌지에 대한 개인의 견해를 말한다. 지각된 심각성은 어떤 상태나 후유증이 얼마나 심각한지에 대한 개인의 견해이다.

지각된 유익성은 유익성과 장애성으로 분류할 수 있다. 지각된 유익성은 질병을 예방하기 위하여 수행하는 행위에 대한 믿음이며, 지각된 장애성은 예방 행위를 하는데 따른 어려움과 방해요인을 말한다.

건강신념 모델은 특정한 건강 문제에 대한 심리적 준비를 할 경우를 설명하고 있다. 개인의 건강 문제에 대한 지각된 민감성과 심각성에 의해 준비를 결정하며, 개인은 추천된 건강 행위에 대해 그 행위가 민감성, 심각성을 감소시키는데 있어서 얼마나 유용한지를 평가한다. 유익성은 그 행위에 대한 지각된 장애에 비추어 평가하고, 적절한 건강 행위를 시작하기 위해서 자극이 있어야 한다는 것이다. 이 모델은 건강과 질병에 대한 대상자 교

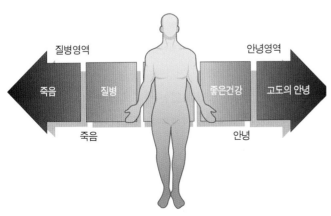

그림 1-2 건강-질병 연속선

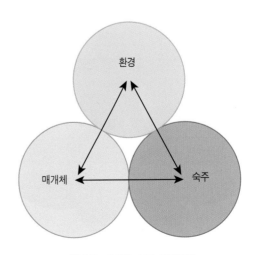

그림 1-3 매개체-숙주-환경모델

육에 매우 유용하다.

간호사는 대상자의 건강 신념을 확인하고 대상자의 요구를 현실적으로 달성할 수 있도록 도와줄 수 있다. 교육과 건강 증진 활동은 대상자 스스로 중요하고 필수적이라는 인식이 있을 경우에 활성화 될 수 있다.

3. 건강에 영향을 미치는 요인

개인의 건강 상태에 다양한 요인들이 영향한다. 이 요인들은 내·외적으로 개인이 의식적으로 조절할 경우도 있고 그렇지 못할 수도 있으며, 간호에 대한 대상자의 반응에도 영향한다. 간호사가 전인간호를 수행하려면 대상자에게 여러 가지 요인들이 어떻게 영향하는지를 이해하는 것이 필요하다(그림 1-4).

건강-질병 상태, 건강 신념 및 건강 행위에 영향하는 요인들은 인간의 여러 차원과 관련시켜 설명할 수 있다. 각 차원은 대상자에게 간호과정을 적용시켜 제공되는 간호를 사정, 계획, 수행, 평가할 때 고려해야 한다.

1) 신체적 차원

유전적 요소, 연령, 발달 단계, 인종, 성별 등의 신체적 요소들은 개인의 건강상태나 건강 행위에 영향한다.

2) 정서적 차원

정신과 신체의 작용은 신체의 기능과 건강 상태에 영향한다. 장기간 스트레스를 받을 경우 신체 기관에 영향을 주고, 불안은 건강 습관에 영향을 준다. 모든 것을 긍정적으로 받아들이고 긴장을 감소시키는 것은 질병에 대한 신체의 반응을 변화시킬 수 있다.

그림 1-4 인간의 여러 차원

3) 지적 차원

지적 차원의 구성 요소는 개인의 인지능력, 교육적 배경과 과거의 경험이다. 이 요소들은 건강 교육에 대한 반응, 질병상태의 대상자 반응, 건강행위에 영향을 준다.

4) 환경적 차원

환경은 건강과 질병 상태에 많은 영향을 미친다. 이 차원 구성 요소로는 주택, 위생, 기후, 대기오염, 수질오염, 음식물 오염 등을 들 수 있다.

5) 사회문화적 차원

건강 행위와 건강 신념은 개인의 경제적 수준, 생활양식, 가족 환경, 문화적 환경 등에 의해 영향을 받는다. 저소득층의 경우 질병 예방 및 치료를 위해 의료 기관을 찾기가 어렵다. 고소득층의 경우 스트레스로 인한 질병 노출 위험이 더 높다. 개인이 속한 가족의 환경과 문화적 환경은 삶의 양식과 건강, 질병에 대한 가치판단에 많은 영향을 준다. 사회문화적 차원의 요소로는 건강관리, 식습관, 생활양식, 정서적 안정성 등을 들 수 있다.

6) 영적 차원

건강이나 질병 상태에 영적 신념과 가치는 인간의 행동반응에 매우 중요한 역할을 한다. 간호사가 대상자의 이러한 가치를 인식하고, 영적 차원을 이해하는 것은 필수적이다.

4. 질병이 개인, 가족, 지역사회에 미치는 영향

1) 개인

사람들은 자신의 건강상태를 사정하는 기준을 가지고 있다. Baumann(1965)은 증상유무, 건강상태지각, 하는일의 성과 등과 관련하여 건강상태를 판단한다고 하였다. 최근에는 연령, 성별, 체구, 심박동, 호흡기능, 지방조직, 근력 등과 관련된 신체적 적합성을 판단한 후 그 결과에 따라 다르게 설명하고 있지만 불건강 상태에 있는 사람들의 행동특성은 유사하다.

불건강 상태는 정상 건강 상태에 비하여 그 수준이 저하된 상태라 할 수 있다. 즉 최적의 건강상태를 유지하지 못하는 경우라 할 수 있는데 가벼운 장애가 있는 경우에는 분명하게 불건강 상태라고 정의하기 어렵다. Suchman(1972)은 불건강의 단계를 다음과 같은 과정으로 설명하였다.

(1) 1단계: 증상 경험의 단계

증상을 처음으로 경험하는 시기, 즉 건강상태에서 불건강의 상태로 전환되는 단계이다. 이 단계에서 사람은 자신의 건강에 문제가 생겼음을 인식하게 되는데 둘째 단계로 이행하는 속도는 개인이 경험하는 증상을 얼마나 심각하게 받아들이는 가에 따라 빨라지기도 하고 늦어지기도 한다. 이때는 건강전문가의 도움을 찾기보다는 가정에서 완화제, 감기약과 같은 자가약물 치료를 시도하게 된다.

(2) 2단계: 대상자 역할 취하기

이 단계에는 자신이 불건강 상태에 있음을 받아들인다. 즉, 대상자역할을 취하며 주위의 사람들에게 자신이 경험하고 있는 증상에 대해 가족이나 친지와 이야기하게 되는 단계이다. 증상에 대하여 걱정하게 되고 일상생활 활동을 변경하는 경우도 있는데 단순한 건강문제일 때에는 일상생활 활동을 변경함으로서 간단하게 증상이 소멸될 수도 있으며 다음 단계로의 이행이 필요 없을 때도 있다. 이 단계에서 건강 전문가를 찾아 상담하는 사람도 있다. 치료계획의 선택은 종종 알려진 유용한 방법들과 이전의 경험에 의해 영향을 받는다.

(3) 3단계: 의료접촉

건강 전문가를 찾아 상담하고 자신의 건강문제를 확인하는 단계이다. 이 단계에서 자신이 경험하고 있는 증상이 어떤 건강문제 때문이며 그러한 불건강의 결과를 예측하는 단계이기도 하다. 건강 전문가 자신의 불건강에 대한 견해를 밝히면 이를 받아들이며 대개의 경우 전문가의 도움을 받는다. 불건강 상태를 확인한 사람에게서 나타나는 행동의 변화는 모든 사람이 똑같은 것은 아니다. 즉, 자신과 자신의 불건강 상태에 몰두하거나, 불건강 상태 때문에 자신의 생활양식이나 역할의 변동이 오지는 않을까 심히 걱정한다. 때로는 일상에서 일어나는 상황에도 과도한 반응을 보이기도 한다.

(4) 4단계: 의존적인 대상자역할

이 단계는 대상자로서 의존적 역할을 수용하는 단계이다. 평상시의 독립적 역할을 의존적 역할로 전환하는데 어려움이 없는 사람도 있으나 대단히 어려움을 겪는 사람도 있으며 흔히 분노와 적개심을 경험하기도 한다. 또한 수동적이고 수용적이 되며 자신의 발달상에서 그 이전의 행동단계로 퇴행한다. 이 단계에서 대상자가 너무 의존적인 입장이 되는 것이 건강의 회복에 바람직하지 못한 영향을 미치는 것을 고려하여 최근에는 대상자를 자신의 건강 간호팀의 한사람으로 참여시킴으로서 자신의 역할을 적극적으로 하게 한다.

(5) 5단계: 회복 및 재활

이 단계는 회복 또는 재활의 단계로서 평상시 자신의 역할을 다시 수용하는 시기이다. 비교적 단순한 불건강 상태에서 회복하는 대상자에게는 이 단계도 비교적 단순하나 심각한 건강문제나 영구적인 신체손상을 경험한 사람에게는 재활단계가 길고 복합적일 수가 있다. 즉, 자신의 일상생활 활동과 자신의 역할을 어려움 없이 독자적으로 수행할 수 있도록 하는 단계인데 간단한 물리요법에서부터 자신의 능력에 맞는 직업훈련에 이르기까지 다양한 준비가 이 단계에서 이루어진다. 간호사들은 스스로 수행할 수 있는 기능과 조력을 필요로 하는 기능들을 대상자들과 함께 계획함으로써 대상자들이 더 독자적으로 기능하도록 돕는다. 또한 간호사는 희망적인 태도를 보이면서 건강을 회복하도록 하는 것이 중요하다.

2) 가족

각 학문 분야마다 분야의 특성에 따라 가족을 정의하는 관점이 다를 수 있다. 생물학자들은 혈연관계나 유전자 등의 생물학적 기능에 역점을 두어 접근하며, 심리학이나 정신과학자 등은 인성발달, 정신질환의 요인으로써 가족관계에 중점을 두며, 사회학자 등은 집단의 역동적 관계나 사회화 과정을 그 접근의 기초로 삼고 있다.

가족이란 친족이라는 연계성을 가지고 모여 사는 생물, 심리, 사회, 문화적인 공동체이며 그의 구성원의 성장 발달에 지대한 영향을 미치며 가치관과 신념을 전달하고 발전시키는데 주요 매체가 되는 사회의 기본단위이다.

가족은 일차집단(primary social group) 또는 원초집단으로서 관계를 유지하므로 전적으로 정서적으로 밀착되어 있어 가족 구성원들 사이에는 공리적이고 타산적일 수 없다. 따라서 역할분담이 되어 있기는 하지만 전문적인 기능 분담이 되어 있지 않은 것이 다른 집단의 역할분담과 다르다.

가족은 혈연관계로 결합된 사회의 기초적 집단이므로 혈연집단, 사랑을 바탕으로 맺어진 부부와 그들에게서 태어난 자녀로 구성되었기 때문에 애정적 집단, 가족구성원 모두가 함께 공동생활을 영위하므로 동거집단이라고 할 수 있다. 그 외에도 함께 공동의 재산을 소유하고 그 가족만의 공동의 문화를 갖는 관계로 동거집단과 문화 집단이라고 할 수 있으며, 인간이 태어나서 성장하고 양육되어 각 개개인의 고유한 성격, 인품을 지니게 되므로 인간형성의 근원적 집단이라 할 수 있다.

가족의 구조는 핵가족과 대가족으로 크게 나눌 수 있다. 핵가족은 부부와 그들의 자녀로 구성된 가족을 말하는데 요즘은 대부분이 핵가족이다. 우리나라에는 아직도 대가족 형태가 많이 있으나 점차 줄어들고 있다. 가족 중에 특수한 건강요구가 생겼을 때 대가족의 형태에서는 여러 사람이 간호를 제공하거나 지지를 줄 수 있다. 그 외에도 자녀가 없거나 성장한 자녀들이 결혼하여 함께 살지 않을 때에 두 부부만 사는 가족형태가 있으며 이혼, 배우자 사망, 독신 등으로 혼자 사는 가족 형태도 있다.

가족은 각자의 요구와 기대를 갖고 있는 개인들로 구성되어 있고 제각기 자신의 가족 내에서의 위치와 그에 따른 역할을 인지하고 상호간에 기대하는 대로 그 역할을 수행함으로서 가족은 정상적인 상태를 유지할 수 있으며, 가족 구성원 각자의 감정, 행동, 의견 등이 가족 전체에 영향을 미친다.

가족의 역할은 사회적, 문화적, 경제적인 여건이나 종족의 특성에 영향을 받아 왔으나 가족의 본질적이고 근원적인 몇몇 역할은 오랜 인류 역사를 통하여 변함없이 이어져 왔다.

(1) 가족발달주기

① 팽창기(Phase of expansion)
결혼하여 자녀를 낳고 이들이 성인이 될 때까지로서 이 기간에는 임신과 분만, 아동의 신체, 사회적 성숙 등이 포함되며 대개 16~21년 정도가 걸린다.

② 분산기(Phase of dispersion)
자녀가 성장하여 법적으로 또는 원하면 집을 떠날 수 있는 시기를 말한다. 자녀가 여러 명인 경우에는 팽창기의 종료와 분산기의 시작이 동시에 생기게 되며 자식이 성인이 되어서도 부모와 같이 살면 분산기가 길어진다.

③ 독립기(Phase of independence)
모든 자녀들이 성인이 되어 부모의 집을 떠나서 부모만이 따로 사는 시기이다.

④ 대체기(Phase of replacement)
부모들이 직장에서 은퇴한 시기부터 사망할 때까지이다. 이 시기는 확실하게 구분이 되지 않을 수 있다. 가족의 구성이나 역할 및 발달주기는 서로 역동적으로 관련되며 가족 구성원 중 한 사람에게 건강문제가 발생하였을 때 다양한 형태의 변화가 일어나게 된다.

3) 지역사회

지역사회는 공동의 사회적 생활양식을 갖는 일정한 지역으로 공동의식과 소속감을 함께하는 지역이다. 오늘날의 보건의료와 관련해서 보면 이 개념의 원초적인 출발점이라고 할 지역집단 또는 지역 공동체뿐 아니라 학교나 산업체, 나아가서는 병원 등과 같은 기능집단과 이익공동체까지도 포괄하는 매우 넓은 개념으로 확대되고 있다.

지역사회간호는 지정학적인 지역사회를 대상으로 하여 그 지역사회의 기본단위를 사업단위로 할뿐만 아니라 지정학적인 지역사회를 넘어서 학교나 산업체와 같은 집단 또는 모자보건, 결핵, 가족계획 등의 기능집단을 대상으로 한다. 이들 모두를 다 포함하여 지역사회라고 한다.

(1) 지역사회의 형태

지역사회의 형태는 구조적 지역사회, 기능적 지역사회, 감정적 지역사회로 크게 구분한다.

① 구조적 지역사회(structural community)
구조적 지역사회는 지역사회 주민들이 시간적·공간적 관계에 의해서 모여진 공동체이다. 일반적으로 구조적 지역사회는 사람들이 모인 이유에 관계없이 '집합' 그 자체이다.

② 기능적 지역사회(functional community)
기능적 지역사회는 어떤 것을 성취하는데 도움이 될 수 있는 지역의 공통적인 감각을 기반으로 한 집합체이다. 기능적 지역사회는 단순히 지리적인 위치의 결과라기보다는 성취라는 과제의 결과로 나타난 공동체이다. 그러므로 지역사회 주민의 관심 및 목표에 따라 유동적이다.

③ 감정적 지역사회(emotional community)
감정적 지역사회를 한마디로 정의하기는 어려우나 지역사회의 감각이나 감성(感性)이 중심이 되어 모여진 공동체이다. 감정적 지역사회는 자기가 속한 장소가 어디인가 하는 관점에서 구분되는 개념소속공동체(belonging communities), 특수 분야에 서로 같은 요구와 흥미를 가지고 모인 특수 흥미 공동체(special interest communities)등으로 세분화 할 수 있다.

(2) 지역사회의 구성요소

지역사회는 인구, 자원 및 환경, 상호작용, 목표, 경계들이 일정한 관계를 맺는다. 지역사회 간호사가 대상으로 하고 있는 지역사회는 모두가 인간을 주체로 하여 여기에는 자원 및 환경이 함께 존재하며 이들은 상호작용을 하여 일정한 목표를 달성하기 위한 방향으로 나아간다. 이러한 역동적 과정은 일정한 범위를 갖는 나름대로의 경계를 설정하고 있다.

지역사회를 하나의 체계로 볼 때 이를 구성하는 각각의 요소에는 인구, 자원 및 환경, 상호작용, 목표 등이 있다. 그러므로 지역사회간호사는 지역사회 내의 개인 및 인구집단이 그들의 자원과 환경, 목표를 정확히 인식하여 건강관리 능력을 향상시킬 수 있도록 제반 간호활동을 제공하게 되는 것이다.

5. 건강증진

1) 건강증진의 정의와 개념

건강증진은 인생에서 인간이 행복하게 살아가면서 최선을 다해 자신의 잠재력을 실현하는 것이다. 건강 증진의 과정은 개인이 최적의 신체적, 정신적 건강 수준을 유지하도록 행동을 변화시키고 이를 달성하기 위해 개인의 태도와 인지를 발달시키는 것이다. 건강증진을 위해서 필요한 것은 개인의 자기 책임감으로, 이는 개인의 자유, 건강, 안녕을 유지하고 성취하기 위해 스스로 취해야 할 행동을 깨닫고 능력을 개발하는 것을 의미한다.

세계보건기구에 의하면 건강 증진은 건강한 삶의 형태를 격려하고 건강을 위한 지지적 창출과 지역 활동의 강화, 건강 서비스의 재인식과 건강을 위한 정책수립 등을 포함한다. 건강 증진은 개인뿐 아니라 가족, 지역사회 모두에게 중요하게 인식되어야 한다. 지역사회는 밀접하게 상호작용하는 사람들의 집단으로 모든 개인, 서비스 제공자, 지지체계, 행정가, 가족, 친구 등 주어진 환경에서 상호 교류하는 모든 사람들을 포함한다. Green(1984)은 건강증진을 '건강에 도움이 되는 건강 교육과 이를 위한 조직적, 경제적, 환경적 차원에서의 의지' 라고 하였고, O' Donnell(1989)은 '사람들이 최적의 건강 상태를 유지하기 위해 자신의 생활 양식을 변화시키도록 돕는 과학' 이라고 하였다. 즉, 좋은 건강 습관을 갖도록 관련된 지식을 많이 알게 해주고, 행위를 변화시키며, 환경적 지원을 통해서 통합적으로 생활양식의 변화를 촉진시킬 수 있다고 제시하였다.

개인 및 가정의 건강은 살고 있는 지역사회, 환경, 사회에 의해 영향을 받는다. Dunn(1973)은 건강증진에 대한 노력은 개인의 안녕, 가족적 안녕, 지역사회적 안녕, 환경적 안녕, 사회적 안녕 등 다차원적으로 고려되어야 한다고 하였다.

건강 증진을 위해서는 주민과 지역사회와 보건복지 정책이 국가적으로나 국제적인 수준의 건강행위 표준에서 변화를 지지하고 강화하는 차원으로 수립되어야 한다.

2) 건강증진 행위에 영향을 미치는 요소

건강 증진의 범위는 국가적 차원과 개인적 차원으로 나눌 수 있다. 국가적 차원의 경우 대다수를 대상으로 건강위험요인의 비율을 감소시키고, 개인적 차원의 경우 건강 기관을 방문한 대상자들의 건강위험 요인을 개선시켜주는 것을 목표로 한다.

건강 증진 행위들을 증진시키고 건강행위에 부정적인 영향을 감소시키는 것은 더 높은 수준의 안녕 상태에 도달하기 위해서 매우 중요한 일이다.

(1) 개인의 의지

개인이 행위를 수행하려는 의지를 말하며, 이러한 의지는 행위에 영향을 미친다.

(2) 환경적 제약 요소

그 행위가 일어나는 것을 불가능하게 하는 외부적 조건이나 상황이 없을 때 행위가 가능하다.

(3) 개인의 능력

개인이 그 행위를 수행하는데 필요한 기술을 갖추고 있어야 한다.

(4) 기대되는 결과

행위의 수행에 따르는 불리함보다는 이익이 더 많을 경우 수행하게 된다.

(5) 규범

행위를 수행하지 않는 것보다 수행하는 것이 사회적으로 더 중압감을 느낄 경우 행위가 발생한다.

(6) 자신의 표준

자신의 이미지와 부합된다고 인식되는 행위일 경우 더 많은 노력을 기울이게 된다.

(7) 감정

수행한 행위에 대한 개인의 정서적 반응이 긍적적일수록 행위를 수행한다.

(8) 자기효능감

행위에 대한 개인의 자신감으로 서로 다른 상황에서도 자신이 그 행위를 잘 수행할 수 있다고 인식할수록 행위를 수행한다.

3) 우리나라의 건강증진 정책 방향

우리나라의 건강 증진 정책은 국민의 수명을 연장하고, 삶의 질을 향상시키기 위하여 건강 증진 정책 방향을 사전 예방적 건강관리 중심으로 하고 있다. 생애 주기별로 평생 건강관리체계를 확립하여 건강위험요인의 사전 차단과 건강 자조 능력을 향상시키는 것을 목표로 하며 구체적으로는 다음과 같다.

- 건강생활실천 기반 조성 및 좋은 건강습관 형성 유도
- 보건소 역할 재정립
- 지역 공공보건의료기반 확충
- 공공 근로 방문간호사업
- 모자보건 사업 및 신 인구정책 추진
- 성병 및 에이즈 관리

- 전염병 관리체계 강화 및 예방 접종의 안전성 확보
- 암, 만성퇴행성 질환 관리 강화
- 정신질환 관리
- 구강건강증진사업 활성화

제3절
환경

환경은 유기체를 둘러싸고 있는 사물이나 영향을 미치는 모든 것이다. 유기체와 환경은 서로 밀접하게 영향하며, 건강과도 서로 밀접하게 관련되며, 특히 건강관리 기관은 간호사의 돌봄이 필요하다.

1. 건강관리기관

건강관리 기관은 여러 종류가 있어서 기관의 특성에 따라 그 환경이 다르다. 건강간호 기관은 대상자들이 생활을 해야 하는 장소이다. 대표적인 건강간호기관으로는 병원, 보건소, 각종 요양기관 등을 들 수 있다.

1) 병원

현대적인 종합병원은 질병의 진단과 치료의 기능이 있고, 산전산후 간호, 육아상담, 건강진단, 대상자 및 가족의 보건교육 등을 통한 예방적인 기능이 있다. 또한 물리요법, 직업요법 등의 재활기능을 하며, 간호사를 위한 계속 교육과정과 분야별 전공과정을 운영한다. 또한 의사를 위한 인턴, 레지던트 등의 수련과정 및 의학생과 간호학생의 현장학습 장소를 제공하고 기타 건강간호 요원들을 위한 교육과정을 제공하는 교육의 기능을 한다. 각종 대상자와 각종 진료 기록이 있어 의학 및 건강관계 연구에 공헌하는 것이 현대적인 종합 병원이다.

(1) 병원의 조직

병원은 진료를 담당하는 진료부가 있어 각 전문분야별로 대상자 진료에 임하고 있으며 병원 요원의 반수 이상인 간호요원을 관리하는 간호부(nursing department), 대상자와 전 직원의 음식을 제공하는 영양과(dietary department), 각종 검사를 담당하는 검사실, 방사선과, 처방에 따라 약물을 조제 공급하는 약제과, 병원내의 각종 시설과 기재를 관리하는 영선과(maintenance department), 무균적인 기재로 조작, 공급 관리하는 중앙공급실 (central supply department), 병원의 인사관리, 재정관리, 기획관

리를 담당하는 사무국 및 사회사업과 (social service department) 등으로 구성 조직되어 있다.

(2) 병원의 구성단위

① 병실

병실은 1인용 독실, 2-6명의 대상자를 수용하는 공동병실이 있다. 1인용 독실은 중환자로서 가족이 항상 곁에 있어야 할 경우나, 전염성 질대상자로서 교차감염의 우려가 있다고 판단되는 경우, 기타 공동병실에 입원함으로써 타 대상자나 본인에게 바람직하지 못한 경우에 입원시킨다.

② 간호사실

동선을 짧게 하기 위하여 병동의 중앙에 위치하게 되며 대상자들의 모든 기록과 약물 등이 비치되어 있고 24시간 동안 간호사가 있어 대상자의 요구에 응한다.

③ 치료실

대개 간호사실 옆에 위치하며 진료 부서에 따라 규모가 많이 다르다. 외과계 병동인 경우는 타 병동에 비하여 치료실, 관리실에 많은 관심을 갖게 된다. 치료실은 치료용 장비뿐만 아니라 진단용 장비를 비치 관리하므로 모든 기계는 철저히 무균적으로 관리하여야 한다.

④ 정비실

이곳은 대개 치료실 옆에 위치하여 병동 전체의 더러워진 세탁물, 변기, 농반, 배액병, 세면도구 등 각종 오물을 처리하는 곳이다. 따라서 이곳은 병동 전체의 청결과 밀접한 관련이 있게 되고 넉넉한 공간이 필요하다.

⑤ 배선실

병원의 규모에 따라 다르나 대상자를 위한 음식은 식당에서 조리되어 병동으로 운반되며 배선실은 대상자에게 음식을 배선할 때 필요한 간단한 기구가 비치되고 음식을 온장 및 냉장할 수 있는 시설이 있게 된다. 대개의 경우 배선실은 간호사실 옆에 위치한다.

⑥ 린넨실

규모에 따라 다르나 중앙세탁실에서 환의를 포함한 모든 린넨류를 세탁 공급 관리하지만 병동에 있는 린넨실은 주단위로 필요한 세탁물을 청결하고 건조하게 보관하는 곳이다.

⑦ 창고

크레들, 코모드, 침상난간(side rail), 침대, 휠체어, 들것 등의

각종 진료 및 간호용 보조기재와 비상시를 대비한 예비용 침대 등을 보관한다.

2) 입원

건강문제를 가진 개인이 입원하기까지에는 사전에 계획된 경우와 우발적 사태로 인하여 응급치료를 요하는 경우의 두 가지 경로를 들 수 있다.

사람들은 대부분 병원을 다른 곳에서는 할 수 없는 일, 즉, 특수한 건강문제를 발견하는데 도움을 주는 장소로서 생각한다. 작은 상처의 치료와 같이 비교적 작은 일로 단기간의 병원 방문이 필요한 경우도 있으며 심근경색증이나 외과적 수술과 같이 장기간의 입원이 필요한 대상자도 있다. 입원기간이나 건강상태의 경중에 관계없이 대상자는 병원에 온다는 그 사실만으로 불안과 공포를 갖게 된다. 대상자에게 불안을 유발하는 병원환경의 여러 가지 요인들은 다음과 같다.

- 규격화
- 비인간화
- 주위사람으로부터의 격리
- 프라이버시의 결여
- 의료용어의 이해부족
- 낯선 광경과 소음

대상자의 병원생활 전반에 대해 영향을 미치기 때문에 입원과정은 중요한 것이다. 입원당시에 대개의 경우 대상자는 두려워하며 병원 직원의 행동, 입원과정의 제일 첫 단계가 입원수속 절차를 거친다.

※ 입원 오리엔테이션: 대상자는 병동에서 병원의 구조와 일과에 대한 오리엔테이션을 받고 곧 병력조사, 검사, 진찰이 실시된다. 대상자가 필요로 하는 오리엔테이션 내용은 대상자가 일상생활을 영위하는데 필수적인 화장실, 욕실, 전화기의 비치장소, 병동의 구조와 식사시간, 면회시간 등이다. 대상자가 새로운 환경에 익숙해지도록 하는데 있어서 병원의 구조와 일과 외에도 아래와 같은 사항들을 설명한다.

- 간호사에 대한 소개와 각 간호사의 같은 업무에 대한 간단한 설명
- 대상자가 사용하게 될 병실에 같이 있는 대상자의 소개
- 병원 일상생활과 관련된 규칙의 설명
- 병실에서 사람을 필요로 할 때 부르는 방법 등이 그것이다.

대상자는 자신의 간호를 담당하고 있는 간호사의 행위와 능력에 대하여 다음과 같은 기대를 가지고 있다.

- 대상자는 간호사가 전문인으로서의 자격을 갖추는 것을 기대한다.

- 대상자는 간호사의 진지한 근무자세를 기대한다.
- 대상자는 간호사가 사려 깊고 이해성이 많으며, 수용적이기를 기대한다.
- 대상자는 의료기관에 대한 안내를 기대한다.
- 대상자는 자신의 간호에 대하여 설명을 기대한다.
- 대상자는 자신의 간호를 계획하는데 참여하기를 원한다.
- 대상자는 어찌할 바를 모를 때 간호사가 그의 요구를 충족시켜 주기를 기대한다.

입원 절차에 따른 간호수행은 다음과 같다.

- 입원병실을 준비해둔다.
- 대상자를 병동으로 안내한다.
- 대상자와 함께 병동을 사용하는 다른 대상자를 소개한다.
- 대상자가 환의를 갈아입도록 도와준다.
- 의복과 소지품은 보관하며 가능하면 귀중품은 집으로 가져가게 한다.
- 대상자의 활력징후 및 신체사정을 한다.
- 병원환경, 기관의 규칙 등을 설명한다.
- 관찰한 자료를 기록한다.
- 영양부에 연락하여 적절한 식이를 취하도록 한다.

3) 전동

여러 가지 이유로 대상자가 동일기관 내에서 이동할 수 있다. 대상자는 이동에 대한 신체적, 심리적 준비가 필요하며 대상자가 이동을 원하는 경우에는 그 이유와 이동장소에 대하여 알려야 한다. 가능하면 이동해야할 부서의 간호요원이 대상자를 미리 방문하는 것이 좋다. 집중치료실에서 계속적으로 심음 측정을 받고 보호를 받던 사람이 일반 병동으로 가면 불안감을 느끼게 되며, 반대로 일반병동에서 특수치료실이나 집중치료실 등으로 이동되면 자신의 질병경과에 대해서 불안감을 느낀다. 이동해온 대상자에게 안정감을 주기 위하여 다음과 같은 사항을 고려해야 한다.

- 예전 병동과 다른 기구에 대하여 설명한다.
- 새로운 병동의 간호요원과 새로운 환경에 대하여 소개한다.
- 가족과 친지에게 대상자의 이동을 알렸는지를 확인한다.

4) 퇴원

퇴원 계획은 대상자가 건강관리기관을 떠나서 계속적인 관리를 받을 수 있도록 준비하는 체계적인 계획으로서 이상적으로는 대상자의 입원과정에서부터 지속적으로 연결되어야 한다. 퇴원계획이 효과적이려면 퇴원 후 관리를 담당할 간호사나 사회사업

가가 되는데 대개 이들이 퇴원 계획을 진행시키게 된다.

의료진의 의사에 반해서 퇴원하게 될 경우에는 병원이나 의료진의 책임이 없다는 서명을 받는다. 퇴원은 법적은 근거가 필요하므로 퇴원기록에 반드시 의사의 서명을 받도록 한다.

퇴원시 기록해야 할 사항은 다음과 같다.

- 퇴원시 대상자 상태
- 투약상황
- 치료
- 식이
- 활동수준
- 퇴원 방법 및 시간

대상자가 퇴원할 경우 다음과 같은 간호를 수행하도록 한다.

- 퇴원지시를 점검한다.
- 대상자와 관련된 기록지를 점검한 후, 퇴원증을 입 · 퇴원 부서로 보내고 퇴원 수속을 하게 한다.
- 퇴원 후 가정에서 해야 하는 간호, 투약, 식이, 운동 등 추후관리에 대해 교육한다.
- 퇴원 약품 및 대상자의 물품을 점검한다.
- 필요할 경우 휠체어나 보조기구, 장비 등을 준비해준다.

5) 타 기관으로의 이동

타 기관으로 대상자가 옮겨갈 때 간호사는 모든 준비를 담당해야 한다. 퇴원 지시을 받으며 퇴원과 같은 절차가 필요하다. 담당간호사는 문서나 전화로 타 기관 담당 간호요원에게 대상자의 상태를 알리도록 한다.

제4절
간호

1. 간호의 정의

간호(nursing)의 어원은 라틴어의 nutrix(양육하다)에서 유래되었다. 간호에 대한 정의가 구체적으로 기록되기 이전의 개념에 대한 이해는 간호현상을 살펴봄으로써 가능하다. 간호현상의 가장 원시적인 형태는 인간의 모성애적인 본능을 표현한 돌봄과 보살핌의 간호현상이었고 오랜 세월을 지나는 동안에 간호는 경험적인 증상치유로 변화하였다. 초대 기독교 박애정신의 발달로 시작된 돌봄과 보살핌을 포함한 보호함의 간호현상이다. 기독교는 돕는 일을 하는 간호사업에 획기적인 변화를 초래하였다. 로마시대에는 상류층의 귀부인(Roman Matron)들이 기독교 복음의 실천으로 간호사업에 투신하여 질적인 간호를 실시하였다.

여러 학자들이 간호에 대한 개념을 달리 이해하고 설명하고자 노력하였다(표 1-7).

나이팅게일(Nightingale)은 간호의 원래 목적이 그 기능 수행과 결과로 볼 때 의학과는 다른 것이어야 한다고 주장하면서 의학은 자연적인 생명과정에 발생한 장애요소를 극복할 수 있도록 돕는 것이라고 하였고, 대상자의 범위를 대상자나 건강인으로 넓힌 것은 물론 개인과 집단까지도 포함했다.

1960년대 초기 미국간호협회(ANA)에서는 직접적인 돌봄 뿐 아니라 교육, 설명, 시범, 조언, 감독, 지도 등의 적극적인 조절도 중대함을 지적하였다. 그 후 간호가 하나의 독자적 학문으로 대두되면서 간호현상적 정의가 아니라 개념 정의가 과학적인 원리에 입각하여 규명되고 서술되기 시작하였다. 이에 따르면 간호는 인간의 결핍된 요구를 충족하도록 돕는 행위라고 보는 견해, 간호는 도움을 필요로 하는 사람과 도움을 줄 수 있는 사람들 사이에 일어나는 대인관계과정이라고 보는 견해, 그리고 간호는 사회적, 신체적 건강에 위험을 받는 대상자를 최적의 수준으로 조직하거나 통합시키는데 혹은 적응을 증진시키는 데에 작용하는 외적인 조절기전으로 보는 견해 등이다.

1965년 미국간호협회(ANA, American Nurse's Association)에서는 간호를 독자적인 전문직으로 넓게 정의하였다. 이에 따르면 간호는 도움을 주는 전문직으로 인간의 건강과 안녕에 기여하는 도움을 제공한다. 간호는 그 도움을 받아들이는 개인에게는 생명에 관계되는 중요한 요소로서, 다른 사람이나 가족이 주지 못하는 필요한 요구를 충족시켜 주는 것이라고 하였다.

1973년 국제 간호사협의회(International Council of Nurse's, ICN)는 Virginia Henderson에 의한 "간호란 건강, 불건강을 막론하고 건강한 생활과 건강으로 회복 시 개인이 일상생활을 유지하는데 필요한 만큼의 의지, 지식, 힘 등이 부족할 때 이를 보충해 주는 것이며, 이를 통해서 대상자가 빨리 독립성을 가질 수 있도록 도와주는 것"이라는 간호에 대한 정의를 채택하였다.

우리나라의 대한간호협회(KNA, Korean Nurse's Association)에서는 1983년 "간호는 모든 개인, 가정, 지역사회를 대상으로 하여 건강의 회복, 질병의 예방, 건강의 유지와 그 증진에 필요한 지식, 기력, 의지와 자원을 갖추도록 직접 도와주는 활동"이라는 정의를 채택하고 공식화하였다.

2. 간호사의 역할

간호사는 다양한 건강관리체제 내에서 간호대상자의 건강요구를 충족시키기 위한 다양한 간호역할을 수행한다. 전문직 간

표 1-7 간호에 대한 간호이론가들의 견해

이론가	간호의 특성
Nightingale	• 자연이 대상자를 치료할 수 있도록 대상자를 최적의 상태로 유지시키는 것으로 정의하면서 간호사의 역할이 치료하려는 자연을 도와야 하는 것임을 강조함
Peplau	• 의미있고 치료적인 대인관계과정 • 간호사와 대상자의 대인관계를 4단계로 기술함: ① 파악단계 ② 확인단계 ③ 탐색단계 ④ 종결단계
Henderson	• 간호는 일차적으로 건강을 유지하고 회복하는데, 또는 편안한 죽음을 준비하는데 지식을 제공함으로써 아픈 사람이나 건강한 사람을 막론하고 각 개인을 도와주는 것 • 간호의 독특한 공헌은 도움을 가능한 빨리 제공함으로써 각 개인이 스스로 그러한 활동을 할 수 있도록 돕는 것으로 간호의 본질을 정의함 • 14가지 기본간호 내용이 독자적인 간호업무를 수행하는 기초가 된다는 것이며 간호사는 14가지 활동을 수행할 수 있도록 대상자를 돕는 전문가이며 권위자라고 함
Abdellah	• 간호는 인간의 건강요구에 관련된 간호문제들을 해결하기 위한 접근을 시도하는 행위라고 정의하며 요구결핍이나 과잉에 관련된 21가지의 일반적인 간호문제를 제시함
Orlando	• 자율적으로 기능하는 타 분야와 구별되는 전문직 • 당면한 상황에서 도움을 받고자 하는 개인의 실제적, 잠재적 요구에 관심
Levine	• 개인의 의존성과 타인과의 관계 형성을 기초로 함 • 의존적인 개인의 총체성을 증진시키고 건강상태에 적응하도록 돕기 위하여 상호작용하는 것을 포함 • 대상자의 내·외적 환경에 능동적으로 포함
Johnson	• 대상자가 신체적 또는 사회적 건강을 위협받을 때 대상자의 행위를 적절하게 조직하고 통합하도록 행하는 외적인 조절력 • 간호의 목적은 행위체계의 균형과 안정성 및 하위체계의 통합된 기능을 유지하고 회복하는 것
Rogers	• 환경과의 끊임없는 상호작용 속에서 통합적 인간 발달의 특성과 방향을 탐색하고자 하는 예술이며 과학
Orem	• 건강상의 문제로 인하여 이러한 자기간호를 스스로 할 수 없는 사람에게 직접적인 도움을 주는 것 • 간호의 초점은 인간의 자기간호 능력임 • 대상자와 간호사의 역할을 결정해 주는 간호체계(nursing system)를 3가지로 분류함; 전체적 보상체계(wholly compensatory system), 부분적 보상체계(partly compensatory system), 지지교육체계(supportive-educative system)

호사로서 교육, 연구, 실무의 상호 의존된 역할을 수행할 수 있어야 하며 이러한 역할들은 명확하게 구분되지만 간호가 진행될 때 몇 가지의 역할이 동시에 이루어진다.

1) 돌봄제공자

이 역할은 간호의 효율성을 높일 수 있는 핵심적 역할이다. 이때 가장 필요한 기술은 의사소통기술로 대상자와의 의사소통을 통해 대상자의 문제점이나 요구를 파악할 수 있으며 파악한 근거자료에 의해 도움을 줄 수 있다. 간호사는 대상자에게 건강문제뿐만 아니라 그와 상호작용하는 모든 사항에 총체적으로 간호 원리를 적용해야 한다.

2) 옹호자 또는 대변자

대상자를 대변해 주고 대상자와 의미 있게 관련이 되는 사람이 있어야 하며 그 역할은 간호사가 가장 바람직한 입장에 있다. 간호사는 대상자의 인간적이고 법적인 권리를 보호해야 한다. 간호 대상자를 대변하거나 옹호하는 것은 더욱 책임감 있게 간호대상자들의 요구에 부응할 수 있다. 지역사회에서도 대상자는 건강문제를 가장 적절하게 돌봐 줄 기관을 잘 알지 못할 때 간호사는 적절한 건강관리 기관을 선정하고 의뢰하는 일을 맡아야 한다.

3) 교육자

간호사는 한사람을 대상으로 건강문제에 대해 자문하는 일과

집단을 대상으로 하는 교육을 해야 한다. 대상자에서 목적한 대로 행동변화가 일어나도록 지식이나 기술을 학습시키며, 대상자가 처방된 치료나 활동을 수행할 때 이를 감독하고 지도한다.

4) 행정가

행정가의 역할은 대상자의 간호요구를 충족시키기 위해 간호조직체의 구성을 어떻게 할 것인지를 계획하고 관리하는 역할을 말한다. 또한 효율적인 간호를 위한 간호서비스 방법 등을 선정하여 평가하는 것도 행정가로서의 역할이다.

5) 조정자

조정자의 측면에서는 의사와 상담하는 일, 대상자의 진단적 검사일시와 준비방법을 해당 부서와 협의하는 일, 대상자병실 청소 등에 대해 관리요원과 협의하는 것 등이 조정자로서의 역할로 이루어진다.

6) 연구자

모든 전문직은 각각 독특한 고유의 지식체를 가지고 있으며 실무에 관한 연구결과를 통해서 대상자에게 기여할 때 전문직으로서의 사회적 책임을 수행할 수 있게 된다. 다양한 대상자의 건강요구를 해결하기 위한 간호접근은 과학적이며 반복되는 간호연구의 결과에 기초를 둔 것이어야 한다.

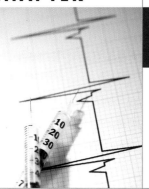

CHAPTER 02

간호과정

학습목표

1 간호과정의 목적을 설명한다.
2 간호과정과 관련된 이론을 설명한다.
3 간호과정의 단계를 설명한다.
4 간호과정과 비판적 사고의 관계를 설명한다.
5 간호사정을 위한 자료 수집 방법을 나열한다.
6 간호 사정 자료의 유형을 구별한다.
7 의미 있는 자료를 구별한다.
8 수집된 자료를 검증한다.
9 간호진단의 분류체계를 설명한다.
10 간호진단, 협력적 문제, 의학적 진단을 구별한다.
11 안녕, 실제적, 위험적, 가능한, 증후군 간호 진단을 구별한다.
12 간호진단의 구성 요소를 설명한다.
13 간호진단의 우선순위를 선정한다.
14 장·단기 목표를 기술한다.
15 간호결과 분류체계를 설명한다.
16 기대되는 결과를 진술 원칙에 맞게 적용하여 기술한다.
17 간호중재의 유형별로 간호를 계획한다.
18 간호진단에 따라 간호중재를 계획한다.
19 간호중재분류체재를 설명한다.
20 간호중재를 수행하는데 영향을 미치는 요인을 설명한다.
21 간호수행에 필요한 접근 방법을 설명한다.
22 간호평가의 유형을 설명한다.
23 간호과정 단계별 평가한다.

간호는 꾸준히 변화하는 건강관리체계와 더불어 역동적인 변화를 한다. 간호사는 가정 및 기관에 있는 질병이 있는 사람은 물론 건강한 사람을 대상으로 돌봄을 제공한다. 간호사는 돌봄제공자의 역할은 물론 조정자, 교육자, 상담자, 옹호자, 연구자의 역할을 수행하고 있다. 또한 간호사는 건강관리 체계 내에서 실제적, 잠재적 건강문제에 대한 인간 반응의 진단과 치료를 담당하는 독특한 역할을 한다.

간호 실무는 점점 복잡 다양해지고 있다. 간호과정은 간호전문직의 기초가 되며, 지식과 이론을 임상에 적용하는데 있어서 필수적이다. 간호과정은 간호 문제를 해결하는 과학적인 방법으로서 간호대상자의 건강문제를 해결해 주는 체계적인 과정이다. 간호과정은 전문 간호를 수행하는데 필요한 조직화된 틀을 제공한다.

제1절
간호과정의 개요

1. 간호과정의 목적과 특성

간호과정의 목적은 간호사가 대상자의 건강 상태를 확인하고 실제적이거나 위험한 건강 변화에 대한 대상자의 반응을 확인하고 해결하는데 초점을 두어 개별적인 간호를 제공할 수 있는 틀을 제공하는데 있다. 간호사들은 간호과정을 실제적, 잠재적 문제에 반응하는 대상자들이 주어진 환경에서 문제해결을 할 수 있는 방법으로 간호과정을 적용한다. 또한 간호과정은 가족이나 지역사회의 실제적, 잠재적 건강문제를 규명하고 치료하는데 적용된다.

간호과정은 전문적인 간호실무에 지침을 제공하며 다음과 같은 특성이 있다.

- 반복적인 검토가 필요하고 역동적이며 순환적이다.
- 대상자의 목표를 성취하기 위한 것으로 계획적이며 목표지향적이다.
- 단계적으로 접근하지만 변경할 수 있는 것으로 융통적이다.
- 모든 연령, 환경, 진단에 유용하며 개인, 가족, 지역사회에 적용할 수 있는 것으로 보편적이다.
- 대상자의 건강상태 진술에 의해 조직되는 것으로 대상자 중심이며, 대상자의 강점을 사용한다.
- 문제해결과 의사결정에 지적 기술을 사용하는 인지적 사고과정이다.
- 과학적이며 문제 중심적이다.
- 대상자의 건강문제를 진단하고 간호를 제공하는 조직적인 접근법이다.
- 간호의 독자적인 영역을 나타내며, 이론적 틀을 지니고 간호수행에 대한 순서와 방향성을 제시한다.
- 간호의 자율성을 보장한다.
- 간호의 책임성을 부여한다.

2. 간호과정의 이론적 접근

간호는 특성이 매우 다양한 인간을 대상으로 하며, 실무의 과학화를 위하여 체계화된 이론이 필요하다. 또한 실무에 체계화된 간호의 과정을 적용함으로써 간호이론을 구축하는 방법이 되기도 한다.

간호학은 자연과학, 행동과학, 인문사회과학에서의 지식을 응용하는 학문이며, 간호학 지식은 연구활동과 새로운 이론에 의하여 확장되고 지속적으로 변화된다. 인간 생활에 관한 지식이나 가치관은 대상을 인지하고 이해하는 관점에 의하여 크게 영향을 받으며 따라서 전체에서 분리된 단편적 사실만으로는 특정현상을 이해할 수 없다. 이론이나 모델은 정보를 조직하고 실무에 적용하는데 도움을 준다. 적절한 이론이나 모델은 간호사가 자료를 수집하여 조직하고 분류하는데 기본 틀을 제공하며 자료를 분석하고 해석하여 간호진단을 내리고 간호를 계획하고 그 결과를 평가하는데 도움이 된다.

간호업무는 전통적으로 직관적 판단이나 단편적인 사실이나 원칙의 적용으로 발전되어 왔다고 볼 수 있다. 모든 전문직 영역에서 이용되는 과학적 방법은 잘 정의되어진 이론 틀 내에서 엄격하고 체계적으로 문제를 연구함으로써 발전되어 왔다. 간호학의 과학화를 위하여 간호사들도 관련 학문의 이론 및 간호학 이론을 이용하여 간호과정의 각 단계에 적용하여야 한다. 전문직 간호사는 개인, 가족, 지역사회에서 대상자의 건강상태를 파악하는데 적합한 이론을 선택하여 광범위한 지식을 적용해야 한다. 즉, 대상자의 건강상태와 가장 일치하는 이론을 선택해야 하는데 어떤 이론은 간호를 조력의 제공으로 설명하는 반면 어떤 이론은 간호를 대상자의 자가간호능력으로서 규정하기도 한다. 각각의 이론이 다르므로 간호사는 각 이론의 차이점을 이해하고 대상자의 상황과 가장 일치하는 이론을 적용할 수 있어야 한다.

1960년대 후반부터 활발하게 간호의 이론구축을 통하여 간호지식과 실무의 과학화를 추구하고자 하였다. 그러나 많은 개발된 이론이 포괄적이고 추상적이어서 간호현상의 분류에는 도움이 되나 실무적용에는 어려움이 있다는 비판을 받고 있다. 대부분의 간호이론이 간호가 무엇이며 어떻게 해야 되는가에 관해서만 서술하고 있을 뿐이며 구체적으로 간호현상을 설명하거나 예측하는 데 도움이 되는 이론은 많지 않다. 따라서 간호과정상에서 이용되는 이론적 접근이 간호현상 전체에 적용되는 이론은 거의 없으며 간호이론의 각각의 구조와 기능에서 부분적인 적용만이 가능한 실정이다.

간호과정의 실무적용을 통하여 구체적인 간호이론의 구축을 가능하게 할 수 있다. 사정의 단계에서 대상자의 증상과 징후를 확인하는 자료수집을 통하여 문제를 규명하는 것은 간호현상을 명명, 정의, 기술하는 이론의 개발에 기여할 수 있으며, 문제의 원인을 규명하여 진단하는 것은 건강문제의 원인요소를 밝히는 이론개발에 기여할 수 있다. 수행 및 평가단계에서 계획된 간호활동의 타당성을 검증함으로써 결과를 평가하는 것은 예측이론의 개발을 가능케 한다.

버타란피(Bertalanffy)의 일반체제이론(general systems theory)은 복합적인 문제를 다루거나 내부적으로 변화하는 관계를 설명하는데 유용한 이론으로 간호과정의 기초적인 이론이다. 이 이론의 주개념인 체제(system)는 상호작용의 상태에 있는 여러 가지 요소의 복합체로 정의할 수 있다.

일반체제 이론에서 중요한 개념으로는 체제와 하위체제(subsystem), 개방체제와 폐쇄체제(close system), 투입과 산출, 회환(feedback) 등이 있다. 체제는 상호작용과 각 요소들의 복합체이며 이때 각 요소들은 하위체제라 하며 체제의 목적을 달성하기 위하여 체제 내에 배열되어 있다. 대부분의 학문은 체제를 구성하고 있는 각각의 요소를 연구할 뿐만 아니라 조직과 상호작용에 관련된 각 요소가 통합된 전체로써의 체제도 연구하고 있는데, 한 체제의 활동은 하위체제의 합으로 이루어지는 것 이상이라고 전제하고 있다. 간호는 건강간호체제(health care system)의 하위체제로 볼 수 있으며 의학, 치의학, 기타 건강간호 관련학문 등의 하위체제들과 연관을 가지고 기능 하게 된다.

폐쇄체제는 환경과 고립되어 물질, 에너지 및 정보를 교환하지 않는 체제를 말하며 개방체제는 주변환경과 이를 상호 교환하는 체제이다. 물리학의 전통적인 방법은 폐쇄체제만을 다루는데 평형상태(equilibrium)에 있는 폐쇄체제는 그 상태를 유지하기 위하여 에너지를 더 이상 필요로 하지 않으며 또한 에너지를 방출하지도 않는다. 개방체제는 지속적으로 외부환경과 상호 작용하므로 평형상태를 유지 한다기 보다는 오히려 체제 자체에서 안정상태를 유지한다고 볼 수 있다. 개방체제는 평형상태를 유지하기 위하여 끊임없는 에너지의 투입을 요구한다.

살아있는 유기체는 개방체제이며 간호사와 대상자는 생리, 심리, 태도, 가치 등의 체제를 가지고 목적을 위하여 기능하는 각각의 개방체제로써 간호현장에서 건강의 회복, 유지 및 증진의 목적을 위하여 역동적으로 상호 작용한다. 예를 들어 환경의 온도가 체온보다 낮아지면 살아 행동하는 체제로서의 인간은 개방체제로써 외부환경과 물질 및 에너지를 역동적으로 상호교환하게 된다. 이때 인간은 정보를 필요로 하며 간혹은 하위체제 및 외부환경과의 상호작용을 통하여 정보를 얻게 된다.

회환과정은 결과에 대하여 평가하고 조정하는 과정으로서 체제의 조절기전을 통하여 적응하거나 조정 및 수정을 가능하게 한다. 이 과정은 자가조절 능력이 있는 체제에서는 특히 중요한 요소이며 간호과정에서는 문제해결이나 재사정의 필요성을 알려준다.

간호과정체제는 이러한 일반체제 모형의 적용이라고 할 수 있는데 즉 간호과정은 인간의 신체적, 정서적, 사회·문화적 정보와 인간내부 또는 외부로부터의 자극에 의하여 발생되는 현상 등이 투입됨으로써 작동되어 여러 단계의 하위체제과정이 진행된 결과를 평가과정을 통하여 종결시키거나 회환된다.

간호과정은 간호가 체계적이고 과학에 근거하여 효율적으로 이루어질 수 있도록 도와주는 장치라 할 수 있으며, 대상자에 관한 정보를 수집, 분석하며 간호를 개발하여 수행하며 그 효과를 평가하는데 전체적인 틀을 제공해 준다. 간호과정은 기본적으로 문제와 목적 지향적이며 순서대로 단계적으로 계획되며 적용과정에서 필요한 부가적인 정보를 받아들일 수 있도록 되어 있으며 모든 개인, 가족, 지역사회에 적용할 수 있다.

간호과정과 관련된 이론으로 마슬로우의 인간 요구이론(Human Need Theory)은 인간의 요구와 동기를 이해할 수 있을 뿐 아니라 간호사정과 간호진단의 우선 순위 결정에 지침을 제공한다. 간호과정은 전 과정을 통해서 인간의 전체성이 유지되도록 해야한다. 인간요구이론은 간호사가 간호과정의 각 단계에서 간호요구를 사정하고 계획함에 있어서 기본적인 지침을 제시한다.

3. 간호과정의 단계

간호과정은 전문간호를 수행하는데 필요한 조직화 된 틀이다. 간호과정은 사정, 진단, 계획, 수행, 평가의 5가지 과정으로 볼 수 있다(그림 2-1). 과정이라는 용어가 설정된 목적을 향한 계획된 행동이나 조작의 연속을 의미한다면, 간호과정은 간호를 계획하고 제공하기 위한 조직적이고 합리적인 과정이다(표 2-1).

간호사와 대상자는 동반자로서 협력
- 건강증진
- 질병예방
- 건강회복
- 기능변화에 대응 촉진

그림 2-1 간호과정의 단계

1) 사정

간호사정(assessment)은 간호과정의 첫 단계로서 체계적이고 지속적인 자료수집, 타당화, 대상자 자료에 대한 의사소통 과정이다. 간호과정의 각 단계는 완전하고, 정확하며, 관련자료를 포함하는 것이어야 한다.

간호사정 단계에서 간호사는 다음과 같은 행위를 수행한다.
- 간호력, 신체검진, 기록검토, 문헌고찰, 보호자, 다른 건강 요원과 상담을 통한 기초자료 수립한다.
- 계속적인 자료를 보충한다.
- 자료를 타당화한다.
- 자료에 대한 의사소통을 한다.

2) 진단

간호진단은 실제 혹은 잠재적으로 존재하는 건강상의 문제, 생의 과정에 대한 개인, 가족 혹은 지역사회의 반응을 임상적으로 평가하는 것을 말한다. 이 단계에서는 문제를 야기할 수 있는 요소나 대상자의 강점을 확인한다.

간호사는 각각의 건강문제가 간호사의 도움이 필요한지 여부를 결정한다. 자료를 분석할 때 간호중재가 간호진단으로 정의된 문제를 예방하거나 해결할 수 있는 실재적, 잠재적 건강 문제인지를 규명한다. 간호진단은 다음과 같은 사항을 포함한다.
- 대상자 자료의 해석과 분석
- 대상자의 강점과 건강 문제 확인
- 간호진단의 조직화 및 타당화
- 간호진단 목록의 우선 순위 결정

3) 계획

간호 계획은 간호사가 대상자의 목표나 기대되는 결과를 설정하는 것이다. 계획은 대상자의 건강 요구를 충족시켜 주기 위해서 우선적으로 해결되어야 할 문제의 순위를 결정하고, 각 문제에 대한 목표 및 기대되는 결과를 설정하여 이를 달성하기 위해 간호지시를 내리는 과정이다. 간호계획은 다음의 사항들을 포함한다.
- 우선순위 설정
- 대상자의 목표나 기대되는 결과 기술 및 전략 평가
- 간호중재방법 선택
- 간호계획 의사소통

4) 수행

수행은 간호계획을 행하는 것으로 간호사는 모든 중재를 건강증진, 질병예방, 건강회복, 변화된 기능에 대한 적응 촉진을 위해 수행한다.

간호수행과정에는 다음의 사항들이 포함된다.
- 간호계획 수행
- 지속적인 자료 수집 및 필요할 경우 간호계획 수정

5) 평가

평가는 대상자의 목표 달성 정도를 평가하는 것이다. 간호사는 대상자와 함께 대상자의 목표나 기대되는 결과가 얼마나 이루어졌는지를 평가하고, 목표달성에 긍정적 또는 부정적 영향을 한 요소들을 구체화한다. 결과에 따라서 계획을 종료하거나 수정할 수 있다. 간호평가 과정은 다음과 같은 사항들을 포함하고 있다.
- 대상자의 목표나 기대되는 결과 성취도 측정
- 성공이나 실패 요소 확인
- 필요할 경우 간호 계획 변경

제2절
간호사정

간호사정은 건강간호를 필요로 하는 사람에 대한 자료를 수집하는 것으로써 자료수집의 목적은 필요한 간호를 제공하는데 이용될 수 있도록 그 사람에 관한 정보를 조직하는 것이다.

자료수집은 간호과정에서 매우 중요한 과정이며 대상자의 건강문제를 해결하는데 개별적이고도 적절한 도움이 되는 간호를 제공하는데 필수적인 요소이다. 간호과정의 제 단계는 완벽하고 정확하며 관련성 있는 자료에 의하여 결정된다(그림 2-2).

표 2-1 간호과정의 단계

단계	특성	목적	간호활동
사정	대상자 자료수집, 타당화, 의사소통	스스로 건강관리 할 수 있는 능력이나 간호사의 도움이 필요한지에 대한 대상자의 건강 상태 판단	1. 기초자료 수립 　• 간호력 　• 신체검진 　• 기록검토, 문헌고찰 　• 다른 건강 요원과 상담 2. 계속적인 자료 보충 3. 자료의 타당화 4. 자료에 대한 의사소통
진단	대상자의 강점과 건강문제에 대한 자료분석	간호진단 목록의 우선순위 설정	1. 대상자 자료의 해석 및 분석 2. 대상자의 강점 및 건강문제 확인 3. 타당성 있는 간호진단 형성 4. 간호진단의 우선 순위 개발
계획	간호진단에서 확인된 간호문제를 예방, 감소, 해결할 수 있는 목표/기대되는 결과의 구체화 관련된 간호중재 구체화	개별화된 간호계획 개발	1. 우선 순위 설정 2. 목표/기대되는 결과와 전략 세우기 3. 간호중재 방법 선택 4. 간호계획 의사소통
수행	간호계획 수행	원하는 목표달성을 위해 대상자를 도움: 건강증진, 질병예방, 건강회복, 기능변화에 적응	1. 간호계획 수행 2. 지속적인 자료 수집 및 필요할 경우 간호계획 수정 3. 기록
평가	간호계획 달성 여부 목표달성에 긍정적, 부정적 요소 확인 필요할 경우 계획 수정	계속적이고 수정 가능하거나 종료할 수 있음	1. 대상자가 원하는 목표달성 정도 평가 2. 성공이나 실패 요소 확인 및 규명 3. 필요할 경우 간호계획 수정

1. 자료수집

자료는 주관적 자료와 객관적 자료의 두 종류가 있다. 주관적 자료는 증상(symptom)이나 숨은 자료(covert data)이며, 객관적 자료는 징후(sign)나 공개된 자료(overt data)이다.

주관적 자료는 대상자에 의해 기술되거나 입증되며, 통증, 근심, 감정, 느낌, 가치관, 신념, 태도 등이다. 객관적 자료는 대상자 이외의 타인에 의해 발견가능하고, 진단적 검사, 관찰, 신체검진 등으로 얻을 수 있다.

주관적, 객관적 자료의 출처는 다양하다. 출처는 대상자에게서 얻는 1차적 출처와 그 이외의 것으로부터 얻을 수 있는 2차적 출처로 분류할 수 있다. 1, 2차적 출처 모두 주관적, 객관적 자료에서 얻을 수 있다.

1) 자료 수집 방법

(1) 관찰

관찰은 의식 및 신체적 감각으로 수집하는 기술이다. 숙련된 간호사는 간호사와 대상자의 상호작용에 의미를 부여할 수 있

다. 관찰은 관찰자가 자신의 시각, 청각, 촉각, 후각 등을 이용하여 자료를 수집하는 방법으로서 관찰절차에 따라 비구조화 관찰과 구조화 관찰로 분류한다. 비구조화 관찰은 관찰대상이나 방법, 시간, 시기 등에 대하여 규제하지 않고 관찰하는 방법을 말하며 엄격한 절차를 정해놓고 이에 따라 관찰하는 것을 말한다. 구조화 관찰이 기계적이고 피상적임에 반하여 대상자에 대하여 깊이 있고 다양한 자료를 얻을 수 있고 또한 특수한 증상이나 상황에 대하여 이면 혹은 내면까지도 알아낼 수 있는 방법이다.

구조화 관찰은 수집해야 할 자료의 내용이 예측 가능할 때 이를 체계적으로 나열한 특정 양식을 이용하는 방법이다. 체계적으로 구조화된 양식은 현대적 건강 관리 기관에서 많이 이용되고 있는데 간단한 부호로 표시만 하게 되어 있어서 신속하게 필요한 정보를 얻을 수 있다.

① 시각

시각은 관찰 방법 중의 하나로 대상자가 어떻게 보이는지를 파악하는 것이다. 대상자의 외모는 신체나 정신상태의 이상에 관한 정보를 제공해준다. 비언어적인 태도로도 간호사, 의료진,

표 2-2 사정의 유형

유형	시기	목적
초기사정	• 건강기관에 입원후 특정 시간내 수행	• 문제 확인, 기초자료수립
초점사정	• 간호시 계속 수행 • 새로운 문제 및 간과된 문제 확인	• 이전 사정시 확인된 특정 문제의 현재 상태 확인
응급사정	• 특별한 응급상황시 수행	• 생명을 위협하는 문제 확인
지연사정	• 초기사정 이후에 일정 기간 경과 후	• 이전에 얻어진 기초 자료와 현재 상태 비교

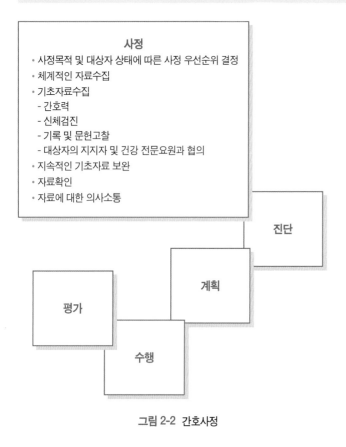

사정
• 사정목적 및 대상자 상태에 따른 사정 우선순위 결정
• 체계적인 자료수집
• 기초자료수집
  - 간호력
  - 신체검진
  - 기록 및 문헌고찰
  - 대상의 지지자 및 건강 전문요원과 협의
• 지속적인 기초자료 보완
• 자료확인
• 자료에 대한 의사소통

진단

계획

평가

수행

그림 2-2 간호사정

가족들에 대한 느낌을 표현할 수 있다. 그러므로 간호사는 대상자의 모습을 통해 생활환경, 직업, 나이, 사회 · 경제적 위치를 고려하면서 정상과 비교해야 한다.

② 후각

대상자를 관찰할 때 후각을 사용하여 체취나 숨 쉴 때의 냄새를 알아야 한다. 예를 들어 호흡시의 악취는 구강이나 폐의 감염을 의미하며, 과일 향기와 같은 케톤 냄새는 당뇨로 인한 대사 이상을 나타낸다.

③ 청각

대상자의 말을 청취함으로써 의식 수준과 대상자의 지각 능력

을 사정할 수 있다. 간호사가 질문하는대로 대상자가 이름, 장소, 날짜와 시간을 말하는지 듣고, 대답하는 것으로 상태를 사정할 수 있다. 대상자가 대화할 수 있는 능력으로 정신 및 신체 상태를 사정하고, 필요한 경우 가족이나 가까운 사람으로부터 정보를 얻어야 한다.

④ 촉각 및 접촉

일반적인 관찰은 촉각을 통하여 이루어진다. 촉각은 대상자와 악수할 때, 비언어적인 의사소통을 하고 안심시킬 때, 피부 온도와 습도를 평가할 때, 손에 힘이 있는지를 평가하는데 사용된다. 가벼운 접촉은 대상자를 안심시키고 피부건조 등을 파악하는데 사용되지만, 전문적 접촉은 촉진으로 신체검진시에 이루어진다. 간호사가 촉진을 사용할 때에는 대상자의 사회 · 문화적 배경을 고려하여 시행하도록 한다.

(2) 면담

면담은 계획된 의사소통과정이다. 간호사정 단계동안 간호사는 대상자와 간호력을 얻기위한 면담을 진행하게 된다. 자료수집과정에서 면담의 목적은 정보를 수집하고 라포를 형성하는 것이다.

① 면담의 종류

면담이나 일시적인 관계형성을 위한 면접의 유형에는 유도형 질문, 폐쇄형질문, 라포 형성을 위한 개방형 질문의 3종류가 있다. 폐쇄형 질문 방법은 특정한 정보를 얻는 것으로서 자료수집이 가장 중요한 경우에 이용된다. 이때 면담의 방향은 간호사가 조정하며 대상자는 수동적인 참여자로서 있게 된다. 이 유형은 특정한 자료를 단시간에 수집해야 할 때 좋은 방법이 되며 단점으로는 대상자가 수동적으로 참여하므로 자신의 관심사에 대하여 논의 할 수가 없다는 것이다. 간호력의 작성은 폐쇄형질문의 한 형태이다. 라포 형성을 위한 면접은 정보의 수집보다는 관계형성에 초점을 둔 면접형태이다. 면접자의 개방적이고 공감적인

반응은 대상자와의 촉진적 관계를 형성하는데 도움이 된다. 라포 형성에는 긴 시간이 걸릴 수도 있으므로 특정한 자료를 얻지 못할 수도 있다. 개방형 질문방식은 위의 두 가지 유형의 혼합방식으로써 대상자에게서 정보를 수집하면서 동시에 라포를 형성하는 것이 목적이다. 다양한 의사소통의 기술을 통하여 대상자의 관심이 나타나게 된다.

면담자는 면담을 시작하는 초기에는 어느 정도 권위를 가짐으로서 대상자가 대화의 방향으로 따라오도록 유도해야 하며 점차적으로 면접자는 더 권위 있게 대화함으로서 보다 특수한 요점을 알 수 있고 깊이 있는 정보를 얻을 수 있다. 세가지 유형의 면담방법이 대상자-간호사 관계에서 있게 되는데 일반적으로 간호사는 최소한의 필요한 권위를 가지고 할당된 시간 내에 정보를 얻어야 한다.

간호사는 특정 목적을 가지고 대상자와 면담을 하게 된다. 면담의 주목적이 정보를 얻는 것이라면 어떤 정보를 얻을 것이며 목적에 적합한 면담방법이 무엇인가를 결정해야 한다. 할당된 시간에 따라 면담방법이 결정되는데 라포 형성이 목적인 경우에 적합한 주제와 의사소통방법을 사용해야 한다. 대상자는 대개 간호사가 적절하게 방향을 제시하고 면담을 이끌어가려 할 때 보다 협조적이고 개방적이다.

효과적인 의사소통과 면담기술을 통하여 자료를 얻을 수 있다. 대인관계의 결과 대상자가 표현하고 간호사가 관찰한 자료를 얻게 되는데 대상자의 진술은 직접인용으로 기록함으로써 면담자의 해석이 배제될 수 있다.

② 면담의 단계

간호사-대상자간의 면담은 준비기, 도입기, 작업기, 종결기의 4단계로 구성된다(표 2-3). 간호력을 완성하는 데에는 30-60분 정도 소요되며, 일반적으로 한 번에 완성하지만 여러 번의 과정을 거칠 수도 있다(Sundeen et al., 1989).

ⓐ 준비기: 면담을 시작하기 전에 간호사는 이용 가능한 현재의 병록지나 보고서를 준비한다. 준비단계에서는 간호사가 대상자를 만나기 전 단계로 간호사-대상자의 상호작용을 준비하는데 초점을 두어 면담이 지속되는 동안 생산적이 되도록 해야 한다.

ⓑ 도입기: 이 단계에서 간호사는 대상자와 처음 만나는 시기로 라포를 형성하여 대상자와 친숙한 관계를 형성하게 되며, 대상자가 능동적으로 참여하게 한다.

ⓒ 작업기: 간호사와 대상자가 특별한 목표나 문제에 대해 일을 하는 단계이다.

ⓓ 종결기: 면담의 성공 여부를 결정하는 시기이다. 대상자-간호사의 관계가 종결되는 시기로 간호사는 수행된 목표를 검토하여 도움이 되었던 사항들을 부각시키며, 문제가 되었던 사항들을 표현하도록 한다.

(3) 측정법

측정법(measurement)은 여러 종류의 도구를 이용하여 체중, 신장, 체온, 흉위, 두위, 혈압, 시력, 청력 등의 신체적인 상태와 특수한 척도를 이용하여 사회·심리적 상태를 파악할 수 있다. 이 방법은 면담법과 관찰법을 통한 자료의 수집내용을 수량화할 수 있다. 관찰내용이 양적인 속성을 갖고 있다고 판단되는 자료는 측정법을 쓰게 된다.

(4) 신체검진

신체검진은 시진, 촉진, 타진, 청진을 이용하여 건강 문제를 알아내는 체계적인 자료수집 방법으로 간호면담 동안에 얻어진 자료들을 명확히 하고 확장하기 위해 사용하는 방법이다. 일반적으로 신체검진 이전에 면담을 하지만 상황에 따라서는 건강기능 양상을 면담하고 객관적 자료수집으로 신체검진을 실시하기도 한다.

(5) 의무기록

의무기록은 대상자의 병력, 진단적 검사, 의사의 치료계획 등으로 구성된다. 이것은 질병에 대한 대상자 반응과 치료 효과에 대한 정보를 제공한다.

2. 사정의 유형

사정의 유형은 사정 목적, 사정 시기, 사정에 대한 시간적 여유 및 대상자 상태 등에 의해 달라지며, 초기사정, 초점사정, 지연사정, 응급사정이 있다(Alfaro-LeFevre, 1998; Gordon, 1994)(표 2-2).

1) 초기사정

초기사정은 대상자가 건강관리기관에 들어오는 그 시점에 실시하는 것으로 입원 시 사정을 말한다. 초기사정의 목적은 대상자의 건강상태 평가, 건강기능 양상 장애 규명으로 포괄적 기초자료를 제공하는 것이며, 추후 건강상태를 평가하는 중요한 요소가 된다.

2) 초점사정

초점사정은 이미 규명된 문제에 관한 자료를 수집하는 것으로 초기사정보다 좁은 관점을 가지고 짧은 시간에 수행된다. 간호

표 2-3 면담 단계별 간호사의 역할

면담 단계	간호사 역할
준비기	• 대상자 정보 검토 및 문헌 검토 • 자료 수집 내용 및 유형 결정 • 과거 면담시 긍정적, 부정적 요소 검토 • 면담 촉진 환경 조성
도입기	• 간호사 소개 • 면담 내용 및 목적 알리고 라포 형성 • 대상자 행동에 대한 세밀한 관찰 및 경청 • 개방적 질문 사용 • 면담 목표 달성을 위해 대상자와 구두 계약
작업기	• 필요한 자료 수집 및 목표 달성을 위한 목적 및 업무에 초점 • 대상자의 느낌, 걱정, 의문을 표현하도록 격려 • 침묵, 평범한 대화로 시작, 확인 등의 기술 사용 • 언어적, 비언어적 행동 관찰 • 필요한 자료 수집 후 다음 주제로 진행
종결기	• 목표 성취 여부 재검토 • 대상자가 면담 종결에 대한 자신의 느낌을 표현하도록 격려

사는 건강문제가 좋아지는지, 나빠지는지, 새로운 문제가 있는지, 간과한 문제가 있는지, 잘못 판단한 문제가 있는지 등을 평가하는 과정이 포함된다. 또한 동시에 필요한 간호를 제공하면서 특별한 간호 문제를 사정하기도 한다.

3) 응급사정

응급사정은 생명을 위협하는 위급한 상황에서 이루어진다. 대상자의 건강 문제를 신속하게 규명하고 중재하는 것이 필요하다. 기도, 호흡, 순환 문제 등이 주로 포함되며, 갑작스러운 자살 충동과 같은 자기개념의 장애나 폭력을 유발하는 사회적 충돌과 같은 역할 장애도 응급 상황이 될 수 있다.

4) 지연사정

지연사정은 초기사정이 수행된 후 얼마간의 시간이 지난 후에 이루어지는 사정 유형으로 대상자의 건강상태 변화를 평가하는 데 그 목적이 있다. 초점사정과 같이 이미 규명된 건강문제를 사정하는 것이다. 보통 지연사정까지의 기간이 3~12개월 정도이므로 이미 대상자가 퇴원할 수도 있다.

3. 자료분류

자료를 수집하고 기록하는 데에는 다양한 개념틀이 있다. 개념틀은 면담과 신체검진의 방향을 제시해 주고 중요한 정보를 포함하며, 진단단계에서는 자료 분석을 도와준다. 이 개념틀은 대상자의 전신 상태와 간호사의 개인적 선호에 따라 수정될 수 있다.

자료를 분류하고 조직하는데 많이 사용되는 개념틀에는 Maslow의 인간 요구 이론, 오렘(Orem)의 자기간호모형, 로이(Roy)의 적응모형, 뉴만(Newman)의 건강체제모형, 존슨(Johnson)의 행위모형, 로저스(Rogers)의 생의과정 모형, Gordon의 11가지 기능적 건강패턴 등이 있다. 또한 NANDA(North American Nursing Diagnosis Association: 북미간호진단협회, 2011)에서는 인간반응양상을 13가지 영역(NANDA-I Taxonomy II)으로 분류하고 있다.

1) Maslow의 인간요구(Human Basic Need)모델

Maslow의 이론은 인간은 생리적, 안전, 소속과 애정, 자존감, 자아실현 요구를 기본적으로 가진다는 것으로, 생리적인 차원의 기본적인 요구가 충족된 후에 더 높은 단계의 요구를 충족할 수 있다는 것이다(표 2-4)

2) Orem의 자가간호모형

오렘의 모델은 대상자의 건강, 생활, 안녕을 유지하기 위해 자가간호를 수행하는 능력에 초점을 둔다(표 2-5).

3) 로이(Roy)의 적응모형

로이는 인간을 내적?외적 환경 요구에 적응하는 생리, 심리, 사회적 존재로 보았다. 로이의 개념틀은 대상자의 능력에 대한 자료를 수집하고 적응에 영향을 미치는 환경 자극의 유형에 대한 자료를 수집할 수 있다(표 2-6).

표 2-4 Maslow의 인간요구단계를 이용한 자료조직

기본요구	사정의 예
신체적 요구	• 산소, 영양, 수분, 체온조절, 배서, 성욕, 수면
안전과 안정 요구	• 신체적 안전: 감염, 낙상, 약물 부작용
	• 심리적 안전: 절차에 대한 지식, 취침시간, 일상생활, 격리에 대한 두려움, 의존적 요구, 통증 극복
사랑과 소속감 요구	• 가족, 친척 및 사회적 지지에 대한 정보
자존감 요구	• 신체상 변화, 자아개념 변화, 능력에 대한 자신감
자아실현 요구	• 잠재력 성취정도, 자율성, 동기, 문제해결 능력, 도움을 주고 받을 수 있는 능력, 성취 및 역할에 대한 감정

표 2-5 Orem의 자가간호 이론을 이용한 자료조직

다음과 같은 자가간호 요구 구성요소에 따라 조직

1. 충분한 공기 흡입 유지
2. 충분한 수분섭취 유지
3. 충분한 음식섭취 유지
4. 배설 및 배설물 관련 간호 준비
5. 활동과 휴식의 균형 유지
6. 사생활과 사회생활의 균형 유지
7. 삶, 인간의 기능, 안녕에 대한 유해성 예방
8. 인간 잠재성, 한계, 정상유지 요구와 관련된 사회그룹 내에서 기능 및 발달증진

표 2-6 Roy의 적응이론을 이용한 자료조직

적응모드	사정의 예
생리적 적응	• 운동, 휴식, 영양, 배설, 수분과 전해질, 산소, 순환, 체온, 감각 조절, 내분비계 균형
자아개념	• 신체적, 도덕적 자아, 긍정적 자아개념 개발
	• 자존감, 심리적 완전함
역할기능	• 부모, 배우자, 직업인 등 다양한 역할 기능
상호의존	• 의존과 독립사이의 균형

4) Gordon의 기능적 건강양상

Gordon은 건강, 삶의 질, 잠재력을 성취시킬 수 있는 간호사정의 초점으로 11가지 기능적 양상을 분류하고, 대상자의 기능적 건강양상이 정상, 비정상, 비정상적 위험이 있는지를 사정자료를 이용하여 확인할 수 있다고 보았다(표 2-7, 첨부 1).

5) NANDA의 간호진단 분류체계(2018-2020)

NANDA의 간호진단 분류체계는 사정과 진단을 위한 기틀을 제공하며, 13가지 영역, 47개 과, 261개 간호진단으로 자료와 진단을 구분한다(표 2-8, 첨부 2).

4. 자료검증

주관적, 객관적 자료 수집 후 수집된 자료를 확인하는 것은 자료수집의 정확성을 높일 수 있다. 다양한 출처로 얻은 자료를 서로 비교하여 자료의 신뢰성을 높이는 것이 중요하다. 정확한 자료는 정확한 진단의 기초가 되기 때문이다. 관련되는 모든 자료의 확인은 실제적으로 불가능하므로 확인이 필요한 자료를 결정해야 한다. 대상자가 호소한 자각증상이나 간호사가 관찰한 객관적 증상은 간호사의 관찰, 의료요원의 관찰기록 및 검사기록 등에 비추어 확인할 수 있다.

표 2-7 Gordon의 기능적 건강양상을 이용한 자료조직

기능적 건강양상	사정의 예
1. 건강지각/건강관리	약 처방 이행, 처방계획; 건강증진행위
2. 영양/대사	피부, 치아, 머리, 손발톱, 점막상태; 키, 체중, 수분과 전해질 균형
3. 배설	장운동 빈도, 배뇨형태, 배뇨시 통증, 대소변 양상
4. 활동/운동	운동, 취미; 심혈관계, 호흡기계 상태, 기동성, 일상활동
5. 인지/지각	시각, 청각, 미각, 촉각, 후각, 통증지각, 통증관리; 언어, 기억력, 의사결정 등의 인지적 기능
6. 수면/휴식	수면보조 및 습관을 포함한 수면 에너지의 양과 질에 대한 대상자의 인식
7. 자아지각/자아개념	안락감, 신체상, 감정상태, 자아에 대한 태도, 인지능력, 자세, 눈 맞춤, 목소리 등 객관적 자료
8. 역할/관계	역할 및 책임; 가족, 직장, 사회적 관계에 대한 만족
9. 성/생식	임신, 출산, 성기능, 성관계에 대한 만족
10. 대응/스트레스인내	스트레스 관리, 지지체계, 상호 통제 및 관리에 대한 지각된 능력
11. 가치/신념	종교, 건강 관련 종교관습과 가치/신념 및 갈등 포함

5. 사정자료 기록

간호력의 양식은 기관마다 다양한데 구체적으로 고도로 구조화된 체크 리스트 형식으로부터 개방형 질문지 형식까지 다양하다. 초기면담이후에 지속적으로 수집되는 사정자료는 간호기록지에 기록된다.

제3절
간호진단

간호진단은 간호과정의 두 번째 단계로서 간호현상에 대하여 서로 관련이 있는 개념이나 속성을 묶어 분류하는 체계적 과정으로서 가장 중요한 부분으로 고도의 사고능력이 요구되는 기술적 단계로서 간호행위의 판단과정이다(그림 2-3). 간호진단의 목적은 건강이나 질병 상태에 대한 대상자의 반응에서 실제적, 잠재적 건강문제를 확인하고, 문제의 원인 요소를 파악하며, 문제 예방 및 해결에 대상자의 강점을 알 수 있도록 확인하는 것이다.

1. 간호진단분류체계

1992년 미국간호협회의 간호실무 데이터베이스 운영위원회에서 간호실무를 위한 용어 분류로 NANDA, 오마하체계(Omaha System: OS), 가정간호분류체계(Home Health Care Classicification : HHCC), 간호중재분류(Nursing Intervention Classification : NIC)를 인정하였고, 1993년에는 간호진단, 중재, 결과의 분류체계로 국제간호실무용어(ICNP : International Classification for Nurs-

ing Practice)를 출판하였다.

1) NANDA 간호진단 분류체계

NANDA(North American Nursing Diagnosis Association)는 1984년부터 국제적인 성격을 띤 협의회를 개최하고 있다. NANDA에서는 장기간의 연구와 다양한 합의과정을 통해서 타당성 있는 간호진단을 명명하고, 기존의 진단명을 수정하고 있다. 또한 간호진단 분류체계의 개발을 핵심기능으로 하고 있으며 실무에의 적용성을 검토하고 분류체계를 세분화시키고 있다. 간호사들은 새로운 간호진단을 개발하고, 기존의 진단을 더 명료하게 하여 실무에서 유용하게 사용할 수 있도록 분류체계를 조직화하는 일에 계속 공헌해야 할 의무가 있다.

간호진단 분류체계는 '통합된 인간양상이론'을 기초로 한 진단기본틀(taxonomic structure)을 체계적으로 세분화하여 개발되었다.

간호진단은 북미간호진단협회(NANDA)에서 매 2년마다 개최되는 회의에서 계속 개발되고 있다. 1992년에 NANDA 간호진단 분류체계 I 에서 9가지 인간반응 양상을 대분류로 하여 108개 간호진단으로 분류하고, 2000년 14차 회의에서 13개의 영역, 106개의 분류, 155개의 간호진단목록으로 이루어진 NANDA 분류체계 II 체계를 개발하였다. 간호진단 분류체계 II는 진단적 개념, 시간, 간호대상, 연령, 건강상태, 서술어 및 신체부위로 진단 시 고려해야 할 인간반응의 차원을 7개의 축으로 구분하였다. 2004년까지 13개의 영역, 46개의 분류, 167개의 간호진단목록, 2007년 194개 간호진단, 2009-2011년에 NANDA 간호진단 개발위원회에서는

표 2-8 NANDA 간호진단을 이용한 자료조직 (2018-2020)

영역	정의	과
1. 건강증진 Health Promotion	안녕감 혹은 기능이 정상임을 인식하는 것과 이를 조절하고 증진하는 전략을 인식하는 것	건강인식 Health Awareness 건강관리 Health Management
2. 영양 Nutrition	조직의 유지, 재생, 그리고 에너지 생산에 필요한 영양소를 섭취, 소화, 활용하는 활동	섭취 Ingestion 소화 Digestion 흡수 Absorption 대사 Metabolism 수화 Hydration
3. 배설/교환 Elimination and Exchange	신체에서 부산물을 분비하고 배설하는 것	배뇨 기능 Urinary Function 위장관 기능 Gastrointestinal Function 피부기능 Integumentary Function 호흡기능 Respiratory Function
4. 활동/휴식 Activity/Rest	에너지 자원의 생산, 보유, 소비, 균형	수면/휴식 Sleep/Rest 활동/운동 Activity/Exercise 에너지 균형 Energy Balance 심혈관/호흡기계 반응 Cardiovascular/ Pulmonary Responses 자가간호 Self-Care
5. 지각/인지 Perception/Cognition	주의집중, 지남력, 지각, 감각, 인지, 의사소통을 포함함 인간의 정보인지체계	집중 Attention 지남력 Orientation 감각/지각 Sensation/Perception 인지 Cognition 의사소통 Communication
6. 자아인식 Self-Perception	자신에 대한 인지	자아개념 Self-Concept 자존감 Self-Esteem 신체상 Body Image
7. 역할관계 Role Relationships	개인 혹은 집단 간의 긍정적이고 부정적인 인간관계 혹은 관련성의 의미	돌봄 역할 Caregiving Roles 가족관계 Family Relationship 역할수행 Role Performance
8. 성 Sexuality	성적 주체성, 기능, 재생산	성정체감 Sexual Identity 성기능 Sexual Function 생식 Reproduction
9. 대응/스트레스 내성 Coping/Stress Tolerance	삶의 사건/과정과의 투쟁	외상 후 반응 Post-Trauma responses 대응반응 Coping Responses 신경 · 행동적 스트레스 Neuro-behavioral Stress
10. 삶의 원리 Life Principle	활동, 관습, 제도에 대한 사고와 행위의 기초가 되는 원리로서 진실 혹은 내적 가치가 있다고 보는 것	가치 Value 신념 Beliefs 가치/신념/행동일치성 Value/Belief/Action Congruence
11. 안전/보호 Safety/Protection	위험, 신체적 손상 혹은 면역체계 장애로부터 해방, 상실로부터의 보전, 안위와 안전의 보호	감염 Infection 신체적 손상 Physical Injury 폭력 Violence 환경적 위험 Environmental Hazards 방어과정 Defensive Processes 체온조절 Thermoregulation
12. 안위 Comfort	정신적, 신체적, 사회적 안녕감 혹은 편안감	신체적 안위 Physical Comfort 환경적 안위 Environmental Comfort 사회적 안위 Social Comfort
13. 성장/발달 Growth/Development	신체적 차원의 계통별 연령에 따른 성장과 발달지표 성취	성장 Growth 발달 Development

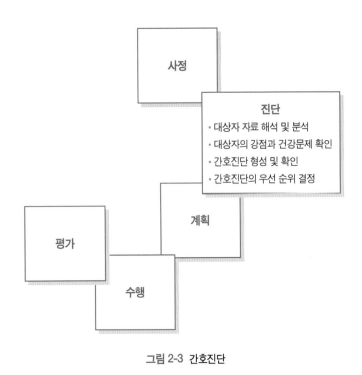

그림 2-3 간호진단

새로운 간호진단 21개와 수정 및 삭제하여 총 201개의 간호진단 목록을 발표하였다. 2011년에 NANDA-I 회의에서 제안된 내용 중 2012년에 승인된 내용으로 NANDA-I 분류체계 II 에서 13개의 영역, 47개의 과, 222개의 간호진단 목록을 중심으로 진술하고 있으며 2018-2020 간호진단 분류체계에서는 13개 영역, 47개 과, 261개 간호진단으로 구성하고 있다(첨부 3).

2) 가정간호진단 분류체계

가정간호진단 분류체계(Home Health Care Classicification : HHCC)는 죠지타운 대학에서 대상자들에게 제공된 간호에 대한 기대되는 결과와 가정간호서비스를 제공하는데 필요한 자원을 결정하기 위해 객관적으로 측정 가능한 자료를 이용하여 대상자 사정과 분류를 할 수 있도록 개발되었다.

HHCC 중 간호진단 분류체계는 20개 가정간호 구성요소, 50개 간호진단 대분류, 95개 하위분류로 모두 145개 가정간호진단으로 구성되어있다(표 2-9).

3) 오마하 문제분류체계

표 2-9 가정간호 분류체계 간호 구성요소별 간호진단 대분류

구성요소	대분류
활동	활동 장애, 근골격계 장애
배변	배변 장애, 소화기계 장애
심장	심박출량 장애, 심혈관계 장애
인지	대뇌 장애, 지식부족, 사고과정 장애
대처	임종과정, 가조대응장애, 개인 대응 장애, 외상 후 반응, 영적 장애
체액량	체액량 변화
건강행위	성장발달 장애, 건강유지능력 변화, 건강 추구행위 장애, 가정 유지 장애, 불이행
투약	투약위험성
대사	내분비 장애, 면역 장애
영양	영양 장애
신체조절	신체조절 장애
호흡	호흡 장애
역할관계	역할수행 장애, 의사소통 장애, 가족기능 장애, 슬픔, 성문제 호소, 사회화 장애
안전	손상 위험성, 폭력 위험성
자가간호	목욕/개인위생 부족, 몸단장 부족, 음식섭취 부족, 자가간호 부족, 용변 자가간호 부족
자아개념	불안, 두려움, 의미부여 장애, 자아개념 장애
감각	감각지각 변화, 안위 변화
피부통합성	피부손상 장애, 말초순환 장애
조직관류	조직관류 장애
배뇨	배뇨 장애, 신장 장애

표 2-10 오마하 문제 분류체계

영역	문제명
환경적	수입, 공중위생, 주거, 이웃/작업장, 기타
심리사회적	지역사회 자원과 의사소통, 사회적 접촉, 역할변화, 대인관계, 영적 고뇌, 슬픔, 정서적 안정, 성, 돌봄 역할/부모역할, 버려진 아동/성인, 학대 아동/성인, 성장 발달, 기타
생리적	청력, 시력, 발성 및 언어, 치열, 인지, 통증, 의식, 피부, 신경 근육 골격 기능, 호흡, 순환, 소화/수화, 장 기능, 비뇨생식 기능, 산전/산후, 기타
건강관련 행위	영양, 수면/휴식 양상, 신체활동, 개인위생, 물질남용, 가족계획, 건강관리 감독, 처방된 약물요법, 기술적 절차, 기타

오마하 문제 분류체계(Omaha Problem Classification Scheme)는 대상자 중심 정보관리체계로 간호과정에 기초를 두어 문제분류체계, 중재체계, 결과에 대한 문제 측정 등으로 구성되어 있다. 이 체계는 실무, 기록, 정보관리 방법 등을 포괄적으로 제시하고 있으며 가정간호, 공중보건, 학교보건, 임상, 외래 등에서 활용되고 있다.

오마하 문제 분류 체계는 지역사회 간호사들이 대상자의 실제 자료를 이용하여 개발하여 대상자 문제나 간호진단 목록을 제공한다. 이 분류체계는 간호사, 간호관리자, 병원행정가들이 대상자 자료 수집, 구분, 분류, 기록, 부호화 및 분석에 포괄적인 방법을 제공하는 것으로 영역, 문제, 수식어구, 증상/증후의 4가지 부분으로 구성된다. 영역은 환경적, 심리사회적, 생리적, 건강관련 행위 영역으로 분류되며, 44개 문제 목록이 있다(표 2-10).

2. 간호진단 구별 및 유형

간호진단은 대상자의 현재 건강 상태에 대한 진술을 말하며, 간호사가 합법적인 진술이 가능하다. 간호진단에는 일차적 치료, 예방법을 지시할 수 있는 실제적, 잠재적(위험성), 가능한 건강문제를 기술한 것이다. 간호사는 모든 간호를 간호진단으로 지시할 수는 없으나 문제해결 및 예방에 필요한 중재 대부분을 지시할 수 있다.

간호진단의 유형은 실제적 진단, 잠재적 간호진단, 고 위험성 간호진단, 안녕 진단의 네 가지로 분류 할 수 있다(표 2-11).

1) 실제적 간호진단

실제적 간호진단은 간호사정 당시 실제로 존재하는 문제에 대한 진단을 말한다. 문제와 연관된 증상과 징후의 존재에 의해 인지되며, 실제적 문제 완화 해결, 대응방향을 지시하는 간호지시를 포함한다. 이 진단은 조합된 증상과 징후에 사정 시 존재하는 건강 문제에 대해 대상자의 반응을 판단한 것으로 문제진술, 병인, 문제의 특성을 포함하는 세 가지 부분으로 진술된다(그림 2-4).

2) 잠재적(위험성) 간호진단

잠재적 간호진단은 간호사가 중재하지 않을 경우 발생 가능한 문제에 대한 진단으로, 문제발생을 촉진하는 위험요인이 존재하는 경우 진단한다. 간호 지시는 위험요인감소로 문제 예방, 문제점 조기 발견의 방향을 지시한다. NANDA의 위험성 간호진단은 취약한 개인, 가족, 지역사회에서 발생하는 건상상태의 생의 과정에 대한 인간반응의 기술, 취약성 증가에 기여하는 위험요인에 의해 지지된다.

3) 가능한 간호진단

가능한 간호진단은 문제의 불확실성이 존재하는 것으로 문제가 있을 것으로 의심하기에 충분한 자료를 가지고 있으나 확신할 수 없는 경우를 말한다. 간호 지시는 진단의 확인하기 위한 핵심 자료를 수집방향을 지시함으로써 중요한 진단을 빠뜨리거나 불충분한 자료로 인한 잘못된 진단 오류 예방할 수 있다.

4) 상호의존적 문제 인지

상호의존적 문제를 Carpenito(1991)는 '합병증의 발병 또는 상태변화를 발견해 내기 위하여 간호사가 감시하는 특정의 생리적 합병증'이라고 정의하였다. 합병증 최소화를 위해 의사의 처방 중재와 간호사의 처방 중재 모두 활용하여 협력적 문제를 관리할 수 있다.

독자적인 간호 중재는 환자 상태 모니터링 및 합병증 진행 예방에 초점을 둔다. 대상자의 상태를 결정적으로 치료하기 위해서는 의학적 중재와 간호중재 모두 필요하며, 협력적인 문제는 잠재적인 문제에 초점을 둔다. 잠재적 합병증을 예측하고 발견하는데 도움이 되는 지침은 환자의 의학적 진단을 찾기, 환자의 모든 약물을 찾기, 환자의 수술, 치료, 진단과 관련된 가장 혼한 합병증을 찾기, 잠재적인 합병증의 징후와 증상에 관해 알고 있어야 어떤 사정이 필요한지 알 수 있다.

표 2-11 간호진단 진술문 유형

유형	구조	예
실제적 간호진단	진단 명, 관련 요인, 특성 정의의 세 부분 진술	동통의 언어적 표현과 얼굴 찡그림의 징후로 나타나는 외과적 손상, 염증과 관련된 동통
잠재적 간호진단	진단명, 관련요인(알려지지 않은)의 두 부분 진술	알려지지 않은 원인과 관련 자존감 손상 가능성
고위험 간호진단	진단명, 위험 요소의 두 부분으로 진술	면역억제제 및 수술과 관련된 감염 위험성
안녕진단	진단명을 포함하는 한 부분 진술	영적 안녕 향상을 위한 준비

5) 의학적 진단인지

의학적 진단은 질병과정과 병리를 규명하고 병리치료를 목적으로 하며, 병리에 대한 인간반응을 반드시 고려하지는 않는다. 반면 간호진단에서는 환자의 반응이 변화함에 따라 변하고, 같은 의학적 진단을 가진 환자라도 간호진단은 다를 수 있다. 의학적 문제에 대해 진단을 내리거나 치료를 처방 하지 않아도 간호 판단은 필요하다.

3. 간호진단의 구성 요소

NANDA의 진단의 구성요소는 명칭(Label), 정의(Definition), 정의된 특성(Defining Characteristics), 관련요인(Related Factor) 또는 위험요인(Risk Factor)의 네가지 구성 요소를 가진다.

1) 명칭

명칭은 대상자의 건강을 간략한 용어로 서술한 것으로 제목 또는 이름이다.

간호진단에 사용되는 수식어 (NANDA-I 분류체계 II)는 간호진단을 쉽게 첨가하거나 수정하도록 실질적으로 조직적인 명명법의 융통성을 높이기 위해 7가지 축을 포함한다.

① 축 1 : 진단적 개념(diagnostic concept)

진단적 진술의 근원이 되는 요소 또는 기본적이고 필수적인 요소를 말한다.

② 축 2 : 시간(time)

어떤 기간의 지속이나 간격을 의미하며, 이 축의 기준은 급성, 만성, 간헐적, 지속적인 상태 구분된다.

③ 축 3 : 간호대상(unit or care)

간호진단이 확인된 각각의 집단으로 개인, 가족, 집단, 지역사회를 포함한다.

④ 축 4 : 연령(age)

개인이 살아온 시간의 길이나 간격으로 태아, 신생아, 영아, 취학전 , 청소년기, 성인기를 포함한다.

⑤ 축 5 : 건강상태(health status)

건강 연속선상에서의 위치나 등급으로 안녕(Wellness), 위험(risk), 실제적(actual) 상태를 포함한다.

⑥ 축 6 : 수식어(descriptor)

간호진단의 의미를 한정짓거나 구체화한다.

⑦ 축 7 : 국소해부학(topology)

신체의 부위나 영역을 포함한다.

2) 정의

정의는 진단명의 본질적인 성질을 정확하고 분명하게 표현하는 것으로 모든 다른 진단명과 구별할 수 있게 한다.

3) 정의된 특성

정의된 특성은 진단명의 존재를 나타내주는 단서들로 주관적, 객관적 자료를 포함한다. 실제적 진단에서는 환자의 증상과 증후를 말하며, 잠재적 진단에서는 위험 요인을 나타낸다.

진단명의 존재를 나타내는 증상과 징후로서, 실제적 문제와 잠재적 문제의 특성을 포함한다.

이러한 구성요소를 진술하는데 있어서 간호사는 대상자의 상태에 따라 세 부분, 두 부분, 한 부분 진술로 진단할 수 있다.

(1) 세 부분 진술(P.E.S 양식)

기본적인 세 부분을 진술한 것으로 대상자의 반응을 진술한 문제(P), 반응에 기여한 요인이나 가능한 원인(E), 대상자에 의해 증명된 정의된 특징인 증상과 징후(S)를 포함한다. 실제의 간호 진술은 고위험 진단에는 증상과 징후를 보이지 않으므로 사용하기 어렵다.

PES 형태는 증상과 징후로 진단이 선택된 이유를 확인해주고 문제 진술을 서술적으로 해준다. 이 방법은 문제 진술이 길어져 문제와 병인을 모호하게 할 수 있으나 증상과 징후가 간호 중재를 계획하는 데에 매우 도움이 된다.

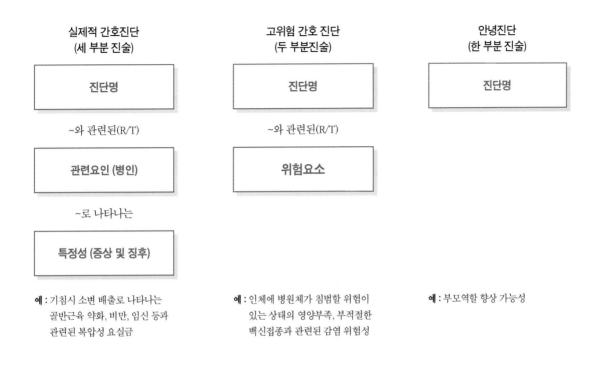

실제적 간호진단
(세 부분 진술)

고위험 간호 진단
(두 부분진술)

안녕진단
(한 부분 진술)

진단명

~와 관련된(R/T)

관련요인 (병인)

~로 나타나는

특정성 (증상 및 징후)

진단명

~와 관련된(R/T)

위험요소

진단명

예 : 기침시 소변 배출로 나타나는 골반근육 약화, 비만, 임신 등과 관련된 복압성 요실금

예 : 인체에 병원체가 침범할 위험이 있는 상태의 영양부족, 부적절한 백신접종과 관련된 감염 위험성

예 : 부모역할 향상 가능성

그림 2-4 진술문 유형별 간호진단의 예

(2) 두 부분 진술

두 부분 진술은 실제적, 높은 위험, 잠재적 간호 진단에 쓰이며 대상자의 반응 진술인 문제(P)와 반응에 기여한 요인이나 가능한 원인인 병인(E)을 포함한다. 두 부분은 '~에 관련된' 또는 '~에 관계된'(related to or associated to) 이라는 말로 결합된다.

(3) 한 부분 진술

건강진단, 징후군 간호진단 등은 NANDA의 간호진단명으로만 구성된다. 경우에 따라서는 다른 병인을 적는 것이 의학적 진단을 내리는 것보다 힘든 경우도 있고, 또한 불필요한 경우도 있다.

4) 관련 또는 위험요인

관련 또는 위험요인은 문제와 연관된 조건 또는 상황을 말하며, 문제에 기여하거나, 선행되거나, 영향을 주거나, 원인이 되는 조건 등을 말한다. 관련요인을 확인하는 것은 간호사가 건강 문제를 해결하기 위한 특정한 중재를 개발하는데 도움이 되며, 위험요인은 간호진단에서 임상적 단서를 기술하는데 사용된다.

4. 간호진단진술문 작성

진단진술문은 대상자의 문제와 관련 요인 또는 위험 요인을 서술한 것으로, 기본 형식(문제+원인)은 간호진단, 안녕진단 또는 협력 문제 중 어느 것을 작성할 것인지에 따라 그리고 문제 상태(실제적, 잠재적, 가능성이 있는)에 따라 다르다.

문제는 대상자의 건강 상태를 분명하고 간략하게 서술한 것이며 대상자의 목표/기대되는 결과를 제시해야 하는데 가능하면 NANDA의 진단명 목록을 이용하도록 한다. 원인은 기여하거나 원인이 되는 요인들을 서술하는 실제적 문제와 존재하는 위험 요인 서술하는 잠재적인 문제로 분류한 것으로 개별화된 간호를 할 수 있게 해 준다.

진술문의 두 부분을 연결시켜주기 위하여 "~와 관련된"(r/t: related to)을 사용하며, 문제의 원인과 상호작용하는 요인은 다양하고, 비록 원인 요소가 제거 되었다 하더라도 문제 반응은 여전히 존재할 수 있다.

1) 실재적 간호진단

대상자의 증상과 증후가 진단명의 정의된 특성과 맞을 때 실제적 진단이 존재

(1) 기본 형식 : 문제와 원인 (2개 부분 진술)

문제(NANDA 진단명칭) 와 관련된 (r/t) 원인(관련요인)으로 구성되며 진술된 원인에 따라 간호중재가 달라진다.

문제(NANDA 진단명)	r/t	원인(관련요인)
비효율적 기도청결		기관지 분비물
피부통합성 장애		신체적 부동

(2) P.E.S 형식 : 세부분 진술

세 부분 진술은 문제와 원인이외에 정의된 특성을 진단진술문의 한 부분으로 포함시킨 진술을 말한다. 문제(Problem)는 대상자에게 실제로 있거나 잠재되어 있는 건강문제에 대한 인간의 반응(진단명)이며, 원인(Etiology)은 장애 또는 변화의 원인요소, 문제의 원인으로 원인을 구체화함으로써 간호중재의 방향을 제시한다. 증상 및 징후(Sign & Symptom)는 대상자가 그 진단상태에 있다는 것을 나타내는 특징을 말하는 것으로 첫 글자를 이용하여 P.E.S.형식이라고 한다.

문제(P)	r/t	원인(E)	A.M.B	증상(S)
NANDA 진단명	r/t	관련요인	=as manifested by	정의된 특성
위장관 운동 운동기능 장애		비활동적 생활양식		복부팽만, 배변곤란, 오심, 복부팽만

(3) 기본 형식의 변형

① 1개 부분 진술문

원인이나 기여요인을 모를지라도 특성이 존재할 때 원인 없이 NANDA 진단명만을 이용할 수 있다. (예 : 환경 해석 장애 증후군, 외상 후 증후군, 강간 상해 증후군)

② "이차적인" : secondary to : 2°

(예) 피부 손상의 위험성 r/t 말초순환 감소 2° 당뇨병

원인을 두 부분으로 나누어야만 그 진단진술이 명확해 지는 경우, '이차적인(secondary to~ (2°))' 이라는 단어를 사용한다. "이차적" 이라는 단어 뒤에 오는 부분은 흔히 병태 생리적 또는 질병과정이 된다.

③ 원인 불명

원인이나 기여 요인을 모를지라도 정의된 특성이 존재할 경우 진단을 내릴 수 있으며, 원인이 짐작이 가나 확증하기 위해선 더 많은 자료가 필요한 경우 "관련 가능성 있는 "(possibly) 이라는 어구 사용한다.

(예) 불이행(약물처방) possibly r/t 진단에 대한 해결되지 않는 분노

④ 복합요인

원인이 너무 많거나 너무 복잡하여 간단한 어구로 진술 할 수 없을 때 원인을 생략하고 "복합 요인 "의 어구로 대체한다.

(예) '복합요인과 관련된 불면증'

⑤ 어떤 진단명들은 두 부분으로 구성된다. 첫 부분은 하나의 전반적인 반응을 나타내며, 두 번째 부분은 구체화하고, 진단명을 구체적으로 만들기 위해 (:)과 설명을 덧붙인다.

(예) '영양불균형 : 오심과 관련된 영양부족'

2) 잠재적(위험) 간호진단 - 위험성 문제 (r/t) 위험요소

잠재적(위험) 간호진단은 간호사가 그것을 예방하기 위해 중재를 하지 않은 경우 발전될 수 있는 것을 말한다. 형식은 '문제+원인' 으로 대상자의 위험요인이 원인이 되며, 증상과 징후가 없으므로 P.E.S.형식은 사용할 수 없다.

(예) 피부손상의 위험(욕창) r/t 부동 2° 석고 붕대와 견인

3) 가능한 간호진단 - 가능한 문제 (r/t) 실제적(가능한) 원인

가능한 간호진단은 확증할 만한 충분한 자료가 없거나 원인을 확증할 수 없을 때 사용한다. 가능한(passible)이란 단어는 문제와 원인 모두에 사용 가능하며, 원인을 모를 경우 "원인불명과 관련된"으로 사용한다. 의심은 되나 원인을 확인 할 수 없을 경우 "관련 가능성 있는 (possibly r/t)"을 사용한다.

상황적 자존감 저하 가능성 r/t 직업 상실 및 가족에의 거절
사고과정 장애의 가능성 있는 r/t 익숙하지 않은 환경
자존감 저하의 가능성 r/t 원인불명

4) 안녕진단

안녕진단은 한 부분 진술문으로 구성된다. 구체적 원인이 없어도 새로운 NANDA 안녕진단명은 진단 진술문을 만들 수 있다.

(예) 안위 향상 가능성, 자기건강관리 향상 가능성

5. 진단의 도출과정

진단의 과정은 수집된 자료를 분석하고 이를 합성(synthesis)하여 진단을 도출하고 이를 기술하는 단계로 나눌 수 있다.

1) 자료의 분류

자료를 논리적이고 체계적으로 조직하고 분류한다. 자료의 분류에 적절한 이론을 적용하면 보다 쉽게 될 수 있는데 적합한 이론의 선택과 자료분류방법을 결정해야 한다.

2) 부족한 자료나 모순된 자료의 확인

부족하거나 모순된 자료가 있는 것은 사정이 부족함을 의미한다. 부족한 자료의 발견은 간호사의 지식이나 경험에 의하여 이루어진다. 간호사는 자료를 분류하면서 대상자의 건강상태를 포괄적으로 이해할 수 있도록 분류된 자료에서 보충되어야 할 부분을 찾아낸다.

3) 연관된 자료의 분류

객관적, 주관적 자료에서 나타나는 단서나 증상 및 징후를 찾

목표/결과 기술 지침

- 목표/결과는 간호진단에서 시작된다.
- 목표/결과중 적어도 한가지는 간호진단에서 문제진술의 직접적 해결은 명확하게 제시해야 하며, 다른 목표/기대되는 결과는 문제의 예방과 해결에 도움이 되는 것이어야 한다.
- 목표/결과의 기술은 대상자와 가족에게 유용한 것이어야 한다.
- 목표/결과는 전체 치료 계획을 지지할 수 있도록 한다.
- 목표/결과 기술은 간결하고, 구체적이며(관찰가능하고, 측정가능한 것), 긍정문으로 기술하며, 시간을 구체화한다.
- 단기목표/결과는 대상자의 행위를 포함해야 한다.

목표 기술에 유용한 동사

- 정의하다
- 설계하다
- 기술하다
- 선정하다
- 사용하다

- 준비하다
- 열거하다
- 선택하다
- 적용하다
- 수행하다

- 확인하다
- 말로 표현하다
- 설명하다
- 주사하다
- 시범하다

아내어 연관되는 것끼리 재분류하는 과정이다.

4) 적합한 이론, 모델, 표준 및 규범의 결정

적합한 이론이나 모델, 표준 및 규범을 선정하여 재분류된 자료와 이를 비교하는 과정이다.

5) 추론

임상적 판단 과정으로서 자료를 해석하고 판단하며, 대상자의 건강 상태나 상황을 추론하는 것이다. 기준과 비교하여 적절하거나 부적절한 상태를 판단한다.

제4절
간호계획

간호계획 단계에서 간호사는 대상자 및 가족과 함께 간호진단으로 구체화된 문제를 예방하거나 감소시키기 위해 대상자의 목표나 기대되는 결과를 확인한다. 또한 간호사는 목표 달성위해 가장 적절하다고 생각되는 간호 중재 방법을 확인한다.

대상자의 목표는 기대되는 결과를 기술하며, 대상자 건강 문제의 기대되는 결과이다. 기대되는 결과는 좀 더 구체적이며 측정가능 한 것을 말한다. 간호계획의 요소로는 다음과 같은 사항들이 있다.

- 우선 순위 설정
- 간호전략을 결정하는 목표/기대되는 결과 기술
- 적절한 간호중재 방법 선택
- 간호 계획 의사소통

1. 간호계획의 종류

간호상황에서 간호계획은 초기계획, 지속적 문제 중심 계획, 퇴원 계획으로 분류될 수 있다.

1) 초기계획

초기계획은 입원시 간호력 수집과 신체사정을 수행한다. 이 과정에서는 간호진단에서 우선 순위로 결정된 문제에 중점을 두게되며, 적절한 대상자의 목표와 이에 관련된 간호를 확인한다. 계획은 초기 사정 후 바로 시작하는 것이 좋으며, 응급 상황의 경우 활용 가능한 정보로 예비계획을 세운 다음 자료수집을 하며 계획을 보완한다.

2) 지속적 문제 중심계획

대상자가 입원해 있는 동안 간호사는 지속적인 간호를 수행하며, 현재의 계획을 유지하는 것이 주목적이다. 간호사는 새로운 자료를 수집하고 분석하며 좀 더 구체적이고 정확하게 하며, 효율적일 수 있도록 한다.

지속적 문제 중심 계획 단계에서는 간호진단(문제 진술과 원인)을 좀 더 분명하게 한다. 즉, 이 단계에서는 새로운 간호진단 개발, 개발된 대상자의 목표/기대되는 결과의 현실화, 필요할 경우 새로운 목표/기대되는 결과 개발, 대상자 목표 달성에 가장 효율적인 간호중재법 개발 등을 포함한다.

3) 퇴원계획

퇴원계획은 퇴원 후 요구 사항을 미리 예상하고 계획하는 과정이다. 퇴원 계획에는 대상자 및 가족까지를 포함하도록 한다(그림 2-5).

2. 간호결과 분류체계

간호사가 간호결과를 진술할 때 표준화된 용어를 이용하여 구체적이고 서술적이어야 간호계획과 간호평가시 유용하게 사용할 수 있다. 대상자의 기대되는 결과는 중재를 선택하기 전에 구체적으로 설정해야 효과적인 간호중재에 대한 기준 역할을 할 수 있다. 간호결과는 제공된 간호중재에 대한 대상자의 행동, 반응 및 감정을 서술한 것으로 대상자의 결과에 영향한다.

1) 간호결과 분류체계(Nursing outcomes classification: NOC)

Iowa 대학의 Johnson 등(1997)은 간호결과를 분류하였는데, NOC은 간호중재로 나타나는 대상자의 결과를 기술하는데 사용되는 표준화된 언어를 제시하였다.

이 분류법에 의하면 한 개의 간호진단에 적용할 수 있는 간호 결과는 여러 개가 있을 수 있으므로 관련된 간호 결과에 대해 주요 간호중재, 제안된 간호중재, 선택 가능한 간호 중재로 구분하여 간호중재를 간호결과 및 간호진단과 연계시키려고 노력하였다.

이 분류는 간호사가 중재효과를 사정할 수 있는 190개의 성과를 포함하며, 각각의 성과는 분류명, 정의, 지침, 측정도구, 관련문헌 등을 포함한다. 2000년에 NOC은 7개영역, 29개 범주, 260개 결과로 보완하였고, 2008년에는 7개 영역, 38개 범주 및 385개 결과들로 구성하였다(표 2-12).

2) 간호결과 분류체계의 구성

NOC은 대상자 및 가족 간호 제공자들에게 대한 결과를 포함하고 있으며, 간호중재에 대한 지표를 사용하여 대상자나 간호제공자들의 상태를 서술한다. NOC은 간호결과의 추상성 수준에 따라 영역(Domain), 범주(Class), 명칭(Label)으로 분류되며(표

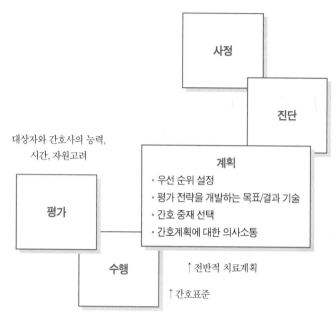

그림 2-5 간호계획

2-13), 각 NOC의 결과분류체계에는 명칭, 정의, 지표목록, Likert형 측정 척도가 제시되어 있다.

① 결과명칭

NOC 분류체계에서 결과명칭은 1~3개의 표준화된 용어로 표현된다. 결과는 대상자 상태가 긍정적, 부정적, 변화가 없음 등을 구별하는 중립적인 용어로 제시하며, 간호사는 간호진단에 근거하여 결과를 선택한다.

② 지표

대상자의 상태를 평가하는데 사용되는 행위와 상태를 말하며, 결과를 측정하기 위해서는 좀 더 구체적이며 관찰 가능한 지표들을 확인해야 한다. 간호에 민감한 결과측정 척도는 지표가 어떻게 측정되어야 하고, 측정한 지표를 수량화하는지에 대해 서술하는 조직이나 활동을 의미하는 것으로 간호의 연속성을 반영한다. Likert형 측정척도에서 1점은 가장 바람직하지 못한 상태이며, 5점은 가장 바람직한 상태를 의미한다(표 2-14).

3. 간호계획 과정

간호계획은 간호 목표를 달성할 수 있는 간호전략을 개발하는 과정이다. 간호계획 과정은 우선순위 결정, 목표나 기대되는 결과 설정, 평가전략 개발, 간호중재방법 선정 등을 포함한다.

1) 우선순위 설정

우선순위를 가진 간호진단이 적절한지 여부를 검토하는 것은

표 2-12 간호결과 분류체계

	영역1	영역2	영역3	영역4	영역5	영역6	영역7
수준1 영역	1.기능적 건강	2.생리적 건강	3.정신 사회적 건강	4.건강 지식 및 행위	5.인지된 건강	6.가족 건강	지역사회 건강
	에너지 유지	심폐기계	정신적 안녕	건강행위	건강과 삶의 질	가족간호제공자 이행	지역사회 안녕
	성장과 발달	배설	정신 사회적 반응	건강신념	증상상태	가족구성원의 건강상태	지역건강보호
	기동성	수분과 전해질	자기통제	건강지식	간호에 대한 만족감	가족안녕	
수준2 범주	자가간호	면역반응	사회적 상호작용	위험 통제 및 안전		양육	
		대사조절					
		신경 인지적					
		섭취 및 영양					
		치료적 반응					
		조직통합					
		감각기능					

표 2-13 추상성 수준에 따른 분류

추상성 수준	분류	추상성 수준	분류
매우 높음	영역	낮음	지표
높음	범주	경험적 수준	측정 척도
중간	명칭		

계획을 개발하거나 수정하는데 있어서 매우 필요한 사항이다. 고도의 우선순위(대상자의 안녕에 절대적인 위협 상황인 것), 중간 순위, 낮은 순위(현재의 질병과 진단에 특별한 관련이 없는 것)로 우선순위를 구분할 수 있다.

다음 우선순위의 간호진단을 수행하기 전에 이전의 높은 순위가 반드시 해결되어야 하는 것은 아니다. 동시에 여러 가지의 건강문제를 포함하므로 높은 순위 및 그 이하의 순위도 함께 수행할 수 있다. 건강상태에 대한 대상자의 반응이 변화될 경우 우선순위도 변화될 수 있는 역동적인 것이다. 간호계획을 하는 경우 다음의 사항들을 고려해야 한다.

- 건강 문제의 긴급성 정도를 고려한다.
- 대상자의 건강에 대한 가치관, 신념 및 대상자의 우선순위를 고려한다.
- 시간적, 인적, 물적 자원을 고려한다.
- 다른 건강전문직의 치료를 고려하여 우선순위를 결정한다.

2) 목표/기대되는 결과 기술

목표는 간호진단의 문제 진술에서 파생된다. 간호목표는 간호를 수행하여 성취하고자 하는 것으로 관찰가능한 대상자의 반응을 서술한다. 이는 대상자가 도달 가능한 현실적인 목표를 말하며, 포괄적인 간호를 가능하게 한다.

(1) 장기목표 대 단기목표

목표/기대되는 결과는 장·단기로 분류할 수 있다. 장기 목표는 1주 이상의 시일이 필요한 경우를 말하며, 대상자의 결과를 반영하는 광범위하고 추상적인 상태나 조건을 기술하는 것을 말한다.

단기 목표는 의도된 결과로서 특정 행위를 관찰 가능하고, 측정 가능하도록 구체적으로 서술해야 하는 것으로 일주일 이내에 해결할 수 있는 것이어야 한다. 장기목표는 진단 명에 적절하도록 하고, 단기목표는 관련된 장기 목표에 부합되는 것이어야 한다.

(2) 목표/기대되는 결과의 필수 구성 요소

목표는 간호중재 효과의 광범위한 진술이며, 기대되는 결과는

표 2-14 NOC 지표 측정 척도의 예

1	2	3	4	5
심하게 손상된	상당히 손상된	보통으로 손상된	약간 손상된	전혀 손상되지 않은
적절하지 않음	약간 적절함	보통 적절함	상당히 적절함	완전히 적절함
없음	제한적	중등도	상당한	충분한
심각한	상당한	중등도	약한	없음

표 2-15 학습목표를 위한 행동동사

인지적 영역	비교한다, 정의한다, 서술한다, 구별한다, 설명한다, 확인한다, 열거한다, 명명한다, 언급한다
정신 운동적 영역	배열한다, 조립한다, 구성한다, 조작한다, 조직한다, 보여준다, 시작한다, 받는다
정의적 영역	선택한다, 방어한다, 토의한다, 돕는다, 증명한다, 선정한다, 나눈다

목표와의 부합정도를 평가하기 위한 기준으로 간호활동으로 달성할 수 있는 것이다. 또한 기대되는 결과는 간호 문제 해결에 적합한 것이어야 한다.

목표/기대되는 결과에 대한 진술은 행동동사, 조건, 수행의 기준을 제시함으로써 달성정도를 좀 더 분명히 할 수 있다.

① 행동동사

행동동사의 진술은 수행할 내용을 말한다. 이는 대상자에게 나타나야 하는 모든 활동으로 직접 관찰 가능한 행위를 말하며 측정이 어려운 동사의 사용은 금한다. 예를 들면 이해한다, 안다, 느낀다 등의 사용은 하지 않는 것이 바람직하며, 나열한다, 기록한다, 열거한다, 진술한다, 시범한다 등의 관찰 가능한 행동 동사를 사용한다.

간호사는 학습이 지적, 정신 운동적, 정의적 영역 중 어느 영역에서 이루어지는가를 반영하는 목적을 진술한다. 인지적 학습은 새로운 정보의 지각, 이해, 회고 및 저장을 포함하고, 정신 운동적 학습은 신체적 기술을 포함하며, 정의적 학습은 감정, 태도, 가치관의 변화를 포함한다(표 2-15).

② 조건

조건 혹은 수식어는 행위가 수행될 상황을 설명하는 것으로, 조건이나 수식어는 언제, 어디서, 무엇을, 어떻게 등을 설명하는 내용이다.

③ 수행의 기준

수행의 기준은 대상자의 수행 평가 시 비교할 표준으로 시간, 속도, 거리, 정도 등을 포함한다.

(3) 목표/결과 작성 지침

목표/결과를 작성하는데 있어서 가장 중요하게 고려해야 하는 사항중의 하나는 대상자와 가족이 목표 달성을 위해서 자신의 능력을 충분히 발휘할 수 있도록 기술하는 것이다. 대상자의 목표/결과를 개발할 때 간호진단의 문제 진술을 보고 대상자의 변화나 결과가 문제를 예방하거나 해결하는데 어떤 영향을 주었는지를 알 수 있어야 한다.

대상자의 목표/결과의 주체는 대상자이어야 하고, 수행할 내용을 행동 동사로 기술해야 하며, 대상자의 기대되는 행위를 관찰할 수 있고 측정 가능한 것으로 기술한 기준(criteria)이 있어야 한다.

(4) 일반적 오류

대상자의 목표/결과를 진술할 때 다음과 같은 오류를 범할 수 있다.

- 간호중재를 대상자 목표로 표현할 수 있다.
- 관찰 및 측정이 불가능한 동사를 사용할 수 있다.
- 단기 목표에서 한가지 이상의 대상자 행위를 포함할 수 있다.
- 모호한 목표/결과의 진술은 다른 간호사가 간호를 수행할 때 목표를 불확실하게 한다.

3) 간호전략 개발

간호 전략은 간호중재라고도 하며 목표나 기대되는 결과를 수립한 이후 수행단계에서 실행된다. 간호전략은 대상자의 결과를 강화하기 위해 간호사가 수행하는 임상적 판단과 지식에 근거한 것으로, 직접간호는 물론, 간호사 주도, 의사 주도, 타 건강 전문인 주도의 간호를 모두 포함한다(McCloskey & Bulechek, 1996).

간호 전략의 유형은 독자적, 의존적, 상호의존적인 세 가지 유형으로 분류할 수 있다(표 2-5).

4) 간호지시 작성

간호지시를 기술하는 것은 간호사와 다른 건강 전문가와의 의사소통을 가능하게 한다. 간호지시는 목표 달성을 위해서 간호사가 수행할 구체적인 활동 지시로 날짜, 지시내용과 시간 요소 등을 포함해야 하며, 동사를 사용하여 표현하고, 간호사의 서명이 있어야 한다.

간호지시는 대상자의 간호문제 유형별로 관찰지시, 예방적 지시, 치료지시, 건강증진 지시 등과 관련된 내용을 포함해야 한다.

① 관찰지시

대상자의 반응과 가능한 합병증 발생에 대한 관찰을 포함하는 것으로 모든 유형의 간호진단에 포함된다.

② 예방적 지시

합병증의 예방이나 위험요소의 예방을 위해서 필요한 간호를 처방하는 것으로 위험간호 진단 및 상호 의존적인 문제를 위해서 사용된다.

③ 치료지시

현재의 문제를 치료하기 위한 교육, 신체 간호 등과 같은 실제적 간호진단을 위해서 사용된다.

④ 건강증진 지시

현재 건강 문제는 없지만 대상자의 건강 증진 필요성이 있는 경우 계획되는 지시로서 안녕간호진단에 적절하다.

제5절
간호중재

간호수행은 간호실무에 있어서 가장 핵심이 되는 실천 영역으로 정상을 회복하며 지지하고 유지하기 위한 모든 업무를 말한다(그림 2-6). 간호현상을 간호과정으로 정리하게 되면서부터 간호과정의 일부분으로서 수행과정에서 간호중재가 보다 활발히 논의되고 있다.

간호수행에 대한 용어를 학자마다 약간씩 다르게 표현하고 있다. 고든(Gordon, 1982)과 캠벨(Campbell, 1987)은 간호중재

(nursing intervention)라 하였고, 베놀리알(Benolial, 1985) 등은 치료적 간호 전략(therapeutic action strategy), 미국간호협회(A.N.A.)는 간호행위(nursing action), 유라(Yura)와 왈시(Walsh, 1980)는 간호수행(nursing implementation)이라고 표현하였다.

간호중재의 의미도 학자들간에 다르다. 워싱턴 대학의 연구팀은 간호중재를 그 독자성의 정도에 따라 세 가지로 분류하고 있다. 의존적 간호중재는 의사의 지시에 의하여 수행되는 간호활동이며, 상호의존적 간호중재는 의사와 협조하여 수행하는 간호활동이고, 독자적 간호중재는 간호사의 독자적 판단에 의하여 수행하는 활동이라고 규정하였다.

1. 간호중재분류체계

간호진단분류체계의 개발과 더불어 간호중재의 분류체계에 대한 필요성이 제기되고 있고, 또한 개발되고 있다. 현재 임상적으로 미국에서 사용되고 있는 간호중재분류체계로는 NIC(Nursing Intervention Classification : Bulecheck & McClisky, 1996), Omaha Intervention Scheme(Martin, Sheet, 1992), Home Health Care Classification Nursing Intervention Scheme(Saba, 1994), ICNP(International Classification for Nursing Practice) 등이 있다.

1) NIC 중재분류체계

아이오와 대학(University of Iowa)의 블루체크(Bulech)와 맥클로스키(McClosky) 연구팀이 개발한 분류체계로 문헌고찰 및 전문가 의견 등을 통해 7개 영역(level), 30분류(classes)와 486개 간

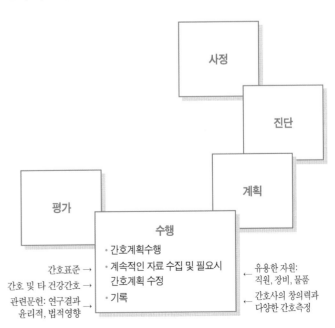

그림 2-6 간호수행

표 2-16 간호중재 분류체계(NIC)

1수준 영역	2수준 영역
영역 I. 생리적: 기본적 신체적 기능을 지지하는 간호	A. 활동과 운동관리: 신체활동과 에너지 소모를 조직하고 보조하는 중재 B. 배설관리: 규칙적인 배변, 배뇨 양상을 확립하고 유지, 배설 양상의 변화로 인한 합병증의 관리를 위한 중재 C. 부동관리: 제한된 신체 움직임과 그와 관련된 후유증을 관리하는 중재 D. 영양지지: 영양상태를 변화시키거나 유지시키는 중재 E. 신체적 안위 증진: 신체적 기술 사용으로 안위를 증진하는 중재 F. 자가간호 촉진: 일상활동을 제공하고 돕는 중재
영역 II. 생리적: 복합적 항상성 조절을 지지하는 간호	G. 전해질 및 산-염기 관리: 전해질, 산-염기 균형을 조절하고 합병증을 예방하는 중재 H. 약물관리: 바람직한 약물 효과를 촉진하는 중재 I. 신경학적 관리: 신경학적 기능을 최적화하는 중재 J. 수술 간호: 수술 전, 수술 중, 수술 후 간호를 제공하는 중재 K. 호흡관리: 기도 유지 및 가스 교환을 증진하는 중재 L. 피부/상처 관리: 조직 통합성 유지 및 회복시키는 중재 M. 체온조절: 체온을 정상 범위로 유지시키는 중재 N. 조직 관류 관리: 조직에서 혈액과 체액 순환기능이 최적화되도록 하는 중재
영역 III. 행동적: 심리적, 사회적 기능을 지지하고 생활 방식 변화를 촉진하는 간호	O. 행동치료: 바람직한 행동을 강화, 혹은 증진시키고, 바람직하지 못한 행동을 변화시키는 중재 P. 인지치료: 바람직한 인지 기능을 강화 혹은 증진시키고, 바람직하지 못한 인지기능을 변화시키는 중재 Q. 의사소통증진: 언어적, 비언어적 내용 교환을 촉진시키는 중재 R. 대처 보조: 자신의 장점 확대, 기능 변화에 적응, 더 높은 수준의 기능 성취를 위해 타인을 보조하는 중재 S. 대상자교육: 학습을 촉진하는 중재 T. 심리적 안위 증진: 심리적 기술사용으로 안위를 증진시키는 중재
영역 IV. 안전: 손상으로부터 보호를 지지하는 간호	U. 위기관리: 심리적, 생리적 위기에서 즉시 도움을 제공하는 중재 V. 위험관리: 위험감소 활동을 시작하고, 위험을 계속적으로 모니터하는 중재
영역 V. 가족: 가족 단위를 지지하는 간호	W. 출산간호: 출산 기간 동안 발생하는 생리적, 심리적 변화를 이해하고 대처하는 것을 돕는 중재 X. 생의 주기 간호: 가족 기능을 촉진하고, 가족 구성원의 건강과 복지를 증진시키는 중재

영역 VI.
건강체계: 건강간호전달체계의 효과적인 사용을 지지하는 간호
	Y. 건강체계 조정: 대상자/가족과 건강간호체계간의 상호작용을 돕는 중재
	  a. 건강체계관리: 간호전달을 위한 지지 서비스를 제공하고 강화하는 중재
	  b. 정보관리: 건강간호제공자 사이의 의사소통을 돕는 중재

영역 VII. 지역사회: 지역사회 건강을 지지하는 간호	Z. a. 지역사회 건강증진: 지역사회 전반적인 건강 증진을 위한 중재 b. 지역사회 전반의 건강위험 요인을 예방하거나 발견하는데 도움이 되는 중재

표 2-17 가정간호중재 분류

간호중재요소

- 활동요소 (activity component)
- 심장요소 (cardiac component)
- 인지요소 (cognitive component)
- 적응요소 (coping component)
- 체액요소 (fluid volume component)
- 건강행위요소 (health behavior component)
- 약물요소 (medication component)
- 대사요소 (metabolic component)
- 영양요소 (nutritional component)
- 신체조절요소 (physical regulation component)

- 호흡요소 (respiratorg component)
- 역할관계요소 (role relationship component)
- 안전요소 (safety component)
- 자가간호요소 (self-care component)
- 자아개념요소 (self concept component)
- 감각요소 (sensory component)
- 피부통합성요소 (skin integrity component)
- 조직통합성요소 (tissue integrity component)
- 조직관류 (tissue perfusion component)
- 배뇨요소 (urinary component)

호중재(intervention)를 분류하였다. 간호중재는 '간호사가 환자/대상자의 결과를 향상시키기 위해서 임상에서의 판단과 지식을 기반으로 수행하는 처치'로 정의하였으며, 간호중재를 개념적인 유사성을 근거로 체계적으로 조직한 것으로서 영역, 분류, 중재의 3단계로 구성하였다(표 2-16).

NIC은 모든 간호사들이 수행하는 간호중재를 모두 포함하는데 간호중재는 광범위하게 간호실무에서 적용되므로 중재의 수준에는 차이가 있다. NIC 분류체계에서는 간호중재를 직접간호중재, 간접간호중재, 간호사가 주도하는 처치, 의사가 주도하는 처치로 분류한다. 직접간호중재는 대상자와의 상호작용을 통하여 이루어지는 간호행위를 포함하는데, 직접 간호하는 행위, 지지적이고 상담하는 행위들이다.

간접간호중재는 대상자와는 떨어진 상태에서 행해지는 행위로 대상자 간호를 위한 환경관리, 타 분야와의 협력을 위하여 수행하는 행위가 포함된다. 간호사가 주도하는 처치는 간호진단에 근거하여 간호사가 주도하는 중재로서 과학적 원리에 의한 자율적인 행위로서, 간호진단과 예견된 결과와 관련지어 수행된다. 의사가 주도하는 처치는 의학적 진단에 기초하여 의사가 주도하지만 처방에 의하여 간호사가 수행한다.

2) 오마하 중재 분류

오마하 중재 분류(Omaha Intervention Scheme)는 방문간호사를 위한 간호 중재 분류로서 마틴(Martin)과 쉬트(Scheet, 1992)가 지역사회 간호행위나 활동을 체계적으로 정리하였다. 간호중재는 질병 예방, 대상자의 건강 증진·유지·회복을 포함하여 지역

사회 실무에 포함되는 모든 행위를 포함시켰다.

오마하 중재 분류 체계에는 독자적 중재와 협동적 중재가 모두 포함되어 있으며, 이 체계는 범주, 목표, 대상자에게 적절한 정보의 3단계로 구성된다.

구체적인 분류 목록은 다음과 같다.

- 건강교육, 지도, 상담 : 정보제공, 문제예측, 자기간호능력과 대처능력 권장
- 의사결정과정 돕기, 문제해결과정 돕기 등
- 치료와 처치 : 기술적인 간호, 증상과 징후의 경감을 위한 간호 활동
- 대상자관리 : 치료조정, 옹호, 의뢰 등
- 감독 : 확인, 측정, 모니터링 등

3) 가정간호중재 분류

가정간호중재분류(HHCC Nursing Intervention Scheme, Saba, 1994)는 가정 간호를 위한 간호 진단과 간호중재 요소의 목록을 알파벳 순서로 20가지를 제시하였다(표 2-17). 오마하중재분류보다는 좀더 자세하지만 복잡하여 실무환경에서는 유용하지 않은 것으로 평가된다. 그러나 정확한 기록, 임상적으로 주요한 범주, 가정간호 서비스의 보다 효과적인 분석을 위한 틀을 제공한다. 주로 지역사회간호영역에서 사용할 수 있도록 개발되었다.

4) 간호실무분류체계(ICNP)

1989년 서울 국제 대표자회의에서 ICNP(International Classification for Nursing Practice)의 필요성을 처음으로 세계간호연맹

(ICN)에 제안하였으며, 각각의 간호요소를 포괄적으로 수집하기 위한 통합적인 분류체계의 개발 노력이 여러 국가에서 시도되고 있다.

ICNP는 현대적 건강관리체계에 참여하는 간호사와 연구, 교육 및 질적인 간호관리의 비용과 효과적 전달수행에 필요한 지식을 제공하려는 간호사에게 필요하며, ICNP의 효과는 다음과 같다.

- 간호자료를 기술 · 조직하는데 쓰일 수 있는 명명법, 용어 및 분류 제공
- 건강관련 의사결정과 정책결정 과정의 도구 제공

ICNP의 개발 목적은 다음의 여러 가지를 들 수 있다.

- 간호사간, 간호사와 다른 인력간의 의사소통 증진을 위한 공통용어 설정
- 다양한 상황에서 개인 · 가족의 간호관리 기술
- 임상집단, 환경, 지역적 영역 및 시간에 걸친 간호 자료의 비교
- 간호진단에 기초한 간호요구에 따라 대상자에 대한 간호치료, 관리 및 자원 분배의 준비에 대한 경향을 기술하거나 계획
- 간호정보체계(Nursing Information System : NIS)와 다른 건강관리 정보체계(Healthcare Information System : HCISs)에서 이용할 수 있는 상술된 자료와 연결하여 간호 연구를 자극
- 건강정책 결정에 영향을 미치기 위한 간호 실무에 대한 자료 제공

ICNP는 간호현상의 핵심(core nursing phenpmena)이라는 분류틀을 제시하고 있다. 이 분류틀은 3단계로 구성되어 있다. 1단계는 인간(human being)과 환경(environment)의 두 개념이 포함되며, 2단계는 인간의 기능과 인성, 인간환경과 자연환경의 4영역으로 분류되며 각각의 분류는 다시 10개의 하부영역으로 분류된다.

ICNP의 중재활동 분류(Classification of Nursing Interventions : Action Types)는 5개 영역이며 내용은 다음과 같다.

- 모니터(observing): 규명, 결정, 모니터, 사정
- 관리(managing): 조직화, 제공
- 직접간호(performing): 청소, 몸단장, 목욕, 덮어주기, 먹이기, 체위, 신체 부분 조작, 움직이게 하기, 자극, 자르기, 봉합, 환기, 준비, 팽창, 설치, 제거, 변화
- 돌봄(caring): 돕기, 치료, 오염예방, 관계 맺기
- 정보제공(informing): 교육, 안내, 서술

2. 간호계획 수행

간호계획을 수행할 때 간호사는 ① 대상자의 간호요구가 있는지 결정하고, ② 자기간호를 증진시키며, ③ 건강목표에 대상자

가 도달할 수 있도록 특별한 능력을 사용한다.

간호계획 수행시 간호사는 인지적, 대인관계적, 기술적, 윤리/법적 능력을 필요로 한다. 간호활동 내용에 따라 한 가지 혹은 그 이상의 능력이 요구된다.

1) 인지적 능력

- 대상자의 건강 요구에 필요한 효율적인 간호계획 적용내용을 아는 것
- 간호에 적절한 기준 및 기관의 전책에 대한 지식

2) 기술적 능력

대상자의 간호 계획에 구체적인 장비와 기술을 사용할 수 있는 능력

3) 대인관계적 능력

- 책임있는 간호 수행에서 간호사-대상자의 신뢰관계를 이룰 수 있는 능력
- 간호제공팀의 구성원으로 학제간 협력하여 간호계획 수행에 적용할 수 있는 능력

4) 윤리적/법적 능력

- 필요할 경우 간호계획을 성공적으로 수행하기 위한 위원회 구성
- 신뢰할 수 있고 효율적인 대상자 옹호 능력
- 간호계획을 수행하는 동안 적절한 법적 안전장치의 계속적인 사용

3. 목표/결과 달성에 영향하는 요인

목표/결과를 성취하기 위해 대상자와 함께 노력할 때 고정된 간호 계획은 없음을 알아야 한다. 간호계획 수행에 영향을 미치는 주요한 요인들은 다음과 같다.

1) 대상자

간호사는 대상자의 ① 간호에 참여하고 변화하려는 의지와 능력 ② 간호중재에 대한 이전의 대상자 반응 ③ 목표/결과 성취에 대한 진행과정에 따라서 간호활동을 수정할 수 있어야 한다. 또한 대상자의 발달 단계, 심리적, 사회문화적 배경에 따라서 간호수행은 차별화 될 수 있다.

2) 간호사

간호사의 전문적 지식, 창의성, 독창성, 의지 등은 목표달성에 중요한 영향을 한다.

3) 자원

인적, 물적 자원 및 환경 등의 조건에 따라 목표달성에 영향을

받는다.

4) 간호표준

간호활동은 현장 실무 표준과 일치하는 것이어야 한다.

5) 연구결과

간호실무를 향상시키는 연구 결과의 적용은 간호의 질을 향상시키는데 중요한 역할을 한다. 전문적인 서적을 읽고 교육이나 집담회에 참석하는 것은 효율적인 간호 전략 개발에 유용하다.

6) 법적, 윤리적 실무 지침

윤리적, 법적 실무 지침을 따를 때 효율적인 목표 달성이 가능하다.

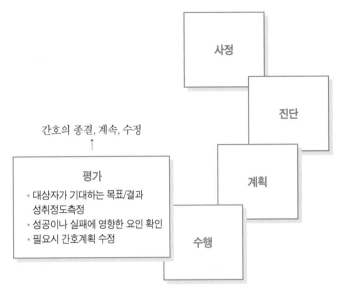

그림 2-7 간호평가

제6절
간호평가

간호과정의 마지막 단계인 평가는 목적달성의 정도를 측정하는 과정이다. 간호과정에서 볼 때 평가는 사정과정부터 시작되는 지속적인 과정이다. 간호계획이 수행된 후 간호목표의 달성정도를 평가해 보아야 한다(그림 2-7).

간호에 대한 대상자의 반응을 분석하는 것은 자료수집 과정에서 자료의 분석과정과 유사하다. 대상자의 반응을 표준과 비교하여 반응의 종류를 판단하게 된다. 대상자의 반응을 분석할 때 판정의 기준은 목표의 달성여부, 목표를 향하여 진행되고 있는가 등을 분석하는 것이다.

1. 평가의 목적

간호계획은 평가의 기초가 되며, 간호진단, 대상자 목표, 결과영역, 간호중재방법 등에 대한 확인 등이 지침이 된다. 이 과정동안 간호사는 간호 구성 요소들의 적절성,정확성, 연관성 등을 결정한다. 평가는 간호과정 단계 중 이전 단계에서 발생했을 수도 있는 오류를 발견할 수 있도록 한다. 간호사는 대상자가 계획된 활동 과정 중에 어떻게 반응하고 행동했는지를 고려해야 한다(Yura & Walsh, 1988).

간호 평가는 다음과 같은 몇 가지 목적을 가진다.

- 간호수행을 판단하는 주관적, 객관적 자료 수집
- 간호중재에 대한 대상자의 행위적 반응 시험
- 사전에 결정된 결과 영역과 대상자의 행위적 반응 비교
- 대상자의 목표 달성이나 문제 해결 정도에 대한 평가
- 대상자, 가족 구성원, 간호사, 건강 전문인등의 포함 및 협력

정도가 간호 결정에 영향한 정도
- 간호계획 평가 수정의 기초 제공
- 간호의 질 및 간호의 질이 대상자의 건강 상태에 영향

한 정도에 대한 모니터(Yura & Walsh, 1988; Alfaro-LeFevre, 2001; Carpenito, 2002)

2. 평가의 단계

간호의 평가를 수행하는 세부 활동으로는 수행된 간호에 대한 판단을 위하여 객관적 정보와 주관적 정보의 수집, 간호 중재에 대한 대상자의 행동 반응의 사정, 미리 결정된 평가 기준에 대상자의 행동반응을 비교하고 판단하는 과정을 포함한다. 이러한 과정을 통하여 간호 계획을 수정하거나 변경한다.

그러므로 평가는 간호진단에서 필요로 하는 변화, 대상자의 목표, 평가 기준, 간호전략, 간호의 질 평가와 간호가 대상자의 건강 상태에 미치는 영향을 확인한다.

1) 대상자의 목표와 평가 기준의 재검토

간호사는 각 간호진단을 위해 개발된 평가 기준과 대상자의 간호 목표에 대한 재검토를 통하여 목표 달성을 측정할 수 있다. 계획단계에서 측정 가능한 용어로 기술된 평가 기준은 목표 달성을 판단하는데 활용된다. 기대되는 대상자의 행동에 대한 재검토는 간호사가 평가 기준과 설정된 목표의 정확성과 현실성을 사정하기 위해 필요한 정보에 초점을 맞출 수 있도록 도와준다.

2) 정보 수집

체계적인 정보 수집은 목표 달성 정도와 대상자의 평가 기준이 적절성을 결정하기 위해서 필요하다.

주관적 및 객관적인 정보는 간호중재에 반응하는 대상자의 행위를 판단하기 위해 수집되는데, 객관적 정보는 대상자 자신, 가족구성원들이나 의미 있는 중요한 타인들, 간호사, 다른 건강요원들로부터 수집된다. 이 때 대상자의 주관적 상태에 관한 자료는 그 대상자의 간호 목표가 달성되었는지의 여부를 판단하기 위해서 필요하다.

3) 목표달성의 측정

정보 수집 후 간호사는 간호중재에 대한 대상자의 행동반응에 대한 전체적인 상황을 파악한다. 다음으로 목표 달성이 되었는지에 대한 판단을 한다. 평가자료는 계획단계에서 개발되어 이미 설정된 평가기준이나 예측된 반응에 대한 대상자의 실제적인 행동 반응을 비교한다.

목표의 성취는 완전히 충족되었는지, 부분적으로 충족되었는지, 완전히 충족이 안되었는지, 새로운 문제나 간호진단이 개발되어야 하는지 등으로 판단된다. 마지막의 판단은 앞에 제시된 세 문항 어디라도 동시에 존재할 수 있다.

4) 목표달성의 판단이나 측정을 기록

수집된 주관적 및 객관적 정보에 관한 기록과 목표 달성에 관해 내려진 판단이 대상자의 건강 기록에 필요하다. 목표달성에 관한 판단은 명확하고 간결하게 기록되어야 한다.

5) 간호계획의 수정과 조절

간호계획의 수정과 조절은 평가 단계의 한 부분으로 회환기전을 제공한다.

해결된 간호진단은 더 이상의 간호 중재가 필요하지 않다. 대상자의 간호 문제가 해결된 상태를 유지하기 위하여 간호계획은 잠재적인 간호진단을 통합하고, 최적의 기능적 건강을 향하여 간호활동을 조절하도록 개발되어야 한다. 간호사는 정기적으로 기능의 수준을 재 사정하고, 건강상태에서 새로운 문제나 간호진단이 개발되는지의 여부를 결정하기 위해 변화 상태를 재사정한다.

대상자의 목표는 부분적으로 충족되거나 완전히 충족되지 못할 수도 있는데, 대상자의 완전한 재 사정을 시작하고 조정해야 한다. 목표 설정의 변경, 대상자의 평가 기준, 새로운 간호 중재들이 필요하다. 새로운 문제가 발생한다면, 새로운 간호진단이 내려지고, 간호계획이 기록되어야 한다.

간호의 목표가 달성되었을 때 간호를 끝내게 된다. 평가과정이 목표를 향하여 진행되고 있는 경우에는 지속적으로 간호를 시행한다. 예를 들어 욕창의 조기증상이 나타나는 대상자에게 욕창을 예방하기 위한 목표로 간호법을 시행하고, 며칠 후 대상자의 피부상태가 좋아졌다면 그 간호법을 계속 시행하게 된다. 평가결과 과정이 목표를 향하여 진행되고 있지 않을 때에는 간호법을 보완해야 한다.

간호과정의 5단계는 각각의 단계가 독립적이거나 수평적인 관계라기보다는 순환적 과정으로 사정에서 평가까지 각 단계가 지속적으로 연결된다. 간호과정의 각 단계는 순환적 특성과 회환체계를 잘 나타내어 준다. 즉, 각 단계마다 평가결과가 반영되어 확인이나 수정, 재사정 등이 있게 된다.

3. 평가의 유형

1) 구조 평가

구조 평가는 제공된 간호의 환경적, 조직적 특성을 중시한다. 이 평가는 시설, 구조, 기구, 절차, 정책 등을 평가한다. 장비의 유용성, 물리적 환경, 간호사-대상자 비율, 행정적지지, 유능한 간호 인력유지 등은 구조 평가에 영향하는 요소이다(Ziegler, Vaughan-Wrobel, & Erlen, 1986; Miller, 1989).

2) 과정 평가

과정 평가는 간호사의 수행 및 간호가 적절하게 제공되었는지 여부에 초점을 둔다(Zieger et al., 1986). 간호과정은 간호 평가의 틀이 된다. 이 평가 유형은 면담이나 신체사정, 간호진단 진술문의 타당성 및 간호사의 기술적 능력 등에 영향을 받는다.

3) 결과 평가

결과 평가는 간호의 결과로 대상자의 건강 상태나 기능에 직접 나타난 변화에 초점을 둔다. 결과 평가는 원하는 대상자의 목표 및 결과에 시행된 간호 중재에 대해 대상자의 행동적 반응의 변화 정도를 결정한다. 결과 평가는 표준 개발 후에 가능하다. 결과 평가는 특수한 간호진단의 간호 표준을 설정하고 표준과 실제 대상자의 결과를 비교하는 것이다.

첨부 1. Gordon의 기능적 건강양상에 의한 간호사정 도구

이 름:	나 이:	성 별:
주 소:		
연 락 처:		
입 원 일:		
입 원 전: 집에서 혼자 거주 □ 집에서 친척과 함께 거주 □ 요양시설거주 □		
집에서 ( )와 살고 있음 □ 집 없음 □ 응급실 경유해서 입원 □ 기타 □		
입 원 시: 휠체어 사용 □ 엠블런스 이용 □ 침대차 이용 □ 걸어서 □		
수술날짜:	수술명:	
의학진단:		
투약내용:		

영역	진단명
1. 건강지각-건강관리 양상 (Health Perception-Health Management Pattern) ■ 평소의 건강상태는? 좋음 □ 보통 □ 나쁨 □ ■ 현재의 건강상태는? 좋음 □ 보통 □ 나쁨 □ ■ 질병 예방 및 건강유지를 위해 시도해 온 내용은? 자신을 위해 - 적절한 영양 □ 체중 조절 □ 자가검진(유방, 고환) □ 검사(부인과, 치과) □ 운동 □ 예방접종 □ 가족을 위해 - 적절한 영양 □ 체중 조절 □ 자가검진(유방, 고환) □ 검사(부인과, 치과) □ 운동 □ 예방접종 □ ■ 입원한 이유는 무엇이라고 생각하는가? ■ 질병의 원인은 무엇이라고 생각하는가? ■ 질병의 발생 시기는 언제라고 생각하는가? ■ 입원을 통한 대상자의 기대는: ■ 입원 전까지의 치료는? 안정 □ 식사 □ 수술 □ 체중조절 □ 투약 □ 운동 □ 금연 □ 검사 □ 기타:_____ ■ 담배는? 피우지 않는다 □ 끊었다 □ 하루 1갑 이하 □ 하루 1-2갑 □ 하루 2갑 이상 □ ■ 술은? 마지막 마신 날____ 주량은? 양( )/술 종류( ) ■ 먹고 있는 약은? 없다 □ 있다 □ ■ 치료지시 이행여부는? 완전이행 □ 부분 이행 □ 불이행 □ 이행상 어려운 점: ■ 자신과 가족의 건강관리 문제는? 기동성 문제: 재정적 문제:	오염 오염위험성 에너지 교류 장애 성장발달 지연 치유가능성 부족 발달지체 위험성 모험적 건강 행위 건강유지 능력 변화 수술 후 회복 지연 건강 추구 행위 면역 상태 향상 가능성 치료요법의 효율적 이행 치료요법의 비효율적 이행 치료요법의 비효율적 이행: 지역사회 치료요법의 비효율적 이행: 가족불이행 신체손상 위험성 낙상 위험성 질식위험성 중독위험성 외상위험성 수술 중 체위관련 손상 위험성 배회

영역	진단명
감각결손 - 청력: 시력: 주거환경 - 유형 - 전세☐ 월세☐ 자가☐ 기타☐ 　　　　　　아파트☐ 단독주택☐ 한옥☐ 양옥☐ 　　　　　　침대☐ 온돌☐ 계단☐ 좁은 문☐ 화장실 - 수세식☐ 재래식☐ 미끄러운 바닥☐ 어두운 조명☐ 　　　　　먼 거리☐ 채광☐ 상하수도☐ 오물처리☐ 환기☐ ■ 신체조절기능	
2. 영양-대사 양상 (Nutritional-Metabolic Pattern) 　■ 평소에 섭취하는 음식의 종류는? 식사:　　간식: 　■ 평소에 섭취하는 음료의 종류는? 종류:　　양: 　■ 식욕은? 좋음☐ 보통☐ 나쁨☐ 　■ 나쁘다면 그 이유는? 소화불량☐ 구토☐ 오심☐ 구강궤양☐ 　■ 기초식품은? 　■ 제한식품은? 　■ 비타민 등 영양보충약제나 건강식품 사용은?＿＿＿＿＿ 　■ 최근 6개월간 체중 변화 유무는? 유☐ 무☐ 　　체중증가:　kg　알 수 있다면 그 이유는? 　　체중감소:　kg　알 수 있다면 그 이유는? 　　현재 체중:　kg 　■ 음식섭취상의 문제는? 액체 연하 곤란☐ 저작운동장애☐ 　　　　　　　　　　　고체연하곤란☐ 상지활동 장애☐ 조리불능☐ 　■ 치아는? 본인 치아☐ 부분 의치☐ 전체 의치☐ 　■ 피부, 치유문제: 없다☐ 상처가 잘 안 낫는다☐ 발진☐ 　　　　　　　　　피부건조☐　땀이 많이 난다☐ 　■ 알레르기는? 　■ 체온은?	두개내압 조절력 감소 체온유지능력저하 위험성 저체온 고체온 비정상적 체온변화 체액부족 체액과다 체액부족 위험성 불안정한 혈당수치 위험성 감염위험성 감염전달 위험성 라텍스 알레르기 반응 라텍스 알레르기 반응 위험성 간 기능 장애 위험성 영양불균형: 영양부족 효율적 모유수유 비효율적 모유수유 모유수유장애 치아상태불량 비효율적 수유 연하장애 영양불균형: 영양과다 영양불균형: 영양과다 위험성 방어증력 저하 조직손상 구강점막 손상 피부손상

영역	진단명
3. 배설양상 (Elimination Pattern) ■ 정상 배뇨에 문제나 불편이 있는가? 　정상 □ 핍뇨 □ 다뇨 □ 배뇨곤란 □ 요정체 □ 야뇨 □ 　작열감 □ 혈뇨 □ 긴박뇨 □ 금방 안 나옴 □ 기타_____ 　　■ 실금은? 없다 □ 있다 □ 낮에 □ 밤에 □ 가끔 □ 　　　　　기타 _____ 　　■ 보조기구 사용 여부는? 　　■ 간헐적 도뇨 □ 유치도뇨 □ 방광루 □ 체외도뇨 □ 기타_____ 　　■ 대변 - 평상시의 습관은? 　　　배변 횟수: 번/하루　배변시기:　색:　형태: 　　■ 보조기구 및 약제의 종류와 횟수는? 　　　회장루 □ 결장루 □ 관장 □ 하제 □ 완화제 □ 좌약 □ 　　■ 회음부 - 피부 상태는? 　　　발적 □ 소양증 □ 부종 □ 피부박리 □ 항문열상 □ 치루 □	변실금 변비 변비위험성 상상변비 설사 배뇨장애 전 요실금 기능적 요실금 익류성 요실금 긴박성 요실금 긴박성 요실금 위험성 복압성 요실금 유뇨증
4. 활동-운동 양상(Activity-Exercise Pattern) 　■ 일상운동은? 　　직업:　운동종류:　운동 빈도: 　　레저활동 종류:　빈도: /월 　■ 활동에 제한이 있는가? 　　기동 - 자세 □ 체중 □ 지탱 □ 균형 □ 계단 오르기 □ 옷 입기 □ 　　　　몸치장 □ 구강청결 □ 쇼핑 □ 요리 □ 가정관리 □ 　　대소변보기 - 화장실 □ 이동식 변기 □ 침상 변기 □ 　　목욕 - 샤워 □ 통 목욕 □ 　■ 호흡곤란이나 피로가 있는가?	활동 지속성 장애 심박출량감소 비사용 증후군 여가활동부족 비효율적 가정관리 영아의 비조직적 행위 영아의 비조직적 행위 위험성 영아의 조직적 행위 향상 가능성 운동장애 침상체위 이동장애 이동능력장애 휠체어 사용장애 말초신경 혈관 기능장애 위험성 호흡기능 장애 위험성 호흡기 제거에 대한 부적응 기도개방 유지 불능 비효율적 호흡 양상 가스교환장애 호흡기능장애 자가간호 결핍 증후군(시사, 목욕/위생, 옷 입기/치장하기, 화장실 이용) 자가간호 향상 가능성

영역	진단명
	비활동적 생활양식 비효율적 조직관류
5. 수면-휴식 양상(Sleep-Rest Pattern) 　■ 평소의 수면 형태는? 　　취침시각:　　시 수면시간:　　시간/일　　낮잠: 　　취침준비:　　수면을 돕는 투약이나 음식: 　■ 현재의 수면상의 문제는? 　　수면 시작의 어려움 □　수면 후에도 피로감 있음 □ 　　수면도중 자주 깸 □ 밤잠이 없음 □ 조기에 깸 □ 　　가수면 상태 □	불면증 수면박탈 수면 향상 가능성
6. 인지-지각 양상(Cognitive-Perceptual Pattern) 　■ 정신상태: 명료함 □ 실어증 □ 기억력 장애 □ 　　　　　　지남력 없음 □ 혼동 □ 호전적 □ 무반응 □ 　■ 감각수용(청각, 시각, 촉각)에 문제가 있는가? 　　시각- 문제없음 □ 안경 □ 콘텍트렌즈 □ 근시 □ 원시 □ 　　　　난시 □ 노안 □ 보임(좌 우) 의안(좌 우) 　　청각- 정상 □ 장애 □(좌 우) 보청기 □ 　　촉각-표재성 자극에 대한 무감각 □ 온냉에 대한 무감각 □ 　■ 언어: 정상 □ 발음이 부정확 □ 실어증 □ 　■ 사용언어: 한국어 □ 영어 □ 기타_____ 　■ 읽고 쓸 수 있는가? 예 □ 아니오 □ 　■ 의사소통능력: 있다 □ 없다 □ 　■ 상호작용 기술: 적절하다 □ 기타_____ 　■ 불안수준: 약간 □ 보통 □ 심함 □ 공황 □ 　■ 현훈: 있다 □ 없다 □ 　■ 기억장애: 있다 □ 없다 □ 　■ 불편감/통증: 없다 □ 급성 □ 만성 □ 설명_____ 　■ 통증관리: _____	자율적 반사장애 자율적 반사장애 위험성 안위장애 급성통증 만성통증 오심 급성혼동 만성혼동 의사결정향상 가능성 의사결정갈등 환경인지 장애 증후군 지식부족: 구체적으로 흡인위험성 감각지각장애: 구체적으로(시각,청각, 운동감각, 미각 촉각, 후각) 기억장애 편측성지각장애
7. 자아지각과 자아개념 양상(Self-Perception and Self-Concept Pattern) 　■ 현재 가장 관심을 갖는 것은? 　■ 현재의 건강 목표는? 　■ 많은 주위사람들이 당신을 어떻게 표현했는가? 　■ 자신의 어떤 점을 좋아하는가? 　■ 아플 때 자신에 대해 어떤 느낌을 가지는가? 　■ 당신은 다음 중 어디에 속하는가? 　　건강이 악화되는 상태 □ 건강이 유지되는 상태 □	불안 죽음불안 피로 두려움 희망증진가능성 절망감 힘 향상 가능성

영역	진단명
건강이 증진되는 상태 □	무력감 무력감 위험성 자아정체성 손상 신체상 손상 만성적 자긍심 저하 상황적 자긍심 저하 상황적 자긍심 저하 위험성

8. 역할-관계 양상(Role-Relationship Pattern)
  ■ 결혼상태:
  ■ 직업:
  ■ 고용상태:
  ■ 의사소통-지역방언:
    말이 분명하고 적절한가?
    자신을 표현하고 타인을 이해하는
    능력은?(언어적, 비언어적): _____
  ■ 관계형성-같이 사는 사람은? ____명 관계:_____
    가장 도움이 되는 사람: 배우자 □ 이웃/친구 □ 없다 □
      인근에 사는 친척 □ 멀리 사는 친척 □ 기타:_____
    도움이 필요할 때 청할 사람은? 이름: 연락처:
  ■ 가족생활: 구성원: _____ 교육수준: _____ 직업: _____
               _____   _____   _____
               _____   _____   _____
               _____   _____   _____
    의사결정 방법:
    주 의사결정자:
    활동(단독 혹은 그룹):   누구와:
    역할 구분: 수입원:
    가정생활에 문제가 있는가?
    결혼생활-자신: _____   자녀: _____
    자녀양육:
    친척간의 관계(시댁, 처가):
    학대(신체적, 언어적, 물질적):
    과잉보호:
	의사소통장애
	언어소통장애
	가족과정 중단
	가족과정 기능 장애
	슬픔
	복합적인 슬픔
	만성적 비탄
	외로움 위험성
	애착장애 위험성
	부모역할 장애
	부모역할 갈등
	사회적 상호작용 장애
	사회적 고립

9. 성-생식 양상(Sexuality-Reproductive Pattern)
  ■ 건강 상태로 인해 성관계의 변화는?
    불임: 임신: 성욕: 피임: 발기:
	성기능 장애

영역	진단명
마지막 월경일: 임신횟수: 출산횟수: 월경/호르몬 문제: 있다 ☐ 없다 ☐ 마지막 자궁경부암 검사일: 매달 유방/고환 자가검진: 한다 ☐ 안한다 ☐ 마지막 유방 촬영일: 성적 관심사:	

10. 대응-스트레스 내성 양상(Coping-Stress-Tolerance Pattern)
 ■ 의사결정은 어떻게 하는가? 혼자서 ☐   도움을 받아서 ☐
 ■ 누구의 도움을 받는가? 가족 ☐ 친구 ☐
 ■ 지난해에 의미 있는 사람의 죽음, 이사, 직업, 건강 등의 변화가 있었는가?
  가족:_____ 친구:_____ 친척:_____ 직장동료:_____
 ■ 생활의 어떤 점을 변화시키고 싶은가?
 ■ 당신에게 방해가 되는 것은?
 ■ 긴장이나 스트레스가 있을 때 무엇을 하는가?
  음식섭취 ☐ 수면 ☐ 투약 중 ☐ 도움을 청함 ☐
  흡연 ☐ 음주 ☐ 기타 ☐ (   )
 ■ 입원동안 편안함과 안전을 위해 간호사에게 원하는 것은?
	적응장애
	돌봄제공자 역할 부담감
	비효율적 대응: 개인
	방어적 대응
	비효율적 부정
	가족 대응 저하
	가족 대응 향상 가능성
	비효율적 지역사회 대응
	지역사회 대응 향상 가능성
	가족 대응 불능
	외상 후 증후군
	강간 상해 증후군
	재적응 스트레스 증후군
	재적응 스트레스 증후군 위험성
	자해 위험성
	자해

11. 가치-신념 양상(Value-Belief Pattern) ■ 당신에게 힘과 의미를 주는 것은? ■ 당신에게 종교나 신이 중요한가? ■ 최근에 도전받은 가치나 신념이 있는가? 없다 ☐ 있다 ☐ ( ) ■ 입원동안 종교의식, 종교서적 및 성직자의 방문을 원하는가? ■ 종교와 관련 사항은?	도덕적 고뇌 영적 고뇌 영적 고뇌 위험성 영적 안녕 향상 가능성 손상된 신앙심 신앙심 향상 가능성 신앙심 손상 위험성

첨부 2. NANDA의 분류체계에 의한 간호사정 도구

이름 :	성별 :	나이 :	직업 :
주소 :			
사정일자 : 년 월 일		정보제공자:	

영역	진단명
1. 건강증진(Health Promotion) 　과거/현재의 건강섭생 이행 　장래의 건강섭생 이행에 대한 자발성 　대상자의 관점 　치료 이행 정도 적극적 □ 소극적 □	여가활동 부족 비활동적 생활양식 지역사회 건강 부족 위험성향 건강 행동 비효율적 건강 유지 면역상태 향상 가능성 비효율적 방어 비효율적 자기 건강관리 자기건강관리 향상 가능성 비효율적 가족치료 요법 관리
2. 영양(Nutrition) 　건강식품 섭취 안함 □ 함 □ _____ 　식욕상태 왕성 □ 보통 □ 식욕부진 □ 　체중 증가 □ 감소 □ 유지 □ 　식사종류 일반식 □ 금식 □ 특별식이 □ _____ 　음식물 섭취경로 구강 □ 비위관 □ 위루 □ 　　　　　　총비경구영양(TPN) □ 정맥수액 □ 　좋아하는 음식:_____ 싫어하는 음식_____ 　하루 식사횟수: 평상시_____ 현재_____ 　음식 알레르기: 무 □ 유 □ _____ 　수분섭취 _____	불충분한 모유 비효율적 영아 수유 양상 영양불균형: 영양부족 영양불균형: 영양과다 영양 향상을 위한 가능성 영양불균형 위험성: 영양과다 연하장애 불안정한 혈당수치 위험성 신생아 황달 신생아 황달 위험성 간 기능 장애 위험성 전해질 불균형 위험성 체액균형 향상 가능성 체액부족 체액과다 체액부족 위험성 체액불균형 위험성
3. 배설(Elimination) 　배뇨빈도: 회/일 　　양상 정상 □ 빈뇨 □ 배뇨지연 □ 긴박뇨 □ 　　경로 정상 □ 도뇨관 삽입 □ 방광루 □ 　　　기타: _____	기능적 요실금 익류성 요실금 신경인성 요실금 복압성 요실금

영역	진단명
배변빈도: 회/일	절박성 요실금
양상 변비 □ 설사 □ 실금 □	절박성 요실금 위험성
경로 정상 □ 기타경로: _____	배뇨장애
호흡	배뇨 향상 가능성
호흡곤란 무 □ 유 □	소변정체
좌식호흡 : _____	변비
보조근육사용: _____ 흉곽확장: _____	상상변비
입술 오므리고 숨쉼: _____	변비 위험성
비익호흡: _____	설사
흉부검진: 술통형 □ 측만증 □ 기타: _____	위장관 운동 기능장애
기침: 무 □ 유 □	위장관 운동 기능장애 위험성
기침시 객담 배출: 무 □	변실금
유 □ 색:___ 양:___ 농도:___	가스교환장애
4. 활동/휴식(Activity/Rest)	불면증
1) 수면시간_____시간/일	수면 박탈
2) 숙면여부	수면 향상 가능성
예 □	수면 양상 장애
아니오 □ 쉽게 잠들지 못함/깊이 잠들지 못함	비사용 증후군 위험성
3) 수면보조물(베게, 약물, 음식 등)_____	침상 체위이동 장애
4) 낮잠 여부 무 □ 유 □	신체 이동성 장애
5) 기동성 장애 무 □ 유 □	휠체어 이동성 장애
6) 일상활동의 제한 무 □ 유 □	이동능력 장애
7) 보조기구(지팡이, 보행기, 의수족) 무 □ 유 □ _____	보행 장애
8) 피로나 허약감 무 □ 유 □	에너지장 교류 장애
9) 운동습관_____	피로
10) 물리치료 의뢰여부 무 □ 유 □	배회
11) 여가활동_____	활동 지속성 장애
12) 사회활동_____	활동 지속성 장애 위험성
13) 호흡곤란 무 □ 유 □ 촉진요인:_____	비효율적 호흡 양상
좌식호흡:_____	심박출량 감소
보조근육사용:_____ 흉곽확장:_____	비효율적 위장 관류 위험성
입술 오므리고 숨쉼: _____	비효율적 신장 관류 위험성
비익호흡: _____	자발적 환기 장애
흉부검진: 술통형 □ 측만증 □ 기타:_____	비효율적 말초 조직 관류
기침: 무 □ 유 □	심장 조직 관류 감소 위험성
기침시 객담 배출: 무 □	비효율적 뇌조직 관류 위험성
유 □ 색:___ 양:___ 농도:___	비효율적 말초조직 관류 위험성
14) 활동제한	

영역	진단명
기동-자세 □ 체중 지탱 □ 균형 □ 옷입기 □ 몸치장 □ 구강청결 □ 대소변 보기-화장실 □ 이동식변기 □ 침상변기 □ 목욕-샤워 □ 통목욕 □	호흡기 제거에 대한 부적응 가정유지 장애 자가간호 향상 가능성 목욕 자가간호 결핍 옷 입기 자가간호 결핍 음식섭취 자가간호 결핍 용변 자가간호 결핍 자기무시
5. 지각/인지(Perception/Cognition) 　1) 지각 　　시각 - 시각장애 무 □ 유 □ 　　　　시각장애의 원인_____ 　　　　시력교정 무 □ 유 □ 　　　　시력교정의 종류 안경 □ 콘택트렌즈 □ 　　　　기타 □ _____ 　　청각 - 청각장애 무 □ 유 □ 원인:_____ 　　　　청력교정 무 □ 유 □ 종류:보청기 □ 기타 □ 　　후각 - 후각장애 무 □ 유 □ 원인:_____ 　　미각 - 미각장애 무 □ 유 □ 원인:_____ 　　촉각 - 촉각장애 무 □ 유 □ 　　　　부위:_____ 　　　　원인:_____ 　　　　종류: 저림 □ 둔감 □ 과민 □ 무감각 □ 기타 □ ___ 　2) 의사소통 　　언어장애: 무 □ 유 □ 　　어장애의 종류: 말하기 □ 듣기 □ 　　　　　　　　쓰기 □ 이해하기 □ 　　언어장애의 원인:_____ 　　기관절개술: 무 □ 　　　　　　유 □ 언어장애:___ 　　　　　　　　변화된 의사소통방식__ 　3) 지식 　　교육수준 무학 □ 초 □ 중 □ 고 □ 대 □ 대학원 □ 　　질병관련 지각 및 지식: 잘 이해함 □ 이해함 □ 　　　　　　　　　보통 □ 모름 □ 전혀 모름 □ 　　검사관련 지각 및 지식: 잘 이해함 □ 이해함 □ 　　　　　　　　　보통 □ 모름 □ 전혀 모름 □ 　　수술관련 지각 및 지식: 잘 이해함 □ 이해함 □	편측성 지각 장애 환경 해석 장애 증후군 급성혼동 만성혼동 급성혼동 위험성 비효율적 충동 조절 지식부족 지식 향상 가능성 기억장애 의사소통 향상 가능성 언어소통 장애

영역	진단명
보통 □ 모름 □ 전혀 모름 □ 질병과 치료에 대한 잘못된 인식:_____ 알기 원하는 정보:_____ 현재 건강 문제(발병시부터 현재까지 포함): _____ 현재 사용 약물:_____ 과거 입원 및 수술 경험:_____ 과거병력:_____ 학습준비 상태:_____ 4) 지남력 　의식 수준: alert □　drowsy □　stupor □ 　　　　　　semicoma □　　coma □ 　지남력: 사람:_____ 장소:_____ 시간:_____ 　행동/의사소통의 적절성:_____ 　기억력 장애:_____ 무 □　유 □　최근:__ 과거:__	
6. 자아인식(Self-Percpetion) 　1) 자아개념 　　외모에 대한 만족도: 매우 만족 □ 비교적 만족 □ 　　　　　　　　　　보통 □ 불만족 □ 매우불만족 □ 　2) 현재 상황에 대한 인식: 　　희망 □ 통제가능 □ 무력 □ 절망 □ 　3) 질병/수술이 미치는 영향:_____ 　4) 사회생활 무력감 위험성 　　타인과의 관계:　　고립 □ 위축 □ 상호작용 □ 　　보호자와의 관계: 고립 □ 위축 □ 상호작용 □ 　　의료인과의 관계: 고립 □ 위축 □ 상호작용 □ 　　혼자라는 느낌의 표현: 아니오 □ 예 □ 이유:_____	절망감 인간 존엄성 손상 위험성 외로움 위험성 자아정체성 장애 자아정체성 장애 위험성 만성적 자존감 저하 상황적 자존감 저하 만성적 자존감 저하 위험성 상황적 자존감 저하 위험성 신체상 장애
7. 역할관계(Role Relationship) 　1) 직업만족도: 매우 만족 □ 비교적 만족 □ 보통 □ 　　　　　　비교적 불만족 □ 매우 불만족 □ 　2) 대인 관계: 매우 사교적 □ 비교적 사교적 □ 　　　　　　비사교적 □ 　3) 경제상태: 상 □ 중 □ 하 □ 　4) 가족관계 　　결혼상태: 미혼 □ 기혼 □ 기타:_____ 　　자녀수: _____명 　　가정 내 역할:_____ 　　가정 내 역할에 대한 자가 평가: 아주 잘함 □	비효율적 모유수유 모유수유 장애 모유수유 향상 가능성 돌봄제공자 역할 부담감 돌봄제공자 역할 부담감 위험성 부모 역할 장애 부모 역할 향상 가능성 부모 역할 장애 위험성 애착장애 위험성 가족과정 기능 장애

영역	진단명
잘함 □ 보통 □ 못함 □ 아주 못함 □ 부부관계(이성): 매우만족 □ 비교적 만족 □ 보통 □ 비교적 불만족 □ 매우 불만족 □ 자녀 양육 방법:_____ 5) 가족 지지정도: 협조적 □ 비협조적 □	가족과정 중단 가족과정 향상 가능성 비효율적 관계 관계 향상 가능성 비효율적 관계 위험성 부모역할 갈등 비효율적 역할 수행 사회적 상호작용 장애
8. 성(Sexuality) 　성관계: 만족 □ 불만족 □ 이유:_____ 　신체적 제약/질병으로 인한 영향:_____ 　성적 관심사, 습관 혹은 문제점:_____	성기능 장애 비효율적 성적 양상 비효율적 출산과정 출산과정 향상 가능성 비효율적 출산과정 위험성 모아관계 형성 장애 위험성
9. 대응/스트레스 내성(Coping/Stress Tolerance) 　최근의 스트레스 생활 사건: 무 □ 유 □ _____ 　정서상태: 매우안정 □ 안정 □ 불안정 □ 매우 불안정 □ 　현재 질병에 대한 느낌: 수용 □ 무관심 □ 분노 □ 부정 □ 　평상시 대상자의 대응 방법: 독립적 □ 의존적 □ 　평상시 가족의 대응 방법: _____ 　지역사회의 대응 방법: _____ 　신체적 반응: _____ 　이용 가능한 지지체계: _____ 　감정의 언어적 표현(불안, 두려움, 분노, 죄의식, 수치심, 슬픔 등) 　의사결정 양상: 타인 중심 □ 자기중심 □	외상 후 증후군 외상 후 증후군 위험성 강간 상해 증후군 환경변화 스트레스 증후군 환경변화 스트레스 증후군 위험성 비효율적 활동 계획 비효율적 활동 계획 위험성 불안 방어적 대응 비효율적 대응 대응 향상 가능성 지역사회의 비효율적 대응 지역사회 대응 향상 가능성 가족의 비효율적 대응 가족 대응 불능 가족 대응 향상 가능성 죽음불안 비효율적 부정 성인 성장 장애 두려움 슬픔 복합적 슬픔

영역	진단명
	복합적 슬픔 위험성
	힘 향상 가능성
	무력감
	무력감 위험성
	개인 적응력 장애
	적응력 향상 가능성
	적응력 저하 위험성
	만성 비탄
	과잉 스트레스
	자율신경 반사장애
	자율신경 반사장애 위험성
	영아의 비조직적 행위
	영아의 조직적 행위 향상 가능성
	영아의 비조직적 행위 위험성
	두개 내압 적응력 감소
10. 삶의 원리(Life Principle) 　　1) 종교: 기독교 □ 불교 □ 가톨릭 □ 기타 □ _____ 　　　신앙생활 정도: 매우 적극적 □ 비교적 적극적 □ 　　　　　　보통 □ 소극적 □ 매우 소극적 □ 　　　주요 신앙생활 습관:_____ 　　　종교상담 의료 요구: 무 □ 유 □ 　　　종교에 대한 신념: 강함 □ 보통 □ 약함 □ 　　2) 삶의 목표:_____ 　　3) 자신의 삶에 대한 만족감: 매우 만족 □ 만족 □ 　　　　　　　　보통 □ 불만족 □ 매우 불만족 □	희망증진 가능성 영적 안녕증진 가능성 의사결정 향상 가능성 의사결정 갈등 도덕적 고뇌 불이행 손상된 신앙심 신앙심 향상 가능성 신앙심 손상 위험성 영적 고뇌 영적고뇌 위험성
11. 안전/보호(Safety/Protection) 　　1) 활력징후 　　　체온: _____℃ 측정부위: _____ 　　　호흡: ____회/분 호흡을 위한 보조기구: 무 □ 유 □ 　　　맥박: ____회/분 측정 부위: _____ 　　　인공심박동기착용: 무 □ 유 □ 　　　혈압: _____mmHg 측정부위: _____ 　　2) 피부 　　　피부손상: 무 □ 유 □ 손상 부위:_____ 　　　손상 종류: 찰과상 □ 발진 □ 욕창 □ 화상 □ 열상 □ 　　　　　　점상출혈 □ 기타:_____	감염 위험성 비효율적 기도 청결 기도흡인 위험성 출혈 위험성 치아상태 불량 안구 건조 위험성 낙상 위험성 신체손상 위험성 구강점막 손상 수술 중 체위 관련 손상 위험성

영역	진단명
외과적 절개: 무 □ 유 □ 부위:_____ 외과적 드레싱: 무 □ 유 □ 부위:_____ 개구부/장루: 무 □ 유 □ 부위:_____ 장루관 형성술 의뢰: 아니오 □ 예 □ 의뢰일자:_____ 피부 탄력성: 양호 □ 보통 □ 불량 □ 부종: 무 □ 유 □ 부위:_____ 정도:_____ 3) 면역 피부 손상 임파절 비대:_____ 부위:_____ 백혈구 수:_____ 감별백혈구:_____ 제6흉추 이상의 척수 손상 및 교감신경계 반응:_____	말초신경혈관 기능 장애 위험성 쇼크 위험성 피부 통합성 장애 피부 통합성 장애 위험성 영아 돌연사 증후군 위험성 질식 위험성 수술 후 회복 지연 열 손상 위험성 조직 통합성 장애 외상 위험성 혈관 외상 위험성 오염 오염 위험성 중독 위험성 라텍스 알레르기 반응 알레르기 반응 위험성 라텍스 알레르기 반응 위험성 체온 불균형 위험성 고체온 저체온 비효율적 체온조절
12. 안위(Comfort) 통증/불편감 무 □ 유 □ 급성 통증 □ 만성 통증? 시작시기:_____ 지속시간:_____ 부위:_____ 방사여부:_____ 관련요인:_____ 악화요인:_____ 오심: 무 □ 유 □ 관련요인:_____ 악화요인:_____ 완화요인:_____	안위장애 안위 향상 가능성 오심 급성통증 만성통증 안위장애 안위 향상 가능성 안위장애 안위 향상 가능성 사회적 고립
13. 성장/발달(Growth/Development) 해당 연령에 맞는 성장발달 여부: 예 □ 아니오 □ 지역사회 간호사에게 의뢰: 예 □ 보조적 □ 의존적 □	불균형적 성장 위험성 성장발달 지연 성장발달 지연 발달지체 위험성

첨부 3

NANDA-Ⅰ 분류체계Ⅱ 영역별 간호진단 목록 (2018-2020)

■ 간호진단목록 (영역별)

영역	과	간호진단
1. 건강증진 Health Promotion	1. 건강인식 Health Awareness	● 여가활동 참여 감소 Decreased diversional activity engagement (Nursing Care Plan) ● 건강능력 향상 가능성 Readiness for enhanced healthliteracy ● 비활동적 생활양식 Sedentary lifestyle (Nursing Care Plan)
	2. 건강관리 Health Management	● 노인 허약 증후군 Frail elderly syndrome (Nursing Care Plan) ● 지역사회 건강 부족 Deficient community health ● 위험성향 건강 행동 Risk-prone health behavior ● 비효율적 건강 유지 Ineffective health maintenance (Nursing Care Plan) ● 비효율적 건강관리 Ineffective health management ● 건강관리 향상 가능성 Readiness for enhanced health management ● 비효율적 가족 건강관리 Ineffective family health management ● 비효율적 방어 Ineffective Protection
2. 영양 Nutrition	1. 섭취 Ingestion	● 영양불균형: 영양부족 Imbalanced nutrition: Less than body requirements (Nursing Care Plan) ● 영양 향상을 위한 가능성 Readiness for enhanced nutrition ● 모유생산 부족 Insufficient breast milk production ● 비효율적 영아 수유 양상 Ineffective breastfeeding (Nursing Care Plan) ● 모유수유 중단 Interrupted breastfeeding (Nursing Care Plan) ● 비효율적 청소년 식이역동 Ineffective adolescent eating dynamics ● 비효율적 아동 식이역동 Ineffective child eating dynamics ● 비효율적 영아 식이역동 Ineffective infant eating dynamics (Nursing Care Plan) ● 비만 Obesity ● 과체중 Overweight ● 과체중 위험성 Risk for overweight ● 연하장애 Impaired Swallowing (Nursing Care Plan)
	2. 소화 Digestion	● 해당진단 없음
	3. 흡수 Absorption	● 해당진단 없음
	4. 대사 Metabolism	● 불안정한 혈당수치 위험성 Risk for unstable blood glucose level ● 신생아 고빌리루빈혈증 Neonatal hyperbilirubinemia ● 신생아 고빌리루빈혈증 위험성 Risk for neonatal hyperbilirubinemia ● 간 기능 장애 위험성 Risk for impaired liver function ● 대사불균형 증후군 위험성 Risk for metabolic imbalance syndrome
	5. 수화 Hydration	● 전해질 불균형 위험성 Risk for electrolyte imbalance ● 체액불균형 위험성 Risk for imbalanced fluid volume ● 체액부족 Deficient fluid volume (Nursing Care Plan) ● 체액부족 위험성 Risk for deficient fluid volume ● 체액과다 Excess fluid volume (Nursing Care Plan)
3. 배설/교환 Elimination	1. 배뇨 기능 Urinary Function	● 배뇨장애 Impaired urinary elimination ● 기능적 요실금 Functional urinary incontinence

영역	과	간호진단
and Exchange		● 익류성 요실금 Overflow urinary incontinence ● 신경인성 요실금 Reflex urinary incontinence ● 복압성 요실금 Stress urinary incontinence ● 절박성 요실금 Urge urinary incontinence ● 절박성 요실금 위험성 Risk for urge urinary incontinence ● 소변정체 Urinary retention
	2. 위장관 기능 Gastrointestinal Function	● 변비 Constipation ● 변비 위험성 Risk for constipation ● 상상변비 Perceived constipation ● 만성 기능적 변비 Chronic functional constipation ● 만성 기능적 변비 위험성 Risk for chronic functional constipation ● 설사 Diarrhea ● 위장관 운동 기능장애 Dysfunctional gastrointestinal mobility ● 위장관 운동 기능장애 위험성 Risk for dysfunctional gastrointestinal mobility ● 변실금 Bowel incontinence
	3.피부기능 Integumentary Function	● 해당진단 없음
	4.호흡기능 Respiratory Function	● 가스교환장애 Impaired gas exchange
4. 활동/휴식 Activity/Rest	1. 수면/휴식 Sleep/Rest	● 불면증 Insomnia ● 수면 박탈 Sleep deprivation ● 수면 향상 가능성 Readiness for enhanced sleep ● 수면 양상 장애 Disturbed sleep pattern
	2. 활동/운동 Activity/Exercise	● 비사용 증후군 위험성 Risk for disuse syndrome ● 침상 체위이동 장애 Impaired bed mobility ● 신체 이동성 장애 Impaired physical mobility ● 휠체어 이동성 장애 Impaired wheelchair mobility ● 앉기 장애 Impaired sitting ● 서기 장애 Impaired standing ● 이동능력 장애 Impaired transfer ability ● 보행 장애 Impaired walking
	3. 에너지 균형 Energy Balance	● 에너지장 교류 장애 Disturbed energy field ● 피로 Fatigue ● 배회 Wandering
	4. 심혈관/ 호흡기계 반응 Cardiovascular/ Pulmonary	● 활동 지속성 장애 Activity intolerance ● 활동 지속성 장애 위험성 Risk for activity intolerance ● 비효율적 호흡 양상 Ineffective breathing pattern ● 심박출량 감소 Decreased cardiac output

영역	과	간호진단
	Responses	• 심박출량 감소 위험성 Risk for decreased cardiac output • 자발적 환기 장애 Impaired spontaneous ventilation • 혈압 불안정 위험성 Risk for unstable blood pressure • 심장 조직 관류 감소 위험성 Risk for decreased cardiac tissue perfusion • 비효율적 뇌조직 관류 위험성 Risk for ineffective cerebral Tissue Perfusion • 비효율적 말초 조직 관류 Ineffective peripheral tissue Perfusion • 비효율적 말초조직 관류 위험성 Risk for ineffective peripheral tissue perfusion • 호흡기 제거에 대한 부적응 Dysfunctional ventilatory weaning response
	5. 자가간호 Self-Care	• 가정유지 장애 Impaired home maintenance • 목욕 자가간호 결핍 Bathing self-care Deficit • 옷 입기 자가간호 결핍 Dressing self-care Deficit • 음식섭취 자가간호 결핍 Feeding self-care Deficit • 용변 자가간호 결핍 Toileting self-care Deficit • 자가간호 향상 가능성 Readiness for Enhanced self-care • 자기무시 Self-neglect
5.지각/인지 Perception/ Cognition	1. 집중 Attention	• 편측성 지각 장애 Unilateral neglect
	2. 지남력 Orientation	• 해당진단 없음
	3. 감각/지각 Sensation/Perception	• 해당진단 없음
	4. 인지 Cognition	• 급성혼동 Acute Confusion • 급성혼동 위험성 Risk for acute confusion • 만성혼동 Chronic confusion • 불안정 감정 조절 Labile emotional control • 비효율적 충동 조절 Ineffective impulse control • 지식부족 Deficient knowledge • 지식 향상 가능성 Readiness for enhanced knowledge • 기억장애 Impaired memory
	5. 의사소통 Communication	• 의사소통 향상 가능성 Readiness for enhanced communication • 언어소통 장애 Impaired verbal communication
6. 자아인식 Self-Perception	1. 자아개념 Self-Concept	• 절망감 Hopelessness • 희망 향상 가능성 Readiness for enhanced hope • 인간 존엄성 손상 위험성 Risk for compromised human dignity • 자아정체성 장애 Disturbed personal identity • 자아정체성 장애 위험성 Risk for disturbed personal identity • 자아개념 향상 가능성 Readiness for enhanced self-concept
	2. 자존감 Self-Esteem	• 만성적 자존감 저하 Chronic low self-esteem • 만성적 자존감 저하 위험성 Risk for chronic low self-esteem • 상황적 자존감 저하 Situational low self-esteem • 상황적 자존감 저하 위험성 Risk for situational low self-esteem
	3. 신체상 Body Image	• 신체상 장애 Disturbed body image

영역	과	간호진단
7. 역할관계 Role Relationships	1. 돌봄 역할 Caregiving Roles	● 돌봄제공자 역할 부담감 Caregiver role strain ● 돌봄제공자 역할 부담감 위험성 Risk for caregiver role strain ● 부모 역할 장애 Impaired parenting ● 부모 역할 장애 위험성 Risk for impaired parenting ● 부모 역할 향상 가능성 Readiness for enhanced parenting
	2. 가족관계 Family Relationship	● 애착장애 위험성 Risk for impaired attachment ● 가족과정 기능 장애 Dysfunctional family processes ● 가족과정 중단 Interrupted family processes ● 가족과정 향상 가능성 Readiness for enhanced family processes
	3. 역할수행 Role Performance	● 비효율적 관계 Ineffective relationship ● 비효율적 관계 위험성 Risk for ineffective relationship ● 관계 향상 가능성 Readiness for enhanced relationship ● 부모역할 갈등 Parental role conflict ● 비효율적 역할 수행 Ineffective role performance ● 사회적 상호작용 장애 Impaired social interaction
8. 성 Sexuality	1. 성정체감 Sexual Identity	● 해당진단 없음
	2. 성기능 Sexual Function	● 성기능 장애 Sexual dysfunction ● 비효율적 성적 양상 Ineffective sexuality pattern
	3. 생식 Reproduction	● 비효율적 출산과정 Ineffective childbearing process ● 비효율적 출산과정 위험성 Risk for ineffective childbearing process ● 출산과정 향상 가능성 Readiness for enhanced childbearing process ● 모아관계 형성 장애 위험성 Risk for disturbed maternal-fetal dyad
9. 대응/ 스트레스 내성 Coping/Stress Tolerance	1. 외상 후 반응 Post-Trauma responses	● 복합성 이주 전환 증후군 Risk for complicated immigration transition ● 외상 후 증후군 Post-trauma syndrome ● 외상 후 증후군 위험성 Risk for post-trauma syndrome ● 강간 상해 증후군 Rape-trauma syndrome ● 환경변화 스트레스 증후군 Relocation stress syndrome ● 환경변화 스트레스 증후군 위험성 Risk for relocation stress syndrome
	2. 대응반응 Coping Responses	● 비효율적 활동 계획 Ineffective activity planning ● 비효율적 활동 계획 위험성 Risk for Ineffective activity planning ● 불안 Anxiety ● 방어적 대응 Defensive coping ● 비효율적 대응 Ineffective coping ● 대응 향상 가능성 Readiness for enhanced coping ● 지역사회의 비효율적 대응 Ineffective community coping ● 지역사회 대응 향상 가능성 Readiness for enhanced community coping ● 가족의 비효율적 대응 Compromised family coping ● 가족 대응 장애 Disability family coping ● 가족 대응 향상 가능성 Readiness for enhanced family coping

영역	과	간호진단
		• 죽음불안 Death anxiety • 비효율적 부정 Ineffective denial • 두려움 Fear • 슬픔 Grieving • 복합적 슬픔 Complicated grieving • 복합적 슬픔 위험성 Risk for complicated grieving • 기분조절 장애 Impaired mood regulation • 무력감 Powerlessness • 무력감 위험성 Risk for powerlessness • 힘 향상 가능성 Readiness for enhanced power • 적응력 장애 Impaired resilience • 적응력 향상 가능성 Readiness for enhanced resilience • 적응력 저하 위험성 Risk for compromised resilience • 만성 비탄 Chronic sorrow • 과잉 스트레스 Stress overload
	3. 신경 · 행동적 스트레스 Neuro-behavioral Stress	• 급성 물질 금단 증후군 Acute substance withdrawal syndrome • 급성 물질 금단 증후군 위험성 Risk for acute substance withdrawal syndrome • 자율신경 반사장애 Autonomic dysreflexia • 자율신경 반사장애 위험성 Risk for autonomic dysreflexia • 두개 내압 적응력 감소 Decreases intracranial adaptive capacity • 신생아 금단 증후군 Neonatal abstinence syndrome • 영아의 비조직적 행위 Disorganized infant behavior • 영아의 조직적 행위 향상 가능성 Readiness for enhanced organized infant behavior • 영아의 비조직적 행위 위험성 Risk for disorganized infant behavior
10. 삶의 원리 Life Principle	1. 가치 Value	• 해당진단 없음
	2. 신념 Beliefs	• 영적 안녕증진 가능성 Readiness for enhanced spiritual well-being
	3. 가치/신념/행동 일치성 Value/Belief/Action Congruence	• 의사결정 향상 가능성 Readiness for ㄷnhanced decision-making • 의사결정 갈등 Decisional conflict • 자유로운 의사결정 장애 Impaired emancipated decision-making • 자유로운 의사결정 장애 위험성 Risk for impaired emancipated decision-making • 자유로운 의사결정 향상 가능성 Readiness for enhanced emancipated decision-making • 도덕적 고뇌 Moral distress • 손상된 신앙심 Impaired religiosity • 신앙심 손상 위험성 Risk for impaired religiosity • 신앙심 향상 가능성 Readiness for enhanced religiosity • 영적 고뇌 Spiritual distress • 영적고뇌 위험성 Risk for spiritual distress
11. 안전/보호	1. 감염 Infection	• 감염 위험성 Risk for infection • 수술부위 감염 위험성 Risk for surgical site infection

영역	과	간호진단
Safety/ Protection	2. 신체적 손상 　Physical Injury	● 비효율적 기도 청결 Ineffective airway clearance ● 기도흡인 위험성 Risk for aspiration ● 출혈 위험성 Risk for bleeding ● 치아상태 불량 Impaired dentition ● 낙상 위험성 Risk for falls ● 안구 건조 위험성 Risk for dry eye ● 신체손상 위험성 Risk for injury ● 비뇨기계 손상 위험성 Risk for urinary tract injury ● 수술 중 체위 관련 손상 위험성 Risk for perioperative positioning injury ● 열 손상 위험성 Risk for thermal injury ● 구강점막 손상 Impaired oral mucous membrane ● 구강점막 손상 위험성 Impaired oral mucous membrane integrity ● 말초신경혈관 기능 장애 위험성 Risk for peripheral neurovascular dysfunction ● 물리적 외상 위험성 Risk for physical trauma ● 혈관 외상 위험성 Risk for vascular trauma ● 욕창 위험성 Risk for pressure ulcer ● 쇼크 위험성 Risk for shock ● 피부 통합성 장애 Impaired skin integrity (Nursing Care Plan) ● 피부 통합성 장애 위험성 Risk for impaired skin integrity ● 영아 돌연사 증후군 위험성 Risk for sudden infant death syndrome ● 질식 위험성 Risk for suffocation ● 수술 후 회복 지연 Delayed surgical recovery ● 조직 통합성 장애 Impaired tissue integrity ● 조직 통합성 장애 위험성 Risk for impaired tissue integrity ● 정맥 혈전성 색전 위험성 Risk for venous thromboembolism
	3. 폭력 　Violence	● 여성 성폭력 위험성 Risk for female genital mutilation ● 타인지향 폭력 위험성 Risk for Other-directed Violence ● 본인지향 폭력 위험성 Risk for Self-directed Violence ● 자해 Self-mutilation ● 자해 위험성 Risk for self-mutilation ● 자살 위험성 Risk for suicide
	4. 환경적 위험 　Environmental 　Hazardsl	● 오염 Contamination ● 오염 위험성 Risk for contamination ● 작업손상 위험성 Risk for occupationary injury ● 중독 위험성 Risk for poisoning
	5. 방어과정 　Defensive 　Processes	● 요오드 조영제 부작용 위험성 Risk for adverse reaction to iodinated contrast media ● 알레르기 반응 위험성 Risk for allergy response ● 라텍스 알레르기 반응 Latex allergy response ● 라텍스 알레르기 반응 위험성 Risk for latex allergy response
	6. 체온조절	● 고체온 Hyperthermia

영역	과	간호진단
	Thermoregulation	● 저체온 Hypothermia ● 저체온 위험성 Risk for hypothermia ● 수술 전 저체온 위험성 Risk for perioperative hypothermia ● 비효율적 체온조절 위험성 Risk for Ineffective thermoregulation
12. 안위 Comfort	1. 신체적 안위 Physical Comfort	● 안위장애 Impaired comfort ● 안위 향상 가능성 Readiness for enhanced comfort ● 오심 Nausea ● 급성통증 Acute pain ● 만성통증 Chronic pain ● 만성통증 증후군 Chronic pain syndrome ● 분만 통 Labor pain
	2. 환경적 안위 Environmental Comfort	● 안위장애 Impaired comfort ● 안위 향상 가능성 Readiness for enhanced comfort
	3. 사회적 안위 Social Comfort	● 안위장애 Impaired comfort ● 안위 향상 가능성 Readiness for enhanced comfort ● 고독 위험성 Risk for loneliness ● 사회적 고립 Social isolation
13. 성장/발달 Growth/ Development	1. 성장 Growth	● 해당진단 없음
	2. 발달 Development	● 발달지체 위험성 Risk for delayed development

간호진단목록 (알파벳순)

- Activity intolerance 활동 지속성 장애
- Acute Confusion 급성혼동
- Acute pain 급성통증
- Acute substance withdrawal syndrome 급성 물질 금단 증후군
- Anxiety 불안
- Autonomic dysreflexia 자율신경 반사장애
- Bathing self-care Deficit 목욕 자가간호 결핍
- Bowel incontinence 변실금
- Caregiver role strain 돌봄제공자 역할 부담감
- Chronic confusion 만성혼동
- Chronic functional constipation 만성 기능적 변비
- Chronic low self-esteem 만성적 자존감 저하
- Chronic pain syndrome 만성통증 증후군
- Chronic pain 만성통증
- Chronic sorrow 만성 비탄
- Complicated grieving 복합적 슬픔
- Compromised family coping 가족의 비효율적 대응
- Constipation 변비
- Contamination 오염
- Death anxiety 죽음불안
- Decisional conflict 의사결정 갈등
- Decreased cardiac output 심박출량 감소
- Decreased diversional activity engagement (Nursing Care Plan) 여가활동 참여 감소
- Decreases intracranial adaptive capacity 두개 내압 적응력 감소
- Defensive coping 방어적 대응
- Deficient community health 지역사회 건강 부족
- Deficient fluid volume (Nursing Care Plan) 체액부족
- Deficient knowledge 지식부족
- Delayed surgical recovery 수술 후 회복 지연
- Diarrhea 설사
- Disability family coping 가족 대응 장애
- Disorganized infant behavior 영아의 비조직적 행위
- Disturbed body image 신체상 장애
- Disturbed energy field 에너지장 교류 장애
- Disturbed personal identity 자아정체성 장애
- Disturbed sleep pattern 수면 양상 장애
- Dressing self-care Deficit 옷 입기 자가간호 결핍
- Dysfunctional family processes 가족과정 기능 장애
- Dysfunctional gastrointestinal mobility 위장관 운동 기능장애
- Dysfunctional ventilatory weaning response 호흡기 제거에 대한 부적응
- Excess fluid volume (Nursing Care Plan) 체액과다
- Fatigue 피로
- Fear 두려움
- Feeding self-care Deficit 음식섭취 자가간호 결핍

간호진단목록 (알파벳순)

- Frail elderly syndrome (Nursing Care Plan) 노인 허약 증후군
- Functional urinary incontinence 기능적 요실금
- Grieving 슬픔
- Hopelessness 절망감
- Hyperthermia 고체온
- Hypothermia 저체온
- Imbalanced nutrition: Less than body requirements (Nursing Care Plan) 영양불균형: 영양부족
- Impaired bed mobility 침상 체위이동 장애
- Impaired comfort 안위장애
- Impaired comfort 안위장애
- Impaired comfort 안위장애
- Impaired dentition 치아상태 불량
- Impaired emancipated decision-making 자유로운 의사결정 장애
- Impaired gas exchange 가스교환장애
- Impaired home maintenance 가정유지 장애
- Impaired memory 기억장애
- Impaired mood regulation 기분조절 장애
- Impaired oral mucous membrane integrity 구강점막 손상 위험성
- Impaired oral mucous membrane 구강점막 손상
- Impaired parenting 부모 역할 장애
- Impaired physical mobility 신체 이동성 장애
- Impaired religiosity 손상된 신앙심
- Impaired resilience 적응력 장애
- Impaired sitting 앉기 장애
- Impaired skin integrity (Nursing Care Plan) 피부 통합성 장애
- Impaired social interaction 사회적 상호작용 장애
- Impaired spontaneous ventilation 자발적 환기 장애
- Impaired standing 서기 장애
- Impaired Swallowing (Nursing Care Plan) 연하장애
- Impaired tissue integrity 조직 통합성 장애
- Impaired transfer ability 이동능력 장애
- Impaired urinary elimination 배뇨장애
- Impaired verbal communication 언어소통 장애
- Impaired walking 보행 장애
- Impaired wheelchair mobility 휠체어 이동성 장애
- Ineffective activity planning 비효율적 활동 계획
- Ineffective adolescent eating dynamics 비효율적 청소년 식이역동
- Ineffective airway clearance 비효율적 기도 청결
- Ineffective breastfeeding (Nursing Care Plan) 비효율적 영아 수유 양상
- Ineffective breathing pattern 비효율적 호흡 양상
- Ineffective child eating dynamics 비효율적 아동 식이역동
- Ineffective childbearing process 비효율적 출산과정
- Ineffective community coping 지역사회의 비효율적 대응
- Ineffective coping 비효율적 대응

간호진단목록 (알파벳순)

- Ineffective denial 비효율적 부정
- Ineffective family health management 비효율적 가족 건강관리
- Ineffective health maintenance (Nursing Care Plan) 비효율적 건강 유지
- Ineffective health management 비효율적 건강관리
- Ineffective impulse control 비효율적 충동 조절
- Ineffective infant eating dynamics (Nursing Care Plan) 비효율적 영아 식이역동
- Ineffective peripheral tissue Perfusion 비효율적 말초 조직 관류
- Ineffective Protection 비효율적 방어
- Ineffective relationship 비효율적 관계
- Ineffective role performance 비효율적 역할 수행
- Ineffective sexuality pattern 비효율적 성적 양상
- Insomnia 불면증
- Insufficient breast milk production 모유생산 부족
- Interrupted breastfeeding (Nursing Care Plan) 모유수유 중단
- Interrupted family processes 가족과정 중단
- Labile emotional control 불안정 감정 조절
- Labor pain 분만 통
- Latex allergy response 라텍스 알레르기 반응
- Moral distress 도덕적 고뇌
- Nausea 오심
- Neonatal abstinence syndrome 신생아 금단 증후군
- Neonatal hyperbilirubinemia 신생아 고빌리루빈혈증
- Obesity 비만
- Overflow urinary incontinence 익류성 요실금
- Overweight 과체중
- Parental role conflict 부모역할 갈등
- Perceived constipation 상상변비
- Post-trauma syndrome 외상 후 증후군
- Powerlessness 무력감
- Rape-trauma syndrome 강간 상해 증후군
- Readiness for enhanced childbearing process 출산과정 향상 가능성
- Readiness for enhanced comfort 안위 향상 가능성
- Readiness for enhanced comfort 안위 향상 가능성
- Readiness for enhanced comfort 안위 향상 가능성
- Readiness for enhanced communication 의사소통 향상 가능성
- Readiness for enhanced community coping 지역사회 대응 향상 가능성
- Readiness for enhanced coping 대응 향상 가능성
- Readiness for enhanced decision-making 의사결정 향상 가능성
- Readiness for enhanced emancipated decision-making 자유로운 의사결정 향상 가능성
- Readiness for enhanced family coping 가족 대응 향상 가능성
- Readiness for enhanced family processes 가족과정 향상 가능성
- Readiness for enhanced health literacy 건강능력 향상 가능성
- Readiness for enhanced health management 건강관리 향상 가능성
- Readiness for enhanced hope 희망 향상 가능성

- Readiness for enhanced knowledge 지식 향상 가능성
- Readiness for enhanced nutrition 영양 향상을 위한 가능성
- Readiness for enhanced organized infant behavior 영아의 조직적 행위 향상 가능성
- Readiness for enhanced parenting 부모 역할 향상 가능성
- Readiness for enhanced power 힘 향상 가능성
- Readiness for enhanced relationship 관계 향상 가능성
- Readiness for enhanced religiosity 신앙심 향상 가능성
- Readiness for enhanced resilience 적응력 향상 가능성
- Readiness for Enhanced self-care 자가간호 향상 가능성
- Readiness for enhanced self-concept 자아개념 향상 가능성
- Readiness for enhanced sleep 수면 향상 가능성
- Readiness for enhanced spiritual well-being 영적 안녕증진 가능성
- Reflex urinary incontinence 신경인성 요실금
- Relocation stress syndrome 환경변화 스트레스 증후군
- Risk for activity intolerance 활동 지속성 장애 위험성
- Risk for acute confusion 급성혼동 위험성
- Risk for acute substance withdrawal syndrome 급성 물질 금단 증후군 위험성
- Risk for adverse reaction to iodinated contrast media 요오드 조영제 부작용 위험성
- Risk for allergy response 알레르기 반응 위험성
- Risk for aspiration 기도흡인 위험성
- Risk for autonomic dysreflexia 자율신경 반사장애 위험성
- Risk for bleeding 출혈 위험성
- Risk for caregiver role strain 돌봄제공자 역할 부담감 위험성
- Risk for chronic functional constipation 만성 기능적 변비 위험성
- Risk for chronic low self-esteem 만성적 자존감 저하 위험성
- Risk for complicated grieving 복합적 슬픔 위험성
- Risk for complicated immigration transition 복합성 이주 전환 증후군
- Risk for compromised human dignity 인간 존엄성 손상 위험성
- Risk for compromised resilience 적응력 저하 위험성
- Risk for constipation 변비 위험성
- Risk for contamination 오염 위험성
- Risk for decreased cardiac output 심박출량 감소 위험성
- Risk for decreased cardiac tissue perfusion 심장 조직 관류 감소 위험성
- Risk for deficient fluid volume 체액부족 위험성
- Risk for delayed development 발달지체 위험성
- Risk for disorganized infant behavior 영아의 비조직적 행위 위험성
- Risk for disturbed maternal-fetal dyad 모아관계 형성 장애 위험성
- Risk for disturbed personal identity 자아정체성 장애 위험성
- Risk for disuse syndrome 비사용 증후군 위험성
- Risk for dry eye 안구 건조 위험성
- Risk for dysfunctional gastrointestinal mobility 위장관 운동 기능장애 위험성
- Risk for electrolyte imbalance 전해질 불균형 위험성
- Risk for falls 낙상 위험성
- Risk for female genital mutilation 여성 성폭력 위험성

간호진단목록 (알파벳순)

- Risk for frail elderly syndrome 노인 허약 증후군 위험성
- Risk for hypothermia 저체온 위험성
- Risk for imbalanced fluid volume 체액불균형 위험성
- Risk for impaired attachment 애착장애 위험성
- Risk for impaired emancipated decision-making 자유로운 의사결정 장애 위험성
- Risk for impaired liver function 간 기능 장애 위험성
- Risk for impaired parenting 부모 역할 장애 위험성
- Risk for impaired religiosity 신앙심 손상 위험성
- Risk for impaired skin integrity 피부 통합성 장애 위험성
- Risk for impaired tissue integrity 조직 통합성 장애 위험성
- Risk for Ineffective activity planning 비효율적 활동 계획 위험성
- Risk for ineffective cerebral Tissue Perfusion 비효율적 뇌조직 관류 위험성
- Risk for ineffective childbearing process 비효율적 출산과정 위험성
- Risk for ineffective peripheral tissue perfusion 비효율적 말초조직 관류 위험성
- Risk for ineffective relationship 비효율적 관계 위험성
- Risk for Ineffective thermoregulation 비효율적 체온조절 위험성
- Risk for infection 감염 위험성
- Risk for injury 신체손상 위험성
- Risk for latex allergy response 라텍스 알레르기 반응 위험성
- Risk for loneliness 고독 위험성
- Risk for metabolic imbalance syndrome 대사불균형 증후군 위험성
- Risk for neonatal hyperbilirubinemia 신생아 고빌리루빈혈증 위험성
- Risk for occupationary injury 작업손상 위험성
- Risk for Other-directed Violence 타인지향 폭력 위험성
- Risk for overweight 과체중 위험성
- Risk for perioperative hypothermia 수술전 저체온 위험성
- Risk for perioperative positioning injury 수술 중 체위 관련 손상 위험성
- Risk for peripheral neurovascular dysfunction 말초신경혈관 기능 장애 위험성
- Risk for physical trauma 물리적 외상 위험성
- Risk for poisoning 중독 위험성
- Risk for post-trauma syndrome 외상 후 증후군 위험성
- Risk for powerlessness 무력감 위험성
- Risk for pressure ulcer 욕창 위험성
- Risk for relocation stress syndrome 환경변화 스트레스 증후군 위험성
- Risk for Self-directed Violence 본인지향 폭력 위험성
- Risk for self-mutilation 자해 위험성
- Risk for shock 쇼크 위험성
- Risk for situational low self-esteem 상황적 자존감 저하 위험성
- Risk for spiritual distress 영적고뇌 위험성
- Risk for sudden infant death syndrome 영아 돌연사 증후군 위험성
- Risk for suffocation 질식 위험성
- Risk for suicide 자살 위험성
- Risk for surgical site infection 수술부위 감염 위험성
- Risk for thermal injury 열 손상 위험성

간호진단목록 (알파벳순)

- Risk for unstable blood glucose level 불안정한 혈당수치 위험성
- Risk for unstable blood pressure 혈압 불안정 위험성
- Risk for urge urinary incontinence 절박성 요실금 위험성
- Risk for urinary tract injury 비뇨기계 손상 위험성
- Risk for vascular trauma 혈관 외상 위험성
- Risk for venous thromboembolism 정맥 혈전성 색전 위험성
- Risk-prone health behavior 위험성향 건강 행동
- Sedentary lifestyle (Nursing Care Plan) 비활동적 생활양식
- Self-mutilation 자해
- Self-neglect 자기무시
- Sexual dysfunction 성기능 장애
- Situational low self-esteem 상황적 자존감 저하
- Sleep deprivation 수면 박탈
- Social isolation 사회적 고립
- Spiritual distress 영적 고뇌
- Stress overload 과잉 스트레스
- Stress urinary incontinence 복압성 요실금
- Toileting self-care Deficit 용변 자가간호 결핍
- Unilateral neglect 편측성 지각 장애
- Urge urinary incontinence 절박성 요실금
- Urinary retention 소변정체
- Wandering 배회

CHAPTER 03

간호기록

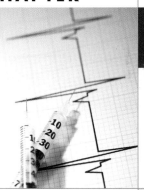

학습목표

1 기록의 지침을 기술한다.
2 기록의 종류를 비교한다.
3 공인된 약어와 기호로 정확하게 기록한다.
4 간호기록과 관련된 법적 책임을 설명한다.
5 보고의 종류를 설명한다.

건강전문인들간의 효율적인 의사소통은 간호의 연속성과 조정에 필수적이다. 의사소통은 중복되거나 간과되는 일이 없이 서로의 일을 효율적으로 지지하고 도움을 줄 수 있도록 한다. 간호사는 기록, 보고, 의뢰하는데 중심적인 역할을 해야 한다.

간호 기록은 사정, 중재, 목표와 관련된 필수적인 자료를 제공한다. 대상자에 대한 기록은 의학적, 간호학적 지시 수행, 독자적 간호 사정 및 수행, 정확한 수행 일시, 제공된 간호에 대한 평가를 알 수 있도록 해 준다. 제공된 간호 중재에 대한 대상자의 반응 기록은 대상자의 건강 및 안녕 증진에서 간호의 중요성을 평가하는 역할을 한다.

1. 기록의 목적

1) 의사소통

대상자의 기록은 건강전문인간의 의사소통 수단이 된다. 기록을 함으로써 좀 더 효율적인 정보를 공유할 수 있다. 또한 근무교대 시에도 다른 건강전문인 사이에서 대상자에 대한 중요한 자료를 의사소통 할 수 있다.

2) 간호계획

기록의 중요한 목적은 대상자에 대한 치료가 되며 치료법과 간호계획의 설정에 기본이 되는 것이다. 또한 건강전문인간의

대상자에 대한 정보를 제공하여 대상자의 치료적 처방에 도움이 되기 위한 것이다.

3) 질적 관리

기록지는 간호의 질을 평가하여 효율적인 간호를 제공할 수 있도록 해준다. 기록은 질관리(quality assurance)나 감사(audit)로 대상자의 건강관리 질을 향상시킬 수 있도록 해준다.

4) 연구

기록은 또한 연구의 자료로써 제공되며, 많은 보건기관이나 관계분야에서는 연구계획에 필요한 자료로 사용된다.

5) 교육

대상자에 대한 기록은 교육 자료로 제공되며 의학 및 간호학생, 수련의, 간호사, 영양사 등에게 참고자료로써 사용된다. 병록은 실제적으로 이론을 적용하는 학습자료가 된다.

6) 법적 문서화

병록은 법적인 증거가 된다. 비록 병록은 의료기관의 소유이기는 하지만 법적 자료로써 제시해야 하는 의무가 있다.

7) 감사

대상자에 대한 기록은 치료 및 간호에 대한 기록을 남김으로써 자동적인 점검이 가능하다. 처방된 치료법과 행해진 간호의

질이 자동적으로 점검되므로 관계전문인의 도덕적인 책임감을 검사하는 자료가 될 수 있다.

8) 생정통계

기록은 생정 통계의 출처가 된다. 출생수, 사망수, 입원 등에 관한 통계의 기초자료가 되며 미래를 추정하는 자료가 될 수 있다.

2. 기록의 지침

기록은 법적인 문서로 증거로 채택될 수 있다. 건강전문인들은 대상자의 비밀을 유지하면서 동시에 법적 기록 조건을 준수하여야 한다. 건강기록 혹은 병록은 그 목적에 맞도록 다음의 몇 가지 조건을 구비해야 한다.

1) 정확성

모든 기록은 정확하고 진실해야 한다. 간호기록에는 정확한 시간을 기록해야 하며 간호행위가 끝난 후에 기록하도록 한다. 투약과 처치를 시행한 정확한 시간과 날짜를 기록한다. 시간은 a.m과 p.m으로 기록하여 모호함을 피한다. 간호기록은 기록하는 사람이 서명함으로써 완성된다. 대부분의 기관에서는 기록 시에 오자를 지우지 못하도록 한다. 병원에 따라 각기 오자를 수정하는 고유의 방법을 가지고 있다. 잘못된 부분을 붉은 사선으로 긋고 오자 표시를 한 후 바른 기록을 삽입하기도 한다(표 3-1).

기록지의 서두를 정확히 기록해야 한다. 대부분의 병원에서는 카드를 사용한다. 이는 대상자의 이름, 병록 번호, 성별, 생년월일 또는 주민등록번호, 의료보험 번호 및 주소를 인쇄하여 빠르고 정확하게 기록하기 위한 것이다.

2) 완전성

관찰한 모든 사항을 기록할 수는 없지만 간호과정에 대한 정보는 완전해야 한다. 사정과 계획을 지지할 수 있는 모든 자료를 기록하여 다른 건강요원들이 적절한 행위를 취할 수 있도록 한다. 기록시 다음과 같은 사항들은 필수적으로 포함해야 한다.

- 새로운 또는 변화된 정보
- 증상 및 징후
- 대상자 행위
- 간호중재방법
- 투약
- 의사의 지시 및 수행
- 대상자 교육
- 대상자 반응

3) 간결성

모든 기록은 명료하고 간결해야 한다. 모호한 기록은 피하도록 한다. "대상자"라는 단어는 흔히 생략하는데, 간호사가 기록하는 것이 대상자에 대한 것이라는 점은 명확하기 때문이다. 기록은 간결하게 하기 위하여 의료기관 내에서 의료요원간에 약속된 약어를 사용하고 있다. 본 절에 첨부된 약어는 가장 기본적인 약어이다(표 3-2).

4) 판독가능

정자로 명확하게 기록을 하여 누구나 읽을 수 있어야 하며 (legibility) 잉크를 사용하여 보존이 가능하도록 한다. 간호기록 후에 간호사는 반드시 서명을 해야 하는데 서명 시에는 자신의 이름을 완전히 쓰도록 한다.

5) 신속성

기록의 작성은 신속하게 이루어질 수 있어야 한다. 기록이 필요한 사항은 발생직후에 기록될 수 있도록 준비되어 있어야 하며 기록에 소요되는 시간도 가능한 짧아야 한다. 컴퓨터를 이용한 기록방법은 기록의 정확성과 신속성을 돕는 방법이다.

6) 표준화된 용어 사용

기록은 일반적인 약어나 용어 및 기호를 사용해야 한다. 표준화된 용어 사용시 법적 증거 이용의 경우에 정확한 해석이 가능하다. 기관에 따라서 약어를 사용하기도 하는데, 이는 약어 표시 가능 여부가 확실한 경우에 가능하다.

7) 영속성

기록을 보존하고, 변경 여부를 확인하기 위해서 잉크를 사용하여 기록하여야 한다. 기관에 따라서는 밤 근무시의 기록은 적색 잉크를 사용한다. 기록을 잘 알아볼 수 있도록 정자로 쓰거나 쉽게 알아볼 수 있도록 작성하여야 한다.

8) 적합성

대상자의 건강 문제와 간호에 관련된 정보만을 기록한다. 사생활을 침해할 수 있는 개인적인 정보들은 기록하지 않도록 한다.

9) 연속성

간호기록은 행위가 일어난 순서대로 기록한다. 간호과정의 순서에 따라 사정, 수행, 대상자 반응 등의 순으로 기록하여야 한다.

10) 서명

간호사가 작성한 모든 기록에는 서명을 하여야 한다. 기관에 따라 조금씩 다를 수 있지만 직책과 이름을 함께 쓰도록 한다 (표 3-1).

표 3-1 간호기록

월/일	시간	간호활동	서명
		error in charting	
3/27	10AM	~~혈압 150/110mmHg~~	RN 김미정
3/27	10AM	혈압 130/100mmHg	RN 김미정

월/일	시간	간호활동	서명
		error 김미정	
3/27	10AM	~~혈압 150/110mmHg~~ 혈압 130/100mmHg	RN 김미정

3. 간호 기록의 종류

1) 정보중심 기록

정보중심의 기록은 건강전문인들이 각기 분리된 양식에 자료를 기록하는 것으로서 일정시간 단위로 관련정보를 기록하거나 중요한 사건별로 누적식으로 기록한다. 기관에 따라 기록양식에 차이가 있으나 전통적으로 의사가 사용하는 기록양식으로는 의사의 입원기록지(admission note), 처방기록지(order sheet), 경과기록지(progress note), 수술 및 마취기록지, 퇴원요약지 등이 있으며 간호사가 사용하는 기록양식으로는 임상관찰기록지, 투약기록지 등이 있다.

(1) 입원기록지

입원기록지(admision sheet)는 입원시에 완성되어서 간호사실에 보내지며 대상자 병록의 일부가 된다. 입원기록은 신빙성이 있는 자료로써 전문인에게만 공개된다. 흔히 입원 기록지에서 대상자의 병실 번호가 기록되어 확인이 가능하며 병록 분류의 지표가 된다. 입원기록에 일반적으로 포함되는 내용은 대상자의 이름, 주소, 병록번호, 병동이름, 입원일시, 출생년월일, 의사의 성명, 재정보증인, 성별, 결혼유무, 친지관계, 직업 및 직장, 진단명, 입원경력 및 내원경력 등이다.

(2) 처방기록지

의사처방 기록지(doctor's order sheet)는 대상자의 치료를 위하여 의사가 지시한 사항을 기록한다. 간호사는 의사의 새로운 처방을 확인하기 위하여 이 기록지를 정기적으로 점검한다.

의사가 전화로 처방을 할 때는 간호사가 처방기록지에 표시하여 후에 의사의 이름, 처방시간 등에 대하여 확인 서명을 받도록 한다.

(3) 경과기록지

경과기록지(progress note)는 입원후부터 전 입원기간 동안 담당의사가 검사 및 치료과정에 관해서 기록하는 서식이다.

(4) 퇴원요약지

이는 퇴원시에 의사에 의하여 기록되는 것으로서 그 내용은 주소, 간단한 병력, 주된 신체적 소견, 치료과정, 앞으로의 치료계획, 기타 등을 기록한다. 계속적인 추후간호를 계획할 때 퇴원요약지(discharge summary)를 고려해야 한다.

(5) 상례기록지(임상관찰 기록지)

대개 병록의 제일 첫 장에 첨부되거나 병원에 따라서는 대상자의 침상 발치에 달아놓기도 하는데 이는 활력징후, 신장, 체중, 배설량, 음식섭취와 같은 기본적 자료에 관한 사항을 요약하여 기록하며 뒷면에는 특수 진단적 검사 등에 대한 진료과정을 요약하여 기록하고 있다.

(6) 투약 기록지

보통 임상관찰 기록지의 뒷면에 첨부되는데 투약상황을 표시하도록 되어 있다. 간호사가 의사의 처방을 확인하고 대상자에게 실시되었는지 여부를 기록하는 것이다.

(7) 간호기록지

간호사가 시행한 간호사항을 기록하는 것으로서 기관에 따라서 효율적으로 기록될 수 있는 양식을 사용하고 있다. 간호사가 사용하는 양식에는 대상자 간호에 관한 모든 자료가 기록되며, 여러 의료요원에 의하여 수행된 치료적 조치, 간호요원에 의하여 수행된 치료적 조치, 대상자의 일반적인 건강에 대한 지속적인 관찰, 치료와 간호에 대한 대상자의 특수한 반응 등을 기록한다.

간호와 관련된 자료수집과정을 기록하기 위한 양식으로써 간호력(nursing history)이 사용되고 있으며 간호진단이나 간호계획 및 수행내용을 분류하여 기록하는 양식이 있다.

카덱스(kardex card)는 오랫동안 간호사들이 사용해온 기록

표 3-2   일반적으로 사용되는 약어

약어	원어 또는 영어	의미	약어	원어 또는 영어	의미
aa	ana of each(=ea)	각각	F	Fahrenheit	화씨
abd	abdomen	배, 복부	fld	fluid	용액
ABGA	arterial blood gas analysis	동맥혈 가스분석	FUO	fever of unknown(undetermined) origin	원인불명 열
ABR	absolute bed rest	절대안정	GI	gastrointestinal	위장관
ac	ante cibum, before meals	식전	GP	general practitioner	일반개업의
ADL	activities of daily living	일상활동	gtt	gutta, drop	방울, 점적
ad lib	ad libitum, at liberty, as desired	원하는 대로, 임의량	h(hr)	hour	시간
adm	admitted or admission	입원	hs	hora somni, at bedtime	취침시
AM	ante meridium, morning	오전	I & O	Intake and output	섭취량과 배설량
amb	ambulatory	걸어서	IM	intramuscular	근육내
amt	amount	양	IV	intravenous	정맥내
approx	about, approximately	약	KVO	keep vein open	정맥유지
bid	bis in die, twice daily	1일 2회	Lab	laboratory	검사실
BM(bm)	bowel movement	장운동, 배변	liq	liquid	액체
BMR	basal metabolic rate	기초대사율	LLQ	left lower quadrant	좌측 하부 4분의 1
BP	blood pressure	혈압	LMP	last menstrual period	최종 월경시기
BR	bed rest	침상안정	Lt(lt, L)	left	좌측, 왼쪽
C	Centigrade, Celsius	섭씨	LUQ	left upper quadrant	좌측 상부 4분의 1
C & S	culture and sensitivity	배양과 감수성	meds	medications	약물
c(C)	with	~와 함께	mod	moderate	보통
ca	cancer	암	neg	negative	음성
CBC	complete blood count	전혈구 검사	no(#)	number	번호
CC	chief complaint	주 호소	NPO(NBM)	nothing per oral, nothing by mouth	금식
Cl	client	대상자	Nr	nurse	간호사
CPR	cardiopulmonary resuscitation	심폐소생술	NS(N/S)	normal saline	생리식염수
CSR	central supply room	중앙공급실, 중앙부	od	once daily	매일 1회
CVA	Cerebro-Vascular-Accident	뇌졸중, 뇌혈관손상	OD	right eye(oculus dexter=dextra)	우측 눈
CVP	central venous pressure	중심정맥압	OP	operation	수술
D/C	discontinue	중단	OPD	outpatient department	외래
DOA	dead on arrival	도착시 사망	OR	operating room	수술실
Dr	doctor	의사	OS	left eye(oculus sinister)	좌측눈
Drsg	dressing	드레싱	OU	both eye(oculusunitas)	두 눈 다
DW	distilled water	증류수	pc	post cibum, after meals	식후
Dx	diagnosis	진단	PE	physical examination	신체검진
ECG(EKG)	electrocardiogram	심전도	per	by or through	~을 통해
EEG	electroencephalogram	뇌파전도	PM	afternoon, post meridiem	오후
ENT	ear, nose, throat	이비인후과	po	per os(mouth), by mouth	경구로

표 3-2 일반적으로 사용되는 약어

약어	원어 또는 영어	의미	약어	원어 또는 영어	의미
post op	postoperative(ly)	수술 후	Rx	treatment	치료
pre op	preoperative(ly)	수술 전	S(s)	sine, without	~없이
prep	preparation	준비	spec	specimen	검사물
prn	pro re nata, when necessary	필요시에	stat	statim, at once, immediately	즉시
pt	patient	대상자	tid	ter in die, three times a day	1일 3회
q	quaque , every	매, 마다	TO	telephone order	전화처방
qd	quaque die, every day	매일	TPN	total parenteral nutrition	완전비경구영양
qh(q1h)	quaque hora, every hour	1시간마다	TPR	temperature pulse, respirations	체온, 맥박, 호흡
qhs	quaque hora somni	매일 밤, 취침시에	TWE	tap water enema	수돗물 관장
	every night at bed time		ung	unguentum, ointment	연고
qid	quarter in die, four times a day	1일 4회	VO	verbal order	구두지시
RBC	red blood cell	적혈구	VS(vs)	vital signs	활력징후
RLQ	right lower quadrant	우측 하부 4분의1	WBC	white blood cell	백혈구
RN	registered nurse	등록 간호사	WNL	within normal limits	정상범위내
ROM	range of motion	운동범위	wt	weight	체중
Rt(rt, R)	right	오른쪽			

양식 중의 하나로써 이는 병록에 영구히 포함되는 것이 아니라 일시적으로 연필로 기록하여 사용하는 양식으로써 병록 작성시 참고자료의 역할을 한다. 각 대상자별로 1매의 카덱스가 작성되며 의사의 처방이나 간호요구, 간호지시나 계획에 대한 정보가 기록되며 대상자가 입원해 있는 동안 수정해가며 사용하며 대상자가 퇴원하면 폐기된다.

2) 문제중심 기록

문제중심 기록(problem-oriented(medical) record, POMR 또는 POR)은 Lawrence Weed 박사가 그 기본개념을 발전시켜 소개한 방법으로써 1970년대 이후에서 그 중요성이 인정되고 있다. 기존의 기록방법에 비하여 문제중심 기록법은 건강전문인보다는 대상자의 요구와 문제중심으로 기록한다.

모든 건강전문인들이 같은 양식을 사용하는 통합된 체제(integrated system)를 가지므로 대상자에게 일어나는 건강문제가 일어나는 순서대로 일목요연하게 기록되며 의료요원들이 대상자의 종합된 상태를 쉽게 알아볼 수 있어서 의사소통이 쉽게되며 따라서 진료에 연속성을 기할 수 있다.

문제중심기록법의 양식은 기초자료, 문제목록, 일차계획, 경과기록의 4부분으로 되어있다.

(1) 기초자료

병력, 간호력, 신체검진소견, 검사자료 등의 모든 사정자료가 기록된다. 이러한 정보를 통하여 특수문제나 요구가 확인된다.

(2) 문제목록

문제목록은 대상자의 안녕을 저해하는 문제가 명명되므로 건강기록의 주내용이 된다. 이러한 문제에는 질병의 증상과 징후, 대상자의 건강과 관련하여 필요한 보완문제 등이 포함된다. 각 문제는 발생 순서대로 번호를 정하며 그 문제가 해결되었으면 줄을 그어 삭제하고 해결된 날짜를 기입한다. 해결되지 않은 문제의 번호는 계속 남아있게 된다.

문제들을 활동성 또는 비활동성으로 구분된다. 현재 드러나지 않는 잠재적 문제점은 문제목록보다는 경과기록에 포함되고, 현재 드러난 문제만 문제목록에 첨가된다.

많은 병원에서 NANDA의 분류법을 사용하여 간호문제를 진술하고 있다. 문제 진술은 한가지 문제에 국한되고, 즉시 실행할 수 있는 용어를 사용하여 명확히 기술하여서 간호방향 제시에 도움을 줄 수 있는 것이어야 한다.

(3) 일차계획

일차계획은 문제해결의 첫 번째 계획이다. 건강전문인들은 문제목록을 보면 문제해결에 필요한 계획을 세워야 한다. 예를 들어 의사는 처방을 내고, 간호사는 간호지시를 내리며 물리치료사는 재활계획을 세우고 영양사는 식이요법을 계획할 수 있다. 일차계획에는 문제나 진단, 치료, 학습/교육, 계획의 평가, 예상되는 결과의 5가지 요소가 포함되어야 한다.

(4) 경과기록

이 부분은 일차계획이 전개되고 수행될 때 그 경과를 기록하며 일차기록을 보완하며 자료를 요약한다. 경과기록은 상례기록과 서술기록의 두 가지 양식이 쓰인다.

상례기록지 (flow sheet)는 특수치료나 임상검사자료, 관찰과 관련이 있는 자료를 기록할 때 시간을 절약하는 효율적인 방법이다. 이는 자료를 도표로 정리하므로 변화를 쉽게 볼 수 있으며 간과되기 쉬운 자료들간의 상호관계를 나타내준다.

4. 간호기록의 방법

간호 기록 방법에는 서술기록, SOAP기록, APIE기록, 핵심기록, 특이 사항기록, critical path 관리기록 등이 있다(표 3-3).

1) 서술기록

서술기록은 전통적인 간호기록 방법으로 시간의 경과에 따른 정보 기록 방법이다. 이 형태는 응급상황에서 시간에 따른 대상자의 상태를 기록하는데 특히 유용하다.

이 기록의 단점은 기록된 정보를 모두 검토해야 문제점을 파악하게 된다.

2) SOAP 기록

SOAP(subjective data, objective data, assessment, plan) 방법은 본래 문제중심 기록체계이지만 다른 체계에서도 사용되고 있다. 각각의 SOAP은 특별한 문제에 관한 진술이다. 다발적인 문제는 다발적인 SOAP 기록지를 필요로 한다. 대부분의 경우 24시간마다 또는 문제 상태가 변할 경우 각각의 활동성 문제에 대해 SOAP 기록이 필요하다.

① S(주관적 자료)

S는 대상자가 말한 것에서 얻은 정보이다. 문제에 대한 대상자의 지각, 경험 등을 서술한다. 가능하면 그대로 대상자의 말을 인용하고, 경우에 따라서는 요약한다.

② O(객관적 자료)

O는 감각기관을 이용하여 측정 또는 관찰할 수 있는 정보이다. 객관적 자료는 활력징후, 의료요원의 감각을 사용한 관찰 내용, 검사결과, 검사와 치료에 대한 대상자의 반응 등을 말한다.

③ A(사정)

A는 주관적 및 객관적 자료의 해석 또는 설명이다. 초기 사정 동안 주관적 자료와 객관적 자료에 대한 해석 및 결론으로부터 주요 문제 목록이 생성된다. 이 때의 사정은 문제를 진술한 것이어야 한다. 이어지는 모든 SOAP 기록에서 A는 단지 진단이나 문제를 재진술하는 것이 아니라 대상자의 상태와 진행 정도를 서술해야 한다.

④ P(계획)

P는 진술된 문제를 해결하기 위해 고안된 간호계획이다. 기록지에 문제를 작성하는 사람은 초기 계획을 기록한다. 의학적 문제를 위해 의사는 진단 및 치료 중재에 대한 지시를 기록하고, 간호사는 의학적 치료계획을 모니터 또는 지원하기 위한 간호 중재에 초점을 둔다. 간호진단을 위해 간호사는 주요치료계획을 개발한다. 이전에 기록된 계획과 비교하여 중재를 수정, 지속, 중지 여부를 결정한다.

SOAPIE와 SOAPIER는 SOAP 형식의 변형이다. 이들 형식에서 중재(I)는 객관적 자료(O)와 분리하여 사용하며, 평가(E)요소가 추가된다. SOPIER 형식은 계획의 수정(R) 부분이 추가된 것이다.

3) APIE 형식

APIE 형식은 SOAP 형식과 비슷하다. APIE는 간호상의 사정(assessment), 문제(problems), 중재(interventions), 평가(evaluations)를 의미한다.

4) Focus Dar 형식(Focus system, 핵심기록)

SOAP 기록처럼 핵심 기록도 진행기록지를 조직하고 명명하기 위해 주요 단어를 사용한다. 그러나 기록의 주제가 문제일 필요는 없다. 핵심은 다음 중 어느 것이어도 될 수 있다.

- 현재의 대상자 관심 또는 행위
- 대상자 상태 또는 행위의 중요한 변화
- 대상자 치료 중 의미 있는 사건

핵심은 간호를 필요로 하는 것이어야 한다. 따라서 의학적 진단을 하지 않지만, 의학적 진단과 연관된 요구 및 상태를 서술할 수 있다.

핵심기록에서는 날짜/시간, 핵심, 진행기록의 세 칸으로 한다. 진행기록 칸은 DAR 형식으로 조직된다.

(1) D(data)

자료에는 대상자 상태 및 행위에 대한 간호사의 관찰이 포함

표 3-3 간호기록 형식의 장·단점

	형식	장점	단점
서술기록	시간적 순서에 따라 문장이나 절을 사용하여 정보 제공	• 배우기 쉬움 • 길이에 제약이 없음 • 자세히 설명 가능	• 시간소모가 많음 • 정보 검색이 어려움 • 불필요한 자료 포함가능성 • 초점이 없거나 비조직화되기 쉬움
SOAP	S subjective data O objective data A assessment P plan	• 대상자 문제 확인에 기록의 초점 • 건강전문인간에 같은 기록지 사용 • 확인된 문제에 쉽게 접근 • 간호과정을 반영하는 단계	• 완전히 알기 어려움 • 특정한 초점은 문제 확인 없이 일반적 정보를 기록하기 어려움 • 시간소모가 많음 • 간호사에게 사정확인 어려움
PIE	P problem I interventions E evaluation	• 경과기록지에 간호계획 적용 • 결과의 질적 향상 • 매일 과정 결정 • 기록하기 용이함	• 간호계획을 결정하기 위해 기록지 검토 필요함 • 문제가 확인되지 않으면 기록하기 어려움 • 다학제적이 아님
FOCUS	D data A action R response	• 중요 부분 기록시 꼭 그 문제는 아니라도 포괄적 검토함 • 정확하고, 유연성 있음 • 장기간호나 재활간호에 잘 적용	• 다학제적이 아님 • 시간적인 사항 기록이 어려움 • 경과기록지는 간호기록과 관련이 없을 수도 있음
CBE	표준설정시: 서명이나 확인표시 표준 미설정시서술기록이나 SOAP 형식 사용	• 효율적임 • 상태 변화를 빠르게 발견함 • 정상 사정	• 많은 비용 소모 • 예방에 초점 두지 않음 • 장기간호나 재활 간호에 부적절함

되며, flowsheet로부터 자료(예: 활력징후, 섭취/배설량)를 포함할 수도 있다. 주관적 자료와 객관적 자료를 모두 포함하지만 S나 O로 명명되지는 않는다. 이 부분은 간호과정의 사정 단계에 해당된다.

(2) A(action)

활동에는 계획된 활동 뿐 아니라 이미 수행된 중재도 포함된다. 이 단계는 간호과정의 계획 및 수행 단계에 해당된다.

(3) R(response)

반응은 간호 및 의학적 중재에 대한 대상자의 반응을 서술한다. 이 부분의 자료는 대상자에 대한 측정 및 행위로 이루어진다. 이 부분은 간호과정의 평가 단계에 해당된다.

핵심기록은 자원중심, 문제중심, 컴퓨터 중심 기록 체계에 모두 이용된다. SOAP 방법처럼 핵심기록에서도 바라는 주제를 발견하기 용이하므로 서술적 기록에서처럼 기록 전체를 읽을 필요가 없다. 핵심 방법은 병록이 문제보다는 긍정적인 표제로 조직

되므로 건강증진 및 질병예방 활동에 유용하다.

5) 특이사항기록

특이사항기록(charting by exception, CBE)는 Milwaukee의 St.Luke 병원에서 시간을 절약하고 의미없는 정보의 반복 기록을 배제하기 위해 개발한 간호 기록 방법이다. CBE는 간호기록 또는 전체 대상자 기록에만 적용될 수 있는 기록유지체계이다. CBE는 중재를 기록하기 위해 3가지 주요 구성요소로 구성된다.

(1) 상례기록

중요한 결과와 사정척도 및 사정결과를 정의하는 독특한 상례기록이 필요하다. 여기에는 간호처방이나 의사처방의 상례기록, 그래프 기록, 대상자 교육 기록과 대상자 퇴원에 관한 기록들이 포함된다.

(2) 간호실무 표준을 참조하여 기록

CBE를 이용하는 기관은 나름대로 임상 영역에 무관하게 대상

자 간호에 대한 최소한의 기준을 규명한 구체적이고 상세한 간호 실무 표준을 개발하여야 한다. 또한 일부 병동은 대상자 유형에 따른 독특한 병동 표준을 가진다. 표준은 실제적인 간호행위를 구체적으로 설명할 수 있어야 하고, 어떤 분야에서도 모든 간호사에게 적용될 수 있어야 한다.

(3) 기록 양식의 비치

CBE 방식에서 상례기록은 침상 옆에 보관한다. 이 체제에서는 모든 상례 기록을 언제든지 기록할 수 있도록 침상 가까이에 비치함으로써 정보를 영구 기록지에 옮길 필요가 없다.

이 체계에서는 의미 있는 소견이나 정상에서 벗어난 결과만 서술적 간호진행 기록지에 기록한다. 간호사는 ① 간호진단을 활성화할 때, ② 목표를 평가할 때, ③ 간호진단을 해결하거나 중단할 때, ④ 퇴원 요약을 작성할 때, ⑤ 간호계획을 수정할 때 SOAP 형식으로 진행기록지를 작성한다.

6) 대상자 관리 실무계획표

대상자에게 기대되는 결과, 서비스, 자원 등을 계획하고 대상자를 중심으로 한 여러 건강요원간의 총체적인 대상자 관리 계획을 하는 것이 사례관리이며, 이를 도식화 한 것을 대상자 관리 실무계획표라고 한다. 이것은 특별한 대상자에게 일정 기간 동안 각 의료 요원들이 행하는 간호계획을 통합한 것으로 간편하고 합리적이다. 대상자 관리 실무계획표는 건강전문인간의 의사소통을 용이하게 하고, 대상자와 가족이 간호계획을 인식하고 참여하는데 도움이 된다.

5. 보고

보고는 서면이나 구두로 한다. 보고의 목적은 구체적인 정보를 다른 사람에게 전달하는 것이다. 간결하고 적절한 정보로서 요점을 전달하도록 한다.

1) 근무 교대 보고

근무교대 보고는 대상자를 책임지고 있는 간호사에 의해 새로 온 간호사에게 보고한다. 근무번 해당 책임간호사는 병동의 모든 대상자를 새로 온 간호사에게 보고할 수 있다. 보고는 만나서,

병실을 돌면서, 녹음으로 할 수 있다. 전형적인 근무교대 보고는 다음의 사항들을 포함한다.

- 각 대상자에 대해 기본적으로 규명된 정보 : 이름, 병실, 연령, 의학적 진단, 입원동기, 입원일자, 주치의 등
- 대상자의 현 상태 서술 : 의미 있는 측정치만 포함하며, 대상자의 상태가 변하지 않는 한 활력징후가 정상임은 보고하지 않는다.
- 대상자 상태의 의미 있는 변화 : 상태의 악화 또는 향상을 보고한다. 변화를 보고할 때 관찰한 것과 그것의 의미, 취한 행동, 내상자의 반응, 다음 간호사를 위해 계속되어야 하는 계획 등을 조직한다.
- 규명된 간호진단을 위한 목표성취진행 정도
- 진단검사와 치료 요법에 대한 결과
- 의미있는 정서적 반응
- 침습성 관, 펌프, 기타 부착물에 대한 서술
- 근무 중 발생한 중요 활동 기술
- 교대 후 간호사가 해야 할 간호 행위 서술

2) 전화보고

간호사는 대상자의 상태 변화를 담당의사에게 전화로 보고하거나 다른 병동이나 기관으로 전실되는 대상자의 상태를 다른 간호사에게 보고하기도 한다. 전화 보고를 한 경우에는 내용과 전화를 받는 사람의 이름을 챠트에 기록하도록 한다.

3) 전화처방

전화처방은 의사가 대상자에 대한 처방을 전화로 간호사에게 하는 경우를 말한다. 의사가 전화 처방을 하면 간호사는 이를 받아 적은 다음 이를 다시 반복하여 상대방에 확인시킴으로써 정확성을 유지한다. 간호사는 이를 의사의 처방기록지에 적은 다음 전화처방임을 명기하고, 추후에 해당의사로부터 연서를 받아야 한다.

4) 전동 및 퇴원 기록

간호사는 대상자를 다른 병동으로 옮기거나 다른 기관으로 이송할 때 대상자의 상태나 간호내용을 요약하여 보고한다. 대상자에 관한 자료를 자세히 기록하는 것은 다른 간호제공자가 즉시 제공할 수 있도록 해준다.

섭취량/배설량 기록지

■시 간 : 20   년   월   일   시   분 (오전·오후)

섭취량/배설량 조사이유, 방법, 유의점 설명 ■ 설명 간호사 :

월/일	섭 취 량		D	E	N	소 계	배 설 량		D	E	N	소 계
	수액											
	구강 혈액							Urine				
								Stool				
	소 계							소 계				
	수액											
	구강 혈액							Urine				
								Stool				
	소 계							소 계				
	수액											
	구강 혈액							Urine				
								Stool				
	소 계							소 계				

임상관찰 기록지

■ 입원 시간 : 20　　년　　월　　일　　시　　분 (오전·오후)

■ 입원 경로 : EMC. OPD. (　)ICU. DR
■ 입원 수단 : walking. wheel chair. stretcher

월 / 일									
입 원 일									
수 술 일									
시　　간									

R	P	T ℃							
55	150	40.5							
50	140	40							
45	130	39.5							
40	120	39							
35	110	38.5							
30	100	38							
25	90	37.5							
20	80	37							
15	70	36.5							
10	60	36							
5	50	35.5							

혈 압	/	/	/	/	/	/	/
	/	/	/	/	/	/	/
	/	/	/	/	/	/	/
	/	/	/	/	/	/	/

체　　중							
신　　장							

식이	아 침							
	점 심							
	저 녁							
소　　변								
대　　변								
배　　액								

간호사 서명	D							
	E							
	N							

간호정보조사지 (일반용)
퇴원 간호계획지

일 반 정 보	입원일시: 월 일 시 (오전·오후) 활력증상: 체중: kg / 키 cm 결혼상태: □ 미혼 □ 기혼 가족구성원: 직업: 학력: 종교: 전화번호: 현주소:	**가 계 도** **가 족 력** □ 무 □ 간염 □ 당뇨 □ 고혈압 □ 뇌졸중 □ 종양 □ 기타 관계( )	**입원시 동반자** □ 가족 □ 친구 □ 기타 **귀 중 품** □ 없음 □ 있음: 맡은사람: 품목:	**병 실 교 육** □ Call bell/전화사용 □ 면회시간 □ 편의시설(공용화장실 샤워실/탕비실/오물실) □ 전열기 금지 □ 금연 □ 귀중품 주의 □ 식사시간 □ 주치의 회진시간 □ 화재시의 주의사항 □ 병동배치안내
입 원 관 련 정 보	입원동기 발병일: 주증상: 과거병력 □ 고혈압 □ 당뇨 □ 결핵 □ 기타: 수술명: 알레르기 □ 없음 □ 있음 ( ) 최근투약상태 □ 없음 □ 있음 ( )			

신 체 검 진	**기형** □ 없음 □ 있음:부위 **배변** 마지막 배변 횟수 회/( )일 색깔 □ 설사 □ 변비 □ 동통 □ 기타 **보조방법** □ 관장 □ 좌약 □ 완화제 □ 식이요법	**동통** □ 없음 □ 있음:부위 **소변** 횟수 회 /( )일 양 색깔 냄새 □ 빈뇨 □ 핍뇨 □ 혈뇨 □ 긴급뇨의 □ 작열감 □ 배뇨곤란 **마지막 월경** 년 월 일	**영양상태** 입원전 특별식 □ 아니오 □ 예 **식욕** □ 좋음 □ 보통 □ 나쁨 **체중변화** □ 없음 □ 감소 kg □ 증가 kg	**수면상태** 수면시간 시간/일 수면장애 □ 없음 □ 있음 수면을 돕는법 **활동상태** □ 자유로움 □ 자유롭지 못함 **운동범위** □ 능동적 □ 수동적 제한범위 **위생습관** □ 구강간호 □ 목욕	**기호식품** 담배 □ 아니오 □ 예 양 갑/일 기간 년 술 □ 아니오 □ 예 종류 양 병/회 횟수회/월 기간년

피부		소화기계	순환기계	호흡기계	신경계			지남력
피부상태	☐ 불결함	☐ 정상	☐ 정상	☐ 정상	동공크기	시력장애	신경근육	장소(유 / 무)
☐ 정 상	☐ 발 한	☐ 연하곤란	☐ 심계항진	☐ 호흡곤란	☐ 대칭	☐ 없음	☐ 이상없음	시간(유 / 무)
☐ 찰과상	☐ 건 조	☐ 오 심	☐ 흉통	☐ 가래	☐ 비대칭	☐ 있음	☐ 무감각	사람(유 / 무)
☐ 타박상	☐ 소양감	☐ 구토	☐ 부정맥	☐ 기침	빛반사	(좌 / 우)	☐ 저림	의식정도
☐ 탈 수	피부 색깔	☐ 토혈	☐ 심잡음	☐ 객혈	좌	청력장애	☐ 동통	☐ 명료
☐ 열 상	☐ 정 상	☐ 소화불량	부 종	☐ 이상호흡음	☐ 반응	☐ 없음	마비	☐ 기면
☐ 물 집	☐ 창 백	☐ 복부팽만	☐ 없음	☐ 기관절개관	☐ 무반응	☐ 청력저하	☐ 없음	☐ 혼돈
☐ 발 진	☐ 홍 조	☐ 복부동통	☐ 있음	의사소통	우	☐ 이명	☐ 있음	☐ 반의식
☐ 흉 터	☐ 황 달	☐ 설 사		☐ 원만함	☐ 반응	☐ 청력상실 부위		☐ 무의식
☐ 반 점	☐ 청색증	☐ 인공장루		☐ 곤란함	☐ 무반응	(좌 / 우)		
☐ 욕 창	부위			☐ 불가능함				

정서	☐ 안정	☐ 불안	☐ 슬픔	☐ 분노	☐ 우울	☐ 흥분	☐ 안절부절	☐ 기타		
보조	☐ 없음	☐ 의치	☐ 콘텍트렌즈	☐ 보청기	☐ 보조기	☐ 의안	☐ 가발	☐ 목발	☐ 지팡이	
기구	☐ pace maker		☐ 안경							

작성간호사: 환자(보호자) 서명:

퇴원시 환자정보

최종진단명:

활력증후:

의식상태: ☐ 명료 ☐ 기면 ☐ 혼돈 ☐ 반의식 ☐ 무의식

퇴원방법: ☐ 도보 ☐ 휠체어 ☐ 눕는차 ☐ ambulance

퇴원후 간호교육 내용

활동범위: ☐ 일상생활 ☐ 안정 ☐ 운동 ☐ 재활치료

식 이: ☐ 일반식 ☐ 치료식
       ☐ 기타

목 욕: ☐ 통목욕 ☐ 샤워 ☐ 침상목욕 ☐ 기타

☐ 감염예방:

☐ 당뇨조절:

☐ 발간호:

☐ 혈압조절:

☐ 체위변경:

☐ 체중측정:

☐ 구강간호:

☐ 튜브관리:

☐ 좌욕:

☐ 기타:

외래방문 일시

시간:

진료과:

진료의사:

외래검사

예약일시:

장소:

검사명:

주의사항:

퇴원약 교육   ☐ 해당사항 없음 ☐ 시행함

약 명	용 량	용 법	복 용 시 간	주 요 작 용	주 의 사 항

작성간호사: 환자(보호자)서명: 위의 교육이 도움이 되셨습니까? (예,   아니오)

<OCS MEDICATION RECORD 기록 예제>

MEDICATION RECORD

2000/06/12

<진료과>정형외과

10480428 M/75세

박영섭

5840916-1111111

IC10-01-02

<주치의>김병철

투 약 내 역		6/12	6/13	6/14	6/15	6/16
Cetrimide 10g	6회/일	given(+) D E N	D E N	D E N	D E N	D E N
Beargel 15ml 4PACK # 4 PO 식후 30분		8 X (AKU김명숙) 6 9	8 X 6 9	8 X 6 9	8 X 6 9	8 X 6 9
Digosin 0.25mg 1TAB # 1 PO 식후 30분		8A	8A	8A D/C		
Synertam 8 VIA # 4 IV 6시간마다 AST(-)		6A 12MD 6P 12MN	6A 12MD 6P 12MN	6A 12MD 6P 12MN	6A 12MD 6P 12MN	6A 12MD 6P 12MN
Medilac DS 3 CAP # 3 PO 식후 30분		8 X (AKU 김명숙) 6	8 X 6	8 X 6	8 X 6	8 X 6
Moriamin Forte 2CAP # 2 PO 식후 30분		8 6	8 6	8 6	8 6	8 6
Pethidine 25mg IM (PRN)		8A 2P 11P	4P	5A	2P	10P
Furix 40mg 1TAB # 2 PO 식후 30분		8 ⑥ I/O negative	8 6	8 6	8 6	8 6
N/S 500ml 1BOT # 1 Na-40 20ml 1AMP # 1 IV Once Inject 5 gtt/m		Ⓢ 6A	Ⓕ / 6A Ⓢ	Ⓕ / 6A Ⓢ	Ⓕ / 6A Ⓢ	Ⓕ / 6A Ⓢ
간호사서명 N (0AM~7:30AM사이에 처치 한 경우)		김명숙	이영희	이영희	이영희	황신영
D		김희선	김희선	김희선	김희선	김희선
E		오연경	오연경	오연경	오연경	오연경
N (10:30PM~11:59PM사이에 처치 한 경우)		이영희				

CHAPTER 04

감염관리 간호

학습목표

1 감염의 회로를 설명한다.
2 감염에 대한 신체방어기전을 설명한다.
3 감염에 영향을 미치는 요인을 사정한다.
4 의료관련 감염의 위험요인을 사정한다.
5 의료기구 종류에 따라 적절한 소독방법을 적용한다.
6 적절한 멸균방법을 적용한다.
7 표준주의지침을 설명한다.
8 전파경로별 주의지침을 설명한다.
9 의료폐기물 관리를 설명한다.
10 내과적 무균술을 적용한다.
11 외과적 무균술을 적용한다.
12 감염예방을 위한 위생간호를 수행한다.

제1절
감염 회로 및 영향 요인 사정

I. 간호사정을 위한 기본 지식

건강간호 실무자에게 가장 중요한 관심사는 사람과 사람, 공간과 공간 사이의 미생물 전파이다. 미생물은 일반적인 환경의 어느 곳에서나 존재하며, 인간에게 도움을 주기도 하지만, 그렇지 않은 경우도 많다. 어떤 사람에게는 도움이 되지만 대다수의 사람들에게는 해를 줄 수도 있다.

미생물로부터 안전한 환경을 유지하기 위하여 국제적, 국가적, 지역적 차원에서 많은 노력을 기울이고 있다. 예방접종 계획, 전염성 질환 관리, 병원 감염 감시 프로그램 등을 통해서 노력하고 있다. 간호사는 감염에 대한 확인, 예방, 조절, 대상자 교육 등에 대한 일차적인 책임이 있다.

감염의 회로를 차단하는 데 있어서 간호과정을 적용하는 것은 매우 중요한 일이다.

1. 감염 회로

감염 회로는 병원성 미생물, 저장소, 출구, 전파방법, 침입구, 민감한 숙주 등 6가지 요인의 순환 과정에서 발생한다. 이 중 한 가지라도 결여될 경우 감염 발생은 어려우므로 간호사는 이들 중 한 가지를 차단함으로써 감염발생을 막을 수 있다(그림 4-1).

1) 병원성 미생물

병원성 미생물은 감염원으로 박테리아, 바이러스, 곰팡이균,

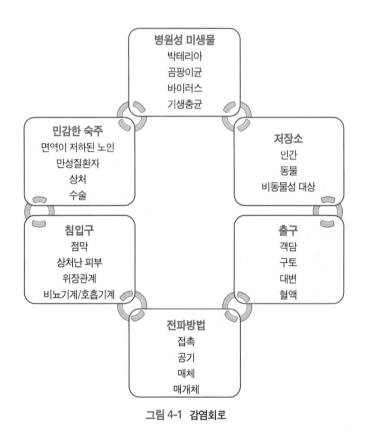

그림 4-1 감염회로

기생충균 등이 포함된다. 미생물이 감염을 일으킬 수 있는 정도는 미생물의 수, 독성 및 병원성, 미생물의 체내 유입성, 숙주의 민감성, 숙주의 체내에 적응하는 미생물의 능력 등에 의해서 영향을 받는다. 미생물의 수가 많을수록 인체의 정상 방어 기전의 한계를 넘어 감염되기 쉽다.

2) 저장소

저장소는 병원체가 생존할 수 있는 곳으로 다른 사람, 대상자 자신, 보호자, 식물, 동물, 일반 환경, 음식물 등이 해당 된다. 저장소는 미생물이 생활하고 증식하기 위한 영양소, 물, 온도, pH, 빛 등이 필요하다(표 4-1).

3) 출구

출구는 저장소로부터 병원체가 탈출하는 곳을 말한다. 미생물은 호흡기, 위장관, 비뇨기, 생식기, 혈액, 조직 등을 통해 탈출한다(표 4-1).

4) 전파 방법

미생물은 다양한 방법으로 전파되며, 한 가지 이상의 방법으로 전파될 수 있다(표 4-2).

(1) 접촉 전파

접촉 전파는 접촉을 통해서 사람에서 사람으로 미생물이 직접

표 4-1 저장소에 따른 출구

저장소	감염인자	탈출구
호흡기계	· Parainfluenza virus · Mycobacteriem tuberculosis · Staphylococcus aureus	· 비강, 구강
위장관계	· Hepatitis A virus(HAV)	· 구강, 타액, 토물, 항문, 분변, 인공항문, 배액관(비위관, 기관 Salmonella 절개관 등)
비뇨기계	· E-coli enterococci · Pseudomonas aeruginosa	· 요도구, 인공요로 전환구
생식기계	· Neisseria gonorrhoae · Treponema pallidum · Herpes simplex virus type II	· 질, 요도구
혈액	· HBV · HIV(Human immunodeficiency virus) · Staphylococcus aureus	· 개방 상처, 주사침 천자 부위, 피부, 점막 손상 부위
조직	· Staphylococcus epidermidis · Staphylococcus aureus · E-coli	· 절개 부위나 상처 부위의 분비물

표 4-2 미생물 전파 방법

	전파 경로	미생물의 예(질병)
접촉 전파	• 직접 접촉 - 감염요소와 민감한 숙주와의 신체 접촉/감염된 사람과의 성적 접촉	• A형 간염, HIV, 매독
	• 간접 접촉 - 오염물체(바늘, 기구, 드레싱)에 민감한 숙주와 접촉	• B형 간염바이러스, 녹농균, HIV, 포도상구균

	• 비말 감염 - 감염 인자와 민감한 숙주의 입, 코, 결막과 접촉
	  - 비말은 3피트까지만 이동하는 것으로 공기 이동은 아님
	  - 기침과 재채기
		• 홍역, 연쇄상구균성 인두염, 인플루엔자

공기 전파	• 비말핵 - 기침, 재채기, 먼지, 대화	• 결핵, 포도상구균
매체 전파	• 매체 - 물, 약물, 용액, 혈액	• 콜레라, 녹농균, B형 간염바이러스, HIV
매개체 전파	• 곤충 - 모기	• 말라리아
	• 벼룩, 진드기, 이	• 발진티푸스, 발진열
	• 동물 - 소, 돼지	• 부르셀리증

이동하는 것을 말한다. 접촉 전파에는 직접 및 간접 전파 방법이 있다. 직접 전파는 감염된 사람과 감수성이 예민한 사람이 직접 신체적 접촉을 함으로써 전파되며, 간접 전파는 감염된 물체와 감수성이 예민한 사람이 접촉되어 간접적으로 전파되는 방법이다.

(2) 공기 전파
공기전파는 비말액으로 운반된 뒤 감염되는 것을 말한다. 결핵, 홍역, 감기, 폐렴, 백일해, 성홍열 등이 이 방법을 통해 전파된다.

(3) 매체 전파
매체는 운반체 또는 중개물로 음식물, 혈액 등은 운반체가 될 수 있다.

(4) 매개체 전파
매개체는 저장소에서 새 숙주로 병원균을 옮기는 동물이 매개체 역할을 하는 것을 말한다.

5) 침입구
병원성 미생물의 대부분은 외부로부터 침입구를 통해 생체 내에 침입한다. 미생물의 침입은 탈출구와 거의 비슷한 경로를 통한다.
침입구로는 피부 감염, 기도 감염, 경구 감염, 곤충 감염, 비뇨생식기계 등을 통해 이루어진다.

6) 민감한 숙주
민감한 숙주는 감염 위험이 있는 사람을 말하며, 면역기능이 저하된 숙주는 다른 사람에 비해 감염이 쉽게 일어날 수 있는 한 가지 이상의 원인을 지니고 있는 대상자를 말한다. 모든 사람이 많은 수의 미생물과 접촉하지만 항상 감염되는 것은 아니다. 감염은 개개인의 미생물의 수와 강도에 대응할 수 있는 능력에 따라 다르다.

2. 감염 단계
미생물이 숙주 내로 침입하여 증식하는 상태를 감염이라고 하며, 그 결과 숙주의 정상적 생리 상태를 변화시켜 이상 상태를 나타내는 것을 발병이라고 한다. 감염의 단계에는 잠복기, 전구기, 질병기, 회복기 등으로 구분할 수 있다.

1) 잠복기
잠복기는 생체에 미생물이 침입하여 초기 증상이 나타나는 시기까지를 말한다. 이 시기 동안 미생물은 개체에 적응하며 감염을 위한 증식을 한다. 평균 잠복기는 7~10일이다.

2) 전구기
전구기는 특수 증상이 아닌 피로감, 불쾌감, 열 등의 증상에서부터 감염의 전형적 증상이 나타날 시기까지를 말한다. 이 시기에 감염성이 가장 높으며, 몇 시간에서 며칠 정도 소요된다.

3) 질병기
질병기 동안은 증상이 나타나는 시기로, 감염 진행 증상들이 침범된 장기나 부위, 그리고 전신에 명백해 진다. 질병기에는 신체 전반에 영향하는 전신적 증상과, 한 부분에 국한된 국소적 증상이 나타날 수 있다. 이 시기동안 흔히 발열, 두통, 피로감 등을 경험한다.

표 4-3 감염에 대한 인체의 계통별 방어기전

계통	방어기전	정상 상주균	활동	활동방해요인
피부	• 손상되지 않은 여러 층의 제1방어선 • 피부표피 벗겨짐 • 피지	• 염기성, 호기성 디프테리아간균, 비용혈성 포도상구균, 그람양성균, 진균, 효모균	• 기계적 방어벽 • 피부 외층의 미생물 제거	• 찰과상, 상처 • 불결한 개인위생 • 과다한 목욕
구강	• 손상되지 않은 점막 • 침	• streptococcus viridiance	• 기계적 방어벽 • 미생물 함유 이물질 제거 • 미생물 억제효소함유(lysozyme)	• 열상, 상처 • 탈수 • 불결한 개인 위생
호흡기계	• 상기도의 섬모, 점액 • 거식세포	• streptococcus viridiance	• 미생물을 체외로 배출 • 폐포에 침입한 미생물 파괴	• 흡연, 고농도 산소 및 이산화탄소, 찬공기 • 흡연
비뇨기계	• 소변배설 • 건강한 상피세포	• doderlein 균, lysozyme, bacteroides, clostridium	• 방광, 요도의 미생물 파괴 • 미생물에 방어벽 제공	• 침습적 간호 • 종양으로 인한 폐쇄
위장관계	• 위액의 산도 • 소장의 빠른 연동운동	• bacteroides, fusobacterium, eubacterium, lactobacillus, streptococcus, enterobacteriaceae, vibrio	• 낮은 산도로 미생물 파괴 • 박테리아성 물질 보유 방지	• 제산제 투여 • 종양으로 인한 기계적 폐쇄 • 변비

4) 회복기

회복기는 건강상태로 돌아오는 시기를 말하며 몇 일에서 몇 개월이 걸릴 수 있다. 이는 감염의 심각성과 대상자의 일반적 건강 상태에 따라 달라진다.

3. 감염에 대한 신체의 방어기전

신체의 감염 방어기전에는 정상 방어기전과 비특이적 방어기전으로 구분할 수 있다.

1) 정상 방어기전

인간은 신체 내부와 외부에 정상 상주균(normal flora)이 있어서 인체에 정상균으로 존재하면서 방어기전의 역할을 한다. 신체에는 정상적으로 피부, 구강 및 위장관에 상주하는 미생물이 있다. 정상 상주균은 질병을 유발하지 않고 미생물 성장 억제, 항세균성 물질 분비, 정화작용 등을 통해 건강 유지에 관여한다(표 4-3).

생체에 따라 병원체에 대한 감수성은 숙주의 정신적, 육체적 피로, 영양 부족, 순환 장애 등 여러 요인에 따라 다르다. 정상적인 생체는 병원체가 조직 내로 침입하는데 대한 저항성 또는 방어력을 가진다.

(1) 체표면의 기계적 저지(mechanical barrier)

건강한 사람의 피부나 점막은 외부의 미생물 침입에 1차적인 저지선을 형성하게 된다.

(2) 세포, 조직성 인자

병원체가 체표면에서 내부 조직으로 침입하면 생체의 세포, 조직성 인자들이 생체 방어작용을 한다. 가장 먼저 조직구가 미생물을 탐식하고, 미생물이 증식할 경우는 염증 반응이 방어작용을 도와주게 된다.

(3) 식균작용

식균작용은 백혈구와 식균성 조직 세포가 미생물을 탐식하는 작용이다. 식균성 조직 세포는 간, 비장, 골수 등의 혈관벽 안쪽에 있고, 백혈구는 아메바 모양으로 위족을 형성하여 모든 이물질을 탐식한다. 이물질이 생체 내에 유입되면 백혈구는 그 부위에 투입되며 세균에 대항하여 농을 형성한다.

(4) 염증성 반응

미생물이 침입한 국소부위에서 모세혈관이 확장되고, 혈관의 투과성이 증가하며, 계속해서 식균 능력이 있는 많은 백혈구의 유입이 늘어난다. 염증이 진행된 후 그 주위에 신생 조직이 나타나서 병소 주위를 둘러싸게 된다(표 4-4).

염증의 증상과 징후는 국소적 및 전신적 염증 반응으로 나타난다. 국소적 염증 반응으로는 열감, 발적, 종창, 동통, 기능 상실 등이 있고, 전신적 반응으로는 발열, 백혈구 증가, 오한, 식욕 감소, 체중 감소, 전신피로, 우울, 전신허약 등이 나타난다.

표 4-4 감염 감별 임상 검사 소견

검사종류		정상	적응증
백혈구(WBC)		5,000~10,000/mm^3	• 급성감염시 증가 • 면역력 저하시 감소
적혈구 침강 속도(ESR)		남자 15mm/hr, 여자 20mm/hr	• 염증시 상승
철분		60~90gm/hr	• 만성 염증시 감소
소변, 혈액 배양		무균	• 10만 이상 미생물 집락시
상처, 객담, 인후 배양		정상균주 존재 가능	• 감염성 미생물 성장시 존재
감별 백혈구 수	호중구(neutrophils)	55~75%	• 급성 화농성 감염시 증가 • 노인의 세균성 감염시 감소
	임파구(lymphocytes)	20~40%	• 만성 세균성 바이러스성 감염시 증가
	단핵구(monocytes)	2~8%	• 원충류, 리켓치아, 결핵 감염시 증가
	호산구(eosinophils)	1~4%	• 기생충 감염시 증가
	호염기구(basophils)	0.5~1%	• 감염시 변화 없음

2) 특수 방어기전

신체의 특수 방어 기전은 면역 체계를 포함하여 체내의 이종 단백에 대한 반응이다. 체내의 이종 단백은 항원이라고 하며, 만일 항원이 자신의 체내에서 생겨나는 경우는 자가항원이라고 한다. 면역이란 사람 또는 동물이 병원성 미생물의 침입에 대해 나타내는 저항이다. 동물은 타고날 때부터 선천적으로 지니는 선천면역 또는 자연면역과 개체가 출생 후 여러 가지 원인으로 획득하는 후천 또는 획득 면역을 가진다.

4. 감염에 영향을 미치는 요인

감염에 대한 숙주의 민감성에 영향을 미치는 요인에는 연령, 유전, 스트레스 수준, 영양상태, 면역상태, 이전 병력, 현재의 병력 등이 포함된다.

1) 연령

일반적으로 연령이 증가함에 따라서 면역 능력은 감소한다. 미국질병예방센터에서는 노인 및 만성 심장질환자, 호흡기질환자, 신장질환자들에게 매년 인플루엔자 예방 접종을 권고하고 있다.

2) 유전

유전은 특정 감염에 민감한 사람들의 경우 감염 발병에 영향을 미치는 것으로 알려져 있다. 일부 대상자의 경우 혈청면역글로블린의 결핍이 나타나며, 이로 인해 신체의 내부 방어기전에 심각한 장애를 초래한다.

3) 스트레스

신체적, 정서적 스트레스원의 속성, 양, 기간은 감염발생에 영향을 미친다. 스트레스는 혈중 코티손 농도를 증가시켜 항염 반응을 감소시키고, 저장 에너지를 고갈시키며, 탈진 및 감염에 대한 저항력을 감소시킨다.

4) 영양상태

항체는 단백질로 구성되므로 저장 단백질이 상처, 수술, 종양 등 여러 가지 원인으로 부족할 경우 감염이 발생하기 쉽다. 항종양 방사선 치료는 비정상 세포뿐만 아니라 정상 세포까지 파괴하여 감염에 민감하게 한다.

5) 면역상태

항암제, 항염제, 일부 항생제 들은 감염에 민감하게 한다. 항암제 사용은 골수 기능을 억제하고 백혈구 생산을 방해한다. 부신피질 호르몬제는 면역 반응을 억제한다. 항생제는 감염 원인균뿐 아니라 정상 균총을 사멸시킨다.

6) 과거 및 현재의 병력

질병은 대상자 감염 증가 요인이 된다. 말초혈관 질환, 화상, 만성 쇠약성 질환, 백혈병, 빈혈 등은 백혈구의 생성을 감소시킨다. 당뇨병은 말초혈관의 상태를 위협하고, 혈당 및 감염 가능성을 증가시킨다.

5. 의료관련 감염의 위험요인

1) 병원감염

병원감염은 Hospital acquired infection 또는 Nosocomial infection으로 미국 질병관리센터에서 내린 정의가 가장 널리 이용되고 있다. 그 정의는 '입원 당시 나타나지 않았음은 물론 잠복 상태가 아니었던 감염이 입원기간 중에 발생한 경우'를 말한다. 즉, 입원 이전에 감염되지 않았던 사람이 입원 후 병원 환경에서 병원성 미생물에 노출되어 발생되었거나 대상자 자신이 이미 가지고 있던 내인성 미생물에 의해 입원기간 중, 혹은 외과수술 대상자의 경우 퇴원 후 30일 이내에 감염이 발생하는 것을 말한다.

생명과학과 더불어 의학지식의 진보는 과거 불치병으로 알려졌던 많은 질환의 치료를 가능하게 하고 인류의 생명을 연장시켰다. 그러나 한편으로는 감염에 취약한 노령 인구의 증가, 만성 퇴행성 질환의 증가, 항암제 및 면역 억제제의 사용으로 인한 면역부전 대상자의 증가, 장기간의 항생제 사용으로 인한 항생제 내성균 증가, 각종 인체 내 삽입 기구 시술의 확대 등으로 의학이 발달할수록 병원감염은 증가되고 있다. 병원감염과 대비되는 단어는 지역사회감염(Community acquired infection)으로 병원 이외의 가정이나 학교 등과 같은 지역사회에서 발생한 감염이다. 병원감염과 지역사회감염은 감염 발생의 장소가 어디인지에 대한 구분일 뿐이다.

병원감염의 2/3 정도는 대상자 자신의 면역능력 저하로 인해 자신이 가지고 있던 세균에 의해서 발생하는 내인성 감염이며, 1/3 정도가 외인성 감염이다. 감염관리를 통해 예방할 수 있는 부분은 외인성 감염인 1/3에 해당되는 부분이다. 내인성 감염은 대상자 자신의 구강, 장 등에 정착하고 있는 세균에 의해서 유발되는 감염이며 대상자 자신의 감염에 대한 저항력이 저하되었기 때문에 발생한다. 외인성 감염은 외부에 있는 균이 들어와서 생기는 감염이며 진료의 목적으로 쓰이는 여러 가지 처치(요로 혹은 혈관 내 카테터 삽입, 내시경 검사 등)와 관련되는 경우가 많다. 이러한 과정에서 사용되는 여러 가지 기구나 물품, 혹은 의료인이나 대상자의 피부나 손에 있던 정상 상주균이나 일시적인 오염균에 의해 직접 혹은 간접적으로 발생되는 감염이다.

이러한 병원감염은 의학의 발전과 더불어 노령인구의 증가, 만성퇴행성 질환자의 증가, 항암제 및 면역 억제제의 사용으로 인한 면역부전 대상자의 증가 등 감염에 취약한 인구의 증가와 각종 침습적 의료처치의 이용 확대, 다수의 항균제 남용과 이로 인한 내성균의 증가 등으로 점점 높아지고 있는 실정이다.

미국질병관리센터(CDC)는 1974년부터 83년까지의 조사에서 병원감염률을 5.7%로 보고하였고, 영국에서는 1980년에 9.2%의 감염률을 보고한 바 있다. 국내의 경우 병원감염률에 대한 전국적인 규모에서 지속적인 조사가 이루어지지 않아 정확한 병원감염률을 산출하기는 어렵다. 하지만 1996년 대한병원감염관리학회에서 전국 15개 대학 및 종합병원을 대상으로 실시하였던 병원감염률 조사에 의하면 퇴원대상자 100명당 병원감염의 발생율은 3.7%인 것으로 나타났다.

그 외 병원전체를 대상으로 한 일부 연구들에서 나타난 병원감염률은 5.8%에서 15.5%, 중환자실에서 감염율은 10.5-39.7%, 그리고 외과 대상자에서의 수술 후 창상감염은 5.6%에서 9.8%까지 보고되고 있다. 대상자의 특성, 조사방법의 차이, 의료환경의 차이 등으로 이 수치를 가지고 병원감염률을 정확하게 비교 평가할 수는 없지만 부위별로는 요로감염이 30.3%로 가장 높은 빈도를 나타내었고 폐렴, 수술부위감염, 혈류감염 순으로 발생하고 있다.

일반병동보다는 중환자실이나 면역저하 대상자의 병동에서 병원감염률이 높게 발생하는 경향을 보여주고 있다. 원인균주로는 병원감염의 전통적인 원인균주인 그람음성균 중 녹농균이 13.8%, 대장균이 12.3%로 높은 빈도를 나타내었으나 80년대 후반부터 증가 추세인 그람양성균 중 포도구균이 17.2%로 가장 많은 원인으로 나타났다. 특히 이들의 메티실린내성율이 78.8%로 이미 심각한 상황에 직면해 있음을 알 수 있다.

이러한 보고들로 볼 때 국내의 병원감염률은 약 10% 정도로 추정되고 있으며, 원내감염관리에 대한 노력이 미비할 경우 감염률의 증가와 내성균주의 확산 등이 더욱 문제가 될 것이다. 따라서 감염관리 전담인원의 확충과 병원감염관리에 대한 지원, 항생제의 적절한 사용을 위한 관리 및 손씻기 등 병원감염을 줄이기 위한 노력이 더욱 체계적으로 시행되어야 한다.

II. 감염사정

1. 간호력

간호력을 수집하는 것에는 일반적인 양상 확인, 위험요소의 확인, 기능 장애의 확인 등을 포함한다.

일반적 양상 확인은 질병에 대한 정상적 방어 기전 정보를 확인하는 것이다. 대상자나 보호자에게 대상자의 휴식과 수면, 운동, 비타민 섭취, 시행한 민간 요법 등에 대해 질문하고 예방 접종과 과거력을 조사한다. 위험요소 확인은 최근에 감염성 질환에 노출된 경험이 있는지를 확인한다.

예방 접종 기록을 확인하고 대상자의 일반적 건강상태(수면 습관, 운동, 약물 복용, 흡연, 음주)에 대해 질문한다. 심장질환, 폐질환, 당뇨병 등 만성질환 여부를 확인한다. 또한 면역 기전을 억제하여 감염 위험을 높이는 항암 치료를 받았는지를 확인한다. 기능 장애의 확인은 대상자가 감염으로 내과적 도움이 필요하다면 감염에 노출된 기간, 증상, 일상생활 변화 등을 사정한다.

2. 신체검진

감염 증상과 징후는 감염 부위에 따라 다양하다. 일반적 상태는 대상자가 얼마나 불편감을 느끼는지를 결정한다. 자세나 움직임에서 피로의 증상을 찾을 수 있다. 피부색, 부종 여부 등을 확인한다. 감염에 따른 전신적 징후는 발열, 맥박 및 호흡 증가, 무기력, 권태감, 식욕부진, 오심, 구토 림프절 비대 및 압통 등이 나타날 수 있다. 국소적 감염 증상으로는 국소적 부종, 국소적 홍조, 누르거나 움직일 때 압통과 통증, 감염 부위의 발열, 감염부위의 신체기능 상실, 삼출액 등이 나타날 수 있다.

노인이나 면역체계 치료 대상자는 발열 증상이 나타나지 않을 수도 있다. 호흡기 감염 시 나음, 수포음, 천명음 등의 이상 호흡음이 사정될 수 있고, 장음 청진 시 연동 운동 증가 양상이 나타나며, 림프절을 촉진하면 팽대 증상을 확인할 수 있다.

3. 진단적 검사

감염 증상을 확인하기 위해서는 백혈구 수, 감별 백혈구 수, 적혈구 침강속도, 철분량, 소변, 혈액, 객담, 분비물 배양 검사 등을 시행한다.

제2절
감염관리 간호에서의 간호진단

미생물의 전파와 관련된 NANDA의 간호진단은 감염 위험성(risk for infection)으로 개인이 내인성, 외인성 병원균이나 기회감염균에 의해 감염될 가능성이 있을 때 적용된다. 감염에 민감한 대상자의 경우 다음과 같은 간호진단을 내릴 수 있다.

1) 간호진단: 감염 위험성
2) 정의: 병원균 침입 위험이 증가된 상태
3) 위험 요인:
    ① 부적절한 1차 방어기전: 피부 손상, 조직 외상, 섬모활동 감소, 체액 정체, 연동운동 장애
    ② 부적절한 2차 방어기전: 혈색소 감소, 백혈구 감소, 면역 억제, 부적절한 후천성면역
    ③ 환경적 위험: 작업장, 여행
    ④ 치료와 관련된 위험: 삽관술, 출산, 투약, 지식부족, 자기 방어, 고령

표 4-5 감염관리 간호진단

간호진단	관련요인
손상 위험성	• 면역 반응 변화 • 영양불량 • 조직파괴
신체상 장애	• 개방 상처에 대한 대상자의 혐오감 • 성적으로 전이된 질병에 대한 자기 인식
조직 손상	• 순환 변화 • 자극물에 노출
영양 변화	• 부적절한 식이습관 • 위장관 기능의 변화
구강점막의 변화	• 비위관의 외적 자극 • 비효율적 구강 위생
피부 손상의 위험성	• 힘의 분산 • 피부자극물에 대한 노출 • 신체 부동
사회적 고립	• 급성 전염기 동안 타인과의 고립

현재 감염되어 있거나 감염의 위험성이 있는 대상자들의 경우 신체적, 심리적 문제를 동반할 수 있다. 다음과 같은 간호 진단을 추가할 수 있다(표 4-5).

제3절
감염관리 간호수행계획

감염에 대한 간호수행계획은 간호진단의 관련 요인에 근거하여 설정한다. 감염에 민감한 대상자를 위한 일반적인 간호 목표는 다음과 같다.

- 신체 면역 방어 기능을 유지 및 회복한다.
- 감염균의 전파를 방지한다.
- 감염과 관련된 문제를 경감 또는 완화시킨다.

기대되는 결과는 대상자마다 다르다. 철저한 무균법을 통해서 감염의 회로를 차단하고, 숙주의 면역 방어 기능을 지지하며, 감염 예방 및 전파 방지를 위해 대상자 교육을 실시하도록 한다.

감염위험성이 있는 대상자를 위한 NIC 중재방법에는 환경관리, 감염통제, 감염보호, 위험확인, 개별간호, 상처간호 등이 포함된다.

제4절
감염관리 간호수행

간호사는 내과적, 외과적 무균술을 사용하여 감염의 전파를 통제하고 예방해야 한다. 대부분의 감염은 기본적인 내과적 무균술로 감염회로를 차단함으로써 예방할 수 있다.

1. 소독과 멸균

소독(disinfection)은 감염을 일으킬 수 있는 병원성 미생물만을 주로 사멸 또는 제거시키는 것이며, 멸균(sterilizing)은 강한 살균력을 작용시켜 병원균, 비병원균, 아포(spore)를 포함한 모든 미생물을 사멸시키는 것을 말한다. 소독과 멸균을 위해서는 물리적, 화학적 방법을 사용하는데, 이 방법들은 세포 단백질을 파괴시킴으로써 미생물의 내적 기능을 차단시키게 된다(표 4-6). 소독과 멸균 여부는 오염된 물품의 용도나 형태에 따라 다르게 적용된다. 멸균, 소독 방법을 선택할 때 고려되어야 할 요소들은 다음과 같다.

- 미생물의 종류와 특성
- 미생물의 수
- 멸균할 기재의 종류
- 기재의 용도

여러 기구 및 물품은 소독 또는 멸균 전에 반드시 멸균해야하는 것, 소독법 이상이 요구되는 것, 약한 소독이 필요한 것 등으로 물품을 분류하고 적절히 선택하는 것이 필요하다.

(1) 약한 소독과정이 요구되는 경우

점막이나 상처 등에는 접촉하지 않고 손상이 없는 경우 피부에만 접촉되는 물품을 소독하는 경우가 이에 해당된다.

- 침대, 린넨, 대상자의 가구, 탁자, 식탁, 목발, 식기

(2) 보통 소독과정이 요구되는 경우

온도계 등이 이 기준에 해당되며, 염소나 phenol 등을 사용하며 대부분의 세균과 곰팡이를 불활성화시킨다.

- 온도계, 대상자의 피부에 직접 닿지 않는 물 치료용 욕조

(3) 강한 소독과정이 요구되는 경우

이 기준에 해당되는 물품은 점막이나 피부와 접촉하는 기구로 세균의 아포를 제외한 모든 미생물이 없는 상태가 되어야 한다.

- 호흡기구, 마취기구, 내시경
- 강한 소독제나 습식 저온살균, 화학 멸균제 등 사용 (예: 2% glutaraldehyde)
- 소독제 사용 후 멸균 증류수로 헹구어 잔류 약제로 인한 자극 방지

(4) 멸균이 필요한 경우

조직이나 혈관에 직접 접촉하는 물품은 어떤 종류의 미생물에 의한 오염도 허용해서는 안되며 다음의 사항들이 해당된다.

- 수술기구, 심장 및 요도에 사용되는 카테터, 임플란트, 주사바늘 등
- 이 기구들은 멸균상태로 구매하거나 고압 증기 멸균을 하고, 열에 약한 경우는 ethylene oxide 화학멸균제로 멸균
- 화학 멸균제로는 2% glutaraldehyde, 6% stabilized hydrogen peroxide, demand delease chlorine dioxide 등 사용

2. 격리 주의

병원에서 대상자 간 또는 대상자와 의료진, 가족 사이에 병원 감염이나 감염성 질환이 전파될 가능성이 높다. 격리(isolation)란 의료인, 대상자 및 방문객 등에게 감염 전파를 예방하기 위해 사용된다. 미국질병통제센터(CDC, 1983)에서는 병원에서 선택할 수 있는 범주별 격리와 질병별 격리라는 격리 지침을 제정하였다.

범주별 격리조치는 엄격한 격리, 접촉 격리, 호흡기 격리, 결핵 격리, 장관 격리, 배액/분비물 격리, 혈액 격리 등으로 구분된

표 4-6 소독제의 종류와 특성

종류	특성
산류(acids)	
• 초산	• 방부제로 이용
• 안식향산	• pH 3~6에서 정균작용, pH 3 이하에서 살균작용
• 붕산(boric acid)	• 지용성 약산은 박테리아 세포내로 들어가 세포막 파괴
• 젖산(lactic acid)	
석탄산류(phenolic compounds)	
• 석탄산	• 세균단백질 변성작용
• 크레졸	• 살모넬라에 강한 살균력
• 헥사클로르펜(hexachlorophene)	• 인체, 기구에 사용 불가능
	• 바닥, 화장실 청소용
알콜류(alcohol)	
• 에틸알콜(ethanol, ethylalcohol)	• 세균단백질 변성 및 표면 장력 약화
• isopropanol(isopropyl alcohol)	• 개방성 창상에 사용 금지
	• 직장 및 구강 체온계, 주사병과 고무마개, 청진기나 인공호흡기의 외부 소독
산화제(oxidizing agents)	
• 과산화수소수	• 혐기성, 미호기성 미생물에 효과적이며 광범위한 살균작용
• 과망간산칼륨	• 직접 또는 활성 중간 물질로 산소가 유리되어 미생물을 산화기켜 소독 효과를 냄
• benzoyl peroxide	
염소제제(chlorine compounds)	
• 염소(chlorine)	• 수질정화에 사용
• 표백분(calcium hypochlorine)	• 강한 부식작용이 있어 금속류에 사용을 금함
• sodium hypochloride	
중금속류(heavy metals)	
• silver nitrate	• 수은 화합물은 강한 살균작용보다는 정균작용
• silver protein	• 약이나 화장품 보존시 사용
• mercurochrome	
요오드화합물	
• 요오드 정기(iodine tincture)	• 소독, 방부제로 사용
• 포비돈 요오드(povidone iodine)	• 알콜제보다 수성 용액에서 더 효과적
	• 피부소독제로 흔히 사용
	• 피부가 적었을 때 더 잘 퍼지며, 비누가 있을 경우 화학적 반응으로 수포형성 등 손상 가능
알데하이드(aldehyde)류	
• 포르말린	• 세균, 진균, 바이러스에 효력이 있으나 작용이 느림
• glutraldehyde	• 2~8% 용액은 수술용 기구, 장갑 소독에 이용
	• 액체나 기체 상태에서 멸균과 소독이 됨
계면활성제	
• 하이진(hygine)	• 표면장력을 저하시켜 세포막 기능 장애 및 단백질 응고 변성
• zepherin	• 기구 및 환경 소독에 주로 사용

다. 질병별 격리 조치는 특정 질병을 위한 격리 조치를 말한다. 이러한 조치는 동일 병원균에 감염된 대상자는 같이 사용할 수 있는 특수 환기 장치가 첨가된 격리 병실, 특정 감염성 질병에 의복 노출을 막기 위해 가운 등을 사용하는 것을 말한다.

1988년에는 신체물질 격리(BSI: Body Substance Isolation) 체계가 개발되어 모든 대상자에게 포괄적 예방을 할 것을 강조하였다. 이것을 일부 비말 감염 환자를 제외한 대부분의 대상자들에게 적용되는 통상적인 감염 통제조치를 말한다. 신체 물질은 혈액, 체액, 요, 분변, 상처 배액, 구강 배액, 기타 신체 실질 등을 포괄한다. 보편적 조치(Universal Precaution: UP)는 개인이 혈액전파성 병원성 미생물에 노출되는 것을 제한하기 위해 권장하였다. 보편적 조치는 혈액으로 전파되는 B형, C형 간염 바이러스, HIV와 관련된 체액이 적용되며, 혈액 및 육안으로 혈액이 함유된 체액 등이 속한다.

1) 격리 방법

(1) 표준 격리 조치

CDC(1996)에서는 새로운 격리 지침서를 개발하여 보편적 조치와 신체물질 격리의 주요 특징을 결합하고, 기존의 범주별 격리를 전파방법에 따라 표준 격리 주의 지침을 만들었다. 이 조치는 진단명이나 감염 유무에 관계없이 모든 입원대상자 간호 시 적용된다.

- 혈액, 체액, 분비물, 배설물, 손상된 피부, 점막 등에 적용한다.
- 다음의 경우에는 반드시 손씻기를 한다.
  - 대상자 접촉 전후
  - 혈액, 체액, 분비물, 배설물에 접촉한 후

표 4-7 물리적 소독살균법 및 화학적 멸균법

방법	특성	적용
여과법	• 여과기를 이용하여 세균 여과하여 제거 • 가열 살균 어려운 경우 적용 • 제균이외의 미량의 균 집락 시	• 혈청, 백신, 의약품 • 무균공기 만들때(무균병실, 청정실)
소각법	• 병원체를 불에 태워 연소시키는 방법 • 소독법 중 가장 완전한 방법	• 균에 오염된 의류, 목재품, 전염병 사체 등 폐기물 처리
건열멸균법	• 150~170℃ 에서 1~2시간 정도 멸균 • 금속제품에 사용	• 초자기구, 의료용 기구, 의약품의 용기, 유리기구, 분말
자비소독법	• 가정에서 이용할 수 있는 가장 저렴하고 편리한 방법 • 박테리아성 아포, 일부 바이러스는 제거하기 어려움	• 우유병
자외선 소독법	• 전자기의 낮은 에너지 형태로 미생물의 세포 파괴, X-ray 조사멸균법, 중성자(neutron) 멸균법, 음극선(Cathod ray) 멸균법 등 사용	• 약물, 음식, 열에 약한 물품
고압증기멸균법	• 높은 압력, 높은 온도로 미생물과 아포를 파괴 • 가장 안전한 방법 • 120~123℃, 15~17파운드, 15~45분 내에 멸균	• 수술용 기구, 외과적 드레싱, 비경구적 용액
화학적 소독제법	• 소독 물품, 용도, 화학물의 온도, 노출시간 등에 따라 다름 • sodium hypochlorite(Vipon), glutaraldehyde(Wydex), activated dialdehyde(Surgikos), instrument solution 등 사용	• 수술실 및 중환자실 소독, 의료기구 소독, 상처소독, 방광 소독
산화에틸렌가스 (ethylene oxide gas, EO gas) 멸균법	• 세포의 대사 과정을 변화시켜 아포와 미생물을 파괴시킴 • 독성이 강하므로 멸균 후 적절한 환기 필요 • 농도가 450~1,000mg/L 일 때 3-7시간 소요 • 40~60% 습도에서 적절 • 50~60℃ 에서 8~12시간, 실내온도에서는 24시간 정도 노출 시킨 후 사용하는 것이 안전	• 고무, 종이, 플라스틱제품 • 세밀한 수술기구, 각종 카테터 및 내시경 • 열에 약하고 습기에 예민한 기구

- 오염된 기구나 물품에 접촉한 후

- 장갑을 벗은 직후 등

■ 혈액, 체액, 분비물, 배설물, 손상된 피부, 점막, 오염된 물품을 만질 때 장갑을 착용한다. 대상자 간호 전후는 장갑을 벗고 손을 씻어야 한다.

■ 혈액이나 체액이 튀거나 뿌려질 가능성이 있을 경우에는 마스크, 보안경, 얼굴가리개를 착용한다.

■ 혈액이나 체액에 의해 의복이 오염될 가능성이 있으면 가운을 착용한다. 가운을 벗은 후에는 손을 씻는다.

■ 대상자 간호 도구는 적절히 씻고 취급한다.

■ 사용한 기기(주사침, 수술용 칼 등)로 인한 손상을 예방하기 위해 내구성이 강한 용기를 사용하여 처리한다.

■ 대상자의 위생 상태에 문제가 없는 한 독방은 사용하지 않아도 되며, 감염통제 전문가와 상의하도록 한다.

(2) 전파 경로별 주의 지침

전파 격리 조치는 격리에 대한 기존의 질병별 접근 및 범주별 접근을 새로운 전파 범주로 요약한 것이다. 여기에는 공기(air-borne) 전파, 비말(droplet) 전파, 접촉 전파 등이 속하며 반드시 표준격리 조치와 함께 사용한다(표 4-8).

2) 격리활동 및 보호 장구 착용

간호사는 대상자에게 미생물 전파방지를 위해 포괄적인 사정을 한 후 활동해야 한다. 대상자의 정상방어 기전, 자가간호 수행능력, 감염원 및 전파 양식 등을 확인한다. 장갑, 마스크, 보호용 안경 착용 여부를 간호사가 결정하도록 한다. 대부분의 상황에서 간호사는 간호활동 전 항상 손을 씻어야 한다. 최근에는 병실 입구마다 손소독액을 비치하고 있고, 격리대상자 침상 옆에 손소독액을 두어 필요시 사용할 수 있다(표 4-9).

(1) 장갑

간호사는 대상자 접촉 시 장갑을 착용하는데 혈액, 소변, 분변, 객담, 점막, 손상된 피부 조직 등과 접촉할 가능성이 높은 경우, 간호사의 손에 묻어있는 미생물이 대상자에게 전파될 가능성을 감소시키기 위해서, 간호사의 손을 매개로 균이 전달되는 것

표 4-8 전파 경로별 특성

범주	질병 및 특성	격리
공기 전파	• 5micron보다 작은 비말핵 감염 • 홍역, 수두, 결핵	• 음압이 유지되는 독방에서 시간당 6~12회 공기순환 유지, 방안공기 여과 • 1인실 아닌 경우 동일한 질병군을 같은 병실 사용 • 원발성 결핵인 경우 마스크 착용 • 감수성이 예민한 사람은 홍역, 수두 대상자 간호 시 반드시 마스크 착용 • 대상자의 불필요한 병실 외출을 금하며, 출입할 경우 수술용 마스크 착용
비말 전파	• 5micron보다 큰 비말 감염 • 디프테리아, 폐렴, 백일해, 유행성 이하선염, 풍진, 연쇄상구균성 인후염, 폐렴, 영유아 성홍열, 수막구균성 폐렴이나 패혈증	• 1인실 사용 • 1인실 아닌 경우 동일한 질병군을 같은 병실 사용 • 90cm 이내의 거리에서는 마스크 착용 • 대상자의 불필요한 병실 외출을 금하며, 출입할 경우 수술용 마스크 착용

접촉 전파	• 대상자나 환경에 직접 접촉에 의한 감염
	• 집락 또는 항생제 내성균에 의한 감염, 호흡기 syncytial 바이러스, 이질 등 장내 병원체, 주요 상처감염, 단순포진, 농가진, 옴, 미만성 수두포진
		• 1인실 사용
		• 1인실 아닌 경우 동일한 질병군을 같은 병실 사용
		• 표준격리조치에 준하는 장갑 착용
		  - 감염물질과 접촉 후 장갑 교환
		  - 대상자 병실을 나서기 전 장갑 벗기
		  - 장갑을 벗은 후 즉시 손을 씻으며, 항균비누 사용
		  - 손을 씻은 후 오염된 표면이나 물건을 만지지 않도록 함
		• 감염된 표면이나 물품과의 접촉 가능성이 있는 경우, 실금, 설사, 인공항문, 드레싱 되지 않은 상처배액이 있는 경우 등은 가운착용
		• 병실 밖 출입 제한
		• 간호시 필요한 물품은 개인별로 사용하거나 어려울 경우 동일균 감염 대상자에게만 제한적으로 사용

을 방지하기 위해서 착용하도록 한다.

장갑을 착용하고 있는 동안 구멍이나 찢어진 곳으로 미생물이 오염되거나, 장갑을 벗는 동안 손이 오염될 수 있으므로 장갑을 벗은 후에는 반드시 손을 씻도록 한다. 일회용 장갑을 사용하는 경우에는 특별한 기법이 요구되지는 않는다. 가운을 입고 있는 경우 간호사는 가운의 소매가 팔목을 충분히 덮도록 장갑을 끌어당긴다. 가운을 입지 않은 경우에는 장갑의 소맷부리가 손목을 덮을 수 있도록 착용한다.

장갑을 벗은 후에는 반드시 손씻기를 한다. 장갑을 벗는 동안 장갑의 외면에 접촉하지 않도록 주의해야 한다.

(2) 가운

위생가운, 일회용 방수 가운 등은 시술 도중 오염될 가능성이 있는 경우 사용한다. 일회용 가운은 사용 후 폐기하거나 지정된 수거함에 넣고 손을 씻도록 한다. 멸균가운은 광범위한 상처를 가진 대상자의 드레싱을 교환할 때 착용한다. 위생 가운을 입거나 육안적으로 깨끗한 가운을 벗을 때에는 특별한 조치가 필요하지 않지만, 다른 곳에 오염되지 않도록 주의해서 벗는다.

가운 착용 방법은 목적에 따라 여러 가지 방법으로 시행하며, 이에 따른 구체적인 방법은 실습지침서를 참조하도록 한다.

(3) 안면마스크와 보안경

마스크는 비말, 접촉 및 공기전파를 예방하기 위해 착용한다. 일회용 마스크는 대상자 간호에 효과적이지만, 젖거나 오염될 경우 효과적이지 못하므로 즉시 교환하도록 한다.

3) 감염 대상자의 격리 조치

(1) 호흡기 감염

격리 방법에 따라 격리하고, 대상자를 간호하는 경우 감수성이 있는 의료인은 마스크를 착용한다. 고위험군 대상자의 직접 치료 및 간호 시 호흡기계 감염이 있는 의료인은 시행하지 않도록 한다.

(2) MRSA 감염

병원 내 감염의 원인으로 escherichia coli, staphylococcus aureus, streptococcus faecalis, pseudomonas aeruginosa 등이 일

표 4-9 격리 종류와 방법

	표준주의 (standard precaution)	공기매개주의 (airborne precaution)	비말주의 (droplet precaution)	접촉주의 (contact precaution)
격리실	• 개인위생 부적절 시 필요	• 감염기간 동안 반드시 필요 • 가능하면 음압 1인실 (6회/hr 이상 공기 교환)	• 가능하면 1인실 사용	• 1군 감염질환, VRE 등 환경오염이 심한 경우
마스크 착용	• 외과용 마스크: 혈액, 체액 등이 얼굴에 튈 가능성이 있는 경우	• N95 마스크: 출입하는 모든 사람은 반드시 착용	• 외과용 마스크: 대상자와 1m 이내에 있을 경우/혈액, 체액 등이 튈 가능성이 있는 경우	• 표준 격리와 동일
보안경 착용	• 혈액, 체액 등이 얼굴에 튈 가능성이 있는 경우	• 표준 격리와 동일	• 표준 격리와 동일	• 표준 격리와 동일
가운 착용	• 혈액, 체액 등이 의복에 튈 가능성이 있는 경우	• 표준 격리와 동일	• 표준 격리와 동일	• 병실입실 시 착용 나오기 전 제거
장갑 착용	• 혈액, 체액, 기타 오염된 물품을 만질 경우, 손상된 피부나 점막을 만질 경우	• 표준 격리와 동일	• 표준 격리와 동일	• 병실입실 시 착용 나오기 전 제거
해당 질환	• 혈액매개 감염질환 포함 모든 질환	• 활동성결핵 수두, 홍역 등	• 뇌수막구균 감염, 다제내성폐렴구균 감염 등 비말에 의해 전파되는 세균성 감염, 바이러스성 감염	• 다제내성균(VRE 등), 1군 감염질환, 로타바이러스, Parainfluenza virus, 이, 옴 등

반적인 원인 유기체로서 관련이 된다. 최근 VISA(vancomysin intermediate-resistant staphylococcus aureus)가 문제되고 MRSA(methicillin-resistant staphylococcus aureus)에 의한 병원감염도 문제가 되고 있다.

Staphylococcus aureus는 그람양성균으로 이 중 페니실린 항생제인 methicillin이나 oxacillin에 내성을 보이는 것을 MRSA라고 한다.

MRSA는 수술 창상감염, 피부감염, 정맥주사로 인한 균혈증, 폐렴 등의 주 원인균으로 전파가 잘된다. 현재는 이를 위한 치료제로 vancomycin을 사용하고 있는데 이에 대한 또 다른 내성 균주가 발생하였다. Vancomycin에 저항성을 가진 장내구균(vancomycin-resistant enterococcus, VRE)에 의한 병원 감염이 심각한 문제로 대두되고 있다. 이에 대해 CDC(미국질병통제센터)에서는 대상자에 대한 격리방법과 일련의 예방조치에 대한 지침을 권고하고 있다.

- 미생물 검사에서 검출될 경우 스티커를 부착한다.
- 1인실 이용이 가능할 경우 접촉 격리를 한다.
- 공동 병실을 사용할 경우 MRSA 균주를 가진 대상자를 모아서 격리한다.
- 손, 피부, 옷, 린넨 등이 감염원이 되는 접촉 감염이 주된 원인이

지만, 공기 중 객담에 의해 전파될 수 있으므로 주의하도록 한다.
- 적절한 손 씻기나 격리방법 등을 사용하여 전파를 막는다.
- MRSA 호흡기 감염, 상처감염 등으로 분비물이 다량 분비되는 경우, 기관흡인, 카테터 관리, 상처 관리 등을 하는 경우 마스크와 가운을 착용하도록 한다.

(3) 요로 감염
- 개인용 소변기를 사용하여 소변백의 내용물을 비운다.
- 1일 1회 도뇨관 삽관 부위를 세척한다.
- 도뇨관 유지 대상자를 격리하여 교차감염의 기회를 줄이며, 격리가 어려울 경우 대상자 간호 전후 손씻기를 철저히 한다.

3. 의료폐기물 관리
의료폐기물이란 보건의료기관, 동물병원, 시험검사기관 등에서 배출되는 폐기물 중 인체에 감염 등 위해를 줄 우려가 있는 폐기물의 인체 조직 등 적출물, 실험 동물의 사체 등 보건. 환경보호상 특별한 관리가 필요하다고 인정되는 폐기물을 말한다. 의료폐기물 관리법 시행령에서는 의료폐기물의 종류를 격리의료폐기물, 위해 의료폐기물, 일반의료 폐기물로 구분하고 있다. 위해 의료폐기물은 조직물류 폐기물, 병리계 폐기물, 손상성 폐기물, 생

VRE 대상자 관리 지침

1. 격리 및 이동 제한
   ① VRE 감염 또는 보균대상자를 독방에 격리하거나 같은 대상자끼리 분류한다.
   ② 1주 간격으로 실시한 배양검사에서 연속 3회 VRE 음성일 때 격리 해제한다.
   ③ VRE 대상자인 경우 감염성 질환자임을 병실 문 앞에 표시한다.

2. 대상자관리 지침
   ① 1회용 장갑을 사용하고 폐기물 따로 모아 버린다.
   ② 대상자와 접촉 시 가운을 착용한다.
   ③ 대상자 접촉 전, 후 손소독제 사용하고, 장갑 착용 전, 후도 손 소독제 사용한다.
   ④ 청진기, 혈압계, 체온계는 각 대상자마다 따로 사용한다. VRE 대상자 간에는 공동으로 사용하고, VRE가 아닌 다른 대상자에게 사용 시에는 소독을 한 후 사용한다.
   ⑤ 대상자의 드레싱 및 대상자 방에서 나오는 쓰레기는 격리 의료폐기물로 취급한다.

3. 의료인 주의 지침
   ① VRE가 검출되었을 때 의료진 간의 의사소통을 위한 주의 표시를 한다.
   ② VRE 대상자의 처치를 가장 나중에 한다.
   ③ 접촉격리에 준해서 관리한다.

4. 보호자 및 방문객 관리
   ① 보호자와 방문객은 최소한으로 제한하며, 병실에 머무르는 보호자는 1인으로 제한한다.
   ② 보호자와 방문객에게 격리지침을 사전 교육한다.

물화학 폐기물, 혈액오염 폐기물로 세분하고 있다.

1) 의료폐기물의 종류 및 관리 방법

(1) 격리의료 폐기물

격리의료폐기물은 감염병의 예방 및 관리에 관한 법률에 따라 감염병으로부터 타인을 보호하기 위하여 격리된 사람에 대한 의료행위에서 발생한 일체의 폐기물을 말한다.

(2) 위해의료 폐기물

① 조직물류 폐기물

조직물류폐기물은 인체 또는 동물의 조직, 장기기관, 신체의 일부, 동물의 사체, 혈액, 고름 및 혈액성 생성물(혈청, 혈장, 혈액제제)를 말한다.

환자의 진료, 치료, 수술 및 검사를 할 때 환자에게서 배출된 혈액 및 분비물 등 액체 상태의 폐기물은 각 부서에 설치된 오물처리대에서 폐수처리시설을 통해 유입처리한다.

② 병리계 폐기물

병리계 폐기물은 시험검사 등에서 사용한 배양액의 배양용기, 보관균주, 폐시험관, 슬라이드, 커버글라스, 폐배지, 폐장갑 등을 말한다.

조직검사물의 조직물은 조직물류 폐기물로 처리해야 한다. 검사용 조직물과 접촉한 검사용 시약, 폐유기용제류(알코올, 자일렌) 및 폐유독물(포르말린) 등의 약품은 노란색 도형의 합성수지 전용용기를 사용하여 배출한다. 세척 중 발생되는 것은 부서에 설치된 폐수관으로 배출해야 한다.

시험건사 등에서 사용된 것이라도 배양용기, 시험관, 슬라이드, 커버글라스는 멸균소독하여 재사용이 가능하지만, 최종적으로 폐기할 때에는 의료폐기물로 처리해야 한다. 세균배양액을 소독 후 배출하여도 의료폐기물로 처리해야 한다.

③ 손상성 폐기물

손상성 폐기물은 주사바늘, 봉합바늘, 수술용 칼날, 한방 침, 치과용 침, 파손된 유리재질의 시험 기구를 말한다.

일회용 주사기중 바늘이 분리되지 않는 주사기는 그 자체를 손상성 폐기물로 처리한다. 멸균소독하여 재사용이 가능한 주사기도 최종처리는 의료폐기물로 처리해야 한다.

④ 생물화학 폐기물

생물화학 폐기물은 백신, 항암제, 화학치료제 등의 폐기물을 말한다.

⑤ 혈액오염 폐기물

혈액오염 폐기물은 사용한 혈액백, 혈액투석 시 사용된 폐기물, 그 밖에 혈액이 유출된 정도로 포함되어 특별한 관리가 필요한 폐기물을 말한다.

(3) 일반의료폐기물

일반의료 폐기물은 혈액, 체액, 분비물, 배설물이 함유되어 있는 탈지면, 붕대, 거즈, 일회용 기저귀, 생리대, 일회용 주사기, 수액세트 등으로 환자의 진료, 수술, 처치, 검사 후 발생하는 폐기물을 말한다. 의료폐기물이 아닌 폐기물로서 의료폐기물과 혼합되거나 접촉된 폐기물은 의료폐기물로 간주한다.

2) 의료폐기물 배출 방법

의료폐기물은 종류별로 분류하여 발생 즉시 전용 용기에 버려야 한다. 의료폐기물의 전용 용기는 의료폐기물 이외의 다른 용도로는 사용할 수 없고, 전용용기에 들어있는 것은 모두 의료폐기물로 취급한다. 전용 용기는 폐기물이 발생되는 장소에 비치하고 사용한 일자를 기입하여야 한다. 사용한 후에는 내부 합성수지 주머니를 밀봉하고, 외부 용기를 밀폐 포장한다.

의료폐기물은 생활폐기물과 혼합 배출될 경우 100~1,000만원의 과태료가 부과된다. 수액병 및 100ml 이상의 주사약병은 생활폐기물로 분류된다. 소독솜, 주사약 앰플병, 바이알 병, 100ml 미만의 주사약병, 항암제병은 의료폐기물로 분류한다. 에이즈 환자, 전염성 환자에게서 배출되는 폐기물은 의료폐기물 전용용기에 넣어 밀폐 포장하여 에이즈 및 전염성 환자에게서 배출되었다는 주의표시를 한다. 인체조직물(태반 등)을 본인이 인도를 요구할 경우 본인에게 인도하고, 관련된 사항을 자세히 기록하여, 그 기록을 3년간 보관한다.

4. 내·외과적 무균술

1) 내과적 무균술

(1) 손 씻기

손은 미생물의 침입 경로 및 전파 수단이 된다. 손에는 단기균과 상주균이 서식하는데, 단기균은 깨끗한 피부 표면에는 거의 없지만 일상생활을 통해 손에 존재하게 된다. 단기균은 기름기, 때, 피지와 섞여 피부에 달라붙게 되며, 손톱 밑에 가장 많이 서식한다. 그러므로 단기균은 철저한 손 씻기를 통해 제거될 수 있다.

상주균은 수와 종류가 비교적 변화되지 않고 피부에 서식한다. 단기균과는 달리 상주균은 피부의 주름이나 홈에 깊숙이 달라붙어 있거나 흡수되어 있어 쉽게 제거되지 않는다. 손 씻기는 솔로 적절히 마찰을 해도 상주균을 완전히 제거하기는 어렵다.

일반적으로 피부에서 미생물을 제거하기 위해서는 항균비누를 사용하여 적어도 10~15초간 흐르는 물에 손 씻기를 권장하고 있다. 항균비누는 주로 고위험 지역, 특수간호 영역에서 일하거나 침습적인 시술 시 사용하는데, CDC(질병통제센터)에서는 다음과 같은 경우에 반드시 손 씻기를 할 것을 권장하고 있다.

- 감염에 민감한 사람과의 접촉 전후
- 침습적 시술 직전
- 신생아실, 중환자실 등과 같은 특수간호 병동
- 다약제 내성균주에 의한 위장관 감염, 호흡기 감염, 상처감염 등이 있을 경우
- 유기물질, 오염 물질이 묻은 경우
- Clostridium difficile, Escherichia coli O157: H7, Shigella, A형 간염 바이러스, Rotavirus 등을 포함한 장관감염의 경우

2) 청결

청결은 이물질을 제거하는 과정으로 미생물 성장을 억제할 수 있다. 간호사는 장갑이나 보호장비를 착용하여 직접 접촉을 피하며, 다음의 단계를 수행하도록 한다.

- 유기물질을 제거하기 위해 찬물로 씻는다. 온도가 높으면 유기물질의 단백질을 응고시켜 부착된다.
- 더운 물과 비누로 잘 씻는다. 비누 유화제는 표면 장력을 감소시켜 오염물질이 잘 씻기도록 만든다.
- 물품의 홈이나 모서리 부분은 단단한 솔을 이용하여 잘 씻는다.
- 더운물로 헹군다.
- 물품을 건조시킨다.
- 항균제를 사용하여 솔과 개수대를 깨끗이 씻는다.

2. 외과적 무균술

외과적 무균술은 내과적 무균술보다 엄격한 주의를 요한다. 외과적 무균술은 주로 수술실, 분만실, 특수 진단실 등에서 주로 필요하며, 그 이외 주사기를 이용한 투약, 상처 드레싱 교환, 도뇨관 삽입, 정맥주사 등의 경우와 같은 일반간호 시에도 적용된다.

멸균법을 적용하는 데에는 손 씻기, 장갑 착용, 가운 착용, 멸균 영역 준비하기 등을 이용하여 대상자 간호 시 적절하게 적용하도록 한다.

(1) 외과적 무균술의 원리

외과적 무균술의 원리와 관련 활동은 다음과 같다.

① 멸균 영역 내에서 사용되는 모든 물품은 멸균된 것이어야 한다.

- 사용 전 모든 물품은 건열, 습열 또는 화학적 멸균으로 멸균되어

야 한다.
- 멸균 물품들은 유효기간 동안만 유효하다.
- 멸균 물품이 담긴 꾸러미는 포장의 적절성, 건조유무, 유효일자를 확인한다.
- 멸균 기간은 autoclave 멸균일 경우 2주, EO gas 멸균일 경우 6개월 정도를 유효기간으로 간주한다.

② 멸균 물품과 비멸균 물품이 접촉하면 비멸균으로 간주한다.

- 개방상처와 접촉하거나 체강 내 들어갈 멸균 물품은 멸균 감자나 멸균 장갑을 낀 손으로 다루어야 한다.
- 비멸균 물품과 접촉하게 되면 폐기하거나 재멸균하도록 한다.

③ 시야를 벗어난 멸균 물품이나 허리선 아래에 위치한 멸균 물품은 비멸균 된 것으로 간주한다.

- 주의를 벗어난 멸균 물품은 비멸균된 것으로 간주한다.
- 멸균 물품은 항상 시야 안에 있어야 하며, 간호사는 멸균 영역에서 등을 돌려서는 안된다.
- 멸균 가운의 앞 부분 중 허리 위에서 어깨까지, 팔꿈치 위 5cm부터 소매부리까지만 멸균된 것으로 간주한다.
- 멸균 장갑을 착용한 손은 시야 내 및 허리선 위에 있어야 하며, 멸균 물품만 접촉하도록 한다.

④ 멸균 물품을 공기 중에 오래 둘 경우 오염된 것으로 간주한다.

- 멸균술이 이루어지는 곳의 문을 닫아 출입을 제한한다.
- 멸균술이 이루어지는 장소를 자주 소독하도록 한다.
- 모발 내 미생물로 오염되지 않도록 모발 상태를 청결히 하고, 모자로 덮는다.
- 수술실, 분만실, 화상 병동에서는 외과용 모자를 착용하도록 한다.
- 멸균 영역에 기침, 재채기, 말하기, 웃기 등을 금한다. 호흡기 내 미생물을 함유한 미세입자들은 반경 1m 정도를 오염시킬 수 있다.
- 개방 상처 간호 시 입과 코를 덮는 마스크를 착용하도록 한다.
- 상기도 감염 간호사는 멸균영역에서 작업을 하지 않도록 하며, 부득이 할 경우에는 마스크를 착용하도록 한다.
- 멸균 영역 위로 미생물이 오염되지 않도록 비멸균된 물품이 지나는 일이 없도록 한다.

⑤ 멸균 물품의 표면이 젖은 오염된 물품의 표면에 닿게 되면 오염된 것으로 간주한다.

- 습기가 멸균된 꾸러미의 보호막을 통과해 들어오면 미생물이 멸균 물품에 닿아 오염된 것이다.
- 멸균 포 위에 용액을 부을 때에는 멸균 용기와 10~15cm 위에서 천천히 붓는다. 용액이 튀면 멸균 포를 오염시킨다.

⑥ 멸균 영역이나 용기의 가장자리는 오염된 것으로 간주한다.

- 멸균 주위 가장자리 2.5cm는 오염된 것으로 간주한다. 용기가 개

방되어 공기에 노출되고 난 후 멸균 용기의 가장 자리는 오염된 것이다.

■ 멸균 용액을 부을 때 병 입구의 미생물을 씻어내기 위해 처음 적은 양은 부어버리고 원하는 양을 용기에 붓는다.

⑦ 액체는 중력 방향으로 흐른다.

■ 장갑을 착용하지 않은 경우 물기 있는 감자의 끝 부분은 손잡이보다 아래에 위치하여야 한다.

⑧ 피부는 비멸균된 것으로 간주한다.

■ 멸균 물품을 다루기 위해서는 멸균 장갑이나 감자를 사용하도록 한다.

■ 외과적 시술 전 반드시 손을 씻는다.

⑨ 외과적 무균 유지에 가장 필요한 것은 양심, 정직, 명확성이다.

■ 멸균 물품이 오염되는 것을 자신이 가장 잘 알 수 있다.

■ 멸균 물품이 오염되는 것을 본 경우는 반드시 이를 시정하거나 보고하도록 한다.

(2) 외과적 무균법의 수행

무균술을 수행하기 전 모든 기구들을 준비하도록 한다. 각 단계에 대한 설명을 하여 대상자의 협조를 구하고, 시술하는 동안 무균법이 유지되도록 해야 한다.

① 모자, 마스크 착용 및 벗기

일반 병동의 경우 간호사실에 무균술 시행 시 모자 없이 수술용 마스크만을 착용할 수도 있다. 수술실에서 간호사의 마스크가 젖게 되면 적절한 시기에 순환간호사의 도움으로 교환하도록 한다. 멸균 장갑을 벗고 손을 씻은 위 마스크와 모자를 벗는다.

② 멸균 물품 개방

주사기, 드레싱 거즈, 세척 용기 등 멸균 물품은 건조하고 손상이 없는 용기에 포장되어야 한다. 멸균 물품은 청결한 장소에 보관하며, 불결한 물품과 함께 보관하지 않도록 한다. 멸균 과정 동안 색이 변하는 멸균표시 지시표가 붙어있는지 확인해야 한다. 멸균 물품 개방전 간호사는 손을 철저히 씻은 후, 필요한 물품을 미리 준비한다.

③ 멸균 영역 준비하기

멸균술 시행 전 준비하며, 멸균 포 가장자리의 2.5cm는 오염

된 것으로 간주한다. 멸균 물품 이동 시 가장 자리에 닿은 물품은 오염된 것으로 간주한다.

④ 외과적 손 씻기

수술과 멸균술 전에 솔과 항균성 비누로 손가락에서 팔꿈치까지 문지른다. 일반적인 손 씻기는 일반병실에서 무균술을 시행하기 전에 하며, 외과적인 손 씻기는 수술 전 손과 팔의 단기균과 상주균을 제거하기 위해 5~10분 정도 소독액과 비누를 묻힌 솔로 씻는 것을 말한다. 가능한 손톱을 짧게 하고, 반지 등 부착물은 제거하여 미생물 전파를 방지한다.

⑤ 멸균장갑 착용

장갑 착용은 개방식과 폐쇄식의 두 가지 방법을 사용할 수 있다. 개방식은 드레싱 교환, 카테터 삽입, 기도 흡인 전 사용한다. 수술실에서는 처음 장갑 착용 시 폐쇄식을 사용하며, 장갑 교환 시 개방식을 사용하기도 한다.

⑥ 멸균 가운 착용

수술실과 분만실에서 멸균 물품이 오염되는 것을 예방하기 위해 착용한다. 외과적 손 씻기 우 마스크, 모자를 착용한 후 가운을 입는다. 가운의 안쪽 목 부분을 잡고 몸에서 밀리하여 든 다음 어깨 솔기를 잡고 소매를 낀 다음 손이 밖으로 나오지 않도록 하여 장갑을 착용한다. 이때 순환간호사가 위쪽에서 끈을 묶어 주어 오염되지 않도록 한다.

제5절
감염관리 간호수행의 평가

간호 수행 후 원하는 목표를 이루었는지를 평가한다. 간호를 제공할 때 문제가 해결되었는지, 계속 수행해야 하는지, 수정해야 하는지 여부를 결정하기 위한 간호 수행 평가가 필요하다. 간호 평가 시 계획의 목표와 결과에 기초하여 평가하도록 한다. 대상자의 건강은 항상 변화하므로 계속적인 평가와 점검이 필요하며, 만일 목표 달성이 이루어지지 않은 경우 잘못된 부분으로 회환하여야 한다.

PART II
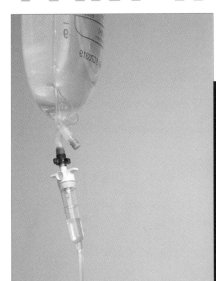

FUNDAMENTAL OF NURSING

대상자 일상생활 요구와 관련된 간호

대상자 일상생활 요구와 관련된 간호 단원에서는 간호대상자가 갖게 되는 인간으로서의 기본적인 간호요구를 이해하고 이와 관련된 간호중재를 뒷받침하는 간호지식을 다루었다. 따라서 이 단원에서는 건강한 개인에서부터 완전히 의존상태인 대상자의 개인위생과 관련된 요구, 영양에 대한 요구, 배설요구, 산소요구, 통증 관리 및 수면 그리고 체위관리를 포함한 안위요구, 적정한 체온유지를 위한 간호기법의 이론적 적용을 위한 지식 그리고 인간의 기본적인 욕구로써의 성 요구의 이해를 다루었으며, 각 요구별로 관련된 간호사정, 계획, 중재 및 평가에 대한 지침 및 이론적 배경 지식을 다루었다.

CHAPTER 05

개인위생 요구

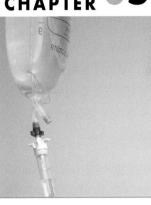

학습목표

1 목욕의 종류별 적용에 따라 간호를 수행한다.
2 구강간호를 절차에 따라 수행한다.
3 등간호를 절차에 따라 수행한다.
4 침상세발을 절차에 따라 수행한다.
5 회음부 간호를 절차에 따라 수행한다.

개인위생(personal hygiene)은 신체적 청결을 유지하여 건강 상태를 보호하거나 더욱 좋은 상태로 이끌기 위한 행위이다. 개인의 위생습관은 학습된 행위로서 개인에 따라 차이가 있다. 즉 개인의 교육수준, 사회·문화적 배경 및 경제 상태와 관련되며, 개인의 성격에 따라 다르게 나타난다.

적절한 개인위생은 몸을 청결하게 하여 기분을 상쾌하게 하고 휴식과 수면을 유도하며 건강상태의 증진에 도움이 된다. 이와 같은 개인위생 실천에는 피부, 눈, 입, 코, 귀, 항문, 질 등의 체강의 외구(orifice), 그리고 두발, 수염, 손톱, 발톱과 같은 피부 부속물(accessory organs)에 대한 청결이 포함된다.

질병이 있거나 건강관리기관에 입원한 대상자들은 내외적 요인에 의해 개인위생 실천에 변화가 나타난다. 질병이 있는 동안 대개 감염에 대한 저항력이 감소되며 각종 분비물과 배설물을 배출하므로 세균의 성장을 억제하기 위해서는 이를 적절히 제거해야 한다. 또한 스스로 개인위생을 실천할 수 없는 경우에는 부분적으로 혹은 완전히 의존적인 도움이 필요한 상황이 될 수도 있다.

제1절
개인위생 요구를 위한 간호사정

I. 개인위생 요구 사정을 위한 기본 지식

1. 개인위생 요구와 관련된 인체의 해부 및 생리

1) 피부의 구조와 기능

피부는 표피, 진피, 피하조직의 세층으로 이루어졌으며, 피부 부속기로 털, 손·발톱, 한선, 피지선이 있다(그림 5-1). 피부에는 열과 냉, 압박, 신전, 동통 등의 감각 자극을 수용하는 수용체가 있어 인체에 전달되는 환경의 변화를 인지하는데 중요한 기능을 한다. 이러한 기능으로 인하여 피부는 신체를 손상으로부터 보호하여 그 통합상태(physical integrity)를 유지할 수 있다.

(1) 표피

피부의 가장 바깥층으로 혈관이 분포되어 있지 않으며, 그 두께는 부위마다 다르며 손바닥과 발바닥이 가장 두껍다. 표피는 가장 내부에서 외부로 기저층, 가시층, 과립층, 투명층, 각질층으로 구성된다. 가장 아래층인 기저층은 표피가 성장하고 재생하는 층으로, 피부색을 나타내는 멜라닌 색소를 생산하여 자외선으로부터 피부를 보호한다.

각질층의 세포들은 세포간 물질로 단단하게 결합되어 있어 수분이 잘 통과하지 못해 피부가 건조해지는 것을 방지한다. 또한 이미 죽은 세포들로 구성되어 있고 시일이 지나면 탈락하여 비듬과 때가 된다.

(2) 진피

진피는 강한 섬유성 결합조직층으로 탄력섬유와 함께 혈관과 신경이 분포하고 있으며, 경계가 명확하지는 않지만 유두층과 망상층으로 구분된다. 유두층은 진피의 표층이며 상부를 향해 유두처럼 삐죽삐죽 튀어나온 부위를 말한다. 이 유두 안에 작은 혈관, 림프관 그리고 수많은 감각 수용기를 가지고 있다. 망상층은 유두층 밑에 있고 단단하고 불규칙한 결합조직, 불규칙한 방향을 갖는 수많은 교원 섬유와 탄력섬유가 뒤엉켜 거칠고 탄력있는 층을 형성하고 있다. 탄력섬유는 유연성, 보호, 물과 전해질 축적 기능이 있다. 탄력섬유가 퇴화되고 피하지방이 상실되면 피부 주름이 생긴다. 진피의 혈관은 진피와 표피에 영양을 공급한다.

(3) 피하조직

피하조직은 지방성 결합조직의 얇은 층이다. 큰 혈관과 임프, 신경, 선들이 분포한다. 피하조직의 두께는 성별, 연령, 영양 상태, 신체 부위에 따라 다르다. 복부, 팔, 대퇴의 피하조직은 두꺼우며, 눈꺼풀은 피하조직이 얇다. 피하조직은 지방 축적, 절연체 역할, 체온 조절의 기능을 한다.

(4) 피부 부속기

① 털

털은 모간과 모낭으로 구성된다. 모낭은 털을 생성하고 유지시키며 진피 깊숙하게 자리잡은 상피관이다. 모간은 각질화 된 세포가 원통형을 이룬 것으로 피부 밖으로 튀어나와 있는 부분이다. 피지선은 모낭의 상부에 연결되어 있고 피지를 분비한다. 모발에는 두가지 형태가 있는데 솜털은 짧고 가늘며 눈에 잘 띄지 않는 털로 주로 얼굴에 나며, 두피나 음부, 다리에는 거칠고 긴 털이 난다. 모발은 매일 20~100개씩 빠지고 또 계속 생긴다. 모발의 외양과 분포는 유전, 성별, 연령에 따라 다르지만 영양상태, 갑상선 기능 장애, 기아 등의 대사 장애에 따라 변할 수 있다.

② 손톱, 발톱

손톱과 발톱(조갑)은 각질로 이루어져 있으며, 수분 분포가 적고 매우 단단하다. 조갑 표면은 조판(nail plate)으로 조기질(nail matrix)에서 만들어진다. 조판의 첫 부분은 반달 모양의 반월이라 한다. 조판을 누르면 하얗게 변하는 것을 볼 수 있다.

③ 한선

한선은 두가지 형태로 나뉜다. 샘분비한선(eccrine gland)은 전신의 피부에 분포되어 있으며, 땀을 분비하여 배설 작용과 체온 조절 작용을 한다. 부분 분비선(apocrine gland)은 액와, 유두 주위, 외이도, 항문 주위, 안검의 눈썹 부위, 비익 등의 피부에 국한되어 분포한다. 부분 분비선의 분비물은 대체로 특유한 냄새를 가지고 있다.

2) 구강의 구조 및 기능

구강은 소화기도의 일부분이고, 입술에서부터 구강 출구인 구협(fauces)까지이다. 구강은 치아와 혀를 포함하며 저작과 연하에 중요하다. 구강의 외측벽은 탄력성의 근육 구조인 뺨(cheek)이며, 구강 천장(roof)은 경구개와 연구개로 이루어진다. 구강은 구강 점막으로 덮혀있으며, 정상적으로 밝은 분홍색이며 촉촉하다.

치아는 치관(crown), 치근(root), 치수강(pulp cavity)으로 되어 있다. 치관은 치아의 노출된 부위로 주위는 치은(gingiva)과 연접하고 있으며, 단단한 물질인 법랑질(enamel)이 치관을 보호하고 있어 질기거나 단단한 음식을 씹을 수 있게 해주나, 치은 속에 박혀 있는 치근은 감싸고 있지 않다. 법랑질 아래에 우윳빛 물질인 상아질(dentin)은 치아 대부분의 부피를 차지하며 법랑질에 비하여 상당히 무른 편이다. 내부의 빈 공간인 치수강에는 신경과 혈관이 들어 있으며, 구조상 자극이 쉽게 신경으로 전달될 수 있다.

치아는 크게 유치(temporary teeth)와 영구치(permanent teeth)로 나뉘는데, 유치는 생후 6~7개월에 하악의 앞니(central incisor)부터 나오기 시작하여 24개월 정도 되면 20개가 모두 보인다. 만 3세정도 되면 완전히 올라와 제대로 된 치열을 완성한다. 만 6세의 경우에는 영구치(제 1대구치)가 처음으로 모습을 나타내고 이와 거의 비슷한 시기에 유치의 앞니가 빠지면서 영구치로 대치된다. 유치의 어금니(molar)들은 영구치로 모두 교환되는 만 11~12세까지 사용하게 된다. 만 12~13세경이면 성인에게 반드시 필요한 28개의 영구치열이 완성된다. 18~20세 경에는 4개의 제 3대구치(사랑니)가 출현하게 된다.

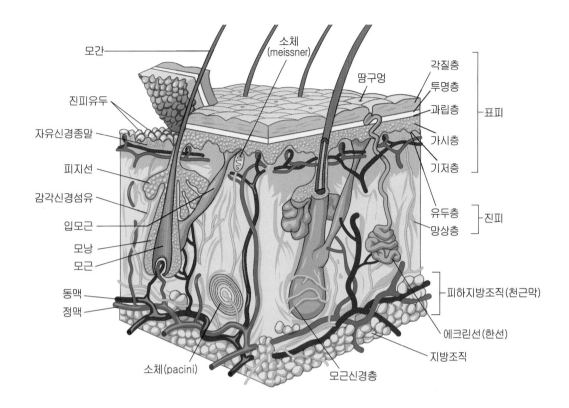

그림 5-1 피부의 구조

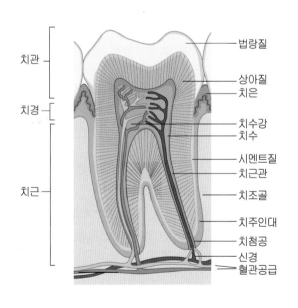

그림 5-2 치아의 단면

여성의 경우 임신기간 동안 치주 질환이 발생하기 쉬운데 임신 중 증가한 에스트로겐으로 인해 치은의 혈관 벽이 얇아지고 구강위생이 불량하여 치석이나 치태가 치은 에 생기면 염증이 생기기 쉽다. 임신 초기부터 유제품, 육류, 생선류, 과일과 채소류, 곡류와 빵 등을 포함하는 균형있는 식사를 하여 치아와 골조직의 형성에 필요한 칼슘, 인, 비타민 등을 충분히 섭취해야 한다.

2. 개인 위생에 영향하는 요인

1) 신체상

신체상은 개인의 신체적 외모에 대한 주관적 개념으로, 개인이 가지는 신체상을 통해 개인위생을 유지하는 방법을 유추할 수 있다. 개인의 신체상은 수술이나 신체적 질병에 따라 변화될 수 있다.

2) 경제적 자원

개인 위생 유지에 필요한 샴푸, 치약, 치실 등의 위생용품을 구입할 여유가 있는지를 고려해야 한다. 또한 가정에서 대상자가 안전하게 개인 위생을 유지하는데 필요한 장치(예, 목욕용 안전의자, 미끄럼 방지 시설 등)를 구비할 수 있는지 파악한다. 대상자의 제한된 사회경제적 자원은 자가간호 수행에 제약을 가져올 수 있다.

3) 개인적 기호

대상자는 목욕, 면도, 세발 등에 대한 개인적인 욕구와 기호를 갖고 있다. 예를 들어 개인적 욕구와 선호도에 따라 비누, 샴푸, 치약 등의 서로 다른 위생 용품을 선택한다. 또한 청결함에 대한 기준이 상이하여 개인위생 행위의 빈도에도 차이가 있다. 따라서 간호사는 대상자에게 개별화된 간호를 제공해야 한다.

4) 문화적 배경

다양한 문화적 배경내에서 대상자는 서로 다른 개인 위생 관리 방법을 가지고 있다. 서구에서는 매일 샤워하고 목욕하는 것이 일반적이지만, 일부 문화권에서는 주 1회 목욕만으로도 충분하다고 여기고 있다.

5) 신체적 상태

특정 질환이나 손상 또는 수술을 받은 대상자들은 신체적 에너지와 개인 위생을 수행할 수 있는 능력이 부족하다. 석고붕대나 견인 등의 치료를 받고 있는 대상자들도 개인 위생을 위한 도움이 필요하다.

II. 개인위생 요구 사정

1. 간호력

대상자가 개인위생을 위한 자가 간호를 정상적으로 할 수 있는지, 이것에 대해 대상자가 문제를 느끼고 있는지, 해결책은 무엇이라고 보는지 그리고 자가 간호를 할 수 있는 수준은 어느 정도인지 알아보기 위한 것이다.

1) 일반적인 개인위생 양상

면담을 통해 일반적인 자가간호 양상에 대한 정보를 얻고 개인위생 행위를 방해하는 요인들, 개인위생을 실천할 때 위험요인 등을 사정한다. 개인위생 행위의 위험 요인에는 통증, 부동, 사지의 활동 제한, 신경 근육 손상, 혼돈이나 의식수준의 저하, 시력장애나 다른 감각장애, 변실금, 요실금, 에너지 수준 저하나 피로 등이 포함될 수 있다. 그러므로 장애가 되는 징후를 파악하여 독립적으로 개인위생 행위를 할 수 있는지 일부분만 도움이 필요한 경우인지, 전적으로 도움이 필요한 대상자인지를 결정한다.

2) 구강

- 구강관리 활동: 구강 위생 제품, 구강 검진 유무 및 빈도
- 구강내 질환에 대한 과거력 및 현재 구강 문제

3) 눈 · 코 · 귀

- 대상자가 평소에 수행하는 눈 · 코 · 귀에 대한 특별한 자가간호가 있는지 파악
- 안경, 콘텍트렌즈, 의안, 보청기 사용 여부
- 눈 · 코 · 귀와 관련된 과거력

4) 모발

- 모발 관리 습관
- 모발 및 두피와 관련된 과거력

5) 손 · 발톱

- 손(발)톱 및 발 관리 습관
- 손(발)톱 및 발에 대한 과거력
- 손(발)톱 및 발의 건강에 영향하는 고 위험요인 (혈관성 질환, 관절염, 당뇨병, 유기물질에 대한 노출 등)

6) 회음부

- 회음부 및 질(Vagina) 관리 습관
- 회음부 및 질(Vagina)에 대한 과거력
- 특별 회음간호가 필요한 경우인지 파악(변실금 · 요실금, 유치도뇨관 삽입, 분만, 직장이나 생식기계 수술, 요로감염, 당뇨병, 헤르페스 질염 등)

2. 신체검진

개인위생을 수행하는 동안 대상자를 관찰하여 객관적 자료를 수집한다.

1) 피부

- 피부색, 색소 변화, 두께, 결, 털의 분포, 온도, 탄력성, 혈관 분포 사정
- 병변이 관찰되면 형태, 색깔, 크기, 분포와 군락 형태, 위치, 지속성 등을 보고한다.

2) 구강

- 입술의 색깔, 습도, 궤양, 결절, 갈라진 것 등을 관찰
- 구강 점막의 색, 색소, 궤양, 결절 등을 관찰
- 혀의 색, 유두, 대칭적 운동성, 구조와 병변을 검진
- 잇몸의 염증, 부종 및 출혈, 잇몸 위축, 변색, 흔들리는 이나 충치, 의치나 다른 구강내 장치 확인

3) 모발

- 분량, 분포 형태, 빠진 모양, 머리 결 등
- 두피의 비늘 모양, 병변, 염증 사정

4) 눈 · 코 · 귀

- 눈의 위치와 정렬, 눈썹의 수량 및 분포, 안검의 부종이나 병변, 속눈썹의 상태와 방향
- 누선 · 누낭의 위치 및 분비물이나 과도한 눈물이 있는지 사정
- 결막의 색, 결절, 부종 관찰

- 귀의 배열, 귀의 전반적인 외모
- 귀지, 건조, 부스럼, 분비물, 이물질 등 관찰
- 귀의 압통, 건조, 부종, 출혈, 분비물 관찰
- 비강의 개방성

5) 손(발)톱 및 발

- 손(발)톱의 윤곽과 혈액 순환 정도
- 발의 팽창, 염증, 병변, 압통 여부 사정

를 위한 일반적인 간호 목표이다.

- 대상자는 위생 활동에 가능한 한 독립적으로 참여할 것이다.
- 대상자의 피부가 정상이다.
- 대상자는 체취가 없다.
- 대상자는 구강 점막의 손상이 없고 촉촉하며 구취가 없다.
- 대상자의 모발과 두피는 청결하다.
- 대상자는 눈, 귀, 코를 관리할 수 있다.
- 대상자는 손, 발톱을 청결히 유지하며 손상이 없다.

제2절
개인위생 요구와 관련된 간호진단

개인위생 요구와 관련된 NANDA의 간호진단은 표 5-1과 같다. 일상생활에서 스스로 자가간호를 할 수 없는 상태인 자가간호결핍, 특정 주제에 대한 정보의 부재나 부족인 지식부족, 피부가 비정상적으로 변화될 위험이 있는 상태인 피부손상의 위험성, 인체에 병원체가 침범할 위험이 증가된 상태인 감염의 위험성, 구강내 조직이 비정상적인 상태인 구강점막변화, 자기 신체에 대한 인식, 신념, 지식에 혼란이 온 상태인 신체상 장애 등이 있다.

제3절
개인위생 요구와 관련된 간호계획

다음은 개인위생 요구와 관련된 건강 문제가 있는 대상자

제4절
개인위생 요구와 관련된 간호수행

대상자의 개인위생과 관련된 요구를 사정한 후 간호 중재를 수행한다. 목욕, 구강간호, 등마사지, 회음부 간호, 눈·코·귀 간호, 모발 간호, 손발 간호를 모두 수행할 수도 있고 필요에 따라 부분적으로 수행되기도 한다.

1. 목욕

간호사는 대상자의 신체적 능력과 특수 요구를 고려하여 목욕법을 선택하게 된다. 목욕은 그 목적에 따라 청결목욕과 치료적 목욕으로 나뉜다. 청결목욕은 범위에 따라 침상목욕(bed bath), 부분목욕(partial bath), 수건목욕(towel bath), 샤워(shower), 통목욕(tub bath)으로 구분할 수 있다. 샤워나 통목욕은 에너지 소모가 많기 때문에 허약한 대상자의 경우 삼가하는 것이 좋다. 치료적 목욕(therapeutic bath)은 자극받은 피부의 진정 및 치료 등의 물리적 효과를 얻기 위해 적용한다.

간호사가 침상목욕을 수행하는 경우에도 상태가 허용하는

표 5-1 개인위생 요구와 관련된 간호진단

간호진단	관련요인
자가간호결핍	시각 손상, 손동작 장애, 통증, 동기 부족, 활동 불내성
지식부족	정보부족
피부손상 위험성	부종, 부적절한 동맥 순환, 부종, 요실금 및 변실금, 소양증
감염 위험성	발톱 또는 발 간호 결핍, 피부 손상, 점막 파괴, 말초순환 장애
신체상 장애	눈에 띄는 피부문제, 체취
구강점막의 변화	감염, 외상, 면역장애, 영양 부족, 부적절한 구강 위생, 탈수

한 대상자의 참여를 유도해야 한다. 신체의 일부를 자신이 닦으면서 관절과 근육의 능동적 운동을 수행하게 되고, 이로 인해 혈액 순환이 증진되므로, 대상자는 스스로 성취감을 느끼고 독립심을 기를 수 있다. 목욕의 목적은 표 5-2와 같다.

1) 침상목욕

침상목욕(bed bath)은 기동이 불가능한 대상자가 침상에서 하는 목욕이다. 목욕시 사생활 유지, 한기를 느끼지 않게 하는 것, 피로를 피하며 만족감을 느낄 수 있도록 하는 것이 중요하다. 실내온도와 물의 온도(43~46℃)를 적절히 조절하므로서 감기에 걸리지 않도록 유의해야 한다. 병실 입구에 '목욕중' 임을 표시하여 문을 열고 닫는 일이 없도록 하고 여분의 더운물을 보충하여 목욕물의 온도를 일정하게 유지해야 한다. 먼저 씻어야 할 부분과 나중에 씻어야 할 부분을 적절히 구분하여 씻어 나가며 충분히 헹구고 완전히 건조시켜야 한다. 또 필요할 때마다 물을 자주 갈아주는 것이 좋다. 피로감을 덜기 위해 물품을 완전히 준비하여 불필요한 시간 소모를 줄이고 가능한 짧은 시간(5~10분)내에 끝낸다.

2) 부분목욕

부분목욕(partial bath)은 불편감이 있거나 냄새가 나는 신체의 일부분만을 씻는 것으로 손, 얼굴, 액와, 회음부를 닦고 구강위생을 시행하게 된다.

3) 수건목욕

수건목욕은 침상에서 향균제, 청결제, 연화제와 물이 혼합된 급속 건조 용액을 이용해서 하는 목욕이다. 상품화된 용액의 온도는 43.3-48.9℃가 적당하며, 용액은 수초 안에 마르는 성질이 있으므로 건조시킬 필요가 없어, 목욕 시간을 줄일 수 있다.

4) 샤워

샤워(shower)는 기동이 가능하나 통목욕을 할 만큼은 기력이 충분하지 못한 경우 적절한 방법이다. 분만 후 산모의 산후 감염이 우려되는 경우 통목욕보다는 샤워를 하는 것이 좋다.

5) 통목욕

통목욕(tub bath)은 청결과 치료적 목적으로 시행된다. 건강한 사람은 대부분 청결을 위해 통목욕을 하지만, 불면증이 있는 대상자의 수면을 유도하거나, 피부 질환을 치료하기 위해 약물로 목욕하는 것은 치료적 목적에 해당된다.

병원의 목욕통은 안전용 손잡이가 설치되어 있어 대상자가 통속에 들어가고 나올 때 사용할 수 있게 되어 있다. 목욕통의 바닥에는 매트나 바닥판을 깔아 미끄러지지 않도록 한다. 대상자가 목욕을 하는 동안 도움을 청하면 손쉽게 들어 갈 수 있도록 돌보는 사람이 없이는 안에서 문을 잠그지 않아야 한다. 목욕물의 온도는 37.7-40.5℃가 쾌적하고 안전하다. 목욕동안 체온의 변화를 막기 위해 실내 온도를 물의 온도와 동일하게 유지한다. 목욕시간은 사람에 따라 다르지만 장시간의 목욕은 피로를 느끼며 뇌내 혈류의 변화로 현기증이 생기거나 의식을 잃을 수 있으므로 20-30분 이상 하지 않는다.

6) 치료적 목욕

치료적인 효과를 얻고자 할 때에 시행하는 목욕은 목욕요법(therapeutic bath)이라 하는데 치료제(therapeutic agent)에 따라 기대되는 효과와 방법이 다르다. 주로 사용되는 제제는 생리 식염수, 중조, 전분, 오트밀, 과망간산칼륨, Burrow 용액 등이 있다(표 5-3).

처방 제제는 반드시 처방 농도를 준수해야 하며 이를 위하여 욕조에 물을 1/3~1/2정도 채운 뒤 필요한 약물을 풀어 농도를

표 5-2 목욕의 목적

목적	근거
노폐물 제거	피부의 배설 기능을 촉진하며 깨끗하고 건강한 피부를 유지한다.
혈액순환 증진	목욕 중의 피부 마찰과 목욕물이 피부에 닿는 자극으로 혈액의 순환을 유지, 증진하고 욕창을 예방한다.
편안함 도모	피부 표면에 분포된 말초신경을 자극하고 반사적으로 긴장을 해소한다.
건강교육	대상자의 목욕을 도울 때 바람직한 위생법에 대한 교육 등 건강 교육의 기회로 이용할 수 있다.
대상자의 요구사정	목욕하는 동안 대상자의 피부상태, 부종의 유무, 호흡의 양상 및 증상, 통증 유무를 관찰할 수 있다.
의사소통의 기회	간호사가 목욕을 도와줄 때 간호사와 대상자들은 쉽게 일치감을 얻어 의사소통을 원활히 할 수 있으며 대상자의 사기를 높칠 수 있는 좋은 기회가 된다.

표 5-3 목욕 치료제의 종류 및 효과

목욕 치료제	효과
생리식염수	작열감과 소양감 완화, 각피 제거, 냉효과
중조	작열감과 소양감 완화, 각피 제거, 냉효과
전분, 오트밀	염증으로 인한 삼출물 건조 효과
기름	건조하거나 각질화된 피부 연화
과망간산칼륨(KMnO4)	청결, 소독 효과 및 감염된 피부 병변을 치료
Burrow 용액	항균 및 소염 작용

조절한다. 물의 온도는 성인의 경우 37.7~40.5℃, 유아는 40.5℃ 정도로 준비한다. 치료제로 인하여 욕조가 미끄러워 질 수 있으므로 욕조 바닥에 깔개를 준비한다. 목욕 후에는 천천히 욕조에서 나오며 가볍고 느슨한 면제품의 옷을 입도록 한다.

2. 구강간호

1) 구강간호의 종류와 목적

구강간호(oral care)는 건강과 안위에 반드시 필요하다. 구강위생은 규칙적이고 올바른 양치질과 주기적 치과 검진을 통해 이루어진다. 구강간호는 박테리아 성장의 배지가 되는 음식 찌꺼기를 제거하여 혀와 구강내 점막, 입술을 청결하게 하고 잇몸을 마사지하여 혈액 순환을 자극시킨다. 또한 구강 건조를 막아 음식 맛을 느끼며 식욕을 촉진시키게 된다.

금식을 하는 대상자의 경우 입술과 구강내 점막, 치은, 치아, 혀 등의 건강을 위해 자주 구강간호를 수행해야한다. 때로는 타액선의 분비를 촉진하여 입안 건조를 방지하기 위해 껌을 씹도록 하기도 한다.

(1) 일반 구강간호

① 칫솔질

칫솔질은 매 식사 후에 시행해야 한다. 칫솔은 치아와 잇몸을 손상시키지 않을 정도로 부드러워야 하며, 모의 끝은 각지지 않고 둥근 모양이 좋다. 철저한 칫솔질은 치아 부식을 예방하고, 음식물 찌꺼기를 제거하며, 세균의 성장을 억제할 수 있다. 또한 잇몸의 혈액 순환을 촉진시킬 수 있다.

② 치실과 치간 칫솔 사용

▶ 치실

칫솔질 후에 치실을 사용하여 치아표면이나 치아사이의 프라그나 치석을 제거한다. 치실은 1회에 양손으로 잡을 수 있

을 정도의 길이로 잘라서 사용한다.

다음은 치실 사용법에 대한 설명이다.

- 치실을 사용할 때에는 장갑을 착용한다.
- 치실을 적당한 길이로 잘라 양쪽 손의 세 번째 손가락에 팽팽하게 감고 치실을 치아 사이로 끼운 후 앞뒤로 부드럽게 움직여 넣는다.
- 엄지 손가락과 검지 손가락을 사용하여 치실을 위아래로 움직인다. 먼저 치아의 한쪽면을 하고 다른 치아의 한쪽면을 하며 표면이 깨끗해질 때 까지 움직인다.
- 치실을 잇몸조각까지 닿게 하여야 하지만 불편감, 아픔, 출혈을 일으킬 수 있으므로 잇몸을 심하게 자극하지 않도록 한다.
- 치실은 한쪽 끝에서 다른 쪽 끝까지 옮겨가며 진행한다.
- 마지막으로 음식찌꺼기와 약화된 프라그를 제거하기 위해 물로 입안을 잘 헹구어 낸다.

▶ 치간 칫솔

치간칫솔 역시 치아 사이의 음식물 찌꺼기나 치태를 제거할 수 있다. 보철물, 교정기, 임플란트 등에도 사용가능 하다.

치간 칫솔을 치아 사이에 삽입하여 2-3회 왕복 운동을 하면 음식물 찌꺼기와 치태가 제거된다(그림 5-3). 사용후 깨끗이 씻고, 건조시킨다.

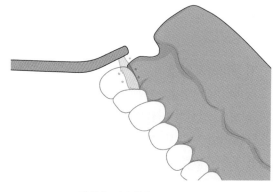

그림 5-3 **치간 칫솔**

(2) 의치 간호

의치를 빼내어 닦고, 다시 삽입하기 전에 입안을 헹구어 낸다. 대상자가 자신의 의치를 제거할 수 없으면 간호사가 도와준다.

의치를 제거할 때에는 윗니를 먼저 제거한 후 아랫니를 제거한다. 세척 시에는 의치가 깨질 수 있으므로 세면대나 대야에 물을 받아 놓고 그 위에서 세척하는 것이 좋다. 치약은 재료를 마모시키므로, 주방세제 등을 이용하여 솔질하거나 의치전용 치약을 사용하기도 한다. 의치를 닦을 때는 미온수로 헹구어 낸다. 너무 뜨거운 물을 사용하면 금이 가거나 모양이 뒤틀릴 수 있다. 밤에 사용하지 않을 때에는 뚜껑이 있는 용기에 물을 채운 뒤 안전하게 보관한다. 용기에는 대상자의 이름을 적어둔다.

(3) 특별 구강간호

대상자가 매우 허약하거나 의식이 없어 스스로 구강간호를 할 수 없는 상태라면 특별 구강간호를 시행하여 구강 건조와 구내 감염의 위험을 감소시켜야 한다. 특별 구강간호 방법이나 시행 빈도는 의료기관마다 차이가 있으나 대개 대상자의 구강상태에 따라 2~8시간마다 실시한다. 섭자를 거즈로 감싼 후 함수용액에 적셔 치아와 구강을 닦는다.

함수용액은 생리식염수, 클로르헥시딘, 베타딘을 이용한다. 레몬즙과 오일을 사용하기도 하였으나 이 방법을 장기간 사용할 경우 점막의 건조 현상을 악화시키거나 법랑질을 변화시킬 수 있다. 과산화수소도 장기간 사용시 치아 에나멜질을 손상시키며 건강한 구강 점막을 자극하고 구강내 정상세균층을 변화시키므로 잘 사용하지 않는다. 구강 간호 수행시 사용한 함수용액이 폐로 흡인될 위험이 있으므로, 대상자를 측위로 하거나 고개를 옆으로 돌린 상태에서 간호를 제공한다. 또한 세척액이 구강 내에 남아 있지 않도록 흡인기를 사용하여 남김없이 뽑아낸다.

3. 등간호

1) 등마사지의 효과

등마사지는 혈액순환을 촉진시키고 근육긴장을 완화시키며 신체적, 정신적 이완을 돕는다. 맛사지를 할 때 가능하면 복위를 취한 후 복부 밑에 작은 베개를 받쳐주며 복위가 불가능한 경우 측위를 취한다.

피부 상태에 따라 로션, 크림, 파우더 등을 충분히 바른다.

피부가 건조하거나 약한 경우에는 로션이나 크림을 사용하고 피부가 습한 경우에는 파우더를 사용하는 것이 좋다. 알코올은 상쾌한 느낌을 주고 목욕으로 인한 습기를 제거하는데 도움이 되지만 피부를 건조하게 하므로 영아나 노인 또는 피부가 건조한 대상자에게는 사용하지 않는 것이 좋다. 화상, 척추나 늑골 골절 대상자, 피부병, 순환기 장애(동맥경화증, 버거스씨병, 정맥혈전증, 동맥류)등은 등마사지를 피해야 한다.

2) 등마사지 방법

등마사지는 표 5-4와 같은 방법으로 수행한다.

4. 회음부 간호

회음부는 습기가 있고 따뜻하여 세균이 성장하기 좋다. 회음부가 청결하지 못하면 주위 피부가 손상되고 악취가 나며 불편감을 초래할 수 있다. 특히 유치도뇨관을 삽입했거나 회음부에 상처가 있는 대상자에게는 상행성 감염의 위험도 증가된다.

회음간호(perineal care)는 개인위생의 중요한 부분으로 대상자가 스스로 회음 간호를 수행하지 못할 때에는 간호사가 이를 시행해야 한다.

간호사가 회음간호를 할 때는 둔부 밑에 타월이나 패드를 깔고 배횡와위로 누인 다음 소독제나 미지근한 물과 비누로 회음부를 씻고 충분히 헹구어 낸 후 건조시킨다. 남자 대상자에게도 회음 간호가 필요한데 가족이나 남자 간호사가 시행하도록 한다. 회음 세척기가 화장실에 설치된 경우 사용법을 설명하고 사용 중과 사용 후 항문 주위에 있는 미생물로 인해 오염되지 않게 주의하도록 한다. 기동할 수 있는 대상자는 개인용 대야를 이용하여 회음간호를 한다.

특별 회음부 간호는 질분비물이 과다하거나 유치도뇨관을 삽입한 경우 회음부 상처, 변이나 요실금 등이 있을 때 시행한다.

5. 모발간호

1) 모발손질 및 세발

대상자의 모발 손질은 외모나 정서적 안정에 중요한 영향을 미친다. 매일 대상자의 모발을 빗질하며 머리가 엉기지 않도록 한다. 빗질은 두피의 혈액 순환을 촉진시키고 상피세포를 자극한다. 긴 머리는 땋아 주는 것이 좋은데, 한 갈래로 땋은 머리는 누워있을 때 머리 뒷 부분이 불편하므로 중앙에 가

표 5-4 등마사지 방법

종류	방법
경찰법	• 위아래로 손바닥을 움직이며 마사지하는 유연하고 긴 마찰 방법 • 손을 등 옆쪽에서 부드럽게 내리고, 등 가운데로 압력을 주며, 다시 올라가면서 마사지하는 것 • 정맥과 림프귀환 및 피부 표면의 순환을 증진 • 이완과 진정 효과 • 5~20분 정도 수행한다.
유날법	• 척추를 사이에 두고 피부, 피하조직 및 근육을 반죽하듯이 주무르는 것 • 5분 이내로 수행
지압법	• 양쪽 엄지로 둥글게 원을 그리면서 문지르는 것 • 경추에서부터 둔부 쪽으로 척추를 따라 척추 주위를 엄지로 누르며 척추 간에 힘을 주는 방법
경타법	• 손이나 손가락으로 양손으로 번갈아 가며 등을 두드리는 방법 • 5분정도 수행 • 손을 모로 세워 치는 법(hacking), 손을 컵모양으로 오므려 치는 법(clapping), 손끝으로 치는 법(tapping), 주먹을 쥐고 치는 법(beating)

르마를 만들어 양 갈래로 땋는다.

모발도 먼지와 기름에 의해 오염되므로 자주 세발해야 한다. 그러나 건성 모발의 경우 매일 머리를 감으면 모발에 윤기가 없고 더욱 건성화 되므로 2~3일에 한번씩 세발하는 것이 좋다. 기동이 가능한 대상자는 병실에 있는 세면대나 샤워장을 이용하며 기동이 어렵고 스스로 머리를 감을 수 없는 대상자는 침상에서 머리를 감아야 한다. 샴푸 전 미리 빗질하여 엉킨 머리카락을 풀어주고 불순물을 제거한다. 침상세발을 시행할 때에는 가능한 짧은 시간 내에 끝내며 대상자의 침구와 의복이 젖지 않도록 한다. 두피가 가렵거나 비듬이 있는 경우 더 자주 세발을 하고 빗질한다.

2) 면도

면도 후 대상자는 외관 뿐 아니라 기분도 상쾌해진다. 안전면도기보다 전기면도기를 사용하는 것이 더 안전하다.

- 거품이나 면도 크림을 턱에 바른다.
- 피부를 팽팽하게 잡아 당겨 털이 자라는 방향으로 미는 것이 좋다.
- 비누거품이 남아 있지 않도록 얼굴을 씻고 건조시킨다. 입과 코 있는 부위가 특히 민감하므로 이러한 부위에서는 세심한 주의가 필요하다.
- 피부에 면도 로션을 바른다. 대부분의 면도 로션은 상쾌감을 주며 약간의 방부 효과가 있다.

6. 눈·코·귀의 간호

1) 눈 간호

눈에 이상이 생겼을 경우 분비물이 많이 생긴다. 면솜이나 물수건에 생리식염수를 적셔 눈의 내안각에서 외안각 방향으로 닦아내어 눈꼽이나 분비물을 제거한다. 분비물이 말라붙은 경우에는 생리식염수를 적신 면솜을 안검 주위에 올려두면 부드럽게되어 쉽게 제거할 수 있다. 매번 새로운 솜을 사용해야한다.

각막반사가 소실된 무의식 대상자의 경우 적어도 2-4시간마다 눈간호를 제공한다. 수분이 적절하게 유지되지 않으면 각막이 건조하여 궤양을 일으키게 된다.

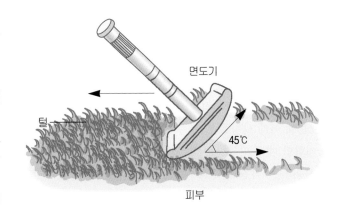

그림 5-4 면도기 사용 방법

- 발적이나 삼출물이 있는지 확인한다.
- 생리식염수를 적신 소독솜으로 눈을 닦아 청결히 한다. 이때 내안각에서 외안각 방향으로 닦아 비루관으로 분비물이 들어가지 않게 한다.
- 매번 닦을 때마다 새 소독솜으로 교환한다.
- 처방된 안연고나 안액을 도포한다.
- 각막반사가 소실된 경우 안대를 대어 눈을 보호한다.

2) 코 간호

대상자는 부드럽게 코를 풀어 코분비물을 제거한다. 이때 센 압력은 코 점막, 고막, 눈에 영향을 줄 수 있으므로 너무 세게 풀지 않도록 주의한다. 대상자가 스스로 할 수 없는 경우 간호사가 물수건이나 생리식염수에 적신 면봉을 이용하여 닦아낸다. 비강 분비물이 많으면 흡인을 시행할 수도 있다. 비강내 튜브가 삽입되어 있는 경우, 비강 분비물로 인해 반창고가 축축해지면 피부와 점막이 벗겨질 수 있으므로 반창고를 적어도 하루에 한번 교환한다. 또한 튜브를 양쪽 비강으로 번갈아 삽입하여 피부나 점막 손상을 줄여준다.

3) 귀 간호

(1) 귀의 청결

귀지(cerumen)는 정상적으로 분비되나 귀지가 과다하여 이물감이나 청력장애를 야기하는 경우 제거해야 한다. 이때에는 올리브유를 1~2방울 떨어뜨리고 12~24시간 후 귀지가 연화되면 면봉으로 닦아낸다. 머리핀, 성냥, 이쑤시개 등을 이용하여 귀지를 제거해서는 안된다. 이러한 것들은 이도에 상해를 가하거나 심한 경우 고막을 파열시킬 수도 있다.

(2) 보청기 관리

일상생활에서 회화음의 청취가 곤란한 경우 음의 증폭을 위한 보청기를 사용할 수 있다. 보청기는 난청인의 청력에 맞게 증폭시켜 청력을 보완해주는 기계이다. 보청기는 마이크로 폰을 통하여 소리를 받아 이것을 전기적인 소리에너지로 변환하고, 변환된 전기 신호는 전기 증폭기에 의해 증폭되어 이어폰을 통해 재생된 음향신호로 바뀌어 들리게 된다.

보청기를 착용하여도 정상 청력을 완전히 회복하기는 어렵기때문에 아래 사항을 잘 준수해야 한다. 보청기 착용 대상자와 대화할 때 주의사항은 다음과 같다.

- 시각적 단서가 중요하므로 대화를 할 때에는 얼굴이 잘 보이도록 방을 너무 어둡게 하지 않는다.
- 1~2m 정도의 거리가 대화의 적정거리이므로 대상자와 정면으로 마주보면서 이야기 한다. 너무 먼 위치나 다른 방 혹은 대상자의 뒤에서 이야기하지 않는다.
- 적절한 크기와 적당한 속도로 이야기한다. 너무 빨리 이야기하거나 소리를 지르면 소리를 왜곡시킨다.
- TV나 교통 소음, 부엌의 잡음 등 주위 소음을 최소화 한 후 대화한다.

7. 손발간호

손발간호는 청결, 손톱 및 발톱 다듬기가 포함된다. 간호사는 대상자에게 손발 관리 방법을 교육해야한다.

- 매일 발을 씻고, 잘 말린다.
- 땀으로 인한 불쾌한 냄새를 방지하거나 조절하기 위해 발을 자주 씻고, 양말과 스타킹은 매일 갈아 신는다.
- 발에 땀이 차면, 특수 탈취용 스프레이나 파우더를 사용한다.
- 새 신발을 신게 되는 경우에는 신는 시간을 하루 30-60분씩 차츰 늘려간다.
- 맨발로 다니지 않는다.
- 발에 뜨거운 전열 패드를 사용하지 않는다.
- 하지 순환을 위해 규칙적인 운동을 한다.
- 손톱칠은 대상자의 손톱 밑의 피부 색깔을 확인할 수 없기 때문에 일반적으로 권하지 않는다.
- 손(발)톱은 일자로 깍고 손(발)톱의 모서리를 바짝 자르거나 파내지 않는다. 손톱이나 발톱이 살속으로 파고들게 하여 주위 조직에 손상을 줄 수 있기 때문이다.
- 손(발)톱이 딱딱한 경우에는 더운물에 10~20분 정도 담궜다가 부드러워진 다음에 깎는 것이 좋다.

당뇨병이나 말초혈관 질환을 가진 대상자는 손(발)톱을 자르는 것 보다 줄로 다듬는 것이 좋으며, 티눈이나 가골이 생겼을 경우 자르지 않고 의사에게 진찰을 받도록 한다. 또한 피부 연화로 감염을 촉진시킬 가능성이 있으므로, 발담그기(soaking)는 하지 않는다.

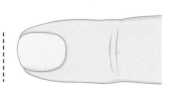

그림 5-5 손톱 일자로 자르기

제5절
개인위생 요구와 관련된 간호평가

간호중재를 제공하는 동안 수집된 자료를 이용하여 설정한 목표에 도달되었는지를 평가한다.

- 대상자는 위생 활동에 가능한 한 독립적으로 참여할 것이다.
  - 대상자 스스로 목욕 물품을 준비하고 목욕물의 온도를 조절한다.
  - 지시에 따라 몸을 씻고 건조시킨다.
- 대상자의 피부는 정상이다.
  - 피부의 촉감, 색, 긴장도, 건조상태, 청결 정도를 사정한다.
- 대상자는 체취가 없다.
  - 대상자의 몸에 체취가 나는지 맡아본다.
- 대상자는 구강점막의 손상이 없고 촉촉하며 구취가 없다.
  - 대상자의 구강점막에 궤양이나 염증이 있는지 관찰한다.
  - 대상자에게서 구취가 나는지 맡아본다.
  - 대상자의 구강 점막이나 치아에 통증이 있는지 물어본다.
- 대상자의 모발과 두피는 청결하다.
  - 모발과 두피에 기름기, 분비물이 엉켜있는지 관찰한다.
- 대상자는 눈, 귀, 코를 관리할 수 있다.
  - 대상자에게 눈, 귀, 코를 관리하는 방법을 물어본다.
  - 대상자가 목욕하는 동안 눈, 코, 귀를 청결히 하는 방법을 관찰한다.
- 대상자는 손(발)톱을 청결히 유지하며 손상이 없다.
  - 손(발)톱이 갈라졌는지, 가장자리가 갈라지거나 병변이 있는지 관찰한다.
  - 손(발)톱 가장자리가 거친지 촉진한다.
  - 손(발)톱 뿌리에 통증이 있는지 관찰한다.

영양 요구

영양분의 섭취는 인간 생존에 가장 기본적인 생리적 요구이다. 인체는 조직의 성장과 재생을 위해 영양분을 이용하여 인체 구조를 유지하고 생존에 필요한 에너지를 얻는다. 이러한 에너지 요구를 충족시키기 위해서는 6가지 필수 영양소인 수분, 단백질, 탄수화물, 지방, 비타민, 무기질을 필요로 하며 일반적으로 사람들은 1일 3~4회 균형있는 식사를 통해 필요한 영양분을 섭취하게 된다.

반면 식사를 한다는 것은 가족이나 친지들과 즐거움을 나누며 연대감을 형성하게 하는 등 가정 생활에 중요한 비중을 차지하며, 타인과의 사회성을 증진시키는 수단이 될 수 있다. 또한 음식의 섭취는 만족감을 주며 문화적, 종교적 특성을 반영하기도 한다.

질병으로 인하여 발생되는 식욕부진, 오심, 구토, 소화장애 등은 음식과 수분섭취에 대한 요구를 억제시키며 이러한 증상이 장기간 지속되면 결과적으로 인체 내의 영양부족, 수분과 전해질의 불균형을 초래한다. 간호사는 이러한 증상에 대하여 충분한 지식을 가지고 대상자의 요구를 해결하기 위한 간호 수행 능력을 길러야 한다.

제1절
영양 요구를 위한 간호사정

I. 영양 요구 사정을 위한 기본 지식

1. 영양의 원리

1) 기초대사율

인체는 불수의적 활동 즉, 휴식시에 체온 및 근육의 긴장도 유지, 분비액의 생산과 방출, 소화관을 통한 음식물의 배출, 호흡, 심장 운동 등을 유지하는데 에너지가 필요하며 이러한 에너지 요구량을 기초대사율(basic metabolic rate: BMR)이라 한다.

기초대사율은 세포 기능에 필요한 최저 수준의 에너지로서 개인마다 에너지 요구량은 다르며 다양한 요인에 의해 영향을 받는다. 성장, 감염, 고열, 정서적 긴장, 높은 주변 온도, 호르몬 양의 증가는 에너지 요구량을 증가시키며 노화, 지나친 단식, 수면 등은 에너지 요구량을 감소시킨다.

2) 필수 영양소

6대 필수 영양소는 수분, 탄수화물, 단백질, 지방, 비타민, 무기질이다. 탄수화물, 단백질, 지방은 에너지를 공급하는 영양소이며, 비타민, 무기질, 수분은 에너지를 공급하지는 않으나 에너지를 생성하는 화학적 반응에 관여한다.

(1) 수분

수분은 신체 구성 성분 중 가장 많은 부분을 차지하고 있다. 성인에서는 체중의 50~60%, 유아에서는 체중의 70~80%가 수분이다. 신체내에 있는 수분의 2/3가 세포내액(intracellular fluid, ICF)에 존재하고 나머지 1/3은 세포외액(extracellular fluid, ECF)에 존재한다.

세포외액은 간질액이 체중의 15%, 혈장이 체중의 5%를 차지하며 그외 뇌척수액, 림프액, 안구액 등도 세포외액에 속한다. 수분은 소화, 흡수, 순환에서 용질을 용해하는 용매로써 작용하며, 피부에서 증발하여 체온을 조절하고, 윤활제로서 점액 분비와 관절의 움직임을 돕는다. 수분은 모든 화학 반응에 필요하기 때문에 6대 영양소중에서 가장 중요하지만 저장되지는 않는다. 그러므로 인체가 필요한 물은 대부분 섭취를 통해 충족되어야 하며, 탄수화물, 단백질, 지방의 대사를 통해서도 생산된다.

(2) 탄수화물

탄수화물은 탄소, 수소, 산소로 구성된다. 대부분의 탄수화물은 식물로부터 얻어지며 동물성 탄수화물로는 우유속에 포함된 유당(락토오즈)이 유일하다. 한국인 영양 섭취 기준(2015)에서는 성인의 경우 탄수화물의 에너지 적정 비율을 55~65%로 설정하였다.

① 분류

- 단당류: 하나의 당분자로 구성되어 있는 단당류는 더 이상 분해할 수 없는 최종산물로, 포도당(glucose), 과당(fructase), 갈락토오소(galactose)가 포함된다.
- 이당류: 2분자의 단당류가 결합한 이당류에는 자당(sucrose), 유당(lactose), 맥아당(maltose)이 있으며 소화되기 전에 소화관에서 효소에 의해 분해된다.
- 다당류: 10개 또는 그 이상의 단당류로 구성되어 물에 용해되기 어렵고 소화정도가 다양하다. 다당류에는 전분(starch), 글리코겐(glycogen)이 있다.

② 소화 및 대사

탄수화물은 섭취 후 최종대사 산물인 단당류로 분해되어 장점막을 통해 흡수된 후 문맥(portal vein)을 거쳐 간으로 운반된다. 식물성 섬유소는 소화되지 않지만 분변 양을 증가시켜 찌꺼기를 제거하고 장 통과 시간을 감소시켜 변비를 예방한다.

포도당은 세포안에서 에너지로 이용되거나, 글리코겐으로 전환되어 저장되며, 과잉 포도당은 지방으로 전환되어 저장된다.

중추신경계에서는 에너지원으로 포도당만을 사용하기 때문에 반드시 일정한 양의 포도당이 공급되어야 한다. 포도당은 세포내에서 에너지를 생산하며 이산화탄소와 물로 분해된다. 단백질, 지방과는 달리 포도당은 완전 연소되어 독성물질을 생성하지 않는다.

근육이나 간에 글리코겐이 부족하면 포도당은 글리코겐으로 전환되어 저장되며 이를 당원형성(glycogenesis)이라 한다. 반대로 포도당을 재형성하기 위해 글리코겐이 분해되는 과정은 당원분해(glycogenolysis)라 한다. 또한 이용할 수 있는 포도당이 정상이하로 떨어질 때 간에서 당원 신생(gluconeogenesis) 과정을 거쳐 단백질, 지방으로부터 포도당을 형성하게 된다.

체단백질 중 60%이상의 아미노산이 포도당으로 전환될 수 있으나 당원신생 과정에서는 지방을 먼저 소모한 후 단백질을 사용한다.

(3) 단백질

단백질은 산소, 수소, 탄소, 질소로 구성되어 있으며 세포의 중요한 구성 요소이다. 단백질의 가장 중요한 구성요소인 아미노산은 조직의 성장, 재생을 위해 필수적이며 에너지원으로 사용될 수 있다.

필수아미노산은 9개로 threonine, leucine, isoleucine, valine, lysine, methionine, phenylalaine, tryptophan, histidine가 있으며 인체 내에서 합성할 수 없기 때문에 음식을 통해 공급해야 한다. 비필수아미노산은 11개로, arginine, glycine, alanine, aspartic acid, glutamic acid, proline, hydroxyproline cystine, tyrosine, serine 등이 있으며, 다른 아미노산 분해로부터 생성될 수 있으므로 식이로 공급할 필요는 없다. 한국인의 1일 단백질 권장섭취량은 성인(30-39세 기준) 남자가 55g, 여자가 45g이다. 이중 동물성 단백질보다는 식물성 단백질의 섭취를 권장한다.

① 분류

가. 화학구조에 따른 분류

- 단순 단백질: 단순 단백질은 아미노산과 그 유도체로 가수분해되며 알부민, 글로블린 등의 혈장단백질, 우유의 lactalbumin, 머리와 피부의 keratin, 달걀의 ovoglobulin, 밀의 glutin을 포함한다.
- 복합 단백질: 복합 단백질은 단순 단백질과 비단백질 그룹으로 가수분해 된다. 비단백질 그룹에는 혈색소, mucin, purine이 포함된다.

나. 영양학적 가치에 따른 분류

- 완전 단백질 : 질소 균형을 유지하고 성장을 지지하는 충분한 양의 모든 필수 아미노산을 함유한 것으로 대부분의 동물성 단백질이 여기에 포함된다.
- 부분적 불완전 단백질 : 필수 아미노산을 가지고 있으나 몇 종류의 필수 아미노산이 양적으로 부족한 단백질로서, 곡류, 견과류, 대두 등이 포함된다.
- 불완전 단백질 : 필수 아미노산이 부족하게 들어있어 성장지연 및 생리적 불균형을 초래하는 단백질이다.

② 소화 및 저장

섭취한 단백질은 위(stomach)에서 펩시노겐(pepsinogen)에 의해 소화되기 시작하여 소장에서 췌장과 장의 단백 분해 효소인 프로테아제(protease)에 의해 아미노산으로 분해된다. 아미노산은 소장 점막에서 흡수되어 문맥혈을 통해 세포로 전달된다. 세포로 전달된 아미노산은 세포내 효소에 의해 세포 단백질로 전환되어 저장된다. 소비되고 남은 단백질은 지방으로 전환되기도 한다.

③ 대사

단백질의 대사작용은 동화작용(anabolism)과 이화작용(catabolism)으로 이루어진다.

동화작용은 단백질이 재합성되는 과정으로 신체의 모든 세포에서 일어난다. 반면 이화작용은 아미노산이 가수분해되는 과정으로 간에서 탈아미노작용과 함께 아미노기(amino groups-NH₃)를 제거하면서 시작된다. 탈아미노 작용에 의해 생성된 암모니아는 간에서 요소(urea)로 합성되어 배설된다.

일반적으로 단백질 영양상태는 질소균형상태로 파악하는데 이는 탄수화물과 지방으로부터 단백질을 구별하는 성분이 질소이기 때문이다. 인체의 질소균형상태는 단백질의 동화작용과 이화작용사이의 균형을 의미하는 질소평형(nitrogen balance)으로 설명되며 질소섭취와 질소배설로 측정할 수 있다.

급성장기를 제외하고는 건강한 성인의 경우 필수 아미노산, 칼로리, 무기질 섭취가 적절하면 질소 평형을 이루게 된다. 양성 질소평형(positive nitrogen balance)은 질소 섭취가 질소 배설을 초과할 때 나타난다. 즉 동화작용이 이화작용을 초과하는 것으로 성장, 임신, 수유, 질병에서의 회복기 동안 나타난다. 음성 질소평형(negative nitrogen balance)는 기아, 수술, 질병, 상처, 스트레스 등과 같이 이화작용으로 더 많은 질소가 배설되어 일어난다.

(4) 지방

지방(지질)은 탄수화물처럼 탄소, 수소, 산소로 구성되어 있고 탄수화물 보다 수소의 비율이 높다. 지질은 에탄올, 클로로포름, 에테르, 가솔린과 같은 유기용매에 녹으나 물이나 혈액에는 녹지 않는다. 지질은 실내 온도에서 액체 상태인 기름과 고체 상태인 지방이 있다. 쇠기름과 같은 지방은 상온에서 단단한 고체이며, 버터, 라드, 마아가린 같은 지방은 상온에서 부드러운 고체이다. 지방은 식사에서 얻어지는 에너지의 농축 자원으로 1g당 9kcal의 열량을 생산하며 지용성 비타민의 흡수를 돕는다. 탄수화물과 단백질로부터 지방을 합성할 수 있으며, 전체 열량 섭취의 20% 이하로 유지하는 것이 좋다.

① 분류

가. 단순지질: 단순지질은 탄소, 수소, 산소만을 포함한 것이다. 중성지방(triglyceride)은 단순지질 중 가장 흔한 형태로, 글리세롤 한 분자와 지방산 세 분자가 결합한 것이다. 중성지방은 포화 지방산과 불포화 지방산으로 나뉜다.

- 포화 지방산은 탄소 결합이 모두 포화되어 있어 더 이상 수소원자를 보유할 수 없다. 포름산, 아세트산, 팔미트산, 스테아르산 등이 있다.
- 불포화 지방산은 다른 수소 원자를 흡수할 수 있으며 탄소 원자 사이에 이중 결합이 하나인 단일 불포화 지방산과 이중 결합이 두 개 이상인 고도 불포화지방산이 있다. 지방은 지방산 사슬에 있는 이중 결합의 수가 많을수록 부드럽다. 단단한 지방은 부드러운 지방에 비해 불포화 정도가 낮다. 올리브유는 단일 불포화 지방산에 해당하며, 콩기름, 참기름, 홍화기름 등의 식물성 기름이나 물고기의 기름처럼 액체 상태인 지방은 대부분 고도 불포화 지방산이다.

나. 복합지질: 복합지질은 단순지질보다 구조가 복잡하다. 인지질(인을 포함한 지질), 스테로이드(탄소 원자들이 결합해서 이루는 고리 네 개로 된 지질), 당지질(당 분자를 한 개 이상 갖고 있는 지질)과 같은 화합물이 있다.

- 인지질은 글리세롤 한 분자, 인산이온, 지방산 두 분자를 포함하고 있다. 모든 세포내에 존재하는 인지질은 수용성 및 지용성 물질이 세포내로 들어갈 수 있도록 한다.
- 스테로이드는 콜레스테롤, 담즙산, 부신호르몬, 성 호르몬 등이 있다.

콜레스테롤은 세포막의 주요 성분이며, 화학적으로 변화되어 성호르몬과 같은 스테로이드 호르몬으로도 합성된다. 또한 간은 콜레스테롤을 이용하여 담즙산을 만들어 소화를 돕는다. 그러나 정상보다 높은 혈청 콜레스테롤 수치는 동맥경화증의 위험을 증가시킨다. 포화 지방산의 섭취는 혈액내 콜레스테롤의 양을 상승시키고 불포화지방산의 섭취는 혈액내 콜레스테롤에 최소로 작용하며 특히 고도 불포화 지방산은 혈액내 콜레스테롤을 더 낮게 한다. 인체에 있는 콜레스테롤은 대부분 인체가 스스로 합성한 것이지만 일부는 음식을 통해 섭취하기도 한다. 버터, 계란, 기름기가 많은 고기, 뇌, 간 등에 콜레스테롤이 많이 들어 있다.

전체적으로는 지방을 적게 섭취해야하며 포화 지방산보다 불포화 지방산을 먹도록 하고 섬유소 섭취를 증가시켜 콜레스테롤이 대변으로 쉽게 배출되도록 해야한다.

② 소화 및 저장

지방은 위에서의 정체 시간이 길며, 소화는 대개 소장에서 이루어진다. 담즙은 지방을 유화시켜 췌장에서 분비되는 리파아제(lipase)가 지방을 더 효과적으로 분해할 수 있도록 돕는다. 소화된 지방은 소장의 점막 상피 세포내에서 재합성되고, 대부분은 복부의 유미조로 흡수되어 림프계로 들어가 흉관을 통해 순환혈로 유입된다. 다량의 지방은 간과 지방조직에 중성지방(triglycerides)으로 저장된다.

(5) 비타민

비타민은 인체의 생명 유지에 필수적인 화합물로서 에너지원으로 사용되지는 않으나 탄수화물, 단백질, 지방 대사에 필요하다. 비타민은 여러 종류의 식품 속에 함유되어 있으나 빛, 열, 공기, 조리 과정에 의해 영향받기 쉽고 장기간 저장 되었던 음식보다 신선한 음식에 더 많이 들어있다.

13가지 비타민은 수용성과 지용성으로 분류된다(표 6-1). 수용성 비타민은 비타민 C와 비타민 B 복합체 즉, B₁(thiamine), B₂(riboflavin), B₃(niacin), B₆(pyridoxine), B₉(folic acid), B₁₂(cobalamine), 판토텐산(pantothenic acid), 비오틴(biotin) 등이다. 수용성 비타민은 요리, 저장, 준비과정 동안에 파괴되기 쉬우며 신체에 저장되지 않으므로 매일 섭취해야 된다. 섭취한 비타민은 점막을 통해 즉각 혈액 속으로 흡수되며 필요량 보다 많이 섭취했을 때 소변을 통해 배설된다. 지용성 비타민 A, D, E, K는 임파 순환을 통해 지방에 의해 흡수된다. 인체는 간과 지방 조직에 지용성 비타민을 최대한 저장하기 때문에 매일 섭취할 필요는 없다.

(6) 무기질

무기질은 생화학 반응에서 촉매 역할을 하는 필수적인 무기요소이다(표 6-2). 다량 무기질(macrominerals)은 1일 필요량이 100mg이상으로 칼슘, 인, 마그네슘, 황, 나트륨, 칼륨, 염소 등이 있으며, 미세무기질(microminerals)은 1일 필요량이 100mg 이하로 철분, 요오드, 아연, 구리, 망간, 불소, 크로늄, 셀레늄, 몰리데늄 등이다. 무기질은 분해되지 않고 소화 후에 재로 남으며 물에 너무 오래 담그어 두거나 장시간 조리시에는 음식에서 떨어져 나갈 수 있다. 무기질 결핍으로 인해 가장 흔히 발생하는 문제로는 골다공증과 빈혈이 있다.

2. 올바른 식생활

1) 한국인 영양섭취 기준

한국인 영양섭취 기준은 한국인의 건강을 최적상태로 유지할 수 있는 영양소 섭취 수준이다. 한국영양학회에서는 5년마다 개정발간하던 '한국인 영양권장량'을 기존 2000년도에 발간한 7차 개정판을 마지막으로 더 이상 발간하지 않고, 그 내용과 범위를 확대해서 2005년 11월에 '한국인 영양섭취 기준(KDRIs : Dietary Reference Intakes for Koreans)'을 제정하였으며, 2010년도에 1차 개정이 이루어졌다.

한국인 영양섭취 기준은 만성질환이나 영양소 과다 섭취 예방 등 까지도 고려하여 여러 수준으로의 영양소 섭취 기준을 제시하고 있으므로, 저출산, 고령화 사회를 대비하여 국민건강과 복지 증진을 위한 기초적이고 필수적인 자료로 이용되고 있다.

기존의 영양권장량이 각 영양소별로 한 수치로 제시된 것과 달리 영양섭취기준(Dietary Reference Intakes)은 평균필요량, 권장섭취량, 충분섭취량, 상한섭취량의 4가지로 구성된다. 평균 필요량은 건강한 사람들의 절반에 해당하는 사람의 일일 필요량을 충족시키는 값이며, 권장 섭취량은 성별, 연령별 거의 모든 건강한 사람의 영양소 필요량을 충족시킨다고 추정되는 수치로서 필요량에 표준편차의 2배를 더하며 정한 값이다. 충분섭취량은 영양소 필요량에 대한 정확한 자료가 부족하거나 필요량의 중앙값과 표준편차를 구하기 어려워 권장 섭취량을 산출할 수 없는 경우 제시한다. 상한 섭취량은 인체건강에 유해 영향이 나타나지 않는 최대 영양소 섭취 기준이다.

종전의 '한국인영양권장량'이 에너지를 포함하여 15종에 대하여 기준을 제시하고 있음에 비하여 '한국인 영양섭취기준'은 33종의 영양소에 대하여 기준을 제시하고 있으며, 각 영양소별로 필요량에 대한 자료여부와 일반인들의 섭취의 과다 위험성에 따라 4가지 중 적절한 기준을 제시하고 있다. 반면 탄수화물과 지질의 영양섭취기준은 다른 영양소와는 달리 에너지 적정비율을 설정하였고, 영아에게만 충분섭취량을 설정하였다(표 6-3-1~6).

2) 식사구성안

식사 구성안은 일반인이 여러식품이 적절히 함유된 영양적으로 균형 잡힌 식사를 실천하는데 도움을 주고자 고안되었다. 이는 영양학적으로 만족할 만한 식사를 제공할 수 있는 식품의 양과 종류를 선택하기 위한 기본 구성의 개념을 제공하는 것이다. 식사구성안에는 일반 대중에게 쉽게 이용될 수 있도록 하기 위해 ①식품을 6군으로 분류하고(표6-4), ② 각 식품군의 식품들 중 한국인이 많이 섭취하는 대표적 식품을 중심으로 1인 1회 분량을

표 6-1 비타민

비타민	주요공급원	주요 작용	결핍 결과	과잉 결과
C	• 감귤류의 과일, 익히지 않은 양배추, 감자, 딸기	• 모세혈관벽의 통합성 유지, 철의 흡수 강화, 아미노산 대사, 적혈구 형성, 상처 치유를 위한 교원질 형성	• 괴혈병, 상처 치유 지연, 잇몸출혈, 손상된 면역 반응	• 신결석, 위장관 장애, 면역 반응 저하
B₁	• 효모, 육류, 현미, 강화한 빵과 곡물 식품, 견과류, 완두, 감자, 거의 모든 채소	• 포도당에서 에너지 생성 반응의 조효소	• 각기병, 다발성 신경염, 정신혼미, 근육 위축, 심장 비대증	• 알려지지 않음
B₂	• 우유, 치즈, 육류, 계란, 푸른채소	• 탄수화물, 단백질, 지방대사	• 상처치유 지연, 염증	• 알려지지 않음
B₃	• 육류, 유제품, 간, 곡물, 땅콩, 호도	• 탄수화물, 단백질, 지방대사	• 펠라그라, 구내염	• 가려움, 안면홍조, 오심, 구토, 설사, 저혈압, 빈맥, 저혈당, 간 손상
B₆	• 효모, 현미, 육류, 가금류, 야채	• 단백질, 지방, 탄수화물 대사의 조효소	• 빈혈, 중추신경계 문제	• 불안정한 걸음, 발과 손의 저림
B₉	• 달걀 노른자, 육류, 콩, 곡류, 호도, 간, 푸른잎 채소, 브로콜리	• 적혈구 형성과 성숙, DNA · RNA 합성	• 거대적아구성 빈혈, 피로, 허약, 악성 빈혈	• 알려지지 않음
B₁₂	• 달걀, 육류, 우유, 유제품, 치즈, 어류, 가금류	• 단백질 대사의 조효소, 헤모글로빈의 heme 대사와 형성	• 악성빈혈, 피로, 수면장애, 오심	• 알려지지 않음
pantothenic acid	• 달걀 노른자, 육류, 견과류, 곡류, 연어	• 탄수화물, 지방, 단백질 대사		• 알려지지 않음
biotin	• 달걀 노른자, 견과류, 간, 콩팥, 거의 모든 신선한 채소, 장내세균에 의해 생성	• 탄수화물, 지방, 단백질 대사		• 알려지지 않음
A	• 고구마, 우유, 간, 생선 간유, 달걀, 버터, 녹황색 채소	• 연골, 각막, 점막, 피부의 정상적 기능 유지, 어두운 곳에서의 시력유지, 뼈와 치아의 성장과 기능에 필요	• 야맹증, 거친 피부	• 식욕부진, 모발 상실, 건조한 피부, 뼈의 통증
D	• 생선 간유, 강화 우유, 달걀, 참치, 연어, 햇빛에 노출된 피부에서 합성	• 위장관의 칼슘 흡수 및 이용, 칼슘과 인의 대사, 신장에서의 인과 칼슘의 재흡수	• 어린이에게 구루병, 뼈의 성장 지연, 성인에서 골연화증, 병리적 골절	• 뼈의 과도한 석회화, 신석증, 과도한 위장장애, 기면
E	• 정백하지 않은 곡물, 상추, 식물성 기름	• 세포막과 여러 신체 구조에서 불포화 지방산의 산화 예방	• 적혈구 용혈 증가	• 피로, 설사
K	• 푸른잎 채소, 장내세균에 의해 합성	• 간의 프로트롬빈 합성에 관여	• 출혈·경향 증가	• 용혈성 빈혈, 간손상

표 6-2 무기질

무기질	주요공급원	주요 작용	결핍 결과	과잉 결과
칼슘 (calcium)	• 우유, 유제품, 콩류, 뼈채 먹는 생선, 연록색 채소	• 치아와 뼈의 형성, 신경자극 전달, 혈액의 응고	• 저칼슘혈증: 골다공증, 테타니(tatany)	• 고칼슘혈증: 신결석, 연조직과 뼈의 과잉 축적, 혼수
인 (phosphorus)	• 육류, 가금류, 우유와 유제품, 계란, 곡류	• 뼈와 치아 형성, 산-염기 균형 조절	• 저인산염 혈증: 입 주위 지각 이상, 식욕부진, 근허약	• 고인산염 혈증: 저칼슘성 tetany
마그네슘 (magnesium)	• 푸른잎 채소, 곡류, 어류, 견과류, 콩	• 뼈와 치아 형성, 신경자극 전도, 근육 수축, 세포막간 나트륨과 칼륨의 운반, 부갑상선 호르몬 합성과 유리에 관여	• 저마그네슘혈증: 허약, 근육통, 심장기능저하	• 고마그네슘혈증: 심한 근육허약, 기면, 졸음, 심부건반사 감소, 호흡마비, 심전도 느려짐
황(sulfur)	• 육류, 가금류, 생선, 우유, 계란, 콩	• 연골, 건, 단백질의 구성 성분, 산-염기 균형	• 알려지지 않음	• 알려지지 않음
나트륨 (sodium)	• 염장 식품, 햄, 우유, 당근, 조미료, 탄산 음료, 샐러리	• 체액 균형, 산-염기 균형, 세포의 삼투압 유지, 신경자극의 전도	• 저나트륨혈증: 세포의 흥분성 감소, 복통, 오심, 구토, 복부경련, 직립성 저혈압, 체중감소, 두통, 피로, 불안, 근육허약	• 고나트륨혈증: 건조한 혀, 갈증, 불안, 흥분, 핍뇨나 무뇨, 농축된 소변, 피부의 탄력성 감소
칼륨 (potassium)	• 오렌지, 바나나, 토마토, 감자, 푸른잎 채소, 브로컬리, 육류	• 세포내 삼투성 조절, 세포의 성장과 대사 유지, 신경자극 전도, 골격근, 심장근, 평활근의 기능 유지, 산-염기 균형	• 저칼륨혈증: 근육허약, 부정맥, 현기증, 느리고 약한 맥박, 저혈압, 소변량 증가, 식욕부진, 오심, 구토, 장운동 감소	• 고칼륨혈증: 심실 부정맥, 근육경련, 오심, 설사, 장경련, 소변량 감소
염소 (chloride)	• 가공식품, 소금	• 삼투압의 조절, 위액의 성분, 산염기 균형 조절, 체액 균형 조절	• 저염소혈증 : 근육경련, 알칼리증, 호흡억제	• 고염소혈증: 산증
철분(iron)	• 육류, 간, 곡물류, 푸른잎 채소	• 산소 운반	• 빈혈, 창백, 피로, 쇠약	• 경련, 복통, 오심, 구토
요오드(iodine)	• 해산물, 요오드화염, 식품 첨가물	• 갑상선 호르몬의 주요 성분	• 단순갑상선종	• 여드름
아연(zinc)	• 콩, 굴, 간, 육류, 가금류, 견과류, 곡류	• 면역 반응, 효소 형성, 결합 조직의 통합	• 성장, 성적 성숙, 면역기능의 손상	• 식욕부진, 오심, 구토, 설사, 근육통, 기면
구리(copper)	• 신장, 간	• 뼈의 혈액 형성, 효소의 활동과 형성	• 빈혈, 골격 형성 지연, 고콜레스테롤 혈증	• 오심, 구토, 두통, 현훈, 허약, 설사
망간 (manganese)	• 곡물류, 견과류, 마른 콩류, 과일	• 골격 형성, 혈액응고, 에너지 대사	• 생식기능 저하, 성장 지연	• 알려지지 않음
불소(fluoride)	• 불소 첨가된 물, 생선, 차	• 치아와 뼈 형성과 통합	• 충치, 골다공증 위험 증가	• 치아 법랑질의 반점
크로늄 (chromium)	• 곡류, 육류	• 적절한 포도당 대사, 인슐린 보조인자	• 포도당 내성 손상, 인슐린 저항	• 알려지지 않음
셀레늄 (selenium)	• 육류, 해산물, 곡물류	• 항산화제	• 알려지지 않음	• 탈모, 손톱이 물러짐, 피로
몰리데늄 (molybdenum)	• 곡물류, 쇠간, 콩, 내장	• 황의 산화	• 알려지지 않음	• 구리 대사를 방해

표 6-3-1 한국인 영양섭취기준(KDRIs: Dietary Reference Intakes for Koreans)-에너지적정비율

영양소	1~2세	3~18세	19세 이상
탄수화물	55~65%	55~65%	55~65%
단백질	7~20%	7~20%	7~20%
지방	20~35%	15~30%	15~30%
n-6 불포화지방산	4~10%	4~8%	4~10%
n-3 불포화지방산	1% 내외	1% 내외	1% 내외
포화지방산	—	8% 미만	7% 미만
트랜스지방산	—	1% 미만	1% 미만
콜레스테롤	—	—	300mg/일 미만

한국영양학회, 한국인영양섭취기준위원회, 2015

표 6-3-2 한국인 영양섭취기준(KDRIs: Dietary Reference Intakes for Koreans)-다량영양소

성별	연령	신장 (cm)	체중 (kg)	에너지 (kcal/일) 필요추정량	탄수화물 (g/일) 충분섭취량	지방 (g/일) 충분섭취량	n-6 불포화지방산(g/일) 충분섭취량	n-3 불포화지방산(g/일) 충분섭취량	단백질 (g/일) 평균필요량	단백질 (g/일) 권장섭취량	단백질 (g/일) 충분섭취량	식이섬유 (g/일) 충분섭취량	수분 (ml/일) 충분섭취량 액체	수분 (ml/일) 충분섭취량 총수분
영아	0~5개월	60.3	6.2	550	55	25	2.0	0.3			9.5		700	700
	6~11개월	72.2	8.9	700	90	25	4.5	0.8	10	15			500	800
유아	1~2세	86.4	12.5	1,000					12	15		10	800	1,100
	3~5세	105.4	17.4	1,400					15	20		15	1,100	1,500
남자	6~8세	126.4	26.5	1,700					25	20		20	900	1,800
	9~11세	142.9	38.2	2,100					35	40		20	1,000	2,000
	12~14세	163.5	52.9	2,500					45	50		25	1,000	2,300
	15~18세	173.3	63.1	2,700					50	65		25	1,200	2,600
	19~29세	174.8	68.7	2,600					50	65		25	1,200	2,600
	30~49세	172.0	66.6	2,400					50	60		25	1,200	2,500
	50~64세	168.4	63.8	2,200					50	60		25	1,000	2,200
	65~74세	164.9	61.2	2,000					45	55		25	1,000	2,100
	75세 이상	163.3	60.0	2,000					45	55		25	1,000	2,100
여자	6~8세	125	25	1,500					20	25		20	900	1,700
	9~11세	142.9	35.7	1,800					30	40		20	900	1,900
	12~14세	158.1	48.5	2,000					40	50		20	900	2,000
	15~18세	160.9	53.1	2,000					40	50		20	900	2,000
	19~29세	161.5	56.1	2,100					45	55		20	1,000	2,100
	30~49세	159	54.4	1,900					40	50		20	1,000	2,000
	50~64세	155.4	51.9	1,800					40	50		20	900	1,900
	65~74세	152.1	49.7	1,600					40	45		20	900	1,800
	75세 이상	147.1	46.5	1,600					40	45		20	900	1,800
임산부[1]				+0/+340/+450					+12/+25	+15/+30		+5		+200
수유부				+/320					+20	+25		+5	+500	+700

[1] 에너지: 임신부 1, 2, 3분기별 부가량, 단백질: 임신부 2, 3 분기별 부가량

표 6-3-3 한국인 영양섭취기준(KDRIs: Dietary Reference Intakes for Koreans)-지용성비타민

성별	연령	비타민 A(μgRE/일)				비타민 D(μg/일)				비타민 E(mg α-TE/일)				비타민 K(μg/일)			
		평균필요량	권장섭취량	충분섭취량	상한섭취량*	평균필요량	권장섭취량	충분섭취량	상한섭취량	평균필요량	권장섭취량	충분섭취량	상한섭취량**	평균필요량	권장섭취량	충분섭취량	상한섭취량
영아	0~5개월			350	600			5	25			3				4	
	6~11개월			450	600			5	25			4				7	
유아	1~2세	200	300		600			5	30			5	200			25	
	3~5세	230	350		700			5	35			6	250			30	
남자	6~8세	320	450		1,000			5	40			7	300			45	
	9~11세	420	600		1,500			5	60			9	400			55	
	12~14세	540	750		2,100			10	100			10	400			70	
	15~18세	620	850		2,300			10	100			11	500			80	
	19~29세	570	800		3,000			10	100			12	540			75	
	30~49세	550	750		3,000			10	100			12	540			75	
	50~64세	530	750		3,000			10	100			12	540			75	
	65~74세	500	700		3,000			15	100			12	540			75	
	75세 이상	500	700		3,000			15	100			12	540			75	
여자	6~8세	290	400		1,000			5	40			7	300			45	
	9~11세	380	550		1,500			5	60			9	400			55	
	12~14세	470	650		2,100			10	100			10	400			65	
	15~18세	440	600		2,300			10	100			11	500			65	
	19~29세	460	650		3,000			10	100			12	540			65	
	30~49세	450	650		3,000			10	100			12	540			65	
	50~64세	430	600		3,000			10	100			12	540			65	
	65~74세	410	550		3,000			15	100			12	540			65	
	75세 이상	410	550		3,000			15	100			12	540			65	
임산부		+50	+70		3,000			+0	100			+0	540			+0	
수유부		+350	+490		3,000			+0	100			+3	540			+0	

*상한섭취량(μg/일)

한국영양학회, 한국인영양섭취기준위원회, 2015

표 6-3-4 한국인 영양섭취기준(KDRIs: Dietary Reference Intakes for Koreans)-수용성비타민

성별	연령	비타민 C(mg/일)				티아민(mg/일)				리보플라빈(mg/일)				니아신(mg NE/일)				
		평균필요량	권장섭취량	충분섭취량	상한섭취량	평균필요량	권장섭취량	충분섭취량	상한섭취량	평균필요량	권장섭취량	충분섭취량	상한섭취량	평균필요량	권장섭취량	충분섭취량	상한섭취량[1]	상한섭취량[2]
영아	0~5개월			35				0.2				0.3				2		
	6~11개월			40				0.3				0.4				3		
유아	1~2세	30	40		350	0.4	0.5			0.5	0.6			4	6		10	180
	3~5세	30	40		500	0.4	0.5			0.5	0.6			5	7		10	250
남자	6~8세	40	55		700	0.6	0.7			0.7	0.9			7	9		15	350
	9~11세	55	70		1,000	0.7	0.9			1.0	1.2			9	12		20	500
	12~14세	70	90		1,400	1.0	1.1			1.2	1.5			11	15		25	700
	15~18세	80	105		1,500	1.1	1.3			1.4	1.7			13	17		30	800
	19~29세	75	100		2,000	1.0	1.2			1.3	1.5			12	16		35	1,000
	30~49세	75	100		2,000	1.0	1.2			1.3	1.5			12	16		35	1,000
	50~64세	75	100		2,000	1.0	1.2			1.3	1.5			12	16		35	1,000
	65~74세	75	100		2,000	1.0	1.2			1.3	1.5			12	16		35	1,000
	75세 이상	75	100		2,000	1.0	1.2			1.3	1.5			12	16		35	1,000
여자	6~8세	45	60		700	0.6	0.7			0.6	0.8			7	9		15	350
	9~11세	60	80		1,000	0.7	0.9			0.8	1.0			9	12		20	500
	12~14세	75	100		1,400	0.9	1.1			1.0	1.2			11	15		25	700
	15~18세	70	95		1,500	1.0	1.2			1.0	1.2			11	14		30	800
	19~29세	75	100		2,000	0.9	1.1			1.0	1.2			11	14		35	1,000
	30~49세	75	100		2,000	0.9	1.1			1.0	1.2			11	14		35	1,000
	50~64세	75	100		2,000	0.9	1.1			1.0	1.2			11	14		35	1,000
	65~74세	75	100		2,000	0.9	1.1			1.0	1.2			11	14		35	1,000
	75세 이상	75	100		2,000	0.9	1.1			1.0	1.2			11	14		35	1,000
임산부		+10	+10		2,000	+0.4	+0.4			+0.3	+0.4			+3	+4		35	1,000
수유부		+35	+40		2,000	+0.3	+0.4			+0.4	+0.5			+2	+3		35	1,000

성별	연령	비타민 B6(mg/일)				엽산(μgDFE/일)				비타민 B12(μg/일)				판토텐산(mg/일)				비오틴(μg/일)			
		평균필요량	권장섭취량	충분섭취량	상한섭취량	평균필요량	권장섭취량	충분섭취량	상한섭취량	평균필요량	권장섭취량	충분섭취량	상한섭취량	평균필요량	권장섭취량	충분섭취량	상한섭취량	평균필요량	권장섭취량	충분섭취량	상한섭취량
영아	0~5개월			0.1				65				0.3				1.7				5	
	6~11개월			0.3				80				0.5				1.9				7	
유아	1~2세	0.5	0.6		25	120	150		300	0.8	0.9					2				9	
	3~5세	0.6	0.7		35	150	180		400	0.9	1.1					2				11	
남자	6~8세	0.7	0.9		45	180	220		500	1.1	1.3					3				15	
	9~11세	0.9	1.1		55	250	300		600	1.5	1.7					4				20	
	12~14세	1.3	1.5		60	300	360		800	1.9	2.3					5				25	
	15~18세	1.5	1.5		65	320	400		900	2.2	2.7					6				30	
	19~29세	1.3	1.5		100	320	400		1,000	2.0	2.4					5				30	
	30~49세	1.3	1.5		100	320	400		1,000	2.0	2.4					5				30	
	50~64세	1.3	1.5		100	320	400		1,000	2.0	2.4					5				30	
	65~74세	1.3	1.5		100	320	400		1,000	2.0	2.4					5				30	
	75세 이상	1.3	1.5		100	320	400		1,000	2.0	2.4					5				30	
여자	6~8세	0.7	0.9		45	180	220		500	1.1	1.3					3				15	
	9~11세	0.9	1.1		55	250	300		600	1.5	1.7					4				20	
	12~14세	1.2	1.4		60	300	360		800	1.9	2.3					5				25	
	15~18세	1.2	1.4		65	320	400		900	2.0	2.4					5				30	
	19~29세	1.2	1.4		100	320	400		1,000	2.0	2.4					5				30	
	30~49세	1.2	1.4		100	320	400		1,000	2.0	2.4					5				30	
	50~64세	1.2	1.4		100	320	400		1,000	2.0	2.4					5				30	
	65~74세	1.2	1.4		100	320	400		1,000	2.0	2.4					5				30	
	75세 이상	1.2	1.4		100	320	400		1,000	2.0	2.4					5				30	
임산부		+0.7	+0.8		100	+200	+200		1,000	+0.2	+0.2					+1				+0	
수유부		+0.7	+0.8		100	+130	+150		1,000	+0.3	+0.4					+2				+5	

표 6-3-5 한국인 영양섭취기준(KDRIs: Dietary Reference Intakes for Koreans)-다량무기질

성별	연령	칼슘(mg/일)				인(mg/일)				나트륨(mg/일)				
		평균필요량	권장섭취량	충분섭취량	상한섭취량	평균필요량	권장섭취량	충분섭취량	상한섭취량	평균필요량	권장섭취량	충분섭취량	상한섭취량	목표량
영아	0~5개월			210	1,000			100				120		
	6~11개월			300	1,500			300				370		
유아	1~2세	390	500		2,500	380	450		3,000			900		
	3~5세	470	600		2,500	460	550		3,000			1,000		
남자	6~8세	580	700		2,500	490	600		3,000			1,200		
	9~11세	650	800		3,000	1,000	1,200		3,500			1,400		2,000
	12~14세	800	1,000		3,000	1,000	1,200		3,500			1,500		2,000
	15~18세	720	900		3,000	1,000	1,200		3,500			1,500		2,000
	19~29세	650	800		2,500	580	700		3,500			1,500		2,000
	30~49세	630	800		2,500	580	700		3,500			1,500		2,000
	50~64세	600	750		2,000	580	700		3,500			1,500		2,000
	65~74세	570	700		2,000	580	700		3,500			1,300		2,000
	75세 이상	570	700		2,000	580	700		3,000			1,100		2,000
여자	6~8세	580	700		2,500	450	550		3,000			1,200		
	9~11세	650	800		3,000	1,000	1,200		3,500			1,400		2,000
	12~14세	740	900		3,000	1,000	1,200		3,500			1,500		2,000
	15~18세	660	800		3,000	1,000	1,200		3,500			1,500		2,000
	19~29세	530	700		2,500	580	700		3,500			1,500		2,000
	30~49세	510	700		2,500	580	700		3,500			1,500		2,000
	50~64세	580	800		2,000	580	700		3,500			1,500		2,000
	65~74세	560	800		2,000	580	700		3,500			1,300		2,000
	75세 이상	560	800		2,000	580	700		3,000			1,100		2,000
임산부		+0	+0		2,500	+0	+0		3,000			1,500		2,000
수유부		+0	+0		2,500	+0	+0		3,500			1,500		2,000

성별	연령	염소(mg/일)				칼륨(mg/일)				마그네슘(mg/일)			
		평균필요량	권장섭취량	충분섭취량	상한섭취량	평균필요량	권장섭취량	충분섭취량	상한섭취량	평균필요량	권장섭취량	충분섭취량	상한섭취량*
영아	0~5개월			180				400				30	
	6~11개월			560				700				55	
유아	1~2세			1,300				2,000		65	80		65
	3~5세			1,500				2,300		85	100		90
남자	6~8세			1,900				2,600		135	160		130
	9~11세			2,100				3,000		190	230		180
	12~14세			2,300				3,500		265	320		250
	15~18세			2,300				3,500		335	400		350
	19~29세			2,300				3,500		295	350		350
	30~49세			2,300				3,500		305	370		350
	50~64세			2,300				3,500		305	370		350
	65~74세			2,000				3,500		305	370		350
	75세 이상			1,700				3,500		305	370		350
여자	6~8세			1,900				2,600		125	150		130
	9~11세			2,100				3,000		180	210		180
	12~14세			2,300				3,500		245	290		250
	15~19세			2,300				3,500		285	340		350
	20~29세			2,300				3,500		235	280		350
	30~49세			2,300				3,500		235	280		350
	50~64세			2,300				3,500		235	280		350
	65~74세			2,000				3,500		235	280		350
	75세 이상			1,700				3,500		235	280		350
임산부				2,300				+0		+32	+40		350
수유부				2,300				+400		+0	+0		350

*식품외 급원의 마그네슘에만 해당

한국영양학회, 한국인영양섭취기준위원회, 2015

표 6-3-6   한국인 영양섭취기준(KDRIs: Dietary Reference Intakes for Koreans)-미량무기질

성별	연령	철(mg/일) 평균필요량	권장섭취량	충분섭취량	상한섭취량	아연(mg/일) 평균필요량	권장섭취량	충분섭취량	상한섭취량	구리(µg/일) 평균필요량	권장섭취량	충분섭취량	상한섭취량	불소(mg/일) 평균필요량	권장섭취량	충분섭취량	상한섭취량
영아	0~5개월			0.3	40			2				225				0.01	0.6
	6~11개월	5	6		40	2	3					290				0.5	0.9
유아	1~2세	4	6		40	2	3		6	220	280		1,500			0.6	1.2
	3~5세	5	6		40	3	4		9	250	320		2,000			0.8	1.7
남자	6~8세	7	9		40	5	6		13	340	440		3,000			1.0	2.5
	9~11세	8	10		40	7	8		20	440	580		5,000			2.0	10
	12~14세	11	14		40	7	8		30	570	740		7,000			2.5	10
	15~18세	11	14		45	8	10		35	650	840		7,000			3.0	10
	19~29세	8	10		45	8	10		35	600	800		10,000			3.5	10
	30~49세	8	10		45	8	10		35	600	800		10,000			3.0	10
	50~64세	7	10		45	8	9		35	600	800		10,000			3.0	10
	65~74세	7	9		45	7	9		35	600	800		10,000			3.0	10
	75세 이상	7	9		45	7	9		35	600	800		10,000			3.0	10
여자	6~8세	6	8		40	4	5		13	340	440		3,000			1.0	2.5
	9~11세	7	10		40	6	8		20	440	580		5,000			2.0	10
	12~14세	13	16		40	6	8		25	570	740		7,000			2.5	10
	15~18세	11	14		45	7	9		30	650	840		7,000			2.5	10
	19~29세	11	14		45	7	8		35	600	800		10,000			3.0	10
	30~49세	11	14		45	7	8		35	600	800		10,000			2.5	10
	50~64세	6	8		45	6	7		35	600	800		10,000			2.5	10
	65~74세	6	8		45	6	7		35	600	800		10,000			2.5	10
	75세 이상	5	7		45	6	7		35	600	800		10,000			2.5	10
임산부		+8	+10		45	+2	+2.5		35	+100	+130		10,000			+0	
수유부		+0	+0		45	+4	+5.0		35	+370	+480		10,000			+0	10

성별	연령	망간(mg/일) 평균필요량	권장섭취량	충분섭취량	상한섭취량	요오드(µg/일) 평균필요량	권장섭취량	충분섭취량	상한섭취량	셀레늄(µg/일) 평균필요량	권장섭취량	충분섭취량	상한섭취량	몰리브덴(µg/일) 평균필요량	권장섭취량	충분섭취량	상한섭취량
영아	0~5개월			0.01				130	250			9	45				
	6~11개월			0.8				170	250			11	60				
유아	1~2세			1.5	2	55	80		300	19	23		75				100
	3~5세			2.0	3	65	90		300	22	25		100				100
남자	6~8세			2.5	4	75	100		500	30	34		150				200
	9~11세			3.0	5	85	110		500	39	45		200				300
	12~14세			4.0	7	90	130		1,800	49	60		300				400
	15~18세			4.0	9	95	130		2,200	55	65		300				500
	19~29세			4.0	11	95	150		2,400	50	60		400	25	30		550
	30~49세			4.0	11	95	150		2,400	50	60		400	20	25		550
	50~64세			4.0	11	95	150		2,400	50	60		400	20	25		550
	65~74세			4.0	11	95	150		2,400	50	60		400	20	25		550
	75세 이상			4.0	11	95	150		2,400	50	60		400	20	25		550
여자	6~8세			2.5	4	75	100		500	30	35		150				200
	9~11세			3.0	5	85	110		500	39	45		200				300
	12~14세			3.5	7	90	130		2,000	49	60		300				400
	15~18세			3.5	9	95	130		2,200	55	65		300				400
	19~29세			3.5	11	95	150		2,400	50	60		400	20	25		450
	30~49세			3.5	11	95	150		2,400	50	60		400	20	25		450
	50~64세			3.5	11	95	150		2,400	50	60		400	20	25		450
	65~74세			3.5	11	95	150		2,400	50	60		400	20	25		450
	75세 이상			3.5	11	95	150		2,400	50	60		400	20	25		450
임산부				+0	11	+65	+90		400	+3	+4		400				450
수유부				+00	11	+130	+190			+9	+10		400				450

한국영양학회, 한국인영양섭취기준위원회, 2010

표 6-4 식품의 분류

식품군	식품명
곡류	쌀, 보리, 콩, 팥, 옥수수, 밀, 고구마, 토란, 밤, 밀가루, 미싯가루, 국수류, 떡류, 과자류, 캔디, 쵸코렛, 설탕, 굴, 메밀묵, 도토리묵, 녹두묵, 감자, 라면, 엿기름
채소류	시금치, 당근, 쑥갓, 상치, 풋고추, 부추, 깻잎, 배추, 무, 양파, 파, 오이, 양배추, 콩나물, 숙주, 각종 김치, 미역, 다시마, 파래, 김, 톳, 느타리버섯, 표고버섯, 양송이버섯, 팽이버섯
과일류	토마토, 사과, 귤, 감, 딸기, 포도, 배, 참외, 수박, 과일쥬스, 과일 통조림
고기, 생선, 계란, 콩류	쇠고기, 돼지고기, 닭고기, 오리고기, 땅콩, 아몬드, 호두, 잣, 해바라기씨, 호박씨, 생선, 조개, 굴, 두부, 콩, 된장, 달걀, 햄, 베이컨, 소시지, 치즈, 두유, 생선묵, 갈치, 뱅어포, 잔멸치
우유 및 유제품	우유, 분유, 아이스크림, 요구르트, 치즈
유지, 당류	참기름, 콩기름, 옥수수기름, 면실류, 들기름, 버터, 마가린, 깨, 실백, 마요네즈, 포도씨유, 설탕, 물엿

표 6-5 식품군별 대표식품의 1인 1회 분량(serving size)

식품군	1인 1회 분량
곡류	밥 1공기(210g), 국수 1대접(건면 90g), 식빵(35g)*, 감자(중) 1개(140g)*, 씨리얼 1접시(30g)*, 과자(30g)*, 당면(30g)*
고기, 생선, 계란, 콩류	육류 1접시(생 60g), 닭고기 1조각(생 60g), 고등어(60g), 소시지(30g) 달걀 1개(60g), 두부 2조각(80g), 콩(20g), 잣(10g)*, 땅콩(10g)*
채소류	콩나물 1접시(생 70g), 시금치나물 1접시(생 70g), 배추김치 1접시(40g), 오이(70g), 버섯 1접시(생 30g), 물미역 1접시(생 30g), 김(2g), 열무김치(40g), 토마토(70g)
과일류	사과(중) 1/2개(100g), 귤(100g), 참외(중) 1/2개(150g), 포도(중) 15알(100g), 오렌지(100g), 복숭아(100g), 바나나(100g)
우유 및 유제품류	우유 1컵(200ml), 치즈 1장(20g)*, 호상요구르트(100g), 액상요구르트(150ml), 아이스크림(100g)
유지, 당류	식용유 1작은술(5g), 버터 1작은술(5g), 마요네즈 1작은술(5g), 설탕 1큰술(10g), 깨(5g), 물엿(10g), 꿀(10g)

*0.3회

설정하였다(표 6-5).

한편 식사구성안을 일상생활에 적용할 때에는 같은 식품군내에 있는 여러가지 식품들을 번갈아 골고루 섭취하도록 식단을 구성해야 한다. 왜냐하면 비록 동일한 식품군에 속한 식품들일지라도 각각 그 종류에 따라 실제 영양소 함량에 차이가 있기 때문이다.

3) 식품구성 자전거

식품구성 자전거는 6개의 식품군에 권장식사패턴의 섭취 횟수와 분량에 맞추어 바퀴 면적을 배분한 형태로, 기존의 식품 구성탑보다 다양한 식품 섭취를 통한 균형 잡힌 식사와 수분 섭취의 중요성 그리고 적절한 운동을 통한 비만 예방이라는 기본 개념을 나타낸다(그림 6-1).

3. 영양에 영향을 미치는 요인

1) 성장과 발달

인간의 성장과 발달 단계에 따라 영양과 관련된 요구가 달라지므로 이에 대한 사정과 중재가 필요하다. 영아, 청소년기, 임신, 수유기에는 영양 요구가 증가하고 노인기에 칼로리 요구량이 감소하면서 질환과 관련된 식생활의 변화가 뒤따라야한다.

(1) 영아기

영아기는 출생 후 가장 빠른 성장 시기로 에너지 요구량이 많다. 생후 4개월에는 출생시 체중의 2배, 생후 12개월에는 3배가 된다. 에너지 필요 추정량은 첫 6개월 동안은 550kcal/일, 그후 1세까지는 700kcal/일이다.

영아기에는 위의 용량이 제한되고 연동운동이 빠르므로 적은 양을 자주 먹이는 것이 필요하다. 출생 후 2~3개월까지는 아밀라아제(전분 소화 효소)가 제한되어 전분 소화(예, 조리된 곡류)가 이루어지지 못한다. 모유는 영양이 풍부하여 생후 첫 6개월까지 가장 좋은 음식물이다. 모유영양을 할 때에는 철분, 불소, 비타민 C, D를 보충해야 한다. 인공수유를 하는 영아는 출생 4시간 후 5~10%의 포도당을 준 다음 이를 잘 받아들이면 희석된 조제유를 먹이면서 점차 농도를 짙게 한다.

이유보충식은 생후 만4개월 이후 6개월 사이에 시작하며, 한 번에 여러 식품을 섞지 말고 한가지씩 먹여보고 알레르기 반응이 나타나는지 유의한다. 먹일 때는 스푼을 이용하여 떠 먹인다.

(2) 유아기와 학령전기

이 시기에는 영아기에 비해 성장률이 감소되어 에너지 필요 추정량에는 큰 변화가 없어 1~2세는 1000kcal/일, 3~5세는 1400kcal/일 이다. 음식 요구가 감소되어 식욕이 저하되고 매우 변덕스럽다. 2~3세에는 유치가 나고 근육의 면적과 뼈의 밀도가 증가되는 시기로 적절한 단백질, 칼슘, 인이 필요하다.

또한 식사 도구를 조작하는 능력이 생기면서 식사를 스스로 할 수 있게된다. 정신력과 언어능력이 발달되어 좋아하는 음식과 싫어하는 음식에 대해 의사소통이 가능해 진다. 이 시기는 식이에 대한 가치와 태도가 형성되는 시기이므로 좋은 식습관을 형성하도록 돕는 것이 중요한 과제이다. 또한 철분 부족으로 인한 빈혈이 올 수 있으므로 철분이 충분히 함유된 음식과 비타민 A와 C가 풍부한 음식을 선택한다.

(3) 학동기

학동기 아동은 성장 속도가 매우 느리며 그 유형도 일정하지

그림 6-1 식품구성 자전거 / 자료 출처: 보건복지부, 2015 한국인 영양섭취 기준

않고, 개인차가 매우 심하다. 소화기계는 완전히 성숙하며 유아보다 식욕이 왕성하며 음식 섭취도 매우 다양하다. 영구치가 나오는 시기이므로 불소, 비타민 A와 D, 칼슘, 인 등 치아 건강에 중요한 영양소 섭취가 중요하다.

(4) 청소년기

청소년기는 신체적, 정서적, 사회적, 성적 성숙이 빠른 시기이다. 소년은 근육 면적, 신체 조직, 뼈 등이 증가하고 소녀는 월경을 시작하고 체지방이 많이 축적된다.

12~14세에 에너지 필요 추정량은 남자의 경우 평균 2500kcal, 여자의 경우 평균 2000kcal이며, 15~18세에 에너지 필요 추정량은 남자의 경우 평균 2700kcal, 여자의 경우 평균 2000kcal이다.

단백질의 권장 섭취량은 12~14세의 경우 하루 45~50g이며, 15~18세의 경우 하루 45~55g이다. 칼슘은 급격한 골격 성장에 반드시 필요하며 하루 800~1000mg이 요구된다. 특히 소녀들은 월경이 시작되므로 철분 보충이 필요하다.

청소년기는 자신의 체격이나 운동 등에 대한 관심과 관련되어 식습관의 변화가 심하며, 사회적인 압력과 정서적 스트레스는 적절한 식이를 유지하는데 장애물이 될 수도 있다.

또한 가정에서 식사를 하는 시간이 줄어들고 인스턴트 식품, 탄산 음료 등을 선호하게 된다. 이러한 사회, 환경적, 신체적 변화와 조화를 이루는 적절한 식습관의 유지는 청소년기 건강유지에 중요한 열쇠가 된다. 따라서 물을 자주 충분히 마시고, 탄산음료, 가당음료는 적게 마시도록 노력하며, 술은 절대로 마시지 않도록 해야한다.

(5) 성인기

성인기 동안은 성장이 멈추고 대사 과정이 지연되어 칼로리 요구량이 감소한다. 즉, 신체적 활동은 감소하고 에너지 대사가 감소하므로 칼로리 섭취가 감소되지 않으면 비만이 유발될 수 있다.

폐경기 여성에게는 칼슘 부족과 골다공증이 흔히 나타난다. 성인기 동안은 칼슘의 권장섭취량은 650~700mg/일로 특히 뼈의 양이 최고의 수준에 도달하는 30세 이전부터 적절하게 섭취하도록 유지관리해야 한다.

(6) 임신과 수유기

임신 동안 충분한 영양 섭취는 건강한 태아를 출생하는데 큰 도움이 된다. 임산부의 에너지 요구량은 체중 및 신체 활동량과 관련된다. 임신 첫 3개월동안은 음식 섭취의 질적인 면을 강조하고 필수 영양소가 균형있게 공급되어야 한다.

임산부의 체중은 임신 첫 3개월까지는 주당 0.4kg 가량 증가하는 것이 적당하고 임신 말기까지 전체 체중 증가는 10~15kg

가량이 적당하다. 열량은 임신중기에는 임신 전보다 340kcal 정도, 임신 말기에는 450kcal 정도가 더 필요하다. 임신기간 동안 단백질은 태아, 자궁, 유선, 태반 및 양수의 발달, 혈액 생산 및 단백질 저장의 증가를 위해 필요하다. 따라서 단백질의 권장 섭취량은 임신 2분기는 임신전보다 15g이 더 필요하고 임신 3분기에는 30g을 더 추가시킨다.

칼슘은 태아의 치아, 골격발달 및 혈액응고에 필요하며 1000mg/일로 증가시킨다. 철분은 분만하는 동안의 혈액소실, 태아발육, 태반형성 및 모체 혈량 증가 등을 위해 필요하므로 24mg/일을 권장하고 있다. 기타 갑상선 활동에 필요한 요오드와 세포의 발달과 활발한 대사활동에 필요한 각종 비타민도 증가시킨다.

수유부는 보다 더 많은 영양학적 지지가 필요하다. 수유부는 임산부에 비해 엽산, 철분 필요량은 적지만 열량, 단백질, 비타민 A, E, C, 리보플라빈, 나이아신, B₆, 칼슘, 인, 요오드, 아연의 필요량은 증가한다. 무기질과 비타민 D, B₁은 임신기와 동일하다. 또한 충분한 수분섭취도 반드시 필요하다.

(7) 노인기

노인기에는 청장년기에 비해 1일 에너지 필요량은 감소하나 단백질 요구량은 거의 차이가 없다.

장기의 기능 저하, 활동량 감소로 에너지 요구량이 감소되므로, 성인기와 같은 양을 섭취하면 비만이 된다. 또한 연동 운동지연, 수분 부족 등으로 변비가 올 수 있으므로, 수분섭취를 증가시키고 섬유질이 풍부한 식사가 필요하다.

식물성 섬유질은 당질의 소화 흡수를 지연시켜 당뇨병의 예방에도 효과가 있다. 또한 골다공증의 문제가 크므로 칼슘의 섭취도 중요하다. 한국인 영양섭취 기준에서는 700mg/일의 칼슘 섭취를 권하고 있다.

또한 시력의 저하, 관절염, 뇌졸중 등으로 인한 신체적 장애와 수입의 감소 등으로 음식 준비가 어렵거나 불가능할 수도 있다. 미각을 상실하기 시작하여 쓴맛과 신맛은 유지되지만, 단맛과 짠맛을 잊어버리므로 설탕과 소금 섭취가 증가하여 식욕부진이 올 수도 있다. 햇볕을 자주 쬐어 비타민 D의 공급을 유지해야하며 더운 날씨에는 발한으로 인한 나트륨 감소에 주의해야 한다.

2) 건강상태

개인의 건강상태에 따라 영양의 불균형이 나타날 수 있다. 대개 건강상태가 좋지 않을 때 음식물 섭취에 어려움을 느끼며, 이로 인해 이차적인 문제를 가져올 수 있다. 즉 치아 손실, 부정교합, 또는 구내염이 있을 때 음식을 씹기가 어려우며, 인후염이나 식도 협착으로 음식을 삼키기 어려울 수 있다. 또한 건강상태에 따라 영양요구량에서도 차이가 있다. 고열이 있을 때에는 고칼로리와 수분을 요구하지만, 미열이 있는 경우에는 필요로 하는 칼로리와 수분의 양이 비교적 적다.

3) 알코올 섭취

알코올은 인체의 영양소 사용에 영향을 미친다. 알코올은 소장점막에서 영양소 흡수를 방해하며, 영양소 흡수의 효율성 감소로 영양요구량은 증가하게 된다. 또한 알코올 대사에 필요한 비타민B의 요구량도 증가한다. 알코올은 영양소 저장을 방해하고, 영양소의 분해와 배설을 증가시킨다.

4) 약물

약물은 영양소의 흡수 및 대사에 영향을 미친다. 일부 약물은 위장관계의 pH를 변화시키고, 위장 운동을 증가시키거나 소장점막을 손상시켜 영양소 흡수에 영향을 미친다. 또한 신장의 재흡수 및 배설 과정을 변화시켜 영양소 배설을 저하시키거나 증가시키기도 한다.

5) 종교

종교에 따라 음식을 제한할 수 있으며, 이는 영양 상태에 영향을 미치는 요인이 될 수 있다. 천주교에서는 특정일에 육류를 피하고, 유대교와 이슬람교에서는 돼지고기를 제한한다. 간호사는 대상자의 종교적 식이 행위에 민감하게 반응해야 한다.

6) 경제적 자원

경제적 상태는 음식의 선택에 영향을 미칠 수 있다. 수입이 많은 사람은 수입이 적은 사람은 수입이 많은 사람에 비해 신선하고 질 높은 식품을 구입하는 것이 쉽지 않다. 효율적인 지출을 위해서 적당한 영양소가 포함되어 있는 제철 식품을 선택하여 집에서 쉽게 조리할 수 있는 것을 선택하는 것이 중요하다.

II. 영양요구 사정

1. 간호력

1) 식이력

식이력에는 좋아하는 음식, 싫어하는 음식, 음식 알레르기, 제한하는 음식, 1일 수분 섭취량, 섭취 양상과 습관, 건강력 및 음식 구매와 준비에 관한 정보가 포함되어야 한다. 경우에 따라서 간호사는 24시간 동안 대상자가 섭취하는 음식물의 종류와 빈도를 조사하여 포괄적으로 식이력을 분석해야 한다.

다음은 불량한 영양 상태와 관련된 위험 요소로 볼 수 있다.

- 심한 과체중이거나 저체중
- 15% 이상의 체중 감소
- 5일 이상 단순 정맥 요법(예: 5% dextrose water 공급)만으로 금식을 유지하는 경우
- 설사, 구토, 화상 등이 심한 경우
- 열, 화상, 외상 등 대사 요구량이 증가하는 경우
- 화학요법이나 이화작용을 증진시키는 약물을 투여받는 경우

2) 의학 · 사회 · 경제적 상태

의학 · 사회 · 경제적 상태는 대상자의 영양요구에 영향을 미칠 수 있다. 마약, 비타민과 무기질, 인슐린, 제산제, 화학요법, 스테로이드 등을 포함하여 현재와 과거에 복용한 약물 저작과 연하 능력(구강 건강, 치아상태, 의치 사용 여부 등도 포함), 식욕, 배변 습관 등을 파악한다. 또한 대상자의 현재의 질병 뿐 아니라 과거 질병, 수술력을 파악하고 대상자의 연령, 성별, 가족력, 교육적 배경, 직업, 운동, 수면 습관, 종교, 문화적 배경, 알코올, 담배, 수입원 등을 고려해야 한다.

2. 신체검진

신체의 전반적 관찰은 영양상태를 파악하는데 중요한 정보를 제공한다. 영양 상태가 양호한 대상자는 활기가 있고 바른 자세를 유지하며 피부, 모발, 손, 발톱이 건강하게 보인다.

1) 신체 계측

신체계측은 인체 치수를 측정하는 것이다. 성장기에는 성장률을 사정할 수 있으며, 성인의 경우 단백질과 지방의 저장 정도를 파악할 수 있다. 정확한 측정을 위해 측정자 훈련이 필요하며 표준화된 기구를 이용해야 한다.

(1) 신장과 체중

체중은 연령, 성별, 신장에 따라 표준 체중이 달라진다. 표준 체중(ideal body weight;이상 체중)은 최적의 건강을 유지하기 위한 적절한 체중을 의미한다. 표준체중은 일반적으로 변형된 브로카법을 이용하여 산출하며 표준체중에 대한 백분율로 그 적절성을 판정한다(표 6-6).

(2) 체질량 지수

비만을 판정하는 기준으로 BMI을 사용하는 경우가 많다.
$$BMI = 체중(Kg)/신장(m^2)$$
<판정기준> 저체중 18.5 미만, 정상 18.5-23 미만, 과체중 23-25 미만, 비만 25 이상, 고도비만 30 이상

표 6-6　표준체중 산출방법과 판정기준

표준체중 산출방법	판정기준
150cm 미만 : (신장-100)×1	90% 이하 : 저체중
150~160cm 미만 : (신장-150)/2 + 50	90~110% : 정상체중
161cm 이상 : (신장-100)×0.9	110~120% : 과체중
	120~150% : 비만
	150% 이상 : 고도비만

(3) 삼두근 피하 지방 두께 측정

피하조직에 축적된 지방의 두께(skin fold)를 측정하여 영양상태를 평가하며 주로 삼두박근(triceps)을 이용한다. 좌측 상박의 중간부위의 뒤쪽 피부, 즉 견갑골의 견봉돌기와 척골의 주두돌기의 중간 부위 피부를 측정자가 집어 올린 뒤 피부 두께 측정기(그림 6-2)를 삽입하여 수치를 측정한다.

측정 오차를 줄이기 위해 측정자의 훈련이 필요하며, 3회 이상 측정하여 그 평균값을 산출하는 것이 좋다. 정상 삼두박근 피부 두께는 건강한 성인 남자가 평균 12.5mm이고, 성인 여자는 16.5mm이다(그림 6-3).

(4) 중간 상박 둘레와 중간 상박 근육 둘레

중간 상박 둘레(mid arm circumference, MAC)는 체중과 상관관계를 보이며 영양불량이나 기아상태를 파악하는데 도움이 된다. 서있는 자세에서 견갑골의 견봉돌기와 척골의 주두 돌기의 중간 부위의 상박둘레를 줄자로 측정한다(그림 6-4). 평균 중간 상박 둘레는 남성이 293mm, 여성이 285mm이다. 또한 근육은 단백질의 주요 저장소로 중간 상박 근육의 둘레(mid-arm muscle circumference, MAMC)는 단백질 저장 상태를 평가하는데 도움이 된다. 중간 상박 근육 둘레는 골격근의 크기와 지방 축적을 평가할 수 있는 방법으로 중간 상박 둘레(MAC)와 삼두박근 두께(triceps skin fold, TSF)측정값을 이용하여 간접적으로 산출할 수 있다. 남자의 평균 중간 상박 근육 둘레는 253mm, 여자는 233mm이다.

$$MAMC(mm) = [MAC(mm) - 0.314] \times TSF(mm)$$

2) 임상적 관찰

신체 검진에서는 전반적인 외모, 모발, 입술, 피부, 근육 등의 시진과 촉진을 통해 영양 상태를 파악할 수 있다. 표 6-7은 영양 상태를 나타내는 증상 및 증후이다.

3. 진단적 검사

생화학적 자료는 임상적 증상이 나타나기 전에 영양부족 상태를 파악할 수 있는 중요한 자료이며, 필요한 식이 변화를 결정할 수 있다. 일반적으로 이용되는 임상 자료는 헤마토크리트, 헤모글로빈, 알부민, 혈청 트렌스페린, 크레아티닌 제거율이다.

1) 헤마토크리트와 헤모글로빈

헤마토크리트(Hematocrit, Hct)는 혈액 100ml에서 적혈구가 차지하고 있는 용적으로 백분율로 나타낸다. 정상 수치는 남자에서 40~45%, 여자에서 37~45%이다. 헤모글로빈(Hemoglobin, Hg)은 혈액의 산소와 철의 운반능력을 나타낸다. 헤모글로빈은 감염, 출혈, 수분 과잉, 단백질 부족 등에서는 감소하며, 탈수, 다혈구증에서는 증가한다. 헤모글로빈의 정상수치는 남자 13~16.5g/dL, 여자 12~15g/dL이다.

2) 혈청 알부민

인체 단백질의 60%는 근육에 저장되며 기아상태에서 근육에 저장되어있던 아미노산은 간에서 알부민과 다른 단백질을 합성하는데 사용된다. 혈청 알부민(serum albumin) 수치는 나이에 상관없이 일정하지만 영양 불량이나 질병 상태에서는 감소될 수 있다. 알부민이 2.8~3.5g/dl 이면 약간의 영양부족, 2.1~2.7g/dl 이면 중간 정도의 영양부족, 2.1g/dl 이하는 심한 영양부족 상태이다.

3) 혈청 트렌스페린

혈청 트렌스페린(serum transferrin)은 글로블린의 주성분으로 전체 혈장 단백질의 3%를 차지한다. 트렌스페린은 glyco portein 으로서 간에서 합성되고 음식물 중에서 흡수되는 철분과 적혈구 파괴로 생성된 철을 운반한다.

트렌스페린은 알부민 보다 반감기가 짧아 단기간의 단백질 섭취 또는 체단백의 변화 상태를 민감하게 반영한다. 혈청 트렌스페린의 수치가 150~200mg/dl 이면 약간의 영양 부족, 100~150 mg/dl 이면 중간 정도의 영양 부족, 100mg/dl 이면 심한 영양 부족을 의미한다.

4) 크레아티닌 배설

크레아티닌(Creatinine)은 근육의 대사 산물로 생성량은 총 근육질량에 비례하며, 사구체에서 여과되어 소변으로 배설된다. 크레아티닌 신장지수(creatinine height index, CHI)는 소변 중 크레아티닌 배설량과 신장의 기능을 이용하여 단백질 영양 상태를 추정하는 방법으로 실제 24시간 소변 중 크레아티닌 배설양을 24시간 소변 중 이상적인 크레아티닌 예상 배설량으로 나눈 것이다.

그림 6-2 피부두께 측정기

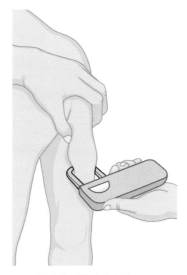

그림 6-3 피부두께 측정

그림 6-4 중간상박둘레

표 6-7 영양상태를 나타내는 증상 및 징후

신체부위	적절한 영양상태	불량한 영양상태
전반적 외모	자극에 민감하게 반응함	무관심, 무감동
전반적 활력	인내심이 있음, 활기참, 수면을 잘 취함	쉽게 피로, 기력부족, 쉽게 잠들지 못함, 무감동, 지쳐보임
머리카락	윤기, 쉽게 빠지지 않음, 건강한 두피	가늘고 건조함, 쉽게 빠짐
피부	부드럽고 촉촉함	거칠고 건조함, 창백, 점상출혈, 좌상
눈	밝고 맑음	안점막이 창백하거나 붉게 됨, 건조
혀	분홍빛이며 촉촉함	축 늘어지고 껍질이 벗겨져 붉음
점막	붉은 분홍빛이며 촉촉함	붉고 건조하고 점막이 헐어 있음
근육	잘 발달되고 견고함, 긴장도가 좋음	근육 긴장도가 약함, 근육 허약
손톱	분홍색, 단단함	쉽게 부서짐, 창백함
신경계	정상적 반사, 의식명료, 주의 집중, 정서적 안정	불안, 우울, 감각이상 및 상실, 반사 감소, 부주의
위장계	입맛이 좋음, 정상적인 소화 및 배설	식욕부진, 소화불량, 변비나 설사
심혈관계	심박동수, 리듬 및 혈압 정상	심장비대, 빈맥, 혈압상승

$$\text{CHI(\%)} = \frac{\text{실제 24시간 소변중 크레아티닌 배설량}}{\text{24시간 소변중 이상적인 크레아티닌} \times 100}$$

신장은 정상적인 생리작용, 식사 또는 요량이나 단백질이화 등의 환경 변화에도 거의 영향을 받지 않는 반면 근육 단백질의 감소는 크레아티닌 배설량을 감소시키게 되므로 결과적으로 크레아티닌 신장지수는 감소하게 된다. 신장지수의 수치가 100%이면 정상적인 근육량, 80~100%는 약간의 체단백 소모, 60~80%는 중정도의 체단백 소모, 60% 이하는 심한 체단백 소모를 의미한다.

제2절
영양 요구와 관련된 간호진단

영양요구와 관련된 NANDA의 대표적인 간호진단은 표 6-8과 같다. 영양소의 섭취가 대사요구보다 과다한 상태인 영양과다,

대사요구에 맞지 않게 영양을 과다하게 섭취할 위험이 있는 상태인 영양과다 위험성, 대사요구를 충족시키기에 불충분한 영양섭취 상태인 영양 부족, 물이나 음식물을 삼키는 능력이 감소된 상태인 연하 장애 등이 있다.

제3절
영양 요구와 관련된 간호계획

다음은 영양요구에 문제가 있는 대상자를 위한 일반적인 간호 목표이다.

- 대상자의 체중은 정상범위 혹은 목표 체중 범위 내에 있다.
- 대상자는 체중 증가 및 감소의 필요성을 알고 있다.
- 대상자는 처방된 식이에 맞는 식단을 작성한다.
- 대상자는 균형된 식이를 섭취한다.
- 대상자와 가족은 영양 부족 및 과다의 위험 요인들을 알고 있다.

제4절
영양 요구와 관련된 간호수행

1. 음식섭취에 대한 간호

간호사는 대상자가 식사를 잘 할 수 있도록 도울 책임이 있다. 식사 전에 손을 깨끗이 씻고 구강을 청결히 하여 식욕을 촉진시킨다. 통증이나 불편감이 있는지 확인하여 편안하게 식사를 할 수 있도록 돕는다. 또한 기동이 전혀 불가능하며 쇠약하거나 의

식장애로 식사를 할 수 없는 대상자는 식사를 도와주어야 한다. 이 경우에도 최대한 독립적으로 식사에 참여하도록 하는 것이 가장 바람직한 방법이다. 대상자의 식사를 도울 때에는 다음의 여러 가지 점에 유의하여야 한다.

- 좌위나 반좌위를 취하여 음식이 기도로 넘어가지 않도록 해야 하며, 이러한 자세가 불가능할 때에는 머리 쪽에 베개를 고인다.
- 타올이나 턱받이를 대준다.
- 대상자에게 식단의 내용을 알려주고 먹는 순서와 속도를 대상자와 상의하여 조절한다.
- 1회 식사량은 소량으로 하여 대상자가 씹거나 삼키기 쉽게 한다.
- 음식의 온도를 확인하여 대상자가 놀라거나 구강내 손상을 입지 않도록 한다.
- 대상자가 좋아하는 음식부터 먹도록 하면 식욕을 자극시킬 수 있다.
- 물이나 국물은 빨대나 컵을 사용하여 먹으면 흘리지 않는다.
- 빵, 떡, 과일 등 대상자가 잡고 먹을 수 있는 음식은 혼자 먹도록 해준다.
- 식반은 음식의 온도를 적절히 유지시키고 이용하기 쉬운 것으로 준비한다.

금식은 특수한 진단적 검사나 수술 전·후에 시행된다. 대상자에게 금식의 이유와 목적을 충분히 설명하고 대상자가 이를 잘 준수할 수 있도록 격려한다. 또한 질병으로 인하여 식습관을 변경시켜야 하는 경우에는 대상자에게 식이요법의 목적과 필요성을 충분히 이해하도록 설명하여야 한다. 갑작스럽게 식습관을 변경하는 것은 대상자에게 어려운 일이므로 지속적인 격려와 지지가 요구된다. 그 이외에도 사회·경제적인 요소, 문화·도덕·종교적 가치관의 문제 등을 고려해야 한다.

표 6-8 영양 요구와 관련된 간호진단

간호진단	관련요인
영양과다	• 식습관 장애 · 정서변화 · 생활양식변화 · 투약 · 대사율 변화 • 가치관/신념의 차이 · 지식부족
영양과다 위험성	• 섭취량 과다 · 정서변화 · 생활양식의 변화 • 가족력(유전적 소인, 임신후의 체중증가)
영양부족	• 흡수장애 · 구강상태변화 · 가치관 · 신념의 차이 · 음식 알레르기 • 임신 대사요구량 증가 : 화상, 감염, 대사율 변화
연하장애	• 신경학적 결손 · 신경근육장애 • 기계적 폐쇄(부종, 기관절개관, 종양) • 구강구조변화 · 구강상태변화 · 의식수준 변화 · 감각장애

2. 치료식이

대상자에게 식사는 영양분을 제공할 뿐 아니라 치료의 일부가 된다. 일반적으로 치료식이는 일반식, 경식, 연식, 유동식으로 나뉘며, 그밖에 저자극성 식이와 저잔여물 식이가 있다.

1) 일반 치료식이

(1) 일반식

일반식이(regular diet, full diet, normal diet)는 일상적으로 먹는 음식으로 대부분의 입원 대상자들에게 제공되는 식사로서 정상식, 표준식, 보통식, 일상식이라 한다. 경우에 따라 소화가 안 되는 튀긴 음식이나 양념이 강한 음식은 제외되기도 한다.

(2) 경식

경식(light diet)은 일반 식이를 약간 변형시킨 것으로 소화가 잘 되도록 간단하게 조리한 식사를 말한다. 연식에서 일반식사로 옮겨가는 단계에서 제공되는 식사이므로 식품 구성은 일반 식사와 마찬가지이나, 보다 소화하기 좋고 위장에 부담없는 식품을 선택해야 한다. 기름진 음식, 생야채나 과일, 가스를 많이 내는 옥수수, 무, 양배추, 오이, 파, 콩류, 풋고추 등은 제외시킨다.

(3) 연식

연식(soft diet)은 많이 씹을 필요가 없고 섬유질이 적게 든 것으로서 양념을 많이 하지 않은 음식이다. 소화되기쉬우므로 위장계 질환이 있거나 수술 후 회복기에 있는 대상자에게 사용되며 액체와 반고형인 식품으로 구성된다. 익힌 음식이나 조리한 음식을 으깨거나 채에 걸러서 부드럽게 하여 쉽게 만들 수 있다. 죽, 야채국, 계란 반숙, 토스트 등이 이에 속한다.

(4) 유동식

유동식(liquid diet)은 전유동식(full liquid diet)과 맑은 유동식(clear liquid diet)이 있다.

① 전유동식

전유동식은 상온에서 액체이거나 액체 상태로 변하는 모든 음식을 말하며 아이스크림, 우유, 곡물 죽(cereal gruels, 오트밀) 등이고 셀룰로오스, 겨자 또는 케첩 같은 자극적 양념과 후추나 고춧가루 같은 양념은 넣지 않는다. 전유동식은 위장관 손상이 있는 대상자 또는 고형식을 먹을 수 없는 대상자에게 하루에 6회 이상 식사를 제공한다.

칼슘과 비타민 C의 함량만이 영양 권장량에 맞는 정도이므로 3일 이상 전유동식만 먹는 경우에는 열량과 단백질을 보충해주어야 한다. 특히 비타민과 철분이 부족하지 않도록 주의가 필요하다.

② 맑은 유동식

맑은 국물, 차류, 탄산음료 등과 같이 당질과 물만으로 구성된다. 갈증을 해소하고 수분공급을 위한 목적으로 사용된다. 여러 가지 영양소가 결핍된 상태이므로 단기간 제공해야한다.

2) 기타

(1) 저자극성 식이(bland diet)는 화학적, 기계적 또는 온도로 인한 자극을 주지 않는 식이다. 자극성 음료와 양념이 강한 음식은 빼고 뜨겁거나 찬 상태보다 따뜻하거나 미지근한 상태로 제공한다.

(2) 저잔여물 식이(low-residual diet)는 장내 내용물을 제거하기 위한 식이로 장관내에 잔여물을 많이 남기는 음식물과 섬유질을 제한한 식이이다. 음료, 육류, 지방, 계란은 허용하나 장에 잔여물을 많이 남기는 우유와 유제품은 하루 240ml로 제한한다. 치즈, 튀긴 음식, 양념이 많은 음식도 피한다. 저잔여물 식이에서는 대개 칼슘, 철분, 비타민 공급이 부족하므로 3~4일 이상 진행하지 않는다.

(3) 고섬유질 식이는 섬유질이 많은 식이로, 대변의 부피를 증가시키고, 혈당 조절에 도움이 된다. 신선한 과일, 야채, 전곡(whole grain), 밀기울, 오트밀, 씨, 견과, 콩이 해당된다.

3. 음식제한

제한식이(restrict diet)는 치료 목적에 따라 특정 성분을 제한하는 경우이다. 목적에 따라 염분을 제한하기도 하고 당분, 단백질의 양, 지방의 종류와 양을 제한하기도 한다.

제한식이를 하려면 각 개인의 식습관이 변경되어야 하므로 대상자 자신이 제한식이의 중요성을 이해하도록 하고 협조를 구한다.

4. 경장영양

경장영양(enteral nutrition)이란 구강으로 음식섭취가 어려운 대상자에게 관을 삽입하여 적절한 영양소가 포함된 음식물을 튜브를 통해 위장으로 직접 공급하는 방법이다.

1) 투여경로

경장영양의 제공 경로는 대상자의 상태에 따라 다르다. 비위관과 비십이지장관은 단기간의 영양공급에 사용되며, 위루관과 공장루관은 장기적인 영양공급을 위해 사용한다.

(1) 비위관(nasogastric tube): 비강을 통해 위에 튜브 삽입

(2) 비십이지장관, 비공장관(nasoduodenal or nasojejunal tube): 비강을 통해 십이지장이나 공장으로 튜브 삽입

(3) 위루관(gastrostomy tube): 수술을 통해 위에 직접 튜브를 삽입

(4) 공장루관(jejunostomy tube): 수술을 통해 공장에 직접 튜브를 삽입

2) 비위관 영양

비위관 영양은 한쪽 비공을 통해 관(naso-gastric tube)을 넣어 비강과 인후를 지나 위에 위치하게 한 후 그 관으로 준비된 영양액(formula)을 주입하는 것이다.

(1) 튜브의 종류

비위관 영양시에는 흔히 levin 튜브가 사용된다. Levin 튜브는 공기구멍이 따로 없는 단일관강으로 고무나 실리콘으로 되어 있다. 튜브의 크기는 Fr 번호로 표시하며 보통 성인에서 12~18Fr.를 준비한다. 위내로 삽입되는 튜브 끝은 타원형으로 관의 둥근 쪽 양 옆에 10cm 간격으로 3~4개의 구멍이 있다. 고무로 된 튜브인 경우에는 끝을 빳빳하게 하기 위하여 얼음물에 담아 둔다. Levin tube는 위관영양(gastric gavage)외에 진단적 검사, 감압, 세척의 목적으로도 삽입된다.

(2) 영양액의 종류

비위관 영양에 사용되는 영양액은 대상자의 열량 요구량, 단백질 요구량, 위장관의 기능 정도, 대사성 장애 정도, 락토오즈 내성 정도에 따라 결정되며, 대부분의 영양액은 80%가 수분이며, 칼로리는 2,000~2,500cal 정도이다.

① 표준튜브 영양(milk base formula)

우유를 기초로 한 영양액으로 달걀가루와 비타민이 첨가된다. 이 급식은 ml당 1.4kcal의 열량을 함유하며, 대상자가 이 농도에 대해 내성이 없을 때는 희석해서 사용한다.

② 혼합식 튜브 영양(blendized formula)

육류, 과일, 야채 등의 천연식품을 혼합한 식이로 비교적 정상적인 소화 능력을 가진 대상자에게 적합하다. 식품들을 믹서나 혼합기에 넣고 잘 섞은 후, 필요에 따라 거른 다음 냉장고에 저장한다. ml당 약 1.3kcal의 열량을 공급한다.

③ lactrose free 영양

카제인이 주 성분으로서 탄수화물, 지방, 비타민, 무기질, 미량 원소 등이 첨가되어 있으며, 장내에 락타아제 분비가 결핍된 대상자에게 적당하다.

④ 성분 영양

췌장 및 담도계 이상, 대사성 질환, 위장 기능이 제한되거나 손상을 받은 대상자에게 사용된다. 즉 영양소가 부분적으로 미리 소화되어 공장의 근위부에서 신속하게 흡수되도록 조성되어 있으며, 단백질은 다양하며, 비교적 고농도 탄수화물과 저농도의 지방으로 구성되어 있어 경구, 경장 투여가 가능하다.

3) 위루관과 공장루관 영양

위루관과 공장루관으로 경장 영양을 공급하기 위해서는 먼저 복벽을 통해 위나 공장에 외과적 시술을 통해 위루설치술(gastrostomy)과 공장루 설치술(jejunostomy)을 시행해야한다. 최근에는 경피내시경 위루설치술(percutaneous endoscopic gastrostmy : PEG)도 시행하고 있다. 이는 내시경을 이용하여 위 내부를 보면서 복부의 피부와 피하층을 통해 위에 구멍을 뚫어 카테터를 삽입하는 방법으로, 폐로 흡인 위험이 비교적 적은 편이다. 루설치술로 형성된 누공에 관을 삽입한 후 이 관을 통해 영양액을 주입한다. 비위관 영양식보다 활동이 자유로우며, 대상자 스스로 영양액을 공급할 수 있다.

4) 영양액의 주입

(1) 영양액의 주입방법

① 간헐적 집중식(intermittent bolus)

1회 분량을 비위관영양용 주사기를 통해 중력에 의해 주입하는 방법으로 하루 3~6회 제공한다. 잔여량을 확인할 수 있고 대상자의 기동성을 제한하지 않는다. 짧은 시간동안 많은 양의 영양액을 주입하면 오심, 구토, 설사, 복통 등이 나타날 수 있다.

② 간헐적 점적식(intermittent drip)

비위관영양 주머니에 유동식을 넣어 30분에서 1시간 동안 중력에 의해 주입하는 방법으로 하루에 3~6회 제공한다. 잔여량을 확인할 수 있고 대상자의 기동성을 제한하지 않는 장점이 있다.

③ 지속적 점적식(continuous drip)

비위관영양 주머니를 주입펌프에 연결하여 8시간 이상 지속적으로 투여하는 방법이다. 경련, 오심, 설사를 최소화시킬 수 있다.

(2) 준수사항

성공적으로 영양액을 주입하고 튜브를 관리하기 위한 간호 중재는 다음과 같다.

■ 영양액은 체온과 동일하게 하여 공급한다. 뜨거운 영양액은 점막을 자극하며 차가운 영양액은 혈관수축을 일으켜 소화액의 분비를 감소시키고 경련을 일으킨다.

- 영양액을 주입하기 전에는 반드시 튜브의 위치를 확인한다.
- 영양액이나 약물을 주입하기 전과 후에 소량의 물을 튜브에 주입하여 막히지 않도록 한다.
- 간헐적 주입 방법의 경우 영양액을 공급하기전 잔여량을 확인하며 이때 잔여량이 50~100ml 이상이면 의사에게 보고한다. 지속적 주입방법은 매 4시간마다 영양액 주입을 중지하고 위내용물을 흡인하여 잔여량을 조사한다.
- 유효기간이 지난 상품용 영양액이나 병원에서 제조후 24시간이 지난 영양액은 폐기한다.

5) 합병증

경장 영양 대상자들에게 발생할 수 있는 문제로는 설사, 탈수, 오심, 구토, 위장관 출혈, 위배출의 지연, 관의 폐쇄, 전해질 불균형, 고혈당증 등이 있다.

① 비위관 영양

음식에 대한 위의 기능과 운동력을 유지시켜 소장으로 음식과 액체를 내려보내는 것을 조절한다. 그러나 구토가 일어날 경우 튜브의 위치가 변경되거나 폐로 유동식이 흡인될 위험도 있다.

② 공장 영양

튜브가 위를 통과해 소장으로 들어가기 때문에 구토가 발생할 경우에 폐로 흡인될 위험이 적으나 위산의 영향을 적게 받아 감염의 위험이 높다. 또한 비공장관 영양은 급속 이동 증후군(dumping syndrome)의 위험도 있다. 이는 음식물이 위나 십이지장의 정상적인 소화 과정을 거치지 않고 공장으로 바로 들어가기 때문이다. 초기에는 급속히 들어간 고장성의 음식물을 등장성으로 전환하기 위해 세포 외액이 장속으로 이동한다. 이로 인해 순환 혈액량은 갑자기 줄어들고 음식물과 수분으로 인해 확장된 공장에서는 장의 연동 운동이 증가한다. 이때에는 어지러움, 빈맥, 실신, 발한, 창백, 설사, 상복부 팽만감, 복부경련, 오심이 나타난다. 후기에는 식후 2-3시간에 급상승한 혈중 포도당이 인슐린 과잉 생산을 자극하고 인슐린의 반등으로 인한 저혈당은 불안, 기운이 없음, 식은 땀, 심계항진, 의식 상실을 유발시킨다.

③ 위루관 영양

비위관 영양과 동일한 장점이 있으나, 위내시경을 할 수 없는 대상자에게는 경피내시경 위루관 삽입은 금기이다. 또한 상처의 봉와직염 위험이 높다.

④ 공장루관영양

직경이 작은 튜브는 쉽게 폐색되며, 튜브의 위치가 잘못되면 복막염을 일으킬 수 있다.

5. 완전 비경구 영양

중심정맥(central vein)을 통해서 고장액(hypertonic solution)을 투여하여 대상자가 필요로하는 총 열량을 공급하는 방법을 완전 비경구 영양(total parenteral nutrition, TPN) 이라 한다.

완전 비경구 영양은 장에서 음식을 소화할 수 없는 대상자, 경구영양으로는 필요한 신진대사를 충족할 수 없거나 경장영양법이 효과적이지 못한 대상자에게 적용된다. 즉 질병으로 충분한 양의 영양소를 흡수할 수 없는 대상자의 질소 균형 유지, 심한 외상으로 손상된 신체 조직을 복구하기 위해 단백질 합성에 필요한 필수 아미노산 및 비타민의 공급 증가, 궤양성 장염 등 위장관 손상 치유, 신경성 식욕불량 등의 정신적 질환을 가진 대상자, 구토나 설사로 위장관의 흡수에 장애를 받을 때 적용할 수 있다.

1) 용액

완전 비경구 영양에 사용되는 용액은 10%나 50% 포도당 용액에 아미노산, 전해질, 비타민, 물, 무기질(K, Na, Cl, Ca, P, Mg) 미량 원소(예, 코발트, 망간)를 추가한 용액이며, 각 영양소의 비율은 대상자의 상태에 따라 조절된다. 대상자에게 필요한 영양소를 골고루 공급하기 위해 10%, 20% 지방유액도 완전비경구 영양액과 함께 제공하는데 이때 중심정맥과 분리된 말초정맥선을 통해 투여하거나 Y-연결튜브로 된 중심정맥선을 통하여 투여할 수 있다.

비위관 위치 확인 방법

- 위액을 10~20cc 흡인해 본다.
- 흡인한 위장관액을 pH 테스트 종이 위에 떨어뜨려 pH를 측정한다(위액 : pH 0-4, 장액 : pH 6 이상).
- 대상자의 상복부에 청진기를 대고 주사기로 위관을 통해 10~20cc의 공기를 주입하면서 위에서 나는 소리를 들어본다. 상복부에서 위로 공기가 들어가는 "휙" 하는 소리나 "꾸룩 꾸룩" 소리가 들리면 튜브가 위에 있다는 것이다.

2) 용액의 주입

완전 비경구 영양은 반드시 중심정맥(쇄골하 정맥 또는 경정맥)을 이용하여야 한다. 말초정맥으로 고농도의 당을 장기간 주입할 경우 정맥염을 일으킬 위험이 높기 때문이다.

완전 비경구 영양 용액의 주입 속도가 포도당 대사보다 빠를 경우 고혈당이 발생할 수 있다. 이를 예방하기 위해 주입량을 점진적으로 증가시켜 체내 인슐린이 치료에 적응할 수 있는 수준으로 유지되도록 해야한다.

예를 들어 성인의 경우 첫째날은 TPN 용액 1L(40ml/hr)을 주입하고, 이상이 없으면 다음 24-48시간 동안은 양을 2L(80ml/hr)로 증가시키고, 3-5일 이내에 3L(120ml/hr)로 증가시켜 주입한다. 주입중에도 속도를 일정하게 유지해야 하며, 혈당 수준을 지속적으로 모니터 한다.

용액의 공급을 중단할 때에는 대개 48시간에 걸쳐 서서히 중지시킨다. 고장성의 포도당 용액의 공급이 갑자기 중단되면 혈당은 떨어지지만 인슐린은 계속 분비되어 대상자는 저혈당을 경험할 수 있다. 완전 비경구 영양 용액이 준비되지 않았을 경우 10% 포도당 용액을 주입하여 갑자기 저혈당이 되지 않도록 한다.

완전비경구 영양을 주입받고 있는 경우 감염의 위험이 높다. 고장성 포도당 용액은 세균 성장의 배지 역할을 한다. 카테터나 용액, 삽입부위, 튜브 등에 감염을 초래할 수 있으므로 카테터 드레싱, 용액이나 정맥 튜브를 교환할 때 엄격하게 무균술을 유지해야 한다.

튜브와 카테터 연결 부위를 테이프로 잘 감아 연결 부위가 새거나 꼬이지 않도록 한다. 연결 부위가 새는 경우 처방된 양의 용액이 주입되지 못하며 새는 부위를 통해 박테리아가 유입될 수 있다. 튜브가 꼬이는 경우 용액이 주입되지 않으며 결국은 튜브가 막히게 되므로 주의한다.

또한 완전 비경구 영양을 시행하는 튜브를 통해 투약이나 수혈을 해서는 안된다. 약물이 용액과 화학 반응을 일으킬 수 있고

표 6-9 완전 비경구 영양으로 인한 합병증

합병증	원인 및 증상	예방 및 관리
기흉	• 주사침 삽입시 늑막 천자 • 흉통, 호흡 곤란, 기침 등	• 흉부 X-ray 촬영으로 위치 확인
공기색전증	• 카테타 삽입시나 튜브 교환시 발생 • 불안, 호흡곤란, 빈맥, 흉통, 저혈압, 청색증, 의식 수준 저하	• Trendelenburg position으로 좌측위를 취함(좌측위는 공기가 폐정맥으로 들어가는 것을 막아주며, 흉곽내압을 높여 흡기시 상대정맥으로 유입되는 혈액량을 감소시킨다.)
고혈당	• 고삼투성 용액이 빠르게 주입	• 주입 속도를 서서히 증가시키며, 수액 주입 펌프를 사용하여 주입 속도를 정확히 준수 • 매일 1회이상 혈당 측정 • 필요한 경우 인슐린 투여
저혈당	• 주입 속도가 너무 느리거나 TPN을 갑자기 중단하였을 때	• 정확한 주입 속도를 유지하며 용액을 중단할 경우 주입 속도를 서서히 감소시킴
체액 과다	• 고삼투성용액이 빠르게 주입 • 울혈성 심부전이나 신부전증 등이 있는 대상자는 더욱 주의깊게 관찰	• 주입속도를 정확하게 유지 • 전해질, 체중, 섭취량과 배설량, 중심정맥압 측정
감염	• 용액이 고농도 포도당이므로 미생물의 성장 가능성이 높다.	• 드레싱, 튜브나 용기 교환시 무균법 준수 • 새로운 용액 교환시 색, 성상 등 확인 • 삽입 부위 관찰 • 카테터와 튜브 연결 부위가 새거나 꼬이지 않았는지 확인 • 4시간 마다 활력징후 확인, 체온 상승은 카테터로 인한 폐혈증을 의심할 수 있음

박테리아 오염의 위험성을 높힐 수 있다. 완전비경구영양으로 인한 합병증으로는 기흉, 공기색전증, 고혈당, 저혈당, 체액 과다, 감염 등이 있다(표 6-9).

제5절
영양 요구와 관련된 간호평가

간호중재를 제공하는 동안 수집된 자료를 이용하여 설정한 목표에 도달되었는지를 평가한다.

- 대상자의 체중은 정상범위 혹은 목표 범위 내에 있다.
  - 체중을 측정하여 목표 체중 범위에 있는지 파악한다.
- 대상자는 체중 증가 및 감소의 필요성을 알고 있다.
  - 체중 증가 및 감소의 필요성에 대해 대상자에게 질문한다.
- 대상자는 처방된 식이에 맞는 식단을 작성한다.
  - 대상자가 작성한 식단이 적절한지 관찰한다.
- 대상자는 균형된 식이를 섭취한다.
  - 적절한 섭취를 하고 있는지 식사 중이나 식사 후 관찰한다.
- 대상자와 가족은 영양부족 및 과다의 위험요인들을 알고 있다.
  - 대상자와 가족에게 영양 부족 및 과다의 위험요인들에 대해 질문한다.

CHAPTER 07

배변 요구

학습목표

1 배변 기전을 설명한다.
2 배변에 영향을 미치는 요인을 설명한다.
3 배변 장애를 사정한다.
4 배변 요구를 사정한다.
5 배변 요구와 관련된 간호진단을 기술한다.
6 배변 요구와 관련된 간호를 계획한다.
7 배변 요구와 관련된 간호중재를 수행한다.
8 관장을 절차에 따라 수행한다.
9 배변 간호 수행 후 결과를 반영한다.

제1절
배변 간호를 위한 간호사정

I. 간호사정을 위한 기본 지식

1. 배변의 생리

1) 구조와 기능

(1) 대장

배변의 주요기관인 대장은 소화기관의 말단부로 우하복부에서 소장과 연결되어 항문까지 이어져 있다. 전체 길이가 120~150cm, 지름이 7.5cm 정도인 굵은 관으로 맹장(막창자, cecum), 상행결장(오름잘록창자, ascending colon), 횡행결장(가로잘록창자, transverse colon), 하행결장(내림잘록창자, descending colon), S상결장(구불잘록창자, sigmoid colon) 및 직장(곧창자, rectum)으로 구성된다.

대장의 주기능은 수분과 영양의 흡수, 약간의 비타민 제조, 장벽의 점막보호 및 대변의 배출 등이다.

위와 소장의 소화 내용물인 반유동체의 유미즙(chyme)은 매일 약 1,000~2,000mL가 대장을 통과하는데 이중 100~800mL가 분변으로 배출되고 나머지 액체는 결장의 근위부에서 흡수되며 나트륨과 염소 등의 전해질도 대장에서 재흡수된다.

대장은 중탄산염 이온(HCO_3^-)을 포함하는 강한 알카리성(pH 8.4) 점액을 분비하는데 부교감신경이 흥분하면 분비가 촉진된다. 점액은 분변 안의 세균이나 자극성 물질로부터 장벽을 보호하고 분변이 장벽을 지날 때 이동을 원활하게 한다.

또한 대장 안의 미생물들은 비타민 B 복합체와 비타민 K를 장내 합성(intestinal synthesis)한다. 따라서 항생물질의 장기간 복용으로 인해 대장 안에 존재하는 미생물의 발육이 억제되어 비타민 결핍증이 나타나는 경우가 있다.

대장의 운동은 내용물을 항문까지 운반시키는데, 부교감신경 흥분 시에는 촉진되고, 교감신경 흥분 시에는 억제된다. 대장의 운동은 일반적으로 아주 느리지만 소장에서 분절운동이 일어나는 것

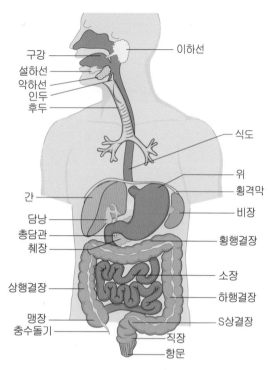

그림 7-1 위장계의 구조

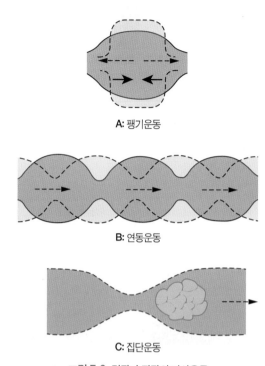

그림 7-2 결장과 직장의 반사운동

과 같이 대장에서도 일정한 간격으로 마디를 이루면서 윤상근의 수축이 일어난다. 더욱이 윤상근과 결장뉴가 동시에 수축함으로 생기는 마디와 마디 사이에는 수축하지 않는 부분이 불룩하게 주머니 모양의 팽기(haustra)를 형성하게 된다. 이와 같은 대장 수축을 팽기수축(haustral contraction)이라 하는데 주로 맹장과 상행결장에서 나타나며 내용물을 잘 혼합해서 흡수를 돕는다.

또한 대장에서는 장 내용물을 앞으로 나아가게 하는 운동으로 느린 연동운동 외 하루에 3~4회 정도의 집단운동(mass movement)이 일어나는데, 이 운동은 위대장반사(gastrocolic reflex)와 십이지장대장반사(duodenocolic reflex)에 의해 나타난다. 식후에 위나 십이지장이 팽창되면 반사적으로 결장의 윤상근과 종주근이 강력히 수축하여 결장팽기(haustrum)가 소실되면서 대장의 길이가 짧아져 대장의 내용물이 S상결장과 직장 안으로 일시에 운반된다. 집단운동은 결장의 어느 부위에서나 일어날 수 있지만 주로 횡행결장과 하행결장에서 일어나며, 수축이 이루어지는데 걸리는 시간은 약 30초이고, 이완하는데 2~3분 정도 걸린다. 이 운동은 식후에 일어나며 식후에 변의를 느끼는 것은 바로 이 때문이다. 배변을 증진시키기 위한 간호는 이러한 반사작용과 함께 이루어질 때 효과적이다.

(2) 직장과 항문

직장(rectum)은 S상결장에서 이어져 골반 후벽의 전면을 따라 내려와 미골 하단의 앞에서 항문(anus)으로 연결되어 외부로 개구한다. 그 길이는 10~15cm 정도이고 그 중 2.5~5cm는 항문관(anal canal)이다. 직장조직에는 가로주름과 세로주름이 있는데 가로주름은 분변을 일시적으로 직장에 보유할 수 있도록 돕는다. 세로주름에는 동맥과 정맥이 분포하는데 이 정맥이 이완되고 울혈된 것을 치질(hemorrhoid)이라고 한다. 내치질은 항문관 내에 국한되며 외치질은 항문을 통해 탈출되어 있는 것을 말한다.

항문관은 항문거근으로 지지되고, 내외 괄약근으로 둘러싸여 있다. 항문내괄약근은 평활근이며 불수의적이다. 항문내괄약근은 자율신경에 의해 지배되는데 부교감신경에 의해 이완되고 교감신경에 의해 이완이 억제된다. 항문외괄약근은 골격근으로 항문거근에 의해 수의적으로 통제된다.

(3) 배변 과정

배변은 정상적으로 두 가지 배변반사(defecation reflex)에 의해 시작된다. 배변반사 작용은 직장에 있는 분변덩어리에 의해 촉진된다. 분변이 직장으로 들어가면 직장내압이 올라가고 직장벽의 장간막 신경총(mesenteric plexus)이 하행결장과 S상결장, 직장의 연동운동을 자극한다. 이러한 자극은 분변을 항문쪽으로 이동시키며, 연동운동으로 항문내괄약근이 이완되고, 만약 항문외괄약근이 함께 이완되면 배변과정이 발생하게 되는데 이를 내인성 배변반사(intrinsic defecation reflex)라고 한다.

부교감신경 배변반사(parasympathetic defecation reflex)란 직장벽의 신전수용체가 자극되어 부교감신경이 자극되는 것이

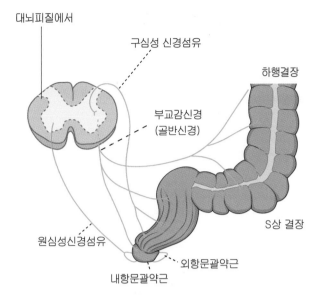

대뇌피질에서
구심성 신경섬유
하행결장
부교감신경
(골반신경)
S상 결장
원심성신경섬유
외항문괄약근
내항문괄약근

그림 7-3 배변반사

다. 이런 부교감신경 자극은 연동운동을 강화시키고 항문내괄약근을 이완시키며 내인성 배변반사를 강화시킨다.

항문내괄약근이 이완되어 분변이 항문관으로 들어오고 이때 변기에 앉게 되면 항문외괄약근이 수의적으로 이완된다. 배변이 진행되는 동안 복벽근육과 횡격막이 수축되고 성문(glottis)이 닫힘으로써 복부 내부의 압력을 4~5배로 증가시켜 배변을 돕는데 이를 발살바 수기(Valsalva maneuver)라고 한다. 이때 항문거근의 수축은 분변의 배출을 돕는다.

앉는 자세는 대퇴부가 굴곡되어 복부의 압력을 높여주고 직장의 하향 압력을 높여주어 배변과정을 수월하게 해준다. 한편 배변욕구가 계속적으로 방해를 받으면 누적된 분변을 조절하는 직장의 확장과 배변욕구에 대한 점진적인 감각상실을 가져와서 변비가 생길 수 있다.

표 7-1 대변의 특징

특징	정상	비정상	원인
색깔	• 영아: 황색 • 성인: 갈색	• 흰색 또는 점토색 • 검은색 또는 타르색 • 붉은색 • 옅은색 • 오렌지 또는 초록색	• 담즙의 결핍, 바륨을 사용한 진단검사 • 철분제 섭취, 상부위장관의 출혈(위, 소장), 육고기와 진녹색 채소의 과다섭취 • 하부위장관의 출혈(직장), 사탕무우 섭취 • 지방의 흡수장애, 우유 및 유제품의 과다섭취 • 장내 감염
냄새	• 자극적 냄새: 음식물 종류에 의해 영향받음	• 유독성 변화	• 장내 감염, 종양, 염증, 변내의 혈액 또는 감염
경도	• 부드럽고 반고형이며 형태가 있음	• 묽은 변 • 굳고 마른 변	• 증가된 장운동 • 탈수: 섬유성식이 섭취부족, 운동부족, 정서적 흥분, 하제의 남용으로 인한 장운동 저하
빈도	• 성인: 매일 또는 2~3회/주 모유영아: 4~6회/일 인공유영아: 1~3회/일	• 성인: 3회이상/일 또는 1회미만/주, 영아: 6회이상/일 또는 1~2일에 한번	• 장운동 저하 또는 항진
양	• 음식섭취에 따라 다양함 (보통 1인 100~400g 정도)		
모양	• 원통형(약 2.5cm), 직장의 직경과 같음	• 가늘고 연필모양	• 직장의 폐색
성분	• 소화안된 음식, 죽은 세균, 담즙색소, 장점막의 세포, 지방, 수분	• 이물질 • 농 • 점액 • 기생충 • 혈액 • 지방의 다량 함유	• 삼킨 물건 • 세균성 감염 • 염증상태 • 소화기계 출혈 • 섭취장애

표 7-2 배변에 영향을 미치는 요인

요인	이론적 근거
성장발달	• 영아는 위 용량이 작고 소화효소 분비가 매우 적은 반면, 장의 연동 운동은 빠르다. • 배변조절 능력은 걷기를 배우며 장조절(bowel control)에 필요한 신경계와 근육계가 충분히 발달되는 유아기의 2~3세에 생긴다. • 노인은 연동운동의 감소에 의한 변비와 항문괄약근의 긴장도 감소로 배변을 조절하는 데 어려움이 있다. • 임신 시 태아의 성장에 따른 직장압박으로 변비가 흔히 생긴다.
식이와 수분섭취	• 규칙적인 매일의 음식 섭취는 연동운동을 증가시킨다. • 섬유소가 많이 함유된 음식(생과일, 생채소, 곡류제품)은 장에서 부피를 형성함으로써 연동운동과 배변을 증진시킨다. • 가스를 형성하는 음식(양배추, 양파, 브로콜리)은 연동운동을 자극한다. • 양념이 많은 음식과 세균에 오염된 음식은 장을 자극해 설사와 다량의 가스를 형성한다. • 정상적인 배변을 위해 매일 2,000~3,000mL의 수분섭취가 필요하다.
신체활동	• 규칙적인 신체운동은 연동운동을 증진시킨다. • 부동은 장의 연동운동을 저하시킨다. • 복부근육 및 골반근육의 긴장도는 배변에 영향을 준다.
배변 시 자세	• 웅크리고 앉는 자세는 대퇴부가 굴곡되어 복부내압을 증가시킨다. • 노인이나 관절염 대상자는 정상배변 자세를 취하거나 변기에 앉았다 일어서는 데 어려움을 겪을 수 있다. • 누워서 변기를 사용해야 하는 대상자는 배변 시에 필요한 근육의 수축이 어렵다.
생활방식	• 개인의 배변습관을 유지하는 것이 정상적인 배변을 증진시킨다. • 바쁜 업무는 정상적인 배변습관을 방해하여 변비를 일으킬 수 있다. • 입원한 대상자의 경우, 공동화장실, 침상 변기, 이동 변기의 사용 시 느끼는 불편감은 배변습관에 영향을 주어 배변양상에 변화가 올 수 있다.
심리적 요인	• 신경질적이고 화를 잘 내는 사람은 연동운동의 증가와 설사를 경험한다. • 우울한 사람은 느린 연동운동으로 수분 재흡수가 증가해 변비를 겪을 수 있다.
약물	• 하제와 완하제는 변을 부드럽게 하고 연동운동을 증진시킨다. 그러나 이러한 약물의 만성적인 사용은 장근육의 긴장도를 저하시킨다. • 마약성 진통제, 아편제제 및 항콜린성 약물은 연동운동을 억제하여 변비를 일으킨다. • 항생제는 설사를 일으킬 수 있다. • 철분을 포함한 약물은 변을 검게 만들고, 제산제는 변의 색을 희게 한다. • 항응고제나 아스피린 제제는 변을 붉거나 검게 만들 수 있다.
통증	• 배변 시 통증을 경험하는 대상자는 통증을 피하기 위하여 변의를 억제하게 되는데 이는 변비를 초래한다.
진단적 검사	• 검사전 장을 비우기 위한 금식과 관장의 시행은 정상적인 배변을 방해할 수 있다. • 방사선 검사 시에 사용된 바륨(barium)이 결장에 남아 있게 되면 변비를 유발할 수 있으므로 검사 후에는 하제를 복용하거나 관장을 시행한다.
마취와 수술	• 전신마취는 부교감신경 자극을 차단하여 연동운동을 억제한다. • 국소마취는 연동운동에 거의 영향을 미치지 않는다. • 장에 직접적인 영향을 미치는 수술은 24~48시간 동안 일시적으로 연동운동을 정지시킨다(마비성 장폐색). 이때 연동운동이 돌아올 때까지 먹거나 마실 수 없다.

(4) 대변

정상적인 대변은 75%의 수분과 25%의 고형물질로 형성되어 있다. 성인의 경우 1일 7~10L의 가스를 형성하는데 이 가스에는 이산화탄소, 메탄, 수소, 산소, 질소가 포함되어있다(표 7-1).

2. 배변에 영향을 미치는 요인

배변에 영향을 미치는 요인은 성장발달, 식이와 수분섭취, 신체활동, 심리적 요인, 생활방식, 약물, 질병, 통증, 진단적 검사, 마취와 수술, 임신 등이 있다(표 7-2).

3. 배변 장애

1) 변비

변비(constipation)란 작고, 건조하고 단단한 변이 배출되거나 또는 일정기간 동안 변의 배출이 없는 경우를 말한다. 이는 연동운동의 감소로 분변이 장내 머무는 시간이 길어져 수분의 흡수가 증가하게 되어 단단하고 건조한 대변이 되는 것이다. 변비가 있으면 변의 배출이 어렵고, 배변 시 수의적인 근육의 긴장이 증가한다.

변비는 변의 특성, 배변 횟수, 분변의 장 통과시간, 배변 곤란 정도 중 하나 이상을 내포하는 용어이므로 변비진단을 내리기 전에 대상자의 배변 습관을 세밀하게 사정하는 것이 중요하다. 변비의 특성은 배변횟수의 저하, 딱딱하고 건조한 변, 배변 시 힘주기, 배변 시 통증, 복통, 복부팽만, 직장팽만감 또는 직장압박감, 복부 덩어리 촉진, 식욕부진, 두통 등이며 변비의 발생원인은 표 7-3과 같다.

변비로 인해 배변 시 긴장하거나 힘을 주는 것은 복부나 직장 수술을 한 대상자에게는 봉합선 파열이나 상처열개 등의 심각한 문제를 야기할 수 있다. 심맥관계 질환이나 뇌내압 및 안압의 상승으로 야기되는 질병이 있는 대상자는 발살바 수기로 배변하는 것을 피해야 하며 변비예방대책을 마련해야 한다. 발살바 수기는 흉강내압을 상승시키고 심박동수를 저하시키므로 심장 질환자는 배변을 위한 긴장 시 입으로 숨을 내쉬어야 한다.

2) 분변매복

분변매복(fecal impaction)은 딱딱하게 굳은 대변이 직장이나 S상결장에 축적 또는 정체되어 있는 것을 말한다. 변의는 있으나 배변할 수 없으며 액체성분만 새어 나오기도 한다. 식욕부진, 복부팽만, 직장의 통증, 오심, 구토와 같은 증상이 동반된다.

탈수나 영양결핍, 장기간의 침상 안정, 철분이나 아편제와 같이 변비를 유발하는 약물 복용, 바륨의 정체 등은 분변매복의 원인이 된다. 노인이나 무의식 대상자들의 경우 배변반사에 민감하지 못하므로 분변매복의 가능성이 높다.

3) 설사

수분이 많이 함유된 대변을 배출하고 배변의 횟수가 많아지는 것을 설사(diarrhea)라고 한다. 유미즙이 대장을 통과하는 속도

표 7-3 변비의 원인

원인	이론적 근거
불규칙한 배변습관	• 정상적인 배변반사가 제한되거나 무시되면 배변습관이 변화될 수 있다. • 입원한 대상자의 경우 화장실 이용이나 변기 사용이 불편하면 변의가 억제될 수 있다.
하제 남용	• 하제의 반복적이고 장기간 사용은 변의 무시 효과와 같은 결과를 나타낸다. 즉 약효 감소로 변비를 야기한다.
심리적 스트레스	• 흥분은 교감신경계의 활동을 자극하여 연동운동이 저하된다. • 스트레스는 경련성 장운동을 유발하여 복부경련을 발생시킨다.
부적절한 식이	• 식이의 변화는 배변에 영향을 준다. • 유동식, 저섬유식이는 배변반사를 자극하기에 양이 충분하지 않다.
불충분한 수분섭취	• 불충분한 수분섭취는 유미즙에서 수분의 양이 감소되어 대변이 건조하고 단단해진다.
투약	• 아드레날린성 효능 약물이나 항콜린성 약물들은 장운동을 느리게 하여 변비를 유발 한다.
운동 부족	• 장기간의 침상안정은 복부근육, 횡격막, 골반근육의 약화를 초래하여 배변기능을 약화시킨다.
연령	• 노인은 근육 약화, 괄약근의 긴장도 감소 및 점액과 장분비물의 감소 등으로 인해 변비가 생긴다. • 임신 시에는 태아로 인한 장압박과 호르몬의 변화로 변비가 유발된다.

표 7-4 설사의 원인

원인	이론적 근거
심리적 스트레스	• 장운동의 항진
음식물 알레르기	• 음식물의 소화 감소
음식물에 대한 내성 부족(거친, 기름기가 많거나 양념이 많은 음식, 커피, 알코올, 우유, 글루텐 등)	• 장운동의 항진, 장내 점액 분비 증가
장의 질환(장염, 과민성대장증후군, 크론병(Crohn's disaese))	• 장점막의 염증, 궤양, 장운동의 항진, 장내 점액 분비 증가
약물	
- 항생제	• 정상 장내 세균의 변화
- 완하제 남용	• 장점막의 자극, 장운동 증가
장 절제술	• 장의 흡수 면적 감소

가 빨라져 수분과 전해질을 재흡수할 시간이 짧아진다. 설사와 함께 복통, 복부경련, 장음의 빈도 증가 등이 동반되며 심한 경우 혈액과 과도한 점액이 대변과 함께 나오며 오심, 구토까지 일으킬 수 있다. 설사로 인한 수분 상실은 탈수와 전해질 불균형을 초래할 수 있으며 피로, 허약, 전신권태를 나타낼 수 있다. 설사의 원인은 표 7-4와 같다.

4) 변실금

변실금(fecal incontinence)은 변과 가스 배출을 조절하는 항문괄약근의 수의적인 능력이 소실될 때 나타나며 과도한 분변매복을 동반한 변비에서의 분변유출, 직장 신경지배의 기질적 변화, 국소적 원인(염증, 직장 암, 항문 탈출, 반액체 대변), 극도의 쇠약, 인지적 손상 등과 관련된다.

5) 장내 가스(=고창)

위장관내의 공기나 가스를 방귀(flatus)라 부른다. 삼킨 공기, 분해된 음식에 세균의 작용, 혈류에서 장내로 확산되는 가스가 원인이 된다.

성인은 하루에 7~10L 정도의 가스를 생성하는데, 음식물 섭취 시 삼킨 공기는 트림의 형태로 배출되고 대장내 가스는 순환을 통해 대장의 모세혈관으로 흡수된다.

장내 가스(flatulence)는 장에 가스가 과도하게 차 있는 것을 말하며 이로 인해 장이 늘어나고 팽창되어 복부의 팽만감과 통증, 경련이 나타난다. 결장내 가스 생성은 복부수술, 마취, 최면제의 사용, 변비, 부동, 가스형성 식이 등이 원인이 된다. 장내 가스의 축적은 횡격막을 밀어 올려 폐팽창을 감소시킬 수 있어 호흡장애를 가진 대상자의 경우 더욱 문제가 될 수 있다.

가스가 항문을 통해 배설되지 못하면 직장관이나 관장을 통해 배설하도록 해야 한다.

4. 장 전환술

정상적으로 직장 및 항문을 통해 분변이 배출될 수 없을 때 복벽에 일시적, 영구적인 인공배출구를 만들어 주는 절차가 필요하다. 이를 인공루(stoma)라 하는데 회장 또는 결장에 만든다. 일시적 장루설치술(ostomy)은 염증질환, 장 수술 또는 상처 후 장의 회복을 위해 행해지고, 영구적 인공루는 장기 쇠약 질환이나 결장 또는 직장암으로 인해 행해진다.

장루설치의 위치에 따라 변 배출의 특성과 관리에 영향을 준다. 회장루는 수분이 많고 배변이 잦다. 상행결장루도 회장루와 유사하다. 횡행결장루는 보다 단단한 대변의 형태이며, S상 결장루는 거의 정상적인 변을 배출한다. 결장루의 위치는 대상자의 의학적인 문제와 필요한 수술 형태에 의해 결정된다(그림 7-4). 회장루와 같은 잦은 점액성 변을 배출하는 경우는 세심한 관리가 필요하다. 계속 스며나오는 변으로 분변조절이 불가능하여 주머니를 항상 착용해야 하고 주머니 또한 비우고 씻고 관리하여야 한다. 분변으로 인한 자극을 예방하기 위한 피부간호도 중요하다. 반면 횡행결장루나 S상결장루는 주머니를 자주 비우지 않아도 된다.

가능한 한 정상적인 배변 양상을 유지하기 위해 회장항문 주머니 형성술(ileoanal pouch anastomosis)과 Kock 조절성 회장루술(Kock continent ileostomy)이 시행되기도 한다(그림 7-5, 그림 7-6). 회장항문 주머니 형성술에서 대장은 제거되고 주머니가 소장의 끝 부분에서 만들어지며, 그 주머니는 대상자의 항문에 붙여진다. 이 주머니에 찌꺼기를 모아두는데 직장과 유사하고

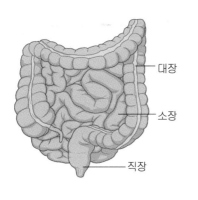
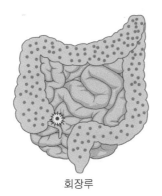
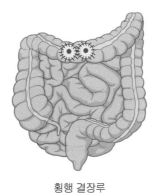
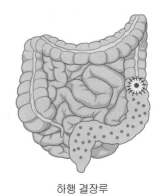

회장루   횡행 결장루   하행 결장루

그림 7-4 장 전환술의 종류

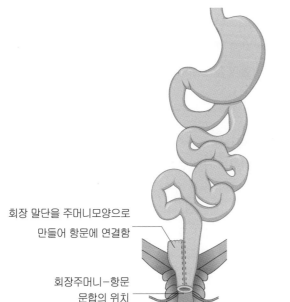

회장 말단을 주머니모양으로
만들어 항문에 연결함

회장주머니-항문
문합의 위치

그림 7-5 회장항문 주머니

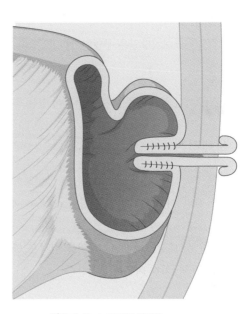

그림 7-6 Kock 조절성 회장루

대상자는 배설을 억제할 수 있다. Kock 조절성 회장루술은 대상자의 소장을 이용하여 주머니를 만들고, 배설조절이 가능한 개구부가 있고, 유두 모양 밸브가 있어 외부 카테터를 간헐적으로 개구부 속에 넣어 변을 배출하게 한다.

II. 배변 요구사정

배변 요구에 대한 사정에는 간호력, 신체검진, 대변검사 및 진단적 검사 등이 포함된다.

1. 간호력

대상자의 평상시 배변습관 및 변의 양상, 현재와 과거의 배변문제, 배변에 영향을 미치는 요인 등에 대한 조사가 간호력에 포함된다.

1) 배변양상

평소의 배변습관, 현재의 배변습관으로,
- 시간, 빈도, 양상의 변화가 있는가?
- 배변을 증진하기 위한 평상시 방법은 무엇인가?

2) 변의 특성

최근 대변의 모양, 색, 형태, 점도, 냄새에 변화가 있는가?

3) 식이와 수분섭취

배변과 관련된 식이의 유형 및 식습관으로,
- 식사는 규칙적인 시간에 하는가?
- 어떠한 음식을 규칙적으로 먹는가?
- 피하는 음식은 어떤 것인가?
- 하루 수분섭취량은?

4) 신체활동 정도

- 일상적인 활동 양상은 어떠한가?
- 운동의 종류와 양은 어떠한가?

5) 약물

하제, 철분제, 항생제, 최면제 등 장운동에 영향을 미치는 약물을 복용하는가?

6) 질병이나 수술

장 전환술의 유무, 장운동에 영향을 미치는 질병을 가지고 있는가?

7) 스트레스

스트레스원과 대처방안은 무엇인가?

8) 통증

복부 통증이나 항문통증 또는 불편감이 있는가?

2. 신체검진

1) 시진

복부의 팽만 여부를 관찰하고 병변, 인공루, 정맥형태, 반흔, 종양을 관찰한다.

항문검진 시 대상자가 Sim's 체위를 취하게 하고 항문주위의 염증, 반흔, 균열, 치질 여부를 관찰한다.

2) 청진

배꼽을 경계로 복부를 4등분하여 장음을 청진한다. 강도, 고저, 빈도를 사정한다.

3) 타진

상부 오른쪽 4분위에서 시계방향으로 복벽을 타진한다. 타진으로 복부내 수분, 가스, 종양 유무를 사정한다. 장내 가스는 공명음, 수분과 종양은 탁음으로 구분된다.

4) 촉진

대상자를 이완시키고 가벼운 촉진을 한다. 압통이나 민감한 부위가 있는지 사정하고 비정상적인 덩어리가 촉진되면 심부촉진이 필요하다.

직장과 항문의 촉진을 위해 일회용 장갑을 끼고, 윤활제를 시지에 바르고 항문괄약근을 통하여 6~10cm 정도 시지를 삽입한다. 직장점막의 결절 유무와 조직의 규칙성을 사정하며, 직장점막의 과도한 자극은 심박동수 저하를 가져오므로 부드럽게 시행한다.

3. 진단 검사

1) 대변검사

(1) 일반 대변검사

대변의 병리 검사를 위한 수집과정에는 내과적 무균술이 적용된다. 대변검체 수집 시 다음의 사항을 주의하도록 대상자에게 설명한다.

① 깨끗하고 건조한 변기에 배변을 한다.
② 소변이나 여성의 월경분비물에 오염되지 않게 한다.
③ 배변 후 휴지를 변기에 버리지 않으며 나무 설압자로 변을 2.5g 정도 수집한다.
④ 대변수집 후 즉시 검사실로 보낸다.

간호사의 대변관찰은 배변과 관련된 사정에 도움이 된다. 정상적인 변의 특성과 관련요인에 대한 이해는 대변관찰에 도움이 된다(표 7-1).

(2) 잠혈검사

잠혈검사는 위장 출혈이나 결장직장암 조기 진단에 유용한 검사이다. 보통 guaiac 검사나 orthotoluidine 검사가 사용된다.

Orthotoluidine 검사를 시행한다면 대상자에게 대변검사물을 받기 전 48~72시간 동안 고섬유질 음식을 먹도록 하며 육류, 가금류, 생선, 순무 등과 철분제 등의 약물은 제한해야 한다. 잠혈검사를 위한 다른 검사방법은 특별한 식이제한이 필요 없다.

1회의 양성 반응으로 위장 출혈을 확증할 수 없으므로 3개의 대변검사물(3일 이상 연속해서)을 수집한다.

2) 영상 진단 검사

(1) 직접적 시상법

하부위장관계의 조직을 관찰할 수 있는 내시경 검사에는 항문경검사(anoscopy), 직장경검사(proctoscopy), 직장 S상결장경 검사(proctosigmoidoscopy), 결장경검사(colonoscopy)가 있다.

검사 동안 대상자의 협조가 필요하므로 대상자의 불안과 두려움을 완화하기 위한 심리적 간호가 요구된다. 검사를 위해 대부분 검사 전날 밤부터 금식하게 되며 반복적인 관장으로 장을 비우게 된다. 반복적인 관장으로 인해 대상자는 기운이 없고 현기증을 느낄 수 있으므로 대상자를 잘 지지한다. 검사가 끝난 후 직립성 저혈압과 쇼크가 발생하는 것을 예방하기 위해 대상자는 일어서기 전에 잠시 동안 앙와위로 휴식을 취하게 한다.

활력징후를 측정하며 복통이나 출혈, 발열 등과 같은 천공 증상 및 징후가 있는지 관찰한다. 대상자가 충분한 휴식을 취하도록 하며 부드럽고 자극이 적은 식이를 섭취하도록 돕는다.

(2) 간접적 시상법

비륨과 같은 방사선 물질을 삼키거나 관장형태로 투여받고 바륨이 결장으로 배설되면서 조영되는 것을 X-선을 이용해 확인한다. 검사 전 완전히 장을 비우기 위해 금식과 관장을 시행한다.

검사 동안 통증은 없으나 변의와 경미한 복부 경련이 있을 수 있다는 것을 대상자에게 설명해야 한다. 검사 후 바륨의 완전한 배출이 이루어지지 않으면 바륨이 변의 수분을 흡수해 굳어져 분변매복을 일으킬 수 있다. 그러므로 검사 후 수분섭취를 증가시키고(1~2L) 흔히 완하제나 청결관장을 행한다.

제2절
배변 요구와 관련된 간호진단

배변 요구와 관련된 간호진단은 변비, 변비 위험성, 설사, 위장관 운동 기능장애, 위장관 운동 기능장애의 위험성, 변실금, 체액부족, 신체상 장애, 피부 통합성 장애 위험성, 통증, 용변 자가간호 결핍 등이 있다(표 7-5).

제3절
배변 요구와 관련된 간호계획

배변에 문제가 있는 대상자 간호의 일차적 목적은 정상 배변 상태를 회복, 유지하도록 돕는 것이다. 배변 장애를 가진 대상자를 위한 간호 목표의 예는 다음과 같다.

- 대상자는 규칙적인 배변습관을 유지한다.
- 대상자는 정상 배변을 증진시키는 방법에 대해 설명한다.
- 대상자는 적절한 수분과 음식섭취를 유지한다.
- 대상자는 규칙적으로 운동 프로그램을 수행한다.
- 대상자는 하제를 사용하지 않고 배변한다.
- 대상자의 항문 주위 피부는 깨끗하고 건조하다.

제4절
배변 요구와 관련된 간호수행

1. 규칙적인 배변습관의 유지와 증진

1) 정상 배변습관의 유지

변의를 무시하거나 배변시간을 충분히 갖지 않는 것은 변비의 원인이 된다. 하루 중 변의가 가장 강하게 일어나는 시간에 맞춰 배변을 시도하도록 한다. 입원한 대상자의 경우 일상적인 치료나 간호행위가 대상자의 배변습관을 방해하지 않도록 주의한다.

2) 프라이버시 존중

입원한 대상자는 배변 시 프라이버시가 유지되지 못하는 경우가 있다. 침상 변기 사용 시 커튼을 쳐주고 간호사를 부를 수 있는 호출기를 대상자 가까이에 둔다.

표 7-5 배변 장애와 관련된 간호진단

간호진단	관련요인
변비	부적절한 식이, 부동, 신체활동 부족, 수분섭취 부족, 배변 시 통증, 완하제 남용, 배변의 연기
설사	정서적 스트레스, 음식의 내인성 부족, 스트레스, 장의 염증, 약물 부작용, 정상적인 장내세균의 변화
위장관 운동 기능장애	노화, 불안, 경관 영양, 음식 불내성, 부동, 오염물질의 섭취, 약물, 미숙아, 수술, 좌식생활
변실금	척수손상, 분변매복, 인지적 손상, 중추신경 장애, 쇠약
체액부족	설사, 인공루를 통한 수분손실
신체상 장애	인공루, 변실금
피부 통합성 장애 위험성	변실금, 설사
통증	치질의 염증, 변비, 설사
용변 자가간호 결핍	인지장애, 동기저하, 환경적 장애, 피로, 운동능력의 손상, 근골격계 손상, 신경근육계 손상, 통증, 지각장애

화장실 이용 시 화장실 문을 꼭 닫아주며 배변 후 대상자가 당황하지 않게 즉시 뒤처리를 도와준다.

3) 식이

정상 배변을 증진하기 위해 대상자의 배변 횟수, 변의 특성, 설사나 변비 유무를 고려해서 음식을 제공해야 한다. 변비가 있는 대상자의 경우 고섬유질 식이(곡류, 과일, 야채)와 따뜻한 음료, 충분한 수분섭취(2,000~3,000mL)가 필요하다. 그러나 식이를 통한 변비교정은 효과가 즉각적으로 나타나지 않으므로 꾸준히 시행하도록 대상자를 교육한다.

설사가 문제인 경우 저섬유질 식이를 제공하고 설사로 인한 칼륨 소실을 보충하기 위해 오렌지나 바나나 등의 칼륨이 많이 함유된 음식을 제공할 수 있다. 설사로 인한 수분 부족은 보통 정맥요법으로 수액을 투여하고 칼륨을 수액에 첨가하여 교정한다. 심한 설사 시 금식으로 장의 연동운동을 억제하고 물 한모금(S.O.W)에서 시작하여 차츰 정상 식이에 적응하게 한다. 너무 뜨겁거나 찬 음료는 연동운동을 자극하여 복부경련이나 설사를 일으킬 수 있다.

장내 가스가 많이 찬 대상자에게는 양배추, 샐러리, 양파, 콩, 맥주 등과 같은 가스형성 음식섭취를 제한하고 음료 섭취 시 빨대 사용을 금하며 껌을 씹지 않게 한다.

결장루를 가진 대상자는 변 배출량을 감소시키기 위해 저섬유질 식이를 계획해야 하는데 소량의 커피나 차, 빵, 국수, 밥, 치즈, 케이크, 과일즙, 부드럽고 기름이 적은 살코기는 흔히 사용되는 저섬유질 식이의 예이다.

4) 규칙적인 운동

매일의 규칙적인 운동은 배변 장애를 예방하고 정상 배변을 증진시키는 데 도움이 되며, 특히 앉아서 일하는 직업종사자의 경우 매일 규칙적인 운동이 요구된다. 조깅, 수영, 걷기, 자전거 타기 등이 장운동 촉진에 도움이 되는 운동들이다. 질병이나 수술로 인해 침상안정 중인 대상자는 가능한 빨리 조기 이상을 시작해야 한다.

다음과 같은 운동은 복부와 골반저부 근육강화에 도움이 된다.

- 앙와위로 누워 복근에 힘을 주며 배를 집어넣고 10초 동안 유지한 후 복근을 이완한다. 하루에 4번, 매번 5~10회씩 반복한다.
- 앙와위에서 무릎을 굴곡해 가슴 쪽으로 끌어올리면서 대퇴근육을 10초 동안 수축한다. 하루 4번, 매번 5~10회씩 반복한다.

부적절한 체위　　　　　　　　　　　　　　　적절한 체위

그림 7-7 변기 사용 시 체위

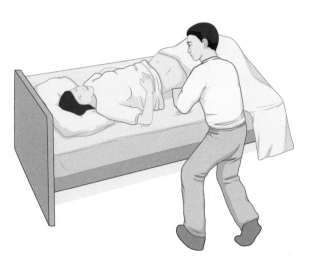

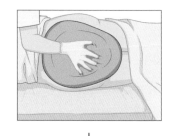
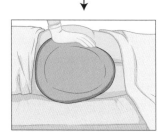

그림 7-8 변기 대주는 법

5) 정상 배변자세 유지

일반적으로 대퇴를 굴곡하고 웅크린 자세가 배변을 촉진한다. 대퇴근육쇠약 대상자나 퇴행성 관절염, 고관절과 슬관절의 고정장치를 가진 대상자는 웅크린 자세를 취하기가 어려운데, 이 경우 높게 설계된 변기 또는 이동식 변기(comodo)가 정상 배변자세를 유지하도록 하는 데 도움이 된다(그림 7-7). 침상에 누운 상태에서 배변해야 하는 경우에는 침대의 윗부분을 30° 정도 올려주어(금기가 아닐 경우) 배변 시의 자세와 유사하게 해준다.

침대에서 일어날 수 없는 대상자에게 변기를 제공하고 제거하는 동안 대상자의 근육이 과도하게 긴장되지 않도록 해야 한다(그림 7-8).

대상자가 무릎을 굽히고 발바닥에 힘을 주면서 엉덩이를 들도록 지지한 상태에서 변기를 대어주며 이때 대상자의 등이 과신전되지 않도록 침상머리를 30° 정도 상승시킨다. 만약 대상자가 혼자 엉덩이를 들지 못하는 경우라면, 대상자를 간호사의 반대쪽으로 돌아눕게 한 후 변기를 대상자의 둔부에 대고 대상자가 변기 위로 돌아눕게 한다.

변기 사용 전 변기를 따뜻하게 덥혀 항문괄약근이 이완되도록 한다. 배변하는 동안 대상자의 프라이버시를 지켜주고 배변 후 회음과 항문을 청결히 하는 것을 도와준다. 변기는 대상자마다 구분해서 사용하며, 사용 즉시 비우고 깨끗하게 세척한다.

2. 약물요법

1) 하제

하제(cathartics)와 완하제(laxative)는 배변을 유도하는 약이다. 하제는 변배출을 신속히 유도하고, 완하제는 장의 운동을 활발하게 하여 대변을 부드럽게 하며 때로는 복통을 유발하기도 한다. 하제는 방사선 검사나 외과적 수술의 전처치로 장을 비울 때 사용되며 완하제는 활동성이 제한된 사람이나 음식섭취가 부적절한 대상자에게 유용하다. 작용기전에 따라 하제는 다음과 같이 분류된다(표 7-6).

부피형성하제는 가장 안전하게 사용될 수 있으며 물과 혼합하였을 때 즉시 마시지 않으면 응고되므로 약물복용 시 다량의 물을 함께 마셔 장폐쇄를 예방해야 한다. 또한 광물성유는 정규적으로 사용하면 지용성 비타민 A, D, E, K의 흡수가 방해되고 흡입되면 지방성 폐렴을 유발시킬 수 있다.

하제와 완하제는 경구용과 좌약 형태로 되어 있다. 경구용이 더 흔히 사용되지만 좌약 형태가 장점막을 자극하는 효과가 더 강하다. 좌약(suppository)은 체강에 삽입하여 체온에 의해 쉽게 녹도록 만들어진 제제로 대변을 부드럽게 하거나 직장벽을 팽창시키거나 직장 점막을 자극한다. 항문내괄약근에 삽입되면 삽입 후 30분 이내에 효과가 나타난다. 그러므로 배변 시간 30분 전이나 연동운동이 가장 활발한 시기인 아침식사 30분 전에 삽입하는 것이 효과가 좋다.

표 7-6 하제의 분류

유형	작용기전	실례
부피형성하제(bulk-forming cathartics)	• 장내의 수분, 가스, 덩어리를 증가시켜 장의 연동운동을 자극한다.	• Psyllium hydrophilic mucilloid • Methylcellulose
윤활제(lubricants)	• 변을 부드럽게 한다. • 변의 건조를 지연시킨다.	• 광물성유(mineral oil)
자극제(stimulant laxatives)	• 장점막을 자극해 소장과 대장에서 내용물이 빨리 이동되어 수분 재흡수를 방해한다.	• 피마자유(castor oil) • Dulcolax
습윤제(moisturing)	• 대변의 표면장력을 낮추어 분변 쪽으로 수분과 지방이 스며들게 한다. • 장에서의 수분흡수를 억제하여 대변의 대변의 덩어리를 크고 부드럽게 한다.	• Docusate(colace)
식염성 하제(saline cathartics)	• 장에서 흡수되지 않는 수용성 염제제로 삼투압을 형성해 분변 내로 수분을 흡수한다.	• 수산화 마그네슘(magnesium hydroxide) • 인산나트륨(sodium phosphate)

간호사는 완하제로 배변을 자극하는 방법이 습관화되지 않도록 교육해야 한다. 반복적인 완하제의 사용은 정상 배변을 억제하므로 약물 대신 고섬유질 식이와 수분섭취, 운동요법을 꾸준히 병행하도록 교육한다. 일반적으로 오심, 경련, 산통, 구토, 확진되지 않은 복통이 있는 경우와 장폐색 또는 심한 전해질 불균형 상태일 때 하제의 사용을 금한다.

2) 지사제

지사제는 설사를 억제하여 정상적인 배변을 유도하는 약물을 말한다. 설사 증세가 나타나면 설사만 멈추게 하는 것보다 원인을 파악하여 제거하는 것이 중요하다. 특히 감염성 설사에는 항균제 사용이 고려되어야 한다. 또한 손실된 수분과 전해질을 적절하게 보충하는 것도 중요하다. 지사제의 종류에는 수렴성 지사제, 흡착성 지사제, 장운동 억제에 의한 지사제가 있다.

- 수렴성 지사제: 염증이 있는 장점막의 단백질과 결합하여 피막을 만들고 장점막을 보호한다. 예로는 Albumin tannate(Tannalbin), Bismuth subcarbonate, Bismuth subnitrate가 있다.
- 흡착성 지사제: 장내 유해한 물질, 가스 및 세균 등을 흡착하고 장점막면에 부착하여 지사 작용을 한다. 활성탄(activated charcoal), Kaolin, Attapulgite 등이 예이다.
- 장운동 억제제: 장운동을 억제하여 장 내용물의 이동이 느려지고 대장에서의 수분 흡수가 증가하여 지사 작용을 한다. 종래에는 아편제제가 사용되었으나 중추신경계에 작용하는 부작용 때문에 현재는 Loperamide(Loperin), Diphenoxylate가 사용된다.

3. 관장

1) 관장의 종류

관장은 직장과 하행결장으로 용액을 주입하는 것으로 효과에 따라 배출관장, 구풍관장, 정체관장 및 역류관장으로 분류된다. 매복된 변을 제거하기 위해 손가락을 이용하는 것을 용수관장 또는 수지 제거라고 한다. 손가락을 사용하는 경우 직장벽이나 외항문괄약근에 손상을 주어 심한 통증과 출혈, 부정맥을 초래할 수 있으므로 의사의 처방을 받고 시행한다. 대상자가 당황스럽고 불편감을 느낄 수 있으므로 시행 전 대상자에게 목적과 절차에 대해 충분히 설명해야 한다(표 7-7).

2) 관장 시 주의사항

① 장폐색증, 뇌압상승이 우려되는 경우는 금한다.
② 관장액 주입 시 장천공, 출혈가능성, 궤양성 장염, 장점막 괴사 및 손상의 가능성이 있을 경우 금한다.
③ 수돗물 관장이나 비눗물 관장 시 순환과부담, 수분중독, 근

육의 손상과 괴사, 고칼륨혈증, 부정맥을 초래할 수 있다.
④ 많은 양의 용액 주입 시 천공과 출혈을 초래할 수 있다.
⑤ 위장관이나 부인과 수술 직후 관장 시 봉합선이 터질 수 있다.
⑥ 소아인 경우 비눗물 관장 시 수돗물 대신 생리식염수를 사용한다.

4. 장훈련 프로그램

장훈련 프로그램은 만성 변비, 분변매복, 변실금 등이 있는 대상자에게 개인의 조절 범위 내에서 배변 문제를 유발할 수 있는 요소들을 조정하고, 완하제의 도움 없이 정상 배변을 성취하도록 도울 수 있다. 김시현(2004)은 장훈련 프로그램의 기본 과정을 다음과 같이 설명하였다.

공통적인 장훈련 프로그램의 과정은 SELF(Schedule, Exercise, Liquids, Food)로 요약할 수 있다.

- Schedule: 규칙적으로 습관을 형성하는 데에 중점을 둔다. 배변 간격은 매일 또는 이틀이나 3일에 한번 하는 것으로 계획하며 배변을 자극할 수 있는 좌약, 수시자극, 변기에 앉히기와 복부마사지 등을 포함한다.
- Exercise : 운동을 할수록 장내 변의 이동이 더 잘 될 수 있음을 교육한다. 복근의 수축과 연동운동을 촉진할 수 있는 방법으로는 침상에서 가능한 한 높이 엉덩이 올리기, 돌아눕기, 목욕, 관절범위운동 및 근육강화운동 등이 있다.
- Liquid: 하루에 적어도 2,000mL 이상의 수분을 섭취하도록 한다.
- Food: 각종 영양소로 이루어진 잘 짜여진 식단을 계획하며 섬유질을 섭취하여 고형변의 유지와 장의 하부를 비울 수 있도록 한다.

간호사는 대상자가 정상 배변을 할 수 있도록 지지하고 격려하며 필요하다면 장훈련 프로그램을 수정한다.

5. 분변매복 대상자 간호

분변매복이 의심되면 복부촉진과 직장검진을 시행한다. 직장검진 시에는 미주신경 자극으로 심박동을 느리게 할 수 있으므로 매우 부드럽고 조심스럽게 시행한다. 분변매복을 제거하기 위해서는 여러 번의 관장과 완하제의 복용이 필요하며 경우에 따라 손으로 제거하는 방법을 사용하기도 한다.

6. 설사 대상자 간호

설사를 유발하는 요인을 제거하며, 계속되는 설사로 항문 주위에 피부자극이 있을 수 있으므로 깨끗이 씻고 건조시켜야 한다. 탈수 예방을 위해 수분과 전해질을 공급한다. 설사가 멈추면 요구르트나 버터우유와 같은 발효된 낙농제품을 섭취하도록 하

표 7-7 관장의 종류와 용액

관장명	목적	용액	온도	장단점
배출관장 (cleansing enema)	• 직장내 용액을 주입하여 장을 팽창시키거나 장점막을 자극하여 연동운동을 일으켜 배변을 유도한다.	• 고장액: sodium phophate 70~130mL • 등장액: 생리식염수 500~1,000mL • 저장액: 수돗물 500~1,000mL • 비눗물 500~1,000mL (1,000mL의 물에 3~5mL의 비누)	• 36.6~37.7℃ • 37.7~43.3℃ • 37.7~43.3℃ • 37.7~43.3℃	• 전해질 불균형(나트륨 정체, 고인산혈증) • 노인과 유아에게 사용될 수 있음, 나트륨 정체 가능성 • 수분전해질 불균형, 수분 중독증 • 직장 점막 자극 및 손상
구풍관장 (carminative enema)	• 장내가스를 배출시켜 가스로 인한 팽만을 완화한다.	• MGW(50% magnesium sulfate 30mL, glycerine 용액 60mL, 물 90mL)	• 37.7~43.3℃	
정체관장 (retention enema)	• 소량의 특수용액을 장내에 머물러 있게 한다.			
① 약물주입관장	• 구충이나 진정 또는 진통의 목적	• polystyrene sulfonate calcium(Kalimate): 고칼륨혈증 시 사용 • Neomycin : 장수술 전 장내 세균수 감소를 위해 사용	• 36.6~37.7℃	
② 유류정체관장	• 장내에 기름을 주입하여 윤활제로 변을 부드럽게 하여 대변 배출	• 광물성유나 글리세린 90~140mL		
역류관장 (return-flow enema)	• 연동운동을 자극하고 장내 가스를 제거할 목적으로 용액의 주입과 배출관장 반복 시행	• 생리식염수	• 36.6~37.7℃	• shock의 가능성 때문에 사용이 제한된다.

여 정상적인 장세균총(bowel flora)의 회복을 증진시켜야 한다.

7. 변실금하는 대상자의 피부관리

대상자는 수치감, 불안, 사회적 격리감 등의 정서적인 문제를 경험할 수 있으므로 대상자를 수용해주고 지지하는 태도를 보이며 프라이버시를 유지해준다.

또한 실금되는 변은 산성이고 소화효소가 포함되어 있어 피부를 자극하므로 세심한 피부간호가 필요하다. 그러므로 중성 비누와 따뜻한 물로 항문 주위를 깨끗이 닦고 완전히 건조시킨다. 피부의 건조와 보호를 위해 아연화 연고(zinc oxide)를 바른다.

축축한 피부에는 진균감염이 쉽게 발생하는데 분말형 항진균제의 사용이 효과적이다.

8. 장내 가스 대상자 간호

장내 가스가 많이 찬 대상자의 가스 배출을 위해 구풍관장을 하거나 직장관(rectal tube)을 삽입할 수 있다. 오래 삽입할 경우 더 이상 연동운동을 자극하지 않으므로 삽입시간은 30분 이상 경과하지 않도록 하며, 복부 팽만이 제거되지 않을 경우 2~3시간마다 간헐적으로 직장관을 사용한다.

9. 인공항문을 가진 대상자 간호

일시적·영구적 인공항문을 가진 대상자는 인공항문의 위치에 따라 배변의 양상이 다르다. 회장루의 경우 묽은 변을 지속적으로 배출하게 되는데 변에는 소화효소가 포함되어 있어 피부를 자극한다. 결장루에 비해 세균이 적으므로 냄새는 적게 난다. 상행, 횡행 결장루의 경우 변이 묽고 변의 배출을 조절할 수 없으며 대장 내 세균으로 인한 악취가 난다. 그러나 S상결장루의 경우 배출되는 변의 형태는 정상이며 통제가 가능해 부착기구를 계속 착용할 필요가 없고 냄새를 조절할 수 있다.

대부분의 대상자가 장루(stoma)로부터 배출되는 변을 모으기 위한 주머니를 착용하고 있는데 소화효소를 함유한 묽은 변이 피부를 자극하지 않도록 세심한 피부 간호가 필요하다. 장루주위 피부의 발적, 궤양, 자극유무를 규칙적으로 관찰하고 주머니는 1/3이나 1/2 정도 찼을 때 비우도록 하며 장루주위의 피부를 깨끗하고 건조하게 유지한다. 간호사는 대상자가 인공항문 관리에 참여하고 스스로 독립적으로 이러한 절차를 수행할 수 있도록 용기를 복돋워 준다.

인공항문을 가진 대상자의 식이는 부드러운 육류, 생선 및 콩제품(두부, 된장국 등)이 권장되며 변비유발 음식(땅콩, 밤, 고구마, 찰떡), 소화가 어려운 음식(밀가루, 옥수수, 생과일, 튀긴음식), 고지방식이, 거친음식(비빔밥, 나물, 김치)을 제한해야 한다.

장세척은 장루를 통해 세척액을 주입함으로써 연동운동을 유발시켜 배변이 규칙적으로 일어나게 하는 방법이다. 하행결장루와 S상결장루에서 장루 합병증이 없고 대상자가 세척절차를 배울 수 있고, 수술 전의 배변습관이 규칙적인 경우에 가능하다. 장세척은 식사 전, 후 1시간은 피하고 가능하면 수술 전 배변 시기와 비슷하게 하는 것이 좋다. 하루나 이틀마다 시행하며 배변횟수에 따라 세척간격을 조절한다.

목욕이나 샤워는 주머니 제거 후 가능하나 인공항문은 열에 약하므로 화상입지 않도록 주의한다. 하루에 한 번씩 인공항문에 손가락을 넣어 좁아지는 것을 예방한다. 정상적인 사회활동을 계속할 수 있지만, 격렬하거나 신체접촉을 하는 운동과 무거운 것을 드는 것은 피해야 한다.

대상자는 변의 배출로 인한 냄새와 장루로 인한 신체상의 변화로 심리적 스트레스를 느끼는데 스스로 자가간호에 참여하게 하고 자조집단에 참여하게 함으로써 정상적인 생활양식을 습득하도록 지지한다.

제5절
배변 요구와 관련된 간호평가

배변 요구와 관련한 간호수행의 궁극적인 목표는 부드러운 형태의 변을 정상적으로 배변하는 것이다. 이러한 목표달성 정도를 평가하기 위한 평가기준은 다음과 같다.

- 규칙적인 배변습관이 수립되었는가?
  - 변의 특징, 배변 빈도 관찰
- 정상 배변에 대한 대상자의 이해가 증진되었는가?
- 적절한 식이와 수분섭취가 유지되었는가?
  - 식이 및 수분섭취 일지 작성
- 규칙적인 운동을 수행하였는가?
- 안위 증진이 수립되었는가?
- 피부 통합성이 유지되었는가?
- 변의를 무시하거나 완하제와 관장을 남용하는 습관을 개선하였는가?

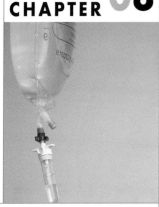

CHAPTER 08

배뇨 요구

학습목표

1 배뇨 기전을 설명한다.

2 배뇨에 영향을 미치는 요인을 설명한다.

3 배뇨장애를 사정한다.

4 배뇨 요구를 사정한다.

5 배뇨 요구와 관련된 간호진단을 진술한다.

6 배뇨 요구와 관련된 간호를 계획한다.

7 배뇨 요구와 관련된 간호중재를 수행한다.

8 도뇨와 관련된 간호중재를 수행한다.

9 배뇨간호 수행 후 결과를 평가한다.

제1절
배뇨 간호를 위한 간호사정

I. 간호사정을 위한 기본 지식

1. 배뇨의 생리

1) 구조와 기능

비뇨기계의 중요한 기능은 노폐물인 요성분을 체외로 배설하며, 체내의 수분과 전해질 농도 조절, 산-염기의 균형 등을 담당함으로써 내적 환경의 항상성(homeostasis)을 유지하는 것이다. 비뇨기계는 소변을 형성하는 신장(콩팥, kidney)과, 방광으로 소변을 운반하는 요관, 소변을 저장하는 방광, 요를 체외로 배설하는 요도로 이루어진다(그림 8-1).

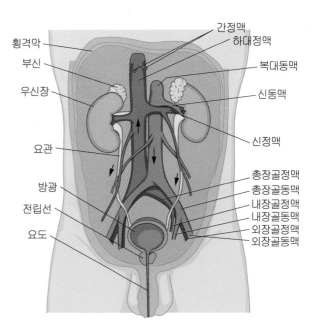

그림 8-1 비뇨계의 구조

(1) 신장

신장(kidney)은 한 쌍의 후복막 장기(배막뒤 장기, retroperitoneal organ)로 제11, 12흉추와 제 3요추 사이에 있고 오른쪽 신장이 왼쪽 신장보다 1cm 가량 더 낮게 위치한다. 성인에서 각 신장의 평균무게는 150g, 길이는 11~13cm 정도이다. 신장은 섬유성 피막으로 덮여 있으며 신장실질은 피질과 수질로 구성된다. 신내측에 움푹 들어간 곳을 신문(hilus)이라고 하며, 이곳으로 요관(ureter), 혈관, 림프관과 신경 등이 통과한다. 요관은 신장 내로 들어가 깔때기(funnel)형으로 팽대되었는데 이곳을 신우(콩팥깔때기, renal pelvis)라 한다(그림 8-2).

신장의 구조적, 기능적 단위는 네프론(콩팥단위, nephron)이며, 한쪽 신장에 100~125만개의 네프론이 있다. 네프론은 신소체(renal corpuscle)와 신세뇨관(콩팥세관, renal tubule)으로 구성되어 있고, 신소체는 사구체(토리, glomerulus)와 보우만주머니(Bowman's capsule)로, 신세뇨관은 근위세뇨관(토리쪽세뇨관, proximal tubule), 헨레고리(loop of Henle), 원위세뇨관(먼쪽세관, distal tubule)으로 되어 있다.

복대동맥(배대동맥, abdominal aorta)에서 기시하여 신문을 통해 신장으로 들어가는 신동맥은 수입소동맥(들세동맥, afferent arteriole)으로 분지하고, 수입소동맥은 보우만주머니 안에서 20~40개의 모세혈관으로 분지되어 모세혈관총인 사구체를 형성한다(그림 8-3). 신동맥(콩팥동맥, renal artery)을 거쳐 사구체 안

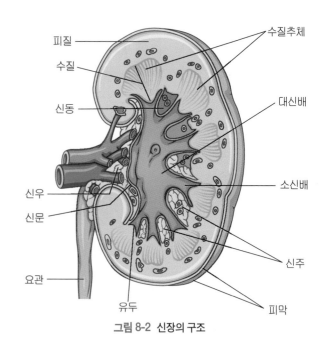

그림 8-2 신장의 구조

의 모세혈관을 통과한 혈액은 수출소동맥(날세동맥, efferent arteriole)을 통해 세뇨관주변 모세혈관을 지나면 정맥계로 들어가 신소정맥과 신정맥(콩팥정맥, renal vein)을 통과하여 전신 순환으로 되돌아가기 위해 하대정맥(아래대정맥, inferior vena cava)으로 들어간다.

혈액이 신장을 흐르는 동안 혈장의 일부는 사구체 모세혈관에서 여과되어 세뇨관강으로 들어간다. 성인에서는 양쪽 신장을

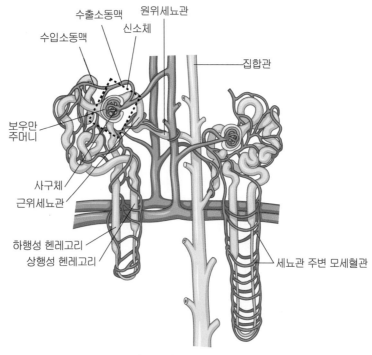

그림 8-3 네프론과 신혈관

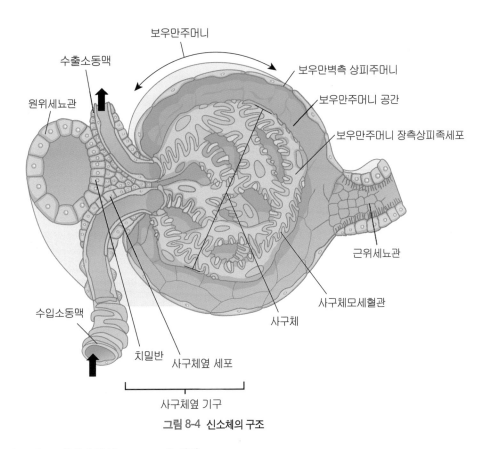

그림 8-4 신소체의 구조

통과하는 혈액이 1,200mL/min으로 심박출량의 20~25%에 해당한다. 보통 1일 180L의 혈액(125mL/min)이 각 신장의 사구체를 통해 여과되는데 이러한 시간당 여과하는 양을 사구체 여과율(GFR)이라고 한다.

사구체 모세혈관막은 다공성(porous)이라 수분과 포도당, 아미노산, 요소, 요산, 크레아티닌, 크레아틴과 같은 물질과 대부분의 전해질은 통과시킬 수 있으나 단백질과 혈구세포와 같은 큰 분자의 통과는 어렵다. 실제로 사구체 여과액은 혈장 단백질이 없다는 것을 제외하면 혈장과 거의 같다.

사구체에서 여과된 물질은 세뇨관을 지나게 되는데 이때 포도당, 아미노산, 요산, 나트륨과 칼륨이온, 물과 같은 여과물질의 99%는 세뇨관 주변 모세혈관이나 직행혈관(곧은혈관, vasa recta)의 혈장내로 선택적으로 재흡수되고, 남은 1%가 소변이 된다. 신장으로 들어온 혈장량의 20%만 사구체에서 여과되므로 이를 보완하기 위해 신장이 불필요한 물질들을 효과적으로 배설시키는 과정이 세뇨관 분비이며 이는 물질이 간질액(사이질액, interstitial fluid)에서 세뇨관강 안으로 이동하는 것을 말한다.

이와 같이 신장은 단순히 체내의 노폐물만을 제거하는 기관이 아니라 체액 균형을 조절하는데 있어서 가장 중요한 역할을 하고 있다(그림 8-5).

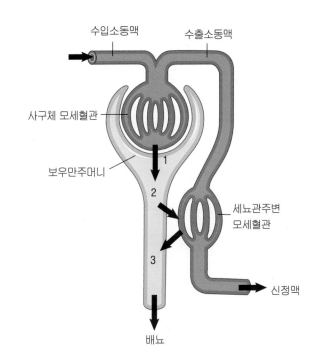

1. 사구체 여과(Glomerular filtration)
2. 세뇨관 재흡수(Tubular reabsorption)
3. 세뇨관 분비(Tubular secretion)
4. 배뇨(Urinary excretion)

$$4 = (1+3) - 2$$

그림 8-5 배뇨의 기전

(2) 요관

세뇨관을 떠난 소변은 집합관을 경유하고 신우와 연결된 요관(ureter)을 통해 방광으로 모여지게 된다. 요관은 소변을 신장에서 방광까지 운반하는 관으로 성인에서 그 길이가 25~30cm, 직경이 1.25cm이며, 다소 좁아지는 신우의 이행부에서 시작하여 방광 저부의 후부각에서 방광으로 들어간다.

요관의 내층 점막은 위로는 세뇨관과 아래로는 방광점막과 연결되어 미생물의 전파경로가 될 수 있다. 방광과 요관의 경계에는 덮개 모양의 주름이 있어 방광으로 배출된 소변이 요관으로 역류되는 것을 막는다. 요관 근육층의 연동운동으로 소변을 방광으로 내려 보내며 요관에서 방광으로 배출되는 소변은 무균상태이다.

(3) 방광

방광(bladder)은 치골결합(두덩결합, pubic symphysis) 뒤쪽 골반 속에 들어있는 근육성 주머니이다. 방광의 기저면에는 3개의 구멍이 있는데, 앞쪽의 하나는 요도 개구부이고, 뒤쪽의 두개는 요관의 개구부이다. 이 세 개의 개구부를 연결해서 생긴 삼각형 부위를 방광삼각이라 한다. 방광의 벽은 4층으로 구성되는데, 요관과 요도의 점막과 연결되어 있는 내점막층, 결합조직으로 된 점막하조직(점막밑조직, submucosa), 3층의 평활근섬유(민무늬근육섬유, smooth muscle fiber)로 구성된 근육층(배뇨근이라 일컬음) 및 외장막층으로 되어있다. 남자는 직장(곧창자, rectum)의 앞쪽, 전립선(전립샘, prostate)의 위쪽에 있고 여자는 자궁과 질의 앞쪽에 위치한다.

성인의 경우 방광에 150~200mL, 아동은 50~100mL만 소변이 차도 요의를 느끼게 된다. 방광은 500mL 내지 800mL까지 소변을 보유할 수 있으나 대개 이 용량에 이르기 전에 비우게 된다. 방광은 점막벽의 탄력성 때문에 늘어날 수 있으며 가득 찼을 경우에는 방광의 상부가 치골결합 위로 올라오므로 촉진이나 타진이 가능해진다.

(4) 요도

요도(urethra)는 방광에서 요도구까지 뻗어 있는 하나의 관으로서 소변 배출구이다. 남성의 요도는 길이가 15~20cm이고 전립선요도부(prostatic), 막성요도부(membranous), 해면체요도부(cavenousra)의 세부분으로 구성되어 있으며 소변뿐만 아니라 생식기관에서 배출되는 정액의 통로도 된다. 여성의 요도는 길이가 약 4cm이며 남성과 달리 체외 부분이 없다. 남녀 모두 요도의 점막층은 방광과 요관에 이어져 있어 요도가 감염되면 요로를 통해 신장으로 쉽게 확산된다. 특히 여성에서는 요도가 짧아서 요로감염이 일어나기 쉽다.

내괄약근(속조임근, internal spincter)은 방광의 저부에 있고 불수의적인 반면에 외괄약근(바깥조임근, external spincter)은 여자는 요도의 중간지점에, 남성은 요도의 전립선 말단에 위치하고 수의적으로 조절된다(그림 8-6, 그림 8-7).

2) 배뇨

배뇨(소변보기, urination, micturition, voiding)란 방광을 비우는 과정을 말한다. 소변이 방광에 축적되면 신전감수체(뻗침수용기, stretch receptor)가 자극되어 천골(엉치뼈, sacrum) 제2~4번 정도에 위치한 배뇨반사 중추에 전달된다. 배뇨반사 중추로부터의 부교감신경 자극은 배뇨근을 수축시키고 내요도괄약근(속요도조임근, internal urethral sphincter)을 이완시켜 소변을 방광에서 배출시킨다. 또한 배뇨반사를 시작하는 충동은 대뇌피

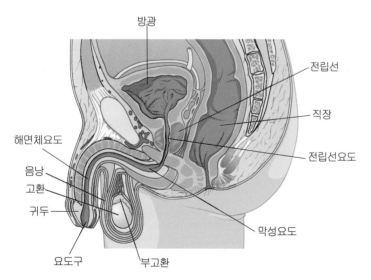

그림 8-6 남성 비뇨생식기계

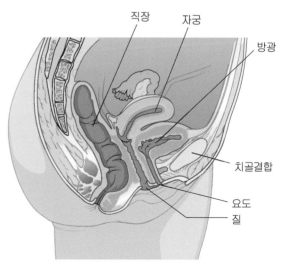

그림 8-7 여성 비뇨생식기계

질에 전달되어 환경적인 상황이 배뇨하기에 적절하지 않다고 느끼면 외요도괄약근(바깥요도조임근, external urethral sphincter)을 수축시켜 배뇨가 억제되고 그렇지 않으면 배뇨가 일어난다.

배뇨의 수의적 조절은 방광과 요도에 분포한 신경, 척수와 뇌의 신경계, 소뇌의 운동영역이 모두 정상적일 때만 가능하며 정상적으로 방광이 가득찬 것을 느낄 수 있어야 한다. 방광, 요도, 척수 및 뇌신경계의 손상(예: 뇌출혈, 천골부위 이상의 척수손상)이 있을 경우 간헐적으로 불수의적인 배뇨를 하게 되는데 이를 실금(새기증, gatism)이라 부른다. 노인에서는 방광 충만을 지각하지 못해 실금이 생길 수도 있다. 한편 척추의 천골부위 위쪽에 손상이 있을 때 수의적 조절은 상실되지만 배뇨반사 신경로가 완전하면 배뇨가 반사적으로 일어날 수 있다. 이런 상태를 자동방광(automatic bladder)이라고 부른다. 배뇨 시 복부근육의 수의적인 수축은 방광벽의 압력을 증가시킴으로써 배뇨를 촉진하며 배뇨하는 동안 회음근육은 이완한다. 회음근육의 수의적인 수축은 소변이 유출되지 않도록 외요도괄약근을 보조한다.

배뇨는 정상적으로 밤에 1회 정도, 낮에 5~6회 발생하며 통증은 없다. 성인의 경우 배뇨량은 24시간 동안 약 1,500mL이나 수분 섭취, 이뇨제 섭취, 발한(땀남, sweating, diaphoresis, perspiration), 체온, 구토, 설사 등에 의해 달라질 수 있다.

2. 배뇨에 영향을 미치는 요인

배뇨에 영향을 미치는 요인에는 성장발달, 심리적 요인, 활동과 긴장도, 식이와 수분섭취, 약물, 질병상태, 진단검사 등이 있다(표 8-1).

3. 배뇨와 관련된 문제

1) 요정체

요정체(urinary retention)란 개인이 완전히 방광을 비우지 못하는 상태로 소변이 정상적으로 생성되지만 방광에서 배설되지 않는 것을 의미한다.

성인의 방광은 정상적으로 250~500mL의 소변을 보유하게 되면 배뇨반사가 유발되지만 정체가 심한 경우에는 2,000~3,000mL까지 보유할 수 있다. 방광이 팽만되면 불편감, 압통(누름통증, tenderness), 불안정감 및 발한을 경험하게 된다.

장기간의 소변정체는 소변의 잔류현상을 일으켜 요로감염을 초래한다. 또한 팽만으로 인하여 방광으로의 혈류가 감소되며 그람음성균의 침범에 대한 저항성이 낮아지게 되는데, 혈류감소는 요도를 통한 세균의 상행이나 잔뇨보다 중요한 요로감염의 원인이 된다.

방광의 팽만을 사정하기 위해 치골결합 부위 바로 위쪽을 촉진하면 팽만부위가 느껴지며, 타진하면 둔한 소리가 난다. 정체가 진행되면 소변의 유출이 일어날 수 있는데, 외요도괄약근이 더 이상 소변을 보유할 수 없는 수준까지 방광내 압력이 증가되면 소량씩 소변을 배출하게 된다.

요정체는 대개 하복부, 골반, 방광 또는 요로의 수술 후 특히 보행이 지연되거나 수분섭취량이 적을 때 일시적으로 나타날 수 있다. 산후 요정체는 흔히 질분만 시 외음부열상에 의해 생긴 요도구 주위의 부종이 원인이며 남성에서는 전립선 비대와 같은 기계적 폐색이 요정체를 일으킬 수 있다. 그 밖에 여러 가지 정신사회적 요인들이 요정체와 관련될 수 있다.

요정체의 임상 증상 및 징후는 다음과 같다.

- 치골결합 부위의 불편감
- 방광의 팽만감
- 요의는 있으나 배뇨하기 어려움
- 잦고 적은 양의 소변 배설량(50mL 이하)
- 섭취에 비해 부적절하게 적은 양의 소변

2) 하부요로감염

요로감염은 전체 의료관련 감염의 40%정도를 차지한다. 미생물은 여성과 남성 모두 요도 끝부분이나 외부생식기에 상주하고 여성의 경우 질내에도 상주한다. 미생물은 요도구로 들어가서 방광 안쪽 점막층을 따라 올라갈 수 있다. 여성은 항문과 요도구가 근접해 있고 요도가 짧기 때문에 요로감염에 대한 감수성이 더 높으며 남성은 요도의 길이가 길고 전립선에서 분비되는 항균물질이 있어 요로감염의 위험이 적다.

방광기능이 정상인 건강한 사람은 미생물이 배뇨 시에 자연적으로 배출된다. 그러나 잔뇨로 인한 방광의 팽창은 미생물의 성장에 최적의 조건을 제공한다.

요로감염의 발생은 요로에 기구를 삽입하거나 회음부 위생상태의 불량, 잦은 성교, 배뇨나 배변 후 잘못 닦거나 오염된 손에 의해 일어난다.

요로감염이 있으면 배뇨 시 통증 또는 작열감, 열, 오한, 오심, 구토, 불쾌감, 빈뇨와 핍뇨가 나타날 수 있고 방광과 요관점막의 자극은 혈뇨를 유발한다. 소변의 색은 세균과 백혈구로 인해 농축되고 혼탁하게 보인다. 만약 염증이 신장까지 확산되어 신우신염으로 진행되면 열, 옆구리 통증, 압박감, 오한 등의 증상 및 징후가 나타난다.

표 8-1 배뇨에 영향을 미치는 요인

요인	이론적 근거
성장과 발달	• 영아는 소변농축능력이 불완전하고 18~24개월이 되어야 배뇨의 수의적 조절이 가능하다.
	• 신장기능은 출생 후 1~2년 사이에 성숙되어 소변이 효율적으로 농축되며 정상적인 호박색을 나타낸다.
	• 50세 이후 신장의 크기와 기능이 쇠퇴하기 시작하는데 퇴축은 사구체 소실에 기인한다.
	• 노인에서 소변 농축력의 상실과 방광근육의 긴장도 감소 때문에 야뇨와 빈뇨가 생긴다.
	• 노화로 인한 방광근육의 긴장도와 수축력 감소는 잔뇨와 실금을 유발하며 이는 세균성장과 감염의 위험도를 높여준다.
심리적 요인	• 불안과 스트레스는 긴박감을 유발시켜 배뇨빈도를 증가시킨다.
	• 배뇨 시 프라이버시 유지가 되지 않으면 회음근을 이완시키기 어렵다.
	• 평소 배뇨습관의 유지가 어려운 환경(입원, 공공화장실이용, 침상에서의 배뇨 등)은 복근 수축, 회음근과 요도괄약근의 이완을 방해한다.
활동과 근 긴장도	• 부동상태가 계속되면 방광과 괄약근의 긴장도가 저하되어 배뇨조절이 잘 되지 않고 요정체가 발생하기도 한다.
	• 출산, 폐경, 외상으로 복근과 골반 하부근이 약화되면 방광수축과 외요도괄약근 조절기능이 손상된다.
	• 지속적인 유치도뇨는 방광벽의 근육긴장도를 소실시킨다.
식이와 수분섭취	• 카페인이 함유된 음료(커피, 콜라, 차 등)와 알코올은 이뇨효과가 있어 소변량을 증가시킨다.
	• 염분이 많은 음식이나 음료는 수분의 재흡수와 정체를 일으켜 소변량이 감소된다.
	• 특정 음식은 소변의 냄새와 색깔에 영향을 미친다.
약물	• 이뇨제는 수분과 전해질의 재흡수를 방해하여 소변 배설량을 증가시킨다.
	• 마취제와 진통제는 사구체 여과율을 저하시켜 소변 배설량을 감소시킨다.
	• 콜린성 약물은 배뇨근의 수축을 자극하여 배뇨를 일으킨다.
	• 아스피린 같은 진통제의 남용은 신독성을 일으킨다.
	• 카나마이신과 같은 항생제도 신독성을 일으킬 수 있다.
	• 항응고제는 혈뇨의 원인이 될 수 있다.
	• 항콜린성 약물, 항히스타민제, 항우울제, 항경련제, 항파킨슨씨 질환 약물 등은 요정체를 유발시킬 수 있다.
질병상태	• 신장질환은 신장의 배설기능을 변화시킨다.
	• 열성 질환은 소변을 농축시키고 소변량을 감소시킨다.
	• 기동력에 손상을 주는 질환은 배뇨과정을 방해한다.
	• 인지 결함이나 정신질환의 경우 개인의 수의적 배뇨조절 능력을 방해한다.
	• 당뇨병이나 다발성 경화증은 방광기능을 변화시키는 신경병변을 일으킨다.
진단검사	• 신우촬영술이나 요도조영술 전 수분제한으로 소변 배설량이 감소된다.
	• 방광경 시술 후 요정체와 혈뇨가 발생된다.
	• 척수마취 후 요의에 대한 지각 감소로 소변배출이 저하된다.

3) 요실금

요실금(urinary incontinence)이란 소변이 불수의적으로 배출되는 것을 말하며, 영구적 또는 일시적일 수 있다. 요실금은 여성의 25%, 남성의 10%에서 경험하게 되는 건강문제로, 노인에서 더 많으나 모든 연령에서 유발될 수 있다. 요실금은 치료될 수 있으며, 개별적인 중재로 정상적인 생활이 가능하다.

요실금은 병리적, 해부적, 신경적, 심리적, 환경적인 요인과 관련되며, 요실금의 유형에 대한 정확한 진단이 성공적인 치료를 좌우하게 되는데 요실금은 다섯 가지 유형으로 분류된다(표 8-2). 요실금은 부정적인 신체상 형성 및 사회적 활동제한, 산성뇨로 인한 피부자극의 간호문제를 유발시킨다.

4) 유뇨증

유뇨증(enuresis)은 수의적으로 배뇨조절이 가능한 연령(4~5세)이 지나서도 불수의적인 배뇨가 반복되는 것을 말하며

표 8-2 요실금의 종류

종류	정의	원인	증상
완전 요실금 (total incontinence)	• 계속적이고 예측할 수 없는 요실금의 상태	• 외요도괄약근의 손상 • 척수신경이나 감각신경의 손상이나 질환 • 방광과 질 사이의 누공 • 전립선 절제술(남성)	• 실금이나 방광팽만에 대해 인지하지 못함 • 회음부의 감각 저하 • 방광팽만과 수축없이 예측할 수 없는 시간에 소변이 계속적으로 흐름
기능성 요실금 (functional incontinence)	• 불수의적이고 예측할 수 없는 배뇨상태	• 환경의 변화 • 심리적 요인 • 감각 또는 인지 결여 • 기동성 결여 • 비뇨생식기계의 원인은 없음	• 배뇨 전 강한 긴박감으로 소변유출 • 예측 불가능한 요배출
복압성 요실금 (stress incontinence)	• 방광의 비정상적인 수축이나 과다한 팽창 없이 복압의 증가로 50mL 이하의 소변을 실금하는 상태	• 허약한 골반근육 및 지지 조직약화 • 노화에 따른 골반근육과 지지조직의 퇴행성 변화 • 복강내 압력 증가(예 : 비만, 임신한 자궁) • 방광의 과도팽만 • 방광 배출구의 기능부전	• 복압증가와 함께 소변이 배출됨 • 배뇨 긴박감 • 빈뇨
긴박성 요실금 (urge incontinence)	• 갑작스럽게 강한 요의를 느낀 후 바로 불수의적으로 배뇨하는 상태	• 감소된 방광용적 • 방광의 신전감수체 자극 • 알코올이나 카페인 섭취 • 수분섭취 증가 • 요로감염, 요결석, 종양	• 잦은 요의 • 긴박성 • 빈뇨 • 요의를 느낀 후 즉시 소변을 봄
반사성 요실금 (reflex incontinence)	• 특정 방광용량에 도달할 때 예측가능한 간격으로 소변이 불수의적으로 배출됨	• 방사선에 의한 방광염, 염증성 방광상태 또는 골반근치술에 따른 조직손상 • 천골 또는 뇌교의 배뇨중추 윗 부분의 신경학적 손상	• 요의를 느끼지 못함 • 방광 팽만감을 느끼지 못함 • 방광이 비워진 느낌이 없음 • 배뇨를 자발적으로 억제하거나 시작하지 못함

보통 5세 전후에 많이 생긴다. 밤에 자면서 잠자리에 배뇨하는 경우는 야뇨증(nocturia), 낮에 다른 활동에 집중하여 방광의 팽만을 인지하지 못해 배뇨하게 되는 경우를 주간 유뇨증(diuria)이라 한다. 3~15세 아동의 5~17% 정도에서 발생하고 남아에서 흔하다.

유뇨증의 원인은 신경계 이상, 너무 깊이 잠들었을 때, 심리적 원인 등 개인에 따라 다양하며 요로감염과 폐쇄성 요로병변도 관련된다. 종종 신경질적이고, 충동적이고, 파괴적인 행동을 하는 아동에서 유뇨증이 나타난다.

II. 배뇨 요구 사정

배뇨 요구에 대한 사정에는 간호력, 신체검진, 소변검사, 진단적 검사가 포함된다.

1. 간호력

1) 배뇨양상

■ 낮 동안의 배뇨 빈도와 횟수
■ 최근 배설양상의 변화
■ 배뇨하기 위해 밤에 깨는지 여부와 횟수
■ 배뇨와 관련된 습관

2) 배뇨 장애의 특성

표 8-3은 배뇨 장애의 특성을 기술하고 관련요인을 요약, 정리한 표이다.

3) 배뇨에 영향을 미치는 요인

(1) 약물

■ 배뇨를 증가시킬 수 있는 약물(예: 이뇨제)의 사용

표 8-3   배뇨 장애의 특성 및 관련 요인

증상	관련요인
긴박뇨(urgency): 방광에 차 있는 소변의 양과 상관없이 참지 못하고 즉시 배뇨해야 할 것 같은 느낌	• 심리적 스트레스 • 요로감염이나 염증 • 불완전한 요도괄약근 조절
배뇨곤란(dysuria): 배뇨 시 통증이 있거나 배뇨하기 어려운 상태	• 방광염증 • 요도의 외상이나 염증 • 전립선비대 • 신경인성 방광 • 요로압박 • 요로출구폐쇄
빈뇨(frequence): 잦은 간격의 배뇨(<2시간)	• 수분섭취 증가 • 방광염증 • 방광내압 증가(임신) • 심리적 스트레스
다뇨(polyuria): 하루 배뇨량 2,500mL 이상	• 수분섭취 과다 • 당뇨나 요붕증 • 이뇨제 복용 • 카페인과 알코올 함유 음식물 섭취
핍뇨(oliguria): 하루 배뇨량 400mL 이하	• 수분섭취 감소 • 탈수 • 신부전 • 울혈성 심부전
무뇨(anuria): 하루 배뇨량 100mL 이하	• 신장 질환 • 요로 폐쇄 • 항이뇨 호르몬의 분비증가
야뇨(nocturia): 야간의 배뇨량 과다	• 요로염증이나 감염 • 수분섭취 과다(수면 전 과일, 커피나 알코올 섭취) • 심맥관계 질환
혈뇨(hematuria): 소변에 혈액이 나옴	• 신장의 신생물, 사구체 질환 • 신장이나 방광의 감염, 비뇨기계의 손상 • 신결석, 혈액 질환
잔뇨(residual urine): 배뇨 후 방광에 남아 있는 소변(>100mL)	• 감염으로 인한 방광점막 자극, 염증 • 신경인성 방광 • 전립선 비대 • 요도 손상

■ 요정체의 원인이 되는 약물의 사용(항콜린성-항경련제, 항우울성-향정신성 약물, 항파킨슨씨 질환 약물, 항히스타민제, 혈압하강제 등)

(2) 수분섭취

■ 하루의 섭취량과 종류

(3) 환경적 요인

■ 화장실 사용 시 어떤 문제가 있는가? (기동성 장애, 옷을 입고 벗을 때 문제, 좌변기가 너무 낮은지)

■ 평소 개인습관과 입원 시 배뇨습관과의 차이

표 8-4 정상소변 특징

항목	정상치
24시간 소변량(성인)	1,200~1,500mL
혼탁도	투명
색깔	담황색, 호박색
농도	맑은 액체
냄새	약한 방향성
비중	1,002~1,035g/mL
pH	4.5~8
포도당	검출되지 않음(negative)
케톤	검출되지 않음(negative)
단백	검출되지 않음(negative)
빌리루빈	검출되지 않음(negative)
적혈구	0~3
백혈구	0~4
세균	없음
원주체	없음
결정체	없음

(4) 스트레스

- 스트레스의 경험 여부와 그 원인
- 스트레스로 인한 배뇨양상의 변화 유무

(5) 질병

- 요로 질환, 고혈압, 심장 질환, 신경계 질환, 전립선 비대, 당뇨병, 요붕증에 대한 과거력과 현병력
- 요로전환술 유무

(6) 진단적 검사

- 최근 방광경 검사유무
- 척추마취에 대한 경험유무

2. 신체검진

1) 신장

신장의 위치, 모양, 크기를 심부촉진으로 사정하며 늑골척추각(costovertebral angle)을 타진함으로써 신장의 질병 초기 증상인 압통을 사정할 수 있다.

2) 방광

치골결합 바로 윗부분을 가볍게 촉진할 때 압력을 가하면 방광의 팽만 정도에 따라 통증이나 압통을 느낀다. 촉진은 배뇨를 자극시킨다.

3) 요도구

정상적인 여성의 요도구는 질구 위, 음핵 아래에 위치하며 가느다란 구멍으로 분홍색이다. 요도구의 색깔, 부종여부 및 분비물 유무를 확인한다. 남성의 경우 포경수술을 하지 않은 대상자는 음경의 포피를 뒤로 잡아당겨야 요도구를 정확히 사정할 수 있다. 감염 시 요도구가 붉고 부종이 있으며 분비물이 있다.

3. 소변의 사정

1) 소변의 양

소변의 양은 배설되는 용질의 양, 발한으로 인한 체액손실, 심장과 신장의 기능, 호르몬의 영향, 섭취된 수분의 양에 따라 달라진다.

성인의 신장은 시간당 60~120mL의 소변을 생성한다. 그러나 정상인에서도 수분섭취가 많다면 하루에 2,000mL 이상의 소변을 생성한다.

소변량의 변화는 수분 불균형이나 신장 질환의 중요한 지표가 된다. 하루 배뇨량이 2,500mL 이상 되는 경우 다뇨라 하며, 시간당 30mL 이하 또는 하루 400mL 이하인 경우를 핍뇨, 하루 배뇨량이 100mL 이하인 경우를 무뇨라고 한다. 시간당 배뇨량이

30mL이하일 경우 신장 기능 부전을 의미하므로 즉시 보고한다.

정확한 섭취량과 배설량의 측정은 대상자의 간호와 의학적 치료를 계획하는데 필수적이다. 간호사는 배뇨시간과 양을 정확히 기록한다.

2) 소변의 특성

간호사는 대상자의 소변색깔, 투명도, 냄새 등을 관찰한다.

(1) 색깔

소변의 정상 색깔은 투명한 담황색 또는 호박색으로 농축 정도에 따라 색이 달라진다. 수분섭취가 많아지면 소변이 희석되고 색깔도 연해진다. 소변색은 약물이나 음식섭취로 변할 수 있다. 가장 흔하고 의미있는 소변색깔의 변화는 요로의 병적 징후를 나타내는 출혈이다. 상부요로에서의 출혈은 검붉은 색을 나타내고 하부요로에서의 출혈은 붉은 색의 소변을 보인다. 병적 상태로 인해 심하게 손상받은 근육조직으로부터 마이오글로빈(myoglobin)이 방출되면 적갈색의 소변색이 나타난다. 흑황색이나 녹색의 소변은 담즙색소의 존재를 나타내며 청록색의 소변은 녹농균에 의해 생긴다.

(2) 투명도

방금 받은 소변은 투명하다. 그대로 놔두면 뿌옇게 된다. 대개 요속에 세균, 결정체, 이물질이 있을 때 요가 혼탁해지며 이는 병적 상태임을 의미한다.

(3) 냄새

정상 소변은 특징적으로 암모니아 냄새가 난다. 농축된 소변은 더 심한 냄새가 난다. 다양한 원인으로 인해 소변의 냄새가 달라질 수 있다.

3) 소변검사

일반적인 요분석 검사(routine urinalysis)는 건강관리 기관에 입원하는 모든 대상자에게 실시하게 된다. 소변검사는 보통 아침에 배뇨한 첫 소변을 이용하는데 첫 소변은 다른 때보다 높은 농도이며 산도도 더 높은 경향을 보이기 때문이다.

요배양 검사(urine culture)는 요로감염의 원인균을 확인하고 균에 적합한 항생제를 알아보기 위해 시행한다. 세균학적 요배양 검사에서는 중간소변 즉, 오염되지 않은 깨끗한 소변 검사물을 채취하는 것이 중요하다.

(1) 요분석

도뇨관으로부터 채취한 검사물이나 깨끗한 소변으로 실시한다. 일반적으로 요분석을 통해 신 질환, 대사장애, 하부요로 변화, 수분 불균형 등을 사정할 수 있다.

(2) 당과 케톤

당과 케톤을 정확하게 측정하기 위해 항상 이중 배뇨검사물이 요구된다. 이중배뇨검사(double voided specimen)는 방광내 고인 소변이 아닌 배뇨 후 즉시 형성된 소변의 포도당과 케톤의 양을 검사하기 위한 것으로 배뇨 후 수분섭취를 한 후 두 번째 소변 검사물을 채취하는 것이다. Keto-Diastrix 또는 Multistix 시약은 당과 케톤에 노출될 때 색깔을 변화시키는 화학성분을 함유한다. 스틱을 소변검체에 담갔다가 10~15초 후 시약종이를 담은 병에 표시된 색깔과 시약종이에 나타난 색깔을 비교한다. 색깔 변화는 포도당과 케톤의 농도를 나타낸다.

(3) 요배양

요배양은 무균적으로 수집된 소변 검체를 사용한다. 검사실에서 세균이 성장하는 결과를 보는 데는 거의 72시간이 걸린다. 세균이 존재하면 균에 민감한 항생제를 결정하기 위해 부가적으로 항생제 감수성 검사를 함께 한다.

4) 진단 검사

요로 질환 혹은 요생성에 영향을 미치는 다른 신체계통의 장애를 확인하기 위한 진단검사로 단순 요로촬영(KUB), 정맥내 신우조영술(IVP), 역행성 신우조영술(RGP), 방광경 검사(cystoscopy) 등이 있다.

단순 요로촬영은 X-선을 이용해 신장, 요관, 방광을 간접 촬영하는 것으로 검사 전후에 특별한 준비가 필요하지 않은 간단한 검사이다.

정맥내 신우조영술(Intravenous Pyelography)은 검사 전 하제를 사용해 장을 비운 후 방사선 동위원소를 정맥주사하고 주입된 약제의 배설상태를 X-선 촬영함으로써 신장, 신우, 요관, 방광의 간접적인 주시를 가능하게 한다. 이 검사를 통하여 신동맥 폐쇄, 비뇨기계 종양, 혈관의 비정상 및 외상 유무를 알아낼 수 있다.

방광과 요도를 직접 들여다보기 위해 방광경 검사(cystoscopy)를 시행하는데 국소 마취나 전신 마취하에서 요도를 통해 방광내로 방광경을 삽입한다. 이 검사는 대상자의 통증을 유발할 수 있으며, 무균적인 강에 기구 삽입으로 인한 감염의 위험성이 있다. 대상자는 검사 후 충분한 수분섭취와 휴식을 취하도록 한다.

역행성 신우조영술(retrograde pyelography)은 방광경을 통해 구경이 작은 카테터를 신우내로 삽입하고 조영제를 주입한 후 집합관과 요관의 윤곽을 촬영하는 것으로 검사 전후 간호는 방광경 검사와 같다.

표 8-5 배뇨 장애와 관련된 간호진단

간호진단	관련요인
통증	요도감염, 요정체
배뇨장애	요로감염, 해부학적 폐쇄, 감각운동 장애, 다발성 요인, 신경운동 장애
요실금	복압상승, 수술, 비만, 다산, 임신, 골반근육 약화
소변정체	높은 요도압, 반사궁의 억제, 강한 괄약근, 폐쇄, 배뇨근 약화
신체상 장애	요관루 설치술, 잦은 실금
감염 위험성	도뇨관 삽입, 개인위생 불량
피부 통합성 장애 위험성	실금, 유치도뇨관 삽입, 요정체

제2절
배뇨 요구와 관련된 간호진단

대상자의 배뇨기능 사정을 통해 실제적, 잠재적인 배뇨 요구와 관련된 간호진단을 확인할 수 있다.

배뇨의 변화와 관련된 문제는 대부분 서로 관련되며 복합적이다(표 8-5).

제3절
배뇨 요구와 관련된 간호계획

간호사는 배뇨 요구를 가진 대상자에게 치료적 중재를 계획해야 하며 잠재적 문제를 가진 대상자에게는 예방적 중재를 계획한다.

대상자의 간호계획은 평상 시 배뇨습관을 고려하여 대상자 중심의 목표를 설정해야 한다.

대상자의 기대결과는 다음과 같다.

- 수분섭취와 소변배설량은 균형을 이룬다.
- 수분과 전해질의 균형을 유지한다.
- 규칙적인 간격으로 방광을 완전히 비운다.
- 배뇨하는데 어려움이 없다.
- 피부 통합성을 유지한다.
- 대상자는 배뇨 시 통증을 느끼지 않는다.

제4절
배뇨 요구와 관련된 간호수행

1. 자연 배뇨의 증진

1) 정상적인 배뇨습관의 유지

대상자의 배뇨습관이 적절하면 간호사는 대상자가 편안하고 만족스런 배뇨를 할 수 있도록 배뇨습관을 유지하는 간호와 교육을 하여야 한다.

간호업무나 병원절차는 대상자의 정상적인 배뇨습관을 방해할 수 있다. 대상자가 배뇨에 대한 충동을 느끼면 즉시 도움을 주어 배뇨가 지체되지 않도록 한다.

프라이버시는 정상적인 배뇨를 위해 필수적이다. 대상자가 화장실까지 갈 수 없다면 스크린으로 개인적인 공간을 확보해 준다. 어떤 대상자는 배뇨 소리에 수치심을 느끼는데 수돗물 흐르는 소리가 함께 나도록 하면 도움이 된다. 배뇨 시 특별한 습관을 유지해야 하는 대상자는 집에서와 같은 습관을 유지하도록 돕는다. 침상 변기 사용 시 변기가 차가우면 회음근육의 수축으로 배뇨가 억제되므로 변기를 따뜻하게 하여 제공한다.

2) 적절한 수분섭취의 유지

적당한 수분섭취가 요의를 자극한다. 매일 1,200~1,500mL 정도의 수분섭취가 대부분의 대상자에게 적합한 양이다. 밤에 소변보는 것을 줄이기 위해서는 취침 2시간 전부터는 수분섭취를 제한한다.

밀감류의 주스, 탄산 청량음료, 알코올, 카페인이 함유된 음료는 방광을 자극하고 방광근육의 불안정성을 초래하여 요실금의 위험성을 증가시킬 수 있음을 교육한다.

수분섭취의 증가는 소변량을 증가시키고 이는 요로에 축적된 입자와 미생물을 씻어내주어 요로감염과 요결석으로 인한 요로 폐쇄 가능성을 줄인다. 그러나 부종이나 체액과다가 있는 경우는 수분섭취를 제한한다.

3) 배뇨반사 자극하기

대상자가 평상시의 배뇨자세를 취하도록 도와주어 배뇨장애를 해결할 수 있다. 여성의 경우 몸을 앞으로 기울이고 앉는 자세는 방광 수축을 돕는 골반과 복부 근육의 수축을 증진시킨다. 대상자가 화장실을 사용할 수 없다면 간호사는 침상 변기를 사용해 배뇨자세를 취하도록 돕는다. 남자는 선 자세에서 보다 쉽게 배뇨하므로 대상자가 설 수 있도록 도와야 한다. 대상자가 화장실까지 갈 수 없다면 침대 옆에 서서 소변기에 배뇨하도록 한다.

물 흐르는 소리, 대퇴 피부 문지르기, 따뜻한 물에 손을 담그기, 회음부에 따뜻한 물 부어주기 등은 배뇨반사를 자극하여 배뇨 증진에 도움이 된다.

4) 손으로 방광 압박하기

방광의 정상 기능이 감소되었을 때, 손으로 하복부 벽에 압력을 주어 소변의 배출을 증진하기 위한 기술인 크레데 방법 (Crede's method)을 이용할 수 있다.

손을 펴서 대상자의 복부 배꼽아래와 치골결합 부위 위에 놓고 손가락은 방광을 향해 놓는다. 손이 방광을 누름에 따라 대상자는 회음부 근육을 긴장하게 되고 배뇨하는 동안 숨을 참고 있는 발살바 수기(Valsalva maneuver)를 수행하게 된다.

이 방법은 방광내압을 증가시켜 방광비우기를 돕는 방법인데, 신경인성 방광이나 전립선 비대 대상자에서 도움이 된다.

2. 요실금 대상자의 간호

1) 골반 근육의 강화

배뇨를 시작하고 멈추는 데 어려움이 있는 대상자는 골반근육을 강화시키는 운동을 함으로써 도움이 된다. Kegel 운동 혹은 회음근육 조이기 운동은 치골·미골의 골반근육을 강화시키고 여성 실금 대상자의 요흐름의 시작과 중지 능력을 증대시킬 수 있다.

골반근육 운동 시 주의할 점은 골반근육만을 조이도록 하는 것이다. 복부, 허벅지 혹은 엉덩이 근육을 조이지 않도록 주의한다. 골반근육이 강화되기에는 시작할 당시의 골반근육의 약화정도, 운동을 얼마나 규칙적으로 하는지와 올바른 근육을 강화하는지에 따라서 좌우되며, 방광조절의 변화는 적어도 3주 지나면 알수 있으며 4~6개월이 지나면 그 효과를 볼 수 있다.

2) 방광조절 훈련

배뇨간격을 증가시킬 목적으로 실시하는 행동요법으로, 방광용적의 증가에 따라 배뇨간격을 늘리게 되어 빈뇨 및 급뇨 증상을 완화시킬 수 있다. 김시현(2004)은 방광조절 훈련의 단계를 다음과 같이 설명하였다.

① 아침에 일어나서 제일 먼저 배뇨하도록 한다. 배뇨하러 가는 동안에 소변을 참도록 근육을 꽉 조이도록 하며, 이완요법으로 천천히 심호흡을 하도록 한다. 천천히 다섯까지 세고 배뇨하도록 한다. 천천히 화장실 또는 변기로 이동한다.

② 배뇨 시에는 방광을 완전히 비우도록 하며 변기에 앉아 하복부를 두 손으로 누르는 크레데 방법이나 대변 볼 때 힘주는 것처럼 하여 방광을 비울 수 있도록 하는 발살바 수기를 적용할 수 있다.

③ 배뇨 후 타이머를 다음 스케쥴로 맞추도록 한다. 그 사이에 요의가 생겨도 이완요법이나 전환요법을 이용하여 참도록 한다.

④ 다음 배뇨시간에는 요의가 없더라도 배뇨하도록 하고 이때에도 완전하게 방광을 비우도록 한다.

⑤ 배뇨한 후에는 다시 타이머를 맞춘다.

⑥ 관련된 사항을 배뇨기록지에 빠짐없이 기록한다.

간호사는 방광조절 훈련은 적어도 8주의 시간이 필요함을 알려 주어 초조해 하지 않도록 하며 인내심을 갖고 꾸준히 훈련할

Kegel 운동 수행기법

- 배뇨가 시작될 때 배뇨를 방지하거나 억제하는 내부근육을 수축시킨다.
- 적어도 10초 동안 근수축을 유지한다.
- 10초 동안 근육을 이완시킨다.
- 10~25회 정도 수축과 이완을 반복한다.
- 2주~1개월 정도 하루에 3~4회 위 운동을 수행한다.

수 있도록 격려해 준다.

3) 피부 통합성의 유지

실금으로 소변이 피부에 묻으면 암모니아가 피부를 자극하게
된다. 이러한 자극이 지속되면 욕창이 생길 수 있으므로 회음부
는 중성비누를 사용하여 깨끗이 씻고 건조시킨 후 마른 환의와
침요를 제공한다. 피부를 보호하기 위해 zinc oxide 연고와 같은
보호용 크림을 사용할 수 있다. 여성 대상자에게는 흡수 패드와
방수 의류를 사용할 수 있다.

4) 배뇨반사의 전기적 억제

약한 전기자극을 전도자(electrodes)로 전달하여 배뇨근의 수
축을 억제하고 요도벽의 긴장을 증가시키는 치료가 사용된다.

전도자는 골반근육이나 질, 항문내로 삽입한다. 질이나 항문
내에 삽입되는 기구는 배변 시 제거하고 청결을 유지해야 한다.

5) 콘돔 배뇨관 사용

콘돔 배뇨관은 외부 도뇨관의 형태로 남성 실금 대상자에게
이용할 수 있다. 이는 음경 위에 콘돔을 부착하는 것으로 요도와
방광의 감염 위험을 최소화시킨다.

콘돔 배뇨관을 사용할 때 일어날 수 있는 문제는 다음과 같다.
- 막이 너무 조이게 적용되면 음경조직과 피부의 순환 장애가
  발생한다.
- 막아래에 물기가 축적되면 피부손상을 초래한다.
- 콘돔 배뇨관은 쉽게 샐 수 있다.

콘돔 배뇨관을 올바르게 적용하고 적절한 관리를 함으로써 문
제를 예방할 수 있다.

6) 약물요법

요실금을 치료하기 위해서 약물요법만으로 또는 다른 치료들
과 함께 복합적으로 사용할 수도 있다. 항콜린성 제제(예,
propantheline)는 방광 근육의 수축력을 차단함으로써 요실금을
감소시키는데, 심장질환, 녹내장, 고혈압, 신장 및 간질환, 요정
체 등의 문제가 있는 대상자들은 주의해서 약물을 사용해야 한
다. 방광의 수축력을 약화시키는 oxbutynin과 같은 평활근 이완
제도 효과적이며 환자 지침은 propantheline과 유사하다(McK-
enry 등, 2005). 복압성 요실금 치료를 위해 항콜린성 제제, 항무
스카린제, imiarmine(삼환계 항우울제), 알파 아드레날린성 약물
들이 이용된다(McKenry 등, 2005). 이 약들의 복용을 골반근육
강화운동과 병행하는 것은 많은 여성들에게 도움이 된다. 일부
에서는 복압성 요실금을 감소시키기 위해 에스트로겐 요법을 받
기도 한다.

3. 도뇨

도뇨(catheterization)는 소변을 제거하기 위해 요도를 통해
방광으로 도뇨관을 삽입하는 것을 의미한다.

도뇨는 저항력이 약한 대상자에게 방광으로 미생물을 전파시
킬 위험이 있고, 방광 내로 균이 유입되면 요관으로 상행해 신장
을 감염시킬 수 있다. 따라서 도뇨는 꼭 필요할 때만 적용하며 도
뇨관 삽입 시 엄격한 무균술을 적용한다. 또한 남성의 경우 도뇨
관을 부정확한 각도로 삽입하거나 협착이 있는 곳에 억지로 삽입
할 경우 요도 손상을 일으킬 수 있다.

여성의 경우 요도는 질구 바로 앞, 음핵의 뒤에 위치하며 방광
을 향해 앞쪽으로 향해 있고, 남성의 경우 요도는 정상적으로 만
곡되어 있으나 음경을 몸에 직각이 되도록 세우면 곧게 된다. 요
도 손상이 의심되는 경우와 외요도구에서 출혈이 관찰될 때 도뇨
는 금기사항이다.

1) 도뇨의 종류

도뇨의 종류는 크게 간헐적 도뇨와 유치 도뇨로 구분된다.

(1) 간헐적 도뇨(단순 도뇨)

간헐적 도뇨는 일회용 곧은 도뇨관으로 방광 내의 소변을 제
거하기 위해 삽입하며 방광이 비워지면 즉시 도뇨관을 제거한
다. 필요시마다 반복한다.

간헐적 도뇨의 목적은 다음과 같다.
① 방광팽만을 완화하기 위하여
   - 수술 후 8~12시간 동안 배뇨할 수 없는 대상자
   - 요도의 외상으로 급성 정체가 있는 대상자
   - 안정제나 진통제의 작용으로 배뇨가 불가능한 대상자
② 불완전한 방광기능을 가진 대상자의 장기적인 관리를 위하여
   - 척수 손상
   - 진행성 신경근육의 점진적 퇴행 등
③ 무균적으로 소변 검체를 얻기 위하여
④ 배뇨 후 잔뇨량을 사정하기 위하여

(2) 유치도뇨

대상자가 완전히 수의적으로 배뇨할 수 있을 때까지 장기간
유치하며 도뇨관을 주기적으로 교환해 주어야 한다.

유치도뇨의 목적은 다음과 같다.
① 소변유출이 되지 않을 때
② 하복부 수술 시 방광의 팽창을 막기 위해
③ 요도의 확장과 지혈을 시키기 위해
④ 시간당 소변량을 측정하기 위해

⑤ 실금하는 대상자나 심하게 지남력을 상실한 대상자의 피부손상을 예방하기 위해

⑥ 계속적 또는 간헐적인 방광세척이나 약물주입을 위해

⑦ 비뇨생식기 수술 후 혈전으로 인한 요로폐쇄의 예방

2) 유치도뇨관 삽입 대상자의 간호

간호의 초점은 요로감염을 예방하고 소변 배출체계가 잘 유지되도록 하는 것이다.

(1) 수분섭취와 식이

하루 3,000mL 이상의 수분섭취는 다량의 소변을 배설하게 하며 이는 요정체에 의한 감염 가능성을 줄이고 침전물이나 소변내 입자가 배액관을 폐쇄시킬 위험을 최소화시킨다.

소변을 산성화시키는 식이는 요로감염의 예방에 도움이 된다. 채소와 과일의 식이는 소변을 알칼리화하며 육류, 생선, 가금류, 달걀, 곡류는 소변을 산성화시킨다.

(2) 배액체계의 개방성 유지

배뇨관이 막히지 않도록 관찰해야 하는데 관이 꼬이지 않았는지, 대상자가 배뇨관을 깔고 누워 있지는 않은지, 적절하게 고정되어 있는지를 점검한다. 중력 배액체계를 유지하도록 소변 배액주머니는 방광 아래에 위치하도록 하며 대상자 이동 시 소변이 역류되지 않도록 주의한다.

폐쇄적 배액체계가 유지되어야 하며, 배액체계 개방은 상행성 세균감염의 원인이 된다. 2~3시간마다 소변의 흐름을 관찰하고 소변의 색깔, 냄새, 침전물 여부를 관찰하며 혈괴가 도뇨관을 폐쇄할 우려가 있는 경우 더욱 세밀한 관찰이 요구된다.

소변 배액주머니를 비울 때 무균술을 유지하여야 하는데 연결관 끝이 오염되지 않도록 하고 배액된 양을 정확히 측정한다. 가능한 도뇨관을 빨리 제거하는 것이 비뇨기계 감염을 예방하는 데 도움이 된다. 필요할 때만 유치도뇨관의 교환을 계획한다. 손으로 도뇨관을 만졌을 때 모래같은 알갱이가 느껴지면 침전물이 있는 것이므로 도뇨관을 교환해야 한다. 대상자에 따라 다르나 대개 5일~2주일 정도마다 교환한다.

대상자에게 연결관과 배액주머니가 항상 방광보다 낮게 유지되어야 하는 이유를 설명하고, 관이 꼬이지 않도록 배액관 위에 눕는 것을 피하도록 교육한다.

(3) 감염의 예방

도뇨관을 삽입한 대상자는 매 배변 후와 하루 2회 회음부 간호가 필요하다.

도뇨관 삽입 부위의 분비물이나 가피를 제거하며 멸균 생리식염수나 povidon-iodine(Betadin)으로 요도구 주위 및 도뇨관을 닦는다. 간호사의 손씻기는 감염예방을 위해 가장 중요한데 특히 도뇨관이나 배액체계를 만지기 전에 반드시 필요하다. 감염예방을 위해 배뇨관의 중력 배액체계와 폐쇄적 배액체계의 유지는 필수적이다.

3) 도뇨법의 시행

도뇨관 삽입 시 세균이 방광 내로 들어갈 수 있어 요로감염의 위험을 초래할 수 있고, 도뇨관 삽입 상태에서는 병원균이 상행감염을 일으킬 수 있으므로 무균술을 사용하여 감염이 되지 않도록 한다.

- 유치도뇨법(Retention catheterization, Foley catheterization)
- 단순도뇨법(simple catheterization)
- 유치도뇨관 제거

도뇨관 제거는 보통 의사의 지시에 의해 수행되는데 도뇨관 제거 전 방광 훈련이 필요하다. 도뇨관을 3시간 동안 잠그고 5분 배액시키기를 반복하는 방광 훈련은 정상적인 배뇨를 회복하는 데 도움이 된다.

도뇨관 제거 후 배뇨 시 동통을 경험하는 것은 며칠 또는 몇 주 동안 유치도뇨관을 삽입한 대상자에게서 정상적인 반응이다. 또한 장기간 유치도뇨관을 삽입했던 대상자의 방광은 방광근육의 긴장도 상실로 자가 방광조절력 회복에 어려움을 겪을 수 있다. 그러므로 도뇨관 제거 후 자가 배뇨 여부를 확인하고 대상자의 섭취량과 배설량을 면밀히 측정해야 한다.

4. 방광세척

의사의 지시에 의해 방광을 씻어 내거나 감염을 치료하기 위해 소독용액을 방광에 투입하는 것으로 철저한 무균술이 요구된다. 도뇨관을 막는 농이나 혈괴를 제거하기 위해 시도될 수 있으며 개방체계나 폐쇄체계를 이용해 시행된다. 세척용액으로 실온의 생리식염수가 많이 사용된다.

5. 요로 전환술 대상자의 간호

요로 전환술(urinary diversion)은 신장에서 생성된 소변이 방광 외의 다른 부위로 배설되도록 배뇨를 위한 통로를 만들어 주는 외과적 시술이다. 이 수술은 악성 방광질환으로 인해 소변의 배출이 안될 때 필요하다. 영구적인 요로 전환술은 악성종양, 출생 시 방광결손, 척수손상 등으로 외과적으로 방광을 제거한 경우에 해당된다.

회장 도관(ileal conduit) 또는 요관회장문합술은 회장의 일부

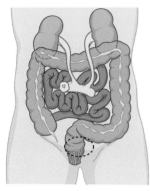

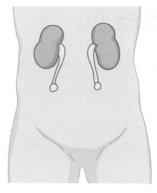

A: 회장 도관　　　　　**B: 경피 요관루**

그림 8-8 요로 전환술의 예

를 절제하여 소변을 모으는 용기로 사용하는데 절제된 회장의 한 쪽 끝을 피부 바깥으로 끌어당겨서 개구부를 만든다. 절제된 회장에 요관을 연결시키고 방광은 제거한다. 경피 요관루(cutaneovs uneterostorny)는 한 개 또는 두 개의 요관의 끝을 복벽이나 옆구리의 피부표면으로 당겨서 개구부를 만들어 주는 시술이다. 경피 요관루를 한 대상자는 요배출을 통제할 수 있는 괄약근이 없기 때문에 복부 주머니를 계속 부착해야 한다. 지속적으로 요가 배출되기 때문에 요루주위 피부관리가 중요하며 인공장치를 관리하기 위한 교육을 받아야 한다.

조절성 회장방광도관(Kock pouch)에서는 회장의 일부를 이용해 소변을 저장할 수 있는 주머니(pouch)를 만들므로 신체 외부에 소변주머니는 필요하지 않다. 소변은 회장의 일부를 이용하여 만든 유두 모양 밸브에 의해 주머니에서 새지 않도록 조절되고, 비슷한 밸브에 의해서 주머니에서 요관으로 소변이 역류되는 것도 예방할 수 있다. 소변배출을 위해 보통 4시간마다 개구부를 통해 주머니내로 카테터를 삽입하여 도뇨한다.

요로 전환술을 받은 대상자들은 일반적으로 정상적인 활동과 생활양식이 가능하지만 신체상과 관계되는 문제를 경험할 수 있으며 이에 적절히 대처하기 위해 지지그룹의 도움을 받을 수 있다. 비뇨기계의 정상적인 보호기전이 작용하지 않으므로 요로전환술 대상자는 감염위험성이 높다. 그러므로 청결법과 감염의 징후와 증상에 대해 교육한다.

6. 치골상부도뇨관 간호

치골상부도뇨관(suprapubic catheter)은 치골결합 위의 복벽을 통해 방광 안으로 삽입된 배뇨관이다. 도뇨관은 피부에 봉합되거나, 접착제로 고정 또는 유치도뇨관 처럼 풍선을 이용하여 방광 안에 유지될 수 있다. 요도의 막힘이 있거나 장기적인 유치

도뇨관 삽입이 자극이나 불편감을 유발할 때 또는 성적기능을 방해할 때 삽입한다.

치골상부도뇨관 간호는 매일 삽입부위와 도뇨관의 세척을 포함한다. 삽입부위의 염증 징후 및 과다육아조직의 성장을 사정해야 한다. 과다육아조직은 도뇨관에 대한 반응으로 삽입 부위에서 발생할 수 있는데 중재가 필요할 수도 있다. 삽입부위에는 건조드레싱을 적용하며, 배액체계 관리, 섭취량과 배설량 관찰, 소변양상을 살펴야 하는 것은 유치도뇨관 간호와 같다.

제5절
배뇨 요구와 관련된 간호평가

간호의 반응과 결과를 평가함으로써 간호의 효율성을 평가할 수 있다. 배뇨 문제를 가진 대상자의 간호목표는 배뇨곤란 없이 수의적으로 배뇨를 하는 것이다.

목표가 달성되었는지 평가하기 위하여 특정기간을 기준으로 설정한 기대결과에 대한 관련자료를 수집한다.

① 소변 특성을 관찰한다.
② 배뇨 빈도를 기록한다.
③ 수분섭취량과 배설량을 측정한다.
④ 요도구·회음부의 피부를 사정한다.
⑤ 방광팽만을 확인한다.
⑥ 배뇨 장애와 관련하여 경험한 증상을 확인한다.
⑦ 실금 예방을 위해 사용한 방법이나 Kegel 운동을 수행한 횟수를 확인한다.
⑧ 유치도뇨관, 체외 소변배설 장치 혹은 요루 관리를 위한 자가간호술을 확인한다.
⑨ 잔뇨를 측정한다.
⑩ 요분석 결과를 확인한다.

CHAPTER 09
산소 요구

학습목표

1 호흡의 생리적 기전을 설명한다.
2 정상호흡과 비정상 호흡의 양상을 구별한다.
3 산소화에 영향을 미치는 요인을 사정한다.
4 호흡운동의 종류를 열거하고 정확한 방법으로 시범한다.
5 흉부물리요법의 종류별 원리를 설명하고 수행한다
6 산소요법의 종류와 장단점을 설명하고 절차에 따라 수행한다.
7 인공기도의 종류별 용도를 설명한다.
8 기관절개관 간호를 절차에 따라 수행한다.
9 흡인을 절차에 따라 수행한다.
10 가습요법과 분무요법을 절차에 따라 수행하고 간호 결과를 평가한다.

산소는 생명에 필수적으로 체내의 세포는 산소의 결핍에 민감하여 산소 결핍 상태가 장기간 계속될 때에는 사망하거나 영구적으로 뇌조직이 손상된다. 이 장에서는 호흡문제 해결을 위한 간호사정과 사정된 내용을 바탕으로 호흡문제의 간호진단을 제시하며, 간호 문제를 해결하기 위한 간호중재를 제공하고 있다.

제1절
산소화 요구를 위한 간호사정

I. 산소화 요구 사정을 위한 기본 지식

1. 호흡기계의 해부·생리적기전

세포의 대사 작용에는 산소가 소모되고 이산화탄소가 생성된다. 따라서 세포가 생존하고 항상성이 유지되려면 계속적으로 산소를 공급받고 이산화탄소를 배출시켜야 한다. 산소 공급과 이산화탄소 배출은 호흡기계에서 이루어진다.

호흡 (respiration)의 과정은 다음과 같다.

■ 대기와 폐포사이에 공기가 이동되며, 이를 환기(ventilation)라 한다.
■ 폐포내 공기와 폐 모세혈관 사이에서 O_2와 CO_2가 확산에 의해 교환된다.
■ 혈액의 관류(perfusion)에 의해 O_2가 말초 조직으로, CO_2는 폐로 운반된다.
■ 말초조직과 주위 모세혈관 사이에서 O_2와 CO_2가 확산에 의해 교환된다.

1) 호흡기계의 구조

호흡기계는 구조적으로 폐와 기도(air pathway)로 나뉘며, 기능적으로는 전도영역(conducting zone)과 호흡영역(respiratory zone)으로 구분한다(표 9-1). 호흡기계는 상기도에서 시작하여 가스 교환 장소인 폐포까지 이행하는 동안 분지수가 증가하여 관의 숫자가 늘고 표면적이 증가한다. 전도 영역은 상기도부터 종말 세기관지(terminal bronchiole)까지로, 공기의 통로로서 가스교환이 일어나지 않기 때문에 해부학적 사강(anatomical dead space)에 해당한다. 호흡 세기관지부터는 통로 벽에 폐포낭(alveolar sac)이 있으므로 여기부터 폐포까지는 가스교환이 가능하다. 이 부위를 호흡 영역(respiratory zone)이라 한다.

전도영역에서 비강은 혈관이 풍부한 섬모 원주 상피세포(ciliated columnar epithelium)로 된 점막으로 덮혀 있어 흡인된 공기를 따뜻하게 하고 습기를 제공하며, 이물질을 제거한다.

인두는 호흡 및 소화관으로 작용하며, 비인두(nasopharynx), 구인두(oropharynx), 후인두(laryngopharynx)로 나뉘어진다. 후두는 기도의 일부이며 동시에 발성기를 포함하고 있다. 후두의 전상방에는 후두개(epiglottis)가 있어 연하작용을 할 때 후두구를 닫아 음식물이 기도로 들어가는 것을 막는다. 기관(trachea)은 성인의 경우에 길이가 10~12cm, 직경이 16mm로 5번째 흉추 위치에서 좌우 기관지로 나뉜다. 기관의 섬모원주상피는 점액을 후두쪽으로 밀어내는 작용을 하는데, 이러한 청소기능은 기침 반사와 함께 폐에서 불순물이나 흡입된 먼지 등을 내보내는 역할을 한다.

우측폐는 3엽, 좌측폐는 2엽으로 구성되며, 다시 폐의 각 엽은 여러개의 폐구역으로 나뉘어 좌, 우폐는 각각 10개의 폐구역으로 구성된다. 우측폐는 총환기량의 55%, 좌측폐는 총환기량의 45%를 차지한다. 폐포(alveoli)는 총 단면적이 넓고 벽의 두께가 얇아서 가스 교환(확산)이 쉽게 이루어진다.

2) 호흡과정

호흡은 개체와 환경 사이에 가스교환이 이루어지는 과정으로 환기, 관류, 확산과정을 포함한다.

(1) 환기

환기(ventilation)는 흡기와 호기 동안 대기와 폐포 사이의 공기가 이동하는 과정이다.

① 흡기

흡기(inspiration)시에는 우선 횡격막(diaphragm)이 수축하여 복강 쪽으로 내려가고, 외늑간근(external intercostal muscle)이 수축하여 늑골을 전·후·좌·우로 올리게 되면, 흉강의 용적이 증가된다. 정상적으로 늑막강 내압은 언제나 대기압(760mmHg)보다 낮은 음압이다. 흉곽이 확장되어 늑막강 내압이 더욱 음압 상태가 되면 대기압과 동일하던 폐내압이 1~2mmHg 정도 음압이 되어 공기가 대기에서 폐내로 이동된다. 흡기는 폐내압과 대기압이 같아질 때까지 일어난다.

② 호기

호기(expiration)시에는 흡기시 수축되었던 횡격막과 외늑간근이 이완되어 탄성 반동에 의해 늑골과 횡격막이 원위치로 되돌아온다. 흉곽의 용적이 감소하면 폐내압이 증가하므로 폐내의 공기가 밖으로 이동하는 호기가 이루어진다. 안정상태에서 호기시 폐내압은 대기압보다 약 1mmHg 정도 증가한다.

(2) 관류

관류(perfusion)는 폐포로의 적절한 혈액의 흐름으로, 폐순환의 일차 기능은 폐모세혈관을 통해 혈액이 이동하면서 폐모세혈관막과 폐포사이에서 가스 교환이 일어나게 하는 것이다. 폐순환은 우심실로부터 정맥혈을 받은 폐동맥에서 시작된다.

폐순환은 우심실의 펌프력에 의해 좌우되는데 약 5-6L/분의 혈류량을 갖고 있다. 폐동맥에서부터 폐세동맥을 지나 폐모세혈관까지 이어지며 폐모세혈관에서 혈액은 폐포와 접하게 되고 이곳에서 가스교환이 이루어진다. 산화된 혈액은 폐세정맥 그리고 폐정맥을 통해 좌심방으로 돌아온다.

(3) 호흡가스의 교환(확산)

호흡가스는 폐포와 폐모세혈관사이에서 교환된다. 흡기시 산소가 폐포내로 들어가면 폐포의 산소 분압이 정맥혈 내의 산소 분압보다 높기 때문에 산소는 폐모세혈관으로 확산에 의해 이동한다. 반면 탄산가스는 폐모세혈관내의 분압이 폐포보다 높기 때문에 폐포로 배출된다.

표 9-1 호흡기계의 구조

기능적 구분		구조적 구분
전도영역(conducting zone)	기도	비강(nasal cavity), 인두(pharynx), 후두(larynx), 기관(trachea), 기관지(bronchus), 구역 기관지(segmental bronchi)
	폐	종말세기관지(terminal bronchiole)
호흡영역(respiratory zone)	폐	호흡세기관지(respiratory bronchiole), 폐포관(alveolar duct), 폐포(alveoli)

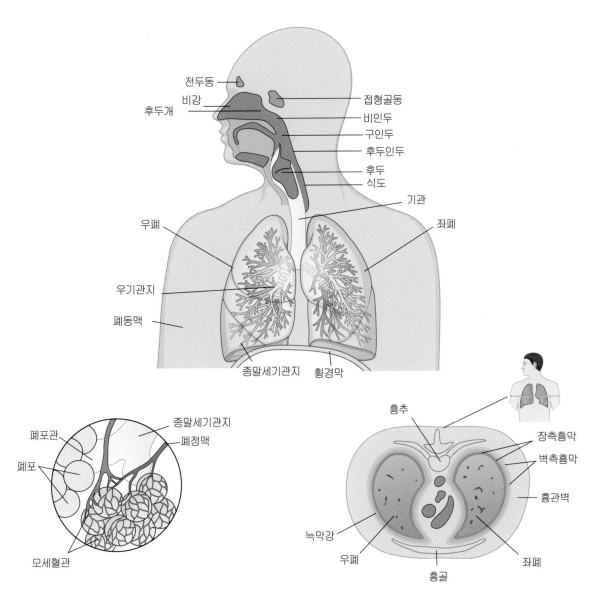

그림 9-1 호흡기계

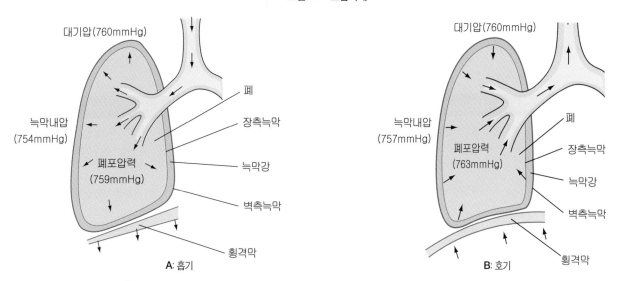

그림 9-2 흡기와 호기시 폐내압과 늑막내압의 변화

폐포와 모세혈관막 사이에서 교환된 산소는 신체 세포로 운반된다. 일단 산소가 모세혈관 내로 들어가면 약 3%는 혈장에 용해되며, 97%는 헤모글로빈과 결합하여 산화헤모글로빈 형태로 적혈구에 의해 이동된다. 각 조직세포에서도 압력차에 의하여 산소가 모세혈관에서 간질액을 통해서 세포로 운반되고, 대사 산물인 이산화탄소가 조직 세포에서 모세혈관으로 이동된다. 산소의 운반은 혈액내 헤모글로빈의 양, 적절한 혈액 순환 등에 의해 영향을 받는다.

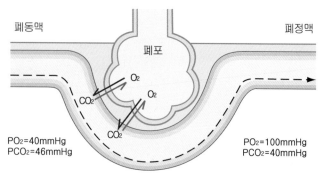

그림 9-3 폐모세혈관에서의 가스교환

3) 호흡의 조절

정상적인 호흡으로 폐포내의 PO_2와 PCO_2가 항상 적절한 수준에서 일정하게 유지된다. 폐포 공기의 PO_2와 PCO_2가 일정하게 유지되는 것은 O_2요구와 CO_2생성에 맞추어 폐포 환기량이 조절되고 있기 때문이다. 호흡을 조절하기 위해서는 PO_2와 PCO_2, pH에 관한 정보를 제공하는 감수체(표 9-2)와 구심성신경, 호흡 중추와 원심성신경 및 효과기의 기능이 효율적으로 작용해야 한다.

호흡 조절은 신경성 조절과 화학적 조절로 구분된다. 신경성 조절(neural control)은 뇌의 호흡 중추에 의해 호흡이 조절되는 것이며, 화학적 조절(chemical control)은 동맥혈의 산소분압, 이산화 탄소 분압 및 수소이온 농도에 의해 조절되는 것이다.

① 신경성 조절

호흡중추는 연수와 뇌교에 위치한다. 연수의 호흡 중추는 흡기 중추와 호기 중추로 나누어지며, 서로 교차 회환(alternating circuit)의 형태로 작용한다. 즉 한쪽이 활발하면 다른 쪽은 그 기능이 억제된다. 뇌교(pons)의 하부 2/3에 존재하는 지속성 흡기 중추(apneustic center)는 연수의 흡기중추를 자극하여 지속적인 흡기를 일으키는데 그 기능이 조절되지 않는 상태에서는 흡기성 경련(inspiratory spasm)이 나타난다. 뇌교의 상부 1/3에 위치하는 호기중추(pneumotaxic center)는 미주신경(vagus nerve)과

함께 지속성 흡기 중추의 기능을 억제한다.

흡기 중추와 호기 중추는 서로 상역관계에 있어 흡기 중추가 흥분하면 호기 중추는 억제된다. 흡기 중추가 흥분하게 되면 이 자극이 원심성 신경을 통해 호흡근에 전달되어 외늑간근과 횡격막이 수축하여 흉곽의 용적이 커지고 폐가 확장되어 흡기가 이루어진다. 흡기가 절정에 달하면 호흡 세기관지벽에 위치하는 신장 감수체가 흥분되고 구심성 신경로인 미주신경을 통해 연수의 흡기 중추와 뇌교의 지속성 흡기 중추를 억제한다.

흡기 중추가 억제되면 호기중추가 흥분되어 자연히 호기가 나타난다. 이어 폐에서 공기가 나가면 신장 감수체에 가해지는 압력이 감소하게 되고 연수로 가는 억제성 흥분이 사라지므로, 다시 흡기 중추가 흥분하여 흡기가 일어나게 된다. 이러한 반사를 Hering-Breuer 반사라 한다.

② 화학적 조절

신경성 조절에 의해 이루어지는 율동적인 호흡은 화학적 조절에 의해 보완된다. 민감한 호흡의 조절을 위해서는 화학감수체가 PO_2와 PCO_2, pH를 정확히 감지하여 이것을 호흡중추에 전달해야 한다.

화학감수체에는 중추 화학감수체, 말초 화학감수체가 있다.

표 9-2 호흡조절에 관여하는 감수체

종류	위치	기능
신장감수체(stretch receptor)	호흡세기관지	Hering-Breuer 반사
화학감수체(chemo-receptor)	대동맥소체와 경동맥체	혈액내 산소농도의 저하, 탄산가스 농도의 상승, 체온 상승 등에 반응하여 호흡을 증가시킨다.
압력감수체(presso-receptor)	대동맥동과 경동맥동	급격한 혈압의 상승에 반응하여 호흡 중추를 일시적으로 억압하여 호흡을 얕고 느리게 한다.
고유감수체(proprio-receptor)	운동성 관절의 근육이나 건(tendon)	인체의 운동에 의하여 자극되므로 활발한 운동은 호흡에 강한 자극을 준다.

표 9-3 생의 주기를 통한 호흡수

연령	흉곽의 형태	호흡율(호흡수/분)	호흡양상
신생아 및 영아	원형	30~60회/분	복식호흡, 횟수와 깊이가 불규칙적
1~5세	타원형	20~30회/분	복식호흡, 횟수와 깊이가 불규칙적
6~10세	타원형	19~26회/분	흉식호흡, 횟수와 깊이가 규칙적
10세~성인	타원형	12~20회/분	흉식호흡, 횟수와 깊이가 규칙적
노인(60세 이상)	원통형 혹은 타원형	16~25회/분	흉식호흡, 횟수와 깊이가 규칙적

중추 화학감수체는 연수에 있으며, 탄산가스 농도와 수소이온 농도에 매우 민감하게 반응한다. 혈액내 탄산가스 농도가 증가되면 화학감수체가 반응하여 호흡 중추를 자극하게 되므로 호흡이 빨라진다. 대동맥궁과 경동맥에 위치하는 말초화학감수체는 혈액내 탄산가스와 산소 농도에 반응하지만 산소결핍에 더욱 민감하게 반응한다.

호흡이 의지대로 조절되는 것은 대뇌피질이 호흡조절에 관여하기 때문이며, 정서상태(emotion)에 의해 호흡 운동이 변하는 것은 시상하부가 호흡중추에 영향을 주기 때문이다. 어떠한 원인으로든 호흡이 일시적으로 정지되거나 약화되면 혈중의 PCO2가 증가하게 되어 호흡중추를 자극한다. 호흡은 호흡 중추에 의해 조절되고 있으나 병적으로 과다환기나 과소환기가 발생할 수 있다. 과다환기로 PCO2가 지나치게 상실되면 알칼리증이 올 수 있고, 과소환기로 PCO2가 축적되면 산증이 유발된다.

4) 정상 호흡 양상

연령과 성에 따라 다양하기는 하지만 정상호흡은 규칙적이며 부드럽다. 성인의 정상 호흡수는 분당 12~20회/분이며, 깨어있을 때 호흡이 수면시의 호흡에 비해 약간 빠르다(표 9-3). 정상적으로 흡기는 호기보다 짧고(흡기는 1-1.5초, 호기는 2-3초), 매 호흡시마다 500ml의 공기가 이동하며 정상적인 호흡에는 인위적인 노력이 들지 않는다. 호흡음은 조용하고 잡음이 없고 운동시에는 호흡율과 호흡의 깊이가 증가된다.

2. 산소화 요구에 영향을 미치는 요인

1) 건강 상태

신장 질환이나 심장 질환이 있는 경우 병리적 과정으로 수분과 전해질, 노폐물이 과도하게 축적되어 호흡 기능의 장애를 가져온다. 또한 만성 질환으로 인해 근육이 허약해진 경우 흉곽의 팽창, 수축 능력이 감소되어 환기 장애가 나타날 수 있다.

심한 통증이 있을 때는 호흡이 빨라지고 깊어지며 환기량이 증가한다. 체온 상승으로 인한 세포 대사의 증가는 호흡수를 증가시키고 체온이 저하되면 얕고 느린 호흡을 한다.

2) 생활양식

(1) 영양

적절한 영양 상태는 면역계의 기능을 증진시키고 적절한 수분의 섭취는 분비물을 묽게하여 배출되기 쉽게 한다. 알콜 중독자, 영양 불량자의 경우 폐렴 등 호흡기계 질환에 민감하다. 고지방식이는 동맥의 콜레스테롤을 증가시키고 죽종성 변화를 일으킨다.

(2) 운동

운동은 산소 요구도를 높이고 이산화탄소 생성을 증가시킨다. 따라서 호흡의 속도와 깊이가 증가되어 더 많은 산소를 흡입하고 과량의 이산화탄소를 배출시킬 수 있다. 일주일에 3회 이상의 규칙적인 운동은 건강의 유지와 증진에 도움이 되며 스트레스에 좀 더 잘 적응할 수 있게 된다.

(3) 수면

수면 중에는 환기량이 감소하여 동맥혈내의 PO2는 감소하고 PCO2는 증가한다. 수면 무호흡(sleep apnea)으로 고통받는 대상자에게는 이러한 환기량 감소가 심각한 문제를 가져올 수 있다.

(4) 흡연

흡연은 점액 분비를 증가시키고 섬모 기능을 저하시켜 이물질의 제거 기능이 감소되므로 폐질환을 더욱 악화시킬 수 있다.

(5) 환경

공기 오염은 암, 폐질환과 유의한 관계가 있는 것으로 보고되고 있다. 오염된 공기에 노출되면 기침, 두통, 어지러움을 호소하게 되며 자가 간호를 유지하기가 어렵게 된다.

3) 연령

어린이와 노인들은 호흡기 질환에 가장 취약한 연령층이다. 영아와 어린이는 상기도 감염에 특히 취약하다. 놀이방이나 유치원에 다니는 취학전 아동들, 학령기 어린이들은 감기나 인플루엔자 바이러스에 감염될 가능성이 높다. 일부는 심각한 중이염, 기관지염, 폐렴 등을 앓는다.

노인은 노화로 흉벽이 단단해지고 폐의 탄력성이 감소한다. 따라서 총 폐용적은 변하지 않는다 하더라도 환기 능력이 저하된다. 즉 성인 남자의 경우 20대에 약 5900ml인 폐활량이 70대에는 약 4000ml로 감소한다. 또한 대식세포(macrophage)의 식작용과 호흡기도 상피세포의 섬모 활동이 감소되어 호흡기도 청소 기능이 효과적으로 이루어지지 못한다. 이러한 변화로 노인들은 호흡기 감염에 더욱 민감해진다.

4) 체위

서거나 앉은 자세에서는 횡격막의 수축과 이완이 용이하여 폐 확장이 쉽게 이루어지기 때문에 호흡하기가 쉽다. 반면 누워있을 때에는 복부내 장기가 횡격막을 압박하여 숨쉬기가 좀 더 어렵다. 또한 임신 말기에는 태아가 성장하고 자궁이 커져 횡격막을 위로 밀어 올린다. 그러므로 임신말기동안 임부의 흡기 용적은 줄어들며, 앙와위에서 숨쉬기가 더욱 어려워진다.

5) 스트레스

스트레스에 대한 반응으로 한숨을 쉬거나 과도호흡의 양상을 보이는 경우, 과도환기가 될 수 있다. 또한 심한 불안은 기관지 경련을 일으켜 천식을 악화시킬 수도 있다.

6) 약물

몰핀(morphine)과 메페르딘(meperidine hydrochloride)과 같은 마약은 연수의 호흡 중추를 억압하여 호흡수와 호흡의 깊이가 감소된다.

3. 호흡기능의 장애

1) 과다환기

과다환기(hyperventilation)는 호흡수와 깊이가 모두 증가하여 폐로 들어오고 나가는 공기의 양이 과도하게 증가된 것이다.

과다환기는 대사 항진으로 인해 증가된 정맥혈 내 이산화탄소를 배출시키기 위해 발생한다. 또한 불안, 감염, 폐색전, 속과 관련된 저산소증에서 산소흡입을 증가시키기 위해 발생한다. 결과적으로 동맥혈내 이산화탄소 분압이 낮아지거나 산소분압이 증가한다.

2) 과소환기

과소환기(hypoventilation)는 호흡수와 깊이가 모두 감소하여 충분한 폐포내 환기가 이루어지지 못한 것으로, 신체의 산소 요구량을 충족시키지 못하거나 이산화탄소를 충분히 제거하지 못한다. 결과적으로 동맥혈내 이산화탄소 분압이 상승하며 산소분압이 감소한다.

3) 저산소증

저산소증(hypoxia)은 산소공급이 생리적 요구량 이하로 떨어지게 되어 조직에서 산소가 부족하여 발생한다. 공기가 희박한 고산지대 또는 기도 내의 종양, 이물질, 천식 등과 관련이 있으며 임상적으로 3가지 형태로 분류할 수 있으며 원인은 표 9-4와 같다.

(1) 저산소성 저산소증

저산소성 저산소증(hypoxic hypoxia)은 동맥혈의 PO2가 감소되어 발생한다.

(2) 빈혈성 저산소증

혈중 헤모글로빈 결핍으로 인한 빈혈성 저산소증은 동맥혈의 PO2는 정상이나, 산소를 운반할 수 있는 헤모글로빈의 양이 감소되어 혈액의 산소운반능력이 감소되어 발생한다.

(3) 조직 독성 저산소증

조직 독성 저산소증(histotoxic hypoxia)은 조직으로 운반되는 산소의 양은 적절하나 조직세포들이 공급된 산소를 이용할 수 없기 때문에 생긴다.

II. 산소화 요구 사정

1. 간호력

간호사정을 통한 정보 수집으로 간호사는 대상자의 잠재적, 실제적 문제를 식별하고 개별화된 간호를 수행할 수 있다. 호흡기계 질환을 가진 대상자들은 호흡곤란이 있을 수 있기 때문에 질문이 많을 경우 충분히 대화하기 어렵고 대화하는 동안에 증상이 더 악화될 수 있음을 유의해야 한다. 호흡기계 사정을 위한 간호력에는 기침 유무, 객담 양상, 흉통 유무, 호흡곤란 유무, 호흡기 질환 병력, 폐질환 위험 요소, 투약력, 흡연력, 생활양식, 가족력 등을 포함한다.

2. 신체검진

신체검진에는 시진, 촉진, 타진, 청진을 이용한다. 호흡곤란은 주관적인 증상이므로 객관적인 사정이 매우 힘들다. 간호사는 대상자가 이야기하는 내용을 잘 관찰해야 한다. 호흡곤란의 기간, 특성, 영

표 9-4 저산소증의 원인	
종류	**원인**
저산소성 저산소증	• 산소량이 적은 공기의 흡입(고산 지대나 유독가스 흡입 등) • 과소호흡(호흡근의 마비, 연수에서의 호흡 조절 기능 저하, 기도 폐쇄, 흉곽 기형, 천식 등) • 정상 폐포-모세혈관 확산 면적의 감소(예: 폐렴이나 폐울혈) • 환기/관류의 불균형(예: 심장내 구조적 이상으로 정맥혈이 동맥혈의 순환내로 들어감)
빈혈성 저산소증	• 혈액 손실로 인한 적혈구 수의 감소, 적혈구 생성의 저하나 파괴의 증가 • 철분(Fe^{2+}) 결핍으로 적혈구 수는 정상이지만 헤모글로빈 농도가 감소된 경우(저색소성 빈혈: hypochromic anemia) • 비정상적인 헤모글로빈의 합성(예: 겸상혈구성 빈혈) • 산소의 결합력 감소(예: 일산화탄소 중독, 헤모글로빈의 화학적 변화(methemoglobinemia))
조직독성 저산소증	• 독성물질에 의한 조직의 산화과정 억제 : 예) 시안화물(cyanide)중독으로 세포내 사립체에서 산화효소인 oxidase의 작용이 억제

향을 미치는 특수 요인 등에 관한 정보가 필요하다. 호흡곤란은 대상자의 연령, 성별, 호흡의 양상, 체위, 활동량, 정서상태, 질병의 상태에 따라 평가되며 투여된 약물의 종류도 고려되어야 한다.

1) 시진

호흡수와 리듬을 관찰한다. 정상 호흡은 자연스럽고 규칙적이다. 불규칙한 호흡은 호흡기계 폐쇄나 신경학적 또는 관련 근육의 문제를 나타내는 징후일 수 있다. 신생아는 빠르게 호흡하는 중에 무호흡이 있는데, 이 무호흡이 잦거나 10~15초 이상 지속될 때는 비정상으로 간주한다.

흡기 시간이 지연되고 고음의 소리가 나는 것은 상기도의 폐쇄를 의미하며 호기 시간이 지연되는 것은 천식과 폐기종처럼 하부 기도에서 공기가 빠져나가지 못하고 있을때 나타난다.

호흡시 대상자가 어깨와 목의 근육을 사용하는지 관찰한다. 만성폐쇄성 폐질환(COPD)의 경우, 부속 근육을 이용하며 흉곽을 좀 더 확장시켜 공기 유입을 위한 공간을 마련하고자 앞으로 기대는 자세를 취한다. 비공을 벌름거리면서 호기 동안에 늑간근의 퇴축이 일어나는 것은 호흡시 상당한 노력을 들이는 징후이다.

흉부의 움직임은 좌우 대칭이어야 한다. 흉골의 함요 없이 윤곽이 약간 볼록한 형태를 보여주며, 전후 직경은 횡직경보다 작아야한다. 피부는 따뜻하고 건조하며, 창백함이나 청색증이 없어야 한다.

흉곽의 기형, 상처, 덩어리 등이 있는지 관찰한다. 만성 폐쇄성 폐질환을 가진 대상자의 흉곽은 충분한 호기가 이루어지지 못한 채 과팽창되어 술통형 모양을 나타낸다.

2) 촉진

촉진으로 흉곽의 팽창 양상과 정도를 확인하고 기관의 위치를

확인할 수 있다. 호흡성 가동역(excursion)은 대상자의 흉곽 후면 10번째 늑골 부위에 양손 바닥을 놓은 후 대상자가 최대 흡기 시 간호사의 엄지 손가락 사이의 간격이 대칭적으로 5~8cm 가량 움직여야 한다. 진탕음(fremitus)을 사정하기 위해 손바닥 표면을 대상자의 흉벽 표면에 놓는다. 진탕음은 기관지 폐쇄, 늑막에 수액이나 공기가 있을 때 촉진이 안되거나 감소한다. 반면 폐경화인 경우에는 진탕음이 증가한다.

3) 타진

타진으로 비정상적인 체액, 밀도가 높은 물질, 공기가 있는지를 구별할 수 있으며, 횡경막의 위치, 폐의 좌우 대칭성을 확인할 수 있다.

4) 청진

정상적인 호흡음은 나뭇잎새 사이를 부드럽게 부는 바람과 같은 부드러운 소리를 낸다. 비정상음은 비연속음인 나음(rale 또는 악설음(crackes)이라고도 함)과 연속음인 천명음(wheezes)과 늑막 마찰음(pleural friction rub)로 분류된다(표 9-5).

표 9-5 우발적 호흡음

비정상음		특성	위치	자극원	상태
1. 비연속음 악설음 (crackles)	섬세한 나음 (fine rales)	병마개를 열 때 들리는(popping) 듯한 짧은 고음의 소리가 흡기시에 들린다. 기침으로 깨끗해지지 않는다. 귀 가까이에서 머리카락을 손가락 사이에 끼고 굴릴 때 들리는 소리와 비슷하다.	폐포	흡입된 공기가 끈끈한 삼출물로 덮혀져 좁아진 기도를 통과할 때 들린다.	흡기 후반에 들리는 악설음은 폐렴, 울혈성 심부전 등의 질환과 연관된다. 흡기 초반에 들리는 악설음은 기관지염, 천식 또는 폐기종과 같은 폐쇄성 질환과 관련있다.
	거친 나음 (coarse rales)	낮은 음조의 거품이 끊고, 습기가 찬 소리가 흡기 초반에서 호기 초반까지 지속된다.	말초기도	흡입한 공기가 기관과 큰 기관지에 있는 분비물과 부딪칠 때 발생	폐렴, 폐부종, 폐섬유화 등에서 들린다.
2. 연속음 천명음 (wheezing)	울려퍼지는 천명음 (sonorous wheeze) (=rhonchi, gurgles)	저음의 코골기 또는 신음하는 듯한 소리가 일차적으로 호기 동안에 들리나 흡기, 호기 모두에서 들릴 수도 있다. 이러한 천명음은 기침으로 깨끗해질 수 있다.	큰 기도	천명음의 음조는 기도의 직경과는 관련이 없다.	기관지염이나 단일 기관지 폐쇄에서 들린다.
	쉬쉬 소리나는 천명음 (sibilant wheeze)	고음의 개짖는 소리(musical sound)가 일차로 호기 동안에 들리나 흡기시에도 들림	큰기도 작은기도	부종, 분비물, 종양으로 좁아진 기도를 공기가 통과할 때 발생	급성 천식, 만성 폐기종의 경우에 들린다.
3.늑막마찰음 (pleural friction rub)		낮은 음의 건조하게 비벼지는 소리. 악설음과 비슷하나 좀 더 표면에서 들리며 흡기, 호기 모두에서 발생한다.	늑막	염증이 있는 두 늑막 표면의 마찰로 인해 발생	늑막염

3. 진단적 검사

호흡기계 검사에는 여러 가지 진단방법이 있다. 진단적 검사를 할 때 간호사는 대상자에게 검사의 목적을 알려주며 대상자가 요구하는 사항에 대하여 정보를 제공한다. 대상자가 이해할 수 있도록 간단하고 이해하기 쉽게 설명하여 대상자의 불안과 공포를 감소시켜야 한다.

1) 객담검사

정상적으로 호흡기계 분비물은 맑고 희며 냄새가 없고 중간 정도의 점도를 가지고 있다. 객담은 폐, 기관지, 기관에서 나온 점액성 분비물로 백혈구 상피세포, 비인두의 분비물, 세균, 점액 등이 섞여 있다. 질환에 따라 객담의 특성이 다르다. 만성 기관지염의 경우 객담은 진하고 끈끈하여 배출하기가 어렵다. 천식에서는 진한 달걀 흰자와 같이 끈끈하며 폐부종은 거품이 있는 분홍빛의 객담을 배출한다. 혈액이 섞인 객담은 기도의 염증을 나타내며 대상자가 심하게 기침할 때 종종 배출된다.

입구가 넓은 멸균 병이나 페트리 접시에 객담을 수집한다. 객담은 이른 아침에 받는 것이 가장 좋다. 객담은 목에서 나오는 것이 아니고 깊은 폐로부터 나오는 검체를 받아야 한다. 24시간 동안의 객담을 수집해서 양을 측정하는 검사를 하는 경우에는 눈금 표시가 있는 용기에 모아 측정하도록 한다. 비강이나 인두의 배양 검사에는 멸균된 면봉으로 비강 인두의 점막을 닦아내어 면봉을 배양관에 다시 넣는다. 수집된 검체는 30분 이내로 검사실로 보내야 한다.

2) 동맥혈 가스분석

동맥혈 가스분석(arterial blood gas analysis)은 환기력, 산소와 탄산가스의 운반력, 세포의 신진대사율과 완충조직의 상태를 나타낸다. 채취한 혈액이 담긴 주사기에 공기가 섞이지 않도록 바

저산소혈증의 수준

- 약한 정도 : 60-80mmHg 산소분압
- 중정도 : 40-60mmHg 산소분압
- 심한정도 : 40mmHg이하의 산소분압

주의 : 산소분압(PaO₂)은 노화와 함께 감소하는데 60세 이후에는 매년 정상 범위에서 1mmHg씩 감소한다.
예를 들어 70세 남자의 산소분압은 70~90mmHg이다. 또한 신생아는 정상적으로 출생 후 12~24시간 동안 저산소혈증이나 이후 산소분압이 80~100mmHg으로 회복된다.

표 9-6 동맥혈 가스 분석

정상범위	
PaO₂	80~100mm Hg
PaCO₂	35~45mmHg
pH	7.35~7.45
HCO₃⁻	22~26mEq/L
Base excess	±2
SaO₂	95~100%

늘 끝에 고무마개를 꽂아서 공기의 유입을 막아야 한다(표 9-6).

3) 폐기능 검사

폐기능 검사는 대상자가 일련의 연속적 호흡을 수행했을 때, 폐활량계를 이용해서 호흡역학과 관련된 폐용량을 측정하는 것이다. 폐환기의 정도는 폐용적과 폐용량에 의해 결정된다. 폐기능 검사와 관련된 내용은 표 9-7과 그림 9-4와 같다.

4) 피부반응

피부반응을 통하여 폐의 이상 유무를 검사한다. Mantoux 검사는 결핵균을 희석하여 만든 소량의 항원을 피내주사하여 항체 형성 유무를 판단하는 피부 반응 검사이다.

5) 맥박 산소 측정기

동맥혈의 산소포화도(SaO₂)를 측정하는 비침습성 측정 방법으로 산소요법을 받고 있는 경우, 수술 후, 저산소증의 위험이 있는 대상자에게 유용하다. 센서의 형태에 따라 손가락, 발가락, 코, 귓불, 이마 등에 센서를 연결한다. 기계에 내장된 광감지기는 산화헤모글로빈과 환원헤모글로빈에 의해 반사 또는 전파되는 빛의 양을 기록한다. 정상 산소포화도는 95~100%이다(그림 9-5). 저체온, 저혈압, 혈류감소, 혈관수축, 진한 손톱메니큐어, 밝은 형광등, 손가락의 움직임 등은 정확한 측정을 방해할 수 있다.

6) 기관지경 검사

기관지경(bronchoscopy)을 이용하여 기관지, 기관을 눈으로 직접 확인하는 검사이다. 기관지경 검사는 병소의 관찰, 조직 생검, 이물질 제거, 농양을 배액하기 위해 시행한다. 검사를 위해 검사전 동의서를 받아야한다. 위내용물이 흡인되는 것을 예방하기 위해 검사전 4~6시간 동안 금식한다. 일반적으로 검사 30분전

표 9-7 폐기능 검사

구분		내용
폐용적	일회호흡량(tidal volume)	안정 상태에서 일회 호흡하는 동안 들이마시거나 내쉬는 공기량으로, 정상 성인의 경우 약 500ml이다.
	흡기보유량(inspiratory reserve volume: IRV)	일회호흡량을 흡기한 후 최대로 더 흡기할 수 있는 공기량으로, 약 3100ml이다.
	호기보유량(expiratory reserve volume: ERV)	정상 호기 후에 최대로 내쉴 수 있는 공기량으로, 약 1200ml이다.
	잔기량(residual volume: RV)	최대로 호기한 후 폐내에 남아있는 공기량으로, 약 1200ml이다.
폐용량	흡기용량(inspiratory capacity: IC)	일회호흡량과 흡기보유량의 합이며 정상 흡기 상태에서 최대로 흡기할 수 있는 공기량으로 약 3600ml이다.
	기능적 잔기량 (functional residual capacity: FRC)	정상 호기 후 폐내에 남아있는 공기량으로, 호기보유량과 잔기량의 합과 같다. 그 양은 약 2400ml이다.
	폐활량(vital capacity: VC)	최대로 들이쉰 후, 최대로 내쉰 공기의 최대량이다. 폐기능 검사 중 중요한 검사의 하나로 정상 성인에서 약 4,800ml이다.
	총폐용량(total lung capacity: TLC)	최대로 흡기한 후 폐내에 수용할 수 있는 공기량이다. 폐활량과 잔기량의 합이며 약 6ℓ이다.

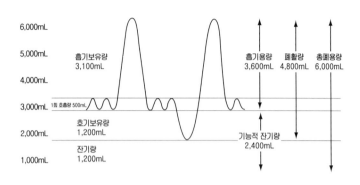

그림 9-4 폐용적과 폐용량

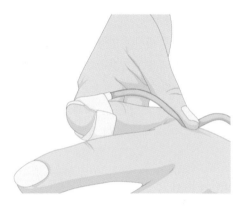

그림 9-5 맥박 산소 측정기 센서 연결

에 진정제를 투여한다. 인후부에 국소 마취를 하게되므로 검사 후 대상자가 삼키고 기침할 수 있을 때까지 대개 1-2시간 정도는 구강 섭취를 삼가한다.

구개반사(gag reflex)가 돌아오면 인두 자극을 가라앉히기 위해 따뜻한 물로 함수한다. 각혈이 있거나 조직 생검을 실시했다면 과도한 출혈이 있는지 관찰한다.

제2절
산소화 요구와 관련된 간호진단

호흡기계 기능장애가 있는 대상자는 실제적 문제 뿐아니라 다른 많은 잠재적 문제를 야기할 수 있으므로 사정 자료를 통하여 실제적이거나 잠재적인 간호진단을 도출하게 된다. NANDA에 의하여 수용된 간호진단 가운데 호흡기계 기능 장애와 관련된 대표적인 진단은 흡기와 호기 양상이 폐를 적절히 팽창시키거나 수축시키지 못하는 상태인 비효율적 호흡양상, 분비물이나 기도 폐쇄로 인해 기도의 개방 유지가 어려운 상태인 기도개방 유지불능, 폐포와 혈관계 사이의 산소와 이산화탄소의 교환이 부적절한

상태인 가스교환장애 등이 있다. 산소화 요구와 관련된 간호진단과 관련요인은 표 9-8과 같다.

제3절
산소화 요구와 관련된 간호계획

산소화 요구와 관련된 사정 자료를 근거로 간호 진단을 내린 후 우선 순위를 설정하여야 한다. 또한 각 진단적 진술을 참고하여 간호 목표를 설정하고 그 목표를 달성하기 위하여 간호계획을 수립한다. 다음은 산소화 요구와 관련된 일반적인 간호 목표이다.

- 정상적인 호흡양상을 보인다.
- 동맥혈 가스 분석 수치가 정상범위에 있다.
- 호흡이 편안해졌음을 말로 표현한다.
- 효과적으로 심호흡과 기침을 한다.
- 객담을 효과적으로 배출한다.
- 치료를 필요로 하는 증상이나 징후를 알고 있다.

간호목표는 대상자마다 다르다. 건강한 사람에게는 호흡기계 문제 예방과 건강한 폐를 유지하기 위한 교육이 필요하며, 급성 호흡기계문제를 가진 대상자에게는 합병증 없이 호흡기계 문제로부터 회복하는 것에 초점을 두어야 한다. 또한 만성 호흡기 문제를 가진 대상자에게는 질병으로 인한 생활양식의 변화와 자아개념을 수용하고 제한된 삶 속에서 적응하는 능력에 촛점을 두게 된다.

제4절
산소화 요구와 관련된 간호중재

1. 호흡기계 건강증진을 위한 중재

1) 호흡기계 감염의 예방
건강교육은 감기나 폐렴과 같은 감염성 질환의 발생 가능성을 줄일 수 있다. 환절기 감염기에는 사람이 많이 모이는 혼잡한 곳을 피하게 하고 감염된 사람과의 접촉을 삼가한다. 특히 기침이나 재채기를 할 때 호흡기계를 감싸게 되는 손을 청결히 씻어 전염성있는 호흡기계 감염을 예방하도록 한다. 또한 호흡기계 감염의 고위험 대상자인 노인과 천식이나 만성폐쇄성 폐질환의 진단을 받은 사람들은 매년 인플루엔자 예방 접종을 해야한다.

2) 금연의 장려
금연은 흡연 기간과는 상관없이 건강을 향한 긍정적인 전환으

표 9-8 산소화 요구와 관련된 간호진단

간호진단	관련요인
비효율적 호흡양상	• 신경근의 손상, 통증, 근골격계의 장애, 지각장애
	• 정서장애, 활동제한, 인지장애, 흡연, 기도협착, 기도흡인
기도개방 유지불능	• 에너지의 저하와 피로, 인지장애, 지각장애 분비물 증가
	• 기관지염, 기관지 폐색
가스 교환 장애	• 환기- 관류 불균형, 산소 공급 장애, 일산화 탄소 중독
	• 빈혈, 혈액 흐름장애

로 볼 수 있다. 금연의 변화 단계는 흡연 습관의 변화 과정을 이해하는데 도움을 준다.

금연의 변화 단계는 다음과 같다.

1. 전계획단계: 금연에 대해서 고려하지 않는 단계
2. 계획단계: 다음 6개월 안에는 금연을 고려하는 단계
3. 준비단계: 다음 한달 안에는 금연을 고려하는 단계
4. 행동단계: 금연 중에 있는 단계
5. 유지단계: 금연 후 금연 상태가 6개월 이상 지속되는 단계

금연 후 다시 흡연을 하는 것은 흔한 일이다. 궁극적으로 금연을 선택하고 지속하는 것은 개인에게 달려 있지만 간호사들에 의한 금연에 대한 긍정적 강화, 지속적인 설득은 매우 중요한 간호중재이다.

3) 알러지원의 감소

알러지 질환의 경우 꽃가루, 진드기, 먼지, 곤충의 알, 동물의 털, 음식물 등의 알러지원에 노출되지 않도록 예방하는 것이 중요하다. 간호사는 대상자에게 호흡기 질환을 일으키는 알러지원이 무엇인지 확인하여야 한다.

4) 적절한 수분공급

적절한 수분공급(hydration)은 호흡기 점막의 습도를 유지시켜 점막의 청소 기능을 정상으로 유지한다. 그러나 수분부족은 호흡기 분비물을 진하고 끈끈하게 만든다. 이러한 경우 효과적인 기침이 어려워 호흡곤란이 악화된다. 또한 세균번식이 쉬워 감염이 촉진되며, 기도내 점액 덩어리로 인한 무기폐는 신체의 산소화를 저해시킨다. 수분을 제한해야 할 경우가 아니라면, 가능한 많은 수분을 섭취한다. 유제품은 대상자에 따라 점액 분비물을 진하게 하므로 고려하여야 한다. 경구로 수분을 섭취할 수 없는 대상자는 분비물의 배출이 용이해지도록 분무요법을 수행하기도 한다.

5) 체위변경과 움직임

체위를 자주 변경하고 신체를 움직여 주는 것은 호흡기 분비물을 좀더 배출되기 쉬운 부위로 이동시킨다. 통증이 있거나 폐나 심장질환으로 활동내구성이 저하된 대상자, 움직임이 제한된 대상자는 호흡기계에 점액이 더 쉽게 축적된다. 적절한 체위변경은 폐분비물 정체를 예방하고 흉벽 확장 감소의 위험성을 줄여준다. 일측성 폐(unilateral)질환을 가진 대상자는 건강한 쪽 폐가 밑으로 가도록 하는 측위가 환기와 관류를 증진에 도움이 된다. 또한 45° 반좌위(semi-fowler's position)는 복부장기들이 횡격막을 압박하지 않고 횡격막의 수축과 폐확장을 도와주기 때문에 호흡곤란이 있는 대상자에게 효과적이다.

폐질환을 가진 대상자에게 활동은 호흡곤란을 일으킬 수 있다. 점진적으로 움직이는 것을 계획하고 실행하여 활동에 대한 내구성을 증진시켜야 한다. 이는 산소 소모량을 감소시키고 효율적인 기침에 필요한 에너지를 줄일 수 있다. 측위를 취하면 한쪽 폐의 팽창이 제한되므로 최소한 2시간 간격으로 체위를 변경해야 한다.

6) 강화폐활량계

강화폐활량계(incentive spirometry)는 폐환기와 산소화를 증진시키기 위해 사용된다. 즉 호흡기계 분비물을 액화시키고, 수축한 폐포를 확장시켜 무기폐를 치료하거나 예방할 수 있다.

저렴한 비용으로 대상자의 심호흡을 도울 수 있는 단순한 도구로, 대상자가 스스로 점진적인 기능 증진 과정을 파악할 수 있어 심호흡을 하도록 동기화 시킨다. 간호사와 대상자는 매 심호흡을 계획할 때마다 현실적인 목표를 설정하고 대상자는 혼자서 이 목표에 도달할 수 있도록 노력할 수 있다. 매 시간 8~10회 심호흡을 하는 것이 좋다.

2. 호흡기계 기능장애를 위한 중재

호흡곤란 대상자 간호의 주목적은 기도 유지, 환기력의 증가,

적당량의 산소 공급, 인체 산소 요구량의 감소, 적합한 습도의 유지, 대상자의 불안감 해소 등을 들 수 있다.

호흡곤란은 항시 즉각적인 치료와 간호를 필요로 한다. 민첩한 조치는 손상을 극소화하고 빠른 회복에 도움이 된다. 대상자의 상태 변화를 자세히 관찰하며 이러한 변화를 즉시 보고하여 적절한 조치가 이루어 지도록 한다.

무기폐, 과도한 점액분비, 기관지 협착증이 생겼을 때, 간호사는 대상자를 지지하고 대상자의 산소화 상태를 증진하기 위해 여러 가지 중재방법을 사용할 수 있다.

1) 기침

효과적인 기침은 폐확장을 통하여 호흡기계 기능 향상을 촉진한다. 즉 폐포를 확장시키고, 전신마취나 부동 후 기도에 축적되어 있는 점액 분비물을 제거하는데 도움이 된다. 간호사는 대상자에게 기침을 해야하는 목적, 올바른 기침 방법을 설명하고 기침을 하도록 격려해야한다.

기침은 깊은 흡입, 성문닫기, 호흡근의 활동적인 수축 그리고 성문의 개방 과정으로 일어난다. 대상자는 깊게 숨을 들이마시고 2-3초간 숨을 참거나 성문이 닫힐 때까지 숨을 참는다. 그 다음 성문이 갑자기 열릴 때 공기를 빠른 속도로 밖으로 내보내면서 가래를 상기도로 이동시킨다. 수술 부위에 통증을 유발할 수 있으므로 베개나 지지대로 수술 부위를 지지할 수 있다. 심하게 통증을 느끼는 대상자는 진통제를 투여한 후 기침을 하는 것이 좋다.

2) 심호흡

심호흡은 폐를 충분히 확장시키며 폐포의 계면활성제를 생성시키는 세포를 자극하여 호흡기능을 증진시키는데 도움을 준다. 또한 효과적인 기침을 유도하는 자극제가 되기도 한다. 주로 사용되는 호흡운동은 복식(횡격막 호흡:diaphragmatic breathing, abdominal breathing) 호흡과 입술 오므려 불기(pursed-lip breathing) 호흡법이다. 복식호흡은 호흡을 조절하기위해 횡격막과 복부 근육을 이용하는 것으로, 공기를 폐 깊숙한 곳까지 확산되도록 하여 호흡 부속근을 강화하고, 잔기량을 감소시키기 위한 방법이다. 만성 호흡기 질환을 가진 대상자들에게 적은 노력으로 깊고 충분한 호흡을 가능하게 해준다. 입술오므려 불기 호흡은 구강호흡 기술로서, 입을 오므려 입술의 크기를 작게 하여 서서히 호기를 함으로써, 호기를 연장하고 가벼운 호기 저항을 만든다. 호기 저항은 기도의 개방 상태를 유지하기 위해 필요한 폐내 압력을 유지할 수 있도록 해준다. 따라서 호기 동안 균등하게 흉강내압이 감소되어 기도 허탈을 예방할 수 있다. 대상자는 입

을 다문채 코를 통해 천천히 공기를 들이마신 후 잠시 숨을 참은 뒤, 휘파람을 부는 것처럼 입술을 오므리고, 복근을 수축시키면서 촛불을 끄듯이 숨을 내쉰다 호기 시간이 흡기 시간의 두배가 되도록 한다. 심호흡에서 코를 통해 최고조로 숨을 들이 마신 후 2~3초간 숨을 멈추면 공기가 기도 전 영역에 확산된다.

3) 흉부물리요법

흉부물리요법은 폐의 중력 의존부위로부터 기관지 분비물을 더 넓은 기도로 이동시켜 기도로부터 배출시키기 위해 시행된다. 흉부물리요법은 폐렴, 만성폐색성 폐질환과 같은 대상자에게 유용하며 타진, 진동, 체위배액이 포함된다. 이들은 단독으로 사용될 수 있으나 동시에 사용할 경우 더욱 효과적이다. 체위배액, 타진, 진동, 기침 및 흡인의 순으로 적용되며 시행 후 대상자의 상태를 시행 전과 비교하고 배출된 분비물의 양, 색깔, 특징 등을 기록한다.

(1) 타진

타진은 흉벽을 통해서 기관지에 붙어 있는 점액에 까지 전달되는 기계적인 에너지 흐름을 만들어낸다. 분비물이 축적된 부분에 손을 컵모양으로 만들어 흉벽을 리듬있게 친다. 여성 대상자의 유방, 척추, 신장, 혹은 수술 부위는 타진하지 않는다.

(2) 진동

진동은 타진과 유사한 기전으로 분비물을 제거하는 것이다. 손을 분비물이 축적된 폐 부위 흉부에 놓고 대상자가 숨을 내쉬는 동안 빠르고 힘차게 진동시킨다. 이 방법은 분비물을 폐포 표면에서 떨어져 나오게 하고 기침을 자극한다.

(3) 체위배액

체위배액(postural drainage)은 특정 체위를 취해 중력에 의하여 객담이 배설되도록 돕는 방법이다. 분비물이 고여 있는 폐의 부위에 따라 체위가 달라진다. 세기관지쪽에서 기관지를 향해 분비물이 배액되도록 하며 베개, 침상, 의자 등으로 체위를 지지한다. 체위배액 전에 기관지 확장제를 투여하거나 분무치료로 분비물을 묽게 한 후 시행하는 것이 효과적이다. 체위배액은 대상자의 상태에 따라 다르나 보통 하루에 2~3회 시행하며 아침 식사 전, 점심식사 전, 늦은 오후, 잠자기 전이 가장 좋은 시간이다. 체위배액시 각 자세는 10~20분 정도 유지하되 대상자의 상태에 따라 늘려가는 것이 좋다.

4) 산소요법

(1) 산소 전달 기구

산소 공급 장치는 고흐름체계(high-flow system)와 저흐름체

계(low-flow system)으로 나뉜다. 고유통체계는 산소 공급장치에서 나오는 산소의 분당 흐름(flow per min)이 대상자의 분당 환기요구량을 초과하므로 흡기시 마시는 공기속에는 실내 공기가 많이 섞이지 않고, 양도 일정하다. 저흐름체계에서는 대상자의 분당 환기량과 동일한 기류를 전달하기 위해 실내 공기가 같이 유입되는 전달 체계로, 산소는 대기의 공기와 일정하지 않은 비율로 혼합되므로, 대상자에게 전달되는 산소농도가 고흐름체계보다 정확하지는 않다. 저흐름체계에서 폐로 운반되는 산소 운반 비율은 개인의 호흡횟수, 일회 환기량, 환기 양상(호흡의 깊이, 횟수, 리듬)에 의해 결정된다.

고흐름체계에는 벤츄리마스크가 속하며, 저흐름체계에는 비강캐뉼라, 단순마스크, 부분재호흡마스크, 비재호흡마스크, 산소마스크(O₂ mask), 산소텐트(O₂ tent) 등이 있다.

① 비강 캐뉼라

비교적 간편하고 편안하게 사용할 수 있는 장치로 부드러운 플라스틱으로 된 1/2인치 가량의 두 개의 짧은 관(prong)이 있어 비강에 삽입되도록 되어 있다. 비강 캐뉼라는 비교적 낮은 농도의 산소 투여시 이용되며, 1L/min 산소를 투여할 경우 FiO₂ 는 24%이며 1L/min증가할 때 마다 FiO₂가 4%씩 증가한다. 6L/min 이상의 산소를 공급하게 되면 대상자가 공기를 삼키거나 비인두 점막에 자극을 주며 두통을 일으킬 수 있다.

② 산소마스크

산소마스크는 여러 가지의 형태가 있다. 마스크로 산소를 공급할 때 산소가 새어나오지 않도록 대상자의 코와 입을 전부 감싸고 밴드를 후두부에 잘 맞도록 고정시킨다. 또한 마스크로 인해서 얼굴에 자극을 받을 수 있으므로 자주 습기를 닦고 파우더를 발라 주어야 한다.

- 단순 마스크(simple face mask): 5~10L/min의 속도로 35-60%의 산소를 공급한다. 대상자가 배출한 CO₂를 재흡수하지 않도록 최소 5L/min를 투여해야 한다. 산소를 과다 투여할 우려가 있으므로 COPD 대상자에게는 적합하지 않다.
- 부분 재호흡 마스크(partial rebreather mask): 6~15L/min의 속도로 60~90%의 산소를 공급한다. 저장 주머니(oxygen reservoir bag)가 부착되어서 대상자가 내쉰 공기의 1/3과 주입된 산소를 흡입하게 된다. 마스크 옆면에는 여러개의 구멍이 있어 호기된 공기를 밖으로 배출시킨다. 짧은 기간내에 많은 양의 산소 공급이 필요할 때 사용된다(12시간 이내). 마스크로 대상자의 코와 입을 모두 덮도록 한다. 흡기 때 주머니가 완전히 수축되지 않도록 유의해야 하고 주머니가 완전히 수축된 경우 산소 공급 속도를 늘려 주어야 한다(그림 9-6).
- 비 재호흡 마스크(nonrebreather mask): 인공호흡기나 인공기도를 통해 산소를 투여할 때보다 더 높은 농도의 산소를 공급해준다. 즉 6~15L/min의 속도로 95~100% 산소를 공급할 수 있다. 마스크 측면에 일방향 판막이 있어 호기 가스가 배출된다. 또한 호흡 조절 주머니와 마스크 사이에 일방향 밸브(oneway valve)가 있어 저장백에는 산소는 저장되고 외부 공기는 들어가지 못하므로 호흡시 주머니에 있는 공기만 마시게 된다. 흡기시 호흡 조절 주머니가 완전히 수축되지 않도록 주의하며 이런 경우에는 산소 공급 속도를 늘려 주어야 한다(그림 9-6).

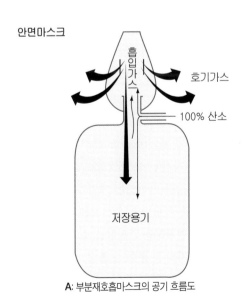

안면마스크 / 흡입가스 / 호기가스 / 100% 산소 / 저장용기

A: 부분재호흡마스크의 공기 흐름도

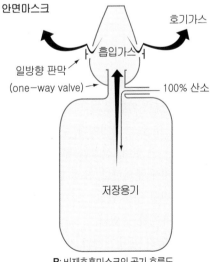

안면마스크 / 호기가스 / 흡입가스 / 일방향 판막 (one-way valve) / 100% 산소 / 저장용기

B: 비재호흡마스크의 공기 흐름도

그림 9-6 부분 재호흡 마스크와 비 재호흡 마스크의 단면도

표 9-9 산소 공급 방법

이동식 실린더를 이용한 산소 공급

산소통은 강철로 만들어져 있으며 넘어지지 않도록 반드시 O₂ cart를 사용하여야 한다
용량에 따라. 4L, 4L, 10L, 20L 등이 있다. 다음의 순서에 의하여 공급한다.

- 가습용기에 증류수를 눈금까지 채운 후 유속기에 연결한다.
- 조절기(medical regulator)를 산소통에 끼운다.
- 산소튜브를 가습용기에 연결한다.
- 유속기에 달린 조절기를 시계방향으로 서서히 열어서 분당 투여량을 조절한다(Ball의 중심을 눈금에 일치시킨다).
- 처방된 산소 전달 기구에 산소 튜브의 다른 끝을 연결하고 산소가 배출되는지 확인한다.
- 금연 표지판을 걸고 대상자 및 보호자에게 안전을 위한 지침을 교육한다.
- 산소통을 사용하지 않을 때는 반드시 조절기를 닫아 산소가 누출되지 않도록 한다.

벽출구를 이용한 산소 공급

- 가습용기에 증류수를 눈금까지 채운 후 유속기에 연결한다.
- 유속기를 벽출구에 끼운다.
- 유속기에 산소튜브를 연결한다.
- 조절기로 분당 투여량을 맞춘다.

■ 벤츄리 마스크(venturi mask): 산소 농도를 가장 정확하게 공급할 수 있는 방법으로 만성폐색성폐질환(COPD) 대상자에게 주로 적용할 수 있다. 제품에 따라 다르지만 4~10L/min의 속도로 산소를 공급하면 24~50%까지의 산소 농도를 유지시켜 준다.

③ 안면텐트

대상자가 마스크를 잘 견디지 못할 때, 산소 마스크 대신 사용할 수 있다. 안면텐트(face tent)는 분당 4~8L 유속으로 30~50% 농도의 산소를 공급할 수 있다. 대상자의 얼굴이 축축하거나 벗겨지지 않았는지 자주 관찰하고 대상자의 얼굴을 건조하게 유지하도록 한다.

④ 산소텐트

산소텐트는 가볍고 투명한 플라스틱으로 만들어져 모터가 달려 있다. 성인용은 머리와 가슴부위만 소아는 침상전체를 텐트로 덮어서 산소 공급을 받을 수 있는 장치이다. 4~15L/min의 속도로 34~60% 산소를 공급할 수 있다. 산소는 공기보다 무거워 아래쪽에 모이므로 농도 유지에 주의한다. 또한 텐트 안의 온도를 15~35℃ 범위 내에서 조절할 수도 있고, 초음파 가습기가 내장되어 있어 원하는 습도를 유지할 수 있다.

텐트의 양면에는 지퍼가 달려 있어 개폐가 자유롭다. 텐트를 열고 닫을 때에는 보통 산소의 주입속도(10~12L/min)보다 약간 높게(15L/min) 조절한다.

텐트를 사용하는 대상자와 이야기할 때에는 좀더 큰 소리로 말하며 대상자가 사용할 수 있도록 벨을 준비해 두는 것이 좋다. 대상자가 격리로 인한 불안을 느낄 우려가 있으므로 정서적 지지가 필요하다. 사용한 텐트는 소독액으로 닦아내고 물로 헹군 후 말린다.

(2) 산소 공급 장치

고농도의 산소가 필요한 경우에 산소를 공급한다. 산소공급 방식은 이동식 실린더(cyrinder) 방법과 벽 출구(wall outlet)방법이 있다. 이동식 실린더 형태는 강철통에 산소를 2200Lbs/inch³의 압력으로 압축시켜 21℃(70℉)로 저장하여 필요한 곳까지 산소통을 이동시켜 사용한다. 산소통에는 산소통, 조절기(cyrinder regulator)와 가습기(humidifier)가 부착되었고 압력 조절 밸브(pressure reducing valve)가 있어서 유출되는 산소 압력을 조절한다. 조절기의 계기(flow meter, gauge)는 산소통 내의 산소량을 표시하는 계기(cyrinder contents gauge)와 산소가 흘러나오는 속도(L/min)를 가리키는 계기가 있다. 중앙 공급의 방식으로 공급되는 벽출구 방법은 유속기를 벽출구에 부착하고 가습기를 유속기 밑에 연결하는 간편한 산소공급 방법이다.

한편 대상자의 호흡수, 호흡량, 산소 공급 속도에 따라 실제로 대상자가 마시는 공기 중의 산소농도(fraction of inspired oxygen, FiO₂)는 달라진다. 그러므로 FiO₂를 측정하기 의해 산소분

석기(oxygener analyzer)를 이용할 수 있다. 산소 분석기를 사용하기 이전에 공기중 산소 농도가 21%이므로 기계의 기준점을 0.21로 맞춘 뒤 지시한 FiO2에 따라 산소 공급 속도를 조절하면 안전하게 산소를 공급할 수 있다(표 9).

(3) 산소가습

산소는 건조한 상태여서 기도 점막을 건조시키므로 산소를 공급할 때에는 반드시 습기를 제공해야 한다. 산소가습기(물방울-확산 가습기)가 가장 자주 사용되는데, 산소는 물속을 통과하면서 수증기 입자가 혼합되고, 가습기 속에는 물방울이 생성된다. 분당 3L 이상의 유속으로 공급되는 산소요법에서는 필수적이다. 2L이하의 낮은 유속에서는 점막 건조를 막을 만한 수분이 공기 중에 있어 가습이 필요하지 않다.

(4) 산소기구 사용의 주의점

간호사는 대상자와 가족에게 산소 요법의 목적, 방법, 안전 수칙에 대해 자세히 설명해야 한다. 산소를 투여하게 되면 대상자나 가족은 대부분 질병이 악화된 것으로 인식할 수 있으며, 마스크와 같은 산소흡입기구를 사용할 때 질식에 대한 공포감을 느낄 수 있고 산소텐트를 사용하는 경우에는 고립감을 느낀다. 또한 산소 자체는 연소되기 쉬우나 색깔, 냄새, 맛이 없으므로 존재를 인식할 수 없으므로 항상 유의해야 한다.

(5) 인체의 산소요구량을 감소시키는 법

인체의 산소요구는 조직세포의 신진대사율과 관계된다. 신진대사에 관계되는 요인은 운동, 질병과정, 정서적 반응 등이다. 적당량의 운동은 폐의 환기기능을 증진시키기 위하여 필수적이지만 과도한 운동은 피해야 한다.

체온의 상승은 기초 신진 대사율을 상승시키고 호흡장애의 원인이 된다. 대상자에게 감염증이 발생하지 않도록 세심한 주의를 기울여야 하며 체온을 정상 범위로 유지하기 위한 조치가 필요하다. 정서적인 긴장은 호흡과 밀접한 관계가 있다. 예를 들어 불안, 분노, 공포와 같은 감정은 교감신경계를 흥분시켜 세기관지의 평활근이 수축되므로 호흡을 빠르고 깊게 한다.

5) 인공기도관

객담, 분비물 및 토물 등의 이물질이나 혀에 의해 기도가 막히거나 기관지 경련으로 기도가 폐쇄되면 호흡을 위한 기도 유지가 어렵다.

인공기도에는 구강인두관(oropharyngeal tube), 비인두관(nasopharyngeal tube), 기관내관(endotracheal tube) 및 기관절개관(tracheostomy tube)이 있다.

① 구강인두관

S자 모양의 구강인두관은 입으로 삽입하여 인두 뒷편까지 넣는다. 구강인두관은 수술 후 마취회복기나 무의식 상태에서 혀로 인해 기도가 폐쇄될 위험이 있는 대상자의 상부기도를 유지하기 위해 사용한다. 또한 구강내 분비물을 흡인할 때 보조기구로 이용되며 기관내관을 삽관할 때 bite blocker로 사용되어 튜브의 개방성을 유지한다. 구강인두관은 삽입이 간단하지만 구개반사를 자극하기 때문에 의식이 있는 경우에는 사용하지 않는다.

② 비강인두관

비강인두관은 콧구멍을 통하여 후두개 윗쪽 인두까지 삽입한다. 구강인두관을 사용할 수 없거나 구개반사가 민감하게 나타나는 대상자의 상부기도를 유지하지 위함이다. 또한 비강인두 흡인시 비강점막과 인두점막을 보호할 수 있다.

③ 기관내관

기관내관은 코 또는 입을 통하여 기관으로 삽입되는 관이다. 전신마취나 단기간 인공호흡기를 사용하거나 응급상황에 처한 대상자의 기도를 유지하며 기관내관을 통해 산소를 공급하고 기도내 분비물을 제거할 수 있다.

④ 기관절개관

기관절개관은 기관(trachea)을 외과적으로 절개한 후 기관속으로 직접 통과하도록 개구부를 만들어 삽입하는 관이다. 장기간 인공호흡기를 사용하는 대상자의 기도를 유지하고 산소를 공급하며, 기도내 분비물을 제거하기 위해 사용한다. 기관절개관을 삽입한 경우 자연경로를 통해서 기도내 먼지가 걸러지고 습기가 제공되지 못하므로 습화 과정과 감염을 예방할 수 있는 특별한 간호가 필요하다.

- 기관절개관의 유형: 기관절개관은 단일관강 기관절개관과 이중관강 기관절개관이 있으며, 각각은 커프의 유무 별로 다시 세분화된다. 이중관강 관절개관은 외관, 내관, 전색자(obturator)로 구성되며, 단일관강은 내관이 없다. 전색자는 기관절개관 삽입시 외관으로 인한 손상을 줄이기 위해 사용된다. 커프는 기관에 관을 고정시키기 위하여 부풀릴 수 있는 것이며 분비물이 기도 깊숙한 곳으로 넘어가는 것을 예방하고 기관절개관과 기관사이에 공기누출을 막아준다. 커프가 있는 기관절개관의 경우 커프로 인한 기관 조직의 괴사 위험을 최소화하기 위해 커프의 압력을 20~25 mmHg로 유지하고, 커프의 압력을 주의깊게 확인하고, 필요시 정기적으로 커프를 수축시킨다.

- 기관절개관 간호: 기관절개관 간호는 굳어진 점액에 의해 튜브가

표 9-10 호흡기 질환 대상자를 위한 일반적 약물

약물제제	제공방법	임상적 주의사항
기관지 확장제 · Isoetharine(Bronkosol) · Metaproterenol(Alupent) · Terbutaline(Brethine,Bricanyl) · Albuterol(Ventolin, Proventil) · Ipratropium(Atrovent)	MDI, hand-held nebulizer, IPPB로 제공; 일부 약제는 정맥투여된다.	1. 천식, COPD의 wheezing을 치료하는데 이용 2. 안절부절, 경련 유발 가능 3. 빈맥증을 유발; 치료전후에 심박동수 측정 4. 공기주머니(spacer)가 약물의 분산을 증가
· Theophylline(Theo-Dur, Slo-bid) · Aminophylline	경구용 정제 또는 액체제재; 정맥내 주사할수 있는 제재는 aminophylline	1. 위 1~3과 동일 2. 부작용 : 오심, 두통, 흥분 3. 독성작용으로 심부정맥과 발작 유발 4. 혈액수준을 10~20μg/dL을 유지
항염증제재 · Beclomethasone(Beclovent, Vanceril) · Flunisolide(AeroBid) · Triamcinolone(Azmacort)	MDI	1. 국소적으로 작용하는 스테로이드, 천식과 COPD에서 염증을 감소시킨다. 2. 급성 호흡곤란 발작에는 비효과적이다. 3. 대상자는 사용 후에 입을 행구어내야 한다.
항천식제재 · Cromolyn sodium(Intal) · Nedocromil(Tilade)	MDI; hand-held nebulizer로 투여	1. 천식발작의 빈도와 강도를 감소시킬 정도의 유지 용량 2. 급성천식발작에서는 사용하지 말 것 3. 현저한 효과를 보기 위해서는 몇주간 소요된다. 4. 부작용 거의 없음(기침, 구강건조)

막히는 것을 예방하고, 감염의 위험을 줄이기 위해 필요하다. 기도를 자주 사정하여 기관절개관을 흡인하고 청결하게 유지한다. 축적된 점액을 관리하고 하부기도로 분비액이 내려가 감염이 되는 것을 예방해야한다. 기관절개관을 통해 대상자가 호흡할 때에는 상기도로 공기가 여과되거나 가습되지 않으므로 가습이 필수적이며 구강간호도 중요하다.

내관과 절개부위 주변의 마른 점액을 제거하며 절개 부위를 규칙적으로 드레싱한다. 드레싱 거즈는 가위로 잘라서는 안되는데 이는 거즈의 실이 절개부위를 자극하여 염증반응을 일으킬 수 있기 때문이다. 분비물이 많으면 드레싱 거즈를 자주 갈아준다. 또한 기관절개관을 고정하는 안전띠를 교환하는 동안 기침으로 인해 기관절개관이 빠지지 않도록 주의한다.

6) 흡인요법
기도흡인은 기도 내의 분비물이나 이물질을 제거하여 기도를 청결하게 유지하기 위해 시행한다. 비강이나 구강으로 흡인 튜브를 삽입하여 흡인하며 인공기도를 삽입한 경우 이를 통하여 흡인하게 된다. 필요한 경우 약물을 분무하여 분비물을 액화시켜 제거하기도 한다.

7) 분무요법
분무는 공기나 산소 중에 아주 작은 물방울이 떠 있는 상태로 분무요법의 목적은 다음과 같다.

■ 기도내 수분을 공급하여 분비물을 액화
■ 약물을 기도내로 투여

적절한 수분공급에도 불구하고 대상자의 객담이 진하고 끈끈하면 분무요법을 시행한다. 점액층이 수분을 흡수하여 객담이 좀더 쉽게 제거될 수 있다.

(1) 분무약품
기관지 확장제는 직접 폐에 투여될 때 기관지 경련을 가장 신속히 완화시킨다. 자주 사용되는 약이고 효과적이지만 부작용 역시 크다. 기관지 확장제를 투여하는 대상자는 심박수의 증가,

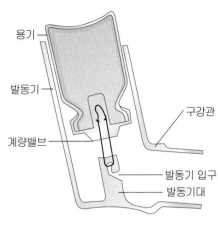

그림 9-7 정량식 흡입기

용기

발동기

계량밸브

구강관

발동기 입구

발동기대

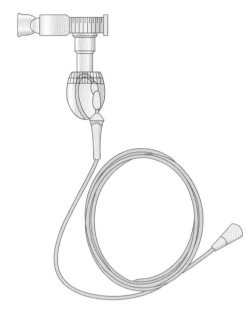

그림 9-8 저용량 연무기

안절부절과 같은 증상을 면밀히 관찰해야 하고 이러한 약들은 용량이 다양하게 포장되어 있으므로 간호사는 투여 전에 반드시 적정 용량을 확인해야 한다.

천식 대상자나 만성폐질환 대상자에게 경구용 스테로이드를 장기간 투여하여 부작용이 나타날 경우 분무용 스테로이드를 대용물로 사용할 수 있다. 표 9-10에는 자주 사용되는 호흡기계 약물이 열거되어 있다.

(2) 분무 방법

① 정량식 흡입기

이미 분무화된 약물을 투여하는 흡입기로서 휴대가 간편하여 사용하기 쉽고 치료 효과가 빠르다. 약물을 쇠통에 압축 가스와 함께 넣고 밀봉한 것으로 사용자가 개폐기를 누를 때마다 일정한 용량이 분무되도록 고안된 것이다. 일반적으로 두 번을 누르면 1회 사용 용량이 투여된다. 경구 투여에 비하여 적은 용량으로 치료 효과를 나타내며 투여하는 약물을 폐에 직접 전달할 수 있다. 정량식 흡입기(metered dose inhaler, MDI)로 다양한 종류의 호흡기계 약물을 공급할 수 있기 때문에 대상자는 여러개의 정량식 흡입기로 호흡기계 약물을 투여할 수 있다(그림 9-7).

② 저용량 연무기

저용량 연무기(hand-held nebulizer)는 정량식 흡입기처럼 1~2회 호흡 동안 필요한 용량을 모두 투여하지 않고 몇분에 걸쳐서 지속적으로 분무화된 약물을 공급한다. 압축공기나 초음파를 이용해 약제를 미세하고 균등한 입자로 변하게 한 후 대상자의 호흡기를 통해 분무시킨다. 분무를 시키기위해서는 벽출구 산소 공급 방법을 이용하여 O_2를 분당 9~10L로 공급하거나 compressor 기계를 이용한다. 대상자는 천천히 호흡하며 각 흡입마다 잠시 숨을 참아 약물이 좀더 폐내 깊은 곳까지 퍼지도록 한다(그림 9-8).

8) 가습요법

공기의 습도가 낮을 경우 공기를 습화시켜야 한다. 공기가 건조할 경우 호흡기계 내의 정상 습도를 유지하기 어렵고, 기관지 내 자극과 감염에 대한 방어기전이 손상된다. 공기를 가습시키기 위해 사용되는 가습기에는 증기를 발생시키는 것과 차가운 연무(cool mist)를 발생시키는 것이 있다. 차가운 연무를 발생시키는 가습기는 화상의 위험은 없으나 적절히 관리하지 못하면 병원균 성장의 매개물이 될 수 있다.

가습요법시에 유의할 사항은 다음과 같다.

- 대상자에게 공기를 습화시키는 목적과 주의사항을 설명한다.
- 침상 머리 맡에 방수포를 깔고 이불이 젖지 않도록 덮개를 씌우고 가습기를 머리쪽에 놓는다.
- 가습기의 뚜껑을 열고 표시된 선까지 물을 붓고 뚜껑을 덮은 후 전기에 연결한다.
- 수증기의 방향을 대상자의 코로 향하게 하며 수시로 물의 양을 확인한다.
- 흡입동안 대상자가 객담을 뱉어낼 수 있도록 격려한다.
- 가열된 습기로 인해 대상자가 화상을 입지 않도록 해야하며, 특히 무의식 대상자의 경우 주의해야 한다.
- 침구가 젖으면 오한이 오기 쉬우므로 즉시 교환해 준다.

9) 불안에 대한 적절한 조치

불안은 호흡곤란을 유발한다. 정상적인 호흡을 할 수 없는 상태는 불안을 가중시킨다. 만성호흡기질환을 가진 대상자는 항시 호흡 단절의 공포 속에서 살게되는데 대상자의 불안은 호흡에 영

산소사용과 관련된 안전수칙

- 침상 주위에 성냥이나 라이터를 두지 않는다.
- 레이저, 보청기, 라디오, TV, 전기장판 등 전기 용품들을 가까이 두지 않는다.
- 사용중인 산소통이나 유속기를 부착하는 벽출구에 '금연' 표지판을 걸어 놓고 금연하도록 한다.
- 모나 합성 섬유와 같이 정전기를 일으키는 제품을 피하고 면담요를 사용한다.
- 기름, 유지, 알코올이나 벤젠처럼 휘발성이나 가연성 물질은 산소를 투여받는 대상자 근처에 두지 않는다.
- 소화기의 위치를 알아두고 사용법에 대한 훈련을 받는다.

향을 주며 호흡곤란은 불안을 초래하고 불안은 더 심한 호흡곤란을 초래하게 된다.

간호사는 대상자를 간호할 때에 신뢰감을 갖게하여 불안을 완화시킬 수 있다. 대상자의 요구에 민첩하게 대응하거나 간호사의 노련한 태도나 익숙한 기구 조작은 대상자에게 안정감을 준다.

제5절
산소화 요구와 관련된 간호평가

간호중재를 제공하는 동안 수집된 자료를 이용하여 설정한 목표에 도달되었는지를 평가한다.

- 정상적인 호흡양상을 보인다.
  - 호흡수, 리듬, 호흡음을 사정한다.

- 동맥혈 가스 분석 수치가 정상범위에 있다.
  - 동맥혈 가스 분석을 통해 그 수치의 이상 여부를 파악한다.
- 호흡이 편안해졌음을 말로 표현한다.
  - 대상자의 호흡 양상을 관찰하고 호흡곤란이 있는지 물어본다.
- 효과적으로 심호흡과 기침을 한다.
  - 대상자에게 심호흡과 기침의 목적을 설명하게 하고 이를 수행해 보도록 한다.
- 객담을 효과적으로 배출한다.
  - 대상자가 효과적으로 객담을 배출하는 지를 사정한다.
- 치료를 필요로 하는 증상이나 징후를 알고 있다.
  - 대상자에게 교육 내용을 물어본다.

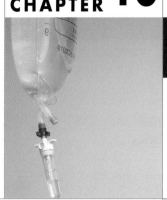

CHAPTER 10

체액, 전해질 및 산-염기 균형

학습목표

1 체액과 전해질의 기능과 분포를 설명한다.
2 체액과 전해질 균형의 원리를 설명한다.
3 산-염기 균형의 원리를 설명한다.
4 체액과 전해질 불균형에 대해 설명한다.
5 산-염기 불균형에 대해 설명한다.

제1절
체액, 전해질 및 산-염기 균형을 위한 간호사정

I. 체액, 전해질 및 산-염기 균형을 위한 기본지식

1. 체액과 전해질 균형

1) 체액

(1) 체액의 분포

체액은 성인에서는 체중의 약 50~60%, 유아에서는 체중의 70~80%를 차지하며 연령별로 차이가 있다(표 10-1). 체액은 세포내에 있는 세포내액(intracellular fluid, ICF)과 세포 외 공간에 있는 세포외액(extracellular fluid, ECF)으로 나뉜다. 총 체액의 2/3이 세포내액에 존재하고 나머지 1/3은 세포외액에 존재한다. 세포외액은 세포들 사이에 존재하는 간질액(또는 사이질액, interstitial or intercellular fluid)과 혈관 및 림프관 내에 존재하는 혈관내액(intravascular fluid), 기타 뇌척수액이나 안구액, 림프액

등의 체강액(또는 세포분비액, transcellular fluid)이 포함된다. 이중 간질액(또는 사이질액)이 체중의 약 15%, 혈관내액이 체중의 약 5%를 차지한다.

세포내액과 세포외액에 함유된 전해질의 종류는 매우 다르다. 세포내액의 주요 양이온은 칼륨이며 나트륨, 마그네슘, 칼슘은 소량 함유되어 있다. 주요 음이온은 염소와 중탄산염이다. 세포외액의 주요 양이온은 나트륨이며 칼륨, 마그네슘, 칼슘 등이 소량 함유되어 있다. 음이온인 인산염은 세포내액에 많고 황산

표 10-1 연령별 체액분포

연령	총체액(체중비 %)
미숙아	85%
신생아	70~80%
아동 1~12세	64%
청소년~성인 13~39세	남자 : 60%, 여자 : 52%
40~60세	남자 : 55%, 여자 : 47%
61세 이상	남자 : 52%, 여자 : 46%

체액의 분포

체액(체중의 50~60%)	• 세포내액(총 체액의 2/3)	• 세포내액
	• 세포외액(총 체액의 1/3)	• 혈관내액(체중의 5%)
		• 간질액(또는 사이질액) (체중의 15%)
		• 기타: 뇌척수액, 림프액, 안구액

염은 양쪽 모두에 약간씩 함유되어 있다. 인산염은 정상적인 신경근육 활동을 증가시키고 탄수화물 대사에 참여하며, 세포내액과 세포외액에 존재하는 완충 음이온으로 산-염기 조절을 보완한다.

간질액(또는 사이질액)과 혈관내액의 전해질 성분은 동일하며, 다만 혈관내액이 간질액(또는 사이질액)보다 단백질의 농도가 더 높다.

(2) 체액의 기능

체액은 세포에 산소와 영양분을 공급하고 세포로부터 노폐물을 제거하여 배설기관으로 운반한다. 체온을 조절하고 관절과 세포막의 윤활과 쿠션 역할을 하며, 소화과정에서 음식을 가수분해한다. 또한 모세혈관을 쉽게 통과하면서 혈액량을 유지한다.

정상 상태에서 신체는 체액과 전해질 균형을 유지한다. 즉 체액의 양과 구성 성분은 보상 작용에 의해 항상 평형상태(equilibrium)를 유지하고 있다. 예로 더운 날 심하게 땀을 흘리고 나면 체액을 보충하기 위하여 갈증을 느끼게 되는 것을 들 수 있다. 그러나 심각한 병적인 상태에서 심한 수분과 전해질의 불균형이 발생하면 과잉상태(excess)나 부족상태(insufficiency)가 나타날 수 있으며, 이러한 체액과 전해질의 불균형은 인체 주요 장기의 구조와 기능에 치명적인 손상을 줄 수도 있다.

2) 전해질

전해질이란 물 등의 용매에 녹아서 전기를 띄우는 이온으로, 양이온(cation)은 (+)전기를 띄고 있고, 음이온(anion)은 (-)전기를 띄고 있는 입자이다.

주요 양이온은 나트륨(sodium), 칼륨(potassium), 칼슘(calcium), 마그네슘(magnesium)이며, 주요 음이온은 염소(chloride), 중탄산염(bicarbonate), 인산염(phosphate)이다.

전해질은 ① 세포의 화학적 반응 ② 신체 수분 조절 ③ 산-염기의 균형 유지 ④ 신경 자극의 전도와 근육 활동의 자극에 필수적이다.

전해질은 용액내에 녹아있는 절대적인 무게가 아닌 양이온과

표 10-2 전해질의 정상 혈청 농도

전해질	농도
Na^+	135~145mEq/L
K^+	3.5~5.0mEq/L
Ca^{2+}	4.5~5.5mEq/L
Mg^{2+}	1.5~1.9mEq/L
Cl^-	95~108mEq/L
HCO_3^-	22~26mEq/L
HPO_4^{2-}, $H_2PO_4^-$	1.7~2.6mEq/L

음이온의 결합력(combining power)으로 측정한다. Milliequivalent(mEq)가 전해질의 화학적 활동의 척도이기 때문에 전해질은 보통 mEq/L로 표현한다. 예를 들면 Mg^{2+} 1mEq/L는 Cl^- 2mEq/L와 결합하게 된다.

전해질의 균형과 불균형은 혈장내 전해질의 농도로만 파악하게 된다. 실제로 세포내액의 전해질 농도는 임상적으로는 측정될 수 없기 때문에 혈장의 전해질 농도에만 의존할 수 밖에 없다(표 10-2).

(1) 나트륨

나트륨(Na^+)은 세포외액에서 양이온 중 90%를 차지하는 가장 풍부한 양이온으로 혈액과 조직, 간질 사이를 쉽게 이동하고 능동적으로 통과하며, 신체내의 화학적 반응, 신경조직세포와 근조직세포에 영향을 미친다. 정상적인 세포외액의 나트륨 농도는 135~145mEq/L 이다.

① 기능

■ 세포외액의 용량과 농도를 조절하는 주된 조절자

■ 신체의 체액 균형과 세포외액의 삼투압에 영향

■ 신경흥분의 전달에 관여

■ 나트륨 - 칼륨 펌프(Na-K pump)에 필수 전해질

② 조절

나트륨의 균형은 신경, 호르몬, 혈관 기전의 상호작용으로 유지된다. 신경-호르몬 상호작용의 대표적인 기전인 레닌-안지오텐신 체계와 이외에 알도스테론, 심방나트륨 배설 촉진 호르몬에 의해 나트륨 균형이 조절된다.

레닌-안지오텐신 체계(renin-angiotensin system)

- 1단계: 저혈압에 대한 반응으로 신장의 관류압이 감소하며 토리곁장치(juxtaglomerular apparatus)에서 레닌(renin) 분비
- 2단계: 레닌이 간에서 형성되어 혈액내에 존재하는 안지오텐시노겐(angiotensinogen)을 안지오텐신 I(angiotensin I)으로 전환
- 3단계: 안지오텐신 I 이 폐의 모세혈관에서 안지오텐신 전환효소에 의해 안지오텐신II(angiotensin II)로 전환
- 4단계: 안지오텐신 II가 부신피질의 알도스테론 분비 촉진

알도스테론(aldosteron)

- 부신피질에서 분비되며 신장에서 나트륨과 체액을 재흡수하고 칼륨의 배설을 촉진한다.

심방 나트륨이뇨 펩티드(atrial natriuretic peptides, ANP)

- 심실 확장, 혈관 수축 또는 직접적인 심장 손상에 대한 반응으로 심실에서 유리된다. 이 호르몬의 작용으로 나트륨과 수분 배설을 증가시키고 혈관을 확장시킨다.

(2) 칼륨

칼륨(K$^+$)은 신체 모든 구간에 존재하지만 98%가 세포내에 존재하는 중요한 양이온이다. 정상적인 혈청의 칼륨농도는 3.5~5.0 mEq/L 이다. 칼륨의 농도는 체내에 저장될 수 없으므로 식이를 통한 섭취와 신장을 통한 배설로 조절된다.

① 기능

- 신경 자극의 전도와 골격근, 심근, 평활근의 수축에 관여
- 세포내 삼투질 농도 조절
- 세포대사에서 세포활동과 간의 글리코겐 저장에 관여
- 수소이온과 세포 교환을 통해 산-염기 균형 조절
- 나트륨-칼륨 펌프(Na-K pump)에 필수 전해질

② 조절

칼륨의 80%는 콩팥요세관(renal tubule)을 통해 소변으로 배설되며 20%는 대변 및 땀을 통해 배설된다. 신장에서 칼륨을 배설할 때에는 혈청 칼륨 농도, 혈청 나트륨 농도, 신장으로의 혈류량, 산-염기 상태, 여러 가지 호르몬에 의해 영향을 받는다.

- 알도스테론: 알도스테론은 나트륨을 보존하고 칼륨의 배설을 촉진시킨다.
- 산 - 염기 균형 및 불균형: 알칼리증(alkalosis)에서는 혈액의 pH를 낮추기 위해 수소 이온이 세포 밖으로 이동하고 칼륨 이온이 세포내로 이동하여 혈청 칼륨 농도가 낮아진다. 산증(acidosis)에서는 반대로 칼륨이 세포밖으로 나오고 수소이온이 세포내로 들어가 혈청내 칼륨 농도가 높아진다.
- 인슐린과 글루카곤: 인슐린은 포도당을 세포내로 저장할 때 나트륨 - 칼륨 펌프를 자극하여 칼륨을 혈청에서 근육세포나 간세포로 이동시켜 혈청내 칼륨 농도를 감소시킨다. 글루카곤은 간에서 칼륨의 유리를 자극하고 근육세포로부터 칼륨을 이동시켜 혈청 칼륨 농도를 증가시킨다.

(3) 칼슘

체내 칼슘(Ca^{2+})의 약 99%는 뼈와 치아에 있고, 나머지 1%는 조직과 혈청에 존재한다. 이 1%의 절반 정도가 이온화되지 않은 채 알부민과 결합되어 있으며 나머지 반이 이온상태로 있다. 인체의 생리적 기능에 중요한 영향을 미치는 것은 이온화된 칼슘이다. 정상적인 혈장의 이온화된 칼슘농도는 4.5~5.5 mEq/L 이다.

혈청 알부민 농도와 pH수준이 혈청 칼슘 농도의 해석에 많은 영향을 미치고 있다. 알부민 농도가 낮으면 칼슘과의 결합력이 낮아져 이온화된 칼슘 농도는 높아지고 알부민 농도가 높아지면 칼슘과의 결합력이 높아져 이온화 된 칼슘 농도는 감소한다. 알부민 농도가 비정상이면 총 혈청 칼슘은 혈청 알부민의 증가 혹은 감소에 따라 혈청 알부민 1g/dl 마다 0.8mg/dl 를 더하거나 빼주어 조정해야 한다.

pH가 높으면 알부민과 칼슘과의 결합이 증가하여 이온화된 칼슘의 농도는 낮아진다. 반면 pH가 낮으면 알부민과 칼슘과의 결합력이 약해져 이온화된 칼슘이 많아진다.

① 기능

- 신경자극의 전도, 혈액응고
  (프로트롬빈이 트롬빈으로 전환되는데 필요)
- 골격근, 평활근, 심장근의 수축
- 세포의 투과성 유지, 췌장의 리파아제(lipase) 활성화에 작용

② 조절

- 부갑상선호르몬(parathyroid hormon): 뼈에서 칼슘의 유리를 증가시키고, 콩팥요세관에서 칼슘 재흡수를 증가시키며, 위장관에서 칼슘의 흡수를 촉진하는 등 혈청 칼슘 농도를 상승시킨다. 부갑상선 호르몬의 분비 감소는 혈청 칼슘 농도를 저하시킨다.

- 칼시토닌(calcitonin): 부갑상선 호르몬과 반대작용을 하여 뼈에서 칼슘의 유리를 억제하여 혈청 칼슘 농도를 감소시킨다.
- 비타민 D: 위장관에서 칼슘 흡수에 관여한다.
- 인: 칼슘과 인은 서로 상쇄 효과를 가지고 있다. 인은 위장관에서 칼슘 흡수를 방해한다. 따라서 혈중 인산염의 농도가 높으면 2차적으로 혈액내 칼슘 농도가 저하된다.

(4) 마그네슘

마그네슘(Mg^{2+})은 세포내액에서 두번째로 중요한 양이온이다. 체내 마그네슘의 약 50~60%가 뼈에 저장되어 있으며, 1%만이 세포외액에 들어 있고 나머지는 세포내액에 있다.

① 기능
- 신경 자극의 전도와 골격근, 평활근, 심장근의 수축
- 세포막간의 나트륨과 칼륨의 운반에 관여
- 부갑상선 호르몬의 합성과 유리에 관여

② 조절
- 신장은 혈청내 마그네슘 수치가 낮으면 마그네슘을 재흡수하고 혈청 농도가 높으면 배설을 촉진한다.

3) 체액과 전해질의 이동

체내에 있는 수분, 전해질, 영양분과 노폐물은 다양한 대사성 요구를 충족시키기 위해 한 곳에서 다른 곳으로 이동한다. 이러한 이동은 체액 균형과 항상성(homeostasis)을 유지하게 되며 생명에 필수적이다. 세포, 모세혈관벽, 모세림프관벽은 반투과성막으로 물과 일부 전해질은 이 반투과성막을 쉽게 통과한다. 그러나 단백질과 같은 입자가 큰 분자들은 모세혈관벽을 빠져나갈 수 없다. 체액은 일차적으로 삼투압과 여과에 의해 이동한다. 전해질과 불용성 입자들은 확산, 여과, 능동 운반에 의해 이동한다. 또한 세포외액과 세포내액 사이의 체액의 여과에 가장 중요한 역할을 하는 것은 정수압(hydrostatic pressure)과 교질삼투압(oncotic pressure)의 차이 때문이다.

(1) 삼투

삼투(osmosis)는 세포막과 같은 반투과성막을 통해 수분이 저농도 용액에서 고농도 용액으로 이동하는 것이다. 삼투과정은 반투막의 양쪽 농도가 평형이 될 때까지 계속된다.

(2) 확산

확산(diffusion)은 용질이 고농도에서 저농도로 평형 상태가 이루어질 때까지 이동하는 것을 말한다. 확산은 전기적 중성(electrical neutrality)을 유지하는 중요한 과정이다. 전기적 중성은 세포내액과 세포외액 각각의 구획안에 양이온과 음이온의 수가 균형을 이루고 있는 상태이다. 만약 어떤 구획안에 양이온의 수가 증가하면 음이온이 전기적 중성을 유지하기 위해 구획 안으로 확산에 의해 이동하게 된다.

(3) 능동 운반

능동 운반(active transport)은 입자가 큰 분자가 저장액에서 고장액으로 세포막을 통해서 이동되는 현상을 말한다. 삼투, 확산과는 달리 능동 운반은 외부로부터 에너지가 필요하다. 이 에너지는 인산 결합물질인 adenosine triphosphate(ATP)가 제공한다.

정상적으로 나트륨 농도는 세포외액에서 높고 칼륨 농도는 세포내액에서 더 높아 나트륨은 세포내로 칼륨은 세포 밖으로 확산된다. 따라서 세포내외의 전해질 균형을 유지하기 위해서는 세포막의 Na-K pump를 이용하여 나트륨을 다시 세포외로 칼륨을 세포내로 이동시켜야 한다. Na-K pump를 활성화시키기 위해서는 많은 양의 에너지가 필요하다.

(4) 체액과 전해질 이동에 영향하는 압력

삼투압(osmotic pressure)은 모세혈관에 있는 용질로 인해 생기는 압력으로, 혈장내 수분의 양을 일정하게 유지하려는 특징이 있다. 모세혈관에 있는 용질은 주로 알부민과 같은 단백질로, 간질액(또는 사이질액)보다 혈장내의 농도가 더 높다. 특히 단백질은 입자가 커서 모세혈관막을 쉽게 통과할 수 없기 때문에 혈장 삼투압이 세포 간질액(또는 사이질액)의 삼투압보다 크다. 이러한 혈장 단백질로 인한 삼투압을 교질 삼투압(colloid osmotic pressure)이라 한다.

정수압(hydrostatic pressure)은 혈관내에 있는 체액에 의해 생기는 압력으로, 정수압 차에 의해 압력이 높은 곳에서 낮은 곳으로 수분이 여과된다. 즉 혈관에서 간질액(또는 사이질액)으로 수분이 이동한다.

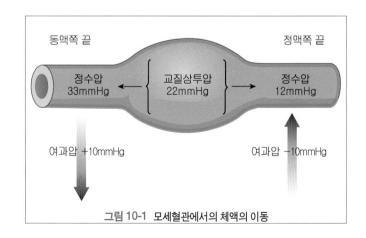

그림 10-1 모세혈관에서의 체액의 이동

여과압(filtration pressure)은 정수압에서 삼투압을 뺀 값이다. 그림 10-1은 모세혈관에서 정수압과 교질삼투압의 차이로 체액이 이동하는 과정을 나타내고 있다. 세동맥에서 정수압이 약 32mmHg, 교질 삼투압은 22mmHg 정도이다. 이곳에서의 여과압은 10mmHg이며 양압이므로 체액은 세동맥에서 간질로 여과된다. 그러나 세정맥에서 모세혈관의 정수압은 12mmHg이며 교질 삼투압은 여전히 22mmHg이기 때문에 여과압은 -10mmHg이다. 이 압력은 음압으로 체액은 간질 쪽에서 정맥으로 들어온다. 이 과정이 재흡수이다. 건강한 대상자의 경우 이 과정이 균형을 유지하여 동맥에서 여과된 체액의 거의 대부분이 정맥으로 재흡수되며 간질액(또는 사이질액)에 남아있는 소량의 체액은 림프관은 통해 정맥으로 흡수된다. 만약 정수압이 지나치게 높거나 교질 삼투압이 낮아진 경우 여과된 체액이 간질액(또는 사이질액)에 고이게 되면 이를 부종(edema)이라 한다. 또한 림프관이 막히거나 림프절이 제거된 경우에도 부종이 올 수 있다.

2. 산-염기 균형

세포가 적절한 기능을 하기 위해서는 산-염기 균형(acid base balance)이 유지되어야 한다. 신체 세포의 정상 기능은 수소 이온(H+)농도의 조절 능력에 의해 좌우된다. 수소 이온의 농도는 pH로 나타내며, 이는 수소이온 농도의 -log값이다. 즉 용액 1L에 수소 이온이 10-6몰이 들어 있으면 pH=-log10-6이므로 6이다. pH는 0~14의 범위 안에 있고, pH가 7이하인 용액은 산성, 7이상인 용액은 염기성이다. 정상 세포외액의 pH는 7.37~7.43로 약염기이며 그 범위가 매우 좁다.

산-염기 균형은 ① 폐를 통한 산의 조절 ② 신장에서 산과 중탄산 조절 ③ 화학적 완충작용에 의해 조절되고 있다.

1) 산-염기 균형의 조절

(1) 폐를 통한 조절

폐에서는 호흡을 통해 휘발성 산을 배설한다. 체내 중요한 산은 탄산(carbonic acid)이다. 체세포는 포도당 대사의 최종 산물로 이산화탄소(CO_2)를 만들어낸다. 이산화탄소는 혈액내로 확산되어 들어가 물과 결합하여 탄산탈수소 효소의 촉매작용에 의해 탄산(H_2CO_3)을 형성한다. 탄산은 수소 이온(H+)과 중탄산이온(HCO_3^-)으로 분해된다. 이러한 반응은 다음과 같으며 이 과정은 가역적이다.

$$H_2O + CO_2 \leftrightarrow H_2CO_3 \leftrightarrow H^+ + HCO_3^-$$

위의 식에서 CO_2와 H_2CO_3가 직접 관련이 있음을 알 수 있다.

CO_2 농도가 올라가면 수소이온 농도는 오르고 pH는 떨어진다. 반대로 CO_2농도가 내려가면 수소이온 농도는 내려가고 pH는 올라간다. 이러한 활동은 대부분 적혈구에서 일어난다. 적혈구내에서 형성된 HCO_3^-는 혈장으로 나와 운반되며, 대부분의 H+는 헤모글로빈과 결합하여 pH의 변화를 최소화한다. 결과적으로 세포에서 혈액으로 확산되어 들어온 CO_2는 약 80%가 HCO_3^-의 형태로 운반되며, 약 12%가 헤모글로빈이나 알부민과 결합하며, 나머지 8%정도는 혈장에서 용해된 형태로 폐까지 운반된다. 혈액을 통해 폐로 운반된 CO_2는 혈장에서 폐포로 확산되어 배출된다. 폐에서 CO_2가 배설되기 위해서는 HCO_3^-가 다시 적혈구 내로 들어가 H+과 결합하여 H_2CO_3을 형성한다. 이는 다시 H_2O와 CO_2로 분해되고 최종적으로 CO_2는 호흡을 통해 배설된다.

(2) 신장을 통한 조절

가스 형태로 전환될 수 없는 비휘발성 산은 소변을 통해 배설되어야 한다. 비휘발성 산에는 단백질 대사에서 형성된 유황과 인산, 불완전 지방대사에 의해 형성된 케톤산 또는 비호기성 당질 대사에 의해 형성된 젖산이 해당된다. 콩팥요세관에는 이루어지는 세가지 완충체계는 중탄산 체계, 암모니아 체계, 인산염 체계이다.

① 중탄산 완충체계에서 H+은 Na+와 역이동으로 콩팥요세관 세포에 의해 콩팥요세관 강으로 분비된다. 콩팥요세관 강에서 H+은 여과된 중탄산 이온(HCO_3^-)과 가수분해 작용의 반대 과정으로 합해져 H_2O와 CO_2을 생성하고 H_2O는 배설된다. CO_2는 콩팥요세관 세포로 재흡수되어 H_2O와 결합하여 가수분해작용을 거쳐 HCO_3^-을 재생하고 HCO_3^-는 H+ 과 역이동하여 콩팥요세관 세포내로 들어온 Na와 같이 혈액으로 재흡수 된다. 따라서 혈장 중탄산 완충체계의 요소를 회복하기 위해서 분비되는 H+ 분자마다 HCO_3^- 분자가 혈액으로 되돌아 간다.

② 암모니아 완충체계에서 신장 콩팥요세관 세포에서 생성된 암모니아(NH_3)는 콩팥요세관 강으로 확산되고 그곳에서 H+와 결합하여 암모늄(NH_4^+)를 형성하여 소변으로 배설된다.

③ 인산염 완충체계에서는 콩팥요세관 세포에 의해 콩팥요세관 강으로 분비된 H+이 사구체에서 여과된 HPO_4^{2-}과 합해져 $H_2PO_4^-$ 을 형성하여 배설된다.

(3) 화학적 완충체계

완충체계는 수소이온 농도의 과도한 변화를 막는 작용을 한다. 대사 과정에서 형성된 유기산은 강산이어서 용액에 자유로운 H^+을 쉽게 보태어 심한 pH의 변화를 가져올 수 있다. 그러나 인체의 화학적 완충체계(buffer system)는 강산이나 강염기를 약한 형태인 약산이나 약염기로 전환하기 때문에 pH의 변화를 최소화하여 비교적 안정된 상태를 유지한다. 인체내 화학적 완충체계는 탄산 - 중탄산 완충체계, 인 완충체계, 단백질 완충체계가 있다. 이중 탄산 - 중탄산 완충체계는 임상적으로 그 결과를 관찰할 수 있다.

① 탄산-중탄산 완충체계

탄산-중탄산 완충체계(bicarbonate buffer system)는 세포외액에서 가장 중요한 완충체계이다. 이 체계는 세포외액에 있는 H^+의 90%를 완충시킨다.

- 강산의 완충: HCl과 같은 강산에 중탄산나트륨을 더하면 약산인 H_2CO_3이 된다.

$$HCl + NaHCO_3 \rightarrow H_2CO_3 + NaCl$$
(강산)　(중탄산염)　　(탄산)　(염화나트륨)

- 강염기의 완충: NaOH와 같은 강염기에 탄산을 더하면 중탄산나트륨이 된다.

$$NaOH + H_2CO_3 \rightarrow NaHCO_3 + H_2O$$
(강염기)　(약산)　　(중탄산염)　(물)

② 인 완충체계

인 완충체계(phosphate buffer system)는 세포내액, 특히 신장의 콩팥요세관에서 매우 활발한 완충작용을 한다. 인 완충체계의 작용은 중탄산 완충체계와 유사하며 $H_2PO_4^-$ 와 HPO_4^{2-}의 요소로 구성되어 있다. 이러한 요소들은 콩팥요세관에서 주로 수소 이온과 나트륨 이온을 교환하여 완충작용을 한다.

- 강산의 완충: 염산(HCl)과 같은 강산은 인 완충염에 의해 약산으로 전환된다. 수소이온은 NaH_2PO_4의 형태로 소변을 통해 배설된다.

$$HCl + Na_2HPO_4 \rightarrow NaH_2PO_4 + NaCl$$
(강산)　(완충)　　(약산)　(염화나트륨)

- 강염기의 완충: 수산화나트륨(NaOH)과 같은 강염기가 인 완충염에 의해 약염기로 전환되어 pH의 변화를 최소로 한다.

$$NaOH + NaH_2PO_4 \rightarrow Na_2HPO_4 + H_2O$$
(강염기)　(완충)　　(약염기)　(물)

③ 단백질 완충체제

단백질 완충체계는 체내에서 가장 풍부한 완충체계로 대부분의 단백질 완충은 세포내에서 이루어지며 세포외액의 완충에도 도움을 준다. 이 완충체계는 산이나 알칼리염으로 존재하면서, 필요에 따라 수소이온을 방출하거나 결합하여 산과 염기를 완충한다. 예를 들면 단백질내 아미노산의 일부는 자유산기(free acid radicals)인 -COOH를 포함하고 있는데 이는 $CO_2 + H^+$로 분리될 수 있다. 일부 단백질은 $-NH_3OH$의 염기(basic radicals)를 가지며 이는 NH_3^+와 OH^-로 분리되고 OH^-는 수소 이온과 결합하여 수소 이온 농도를 낮출 수 있다.

2) 보상작용

정상적인 산-염기 균형을 유지하기 위해서 산(H_2CO_3): 염기(HCO_3^-)의 비율이 1:20을 유지하여야 한다(그림 10-2). 흔히 임상검사에서는 산-염기 균형을 탄산과 중탄산 이온의 1:20의 비율보다는 이산화탄소 분압(PaCO_2): 중탄산 이온(HCO_3^-)의 비율인 40:24를 사용한다. 어떤 원인에 의해 산염기 비율이 변화되면 폐와 신장이 이 비율을 회복시키고 pH의 변화를 최소화 하기 위해 작용한다. 이 과정을 보상작용(compensation)이라 한다.

폐는 산-염기 불균형에 즉각적으로 반응하여 수분내에 혈액의 pH에 변화를 가져온다. 그러나 신장은 폐보다 반응이 느리고 점진적이어서 수시간이 지나야 반응이 나타나고 최적의 반응이 나타나기 위해서는 적어도 2일 이상이 소요된다. 폐와 신장의 손상은 생명을 위협하는 산-염기 불균형을 가져올 수 있다.

(1) 호흡기계의 보상작용

이산화탄소는 세포내 대사과정에 의해 끊임없이 형성되며, 폐로 운반되어 배출된다. 이산화탄소의 형성률이 증가하면 혈액내 이산화탄소 농도가 증가한다. 이산화탄소의 배출은 호흡과 직접

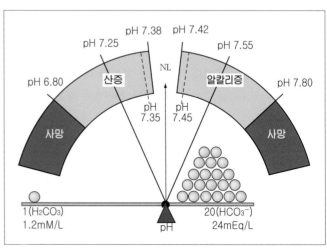

그림 10-2 염기 균형 조절

연관되므로, 호흡률이 증가하면 혈액내 CO_2는 감소한다. 반대로 호흡률이 감소하면 이산화탄소 양은 증가한다.

pH가 감소하는 경우 호흡중추는 자극을 받아 호흡수와 깊이는 증가하고 폐를 통해 CO_2가 다량 배출된다. 따라서 탄산은 감소하고 pH는 증가하게 된다.

pH가 증가하면 호흡중추가 억제되어 호흡수와 깊이가 감소하므로 CO_2는 배설이 감소되어 탄산 형성이 증가하며 pH는 감소한다.

(2) 신장의 보상작용

신장은 산을 배출시키고 혈장과 세포외액에 있는 중탄산염(bicarbonate)의 보유 속도를 조절하면서 산-염기 균형을 유지한다. 신장은 pH가 증가하면 H^+를 보유하고 소변을 통해 HCO_3^-의 분비를 증가시킨다. pH가 감소하면 소변을 통해 H^+의 분비를 증가시키고 HCO_3^-를 재생한다. 재생된 HCO_3^-는 자유로운 H^+와 결합하는데 이용된다. 이러한 방법을 통해 산과 염기의 상대적 비율을 유지하여 pH을 조절하고 있다.

3. 체액, 전해질 및 산-염기 균형에 영향하는 요인

인체는 체액, 전해질, 산-염기가 적절한 균형을 유지할 때 항상성을 유지할 수 있다. 정상적으로 수분 섭취는 수분 소실과 균형을 이루어야 하며 호르몬과 신장이 이 과정을 조절하고 있다. 부적절한 수분 섭취, 체액과 전해질의 과도한 상실, 스트레스, 만성 질환, 수술 등이 체액, 전해질, 산-염기 균형에 영향을 미칠 수 있다. 표 10-3은 성인의 1일 수분 섭취량과 배설량을 나타내고 있다.

1) 수분과 음식 섭취

성인은 1일 약 2600ml의 수분을 섭취한다. 이중 1300ml는 실제 물이나 음료수로 섭취하며, 약 1000ml는 과일, 야채 등을 포함한 음식으로부터 섭취하며, 약 300ml는 음식물의 산화과정으로부터 얻어진다.

갈증은 수분 섭취를 조절하는 기전이다. 갈증 조절 중추는 뇌의 시상하부에 있으며 혈장 삼투압이 증가되면 활성화 된다. 저혈압, 체액내의 과다한 안지오텐신II, 출혈 등이 갈증을 일으킬 수 있다. 즉, 다량의 수분을 상실하면 시상하부가 자극을 받아 항이뇨호르몬 분비가 증가되고 갈증을 느끼게 되어 수분 섭취를 증가시킨다.

2) 수분 소실

수분의 소실은 성인 1일 섭취량인 $2600ml$와 균형을 이룬다. 수분과 전해질 배설은 신장, 위장관, 피부, 폐의 네 가지 경로로 이루어진다.

신장은 체액 균형을 조절하는 가장 중요한 장기로서 사구체 여과와 콩팥요세관의 재흡수를 통해 수분을 보유하고 배설하며 이 과정에 항이뇨호르몬과 알도스테론 등의 호르몬이 관여한다.

위장관계에서는 대변의 형태로 수분이 소실되며, 구토나 설사가 있는 경우 수분 소실이 증가된다. 위액은 다량의 염산(HCl)과 나트륨을 함유하고 있으며 칼륨함량도 높아 구토가 심하면 수분의 손실과 대사성 알칼리증에 빠질 위험이 높아지며 저칼륨혈증이 올 수 있다.

장액에는 중탄산이온이 함유되어 있어 심한 설사는 대사성 산증을 가져온다. 또한 장액에는 나트륨, 염소, 물, 칼륨도 풍부하여 설사를 통한 장액의 손실은 세포외액 뿐아니라 저칼륨혈증도 올 수 있다.

감지할 수 없는 수분 소실(insensible loss)은 폐와 피부를 통해 일어난다. 이것은 대개 눈에 띄지 않기 때문에 불감소실이라 한다. 폐를 통한 수분 소실은 호흡을 통해 일어나며, 호흡의 수와

표 10-3 성인의 1일 수분 섭취량과 배설량

수분섭취	양(ml)	배설	양(ml)
경구 수분섭취	1300ml	소변	1500ml
음식속의 수분	1000ml	대변	200ml
음식의 산화로 인해 생성된 수분	300ml	발한	100~200ml
		불감성 소실	
		피부	300~400ml
		호흡	300ml
합계	2600ml	합계	2400~2600ml

깊이에 따라 달라질 수 있다. 피부를 통한 감지할 수 없는 소실은 확산에 의해 이루어지며, 보통 표피의 각질층에서 조절된다. 그 외에 피부를 통한 수분 소실로 발한이 있다. 발한은 감지할 수 있는 수분 소실로 신체적 활동량, 주변의 온도, 발열 상태에 따라 다르다. 과도한 발한은 체액과 전해질 손실을 가져온다. 발열로 체온이 높아지면 발한뿐아니라 불감소실로 인한 수분 소실량이 증가한다.

3) 호르몬에 의한 조절

(1) 항이뇨 호르몬

항이뇨 호르몬(antidiuretic hormone, ADH)은 신장 콩팥요세관에서 수분의 재흡수를 증진시켜 소변 생성을 줄이고 순환 혈량을 증가시킨다. 시상하부에서 생성되고 뇌하수체 후엽에서 저장되어 다음과 같은 상태에서 분비된다. 혈장 삼투질 농도 증가, 설사, 구토, 출혈 등으로 인한 세포 외액량의 감소, 통증, 수술이나 외상 등이 해당한다.

(2) 알도스테론

알도스테론(aldosterone)은 부신피질에서 생성되며 콩팥요세관에서 칼륨을 배출시키고 나트륨과 수분을 재흡수한다. 알도스테론 분비의 주요 자극제는 혈장내 칼륨의 증가와 레닌-안지오텐신 체계의 4단계 과정이다. 저혈량으로 인해 혈압이 저하되면 신장내 혈류가 감소하게 되고, 콩팥요세관의 구심성 동맥에서 저혈압을 감지하여 사구체옆 세포에서 레닌을 분비하도록 자극한다. 그러면 레닌-안지오텐신 체계가 작용하여 알도스테론 분비를 자극하게 된다.

4. 체액, 전해질 및 산-염기 불균형

1) 체액 불균형

체액 불균형은 등장성 체액 불균형과 삼투성 체액 불균형이 있다. 등장성 체액 불균형은 수분과 전해질이 같은 비율로 감소

하거나 증가한 경우로, 등장성 체액량 결핍(isotonic volume deficit)과 등장성 체액량 과다(isotonic volume excess)로 나뉜다. 삼투성 체액 불균형은 체액과 전해질이 다른 비율로 감소하거나 증가한 경우로 고장성 불균형(hyperosmolarity)과 저장성 불균형(hypoosmolarity)으로 나뉜다(표 10-4).

(1) 등장성 체액 불균형

① 등장성 체액량 결핍

등장성 체액량 결핍(isotonic volume deficit)은 세포외액으로부터 수분과 전해질이 같은 비율로 감소할 때 나타난다. 불충분한 수분 섭취, 과잉 소실로 혈관과 간질액(또는 사이질액)의 용량이 감소된 상태로 저혈량(hypovolemia)이라고도 한다. 또한 과다한 양의 체액이 체강으로 이동하는 제 3공간의 체액이동(third-spacing)도 포함된다. 이 경우에는 실제로 인체로 부터 수분이 소실된 것은 아니지만 체액이 쉽게 교환할 수 없는 공간으로 이동하였기 때문에 체액량 결핍 증상이 나타난다. 제 3공간의 체액이동이 가능한 체강으로는 심낭강, 늑막강, 복막강이 있으며 각각 심낭액, 늑막액, 복수의 형태로 존재한다.

체액량은 혈장량부터 결핍되면서 간질액(또는 사이질액)이 결핍된다. 여기서 신체는 세포외액량의 감소에 대한 반응으로 세포내액의 수분을 세포 밖으로 유출시켜 적절한 순환량을 유지시키려고 한다. 이때 체액량 결핍이 교정되지 않으면 세포외액과 세포내액 모두 결핍되어 순환량 감소 증상과 세포 기능에 이상이 나타날 수 있다. 특히 뇌세포는 이러한 대사 변화에 민감하게 작용하므로 뇌세포 탈수 증상이 나타날 수 있다(표 10-5).

② 등장성 체액량 과다

등장성 체액량 과다(isotonic volume excess)는 세포외액내의 수분과 전해질이 같은 비율로 증가할 때 나타난다. 과다한 체액이 세포외 구간에 정체되면 과혈량(hypervolemia)과 부종을 초래한다. 정상적으로 간질액(또는 사이질액)은 조직 사이의 틈을 채우기 위해 적정한 양 만큼의 수분을 함유하며 있어 일정한 탄

표 10-4 체액 불균형

불균형의 종류	수분 불균형 상태	나트륨 불균형 상태
등장성 체액량 결핍	수분이 나트륨과 동일 비율로 감소	나트륨이 수분과 동일 비율로 감소
등장성 체액량 과다	수분이 나트륨과 동일 비율로 증가	나트륨이 수분과 동일 비율로 증가
고장성 불균형	나트륨은 정상이나 수분 양이 감소	수분의 양은 정상이나 나트륨은 증가
저장성 불균형	나트륨은 정상이나 수분 양이 증가	수분의 양은 정상이나 나트륨은 감소

표 10-5 등장성 체액량 결핍

원인	임상증상	이론적 근거	간호중재
1. 불충분한 섭취			
• 식욕부진	• 체중감소	• 체중에서 수분이 차지하는 비율 감소	• 체액 부족의 임상증상을 사정한다.
• 오심, 구토	- 2% 감소 : 경증	(제3공간의 체액이동의 경우은 예외)	• 체온과 활력징후를 사정한다.
• 수분섭취가 불가능	- 5% 감소 : 중등도	• 1kg 감소는 1L 수분 결핍을 의미	• 피부탄력성 정도를 사정한다.
• 연하곤란	- 8% 감소 : 중증	• 간질액(또는 사이질액)의 감소로 피부조직이	• 섭취량과 배설량을 철저히 관찰한다.
		서로 달라 붙음	
• 우울, 혼돈	• 피부 긴장도 감소		• 검사실 검사 결과를 자세히 관찰한다.
2. 과잉 소실			• 처방에 따라 수액을 제공한다.
• 구토	• 피부와 점막 건조	• 간질액(또는 사이질액)과 세포의 체액 부족	• 구강간호를 자주한다.
• 설사	• 약하고 빠른 맥박	• 혈류량 감소에 대한 순환계의 보상작용으로	• 피부탄력성을 유지하기 위한 간호중재를
		심장박동 증가	제공한다.
• 출혈	• 체위성 수축기압 차이	• 혈장량의 감소로 누워있다가 서있게 되면	
• 과도 발한	(>15mmHg)	정맥귀환량이 감소하여 수축기압이 떨어짐	
• 흡인(예: 비위관 흡인)	• 중심정맥압 저하	• 정맥귀환량의 감소	
• 다뇨(예: 요붕증)	• 소변량 감소(<30ml/h)	• 저혈량증에 대한 신장의 보상작용	
• 발열		• 정맥귀환량의 감소	
3. 제 3공간의 체액이동			
	• 요비중 증가(>1,035)	• 신장의 보상작용으로 용매에 비해 용질의 비가 증가	
	• 갈증	• 체액 소실로 갈증중추가 자극	
	• 말초정맥 채우기 느려짐	• 혈류량 감소	
	• 혈청 나트륨은 정상	• 수분과 나트륨의 같은 비율로 감소	

표 10-6 등장성 체액량 과다

원인	임상증상	이론적 근거	간호중재
1. 정맥을 통한 나트륨 함유 수액의 과다 주입	• 체중 과다 - 2% 증가 : 경증	• 체액 정체	• 체액 과다의 임상증상을 사정한다.
			• 체온과 활력징후를 사정한다.
2. 나트륨 함유 음식의 과잉 섭취	- 5% 증가 : 중등도 - 8% 증가 : 중증		• 부종을 사정한다.
			• 호흡음을 사정한다.
3. 수분 균형 조절 장애	• 말초부종	• 모세혈관 정맥쪽 끝의 정수압 증가로	• 섭취량과 배설량을 철저히 관찰한다.
		간질액(또는 사이질액)에 체액이 축적	• 검사실 검사 결과를 자세히 관찰한다.
• 심부전	• 강한 맥박	• 말초혈관의 수분 과다로 인해	• 처방에 따라 이뇨제를 투여한다.
• 신부전	• 경정맥 팽창	• 수분 과다로 정맥귀환이 지연	• 지시된 대로 수분 섭취와 염분을 제한한다.
• 간경화증	• 중심정맥압 증가	• 정맥귀환량의 증가	• 피부간호를 제공한다.
	• 소변량 증가	• 혈액량 과다로 인해(단, 심부전, 신부전에서는	
		소변량 감소)	
	• 요비중 감소(<1,002)	• 용매에 대한 용질의 비가 감소하여	
	• 수포성 나음, 호흡곤란	• 폐에 수분이 축적되었기 때문	
	• 계속되는 자극적 기침	• 폐에 수분이 축적되었기 때문	
	• 삼투성 불균형이 없으면 혈청 나트륨은 정상	• 수분과 나트륨이 동일한 비율로 증가 되었기 때문	

력성과 팽창력을 가지고 있다. 이러한 특징 때문에 간질액(또는 사이질액)은 모세혈관과 세포와의 영양분과 대사산물의 이동을 쉽게 해준다. 그러나 부종으로 간질액(또는 사이질액)이 과다해지면 영양 대사에 방해를 받게 된다(표 10-6).

다음은 등장성 체액량 과다를 일으키는 기전을 설명한 것이다.

- 정수압의 증가: 체액량 과다로 동맥쪽 끝의 모세혈관의 정수압이 높아지면 체액이 강한 힘으로 간질액(또는 사이질액)으로 밀려나가 간질액(또는 사이질액)에 축적되어 말초 부종이나 폐수종이 발생할 수 있다. 조직에서 수분 압력이 증가하면서 혈류 흐름에 저항이 생기고 순환계 전반에 걸쳐 압력이 증가한다. 동맥혈류에 저항이 생기면 좌심실의 압력이 증가하고 이어 좌심방의 압력도 증가한다. 좌심방에서 체액이 폐의 폐포-모세혈관막으로 역류되어 폐수종을 초래하게 된다. 폐는 이렇게 체액이 축적되는데 저항력이 거의 없다. 우심부전시에는 위의 역행성 과정으로 말초부종을 초래한다. 좌심부전은 우심부전을 초래하고 반대로 우심부전이 좌심부전을 초래할 수 있어 폐수종과 부종은 동시에 나타날 수 있다.
- 교질삼투압의 감소: 간경화, 신질환, 화상, 단백질이 부족한 경우에는 대상자의 혈장 알부민 수치가 떨어진다. 따라서 혈류의 교질 삼투압이 감소하게 되어 세동맥에서는 간질액(또는 사이질액)으로 체액이 더 많이 밀려나가고 세정맥에서는 체액의 재흡수가 적게 일어난다.
- 림프계 폐쇄: 림프계가 폐쇄되면 간질액(또는 사이질액)에 남아있는 체액과 새어 나온 작은 단백질들로 인한 교질 삼투압의 상승으로 부종이 생긴다.
- 모세혈관의 투과성 증가: 화상, 외상과 같은 조직 손상 시에 모세혈관 투과성이 증가하여 혈장 단백질이 조직으로 새어 나와 조직의 교질삼투압이 증가하여 부종을 초래한다.

(2) 삼투성 체액 불균형
① 고장성 불균형

고장성 불균형(hyperosmolarity)은 용질은 정상이나 수분이 감소하거나(탈수), 수분의 양은 정상이나 용질이 증가한 경우(용질 과다)에 발생한다. 두가지 모두 혈장내 삼투압이 증가된 상태로 수분 소실 증가, 수분 섭취 감소, 나트륨의 과잉 섭취로 발생한다.

혈장내 삼투압의 증가로 세포로부터 농도가 높은 혈관으로 수분이 이동되어 삼투압을 낮추려고 한다. 이러한 보상과정에서 뇌세포의 탈수가 일어나면 혼돈, 경련, 혼수상태 등 치명적인 결과가 나타날 수도 있다. 혈장 삼투압은 300mOsm/L 이상으로 증가하며, 혈장 나트륨은 145mEq/L 이상 증가할 수 있다.

② 저장성 불균형

저장성 불균형(hypoosmolarity)은 수분중독증으로 용질은 정상이나 수분이 증가하거나(수분과다) 수분의 양은 정상이나 용질이 감소한 경우(용질 결핍)에 발생한다. 두가지 경우 모두 혈장내 삼투압이 감소된 상태로 과다한 수분 섭취, 항이뇨호르몬 부적절 증후군(syndrome of inappropriate secretion of antidiuretic hormone, SIADH), 5% 포도당과 같은 저삼투성 용액의 과다 투여 등이 원인이 된다.

혈장내 삼투압의 감소는 삼투현상에 의해 혈관에서 농도가 높은 세포내로 수분이 이동하게 하는 원인이 된다. 이때 세포에 너무 많은 수분이 축적되면 세포 부종을 초래한다.

이러한 반응은 뇌세포에서 가장 먼저 나타나 뇌부종을 일으킬 수도 있다. 뇌부종으로 뇌내압이 상승되어 기면, 혼돈, 인격변화, 발작, 혼수, 오심, 구토, 허약 등의 증상이 나타난다.

2) 전해질 불균형

전해질 불균형은 나트륨 불균형(표 10-7), 칼륨 불균형(표 10-8), 칼슘 불균형(표 10-9), 마그네슘 불균형(표 10-10)이 있다.

3) 산-염기 불균형

산-염기 불균형은 호흡성 산증, 호흡성 알칼리증, 대사성 산증, 대사성 알칼리증으로 나뉜다.

(1) 호흡성 산증

호흡성 산증(respiratory acidosis)은 호흡의 저하로 인해 CO_2가 축적($PaCO_2 > 45mmHg$)되어 혈액내 pH가 7.35 이하로 감소한 것이다. 호흡성 산증은 급성 호흡성 산증과 만성 호흡성 산증으로 분류된다. 급성 호흡성 산증의 일반적인 원인은 기관지 확장증, 기흉, 부적절한 기계호흡의 조절, 호흡마비 또는 약물로 인한 호흡의 억제이다. 또한 만성폐쇄성 폐질환 대상자에게 산소를 과다하게 투여한 경우 말초 화학수용체가 억제되어 호흡 저하가 발생하며, 호흡성 산증이 나타나기도 한다. 만성 호흡성 산증은 만성 폐쇄성 폐질환이나 폐암에서 질환의 경과에 따라 점진적으로 기도의 폐쇄, 공기 폐색, 호흡관류의 장애가 진행되어 올 수 있다.

(2) 호흡성 알칼리증

호흡성 알칼리증(respiratory alkalosis)은 폐포의 과다 환기로 인해 CO_2가 과다하게 배출($PaCO_2 < 35mmHg$)되어 생길 수 있다. 호흡성 알칼리증의 가장 흔한 원인은 저산소혈증이다.

동맥혈액내의 산소분압이 낮은 경우 말초 화학수용체가 자극되며 이 수용체는 호흡중추를 자극하게 된다. 그로 인해 호흡의 깊이와 횟수가 증가한다. 그외에 호흡중추를 과다하게 자극하는 원인

	위험 요인	임상증상	이론적 근거	간호중재
저나트륨혈증(<135mEq/L)				
1. 나트륨 과잉 소실	· 식욕부진, 오심, 구토	· 세포막의 흥분성 감소	· 위장관계와 중추신경계 증상이 있는지 관찰한다.
	· 위장관계 소실(구토, 설사)	· 근육허약, 피로	· 세포막의 흥분성 감소	· 수분섭취량과 배설양을 모니터한다.
	· 이뇨제 사용(thizide 이뇨제)	· 두통, 무감동, 허약	· 삼투압에 의해 수분이 뇌세포로 이동	· 혈청나트륨 수치를 관찰한다.
	· 발한	심부건 반사 감소		· 고농도의 식염수 용액을 정맥주입할 경우 대상자를 면밀히 관찰한다.
	· 부신피질부전	· 체위성 저혈압, 빈맥	· 순환혈량이 감소되어 혈압이 저하되고 그 보상작용으로 빈맥이 나타남	· 지시대로 수분섭취를 제한한다.
				· 허용시 나트륨이 많이 함유된 식사나 음료를 제공한다.
2. 수분의 과잉 섭취/과다 투여				
	· 저장성 용액의 과잉 투여 (예: 5% 포도당)	· 혈장 삼투압(<275mOsm/kg)		
	· 저장성 경관영양 식이			
	· 수분의 과잉 섭취			
3. 항이뇨호르몬 부적절 증후군				
4. 수분의 배설 장애				
	· 신부전, 심부전			
고나트륨혈증(>145mEq/L)				
1. 나트륨의 과잉 섭취/과다 투여	· 갈증	· 세포외액의 삼투질 증가	· 수분섭취량과 배설양을 모니터한다.
	· 고장성 경관영양 식이	· 점막건조	· 간질액(또는 사이질액)의 감소	· 혈청나트륨 수치를 관찰한다.
	· 고장성 용액의 과잉 투여 (예: 3~5% NaCl 투여)	· 소변량 감소, 농축된 소변	· 신장에서 수분의 재흡수 증가	· 행동변화에 대해 관찰한다.
		· 체중증가	· 체내 수분의 축적	(예: 불안정한 행동, 안절부절, 흥분 등)
	· 염분의 과다 섭취	· 식욕부진, 오심, 구토	· 위세포에 수분 정체	· 처방된 대로 수분 섭취를 장려한다.
2. 수분의 과잉 소실	· 안절부절, 흥분, 기면	· 뇌세포의 탈수로 인해	· 저나트륨을 식이를 한다.
	· 과도 환기를 통한 불감성 소실	혼돈, 혼수		
	· 요붕증	· 근육의 뒤틀림, 과반사 경련	· 세포막의 흥분성 증가	
	· 갈증 감각의 감소 및 소실	· 혈장 삼투압(>295mOsm/kg)		
	· 수분성 설사			
3. 고혈당으로 인한 삼투성 이뇨				
4. 알도스테론증				

표 10-7 나트륨 불균형

으로는 외상, 발열, 운동, 심한 통증, 중추신경계 병변 등이 있다.

(3) 대사성 산증

대사성 산증(metabolic acidosis)은 비휘발성 산의 축적이나 염기의 상실(HCO_3^- 〈 22mmHg/L)로 인해 생길 수 있다. 비휘발성 산은 신부전, 당뇨성 케톤증, 젖산증, 독극물의 섭취 등으로 인해 비정상적으로 축적된다. 염기인 중탄산은 신장이나 위장계를 통해 상실될 수 있다. 즉 신장의 신세뇨관이 중탄산을 재흡수할 수 없거나 위장관에서 회장루나 설사를 통해 상실되면 대사성 산증을 유발할 수 있다.

(4) 대사성 알칼리증

대사성 알칼리증(respiratory alkalosis)는 수소이온의 상실이나 중탄산염의 축적(HCO_3^-〉26mmHg/L)으로 인해 발생한다. 구체적으로 다음과 같은 경우에 발생할 수 있다.

- 비위관 흡인 혹은 구토로 위액이 손실되었을 때 HCl이 생성되는 과정에서 HCO_3^-이 혈액으로 재흡수
- 고알도스테론증의 경우 콩팥요세관에서 Na^+의 재흡수를 증가시키고 뒤이어 H^+이 손실
- 산증을 치료하는 과정에서 중탄산염의 과다 투여

표 10-8 칼륨 불균형

위험 요인	임상증상	이론적 근거	간호중재
저칼륨혈증(<3.5mEq/L)			
1. 칼륨 과잉 소실	· 식욕부진, 오심, 구토 복부팽만, 마비성 장폐색	· 세포막의 흥분성 감소로 평활근 수축이 느려짐	· 심박동수와 리듬을 관찰한다.
· 구토, 설사			· 저칼륨혈증이 강심제 중독 위험성을 증가시키므로, 강심제를 투여받는 대상자를 주의깊게 관찰한다.
· 위장관 흡인	· 근육허약, 이완성 마비 호흡근 허약	· 근육의 수축이 느려짐	· 위 자극을 예방하기 위해 경구용칼륨 제재는 음식과 함께 투여한다.
· 장루			
· 칼륨소실 약물의 장기 복용 (thiazide 이뇨제, 강심제, 스테로이드 제제 등)	· 심전도 변화, 부정맥 · 체위성 저혈압	· 심근의 자극 전도 장애 · 혈관 평활근의 수축력 약화	· 칼륨을 정맥으로 투여할 경우 희석해서 투여한다. · 칼륨이 풍부한 음식을 섭취한다.
· 알도스테론증	· 기면, 심부건 반사 감소, 혼돈, 우울 · 다뇨, 야뇨	· 신경 자극 전도의 감소 · 신장의 소변 농축 능력 억제	
2. 칼륨의 섭취 부족			
· 영양불량, 칼륨부족식이			
3. 칼륨의 재배치: 세포내로 이동			
· 인슐린 투여			
고칼륨혈증(>5.0mEq/L)			
1. 칼륨 과다 투여/과다 섭취	· 오심, 구토, 설사, 산통	· 세포막의 흥분성 증가로 평활근 수축 항진	· EKG를 주의깊게 감시한다.
· 과다한 칼륨을 빠르게 정맥 주입			· 처방된 포도당과 인슐린을 투여한다.
· 칼륨을 과다 섭취	· 근육흥분성 증가(초기)	· 근육의 수축 항진	· 칼륨보충제와 칼륨보유 이뇨제를 중단한다.
2. 칼륨의 배설 감소	· 근육허약(후기) 이완성 마비	· 후기에는 근육 흥분을 위한 탈분극의 차단으로 근육 허약이 나타남	· 혈청 칼륨 수준을 감시한다.
· 신부전			· 칼륨이 많은 음식을 피하도록 교육한다.
· 부신피질부전	· 심장 전도장애, 심실세동, 심정지	· 심근 세포막의 흥분성 증가	
· 칼륨보유 이뇨제	· 핍뇨, 무뇨	· 기존의 신장 기능 장애로 인해	
3. 세포내 칼륨의 과다 유리			
· 화상, 감염			
· 산증			
· 인슐린 부족			

■ 전혈을 과다하게 투여한 후 혈액을 보관하는데 사용한 구연산염이 HCO_3^-로 변형

■ Lactated Ringer's solution의 과다한 투여 후 젖산이 HCO_3^-로 변형

II. 간호사정

1. 간호력

간호사는 대상자의 질병 상태에 따라 체액, 전해질 및 산·염기 불균형을 초래할 수 있는 위험 요인을 사정해야 한다. 대상자와 면담시 수분 및 음식물 섭취 양상, 수분 배설 양상, 체액, 전해질 및 산-염기 불균형의 증상, 과거력과 현재병력, 최근 받고 있

는 치료나 약물 치료 등을 확인해야 한다.

2. 신체 검진

체액, 전해질 및 산-염기 장애로 인해 나타날 수 있는 변화들을 신체 검진을 통해 사정할 수 있다(표 10-12).

3. 진단적 검사

1) 섭취량과 배설량의 측정

24시간 동안의 섭취량과 배설량 측정은 인체의 체액과 전해질 균형을 유지하기 위해 필수적인 간호중재이다(실습서 참조).

2) 임상 검사

대상자의 체액, 전해질, 산-염기 불균형과 관련된 임상검사에

표 10-9 칼슘 불균형

위험 요인	임상증상	이론적 근거	간호중재
저칼슘혈증(<8.9mg/dl, <4.5mEq/L)			
1. 식이의 변화 • 영양불량, 칼륨 부족 식이 • 비타민 D 결핍 • 과다한 인의 섭취	• 오심, 구토, 설사, 연동운동 증가 • 테타니(tetany) • 골다공증, 골절 • 응고시간 지연	• 평활근의 수축력 증가 • 근육 경련 • 보상작용으로 뼈에서 칼슘 유리 • 혈액 응고 기전 장애	• 호흡기와 심혈관계 상태를 면밀히 관찰한다. • 처방된 칼슘제제를 경구나 비경구로 투여한다. • 정맥주입시 심전도를 면밀히 감시한다. • 골다공증 고위험 대상자에게 칼슘 섭취 식이의 필요성을 교육한다.
2. 질병 및 약물 • 부갑상선 기능 저하증 • 급성 췌장염 • 부갑상선의 절제 • loop 이뇨제 • 고인산염혈증 • 대사성 알칼리증 • 대량 수혈	• 심계항진, 부정맥, 저혈압	• 심근의 흥분성 증가, 심박출량 감소	
고칼슘혈증(>11.5mg/dl, >5.5mEq/L)			
1. 전이성 암 2. 부갑상선 기능 항진증 3. thiazide 이뇨제 4. 식이 • 칼슘과 비타민 D의 과다 섭취 5. 기타 • 장기간의 부동 칼슘 함유 제산제 • 대사성 산증 • 저인산염혈증	• 근육허약, 심부건 반사 감소, 혼돈, 기면 • 식욕부진, 오심, 구토, 복부팽만, 변비 • 다뇨, 신결석, 신부전 • 뼈의 통증, 골다공증 • 부정맥, 심정지	• 신경근 흥분성 감소 • 칼슘 증가로 염산, 위액분비 효소, 췌장 효소의 유리 증가 • 내장근의 수축이 느려짐 • 삼투성 이뇨, 신장의 소변 농축 능력 감소 • 뼈의 칼슘 상실로 인해 • 심근의 기능 억제	• 가능하다면 대상자의 움직임을 증가시킨다. • 제한이 없으면 수분섭취를 증가 시킨다. • 칼슘함유가 높은 음식과 유제품의 과도한 섭취를 제한한다. • 변비 예방을 위해 섬유질 섭취를 권장한다. • 혼돈상태의 대상자를 보호한다. • 병리적 골절에 대해 관찰한다.

는 전혈구 검사, 혈청 전해질 검사, 소변의 산도와 비중, 동맥혈 내 가스 분석 등이 있다.

① 전혈구 검사

전혈구 검사(complete blood count, CBC)로는 헤마토크리트(Hematocrit, Hct)와 헤모글로빈(Hemoglobin, Hg)등 전체 혈구 성분을 측정한다. 헤마토크리트의 정상수치는 남자에서 40~45%, 여자에서 36~45%이다. 헤모글로빈(Hemoglobin, Hg)의 정상수치는 남자 13~16.5g/dL, 여자 12~15g/dL이다.

헤모글로빈은 출혈이나 수분과잉시 감소하고 탈수나 다혈구 증과 같이 혈액이 농축되면 증가한다. 헤모글로빈이 증가하면 헤마토크리트도 함께 증가한다.

② 혈청 전해질 검사

혈청 전해질 검사를 통해 나트륨, 칼륨, 중탄산 이온, 염화 이온 등에 대한 정보를 얻을 수 있다.

③ 혈청 삼투압

혈청 삼투압의 정상범위는 280~300mOms/L이고, 수분과잉시 감소하고, 수분부족시 증가한다.

④ 소변의 산도(pH)와 비중

정상 소변의 pH는 4.5-8이며 소변의 비중은 1.002-1.035이다. 소변의 pH는 체내의 산염기 균형을 나타내는 것으로 혈장의 pH를 반영한다. 알칼리성 소변은 대사성 알칼리증이거나 중탄산나트륨을 투여했을 때 또는 저단백 식사를 하는 경우 나타난다. 강산성 소

표 10-10   마그네슘 불균형

위험 요인	임상증상	이론적 근거	간호중재
저마그네슘혈증(<1.4mEq/L)			
1. 위장관으로 과도 소실 　• 설사 　• 비위관 흡인	• 진전, 경련 • 빈맥, 저혈압, 부정맥 • 강심제 독성에 대한 민감 • 테타니	• 신경근 흥분성 증가 • 심근의 흥분성 증가, 심박출량 감소 • 강심제 효과가 증가됨 • 신경근 흥분성 증가	• 강심제 복용시 독성반응을 면밀히 　관찰한다. • 기도상태를 감시한다. • 이뇨제와 하제 남용으로 인한 문제를 　교육한다. • 제한이 없다면 마그네슘이 풍부한 　음식을 권장한다.
2. 약물 　• 이뇨제(loop, 삼투성, thiazide, 이뇨제) 　• gentamycin, tobramycin, cisplatin, 　　강심제, amphotericin B. 3. 질환 　• 췌장염 　• 만성알코올 중독 　• 부갑상선 기능 항진증 　• 당뇨성 케톤증 4. 섭취 감소 　• 영양불량 　• 마그네슘이 없는 장기간의 　　수액이나 전비경구영양 공급			
고마그네슘혈증(>2.0mEq/L)			
1. 체내 축적 　• 신부전 　• 부신부전증	• 근육허약, 기면 • 기면, 졸음, 심부건 반사 감소 　호흡마비	• 신경근 접합부에서 아세틸콜린 유리 방해 • 신경계 기능 장애	• 의심되는 경우 저혈압, 얕은 호흡, 　기면, 혼미, 혼수를 주의한다. • 신부전증 대상자에게 마그네슘 함유 　약물을 투여하지 않는다.
2. 마그네슘의 과잉 투여 　• 마그네슘 함유된 하제사용 　• magnesium sulfate 사용 　　(임신중독증시 발생하는 간질발작 　　예방을 위해 사용하는 경우) 　• 칼륨 보유 이뇨제 　　(칼륨보유 이뇨제는 마그네슘도 보유)	• 심장 기능 장애	• 심근 수축력 저하	

변은 대사성 산증이거나 고단백 식사를 하는 경우 나타난다.

요비중은 요농축 정도로 전반적인 체액 상태를 평가하기 위해 측정된다. 체액이 부족하면 요가 농축되어 요비중이 높아지며 체액이 과잉되면 요가 희석되어 요비중이 낮아진다.

⑤ 소변 삼투압

소변 삼투압의 정상범위는 50~1200mOms/L이고, 일반적으로 혈청 삼투압이 증가하면 소변 삼투압도 증가하고, 반대로 감소하면 함께 감소한다.

⑥ 동맥혈 가스 분석

동맥혈 가스분석(Arterial Blood Gas Analysis)은 폐의 환기력, 산소와 탄산가스의 운반력, 산-염기 균형 상태를 사정하는데 유용하다. pH(7.35~7.45), PaO_2(80~100mmHg), $PaCO_2$(35-45 mmHg), HCO_3^-(22-26mEq/L), SaO_2(95~100%)에 대한 정보를 제공한다.

표 10-11 산-염기 장애의 주요 증상 및 징후

산-염기 장애	증상 및 징후	간호중재
호흡성 산증	• 호흡곤란, 부정맥, 고칼륨혈증, 고칼슘혈증 • pH<7.35, PaCO$_2$>45mmHg	• 호흡상태와 폐음을 자주 사정한다. • 약물투여, 흡인, 타진, 체위배액, 산소공급 등을 시행한다. • 필요한 경우 인공기도를 삽입하고 기계적 환기를 준비한다. • 수분을 적절하게 공급한다. • 동맥혈 가스 분석 결과를 면밀히 관찰한다.
호흡성 알칼리증	• 빈맥, 과호흡, 현기증, 기절, 경련, 허약감 • 테타니, 저칼륨혈증, 저칼슘혈증 • pH>7.45, PaCO$_2$<35mmHg • 과호흡(보상성), 졸림, 혼돈, 두통	• 활력징후와 동맥혈 가스 분석 결과를 관찰한다. • 더욱 천천히 호흡하도록 유도한다. • 종이봉지를 이용해 내쉰 숨을 다시 들이쉬도록 하거나 재호흡마스크를 사용한다.
대사성 산증	• 고칼륨혈증, 고칼슘혈증 • pH<7.35, HCO$_3^-$<22mmHg/L • 호흡과다(Kussmaaul 호흡)	• 전해질 불균형을 교정한다. • 정맥내로 NaHCO$_3$ 투여 • 원인 요인을 치료한다.
대사성 알칼리증	• 호흡저하(보상성), 저칼륨혈증, 저칼슘혈증 • pH>7.45, HCO$_3^-$>26mmHg/L	• 염화물을 보충하여 신장이 염화물과 함께 나트륨을 흡수하도록 돕는다. • 정상체액량을 유지하기 위해 염화나트륨 용액을 투여한다. • 원인요인을 치료한다.

표 10-12 체액, 전해질 및 산-염기 불균형과 관련된 신체 검진

사정	내용	결과
피부탄력성	• 피부를 집어올린 후 다시 놓아 탄력성을 검사한다.	• 체액 결핍 상태이면 집어올렸던 피부를 놓았을 때 제자리로 돌아가는 시간이 지연된다.
체중	• 체중이 체액량의 감소나 증가에 대한 변화를 반영한다.	• 체중 1Kg의 변화는 대략 체액 1L의 증가 또는 감소를 의미한다. • 총 체중의 2% 감소/증가 : 약간의 체액량 감소/증가 • 총체중의 5% 감소/증가 : 중등도의 체액량 감소/증가 • 총체중의 8% 혹은 그 이상 감소/증가 : 심한 체액량 감소/증가
구강 점막의 건조	• 구강내 점막을 습도를 살핀다.	• 구강점막의 긴조는 체액 결핍을 의미한다.
부종	• 요흔성 부종은 서있는 경우 하지에, 누워있는 경우 천골부위에 주로 발생한다.	• 체액량이 많아져 정수압이 높아지거나 알부민의 저하로 교질 삽투압이 낮아진 경우 부종이 올 수 있다. 또한 림프관이 막히거나 림프절이 제거된 경우에도 부종이 올 수 있다.
맥박	• 체액량 변화는 맥박의 강도와 횟수에 영향을 준다.	• 체액량 감소로 혈압이 감소하면 보상작용으로 빈맥이 나타난다. • 체액량 감소로 맥박의 강도는 감소하고 체액량 증가는 강도를 증가시킨다.
체온		• 열은 체액의 손실을 증가시킨다.
호흡		• 깊고 빠른 호흡은 호흡성 알칼리증의 원인이 되거나 대사성 산증에서 산을 배설하기 위한 보상작용으로 나타난다. • 느리고 얕은 호흡은 호흡성 산증의 원인이 되거나 대사성 알칼리증에서 산을 보유하기 위한 보상작용으로 나타난다.
혈압		• 체액량이 감소하면 혈압이 감소하며 체액량이 증가하면 혈압이 증가한다.
테타니	• 칼슘, 마그네슘 불균형에서 tetany 증후가 나타난다.	• 저칼슘혈증, 저마그네슘 혈증인 경우 신경근육의 감수성이 증가하여 Chvostek's sign, Trousseau's sign 양성 반응이 나타난다.

표 10-13　체액, 전해질 및 산-염기 균형을 위한 간호진단

간호진단	관련요인
체액부족	• 체액 조절 기전 장애, 출혈, 화상, 설사, 비정상적인 배액 • 구토, 대사율의 변화, 수분 섭취 부족, 감염, 누공
체액부족의 위험성	• 화상, 출혈, 설사, 구토, 발한, 고나트륨혈증, 혈액 농축 • 호르몬 변화, 체온 상승, 정맥혈 감소, 대사율 변화, 상처 배액
체액 불균형 위험성	• 복부수술, 복수, 화상, 장폐색, 췌장염, 분리반출법 , 외상성 손상
체액과다	• 심박출량 감소, 체액 조절 기전 장애, 조직 손상, 감염, 투약 • 호르몬 변화, 부적절한 식이, 염분 섭취 증가, 수분 섭취 증가
체액과다	• 심박출량 감소, 체액 조절 기전 장애, 조직 손상, 감염, 투약 • 호르몬 변화, 부적절한 식이, 염분 섭취 증가, 수분 섭취 증가
전해질 불균형 위험성	• 설사, 내분비계 장애, 수분 불균형, 조절기전의 장애, 신기능 장애, 치료와 관련된 부작용, 구토

[출처] NANDA 간호진단 (건강증진, 영양, 배설과 교환)l

제2절
체액, 전해질 및 산-염기 균형을 위한 간호진단

　NANDA에 의하여 수용된 간호진단 가운데 체액, 전해질, 산-염기 균형과 관련된 대표적인 진단은 표 10-13과 같다. 조절 기전의 장애로 인한 혈관내, 세포내 또는 세포간 탈수 상태인 체액 부족, 혈관내, 세포내 또는 세포간 탈수의 위험이 있는 상태인 체액 부족의 위험성, 체액 정체와 부족이 나타나는 상태인 체액과다, 흡기, 호기 호흡양상이 폐를 적절히 팽창시키거나 수축시키지 못하는 상태인 비효율적 호흡양상 등이 있다.

제3절
체액, 전해질 및 산-염기 균형을 위한 간호계획

　체액, 전해질, 산-염기 균형을 위한 요구와 관련된 사정 자료를 근거로 간호 진단을 내린 후 우선 순위를 설정하여야 한다. 또한 각 진단적 진술을 참고하여 간호 목표를 설정하고 그 목표를 달성하기 위하여 간호계획을 수립한다. 다음은 체액, 전해질, 산-염기 균형에 문제가 있는 대상자를 위한 일반적인 간호 목표이다.

■ 대상자의 활력징후와 피부 탄력성이 정상이다.
■ 대상자의 체중이 정상범위에 있다.
■ 대상자의 혈중 전해질 수치가 정상이다.
■ 대상자는 호흡곤란이 감소되고 편안하다.
■ 대상자와 가족이 체액불균형에 대한 지식이 있다.
■ 섭취량과 배설량은 정상범위이다.
■ 하지, 천골, 복부 등에 부종이 없다.

제4절
체액, 전해질 및 산-염기 균형을 위한 간호중재

1. 수분 섭취량 조절

1) 섭취량 증가

　경한 설사를 하거나 체온 상승으로 땀을 흘려 수분이 결핍된 경우 수분 섭취를 증가시켜야 한다. 대상자에게 수분 섭취 증가의 필요성을 설명하고 수분 섭취 계획을 세운다. 전체 섭취량의 대부분은 낮과 이른 저녁 동안에 섭취하고 수면에 방해가 되지 않도록 취침시간 전 과다한 수분 섭취는 피하는 것이 좋다.

　침대에 누워있어야 하는 대상자를 위하여 물을 마시기 쉬운 컵이나 빨대를 이용하도록 하는 것이 좋다. 삼키기 어려운 경우 젤라틴이나 푸딩과 같은 반고형 음식으로 제공하는 것도 효과적

표 10-14 전해질이 풍부한 음식

전해질	음식
나트륨	• 소금, 우유, 치즈, 런천미트, 베이컨, 조미한 땅콩, 통조림, 토마토 주스, 올리브, 오이피클
칼륨	• 바나나, 아보카도, 감자, 오렌지 주스, 토마토주스
칼슘	• 우유, 치즈, 아이스크림, 브로콜리, 요구르트
마그네슘	• 땅콩, 땅콩버터, 계란 노른자, 바나나, 해산물, 초콜릿
인	• 우유, 치즈, 요구르트, 육류, 생선, 땅콩

이다. 이는 묽은 액체보다 점도가 높고 무게가 나가므로 삼키기가 더 쉽다.

2) 섭취량 제한

체액 과다인 대상자나 신부전증, 울혈성 심부전증 등과 같은 특정 질병을 가진 대상자는 수분 섭취를 제한할 필요가 있다. 대상자에게 수분 섭취 및 염분 섭취를 제한하는 필요성을 설명하고 섭취할 수 있는 음료의 양과 시간을 대상자와 상의하여 결정한다. 보통 큰 잔을 사용하지 말고 작은 잔을 사용하면 실제 많은 양의 물이 담겨져 있는 것으로 느껴진다. 대상자가 물로 입안을 헹구는 것은 허용할 수 있으며 헹구기 위한 물을 삼키지 않도록 협조할 수 있어야 한다.

딱딱한 사탕이나 설탕이 함유된 껌은 구강 내 긴장도를 증가시켜 타액 분비를 자극하므로 일시적으로 갈증을 감소시킨다. 그러나 15~30분 후 점막은 더욱 건조해져 갈증이 심해지므로 유의한다. 무설탕 껌은 제공해도 좋다. 규칙적인 간격으로 구강 위생을 수행해야하며 입술이 건조하거나 갈라지지 않도록 수용성 윤활제를 바른다.

2. 전해질 보충

1) 음식

체액 및 전해질 불균형은 식이요법으로 예방할 수 있으며 조절이 가능하다. 간호사는 식품의 전해질 함량에 따라 하루 섭취해야 할 양에 대한 지침을 제공할 수 있어야 한다.

예를 들어 칼륨-배설 이뇨제를 복용하는 대상자는 하루 적어도 바나나 1개나 칼륨이 풍부한 다른 음식을 먹는 것이 좋다. 또한 예상되는 전해질 불균형에 대한 증상 및 징후에 대한 교육도 수행해야 한다. 표 10-14은 전해질이 풍부한 음식이다.

2) 전해질

음식을 통해 전해질 보충이 충분하지 않은 경우에는 경구나 정맥으로 전해질 보충제를 투여해야 한다. 경구용 칼륨 보충제는 맛이 불쾌하므로 주스와 함께 복용한다. 전해질 불균형이 심하거나 경구 섭취가 불가능한 경우에는 정맥으로 전해질을 투여한다.

특히 칼륨의 정맥 투여는 매우 주의 깊게 이루어져야 하는데 이는 정맥을 자극하거나 고칼륨혈증을 일으켜 생명에 위협을 줄 수도 있기 때문이다.

3. 정맥요법

정맥 치료는 체액과 전해질 불균형을 예방하거나 치료하기 위해 수행된다. 의사는 수액과 전해질 보충제의 종류 및 양을 처방하며, 간호사는 이를 관리하고 유지할 책임이 있다.

제5절
체액, 전해질 및 산-염기 균형을 위한 간호평가

간호중재를 제공하는 동안 수집된 자료를 이용하여 설정한 목표에 도달되었는지를 평가한다. 체액과다의 경우 균형 상태가 되면 호흡곤란이 사라지고, 호흡음이 맑아지고, 지지 부위의 부종이 없어지고 체중이 감소하며 소변 배설량이 섭취량을 초과한다.

또한 체액 부족의 경우 체액 균형상태가 되면 체위성 저혈압이 없어지고 체중이 안정되고, 일일 소변량이 증가하고 점막과 혀가 분홍색을 띠고 건조하지 않다.

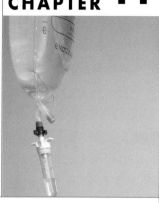

CHAPTER 11

안위 요구

학습목표

1 통증의 기전을 설명한다.
2 통증의 종류를 설명한다.
3 통증에 영향을 미치는 요인을 확인한다.
4 통증을 사정한다.
5 통증과 관련된 간호진단을 진술한다.
6 통증과 관련된 간호를 계획한다.
7 통증 완화에 대한 간호 중재를 수행한다.
8 통증과 관련되어 수행된 간호중재를 평가한다.
9 체위의 종류별 목적을 설명한다.
10 안위를 위해 사용하는 침상 물품을 설명한다.
11 대상자의 상태에 따른 적절한 체위를 적용한다.
12 목적에 따라 침상 만들기를 수행한다.
13 수면에 영향을 미치는 요인을 설명한다.
14 수면-각성 주기에 따른 특성을 설명한다.
15 수면의 종류를 설명한다.
16 대상자의 수면양상을 사정한다.
17 수면장애와 관련된 진단을 기술한다.
18 수면장애에 대한 간호를 계획한다.
19 수면요구에 대한 간호를 수행한다.
20 수면요구와 관련된 간호중재를 평가한다.

안위는 간호에서 가장 많이 논의되고 있으며 간호사가 학문적으로 흥미를 갖게 되는 복잡한 개념이다. 이는 자신 이외의 누구에 의해서도 직접적으로 측정되어 질 수 없는 주관적인 안녕상태이다. 높은 수준의 안위란 증가된 에너지 수준, 편안한 기분, 안전, 기본적인 신체요구에 대한 만족 등과 연관되어 있다. 그러므로 안위상태를 사정하기는 매우 어렵다. 그러나 개인의 기본적인 생리적 요구가 얼마나 충족 되었는가, 환경적 조건이 얼마나 조절되었는가, 적당한 치료가 되고 있다고 생각하는가에 대한 주관적인 표현을 하도록 하고, 개인의 과장된 행동을 관찰함으로서 개개인의 안위 상태를 사정 할 수 있다.

간호사는 대상자의 이러한 요구를 이해하고 대상자와 의사소통을 함으로써 불편감을 다소 해소시킬 수 있고 대상자가 불편감을 경험하기 이전에 원인을 제거하여 예방할 수 있다. 대상자의 불편을 해소시키는데는 여러 가지 방법이 있으나 가장 효과적인 방법을 찾기 위하여 체계적인 접근이 필요하다. 대상자에 따라 그 효과가 각기 다르므로 간호사는 특정 대상자에게 안위의 의미가 무엇인지 또 안위를 도모하기 위한 가장 효과적인 방법이 무엇인가를 알아야 한다. 환경적인 요소인 온도, 습도, 소음, 환기, 냄새 등도 또한 안위에 영향을 끼칠수 있다. 개인은 자기가 가장 편안하게 느끼는 환경적 상태가 있다. 환경이 나쁘면 불편감을 느낀다. 새로 입원한 대상자는 새로운 환경에서 오는 긴장감으로 인하여 불편함을 느끼게 된다. 그리고 대상자는 통증이나 죽음, 불구 등에 대한 공포와 불안감을 갖기 쉽다. 이러한 상태는 연속적으로 수면을 방해하게 되고 수면장애나 수면부족은 대상자의 안위를 저해하는 악순환을 이루게 된다.

통증(pain)은 불편의 극한적인 형태이며 대개 신체적 기능 부전과 관련되어 있다. 모든 사람은 통증과 불편의 각 상태에 대한 자신만의 정의와 기준을 갖고 있다. 불편감은 요구의 방해뿐만 아니라 충족되지 못한 태도의 결과 일 수도 있다. 수면은 개인의 신체적 생리적 정신적 상태의 변화로 인해 안위에 영향을 미치므로 간호사는 수면의 양상과 수면의 문제가 무엇인지 사정해야 한다. 안위상태는 개개인의 건강상태, 요구충족정도, 사회적 기대, 생각, 습관, 의욕의 상태에 따라 영향을 받는다. 본 단원에서는 통증, 수면, 체위에 대한 요구를 논의한다.

제1절
통증해결을 위한 간호사정

I. 통증 사정을 위한 기본지식

통증(pain)은 5가지 감각을 통해 모두 나타날 수 있는 지각의 중요한 표현으로 생존을 위해 없어서는 안 될 감각이다. 통증은 개체의 생존에 위협이 되는 유해자극에 대해 회피나 방어를 통해 대처할 수 있게 한다. 즉, 통증은 유해 자극에 대한 경고시스템으로 작동하여 적절한 통증 행동을 유발하고, 결국 위해 요소에 대해 개체를 방어, 보호하는 중요한 역할을 한다. 그러나 유해자극이 사라진 후에도 지속되는 통증은 더 이상 개체 생존을 위해 필수 불가결한 경고가 아니라 재앙일 뿐이다. 통증이 만성화될 경우 통증은 더 이상 증상이 아닌 질환으로 통증 자체로 인한 많은

고통과 합병증을 초래하게 된다.

통증의 정의로는 Melzack와 Wall (1965)은 통증을 통각수용기에 의한 동기유발적, 정서적 차원에 의한 고통을 동반하는 것이라고 하였다.

McCaffery(1979)는 통증의 개인적인 경험을 중시하여 "통증은 경험하는 사람이 어떻게 말하던 바로 그것이 통증이고 그 사람이 통증이 있다고 하면 존재하는 것이다" 정의하였고 국제 통증 협회(1994)에서는 통증을 실제적 잠재적 조직손상에 동반하는 것이라 하였다.

1. 통증의 기전

1) 통증의 전달 및 지각

통증은 복잡한 과정으로 조직손상이 있거나 그러한 위협이 있을 때 예민한 신경수용기가 자극받으면 통각이 뇌신경으로 전달된다. 통각의 자극요인은 당김 등의 기계적인 것과 열, 냉, 화학제 등이다. 통증을 유발시키는 물질은 손상당한 조직이나 통증수용체에서 분비되는 화학물질인 bradykinin, serotonin, histamine, substance p, acethylcholin 등이다. 유해자극이 가해진 후, 제일 먼저 느끼는 찌르는 듯한 일차 통증은 자극이 사라지면 통증도 사라진다. 일차 통증은 주로 A-delta 구심섬유를 거쳐 중추신경계에 전달되는 것으로 알려져 있다. 이어서 불쾌감이 현저한 이차 통증이 뒤따르는데, 이 통증은 일차 통증과는 달리 유해 자극을 받는 부위의 한계가 명확하지 않으며 자극이 끝난 후에도 통증은 얼마동안 계속된다. 이차 통증은 주로 C 구심섬유에 의하여 중추신경계에 전달된다.

2. 통증이론

1) 관문통제이론

관문통제이론은 1965년 Melzack와 Wall 의해 척수내에 말초지각신경 입력정보에 대한 관문이 존재한다는 것을 제안한 것이다. 신체의 자극이 구심신경을 따라 척추후각으로 들어오면 그 자극이 대뇌로 전달된다. 척수후각은 여러층 또는 판으로 구성되며 각 판은 특수한 기능을 하는 것으로 알려져 있고 각 판으로 들어오고 나가는 구심성 정보에 대해 완전히 알려져 있지 않으나 구심성 정보가 대뇌로 전달되기 전에 반드시 척수 후각에 의해 조절된다(그림 11-1).

관문통제이론(gate control theory)에 의하면 통증을 전달하는 말초신경섬유가 통증을 인지하는 부위인 대뇌피질까지 통각을 전도하는 과정에서 척수의 후각을 경유하게 되는데 이 후각의 특

정 부위인 교양질(substantia gelatinosa: SG)이 관문처럼 작용하여 통증을 조절할 수 있다는 것이다. 즉, 관문이 열리게 되는 경우에는 통각 정보를 상위중추로 전도하는 일을 맡고 있는 전도세포(transmission cell: Tcell)로 통각 정보가 이동하여 통각이 상위중추로 전도된다. 만약 관문이 닫히는 경우에는 전도세포로의 통각정보이동이 차단되기 때문에 통각중추에서는 통증을 인지 못하게 된다.

관문은 일차적으로 말초에서 상행하는 소경신경섬유와 대경신경섬유의 상대적 흥분 정도에 의하여 그 개폐가 결정된다. 즉, 통증을 전도하는 A-delta와 C신경섬유와 같이 전도속도가 느린 소경신경섬유만이 흥분을 전도하는 경우에는 A-beta 대경신경섬유와의 경쟁이 일어나지 않기 때문에 척수의 관문이 열려서 전도세포로 흥분이 전달된다. 그러나 만약 침술이나 마사지 등으로 A-beta 대경신경섬유를 동시에 흥분시키게 되면 대경신경섬유가 소경신경섬유보다 흥분속도가 빠르기 때문에 척수의 교양질에 먼저 도달되어 관문을 폐쇄시키게 되므로 늦게 교양질에 도달된 소경신경섬유의 흥분은 더 이상 중추로 전달되지 못하게 된다(표 11-1). 교양질의 개폐는 또한 척수 상위 중추인 중뇌, 뇌간 망상체, 시상 및 대뇌피질 등에서 하행하는 정보에 의해서도 조절된다. 관문통제이론은 통증의 감각식별영역, 동기화 정서영역 및 인지 평가영역을 포괄적으로 설명할 수 있는 기반을 제시해주었다는 점에서 의의가 크다.

즉, 뇌로부터 오는 신경흥분은 척수의 관문을 개폐하기도 하고 통증 경험에 수반되는 인지적 기능을 지각하기도 한다. 통증에는 감각적 기능 뿐만 아니라 동기적-정서적 기능도 부여되어 있다. 이렇게 보면 관문통제이론으로 통증에 수반되는 인지적 측면에 대한 설명이 가능하다. 주의와 불안, 걱정, 우울 및 손상은 통증 수준을 증가시키는데 이로 인해 수문이 개방된다. 이와는 대조적으로 긴장이완이나 긍정적 정서로 인해 관문은 폐쇄될 뿐만 아니라 통증의 수준을 저하시킬 수가 있다.

3. 통증 경험에 미치는 상황적 요인

1) 통증의 의미와 가치

대상자의 통증경험에 영향을 미치는 주된 요인은 통증의 의미이다.

Beecher(1956)의 연구에 의하면 통증에 대해 지각된 정도와 행위적 반응은 대상자의 통증의미에 의해 크게 영향을 받는다는 생각을 지지해 주고 있다. 그는 전쟁에서 부상당한 대상자와 비슷한 손상이 있는 일반 대상자를 비교 연구하였는데, 광범위한 손상을 입은 군인들은 의식이 명료하고 충격에 빠지지 않았으며 단지 32%만이 자신의 통증에 관해 통증 조절을 원할 정도로 아팠다고 하였으나 일반 대상자는 85%가 자신의 통증에 대해 진통제를 원했다. 이 연구에 의하면 손상범위와 통증경험 간에 유의한 관계가 없었으며 급성손상과 만성질병간의 차이도 없었다. 군인은 통증을 전쟁터에서 빠져나와 안전하게 병원으로 돌아왔다는 것을 의미하는 것으로 해석하는 반면에 일반인에게 통증은 죽음이나 심한 질병을 의미한다.

군인에게 통증 호소가 감소했고 이는 더 큰 위협이 통증의 지각된 강도를 감소시켰기 때문이다. 그러므로 통증이 대상자의 생활상황을 위협할 때 대상자는 통증의 강도를 더 크게 경험하며 통증을 더 많이 호소하고 더 강하게 반응한다.

2) 통증경험의 이해

통증 경험을 이해하기 위해 정확한 정보를 얻고 그 후 정보를 조직하고 통증 경험을 이해하게 되는 과정의 범위까지를 포함한

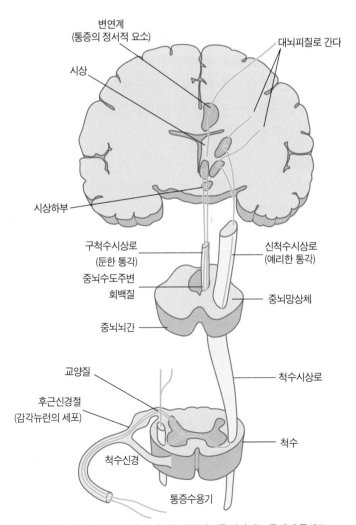

그림 11-1 말초신경에서 대뇌로 **통증정보를 전달하는 두개의 통각로**

| 섬유형태 | 유수섬유 | | | 무수섬유 |
	A-베타 (큰 섬유)	A-델타 (작은 섬유)		C-섬유 (작은 섬유)
섬유직경	5-15μm	1-5μm		0.25-1.5μm
전도속도	30-100m/sec	6-30m/sec		1.0-2.5m/sec
반응양상	가벼운 압력	가벼운 압력		가벼운 압력
		강한 압력		강힌 입력
		온자극(45℃)		온자극(45℃)
		화학적 자극		화학적 자극
통증양상	찌르는 듯한 통증			화끈거리는 통증

표 11-1　구심성 섬유의 비교

다. 간호사는 대상자가 들은 내용을 얼마나 이해했고 기억하고 있는지를 사정해야 한다. 대상자가 다른 사람으로부터 들은 정보를 모두 기억하고 있으리라고 가정하는 것은 잘못이다. 이와 같이 통증경험에 대한 정보에는 잘못된 정보와 정보부족이 문제가 된다. 통증의 원인, 의미, 진행기간에 관해 대상자가 얼마나 많이 알고 있고 그것을 믿고 있느냐에 따라 통증반응과 통증강도가 달라질 것이다.

불완전하거나 부정확한 정보는 불안의 정도에도 영향을 미친다. 통증을 예상하는 기간동안에 경험하게 되는 불안과 관련한 두 종류의 정보는 다음과 같다.

첫째, 통증 기대 기간의 불확실성: 통증을 기대하는 기간은 불확실성이 불안 증가의 원인이 되는 때이다. 대상자가 언제 통증을 느끼게 될지 모르고 초조하게 기다리고 있을 때 불안은 증가한다. 예를 들면 오늘 언젠가 척수천자를 할 것이라고 말한다면 10시에 있을 것이라고 시간을 말하는 것보다 불안도가 높다.

둘째, 통증강도, 통증기간, 통증의 해로운 결과에 대한 오해: 대상자의 통증은 의료인이 통제할 수 없는 해로운 결과라고 기대할 때 특히 불안이 높은 경향이 있다. 예를 들어 요추천자에 의한 통증을 의료인 실수로 신경이 다쳐 영구적인 요통이 초래될 것이라고 믿으면 불안은 증가할 것이다. 대상자는 통증강도를 과대평가하고 그것에 대한 참을성이 저하되게 된다.

3) 의식 수준

뇌손상, 중추신경염, 진정제 투여, 전신마취, 기타 뇌에 산소부족을 초래하는 상태 등으로 인해 의식수준은 변화 될 수 있다. 의식수준의 변화정도에 따라 대상자의 통증반응은 달라진다. 물론 무의식상태의 대상자는 원인과 상관없이 통증이나 다른 자극에 반응하지 않을 수 있다.

4) 무력감

무력감의 개념은 개인이 바라는 결과나 강화를 결정할 수 있는 행동을 할 수 없다고 느끼는 것으로 되고 있다.

Bower(1968)와 Geer(1970) 등은 대상자가 처한 상황을 스스로 통제할 수 있다고 믿는 사람들 보다 통증이나 스트레스를 피하거나 완화시킬 수 없이 무력하다고 믿는 사람들이 더 심한 고통을 느낀다고 보고했다. 무력감이 원초적으로 대상자가 소유하고 있던 성향이거나 상황에 의해 생성된 것이거나 간에 이는 대상자가 통증 완화법을 잘 알지 못하게 되고 통증의 원인이나 의미에 대해 환상을 갖게한다.

5) 관심

대상자가 통증에 집중하는 정도가 통증의 인지에 영향을 준다. 관심이 높으면 통증을 심하게 느끼게 되고, 관심이 낮으면 통증을 덜 느끼게 된다. 이 개념을 통증완화 치료에 적용한 것이 이완요법이나 심상요법이다. 대상자의 주의와 관심을 다른 자극에 집중시킴으로서 통증을 의식에서 멀어지게 한다. 대개 관심이 전환된 기간동안에는 통증에 대한 내성이 증가한다.

6) 불안

통증과 불안은 관계가 있다. 불안의 정도가 높으면 통증인지가 증가한다(Seer, 1987). 또한 통증이 불안을 유발할 수 있다. 정서적으로 건강한 사람들은 불안한 사람보다 중등도, 심지어 심한 통증도 잘 견딜 수 있다. 통증에 대한 불안이 endorphine을 유리시키기 때문에 endorphine은 통증 내성의 차이를 초래할 수 있다.

7) 피로감

피로감은 통증의 인지를 증가시킨다. 이것은 통증을 증폭시키고 대처 능력을 감소시킨다. 통증은 피곤한 오후보다는 충분한 수면후에 덜 느끼는 수가 많다.

8) 통증경험

단순히 대상자가 이전에 통증의 경험이 있다고 해서 반드시 후일에 통증을 쉽게 받아들일 수 있는 것은 아니다. 해소되지 못한 통증이 여러 번 있었거나 심한 통증의 발작은 불안과 공포를 유발할 수 있다.

이와는 대조적으로 같은 양상의 통증이 성공적으로 해소된 경우에는 대상자는 통증감각을 보다 가볍게 여기기도 한다. 결과적으로 대상자는 통증해소 과정에 더 잘 대비할 수 있다.

통증에 대한 경험이 없는 대상자는 대처할 능력이 손상되어 있다. 예를 들면, 수술 절개 통증에 대해 대비가 안된 대상자는 보행이나 활동을 하지 않으려고 한다. 이런 대상자에게는 겪게될 통증의 형태와 통증이 완화방법에 대해 확실하게 설명하여 대비하도록 해야 한다.

9) 대처방법

통증은 자신만이 아는 것이다. 흔히 대상자들은 자신이 환경이나 상황의 결과를 통제할 수 없다는 점에서 통제의 상실감을 느낀다. 따라서 대처방식은 통증을 처리하는 능력에 영향을 준다. 내적 통제위를 지닌 대상자는 그들이 환경과 상황의 결과를 조절할 수 있다고 느낀다.

이와는 대조적으로 외적 통제위를 지닌 대상자들은 간호사 같은 그들의 환경에 있는 요인이 상황의 결과에 책임이 있다고 여긴다. 내적 통제위 대상자는 외적 통제위 대상자보다 통증을 적게 호소한다. 이 개념은 통증 자가 조절장치(PCA)를 사용하는데 적용되고 있다.

10) 가족과 사회적지지

대상자는 종종 통증에 대처할 때 배우자, 가족, 혹은 친구에게 의존한다. 통증이 계속 되더라도 사랑하는 사람의 존재는 두려움과 고통을 최소화할 수 있다. 대상자의 사회문화적 계층에 따라 그들이 통증을 호소하는 상대자들에게 거는 기대도 다르다. 가족이나 친구가 없다는 사실은 통증 경험을 보다 힘들게 한다. 통증이 있는 소아는 특히 부모가 곁에 있는 것이 중요하다.

4. 통증지속 기간

통증지속기간에 따라 3개월 미만의 경과를 보이는 급성통증(acute pain)과 3개월 이상 지속되는 만성통증(chronic pain)으로 분류된다(표 11-2).

5. 통증부위

통증부위에 따라 표재성체성 통증(superfinal somatic pain), 심부체성통(deep somatic pain), 심부내장성 통증(deep visceral pain), 연관통(referred pain), 방사통(radiating pain)으로 분류된다(표 11-3, 그림 11-2).

표 11-2 통증 지속기간에 따른 분류

통증부위	설명
급성통증 (acute pain)	급성통증은 3개월 미만의 경과를 보이며 원인이 분명하며 치유되면 통증이 소실되고 그 결과가 예측될 수 있다. 보통 갑작스럽게 발생하는 심한 통증을 의미하지만 실제로는 그 발생이 느리게 일어나는 경우와 통증의 강도가 가벼운 경우도 급성 통증에 해당된다. 예를 들어 핀에 찔린 것에서부터 목의 감염, 골절, 수술후 통증까지 급성 통증으로 볼 수 있다. 급성통증에서는 자율반사가 수반되므로 창백, 발한, 빈맥, 혈압상승 등의 반응이 일어나며 얼굴 모습이 찡그리고 있고 불안을 경험하게 된다
만성통증 (chronic pain)	만성통증이란 3개월 이상 지속되는 간헐적인 혹은 계속적인 통증이다. 만성통증이 있는 경우 A-delta 섬유의 자극전달이 감소되거나 없어진다. 동시에 관문은 열려 있으면서 언제라도 만성통증자극이 있으면 통증자극은 관문(gate)이 열리는 것을 방해하는 메시지 억제(inhibitory message)가 없기 때문에 관문을 통과하게 된다. 만성통증은 인체가 그에 적응함에 따라 자율반사가 소실되어 활력증상이 정상 범위에 있게 된다. 또한 통증을 계속적으로 호소하는 것에 지쳐있어 결국 무표정하거나 지친 모습, 혹은 우울한 모습을 하게 된다. 만성통증은 편두통과 같이 오랜 기간 동안 혹은 일생동안 반복되는 반복성 급성 통증, 몇 달 혹은 몇 년 동안 지속되다가 회복이 되거나 혹은 죽음으로써 끝나게 되는 암, AIDS 및 화상 등에서 볼 수 있는 만성통증, 그 원인이 생명을 위협하는 것은 아니나 일생동안 지속되는 통증으로서 약물로 통증의 완화가 쉽게 되지 않는 통증 즉, 류마치스성 관절염, Raynaud 질환, 말초신경증, 요통과 같은 만성적 통증 등을 들수 있다.

표 11-3 통증 부위에 따른 분류

통증부위	설명
표재성 체성 통증(superfitial somatic pain)	이는 피부나 점막 등 체표면에서 유발되는 통증이다. A-delta 섬유는 처음의 통증 감각과 관여되며 날카롭고, 쩌릿쩌릿하고, 콕콕 찌르는 감각이다. C섬유는 A-delta 섬유가 활성화된 다음에 활동하며, 둔하고 넓은 부위의 통증을 전달한다.
심부체성 통증(deep somatic pain)	근육 또는 관절 등 신체 심부에서 유발되는 통증이다. 이는 쑤시고, 둔하고, 묵직한 통증이며 피부통증과 같이 국소적인 것이 아니다. 통증반응이 모호하고 아픈 부위를 찾기가 어려운 점으로 보아 이러한 부위 조직은 C섬유가 훨씬 낳고 대경섬유가 적은 깊은 구조라는 것을 알 수 있다. 더 깊은 부위의 조직이 관여할수록, 통증은 더 퍼지고 통증감각이 혼돈된다.
심부내장성 통증(deep visceral pain)	내부장기에서 유발되는 통증이다. 처음에는 통증의 원인별 부위를 알기 어렵다. 오래되면 통증부위는 국소화된다. 신경섬유는 교감신경과 평행하게 있으며, 급성기에는 자율신경반사를 수반한다. 내장성 통증은 모호하고, 둔하고, 쑤시거나, 화끈거린다. 그러나 요도결석시 요관이 막히게 되면, 통증은 쥐어짜거나 비트는 것 같이 되며, 통증이 주기적으로 되면 대상자의 행동은 그러한 감각의 변화에 따라 달라진다. 통증이 둔할 경우 대상자는 조용하거나 가슴에 무릎을 갖다 대는 자세를 취하나 통증이 쥐어짜거나 비트는 것 같이 변하면, 대상자는 안절부절하고 통증으로 구르게 된다.
연관통(referred pain)	내부 장기에서 유발된 통증은 통증자극이 가해진 부위에서 통증이 느껴지기도 하지만 그 내부장기를 지배하는 척수분절에서 동일 지배를 하고 있는 체신경체제의 피부영역에서 통증이 느껴지기 쉬운데 이를 연관통 이라 한다. 예를 들어 심장에 통증이 있을 때 심장이 아픈 것으로 인지되지 않고 왼쪽 팔이나 어깨가 아픈 것으로 인지된다. 연관통이 일어나는 기전은 피부로부터 들어오는 일차감각신경과 내부장기에 통각을 전도하는 일차 감각신경이 척수에서 수렴하기 때문이다.
방사통(radiating pain)	통증 발생부위에서부터 신체를 따라서 또는 위아래로 뻗치는 듯한 통증을 느끼며 지속적이거나 간헐적일 수 있다. 예를 들면 추간판 파열로 인한 요통은 좌골신경의 자극으로 다리아래쪽으로 뻗치는 통증이 수반된다.

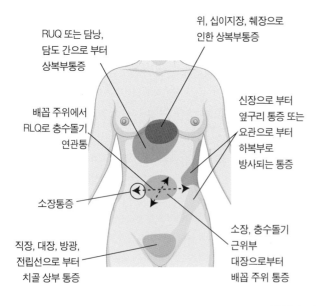

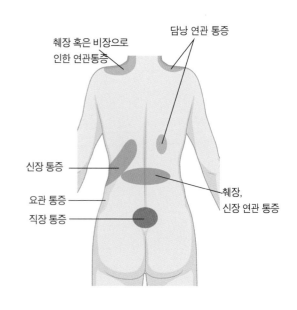

그림 11-2 신체장기의 연관통

II. 통증문제 해결을 위한 자료수집

간호사는 24시간 대상자 곁에 있으면서 대상자의 통증을 가장 정확히 사정할 수 있는 위치에 있다. 각 개인의 통증양상을 정확히 사정하여 이에 적절한 통증양상을 정확히 사정하여 이에 적절한 통증관리 방법을 적용하고 그 효과와 부작용을 지속적으로 사정, 평가하여 계속 수정해 가야 하는 중요한 책임이 있다.

통증 사정의 원칙은 다음과 같다.

- 치료가 시작되면 정기적으로 통증을 사정한다.
- 대상자가 통증이 있다고 하는 경우 즉각 사정한다.
- 약물적 방법이나 비약물적 방법이 적용된 경우 그에 맞추어 평가한다. 즉, 비경구적 방법으로 약물이 투여된 경우 약물투여 후 15~30분 후 경구로 투여된 후에는 1시간 후에 통증을 사정한다.
- 다양한 원인에 의해 통증이 발생할 수 있으므로 가능한 한 그 원인을 사정하여 그 원인을 해결할 수 있는 적절한 중재방법을 적용한다.

통증을 서술하는데 사용되는 용어는 다음과 같다.

질(Quality)

- 예리한(sharp): 날카로운 것으로 찌르는 듯한 통증
- 둔한(dull): 예리한 통증만큼 급성이거나 강하지 않고 조금 더 광범위한 통증
- 산재한(diffuse): 어떤 특정한 영역을 지적하지 못하고 넓은 영역에서 지각되는 통증
- 이동성(shifting): 특정한 곳에서 다른 곳으로 이동하는 통증

심각도(Severity)

- 심한(severs or excruciating): 7~10점 사이의 통증
- 보통(moderate): 5~6점 사이의 통증
- 가벼운(slight or mild): 1~4점 사이의 통증

주기성(Periodicity)

- 지속적(continuous): 멈추지 않는 통증
- 간헐적(intermittent): 멈추었다가 다시 시작했다가 하는 통증
- 순간적(brief or transient): 빨리지나가는 통증

1. 주관적자료

통증은 의미있고 신뢰성이 있으며 객관성 있게 표현하기는 상당히 어렵다. 여러 측정 방법이 있지만 순수하게 객관적이고 생리적인 방법은 아직 없고 앞으로도 없을지도 모른다. 통증의 다각적인 면이 부각되고 있는 점도 사실이지만 그 단순성이나 편리

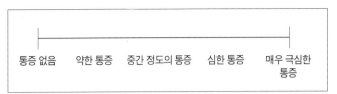

그림 11-3 언어적 유목척도

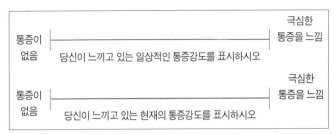

그림 11-4 수평적 시각유추척도

성 때문에 통증의 강도를 위주로 하는 주관적인 호소를 대상으로 하는 방법이 일반적으로 많이 쓰이고 있다.

1) 언어통증 등급

대상자가 언어를 이용하여 통증 없음, 약한 통증, 중간정도의 통증, 심한 통증, 매우 극심한 통증 등의 5점 척도 또는 통증 없음, 약한 통증, 중간 정도의 통증, 매우 극심한 통증 등의 4점 척도로 표현하게 한다.

언어통증 등급(verbal rating scale: VRS)은 말로 직접 표현하는 방법으로 가장 간단하고 흔하게 행하는 방법 중의 하나이다. 그러나 허위 반응이나 반응의 왜곡이 있을 수 있고 통증해석에 대한 일반화가 결여되어 있다. 실제 사용시 대부분 과다하게 표현되는 경향이 있다(그림 11-3).

2) 시각통증 등급

통증이 없는 점과 가장 심한 통증을 뜻하는 시작점과 끝점외에 특별한 표시가 없는 일정한 선위에 대상자가 자신의 통증정도를 표시하도록 한 것이다. 10cm 수평선상에 자신이 느끼고 있는 통증수준을 표시하기도하고 수직적 모양으로 변형된 통증온도계(pain thermometer)를 사용하기도 한다(그림 11-5).

시각통증 등급(visual analog scale: VAS)은 시각적 언어적 표현을 기본으로 가장 많이 쓰이는 방법중의 하나이며 자료수집이 편리하고 단기간의 변화에 따른 신뢰성도 비교적 좋다. 그러나 만성통증에서와 같은 장기간의 표현에는 불리한 점이 있다(그림 11-4).

3) 수치통증 등급

시각통증 등급(numerical rating scale: NRS)의 직선상에 구체적으로 1에서 10 혹은 1에서 100까지의 숫자를 표시하여 통증의 강도에 따라 숫자 개념으로 표시하도록 한 것이다. 이 방법의 변

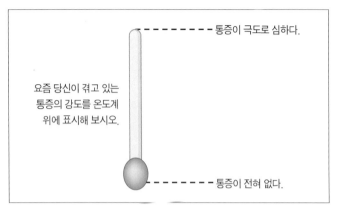

그림 11-5 통증온도계 척도

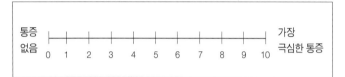

그림 11-6 수평적 숫자유목척도

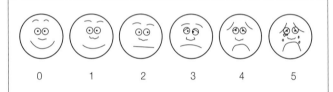

1. 아동에게 각각의 얼굴을 보여 주고 어떤 것은 통증이 없어서 행복감을 느끼는 사람의 얼굴이고 어떤 것은 통증 때문에 슬픔을 느끼는 것이라고 설명한다.
2. 적절한 얼굴을 가르키고 설명한다. " 이 얼굴은 …."
　　0 : '그는 전혀 아프지 않기 때문에 매우 행복하다.'
　　1 : '아주 조금 아프다.'
　　2 : '조금 더 아프다.'
　　3 : '약간 아프다.'
　　4 : '상당히 아프다.'
　　5 : '네가 상상하는 수준에서 가장 아프다.'
3. 그가 어떻게 느끼는지 가장 잘 표현하는 얼굴을 선택하라고 한다.

그림 11-7 얼굴 표정 척도

형으로는 수치 통증 등급에 시각적, 감각적 흥미를 더하기 위해 온도계와 같은 형태를 도입한 방법(통증온도계: pain thermometer)도 있고 통증이 감소된 정도를 기준 시점에서 어느 정도 감소했는가를 숫자 백분율로 알아보는 방법도 있다(그림 11-6).

4) 얼굴 표정 척도

얼굴 표정 척도는 소아와 같은 숫자나 길이 개념이 적은 사람들을 위해 통증정도에 따라 얼굴 표정을 풍자화해서 통증정도에 따라 연계시켜 놓은 것이라든지 각기 정도에 맞는 어린아이의 표정을 실제 사진으로 나열해 놓고 선택하게 하는 방법(사진표정 등급)등이 있다(그림 11-7).

5) 맥길 통증설문 평가

맥길 통증설문 평가(Mcgill pain questionnaire: MPQ)는 단어 평가를 기초로 한 검사로 통증의 여러차원을 측정하고 있다. 대상자에게 감각인지영역, 정서적 영역, 인지 평가영역의 20개 세트에서 대상자 자신이 느끼고 있는 가장 적절한 단어를 선택하게 한다.

그러나 이러한 검사를 하는데 5-10분 정도로 비교적 시간이 많이 걸리기 때문에 매우 아픈 대상자에게는 적용하기가 어렵다는 단점도 있다. 이와같은 단점을 보완하기 위해 고안된 질문지가 단축형 맥길 통증질문지이다(그림 11-8).

2. 객관적 자료

1) 생리적 반응

급성통증에 대한 최초의 생리적 반응은 스트레스의 반응으로 나타난다. 즉 에피네프린(epinephrin)의 양이 증가하면서 교감 신경계 활동이 강화된다. 통증이 강하고 기간이 짧을 때에는 보상반응으로 교감 신경계의 반응이 나타날 수 있다. 통증이 계속되면 몸은 적응하기 시작하고 교감신경계의반응(sympathetic responses)은 감소하기 시작한다. 만성통증의 경우에는 근육경축, 식욕부진, 체중감소, 불면증이 있을 수 있으며 아픈 부위의 색깔의 변화, 반사의 이상 등이 관찰되기도 한다.

2) 맥박

맥박은 소아의 통증 측정에 다른 측정법의 보조측정으로 유용하다. 여러 연구에 의하면 맥박은 불안감과 관계가 깊으며 또 소아들에 대한 연구에서 강한 자극에는 맥박이 증가하고 중간 혹한 약한 자극에는 오히려 감소한다는 것이 대체적인 결론이다.

3) 발한 검사

통증과 스트레스에 의한 발한을 측정함으로써 통증의 지표가 될 수 있는 가능성이 있는데 고안된 테이프를 손가락에 일정시간 감아 측정한다. 이것은 간단하고 쉬운 방법이나 주위 온도에 따라 영향을 쉽게 받으므로 타당성이 떨어지는 문제점이 있다.

4) 생화학적 측정

체내의 엔돌핀이 통증의 조정과 관계가 있다는 사실이 증명되므로 개인차가 심한 통증 반응의 측정에 비해 훨씬 더 정확한 정

단축형 맥길통증 질문지

환자의 성명 _____   날짜 _____

	통증 없음	약간	중간	심한
1. 진동하는 듯 (Throbbing)	0) ___	1) ___	2) ___	3) ___
2. 쏘는 듯한 (Shooting)	0) ___	1) ___	2) ___	3) ___
3. 칼로 찌르는 듯한 (Stabbing)	0) ___	1) ___	2) ___	3) ___
4. 날카롭게 쓰라린 듯한 (Sharp)	0) ___	1) ___	2) ___	3) ___
5. 쥐어짜는 듯한 (Cramping)	0) ___	1) ___	2) ___	3) ___
6. 에이는 듯한 (Gnawing)	0) ___	1) ___	2) ___	3) ___
7. 뜨겁게 화끈거리는 (Hot-Burning)	0) ___	1) ___	2) ___	3) ___
8. 애리는 듯한 (Aching)	0) ___	1) ___	2) ___	3) ___
9. 묵직한 (Heavy)	0) ___	1) ___	2) ___	3) ___
10. 민감한 (Tender)	0) ___	1) ___	2) ___	3) ___
11. 쪼개지는 듯한 (Splitting)	0) ___	1) ___	2) ___	3) ___
12. 피로한-고갈된 (Tiring-Exhausting)	0) ___	1) ___	2) ___	3) ___
13. 느글거리는 (Sickening)	0) ___	1) ___	2) ___	3) ___
14. 두려운 (Fearful)	0) ___	1) ___	2) ___	3) ___
15. 벌을 주는 듯한-호된 벌을 받는 듯한 (Punishing-Cruel)	0) ___	1) ___	2) ___	3) ___

현재의 통증지수

0 : 통증 없음 _____
1 : 약간 _____
2 : 중간 정도의 _____
3 : 심한 _____
4 : 극심한 _____
5 : 매우 극힘한 _____

통증 없음 |———————————————————| 매우 극심한 통증

• 1~11 까지는 통증 경험의 감각차원, 12~15 까지는 통증 경험의 정동 차원을 나타낸다.
• 맥길 통증 질문지에 시각통증등급(VAS)를 추가하여 환자의 전반적인 통증강도를 쉽게 측정하도록 구성되어 있다.

그림 11-8 맥길통증 질문지

보를 제공해 줄 수 있지 않을까하는 가능성이 있다. 그러나 검사물 채취를 위해 아프게 하는 과정을 거쳐야 되고 검사비용이 많이 들고 엔돌핀의 분포가 체액에 따라 다르기 때문에 유용한 이론이 정립되기까지는 많은 연구가 필요하다.

5) 체열촬영

적외선 체열촬영은 모든 생체에서 열을 복사, 대류, 전도의 형태로 발생한다는 이론에 근거한다. 신체의 체열 발산을 미세신경-혈관 조절하에서 세포대사를 뜻하는 전도나 방사되는 에너지에 의해 형성되는 체열지도의 형태로 보여준다. 병태생리적인 변화가 있을 때 나타나는 양상은 양측이 대칭이면서 분절에 따라 온도 차이가 나는 형태와 동일한 분절에서 비대칭적으로 나타나는 형상 그리고 국소적인 warm spot과 cold spot 형태를 보이는 경우가 있다.

3. 통증과 관련된 행동 관찰에 의한 방법

통증의 수준을 측정하기 위한 수단으로 대상자의 행동을 주의 깊게 관찰한다. 통증 때문에 괴로워하는 사람은 얼굴을 찡그리기도 하고 신음하기도 하고 손발을 비비기도 하고 절뚝거리기도 하고, 그리고 누워있기도 한다.

이와 같은 행동 특징은 자신이 통증으로 괴로워하고 있다는 표시이며 이는 연구자나 치료자에게 매우 의미가 큰 통증 단서이다. 통증 때문에 괴로워한다는 단서는 본인의 활동수준을 통해서 나타나고 그의 몸자세와 안면표정을 통하여서도 잘 나타난다.

관찰자는 대상의 행동을 육안으로 직접 관찰하기도하고 그것을 비디오테이프에 녹화하기도 한다. 관찰자는 대상자의 행동을 평가척도에 따라 평가한다. 이때 관찰자의 관찰 신빙성을 체크하기 위해서 두사람 이상을 관찰자로 정하는 것이 매우 이상적이다.

표 11-4 통증과 관련된 간호진단(NANDA의 안위영역)	
간호진단/정의	**관련요인**
급성통증(Acute pain): 실제적이거나 잠재적 조직손상으로 인해 경험하는 감각적 또는 정서적 불편감이 갑자기 또는 서서히, 경증에서 중증 강도로 지속하거나 끝이 예측되는 통증이 있는 상태	• 생물적, 화학적, 신체적, 심리적 손상요인
만성통증(Chronic pain): 실제적이거나 잠재적인 조직손상으로 인해 경험하는 감각적 또는 정서적 불편감이 갑자기 또는 서서히, 경증에서 중증 강도로 지속하거나 예기치 못한 재발성 통증이 3개월 이상 지속되는 상태	• 신체적, 심리적 만성 기능장애

이와 달리 비디오테이프에 녹화된 장면을 관찰하고 나서 거기에서 나타나는 행동이 어떤 종류에 속하는 통증과 관계되는지를 기술하기도 한다.

III. 간호진단

NANDA에 의한 간호진단은 다음과 같다(표 11-4).

IV. 간호목표

- 대상자는 통증이 없고 편안하다고 말한다.
- 대상자는 진통제 요구 횟수가 감소한다.
- 통증조절 방법을 습득한다.

V. 간호중재

통증완화 방법을 제공하는 간호사는 특정한 통증에 적합한 치료법을 선택한다. 또한 간호사의 대상자관리 능력은 통증조절을 극대화할 수 있다. Clancy와 Mc Vicar(1992)는 대상자의 불안을 감소시키거나 간호하는 동안 대상자의 의료인에 대한 신뢰는 체내에서 자연히 발생하는 내인성 엔돌핀의 효과를 강화시킨다고 하였다. 간호하는 동안의 업무중심 접촉과 정서적 접촉은 대상자에게 효과적이다. 격려나 지지와 함께 사용되는 비언어적 표현들도 도움이 된다.

1. 비약물적 통증 해소 방법

1) 정보제공

대상자에게 예상되는 감각에 대해 미리 정보를 제공하여 대처하는 방법을 알게 하면 통증과 관련된 불안이 감소되어 대뇌피질과 시상으로부터 금지신호가 내려온다.

정보제공은 병원환경과 시술에 대해 생소한 사람에게 특히 중요하다. 시술에 따라 충분한 감각정보를 제공해야 한다. 간호력에서의 과거 통증 경험에 대한 정보 수집은 현재 통증경험을 비교하는 기준선이 되므로 매우 중요하다. 대상자는 과거에 어떠한 간호처치가 통증을 경감시켰으며 또 통증경감이 되지 않았던 처치는 무엇이었는지 확인해야 한다. 이러한 정보는 현재 상황에 대한 간호계획에 사용될 수 있다.

2) 이완요법

불안, 공포, 피로와 같은 정서는 근육의 피로와 긴장을 가져온다. 수술과 같은 조직손상이 있는 대상자가 이러한 기분을 경험할 때 통증주기는 시작된다. 절개통은 불안과 공포를 증가시키며 따라서 이러한 감정은 근육을 긴장시키고 절개부위에 스트레스를 주어, 통증은 더 심해지고, 그로 인한 불안은 더 커지는 악순환이 반복된다.

이완의 치료적인 효과는 개인이 통증에 대한 약간의 통제를 할 수 있게 함이다. 또한 골격근육의 긴장 감소와 한가지 생각에 대한 집중력 증가로 통증으로부터의 전환을 가능케 하고, 생리적으로는 맥박과 혈압의 강화, 산소소비의 감소를 가져온다. 이완요법의 예로는 지시적 심상요법(guided imagery), 점진적 이완요법(progressive relaxation), 생체 되먹이기(biofeedback), 요가, 명상(meditation) 등이 있다.

2. 약물요법

진통제를 투여하기 전에 먼저 간호사는 상대자를 정확히 사정할 필요가 있다. 약물투여란 통증에 대한 가장 적절한 방법이기는 하지만 최상의 유일한 방법은 아니다. 흔히 간호사들은 통증을 경감시키기 위한 심리간호나 지지간호를 적용해 보지도 않은 채 투약을 하거나, 약물치료와 병행되어야 할 안전간호 등을 도외시한 채 너무 약물에만 의존하기 쉽다. 또한 대상자나 간호사가 모두 통증과 불편감이 극도에 달했을 때 비로소 투약을 하려고 하기 때문에 휴식이나 체위 등 편안한 환경을 도모함으로써 해결될 수 있는 경우까지도 약물에 의해서만 해결하고자 하는 경향이 있을 수 있다. 그러므로 효과적인 통증간호를 위해서는 간호사의 주의 깊은 관찰과 사려가 필요하고 정확한 판단이 기본이 되어야 한다(그림 11-9).

대상자의 상태를 충분히 사정한 후에는 진통을 위한 가장 효과적인 방법으로 진통제를 투여한다. 일반적으로 의료인들은 진통제의 습관성, 중독성, 내성 등을 염려해 진통제 투여를 꺼려한다. 그러나 적절한 시기에 현명하게 진통제를 투여하면 중독증 등의 부작용들이 쉽게 일어나지 않으므로 극심한 통증을 호소하는 대상자의 경우에는 필요이상으로 참게 하는 것은 현명하지 못하다.

마약성 진통제 중 몰핀은 내장손상, 호흡기 질환, 두부손상에는 금기이다. 왜냐하면 내장 손상시에는 심한 구토의 문제가 있고, 호흡기계에는 호흡 중추 억제의 문제가 있다(호흡수 12회/분 이하이면 몰핀 사용은 금기 이다). 특히 두부 손상에 있어서 뇌압 상승의 위험이 있을 때 호흡중추가 억제되는데 이때 몰핀을 사용하면 더 악화된다. 더욱이 몰핀은 동공을 확장시키므로 실제적인 두부 손상시의 임상 증상과의 혼돈을 초래할 수 있다.

1) 진통제 종류

진통제는 흔하고 빠른 통증 완화 방법이다. 간호사는 통증관리에 사용되는 약물들과 그것들의 약리작용을 알고 있어야 한다. 약물들은 통증 촉매 반사를 억제하여 통증역치를 올리거나, 뇌로 통증 자극을 전달하는 통로를 차단하여 통각을 변형시키며, 반사활동을 억제한다. 마약류는 통증 역치를 올리고 몰핀이나 알콜은 통증반사에 영향을 준다. 세계 보건 기구(WHO)에서는 암성 통증제거를 위한 기본 진통제와 기본 보조제에 의한 3단계 요법을 제창하였다(그림 11-8).

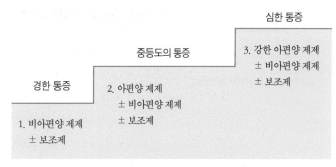

그림 11-8　WHO 3단계 진통제 사다리

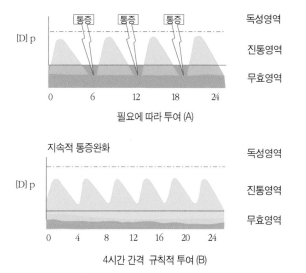

※ [D] p = 약물의 혈장내 농도

그림 11-9　필요에 따라 투여할 때(A)와 4시간 간격으로 규칙적으로 투여할때 (B)의 비교

진통제 투여시의 기본원칙

- 가능한 경구적으로(by mouth)
- 진통약을 순서에 따라 단계적으로(by the ladder)
- 개개 대상자의 적정 용량을(by the individual)
- 수시 아닌 일정시간 간격을 두고(by the clock)
- 부작용 및 대상자 심리상태 등에 대한 지속적 세심한 배려 (attention to detail)를 하면서 투여할 것을 강조하고 있다.

이와 같은 방법으로 암환자 통증의 90% 이상을 치료할 수 있다고 한다. 그리고 진통제로 효과를 못 보는 대상자에서 신경차단을 권하고 있는데 그보다는 강력한 진통제가 필요한 정도로 통증이 심해졌을 때 조기에 신경차단법의 적용을 원하는 것이 좋다는 의견도 많다(표 11-5).

(1) 비스테로이드성 소염진통제

이들 약물의 작용기전은 통증 자극을 전달하는 프로스타글란딘(prostaglandin)의 합성 과정을 차단한다. 대부분의 NSAIDs가

표 11-5 진통제의 종류

	기본약물	대체약물
비스테로이드성항염제(NSAIDS)	Acetylsalicylic acid(ASA)	Ibuprofen
	Acetaminophen(tylenol, datril)	Phenyobutazone
	Indomethacin	Naproxen
		Piroxicam
		Ketorolac
약한 마약성 제재	Codeine	Dihydrocodeine
		Hydrocodein
		Oxycodone
		Dextropropoxyphene
		Tramadal
		Buprenorphine
		Hydromorphone HCL (Dilaudid)
강한 아편양 제재	Morphine	Hydromorphine
		Oxycodone
		Levorphanol
		Methadone
		Meperidine
		Fentanyl
아편양제재 길항제	Naloxone	
보조약 제재	항우울제	Amitryptylin(Elavil)
	항경련제	Carbamazepine
	스테로이드제	Dexamethasone
	신경이완제	Benzodiazepine

말초신경수용체에서 작용하는데 아세트아미노펜을 제외하고는 두 가지 이상 해열 진통제를 병용하여 복용하면 위장장애와 신기능장애의 위험이 있다. 그 외 위출혈, 혈소판 응집 방해, 출혈 가능성 등의 부작용과 장기 복용시 위궤양의 위험이 있다.

비스테로이드성 소염진통제(non-steroid antiinflammatory: NSAIDs)는 일반적으로 항 염증작용, 진통작용, 해열작용 효과를 보인다. 그러나 약에 따라 효과가 각각 차이가 있다. 예를들어 acetaminophen은 경증에서 중등도의 통증에 대한 진통, 해열제로서는 효과적이나 항염증 효과는 없다. 반면에 가장 널리 쓰이는 aspirin은 강력한 진통, 해열, 소염 작용이 있다.

외용진통제는 연고, 로션, 도포제(ointment)등이 있는데 흔히 몇시간 동안 지속되는 따뜻한 감각을 일으킨다. Methylsalicylate 제재나 menthol제재가 있는데 사용할 때 주의 사항은 개방성 상처가 있는 피부나 점막에 사용하지 않으며, 사용 전에는 매 상품마다 피부 반응 검사를 한다. 지시 사항을 지키고 너무 많이 바르지 않는다. 그렇지 않으면 통증이 있는 작열감이 있을 수 있다.

(2) 마약성 진통제

마약성 진통제는 뇌와 척수에 존재하는 아편 수용체와 결합하여 말초로부터 중추로 통증 전달을 차단함으로써 통증에 대한 반응과 인지를 변형시킨다.

마약성 진통제가 적용되는 경우는 골절, 수술 후 통증, 화상 치료시와 같은 급성통증, 말기질환, 암, 신성 산통(renal colic)이나 심한 외상, 심한 통증 유발검사나 시술, 비마약성 진통제의 효과가 없을 때 등이다.

마약성 진통제 투여시 중독과 호흡억제에 대한 두려움 등 가용량의 환산에 어려움으로 약물을 충분히 쓰지 못한다. 일반적으로 의사는 투약을 적게 하려고 하고 간호사는 그 처방보다도 더 적게 투여하려는 경향이 있다. 그 결과 투약이 꼭 필요한 대상자가 불필요하게 고통을 겪어야 하므로 적정량을 사용하여 대상자가 편히 지낼 수 있도록 간호해야 한다. 그러나 중독증이 염려되는 약은 거의 사용되지 않으며, 중독 발생률은 1%미만이고, 마약류로 인한 금단 증상이 생명에 위협이 되는 일은 극히 드물며, 내성이란 모든 마약에서 늘 나타나는 것은 아니다. 따라서 개인에 따라 적절한 용량을 투여하는 것이 더욱 중요하므로 투약사정과 관찰이 요구된다.

(3) 보조진통제

보조진통제는 마약성-비마약성 진통제의 효과를 증가시키거나 그 자체가 진통의 특성이 있다. 이 약은 마약성-비마약성 진통제 대신 또는 추가로 사용하거나, 통증이 심하여 잠 못 이룰 때 항 우울제를 쓰고, 대상 포진이나 신경통 같이 둔하고 화끈거리는 통증에 항우울제를 사용한다.

보조진통제의 종류에는 여러 형태의 통증 경감을 위한 항 경련제, 근육경련 완화를 위한 근육이완제와 스테로이드제가 암의 전이통에 효과적으로 쓰인다(그림 11-10).

2) 위약과 암시

위약에 대한 효과에 대해서는 많은 연구가 시행되었다. Beecher(1972)는 위약으로 35%의 대상자가 통증이 완화되었다고 보고했다. 위약의 효과는 첫째, 중추통제과정에 대한 긍정적인 암시의 효과이다(예를 들면 이 약은 당신의 통증을 없애줄 것이다). 둘째, 개인이 경험할 통증에 대한 개인의 평가에 미치는 중추통제과정의 힘과 관련된 효과이다. 또한 어느 정도는 대상자와 의료인 사이에 일어나는 불문의 제약 즉, 의료인은 대상자의

통증을 경감시키기 위해서 최선을 다할 것이라는 사실에도 영향 받는다. 만일 의료인이 치료될 수 있다고 믿고 대상자도 치료 효과를 기대한다면 불안은 줄어들고 대상자는 자기 스스로 낮는 것처럼 보일 것이다.

투약할 때 약의 작용시간에 대한 정보와 투약의 효과가 있을 것이라는 긍정적 암시를 줄 겨우 인지적 통제의 차원에서 약리작용을 상승시킴으로써 효과를 얻을 수 있다. 긍정적 암시를 주는 예는 간호사가 진통제를 가지고 방에 들어가서 다음과 같이 말할 수 있다. "내가 지금 주사하려고 하는 약은 Morphine이라는 강한 진통제입니다. 15~20분 내에 효과가 있을 것 입니다. 그리고 45분 내에 기분이 훨씬 좋아질 겁니다."

2. 진통제 사용상의 부작용

진통제의 사용이 장기적이든 단기적이든 발생될 수 있는 여러 가지 잠정적인 부작용의 문제가 내재되어 있으므로 철저히 예방해야 한다. 물론 대상자마다 특징적인 부작용이 있을 수 있으나 가장 흔한 부작용은 변비, 오심, 구토 및 진정이다.

1) 변비

몰핀이나 다른 진통제의 부작용으로 증가된 내장근의 긴장과 위장관 움직임의 감소로 변비가 발생한다. 마약제는 소화관에 위치한 아편수용체에도 결합할 수 있기 때문에 소·대장의 연동운동이 감소되게 하고 위장관의 내용물 통과를 느리게 한다. 변비를 일으키지 않을 정도면 다른 부작용도 일어나지 않는다. 수분섭취량이 적은 경우나 운동부족인 경우 더 많이 발생한다. 마약성 진통제를 복용하는 대상자에게 변비를 예방할 수 있는 치료적 방법은 다음과 같다.

많은 수분섭취와 함께 고섬유성 식이를 제공한다. colace (dioctyl sodium) 혹은 peri-colace(dioctyl sodium-casanthranol) 등과 같은 변을 묽게 하는 약물을 함께 복용하는 것이 변비를 예방할 수 있다. 변비가 발생하기 전에 예방하는 것이 변비의 치료보다 더 효과적이다.

2) 오심과 구토

마약성 진통제는 뇌의 화학 수용체을 자극하고, 장운동을 감소시키고, 평형감각을 전도하는 전정신경에 영향을 주어 오심과 구토 증상이 나타난다. 진통제의 종류를 변화시켜 오심과 구토 증상을 제거하도록 한다.

3) 진정

마약성 진통제는 직접 뇌기능을 억제하므로 진정 작용이 발생

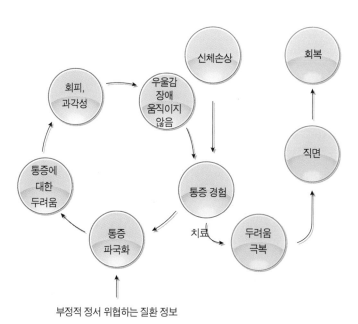

그림 11-10 통증의 심리과정 모형

한다. 처음으로 약물을 투여하였거나 용량을 증가시킨 경우에 발생하지만 1~3일이 경과하면 보통 소실된다. 대상자가 통증으로 지쳐서 진정상태에 있는 것처럼 보이는 것인지 파악해야 한다.

4) 순환 억제

대상자가 앙와위를 취했을 때는 진통제의 치료 용량으로 심맥관계의 영향을 받지 않으나 앙와위에서 체위를 변경시킬 때 체위성 저혈압을 경험하기도 한다. 이는 진통제에 의한 직접적인 말초혈관의 이완작용이거나 히스타민의 분비로 인한 쇼크와 같은 증상이라고 본다. 이와 같이 심맥관계 억제가 있을 수 있으므로 진통제 투여 후에는 대상자를 걷게 하거나 휠체어에 태우지 말고 필요하면 운반차(steretcher)를 이용해 대상자를 운반한다.

5) 호흡 억제

이는 진통제 사용 후 이산화탄소에 대한 호흡 중추의 감각이 저하되기 때문에 발생되는 매우 흔한 부작용이다. 이 호흡기계 부작용은 특히 호흡기 기능 손상이 있는 노인에게는 매우 위험하다. 호흡 억제 문제는 진통제 복용량이나 복용한 진통제의 종류와 관련이 있다.

6) 중독증

약물을 계속 사용하고자 원하면 이때 강박적인 행동이 나타나는 것으로 이는 모든 진통제 사용에 있어서 가장 난제이다. 아플때 심신을 진통제에 의존하게 되는 대상자들은 현실을 도피하고 싶을 때 이러한 약을 원하게 된다. 그러나 중독증의 빈도는 미미하므로 심한 통증이 있는 대상자에게 중독증을 염려하여 진통제를 억지로 절제할 필요는 없다.

3. 자가 조절 진통장치

자가 조절 진통장치(PCA: Patient Controlled Analgesia)는 수술 후 통증, 외상, 분만통 그리고 암성 통증처럼 대상자들이 스스로 약물 투여를 원하는 경우의 통증관리에 안전한 방법으로, 대상자가 필요할 때 스스로 약물을 투여할 수 있는 장치이다. 휴대용 주입형이나 손목시계형 장치로 정맥주입과 연결 되어 있고 필요할 때 누르면 한 단위 용량의 약물이 주입된다. 과다용량을 방지하기 위해 일정한 횟수 이상으로는 투여되지 않도록 부하 용량이 정해져 있고 안전 잠금장치가 되어 있다(그림 11-11).

PCA의 장점은 대상자가 간호사 없이도 통증을 해소할 수 있고 대상자에게 적은 양이 투여되게 하며 짧은 시간간격으로 소량의 마약을 투여함으로써 지속적으로 통증해소가 되도록 약의 혈중농도를 안정시킬 수 있다는 점이다. 이를 위해서는 수술전이나 사용전에 목적과 통증완화 정도, 주의점, 부작용 등을 설명하고 펌프가 약물과량주입의 위험을 방지한다는 것을 설명하고, 버튼 사용을 시범보이고, 다른 가족들이 조작해서는 안된다는 것을 설명한다. PCA의 사용시 나타나는 부적절한 진통 조절의 원인으로는 부적절한 진통제의 양, 약물 주입로의 폐쇄, PCA 버튼을 사용하지 않는 경우, 새로운 통증의 발생, 약물남용 환자, 정신과적 문제가 있는 환자가 있다. PCA에 사용되는 아편유사제로 인한 부작용으로는 오심, 구토, 소양증, 깊은진정, 호흡부전, 요정체, 장운동 감소가 있을 수 있다.

VI. 간호평가

간호과정을 통한 통증 문제 해결과정을 평가한다. 기초 통증 사정과 비교해서 통증 강도와 다른 특성들이 변화했는지도 평가

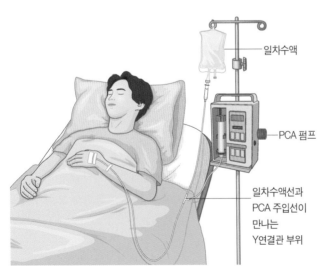

그림 11-11   일차수액선에 연결된 PCA 주입선

일차수액

PCA 펌프

일차수액선과 PCA 주입선이 만나는 Y연결관 부위

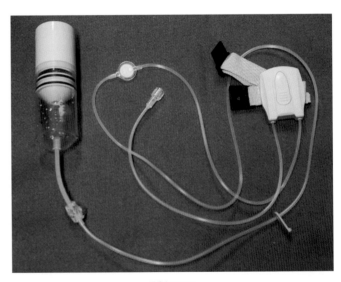

PCA pump

한다. 그 외 간호목표인 통증이 없는지, 진통제 요구횟수가 감소되었는지, 통증조절 방법을 습득하였는지를 평가한다.

목표로 하는 대상자상태-목표도달 정보

- 통증을 제거하거나 조절하기 위한 방법을 찾아낸다.
  - 효과가 있는 방법을 설명할 수 있다.
  - 과거에 통증을 경험하거나 조절한 방법을 응용한다.
- 통증의 제거, 경감을 위한 중재를 받아들인다.
  - 생리적 지표가 기준선에 접근한다.
  - 피로가 조절된다.
- 현실적인 목표를 설정한다.
  - 통증경험으로 봐서 현실적인 목표를 세우고 있다.
  - 목표 달성을 위해서 우선 순위를 설정한다.
- 자신에 대한 긍정적인 감정을 말로 표현한다.
  - 자신에 대해서 긍정적인 발언을 한다.
  - 통증 체험 상태에서 가정이나 지역사회, 직장으로 복귀한다.
  - 자기 자신을 조절할 수 있게되었다고 말한다.
- 적정 체중을 유지한다.
  - 적정 체중에 접근한다.

제2절
체위

I. 체위 유지의 목적

일반적으로 사람은 자신에게 가장 편안한 자세를 취한다 대상자의 자세가 치료에 큰 영향이 없는 경우에 간호사의 의무는 대상자가 편안한 자세를 유지하도록 하는 것이다. 몇 개의 배게만을 효율적으로 이용하여도 대상자를 편안하게 할 수 있다. 적절한 체위는 다음의 목적을 달성하게 된다.

- 편안하고 바른 자세를 유지
- 근육의 수축을 방지
- 배액 분비의 촉진
- 호흡을 용이하게 함
- 욕창을 예방 등의 목적으로 필요한 체위를 취하기도 한다.

다음 사항은 여러 가지 체위법을 시행할 때 간호사가 알아야할 기본지침이다.

- 관절(joint)은 약간 구부린(flexion)상태를 유지하는 것이 좋다. 장시간 신전(extension) 시키면 근육에 불필요한 긴장(strain)이 오기 때문이다.

- 해부학적 체위(anatomical position)에 가까운 상태가 좋은 신체선열의 유지 방법이다. 신체의 기하학적 배열로서 서거나 앉거나 누운 자세에서 최대의 신체 기능을 증진시키는 자세이다.
- 체위는 적어도 2시간마다 변경시켜야 한다. 한 부위에 장시간 압박이 가해지면 욕창이 생길 수 있다. 견딜 수 있는 압박의 강도에 대하여 개인차가 있는지는 아직 알려져 있지 않다.
- 모든 대상자는 매일 적절한 량의 기동을 필요로 한다. 따라서 치료적인 이유로 금기인 경우를 제외한 모든 대상자에게 이를 시행하도록 도와야 한다.
- 치료에 있어서 금기인 경우를 제외한 모든 대상자는 가능한 한 관절의 최대 범위 운동(range of motion)을 아울러 수행하여야 한다.

1. 체위 종류

1) 해부학적 체위

발바닥을 기저면(base of support)으로 하고 기저면에 대하여 수직으로 바로 서서 목과 머리를 바로 세우고, 팔과 손을 몸의 양옆에 가지런히 두는데 손바닥을 앞으로 향하고, 발 끝을 앞으로 향하며, 무릎과 손가락은 자연스럽게 구부린 자세를 말한다.

신체의 각 부위 즉, 머리와 몸통 그리고 사지의 상대적인 선열관계(alignment)와 그 기저면에 따라 여러 가지 체위를 만들 수 있다. 이러한 자세는 척추검사, 자세검사, 정맥류검사, 골격 및 영양상태 검사에 이용된다(그림 11-12).

2) 앙와위

앙와위(dorsal position)는 등을 기저면으로 하여 누운 자세에서의 해부학적 체위를 말한다. 필요에 따라 베개를 베거나 작은 베개나 타월 말은 것으로 요추만곡부위(lumbar curvature)를 지지하여 준다.

의식이 없거나 심히 허약한 대상자의 경우 타월 2장을 말아 대전자(greater trochanter)부위와 외측 대퇴부에 받쳐서 다리가 밖으로 돌아가지 않게 한다. 무릎관절 아래의 약간 위쪽에 작은 패드(pad)를 괴어 관절을 굴곡 시켜서 하지의 혈액순환에 장애를 받지 않도록 하고, 그 부위에 압박이 가하지 않도록 하여 슬와신경을 보호한다.

이러한 체위에서 대상자의 발끝이 아래로 처지게 되는데 이 상태가 오래 지속되면 족저굴곡(plantar flexion, foot drop)이 되므로 발판을 대어 이를 방지해야 한다. 때때로 발목 관절의 굴곡, 신전, 회전운동을 하도록 함으로써 발목 근육의 탄력성을 유지한다.

앙와위로 누워 있을 때 손가락은 자연스럽게 구부린 자세로 유지해야 한다. 특히 무의식 대상자에게 이러한 것은 매우 중요하다. 대상자의 상태에 따라서 베개를 베어주지 않고 머리와 어깨가 수평이 되도록 하는 수평위(horizontal position)를 취하게 하는 경우도 있다. 이러한 체위는 척추마취를 한 대상자가 흔히 취하는 체위이다(그림 11-13).

앙와위에서 발생할 수 있는 문제점과 해결방법이다.

- 경추굴곡: 지나치게 높은 베개를 사용하여 발생함으로 적절한 높이의 베개를 사용한다.
- 어깨관절 내회전, 팔꿈치 관절의 과신전: 전완 밑에 베개를 대어주어 어깨관절 내회전, 팔꿈치 관절의 과신전 되지 않도록 지지해준다.
- 고관절 외회전: 대전자 두루마리를 말아서 대어준다.
- 족저굴곡: 발아래 발판을 대어주어 족저굴곡이 되지 않도록 한다.
- 손가락의 신전과 엄지손가락의 외전: 손에 두루마리를 쥐어준다.
- 발꿈치 부위의 욕창: 발목 밑에 낮은 베개를 대어준다.

3) 복위

복위(prone position)는 엎드린 상태에서 머리를 옆으로 돌린 자세를 말한다. 이러한 체위로 몸을 이완시키고 긴장을 풀고 수면을 취하는 사람이 많다. 어떤 경우에는 두 팔을 머리 위쪽으로 올리는 것이 편하다.

이 때에는 자연스러운 척추만곡(spinal curvature)을 유지하고 여자인 경우에 가슴부위에 압박을 줄이기 위하여 상복부 아래에 작은 베개를 넣어 지지해 주기도 한다. 이때에 횡격막을 압박하여 호흡에 지장을 초래할 수 있기 때문에 지지하여 주는 베개의 두께에 유의하여야 한다. 양어깨 밑을 작은 베개나 타올로 지지하면 더욱 해부학적 체위에 가깝게 된다. 그리고 발목 밑에 베개를 괴어 줌으로써 무릎의 자연스러운 굴곡상태를 유지시키며 족저 굴곡을 예방할 수 있다.

대상자는 대부분 이 체위의 경우에도 베개를 베고 싶어하기 때문에 배액(drainage)등의 특별한 지시가 있는 경우를 제외하고 작은 베개를 사용하도록 한다. 이 체위는 의식이 없는 대상자의 경우 토물이 흡인되는 것을 예방하고 배액을 돕는 유용한 체위이다. 이때 너무 높은 베개를 대어 주면 목이 과도신전(hyperextension)되므로 주의해야 한다(그림 11-14).

복위에서 발생할 수 있는 문제점과 해결방법이다.

- 경부 과신전: 대상자의 머리를 한쪽으로 돌리고 낮은 베개를 사용한다.

그림 11-12　해부학적 체위 (전면, 후면)

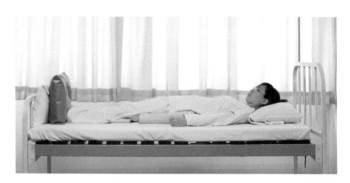

그림 11-13　앙와위로 누워있는 모습

- 흉곽 확장 제한, 여성 유방의 압박, 요추 과신전: 낮은 베개를 횡격막과 골반사이에 둔다.
- 족저굴곡(foot drop): 발목 부위에 베개를 받쳐주어 족배굴곡(dorsiflexion) 상태를 유지한다.

4) 측위

측위(lateral, side-lying position)는 옆으로 누워서 양팔을 앞으로 하고 무릎과 고관절을 굴곡시킨 자세이다. 측위를 취함으로서 천골부위의 압박을 피하고 앙와위를 취할 때 보다 식사하기가 쉽고 배액이 용이하다. 측위에는 좌측위와 우측위가 있다. 측위를 취하면 몸의 무게는 대상자의 아래쪽 장골(ilium) 부위와 견갑 부위에 집중되므로 이를 덜기 위하여 여러 가지 적절한 조치를 취하여야 한다.

측위시 위쪽의 다리는 아래쪽보다 더 많이 굴곡 시켜 두 다리가 포개어지지 않도록 하여 아래쪽 다리에 압박이 가해지지 않도록 한다. 위쪽 무릎과 둔부는 같은 높이로 유지하며 팔꿈치와 손목도 어깨와 같은 높이가 되도록 베개로 높여준다. 발꿈치와 발목에 무게가 가지 않도록 양털이나 스폰지 등으로 보호한다.

위쪽의 팔이 가슴을 누르면 폐활량이 감소되므로 가슴의 넓이

만큼 베개를 양팔로 안게 하여 폐 확장을 돕고 호흡상태의 관찰을 용이하게 한다. 어깨 넓이를 고려한 적당한 높이의 베개를 사용하므로서 목 근육에 불필요한 긴장(strain)을 주지 않도록 한다. 등뒤에는 베개를 괴어서 지지해 줌으로써 측위를 유지하도록 한다(그림 11-15).

측위에서 발생할 수 있는 문제점과 해결방법이다.

- 경부 측굴곡: 머리와 목 밑에 베개를 대어준다.
- 어깨관절의 내회전: 상완밑에 베개를 대어주고 팔꿈치가 약간 구부러지도록 한다.
- 고관절의 내회전: 대퇴와 다리 밑에 베개를 대어준다.
- 족저굴곡: 발바닥에 모래주머니를 대어주거나 목이 높은 운동화를 신긴다.
- 귀, 어깨, 대전자, 무릎, 발목부위의 욕창: 적당한 두께의 베개를 대어준다.

5) 좌위

좌위(sitting position)는 바로 앉는 자세이다. 척추는 정상만곡을 유지하게 하고 머리와 등이 일직선이 되게 하며 등과 허리를 침대의 안석(back-rest)으로 안전하게 받쳐 주게 함으로써 기저면을 이루는 엉덩이와 다리가 체중을 견디는데 도움을 줄 수 있게 한다.

머리는 베개로 받쳐주고 허리(요추만곡)에 작은 패드를 대주므로 대상자가 더 편안함을 느끼게 한다. 양쪽 전박 밑에 베개를 받쳐줌으로써 가슴을 팽창시켜 호흡을 쉽게 하도록 돕는다 침대에서 앉을 때는 무릎 밑에 베개를 받쳐줌으로써 미끄러지는 것을 막을 수 있다.

6) Fowler씨 체위(반좌위)

Fowler씨 체위(Fowler's position) 반좌위(semi-sitting position)는 라고도 하는데 이는 대상자가 누워 있는 침상의 머리부위를 약 45도 내지 60도 올려서 반쯤 앉은 자세를 말한다. 등과 머리부위에 베개를 괴어서 편안하게 한다. 등에는 척추만곡을 지지하고 머리 부위에는 어깨를 지지한다. 매우 허약한 대상자의 경우에는 양옆에 베개를 고여서 팔을 약간 올린 자세로 유지시킨다. 대퇴부위에 작은 베개나 패드를 대어서 무릎을 약간 굴곡 시키고 발에는 발판을 대어서 foot drop을 방지하고 대상자가 침상의 발치 쪽으로 미끄러지지 않도록 한다. 침상의 무릎아래에 안석(knee-rest)을 이용하여 무릎을 굴곡 시키도록 하는데 이때에 안석이 너무 높으면 슬와 부위의 신경과 혈관을 압박할 위험이 있으며 이것이 지속되면 하지에 순환장애가 온다.

그림 11-14 복위로 누워있는 모습

그림 11-15 측위로 누워있는 모습

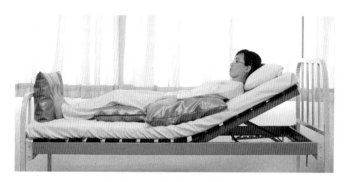

그림 11-16 반좌위로 누워있는 모습

반좌위에서 체중의 무게를 받는 부위는 발꿈치, 천미 부위(천추 및 미추) 그리고 장골의 후부이므로 간호사는 피부 간호시에 특히 이 부위를 잘 관찰해야 한다. 이 체위는 폐확장을 최대한으로 도울 수 있는 체위이므로 심장질환이나 호흡장애가 있는 대상자에게 적당하다. 흉부, 복부 수술 후 호흡기능을 최대화할 수 있으며 위관 영양대상자들의 역류나 흡인을 방지하기 위해 취해준다.

반 Fowler씨 체위(반반좌위: semi-Fowler's)는 머리 부분을 30도 가량 높이는 체위로서 머리나 가슴을 약간 높여야 하는 대상자에게 사용된다. 고 Fowler씨 체위(high-Fowler's)는 앉은 자세와 비슷하게 머리부분을 90도 가까이로 높이는 체위로 이러한 체위는 역시 폐활량을 증가시키므로 기좌호흡(orthopnea)등 호흡장애가 있는 대상자에게 이용되는 체위이다(그림 11-16).

파울러씨 체위에서 발생할 수 있는 문제점과 해결방법이다.

- 경추굴곡: 지나치게 높은 베개 사용으로 발생함으로 적절한 높이의 베개를 사용한다.
- 침대발치로 미끄러짐: 무릎을 펴고 있으면 잘 미끄러지므로 조금 굽히고 있도록 하고 대퇴 밑에 낮은 베개를 대어준다.
- 하지순환의 감소: 대퇴 밑에 낮은 베개를 대어주어 무릎의 과신전 및 슬와 동맥 압박을 예방한다.
- 고관절의 외회전: 대전자 두루마리를 말아서 대어준다.
- 족저굴곡: 발아래 발판을 대어주어 족저굴곡이 되지 않도록 한다.
- 전골과 발꿈치 부위의 욕창: 발 뒤꿈치쪽 욕창을 방지하게 위해 발목 밑에 낮은 베개를 두고 체위변경을 자주한다.
- 양팔의 늘어짐: 팔밑에 베개로 지지해준다.

7) 반복위(Sim씨 체위)

반복위(semi-prone position, Sim's position), Sim씨 체위는 측위와 유사하나 체중이 어깨와 장골의 앞쪽으로 가게 되어 반쯤 누운 자세를 이른다. 아래쪽 팔은 뒤로 가고 위쪽 팔은 앞으로 오며 어깨와 팔꿈치가 약간 굽혀지며 아래쪽 다리는 약간 굽힌다. 위쪽다리와 발에 베개를 괴어서 내전을 막으며 머리부분에 작은 베개를 괴어서 목 근육에 불필요한 긴장을 덜어 준다. 의식이 없거나 구강에 점액성 배액이 있는 대상자의 경우에는 베개를 괴어주지 않는다.

Sim씨 체위에서는 자연스럽게 대상자의 발끝이 늘어지게 되는데(plantar flexion) 이 체위를 계속하는 경우에는 발판(foot board)이나 모래주머니를 사용하여 이를 방지하도록 한다.

반복위는 왼쪽과 오른쪽의 두 체위가 있으므로 이를 이용하여 체위변경을 시킬 수 있으며 자신이 움직이지 못하는 대상자의 경우 매시간 마다 혹은 필요하면 더 자주 체위변경을 시킨다. 이 체위는 의식이 없는 대상자에게 흔히 이용되는 체위이다. 무의식 대상자의 체위를 변경할 때, 특히 반복위의 경우 대상자가 눈을 감았는지를 확인해야 하며 감지 않았을 경우 각막에 침구가 닿지 않도록 주의하여야 한다. 이 체위는 매우 편한 자세이므로 평상시에도 수면이나 휴식을 취할 때 많이 이용되며, 관장시에도 이용된다(그림 11-17).

반복위에서 발생할 수 있는 문제점과 해결방법이다.

- 경부측굴곡: 낮은 베개를 대어준다.
- 어깨관절, 내전: 굴곡시킨 위쪽 팔에 베개를 이용하여 어깨높이로 지지한다.
- 고관절의 내회전: 위쪽 다리를 굴곡시키고 베개를 이용하여 둔부 높이로 지지한다.
- 족저굴곡: 발바닥에 모래주머니를 대어준다.

그림 11-17 반복위로 누워있는 모습

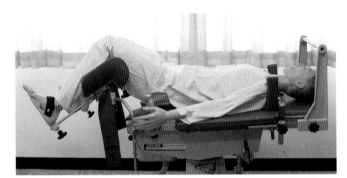

그림 11-18 절석위로 누워있는 모습

8) 절석위

절석위(lithotomy position)는 비뇨기나 생식기의 검사와 수술 시에 이용된다. 작은 베개를 베고 바로 누워서 고관절과 무릎을 90도 각도로 각각 굴곡시키고 무릎과 무릎사이 즉, 양다리를 벌린 체위이다. 이러한 체위를 오래 지속하려면 다리를 지지해 주어야 하는데 대개 무릎 아래에 다리 지지대(leg rest)를 이용한다. 질 검사시에는 둔부를 진찰대 하단에 오게 누이고 진찰대 양편에 있는 다리 지지대에 양쪽 다리를 올려놓게 한다. 이때 대상자의 다리와 발을 잘 싸주어 회음부를 노출하므로서 오는 수치감과 불편감을 덜어 주도록 한다(그림 11-18).

9) 배횡와위

배횡와위(dorsal recumbent position)는 침상에 등을 대고 누워서 양팔을 머리위로 올리고 다리를 약간 벌리고 발바닥이 침상에 놓여지게 무릎을 구부린 상태로 한 절석위의 변형이다. 이 체위는 복벽에 긴장감을 감소시키는 체위이므로 복부 촉진이나 질 내진 그리고 여자 도뇨를 할 때 이용된다.

10) 슬흉위

슬흉위(knee-chest position)는 골반부위의 압박을 덜고 골반 장기를 이완시키는 자세이며 직장이나 대장 검사 및 분만 후 운동이나 전위된 자궁치료를 위해 이용된다.

그림 11-19 슬흉위

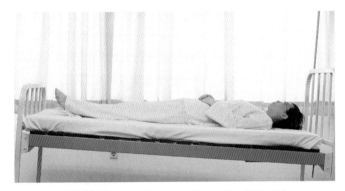

그림 11-20 Trendelenburg position으로 누워있는 모습

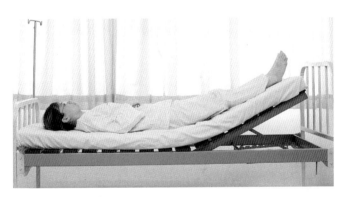

그림 11-21 변형된 Trendelenburg position

대상자로 하여금 무릎을 끓고 가슴과 머리를 바닥에 대게 한 다음 무릎을 세워 대퇴가 바닥에 대하여 90도가 되도록 엉덩이를 올리게 한다. 이때 대상자가 춥거나 부끄러워하지 않도록 덮어 주는 것이 중요하다. 병원에서는 특별한 덮개를 마련하여 둔부를 가리고 항문 만을 노출시키도록 한다. 만일 덮개가 마련되지 않았으면 홑이불을 이용한다. 홑이불을 대각선으로 덮어서 한 끝부분이 둔부를 덮도록 하며 옆 부분은 양다리를 싸서 홑이불의 끝을 들치면 항문이 노출되도록 한다(그림 11-19).

11) Trendelenberg씨 체위

이 체위는 바로 누워서 침상다리 쪽을 45도 높여서 다리가 어깨보다 높게 한다. 쇼크 대상자에게 사용되었으나 이 체위는 복

부내장이 횡경막을 압박하여 호흡을 힘들게 하므로 사용하지 않도록 권장되고 있다(그림 11-20).

변형 Trendelenberg씨 체위는 머리와 몸통은 수평위와 같게 하고 다리를 45도로 높여주는 체위이다. 말초혈관 문제가 있는 대상자에게 정맥귀환을 증진시키기 위해 쓴다. 쇼크 상태의 대상자에게 쓸 수 있다(그림 11-21).

역(Reverse) Trendelenberg씨 체위는 머리가 다리보다 높게 되는 체위로 흉부 체위배액을 위해서, 위 배출을 촉진하기 위해서 또는 식도역류가 있는 대상자에게 쓸 수 있다.

12) Jack-knife 체위

대상자를 엎드리게 한 후 머리 부위와 다리 부위를 낮추고 둔부를 높게 조절하여 항문부위가 노출되게 하는 체위로서 항문 수술을 할 때 이용되며 이 체위는 복형(abdominal position)이다. 반대로 대상자의 머리와 어깨를 약간 높게 하여 등을 대고 누운 상태에서 무릎을 구부려 배에 가까이 대게 변형시킨 자세는 배형(back position)인데 이는 요도 소식자 삽입시 이용된다.

lateral Jack-knife position은 대상자를 침상가에 측위로 눕힌

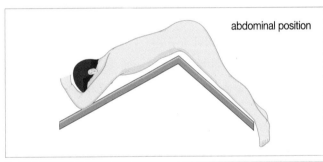

abdominal position

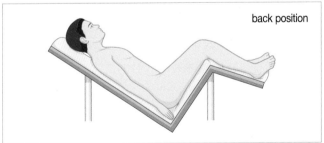

back position

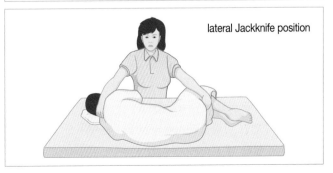

lateral Jackknife position

그림 11-22 Jackknife position

후 요추곡선이 잘 들어나도록 양 무릎을 가슴에 붙여서 척추의 추골과 추골사이의 간격이 넓어지도록 변형한 체위는 요추 천자시 이용된다. 이때 천자부위를 제외하고 홑이불로 덮어주어 노출에 의한 불편감을 덜어 주도록 한다(그림 11-22).

제3절
수면과 휴식

I. 수면사정을 위한 기본지식

수면은 피로에 대한 자연스런 반응이다. 신체의 활동이 느슨해지면서 몸과 뇌는 휴식을 취할 수 있다. 수면은 잠을 자지 않고 쉴때 얻을 수 있는 것과는 질적으로 다른 종류의 휴식을 제공한다. 지난 수십 년에 걸친 연구에서 몸 안에서 진행되는 신체적 과정들이 잠을 자는 동안 전반적인 변화를 겪는다는 사실이 밝혀졌다.

여러 가지 연구로 수면 중 가장 예민한 감각은 청각과 통각임이 밝혀졌다. 질병과정에 있는 대상자에 있어서는 에너지의 비축을 위하여 충분한 휴식이 요구되며 수면을 통해서 가장 효율적으로 휴식을 할 수 있기 때문에 수면 전에 통증을 해소시키고 환경으로부터의 소음을 철저하게 관리해 줄 필요가 있다.

1. 수면의 종류

대뇌의 발달이 현저하고 항온성을 확립하고 있는 고등 척추동물에게는 수면은 안구 운동이 빠른 상태(rapid eye movement, REM)와 빠르지 않은 상태(nonrapid eye movement, NREM)로 크게 나누어 설명할 수 있다(표 11-6, 11-7).

꿈수면이라고도 하는 REM수면은 '마비된 신체내의 활동하는 뇌"로 불러왔다.

REM수면 기간에는 자율신경활동의 증가로 안구는 전후로 빨리 움직이며 호흡율이 증가되고 심박동이 빨라지며 혈압이 상승한다. 골격근은 이완된 상태로 몸은 축 들어져 있지만 뇌는 각성에 가까운 상태로 되어있다. 이때에 잠을 깨우면 대부분 꿈을 꾸고 있었다고 하며, 실제로 대부분의 연구자들은 모든 사람이 꿈을 꾸지만 회상을 못할 뿐이라고 한다.

조용한 수면인 비렘수면(non-REM)은 "움직일 수 있는 몸안의 활동하지 않는 뇌"로 라고 불러왔다.

알파수면은 눈을 감으면 더 이상 시각정보를 받지 못하여 뇌

파는 초당 8-12싸이클의 지속적이고 주기적인 패턴이 자리잡는데 이것이 알파파의 패턴이며 조용하고 이완된 각성상태의 특성이다(그림 11-23).

NREM수면은 4단계가 있다. NREM 1단계와 2단계는 밤 동안의 수면의 약 50%로서 가벼운 수면이며 이 단계에서는 비교적 쉽게 깨워진다. NREM 3단계와 4단계는 깊은 수면 상태로서 크고 느린 뇌파가 뇌파검사시 특징적으로 나타나는 데 이를 델타파라고 하며 혈압, 맥박과 호흡율, 그리고 산소소모량이 저하되는 단계이다.

수면주기는 NREM 1단계로 시작하여 4단계까지를 거친 후 다시 되돌아서 3단계와 2단계에 이르며 그 다음에 REM단계로 이어진다고 알려져 있다. 수면은 REM수면과 NREM수면이 주기에 따라 비교적 규칙적으로 교대되는 것으로 알려져 있다.

건강한 성인의 경우는 이 두 종류의 잠이 약 90분 길이로 하나의 주기를 형성하고 몇 개정도의 주기가 모여 하룻밤의 수면을 구성하게 된다. 보통은 최초의 2주기(즉 잠이 들고 나서 약 3시간)동안에 깊은 NREM 3, 4단계가 통합되어 나타난다. 그 이

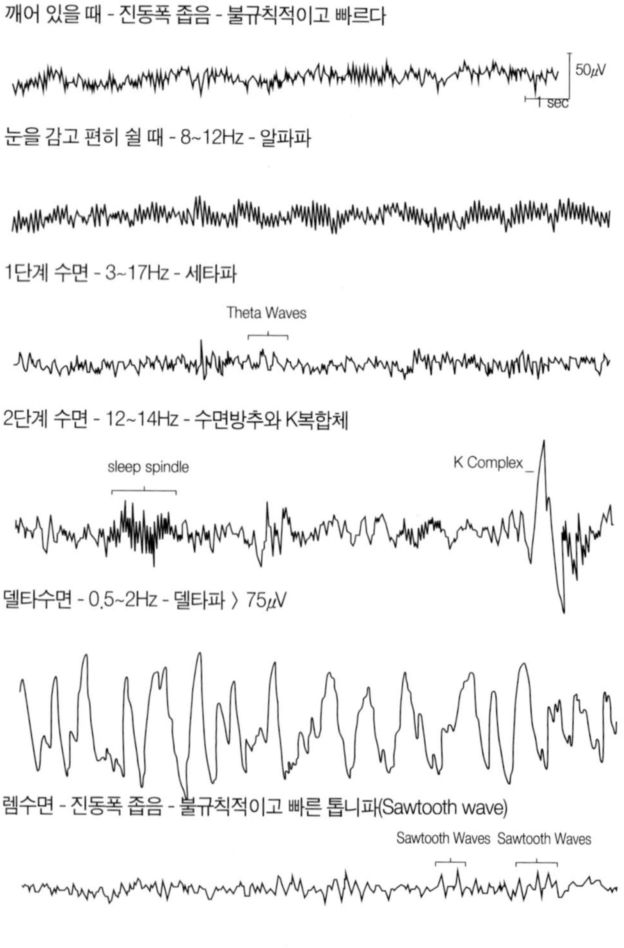

깨어 있을 때 - 진동폭 좁음 - 불규칙적이고 빠르다

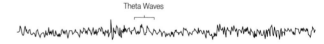

눈을 감고 편히 쉴 때 - 8~12Hz - 알파파

(이미지)

1단계 수면 - 3~17Hz - 세타파

Theta Waves

(이미지)

2단계 수면 - 12~14Hz - 수면방추와 K복합체

sleep spindle　　　　　　　　K Complex

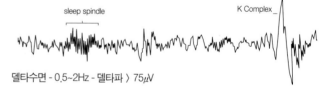

델타수면 - 0.5~2Hz - 델타파 〉75µV

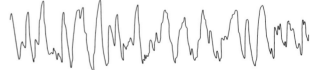

렘수면 - 진동폭 좁음 - 불규칙적이고 빠른 톱니파(Sawtooth wave)

Sawtooth Waves　Sawtooth Waves

그림 11-23　잠의 각 단계별 뇌파(EGG) 형태

표 11-6 NREN과 REM 수면 비교

	MREM	REM
뇌의 온도	⇩	⇧
뇌 혈류	⇩	⇧
포도당 대사	⇩	⇧
피질뉴런의 활동성	⇩	⇧
의식수준	⇩	⇧

표 11-7 수면의 단계별 특성

	NREM1,2단계 수면(얕은 잠)	NREM 3, 4단계 수면(깊은 잠)	REM 수면

생리적인 변화	• 근육이 약간 이완
	• 안구가 좌우로 흔들림
		• 성장 호르몬이 분비됨
		• 혈구와 몸의 조직들 특히
		  피부가 재생
			• 불규칙한 호흡과 심장 박동
			• 피의 흐름이 증가되고
			  뇌 속의 단백질 수준이 회복됨
			• 안구가 빨리 움직임
			• 얼굴이 씰룩거림
			• 몸의 움직임이 거의 없음
			• 테스토 스테론의 분비증가

의식의 변화	• 먼저 졸리기 시작하고 논리적인
	  사고가 뒤처짐
	• 최면을 경험
	• 깼다면 꿈을 기억함
		• 깨어나기 힘듦
		• 의식적인 사고를 전혀못함
		• 깼다면 꿈이나 자는 동안 일어난
		  다른 사건들을 기억하지 못함
			• 쉽게 잠에서 깸
			• 의식적인 사고를 전혀 못함
			• 대부분 꿈을 꿈
			• 깼다면 꿈을 기억함

수면 장애	• 대부분 야뇨증 잠꼬대도 더러있음 • 이갈이	• 몽유증 • 잠꼬대 • 야경증	• 악몽 • 잠꼬대는 거의 하지 않음

수면 특성	• 잠을 짧게 자는 사람은 이단계의
	  잠을 거의 자지 않음
		• 잠을 짧게 자는 사람은
		  이 단계의 잠을 표준이 되는
		  정도만큼 잠
		• 임신 중이거나 사춘기, 운동후나 잠이
		  부족할 때 갑상선항진증의 경우에는
		  더 필요함
			• 잠을 짧게 자는 사람은
			  이 단계의 잠을 표준이 되는
			  정도만큼 잠

지속되는 변화	• 체온이 떨어짐 • 낮은 심장 박동률	• 멜라토닌 분비 • 낮은 소화활동과 비뇨활동 • 혈압이 떨어짐	• 근육 이완 • 낮은 아드레날린 분비

소아

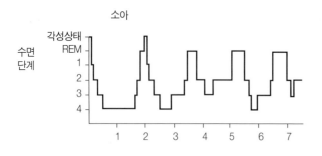

성인

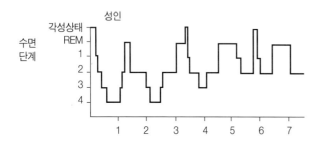

노인

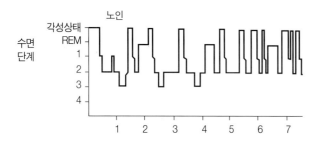

그림 11-24　NREM 수면과 REM 수면주기의 연령별 차이

후로는 얕은 수면 NREM1, 2단계과 REM수면이 교대로 나타난다(그림 11-24).

2. 수면의 조절법

수면 시간은 유아기가 가장 길고 아동기에는 서서히 감소하며 성인에 있어서는 일정하다. 성인의 정상적인 수면 시간은 6~9시간이다. 태어나면서부터 원래 수면 시간이 짧은 사람도 있고 반대로 긴 사람도 있다. 수면 시간이 짧은 사람은 일반적으로 하룻밤에 6시간 정도의 수면으로 충분하지만 수면시간이 긴 사람은 9~14시간의 수면이 필요하다. 또한 수면 주기가 일찍 시작되는 사람은 일찍 자고 아침에 일찍 눈을 뜨고 반면 늦게까지 잠들지 못하는 사람은 아침에도 늦게 눈을 뜨게 된다. 수면 조절에는 두 가지 기본법칙이 있다.

첫번째는 일주기성(circadian rhythm) 조절방식으로서 뇌속에 있는 생물시계에 의해 관리되는 1일 단위의 리듬 현상이다.

두 번째는 항상성(homeostasis)조절방식으로 선행된 불면시간의 길이에 따라 수면의 질과 양이 결정되는 보상현상이다.

1) 일주기성 조절

수면은 일주기 리듬(circadian rhythm) 이라는 24시간 주기의 생체리듬에 따라 이루어진다. 이 용어는 대략 하루라는 의미를 가진 라틴어 circadiem에서 유래 되었다. 일주기 리듬은 소화과정과 배설과정에서부터 성장과 세포의 재생 그리고 체온의 오르내림에 이르기 까지 몸의 모든 주기적인 반복운동을 조절한다. 이와 비교할 때 24시간 주기보다 긴 리듬을 인프라디안 리듬(infradian rhythm)이라한다. 수면 중 반복되어 일어나는 각 수면 에피소드는 더욱 짧은(성인의 경우 약 90분)의 울트라디안 리듬(ultradian rhythm)이 수면중 반복된다.

사람의 생물의 시계는 하루가 정확히 24시간이 아니고 대략 25시간이다. 따라서 하루가 24시간이라는 주야 리듬과의 엇갈림이 생긴다. 이 엇갈림을 수정하기 위해 외부의 주야리듬이나 사회리듬에 동조인자의 역할을 하여 무의식중에 생물시계를 조절하고 있다. 그러나 활동의 선천적인 리듬으로 생활하는 결과를 보이게 된다. 이렇게 되면 24시간 주기의 주야리듬이나 사회리듬과 동조할 수 없게 되어 때로는 한 낮에 참기 어려운 졸음에 직면하기도 한다.

2) 항상성

수면을 조절하는 뇌는 선행된 수면부족량을 기준으로 후속하는 잠의 질과 양을 결정하고 있다. 잠이 들지 않은 기면과 수면 욕구와의 사이에는 깊은 상관 관계가 있어서 불면시간이 연장됨에 따라 졸음이 증대된다. 그리고 불면후의 수면에는 수면부족량에 따라 수면이 질적으로나 양적으로 모두 크게 변화하여 이른바 반동현상이 나타난다. 연속해서 깨어 있던 시간이 길면 길수록 깊은 수면 시간이 많이 나타난다. 이것이 숙면이고 잠이 든 후 약 3시간 이내에 가장 우선적으로 나타나서 수면 부족을 채워주는 데 큰 역할을 하고 있다.

3. 연령에 따른 수면-각성 주기의 특성

신생아는 1일 16~20시간 자고 REM단계가 총 수면량의 50%를 차지하며 잠을 자는 동안 호흡이 조용하고 활동도 아주 적다. 신생아는 자주 먹어야 하기 때문에 자주 깨어나며 그에 따라 잠도 짧게 자주잔다. 신생아가 불규칙한 수면 유형을 가지는 것은 정상적이다. 커감에 따라 아기들의 잠도 점차 규칙적으로 바뀌게 된다.

영아는 1일 12~16시간 잠을 자며 REM단계가 총 수면량의 30~40%이다. 신생아보다 자는 횟수가 줄고 한번 자는 시간이 늘어난다. 3개월 정도가 되면 70퍼센트의 아기들이 밤에 푹 자게 되고 낮잠은 한두 차례 자게 된다.

유아는 1일 12~14시간 동안 주로 밤에 잠을 자게 되고, 총 수면량의 25%가 REM단계 수면으로 이루어진다. 어린이는 대개 세 살 전후에 이를때까지 낮잠이 필요하다.

학동전기 아동은 1일 10~12시간 수면중 20%의 REM단계 수면을 취하고 가끔 악몽을 꾼다. 학동기 아동은 하루 10시간, REM단계 수면은 18.5%를 차지하고 어두움을 무서워 하기도 하며 악몽과 더불어 활발한 활동을 하는 꿈을 꾼다. 사춘기에는 8~10시간 수면 중 REM단계 수면이 20%정도를 이루고 신체적 및 정신적 활동이 많으므로 불규칙한 수면 양상이 나타난다.

성인은 하루 6~8시간 수면을 취하고 REM단계 수면은 약 19%이며 자신의 고유한 수면양상이 이루어져 대개는 이에 따르고 불가피하게 수면양상에 변화가 올 경우 불면증이 나타난다. 노인은 하루에 5~7시간 수면을 취하고 REM단계 수면이 20~23%로 많아지며 개인에 따라서 수면요구가 감소되기도 하며 수면을 밤잠과 낮잠으로 나누어서 취하고 쉽게 깬다. 나이가 더 들어감에 따라 수면의 량이 감소되고 REM단계 수면의 비율이 줄어드는 경향이 있다. 깨어있는 동안에 긴장을 풀고 휴식을 취할 수 있는 사람은 수면 시간이 적게 필요하며 그렇지 못하면 피로를 극복하기 위하여 더 많은 수면시간이 필요하다.

4. 수면장애의 종류

1) 불면증

불면증이란 잠을 잘 수 없는 상태를 의미한다. 이 말은 잠을 잘 수가 없다는 상황뿐만 아니라 잠이 들기까지 무척 어려움을 겪거나 수시로 깨어나는 상태를 표현하는데도 사용된다. 잠을 거의 자지 않는 이들이 모두 불면증 대상자라고는 할 수 없다. 잠을 적게 자는 이들과 불면증 대상자와의 차이는 전자는 잠을 적게 자도 건강을 유지하는 데 아무 문제가 없는 반면 후자는 수면부족으로 인해 육체적, 정신적으로 고통을 받는 다는 점이다. 불면증의 종류로는 특정한 이유 없이 잠이 들기가 어려운 경우, 한밤중에 잠에서 깨어나는 경우, 이른 아침에 잠을 깨는 경우가 있다.

잠들기가 어려운 경우는 불안, 화, 스트레스가 가장 흔한 원인이다. 스트레스를 예방하고 긴장을 푸는 방법을 익히게 되면 매일 매일의 불안을 다스리는 데 도움이 될 수 있다. 그리고 30분 이상 잠을 자려 애쓰면서 누워있다면 잠을 청하는 태도부터 바꾸어야 한다. 수면의 주기 중 졸음이 오는 시기가 있음을 알려준다. 잠이 들지 않는 경우 침대에서 억지로 뒤척이지 말고 다른 방으로 가서 잠시 긴장을 풀어주거나 따분한 일을 하도록 한다.

한밤중에 잠에서 깨어나는 경우를 보면 사람은 얕은 잠, 깊은 잠, REM수면의 순환과정을 겪으면서 잠을 자는 동안 누구나 잠깐씩은 잠에서 깨는 시기가 있다. 한밤중에 잠에서 깨어나는 경우는 주로 REM수면 뒤에 일어나는데 워낙 짧은 시간이라 기억하지 못하는 것이다. 그러나 이때 몇 시간인 듯 여겨지는 시간동안 깨어 있는 이들도 있다. 우울, 불안, 통증, 호흡기 질환, 알코올, 카페인 남용 등은 한밤에 깨어있는 시간을 늘이는 데 한몫을 한다.

이른 아침에 잠에서 깨어나는 경우를 살펴보면 사람은 나이가 들어감에 따라 잠에서 일찍 깨는 경향이 있다. 나이가 들수록 확실히 잠은 점차 얕아지며 많은 이들이 동이 트기 시작하자마자 잠에서 깨어난다. 대처 방법으로는 방을 어둡게 하거나 외부의 소음을 차단하는 것이 있을 수 있다. 그러나 자신의 수면 요구에 대해 현실적일 필요가 있다. 나이가 들수록 일찍 일어나는 것이 자연스러운 현상이라는 점을 받아들여야 한다는 뜻이다.

불면증을 해소하는 일반적인 방법 중에는 잠자리에 들기 전에 치즈나 우유와 같은 고단백 음식을 섭취하는 것, 취침시간을 어기지 않고 지키는 것, 잠이 깼을 때는 잠자리를 떠나도록 유의하는 것, 잠자리에 들기 전에 자극적인 활동을 피하는 것, 수면을 시도하기 전에 이완요법을 수행하는 것, 수면제 등의 약물은 가능한 한 피하는 것 등의 방법이 있다.

2) 코골이와 수면무호흡증

코골이는 종종 코를 고는 사람보다 같이 잠을 자는 사람에게 더 문제가 된다. 성인 중 3분의 1에서 2분의 1에 해당하는 이들이 코를 곤다. 코골이는 주로 남성들에게서 문제가 되며 여성들은 주로 폐경기 이후에 영향을 받는다. 코골이는 코나 인후에서 위쪽으로 통하는 공기통로가 막힘으로써 일어난다. 나이가 들수록 인후의 근육은 더욱 약해지므로 코골이도 심해진다. 비만 또한 코를 골게 할 수 있다. 지방은 인후의 근육을 포함해 체내의 모든 근육의 기능에 영향을 미친다. 아이들이 코를 골때는 대개 편도선이나 아데노이드가 부었을 때다. 성인의 경우에는 과음, 수면제 복용, 흡연, 똑바로 누워 자는 자세등이 코골이를 악화시킨다.

대개의 경우 단순한 코골이는 건강상의 위험이 되지 않는다. 그러나 건강상태나 생활방식이 개선되어야 할 필요는 있다. 코골이와 연관된 좀 더 심각한 문제는 수면 무호흡이다. 잠을 자는 동안 일시적으로 호흡이 중단되는 것을 수면 무호흡(sleep apnea, self-limiting apnea)이라고 한다. 이는 야간에 급작스럽게 찾아드는 심한 코골이와 빈번한 숨막힘으로 특징지워지는 상태를 일컫는다. 숨이 막히는 현상은 숨을 들이쉴 때 연구개가 차단되어 일어나는데 공기통로가 막히고 일시적으로 호흡이 정지되면서 숨을 쉴 수가 없어 잠에서 깨어나게 되는 것이다. 이러한 상황은 10초에서 90초 가량 지속되며 심한 경우에는 하루 밤에 1천번 이상을 깰 수도 있다. 이렇게 자주 잠에서 깨면 낮에도 계속해서 졸게 되는데 이것이 수면 무호흡증의 주요 특징이다.

3) 수면과다증

수면 시간이 비정상적으로 긴 것을 수면 과다증(hypersomnia)이라고 한다. 지속적으로 피로감을 호소하거나 수면을 과다하게 취할 경우 이는 잠재적인 건강문제, 즉 질병 등이 있는 신호일 수가 있다. 이 때에 그 질병이 성공적으로 치료되면 정상적인 휴식-활동 패턴을 되찾게 되며 이는 일시적인 수면과다증이라고 볼 수 있다.

정서적 요인들이 수면과다증을 초래하기도 하는데 사람이 만성적인 불안을 통제하기 위하여서는 많은양의 정신에너지(psychic energy)를 소모하여야 하고 이 경우 만성적 피로에 젖게 된다. 따라서 정서적으로 괴로운 상황으로부터 도피하기 위하여 잠을 많이 자기도 하는데 이때의 수면과다증은 불안과 관련된 피로나 도피의 형태로 나타나는 것이므로 정신과적 중재를 요하기도 한다. 권태로운 상황으로 인하여 잠을 과다하게 자는 사람의 경우 흥미를 끌 수 있는 활동프로그램을 제공하면 매우 적극적으로 이에 반응을 보인다. 모든 경우에 있어서 간호사는 대상자들이 수면과다증을 일으키는 기분에 대해 표현하도록 격려해야 한다.

4) 기면증(수면발작증)

억제할 수 없을 정도로 잠에 빠지는 상태로 기민증(narcolepsy)이라고 하고 주로 유전적인 원인이 있는 희귀한 불치병이다. 대상자는 갑자기 견딜 수 없는 졸음이 쏟아져서 잠에 들게 되고 REM 수면은 잠든 후 15분 이내에 가능하다. 분노, 슬픔, 웃음과 같은 격심한 정서 상태에 있을 때 급발작(cataplexy) 또는 근육약화가 하루에 수차례 발생할 수 있다. 이러한 증세는 서서 걸어가거나 운전을 하는 동안, 대화를 나누는 동안, 심지어는 수영중에도 올 수 있는 신경증적인 증세이다. 기민증의 경우 NREM 단계는 거의 없이 REM단계가 지속되는 REM 수면장애이다.

보통 사춘기와 성인초기에 증세가 나타나기 시작하여 평생동안 계속된다. 이는 간질과 혼돈 되기도 하나 간질과는 직접적인 관계가 없는 증상이다. 수면발작증의 치료는 각성을 증가시키는 자극제나 REM 수면을 억제하는 약물을 투여한다. 규칙적인 운동, 단백질이 풍부한 식사섭취, 심호흡, 껌씹기 등도 도움이 되고 알코올, 과식, 장거리 운전, 장시간 서 있는 것은 수면발작을 증가시키는 요인이다.

5) 몽유증

수면주기의 NREM 3단계 및 4단계에서 무의식적으로 일어나 걸어다니나 깬 다음에는 이를 기억하지 못하는 증후를 몽유증(somnambulism)이라고 하며 이는 REM 단계에서는 일어나지 않으며 성인에서 보다는 아동에게서 흔히 찾아 볼 수 있다. 몽유증은 대개 10세 이전에 시작되며 여자아이보다 남자아이들이 더 영향을 받고 유전된다는 연구도 있다. 몽유증은 몇분에서 한 시간까지 지속되는데 깨어났을때 자기가 무엇을 했는지 기억하지 못한다. 무의식 상태에서 걸어 다니는 경우 신체 부위에 손상을 받을 수 있으므로 몽유증이 발작하면 주위의 환경을 안전하게 조성해 주는 것이 필요하다. 몽유증은 불안이나 스트레스를 받는 시기와 관련이 있을 수 있다. 몽유증을 피하기 위해 할 수 있는 일은 거의 없다. 그러나 멀지 않은 시점에 대개의 어린이들은 그 상태에서 벗어난다.

6) 이갈기

이갈기(bruxism)는 주로 제 1단계와 제 2단계의 잠에서 일어난다. 오랫동안 이를 갈게 되면 치아 표면의 에나멜이 벗겨져 나가고 턱의 접합부분에 압력이 가해져 치아가 손상될 수 있다. 그러나 더욱 즉각적인 영향은 안면 통증과 귀앓이로 어떤 경우에는 두통이 일어나 잠에서 깨게 된다는 것이다. 원인은 밝혀지지 않았지만 불안이 주요한 요인이 아닌가 여겨진다. 이갈기에 대한 특별한 의학적 치료는 없다. 그러나 어린이들과 이갈기로 인한 통증이 있으며 치아가 손상되는 경우라면 치아를 보호하는 기구를 착용할 수 있다.

7) 야뇨증

야뇨증(nocturia)은 생후 만 2년 6개월 이상의 아동이나 성인이 밤에 잠을 자는 동안 불수의적으로 배뇨하는 것으로서 이는 심각한 수면장애 중 하나이다. 야뇨증은 여자아이들보다 남자아이들에게서 더 흔하며 유전이 되는 경향이 있다. 야뇨증은 육체적인 병이 원인이 되는 경우는 거의 없다. 주로 심리적인 위축이 주요 원인이다. 동생의 탄생, 전학, 부모의 이혼은 그 같은 증세를 보이지 않았던 아이들에게 야뇨증을 유발할 수 있다. 야뇨증의 경우 밤에 침대를 적시지 않았을 때 칭찬을 아끼지 말고 실수를 하였을 때는 야단을 쳐서는 안된다. 어린이들이 문제를 극복할 수 있도록 돕는데 필요한 것은 인내와 이해이다.

야뇨증의 일반적인 간호로서 잠자리에 들기 몇 시간 전부터 수분 섭취를 제한하고 취침하기 직전에 소변을 보게 하여 야뇨를 예방하는 방법이 있으며, 때로는 수면의 NREM 단계에 야뇨가 일어남으로 이를 억제하는 약물을 사용하기도 한다.

8) 악몽과 야경증

아이들의 거의 절반이 3~6세 사이에 악몽을 꾸기 시작한다. 이러한 꿈을 어린이가 꾸는 이유는 명확하지 않다. 심리학자들은 6세가 죽음과 잠의 개념을 이해하려 애쓰는 나이라고 하는 이들도 있다. 물론 어린이들도 집안 문제, 수업, 따돌림 등의 걱정이나 텔레비전을 보며 책을 읽고 두려운 사람들을 만난다. 그리고 억압당한 두려움이 꿈 속에서 출구를 찾는다. 어린이들에게 기분 나쁜 꿈에 대해 기억나는 내용을 이야기하게 함으로써 무엇을 걱정하는지 알 수 있다. 그럴 때 부모는 든든한 지지자가 되어야 한다. 또한 꿈을 기억하지 못하는 경우 이야기 하라고 다그쳐서는 안된다. 그건 그저 꿈일 뿐이고 절대로 우리를 해칠 수 없다고 이야기 한다.

야경증은 3~6세 사이 어린이들의 수면 경험중에서 일반적인 것이다. 야경증은 몇가지 측면에서 악몽과는 다르다. 잠든후 처음 4시간 사이 일어나며 10분에서 1시간 가까이 지속된다. 아이는 동공이 열리고 분별력을 잃고 부모의 존재도 눈치채지 못하며 비명을 지르고 잠에서 깨어난다.

대개의 어린이들은 무엇 때문에 그랬는지 기억조차하지 못하며 안심시켜주면 진정하고 다시 잠이 든다. 야경증을 겪는 어린이를 위해 특별히 할 수 있는 일은 거의 없다. 다만 심한 발작을 막기위해 가능하다면 어린이가 충분한 휴식을 취하도록 한다. 충분한 휴식을 취한 경우 야경증의 빈도가 낮아지는 경향이 있다.

9) 하지불안 증후군

정상적인 경우 사람이 팔, 다리는 대부분 수면전이나 수면중에 가만히 있는다. 하지불안 증후군을 가진 사람은 주기적으로 사지운동증을 보인다. 하지불안 증후군을 가진 사람은 수면중에 다리(때때로 팔)에 경련이 일거나 비틀리는 증상이 나타난다. 다리근육과 무릎 안쪽 깊은 곳에서 어떤 강력한 압박과 같은 움직임이 있고 제어할 수 없는 사지 움직임이 통상적으로 발생하여 평온한 수면이 불가능하다. 하지불안 증후군은 어느 때고 나타날 수 있지만 나이가 들면서 증가하고 50세 이상인 사람들에게서 더 흔하다. 또한 유전과 연관이 있고 이 증후군을 가진 사람의 50%는 유전될 가능성이 있다. 하지불안 증후군의 원인은 알려져 있지 않지만 도파민, 철, 아편계 물질의 체내증가는 하지불안증후군 증상을 감소 시킬수 있다. 치료는 철분이 포함된 음식을 섭취하게하고 카페인, 술, 담배의 소비를 줄이며, 경미한 경우에는 스트레칭이나 다리 마사지, 따뜻한 물주머니나 얼음 주머니를 대는 것도 도움이 된다.

II. 수면 문제 해결을 위한 자료수집

수면은 병태생리적인, 신체적인, 정신적인, 환경적인 성숙 정도와 관련된 요인들에 의하여 영향을 받는 복합적인 생리현상이다. 수면양상은 매우 개인적이므로 각 개인에 따른 고유한 양상을 사정해야 한다.

REM수면과 NREM수면과 같은 주기적인 수면단계와 24시간 수면주기는 만성·급성질병, 연령, 통증, 투약, 입원, 감각과중이나 일탈, 생활방식의 변화에 의하여 영향을 받는다. 이와 같은 복합성 때문에 전인적인 사정이 필요하다.

1. 주관적자료

대상자가 자신의 수면이 충분하고, 효율적인지에 대하여 어떻게 지각하느냐는 수면양상 장애가 있는지를 규명하는데 특히 중요하다. 간호사는 대상자에게 수면 기간과 수면량에 대한 질문을 하여야 한다.

대상자가 수면 시간(실제로 잠을 잔 시간)은 말할 수 있어도 간호사가 유도하지 않으면 지각한 수면의 질은 정확히 말하지 못할 수도 있다. 간호사는 잠을 쉽게 드는지 아닌지, 깊게 자는지, 중단이 되는지, 깨어나는 것이 쉬운지 어려운지, 깨어났을 때 느낌이 어떤지에 대하여 물어 볼 수 있다.

대상자에게서 가장 최근의 수면에 대한 정보를 얻어 대상자의 수면 양상이 과거의 수면양상과 다른지를 사정한다. 대상자가 길어진 수면 시간이 문제라고 말하면 그 문제에 영향을 주는 요소들과 그 문제에 일상적으로 대처하는 방법에 대하여 물어야 한다. 수면과 휴식의 적절성에 대한 진술이 중요하다. 이러한 진술은 주관적이고 사람들은 총 수면 시간, 잠자기 시작한 시간, 잠들기까지의 시간, 수면 중 깬 횟수, 잠을 깬 시간도 고려된다. 주관적 수면 측정 도구는 위의 내용들을 다음과 같은 도구들을 써서 자료를 수집한다.

- 시각적 상사척도(visual analog scale)
  10cm 길이의 직선을 수평으로 그린 후 "제일 잠을 못 잔 밤", "제일 잠을 잘 잔 밤"의 문구를 양쪽 끝에 위치하게 한다. 중간은 평균적으로 잠을 잔 밤"을 의미한다. 대상자에게 전날 밤 수면의 질에 대한 인식도와 일치하는 지점에 표시를 하게한다.
- 수면 평점척도
  통증 척도의 개념과 유사한 0에서 10까지의 평점척도이다. 최하의 수면은 0, 최상의 수면은 10이며 수면의 양을 먼저 표시하고 수면의 질을 표시하도록 한다.

표 11-8   수면과 관련된 간호진단(NANDA의 활동과 휴식영역)

간호진단/정의	관련요인
불면증(insomnia): 기능하기 어려울 정도로 수면의 양과 질이 파괴됨	• 활동양상(시간, 양) • 우울 • 환경적 요인(주변 소음, 조명, 온도, 습도) • 알코올 섭취 • 불안 • 빈번한 낮잠
수면박탈(sleep deprivation): 자지 않는 시간이 길어짐(각성 상태가 연장됨)	• 밤, 낮인 바뀐 상황(교대 근무) • 소음 • 방해 요인(치료, 관찰 활동, 검사) • 불쾌한 냄새
수면패턴 장애(disturbed sleep pattern): 수면의 양과 질의 손상으로 일상생활에 불편이나 장애를 초래한 상태	• 정상 수면 양상의 변화 • 잠들지 못하고 깨어 있었다고 보고 • 편안히 잘 쉬지 못한 기분이 든다고 말함 • 기능을 수행하는 능력의 저하 • 잠드는데 어려움이 있었다고 보고

2. 객관적 자료

1) 연령

영아기에는 필요한 수면량이 가장 많고, 유아기부터는 점차 감소하여 성인기에서 안정되고 노년기에는 감소한다. 밤에 깨는 것은 영아기나 유아기에도 일어날 수 있고 노년기에도 일어나는 경향이 있다.

2) 수면 장애에 따른 신체적 특징

간호사는 대상자의 외모와 행위를 관찰해야 한다. 표정 없는 얼굴, 눈 주위의 검은 그림자, 안검하수, 손의 진전(tremor), 어깨가 늘어짐, 부정확한 발음이나 잘못 사용한 단어 등의 징후는 대상자에게 수면장애가 있다는 것을 나타낸다. 행동증상에는 불안정, 기면(lethargy), 안절부절 못함, 흥분, 지남력의 상실, 굼뜬 행동 등이 포함된다.

3) 수면양상을 변화시킬 수 있는 요인

대상자의 생활방식 뿐만 아니라 생리적, 정신적, 환경적인 요소들도 조사해야 한다. 간호사와 대상자는 다른 건강간호 제공자들로부터 도움을 찾을것인지와 계획이나 중재가 효과적이었는지를 규명하기 위하여 수면문제를 일으키는 특정한 요소들을 반드시 이해해야 한다. 산소 운반 장애, 배설장애, 부동, 통증, 임신의 생리적요인, 스트레스, 불안 우울 등의 심리적 요인, 일상활

동의 변화에 따른 생활방식에 의한 요인, 입원, 감각자극의 증가 등 환경적 요인을 조사한다.

4) 수면을 객관적으로 측정하기 위한 방법으로 수면다원기록지

수면을 객관적으로 기록, 분석, 판독하는 것으로 수면중 근육의 수축정도, 안구운동, 혈압, 맥박, 산소포화도, 호흡수, 유통공기량 등을 기록하며, 수면일지(Sleep Diary), 잠드는데 소요되는 시간 측정 등이 있다.

III. 간호진단

사정 결과를 기초로 하여 NANDA에 의한 대상자의 수면장애와 관련된 관련요인과 특성을 기술하면 아래와 같다(표 11-8).

IV. 간호목표

각 개인은 휴식과 수면의 유형이 다르므로 습관화된 수면 시간과 수면에 필요한 환경, 수면 직전의 여러 가지 활동 등을 자세히 파악한 후에야 계획을 수립할 수 있다. 중대상자와 소아 및 노인의 경우에는 가족의 도움으로 이에 관한 정보를 얻을 수 있다.

■ 대상자는 침상에 든 후 30분 이내에 잠이 든다.

- 대상자는 밤에 잠을 깨지 않았다고 말한다.
- 대상자가 수면제 도움없이 충분히 수면을 취할 수 있다.
- 수면부족의 신체적 징후 및 행동이 나타나지 않는다.
- 필요한 자원을 이용할 줄 안다.

V. 간호중재

1. 수면을 돕는 환경

밤에 좀 더 나은 잠을 자는 일에 관심이 있는 이라면 자기 직전 어떻게 하는가 만큼이나 낮에 어떻게 생활할 것인가에 주의를 기울여야 마땅하다. 수면위생과 건강의 측면에 전반적인 진전이 있다면 만성적인 불면증을 치유할 수 있다. 좀 더 영양이 있는 식사, 좀 더 활동적인 하루, 정서적 건강에 좀더 관심을 쏟는 일 등으로 말미암아 우리의 몸과 마음은 균형을 되찾을 수 있으며 자연스럽게 필요한 잠을 잘 수 있게 된다.

병원에서는 각 개인의 수면을 방해할 수 있는 일상적인 활동에 관심을 기울이지 못 할 때가 있다. 환경적 자극의 종류나 강도가 현격히 감소된 밤 시간 동안에는 낮 시간 동안에 거슬리지 않던 행위도 잘 드러난다는 점을 유의해서 밤 근무시간 중에는 수면을 방해할 수 있는 행위를 삼가는데 특히 세심한 배려를 하여야한다. 일반적으로 프라이버시가 보장되는 어둡고 조용한 환경에서 사람은 긴장이 해소되고 이완이 촉진되는 경향이 있다. 반면에 생소한 곳이나 사람이 드나들고 말소리가 들리는 곳 또는 기계소리, 기구끼리 부딪치는 소리가 나는 곳은 사람의 긴장을 고조시키고 따라서 휴식을 저해하는 환경이다. 그러므로 간호사는 이러한 환경을 통제하도록 최선을 다하여 대상자의 이완을 촉진하고 수면을 유도하도록 하여야 한다.

간호사는 필수적이지 않은 업무로 인해 대상자를 깨우는 것을 피할 수 있도록 간호계획을 세우고 일과들을 대상자가 깨어 있을 때 하도록 일정을 계획한다. 활력징후 측정을 위해 대상자를 깨우는 일은 피하여야 한다. 약물의 혈중농도 유지가 필수적이지 않다면 투약은 대상자가 깨어 있는 중에 하여야 한다. 방문객은 대상자가 필요한 휴식과 수면을 취하는데 방해가 될 수 있으므로 방문객의 수도 제한한다. 그리고 실내의 온도뿐만 아니라 습도와 환기도 휴식에 필수요건이다. 특히 입원대상자에 있어서는 이불 두께에 대단히 예민하므로 이 점을 유의하여야 한다.

사람에 따라서는 불을 꺼야 쉽게 잠이 드는 사람이 있고 그렇지 않은 사람이 있다. 창문을 열어두어야만 숙면하는 사람이 있는데 특히 심장병 대상자의 경우 창문을 닫으면 호흡곤란이 올 것이라고 생각하기도 한다. 휴식에 가장 중요한 것은 편안한 침상이다. 밑 홑이불은 팽팽하고 윗 침구는 동작을 제한하지 않아야 하며 청결하고 건조하여야 한다.

2. 신체적 장애의 조절

신체적 불편감은 대상자에게 있어 가장 현실적이고 구체적인 문제이며 수면장애의 주 요인이 되므로 신체적 불편감을 해소하는 것은 수면을 돕는 중요한 방법이다.

호흡기 질환으로 인한 호흡 곤란시에는 베개를 사용하여 반좌위를 취하게 해준다. 식도역류가 있는 대상자를 위해서는 소량의 식사를 하고 반좌위로 상체를 높이고 잠자게 한다. 통증이 있다면 진통제의 최대효과가 취침시간에 일어나도록 투여한다.

3. 스트레스의 감소

정서적 불안은 수면을 방해한다. 잠들기 힘들면 대상자는 신경질적이고 긴장하게 될 수도 있다. 수면을 강요하는 것은 오히려 불면증을 유도하게 되기도 한다. 잠들기 어려우면 침상에 누워서 잠들려고 생각하고 있기보다는 일어나서 이완을 초래하는 활동을 시작하는 것이 더욱 도움이 된다. 간호사는 잠을 못 이루는 대상자들과 앉아 이야기할 시간을 가져야 한다. 이것은 대상자의 불면을 유발하는 원인들을 파악하는데 도움이 된다.

긴장이 해소된 상태를 이완(relaxation)상태라 한다. 사람은 잠을 자지 않더라도 이완상태가 될 수는 있으나 수면은 이완상태가 되지 않으면 취할 수가 없다. 긴장감을 해소하고 이완을 촉진하는 방법은 여러 가지가 있다. 이완운동은 대상자가 수면주기를 연장시키는데 도움이 될 수 있다.

심호흡을 4~5회하고 마지막 호기 시에 전신의 힘을 뺀다던지 편안한 자세를 취한 다음 한쪽 다리의 근육을 최대한으로 수축시켰다가 급작스럽게 이완시키고 반대편 다리, 팔과 어깨, 둔부, 얼굴, 목 등의 신체 각 부위를 교대로 수축시켰다가 이완시키는 방법도 긴장을 해소하는데 도움이 된다. 근육을 부드럽게 맞사지하는 것도 좋은 방법이다. 단조로운 일상생활이 휴식과 수면의 장애가 되는데 특히 회복기가 긴 만성질환 대상자에게 있어서 이 점을 유의하여야 한다. 이때 적절한 오락 활동은 긴장을 해소하는데 도움이 된다.

4. 활동적인 생활하기

하루 종일 앉아서 일하는 경우 운동부족이 되기 쉽다. 사무실에 앉아 있으면 정신적으로 지칠 수는 있지만 육체적으로는 충분치 않은 상태일 수 있다. 정신과 육체 사이의 이러한 불균형은 종종 불안하고 불편한 잠이라는 증세로 발현된다. 운동부족은 또한 과체중과 늘어진 근육, 코골이와 수면 무호흡증이라는 결과를 낳기도 한다. 반면 규칙적인 운동은 근육에 탄력을 붙이고 면역체계를 활성화하며 우울증에 저항하게 해준다. 잠은 육체적인 피로에 대한 자연스런 반응이다. 매일의 일과에 규칙적인 운동을 포함시키면 깊은 잠의 양을 늘릴 수 있다. 20-30분 정도 규칙적으로 하는 격렬한 운동은 정신과 육체의 건강 모두에 이롭다. 운동은 아침, 늦은 오후, 이른 저녁은 어떤 운동을 하든 적당한 시간이다. 늦은 밤에는 격렬한 운동을 피해야 한다. 활발한 육체적 활동과 취침시간 사이에는 적어도 두 시간의 간격을 두어야 한다. 그러나 요가와 같은 가벼운 운동들은 잠자기 전에 해도 된다.

5. 영양요법

음식은 여러 면에서 수면에 영향을 미친다. 음식들에는 특별한 성질을 가지고 있다. 예를 들어 가벼운 단백질 식품과 같은 음식들은 에너지를 만들고 상추나 우유와 섞인 음료와 같은 것들은 진정작용을 하는 효과가 있는 반면 백설탕, 카페인, 소금이 과다하게 들어간 음식은 영양가는 없으며 건강에 해가된다. 저녁 식사는 잠자리에 들기 두 시간 전에 가벼운 식사를 하도록 한다. 거기에 진정작용을 하는 트립토판(tryptophan)이 함유된 계란, 유제품, 생선을 약간 첨가하고 채식주의자라면 같은 효과를 얻을 수 있도록 콩 종류의 음식을 섭취한다.

위가 비어 있어 숙면 취하지 못하는 경우 야식을 소량 먹도록 한다. 진정작용을 하는 브롬이 함유된 오렌지, 귤을 먹거나 우유를 한 컵 마시게 한다. 취침전의 많은 식사는 위장 불편과 수면을 방해한다. 수면전의 카페인 함유 음식은 흥분제로 수면주기에 영향을 끼칠 수 있다. 알코올은 수면주기를 방해하여 숙면 시간을 감소시키고, 카페인 음료와 술은 이뇨제 역할을 하며 소변을 보러 밤중에 깨게 만든다.

영아는 수유를 위해 밤중에 깨는 횟수를 줄이도록 하기 위해 마지막 수유를 가능하다면 늦게 하는 것이 좋다.

6. 수면제의 투여

대부분의 사람들은 수면제를 복용하고 한 시간도 못 되어 잠에 떨어진다. 그렇지만 그렇게 해서 자는 잠은 정상적인 잠과는 다르다. 대부분의 수면제들은 전반적으로 뇌의 기능을 약화시킴으로써 잠을 유발한다. 정상적인 뇌의 활동에 대한 이런 방해는

수면제로 인해 유발되는 잠의 질이 정상적인 잠과는 다르다는 사실을 의미한다.

사람들은 전체 수면 시간의 약 4분의 1을 REM 수면이 차지한다. 처음 수면제를 복용할 때 REM수면은 전체 수면 시간의 10분의 1정도로 떨어질 수도 있다. 하지만 1-2주 연속으로 수면제를 복용한다면 REM수면의 비율은 점차 정상적으로 되돌아온다. 깊은 잠의 비율은 심각할 만큼 수면제의 영향을 받는다. 수면제에 의지해 잠을 잘 경우 전체 수면 시간의 5퍼센트에 해당하는 만큼의 짧은 시간만 깊은 잠을 자게 되는 것이다. 갑자기 수면제 복용을 중지하는 것 역시 문제가 있다. 갑작스레 수면제 복용을 중지한 경우 대개는 REM 수면의 반동을 겪게 된다. 늘어나는 불안 역시 갑작스런 투약 중지의 일반적인 특징인데 이로 말미암아 밤새 잠을 자기가 어렵게 된다(그림 11-25).

이처럼 달갑지 않은 금단증세는 많은 이들로 하여금 다시 수면제에 의존하는 생활로 돌아가게 만든다. 수면제는 일시적인 방법으로는 효과적일지 모르나 장기간에 걸친 수면 문제에는 답을 제시 하지 못한다. 수면제의 효과는 대체로 2주 정도 지나면 점차적으로 사라진다.

임신 중에는 태아의 선천성 기형의 발생위험이 있으므로 benzodiazepine약물의 투약을 피해야 한다. 간호사는 수면을 유도하는 모든 조치를 취하여도 잠을 이루지 못하거나 특별한 경우(수술 전 날밤 등)에 한하여 수면제를 투여하여야 한다. 때로는 잠을 이루지 못하면 수면제를 복용할 수 있다는 사실 자체만으로 긴장이 해소되어 자연적인 수면을 취하는 대상자도 있다(표 11-9).

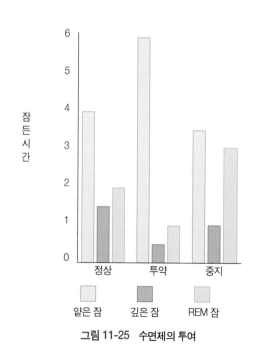

그림 11-25 수면제의 투여

표 11-9 수면제의 종류

구룹	속명(일반적인 상표명)	효과	위험성
벤조디아제핀 (Benzodiazepines) 가장 많이 이용되는 수면제	chlordiazepoxide(Librium) diazepam(Valium) nitrazepam(Mogadon) temazepam(Normison, Restoril)	벤조디아제핀은 뇌의 기능을 약화시킴으로써 효력을 발휘한다. 신경세포 간의 연락을 끊어지게하여 뇌와 신경계 속에서 일어나는 화학적 활동을 방해한다. 뇌의 활동이 줄어 잠에 빠지기가 수월해 진다.	많은 이들이 깨어나서 불쾌감을 느끼며 자연스런 잠을 잤을 때만큼 편안함을 느끼지 못한다. 알코올을 마시면 효과가 증폭된다. 의존성이 있어 장기간 복용하면 매우 위험하다.
벤조디아제핀류 (Benzodiazepine-like drrugs) 가장 최근에 만들어진 수면제 군	zopiclone(Zimovane) zolpidem(Ambien, Stilnoct)	벤조디아제핀처럼 신경세포 속 같은 장소에서 영향을 미친다. 그러나 정상적인 수면형태에 영향을 주지는 않는 듯하다. 복용한 후 20~30분 안에 효과를 보며, 6~8시간 지속된다. 지금까지의 실험을 보면 이튿날 '언짢은' 기분을 거의 느끼지 않는다.	약의 내성이 어느 수준인지, 어떤 금단증세가 나타날지 아직 확실치 않다. 일시적으로 현기증과 근육운동 조절에 문제가 나타날 수 있다. 간혹가다 환각, 건망증, 공격성과 같은 행동장애를 일으킨다는 보고도 있다. 그러나 이러한 증세는 벤조디아제핀이나 다른 약물남용의 경력을 가진 이들에게서 주로 나타난다.
항히스타민(Antihistamines) 이약들은 예방과 알레르기 치료에 가장 흔히 사용된다.	promethazine(Phenergan) timeprazine(Vallergan)	때로 수면문제에 이용되며, 주로 어린이들에게 사용된다. 알레르기 증상 때문이라면 무척 효과적이다. 그러나 효력이 발생하려면 상당히 긴 시간이 필요하므로 반드시 초저녁에 먹는다. 뇌에 진정작용을 하는 효과에 의해 효력이 발생한다.	현기증을 일으킬 수 있으며, 근육운동의 조정에 영향을 줄 수 있다. 부작용으로 메스꺼움, 입안이 마름, 시야가 희미해짐, 배뇨문제, 식욕 상실 등이 있을 수 있다.
클로럴계(Chloral drugs) 클로럴 하이드레이트 (Chloral hydrate)는 현재 사용되는 수면제 중 가장 오래된 약이다.	chloral hydrate (Noctec, Welldorm)	클로럴 하이드레이트는 뇌의 기능을 저하시킨다. 벤조디아제핀 보다는 효과가 떨어진다고 여겨 진다.	빨리 효력이 떨어진다. 잠을 이루기 위해 1회분 복용량을 늘리게 된다.
바르비탈산염(Barbiturates) 1960년대까지 널리 이용되었으나 남용과 중독의 위험성 때문에 더 이상 수면문제에는 처방되지 않는다.	amylobarbitone butobarbitone quinalbarbitone	신경세포와 뇌 사이에 자극을 전하는 화학적인 신호를 막으면서 작용을 하는 중추신경계 진정제이다. 세포의 반응능력을 떨어뜨린다.	부작용으로는 비틀거림, 지나친 졸음, 종종 흥분하는 성향 등이 있다. 호흡기능 저하라는 매우 위험한 부작용도 있을 수 있다. 이 약의 효력은 알코올과 결합될때 크게 증가한다. 바르비탈산염은 대부분의 나라에서 통제되는 약이다.

VI. 간호평가

　간호과정 통한 간호문제 해결과정을 평가한다. 간호목표인 대상자가 수면제 없이 충분히 수면을 취할 수 있는지, 수면부족의 신체적 징후와 행동이 나타나지 않는지, 자원을 이용할 수 있는지 수면을 증진하거나 방해하는 요소를 대상자가 이해하는지 평가하고 목표가 달성되지 못했으면 간호과정 사정, 계획, 수행, 단계 중 적절하지 못한 부분을 회환 한다.

　목표로 하는 대상자상태 - 목표도달 정보

- 수면을 방해하지 않는 음식이나 약물을 섭취한다.
  - 카페인을 섭취하지 않는다.
  - 알코올 음료를 하루 한잔 이하로 제한한다.
  - 수면제를 사용하지 않는다.
- 취침 시간을 정한다.
  - 매일 같은 시간에 일어난다.
  - 졸릴때만 잠을 잔다.
  - 잠자리에 들어가 30분 이상 잠들 수 없을 땐 잠자리에서 온다.

- 규칙적인 활동 프로그램을 실행한다.
  - 매일 정한 운동을 한다.
  - 낮잠을 자지 않는다.
- 양호한 수면 상태를 유지한다.
  - 수면이 중단되지 않는다.
  - 수면 부족의 징후가 없다.
  - 수면 시간과 질에 만족한다.

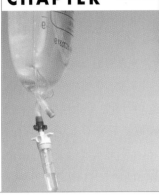

안전에 대한 요구

안전은 정신적, 신체적 손상으로부터 자유스러운 상태에 있는 것으로 정의되며 반드시 도달해야 하는 인간의 기본 요구이다. 간호사는 안전을 위협하는 위험요인과 환경을 사정하여야 하고, 필요시 간호중재를 한다. 안전한 환경을 위해서는 인간의 기본 욕구가 충족되어야 하고, 물리적 위험물을 감소시키며, 병원체의 전파를 차단시켜야 한다.

제1절
안전간호를 위한 간호사정

I. 간호사정을 위한 기본지식

1. 안전한 환경을 위한 기본적 요소

안전한 환경이 보장되기 위해서는 인체에 적절한 최적의 여건과 물리-환경적 안전조치가 보장되어야 한다.

1) 적절한 조명

적절한 조명은 대상자가 움직이고 활동하는 영역을 밝게 유지해 줌으로써 신체적 상해를 감소시킨다. 야간조명은 낙상의 위험을 감소시킨다. 야간조명은 노인이 거주하는 공간이나 아동의 방에 켜 두면 낙상의 위험을 감소시킨다. 인공조명은 눈부시지 않아야 하며, 눈부신 빛은 노인에게는 주요한 낙상의 요인이 된다.

2) 적절한 습도

편안하다고 느끼는 습도의 범위는 60~70%일 때이다. 고습도는 폐 분비물의 액화를 돕고 호흡을 향상시킨다. 상대습도는 동일온도에서 공기가 포함할 수 있는 최대의 습기량과 실제 공기 중에 있는 습기의 양을 비교한 정도를 말하며 상대습도가 높으면 땀의 증발률이 감소하므로 더욱 덥고 끈적거리게 되며 불쾌감이 증가된다.

3) 적절한 온도

인체가 편안하다고 느끼는 온도는 일반적으로 18~24℃ 범위이다. 장기간 추운 환경에 노출되면 동상이나 저 체온증에 빠질 수 있다. 또한 과도한 열의 노출은 신체의 전해질 균형에 변화가 생기고 심부 온도가 상승되어 일사병이나 열사병을 일으킨다.

4) 적절한 환기

적절하지 못한 난방이나 환기는 일산화탄소를 증가시켜 헤모글로빈과 강력하게 결합해서 산화 헤모글로빈 생성을 방해하여 조직의 산소를 부족하게 만들 수 있다. 반면 낮은 일산화탄소 농도에서는 따라서 통풍을 위한 조치가 필요하다. 통풍을 위한 창문의 크기는 방바닥의 1/5 정도가 적당하다.

5) 장애물의 감소

병원 및 가정에서의 부상은 계단이나 바닥 습기, 선반, 모서리와 같은 물체가 장애물이 된다. 장애물에 의한 낙상은 모든 연령에 나타나지만 노인에게 더 많다. 부상의 위험을 줄이기 위해 모든 장애물은 대상자가 이동하는 영역 내에서는 제거되어야 한다. 불필요한 물품은 물품장안에 보관한다. 계단 위에는 어떠한 카펫이라도 카펫 압정으로 고정되어야 한다.

6) 무균적 환경

병원균의 전염을 제한하기 위해 가장 효과적인 방법은 손씻기 실행이다. 대상자는 손 씻기 기술을 습득해야 하고, 가정이나 병원에서 손 씻기를 주로 사용하도록 권유하여야 한다. 또한 간호사는 자신을 보호하기 위하여 관련 지침에 따르며 모든 대상자의 간호시 예방 기준을 철저하게 지키도록 한다. 질병의 전염은 폐기물의 처분과 하수도와 배수로를 통해서 이루어 질 수 있다.

곤충과 설치류의 통제 또한 질병의 전염을 줄이기 위해 필수적 방법이다.

7) 소음제어

소음 정도의 인내력은 개인에 따라 다양하고 각각의 건강상태에 의해 영향 받는다. 소음공해는 직업성 난청, 돌이킬 수 없는 손상을 야기하는 청각상실의 원인이 된다. 소음정도가 높은 환경에서 일하는 대상자의 청각상실을 줄일 수 있도록 필요한 보호장비를 착용하도록 한다.

중환자실과 같은 간호시설은 소음이 많은 지역이다. 기계 작동 소리, 신음소리, 의료인이 내는 소음은 심각한 수준으로 대상자의 수면을 심각하게 방해할 수 있다. 비록 소음이 높지 않을 때라도 청각 민감성에 영향을 주기에 충분하며, 소음은 과잉감각을 야기시킬 수 있다. 과잉감각은 청각과 시각자극의 민감성을 증가시킨다. 이는 판단에 영향을 미쳐 주변 환경에 효과적으로 대처하지 못하게 한다.

2. 안전에 영향을 미치는 요인

1) 연령

신생아, 영·유아는 위험에 대한 지각이 제한되어 사고가 잦은 연령이며 청소년은 교통사고, 알코올 등의 약물남용으로 인한 사고의 위험이 큰 연령대이다.

성인기에 성인의 안전을 위협하는 것은 생활양식 그리고 습관과 관련된다. 노인의 경우 노화로 인한 신체적 변화는 노화 과정의 결과로 일어나며 화상이나 자동차 사고와 같은 형태의 사고와 낙상의 위험 비율이 높다. 노인은 침대, 욕실, 부엌, 인도의 빙판이나 정원의 장애물에서 더 넘어지기 쉽다.

낙상은 노인기 주요문제이며 낙상을 포함한 노인기 사고는 근육 강도와 기능의 감소, 관절 사용의 감소, 자세 변화 및 일반적인 척추후만증, 운동범위의 제한을 야기하는 근골격계 변화, 자율반사의 기능 감소, 다양한 자극에 대한 반응 감소, 운동감각 능력 감소를 초래하는 신경계 변화, 시각과 렌즈 조정능력의 감소, 청각손상 및 렌즈의 투명도 감소를 초래하는 감각변화, 야뇨 및 실금이 증가되는 생식기계의 변화가 주요 영향요인이 된다.

2) 생활양식

생활양식 역시 안전에 위험요인이 될 수 있다. 외상의 위험은 일반적으로 위험한 작업자, 화학물질 등의 위험물 취급, 운전을 하거나 기계를 작동하는 사람에게서 높다.

또한 스트레스, 불안, 피로, 알코올, 약물 금단 증상, 약물의 과다 사용이 사고를 더 야기한다. 습관화된 위험행동, 가령 운전벨트 미착용, 헬멧 미착용 등과 같은 위험행동은 안전 사고의 원인이 될 수 있다.

3) 기동성의 상태

근육의 약화, 마비 또는 조정능력이나 균형감각의 손상에 의한 기동성 저하는 대상자의 낙상을 유발하는 주요 요인이다. 마비나 척수손상대상자는 위험을 인지해도 피하지 못하고 편마비대상자는 균형을 잃을 가능성이 높으며, 보행 장애자도 낙상의 위험이 일반인보다 크다.

4) 감각 장애

시각, 청각, 실어증 및 언어 장애와 같은 의사소통 손상을 가진 대상자는 사고 위험성이 크다.

지각의 변화는 낙상의 위험을 초래하고 청각·후각의 감소는 사고에 대한 인지력을 떨어뜨리며 감각장애자는 화상의 위험이 크다.

5) 인지수준

대상자중 일부는 약물을 아이로부터 멀리 보관하는 것이나 음식 유효기간을 식별하는 것과 같은 안전예방대책에 대한 의식이 없으며, 치매대상자, 혼돈된 사람, 수면제 등 약물을 과다복용하는 사람은 인지 기능이 손상되어 사고의 위험이 증가된다.

6) 정서장애

우울과 혼돈, 스트레스는 집중력저하를 초래하고 지각을 감소시켜 사고의 위험이 증가된다.

3. 안전과 관련된 문제

임상에서 안전사고는 일반적으로 대상자 입장에서는 낙상, 중독, 화재, 의료사고, 장비에 의한 사고이다.

1) 낙상

의료기관이나 지역사회에서 가장 흔히 발생하는 안전사고가 바로 낙상(fall)이다. 낙상 위험은 영아나 노인 대상자에서 빈번하게 발생하며, 낙상은 골절, 통증, 일시적 또는 영구적 장애, 심지어 사망까지 유발할 수 있다. 이전의 낙상 경험, 허약, 보행장애, 균형장애, 기립성 저혈압, 감각 손상, 인지장애, 배뇨장애 및 암과 심혈관계, 신경계, 뇌혈관 질환과 같은 특정 의학진단은 낙상의 위험요인을 증가시킨다. 우울이나 약물 사용 및 복용 약물의 상호작용 또한 낙상과 관련이 있다. 낙상의 환경적 요인으로는 겨울에 얼음이 얼어 있는 보도, 계단, 열악한 조명, 미끄러운 바닥재 등이 될 수 있다. 그러나 낙상과 관련된 많은 물리적 위험요인들은 적절한 조명, 흐트러진 물건정리, 욕실의 유해요인 조절과 같은 안전장치들을 이용해 최소화할 수 있다.

2) 중독

손상된 시력, 아동이 접근하기 쉬운 잠겨 있지 않은 약장에 저장된 약물, 독성이 있는 식물, 과다한 알코올 섭취, 또는 불법 약물의 사용으로 대상자는 약물에 중독될 수 있다.

3) 의료 사고

의료사고는 치료과정 중에 일어난다. 약물과 수액 공급의 오류, 외부장치의 부적절한 사용, 드레싱 교환과 같은 시술 수행과 관련된 사고를 포함한다.

간호사는 시술과 관련된 많은 사고를 예방할 수 있다. 즉 약물절차를 철저하게 준수하여 투약 오류를 예방하는 것, 정확한 정맥요법 시행, 그리고 철저한 무균술의 수행으로 감염의 위험성을 저하시켜 멸균드레싱 교환이나 유치도뇨관 삽입과 같은 일부 시술에 의해 감염되는 것을 감소시킬 수 있다.

또한 신체 역학을 이용한 대상자의 이송과 이동기술의 적용으로 대상자를 들거나 이동시킬 때 대상자와 간호사 모두의 손상의 위험을 감소시킬 수 있다.

4) 기기에 의한 사고

기기에 의한 사고를 예방하기 위해 간호사는 지시 없이 모니터나 치료 장비를 작동하지 않아야 한다.

전기 화재, 감전사, 장비불량 등의 손상을 초래하는 위험요인의 감소를 위해 점검표를 사용하며 장비에 대해서는 전문가를 통한 정기적 안전 점검을 받아야 한다.

5) 생화학 테러

테러는 화학, 생물학, 핵무기 모두를 포함한다. 생화학 테러란 바이러스, 박테리아 등을 이용하여 상대를 공격하는 것을 말한다. 이는 순식간에 광범위하게 영향을 미치게 되며, 사망률이 높고, 대중을 공포에 빠뜨린다. 따라서 간호사는 이러한 상황에서 중요한 역할을 하게 되며 재난에 적절하게 반응하고 대비하여야 한다. 이에는 다음 생물체가 활용될 수 있다.

(1) 탄저균 Anthrax

포자모양의 세균인 Bacillus anthracis가 원인균이다. 전염경로는 가장 흔한 방법으로 포자의 직접적인 피부접촉, 공기중에 떠도는 포자의 흡입으로 인한 호흡기계 감염, 익히지 않았거나 날것의 육류, 오염된 동물로부터 만들어진 것을 섭취하였을 때의 소화기계 감염으로 전염되며, 증상은 감염 경로에 따라 달라질 수 있다. 폐탄저의 경우, 미열, 감기증상, 마른기침, 목의 통증이 있고, 피부 탄저는 감염된 부위가 가렵고 물집이 생기며, 7~10일 내에 검은 가피가 형성된다. 일반적으로 패혈적으로 진행되는 경우는 치명적이다. 표준격리조치와 접촉격리조치 방법을 적용한다.

(2) 보툴리누스 Botulism

Clostrium botulinum이 원인이 되어 생성되는 신경독소에 의해 발생 한다. 전염 경로는 식품 섭취를 통해서 발생하고 영아의 경우 장에서 발육하여 독소를 생성할 수 있으며, 보툴리눔에 감염된 상처에서 독소가 생성될 수 있다. 증상은 독소를 포함한 음식을 섭취한 후 12~36시간 내에 발생하며 사물이 두 개로 보이거나 흐릿하게 보이는 시력장애, 언어장애, 연하장애, 근력감퇴를 보인다. 표준격리조치를 적용한다.

(3) 페스트 Plague

설치류나 벼룩에 존재하는 그람음성 간균인 페스트균(Yersinia pestis)에 의해 발생한다. 전염경로로 Bubonic plague는 쥐벼룩이 사람의 피를 빨아들일 때 상처 난 피부에 감염 물질에 노출되었을 때 전염되며, pneumonic plague는 공기 중에 노출되었을 때 다른 사람으로부터 전염될 가능성이 있다. 증상은 고열, 쇠약, 호흡부전, 가슴통증, 기침, 객담을 동반한 폐렴이 있다. 표준격리조치와 함께 비말격리조치를 적용한다.

(4) 바이러스성 출혈열 Viral Hemorrhagic Fevers(VHF)

원인은 에볼라열, 황열을 일으키는 바이러스이며, 쥐와 같은 설치류가 옮기며, 이들 동물의 대소변이나 타액과 접촉함으로써 감염되며 감염력이 매우 강하다.

증상은 고열, 근육통, 두통, 오심, 구토, 복부통증, 설사, 가슴 통증이 일어나며, 증상 발병 약 5일 후 몸통에 발진이 생긴다. 출혈이 나타나면 병이 진행 중인 것을 의미한다. 표준격리조치와 접촉격리조치가 필요하다.

(5) 천연두 Smallpox

천연두 바이러스 Variola virus에 의해 유발된다. 감염된 사람의 타액이나, 공기를 통한 전염. 오염된 옷이나 침구에 의해 감염된다. 증상과 전염력이 없는 잠복기는 7~17일이며, 평균 12일이다. 그 후 발열, 두통, 구토를 동반한 증상이 2~4일간 지속되고, 다른 사람에게 전염될 수 있다. 혀와 입 주변에 발진이 나타나며, 이 시기부터 감염 위험이 증가한다. 또한 몸통에 발진이 고르게 나타난다. 발진이 생긴 이후 3일째 그 부위에 수포가 생기고 이것이 농포가 되며 이후 가피를 형성한다. 발진이 생긴 이후부터 가피가 완전히 떨어질 때 까지 감염이 가능하다. 표준격리조치, 공기, 비말, 접촉격리조치가 필요하다.

(6) 야토병 Tularemia

쥐, 토끼 및 다른 동물들에서 발견되는 박테리아(Francisella tularenisis)에 의해 발생한다. 감염경로는 박테리아에 감염된 진드기, 사슴파리, 다른 벌레에 물리는 경우 오염된 음식이나 물을 먹고 마시는 경우, 박테리아를 흡입한 경우이며, 증상은 무증상에서 급사로 이어지는 급성 패혈증까지 다양하나 갑작스러운 고열, 오한, 두통, 설사, 근육통, 관절통, 마른기침, 쇠약을 동반 한다. 만약 생화학테러에 사용된다면, 사람에게 생명을 위협하는 폐렴을 동반한 심각한 호흡기계 문제를 초래한다. 표준격리조치를 적용하며 경우에 따라 접촉격리조치를 적용한다.

제2절
안전간호에서 간호진단

안전과 관련된 간호진단 및 관련요인의 예시는 표 12-1과 같다.

제3절
안전간호에서의 간호계획

대상자의 안전을 도모하고 손상을 예방하는 것이 목적이 된다.
- 환경 내에서의 안전하지 않은 상태를 열거한다.
- 환경 내에서 잠재적인 위험성을 열거한다.
- 낙상과 다른 사고를 예방하기 위한 안전대책을 확인한다.
- 가족이나 보호자와 함께 안전에 대한 우선순위를 열거한다.
- 안전과 관계된 정보 수집을 위해 자원을 확인한다.

제4절
안전간호 수행

의료기관에서의 의료 과실은 매우 증가하고 있으며 이는 새로운 시스템의 도입으로 대상자의 안전을 지켜야 한다. 안전을 위해 의료기관에서는 보고체계를 정립한다. 심각한 손상이나 사망을 초래하는 과실에 대한 보고체계와 위해를 초래하지 않는 과실("near misses" or "close call")에 대한 구분이 필요하다. 또한 효과적인 팀워크와 의사소통을 체계화한다. 건강관리 제공자들은 대상자의 안전을 위한 팀원으로 서로 간의 효과적인 의사소통이 매우 중요하다. 그리고 서로를 비난하기 보다는 함께 격려하는 분위기 조성이 필요하다. 믿음을 바탕으로 함께 의견을 교환하고 과실로 인한 대상자 안전에 대한 경험을 나누는 것이 필요하다. 또한 효율적이고 안전한 병원환경을 만들기 위해 건강관리 전문가를 업무과정 설계에 포함시키는 것이 필요하다.

1. 안전교육

간호사는 간호시에 대상자에게 가능한 한 계속적으로 안전교육을 시켜야 한다. 아동을 돌보는 간호사는 부모나 보호자가 아이의 안전사고를 감소시키기 위한 교육에 자주 참여하도록 권유한다. 태아 검진 클리닉에서 일하는 간호사는 안전교육을 임신부 가족을 간호할 때 적용한다.

지역사회에서 근무하는 간호사는 가정환경을 사정하고 부모에게 가정에서 어떻게 안전을 유지할 수 있는가를 시범을 통해 교육할 수 있다. 학령기 아동은 사고방지를 위해 학교와 놀이터에서의 안전교육이 필요하다. 청소년의 안전에 대한 위험은 가정환경 밖의 많은 요인을 포함한다. 특히 청소년기는 정체감 상실과 절망감으로 인해 자살률이 높다. 간호사는 대상자에게 이 시기에 제시된 위험요인을 인식시키고 안전조치를 교육시킨다. 성인기에는 위험요인을 줄이기 위해 식이 및 활동, 흡연 중독에 대한 생활양식의 수정이 필요하다는 인식을 교육시킨다.

2. 위생적 환경

감염을 예방하기 위해 간호사는 무균법을 사용한다. 내과적 무균술은 미생물의 전파로 인한 감염예방을 위해 손 씻기와 환경의 청결 유지를 포함하고, 외과적 무균술이나 멸균술은 아포를 포함하는 모든 미생물이 없는 환경을 제공한다. 유아의 부모는

표 12-1 안전과 관련된 위험요인에 대한 간호진단과 관련요인

간호진단	관련요인
손상 위험성	• 기동성의 변화, 감각능력의 장애, 약물 중독
	• 가정 내 물리적 환경의 조성, 지각장애, 전신쇠약
중독 위험성	• 음식이나 물의 화학적 오염, 지식부족
	• 아동의 약물 이용 접근성 높음
	• 감소된 시력, 인지장애
질식 위험성	• 운동 능력의 감소
	• 부적절한 수면자세
	• 냉·난방기에 의한 부적절한 환기
외상 위험성	• 아동접근성이 쉬운 전기용품, 정돈되지 않은 환경, 인지장애, 약물중독
변화된 사고 과정	• 기억상실
	• 수면부족
	• 약물의 부작용
비 사용증후군 위험성	• 부적절한 억제대사용
지식부족	• 정보의 잘못된 해석
	• 아동에게 생소한 안전 예방책

아이의 면역 획득에 대해서 교육받을 필요가 있다. 가정에서 음식 취급방법에 대한 인식은 오염된 음식을 통한 병원균의 전파 위험을 감소시킨다.

3. 낙상 예방

낙상을 예방하기 위해 간호사는 대상자의 안녕 수준과 관련된 자료를 포함시켜 물리적 환경을 인식하도록 돕고, 적절한 중재를 개발하기 위해 낙상위험요소를 사정하여야 한다. 환경 내 위험 요소를 인지할 수 있도록 해야 하며, 대상자의 보행능력, 근력과 조정 및 균형, 시력 등 사정내용에 포함하여야 한다. 대상자에게 호출장치 사용 체계를 설명하고 손이 쉽게 닿는 곳에 놓아두며 낙상에 대한 대상자의 위험을 사정한다. 그리고 낙상할 위험이 있는 대상자의 병실을 간호사실 가까이에 둔다. 또한 간호사는 대상자의 호출 장치에 바로 반응한다.

대상자의 의식이 혼돈상태일 때는 언제나 침대의 보호 난간을 올리고 침대를 낮게 유지한다. 대상자 개인물품을 가까운 곳에 두고, 대상자의 방에서 장애물을 제거한다. 대상자의 보행과 이동능력에 대해 주의 깊게 사정하고, 대상자 이동시 모든 침대, 휠체어, 이동침대를 고정시킨 후 이동한다. 특히 밤에 낙상 가능성이 있는 대상자나 낙상 고위험군의 경우 자주 대상자를 관찰하고, 필요시 낙상예방에 대해서 재교육시키며 대상자의 신발이 안전한지 점검한다.

입원한 대상자의 낙상 위험을 사정하기 위해 표준화된 사정도구인 하인리히 II 낙상위험 모델(Hendrich II Fall Risk Model)를 사용할 수 있으며, 특히 점수가 높은 낙상 고위험군 대상자를 주의 깊게 관찰하여 적절한 낙상 예방을 위한 중재를 제공해야 한다(표 12-2).

4. 보호 난간

보호 난간은 침대에 있을 때나 침대에서 의자로 이동할 때 대상자의 이동과 안전을 위한 장치이다. 보호 난간은 또한 무의식 대상자가 침대나 이동 침대 밖으로 떨어지는 것을 예방한다. 혼돈된 대상자는 침대에서 나가려고 난간에 오르거나 난간에 발을 올려놓는 행동을 하는데 이러한 시도가 보통 낙상으로 이어진다. 보호 난간이 사용될 때는 언제나 침대는 가능한 한 낮은 위치로 유지되어야 한다.

5. 억제대 사용

억제대(restraint)는 물리적 혹은 화학적인 방법으로 대상자의 신체의 일부분이나 신체 활동을 제한하는 것으로, 이는 대상자의

표 12-2 Hendrich II 낙상 위험 모델(5점이상 = 고위험)

낙상 위험요소	위험점수	낙상 위험요소	위험점수
혼돈 또는 지남력 상실	4	벤조디아제핀 투여	1
우울	2	* 일어나서 테스트하기	
배설 장애	1	단일동작으로 한번에 일어날 수 있음	0
현기증 또는 어지럼증(주관적)	1	밀어 올려서 한번 시도로 성공	1
남성	1	여러번 시도하여 성공	3
항간질제 투여	2	도움없이 일어날 수 없음	4

문제를 해결하는 방법이 아니라 안전을 유지하기 위한 일시적인 방법이며 위험한 상황에서 손상의 위험이 있는 대상자는 억제해야 할 필요가 있다. 억제대는 물리적인 방법과 화학적인 방법으로 구분된다.

물리적 억제대는 수동적 방법이나 기계적 장치 또는 도구로 대상자의 신체에 부착하거나 접근시켜 대상자가 쉽게 제거할 수 없으며 대상자의 신체를 정상적으로 움직일 수 있도록 자유공간을 제공하는 것이다. 화학적 억제대는 대상자가 자유로운 활동이나 행동을 통제하기 위해 신경억제제나 진정제 등의 약물을 사용하는 것이다.

억제대는 대상자의 손상을 예방할 수도 있지만, 부적절하게 사용 시 대상자를 위험하게도 할 수 있다. 억제대 사용과 관련된 문제점으로는 질식의 위험성, 순환장애, 피부손상위험성, 궤양, 영양저하와 수분감소, 실금, 감각결손, 정서적 근심, 근육과 골밀도 저하가 제시되고 있다. 억제대가 필요할 때 억제대의 종류, 억제대 사용 이유, 대상자의 특별한 행동, 제한된 시간 설정을 하여야 한다. 이 지침은 기관의 정책으로 결정 될 수 있다.

억제대에 대한 보호법(restraints or protectives)은 신체의 일부분이나 신체 활동을 제한하기 위한 것이다. 보호법은 물리적 또는 화학적인 방법으로 구분된다. 물리적 보호법은 대상자의 신체를 물리적이거나 기계적 장치나 기구에 의해 억제시키는 것이다. 화학적 보호법은 신경억제제, 불안 억제제, 진정제 등의 약물을 이용하여 대상자의 활동을 통제하는 것이다. 보호법의 목적은 자신이나 타인을 상해로부터 보호하는 것이다.

보호법의 합법적 적용. 안전의 요구가 증가함으로써 안전은 간호사의 독립적인 간호역할로 나타난다. 보호대는 개인의 자유를 구속하기 때문에 보호대 사용은 법적 영향을 받는다. 간호사는 보호대에 대한 병원의 정책이나 법에 대해 알고 있어야 한다.

미국 의료기관 평가인증기관(TJC, 2010)에서는 비정신과적인 대상자에 대한 임상적으로 적절하게 규정된 상황에서 제한된 억제를 사용하는 것에 대한 사용 기준을 2010년에 제시하였다. 이 표준은 모든 병원에서 적용할 수 있으며, 실질적으로 억제대를 적용하기 위해 행동관리기준(대상자 자신이나 다른 사람이 위험한 경우)과 급성내과와 외과치료기준(치료과정과 관련된 일시적으로 움직임을 제한함)의 2가지 기준을 제시하고 있다. 행동관리기준의 경우, 간호사는 보호대를 사용할 수 있지만 의사나 다른 의료진이 반드시 1시간 이내 대상자를 평가해야 하며, 내려진 처방은 4시간 동안 유효하다.

대상자가 억제될 필요가 있다면, 대상자 상태를 시청각적으로 관찰 할 수 있어야 한다. 내, 외과 치료 기준은 의사의 처방에 따라 억제대 사용을 12시간까지 허용하고 있다. 모든 처방은 매일 작성되어야 한다.

기준은 의사 처방이 억제 이유와 기간을 명시하고 "억제의 PRN처방" 사용을 금지하도록 요구한다. 모든 경우에서 억제대는 다른 가능한 방법을 모두 시도해 본 후에 사용해야 한다. 흔히 억제된 대상자는 자기조절이 안되어 더욱 안절부절 하며 불안 해 하는 결과를 가져온다. 간호사는 정확히 대상자 및 보호자에게 억제대 사용 이유와 필요성을 언급하여야 한다.

억제대 선택. 억제대를 선택하기 전, 간호사는 억제대의 목적을 분명히 이해해야 하며 다음의 5가지 기준을 적용한다.

1. 억제대는 대상자의 움직임을 최소한으로 제한해야 한다. 예를 들어 대상자의 한쪽 팔을 억제하기 위해 신체 전체를 억제해서는 안된다.

2. 억제대는 대상자의 치료 또는 건강문제를 방해해서는 안 된다. 만약 대상자가 혈액순환이 좋지 않다면 혈액순환을 방해하지 않는 억제대를 사용한다.

3. 억제대는 교환이 쉬워야 한다. 오염된다면 억제대는 자주 교환하는 것이 필요하다.

4. 대상자에 따라 적합한 억제대가 사용되어야 한다. 예를 들어

표 12-3 억제대의 종류

억제대 종류	설명	그림
조끼 억제대	의자 또는 휠체어에 앉아 있거나 침대에 누워 있는 동안 억제할 수 있으며 대상자의 등쪽에서 잠겨지는 형태의 억제대이다.	
벨트 억제대	이동차로 운송 중에 대상자 안전을 위한 것으로 대상자의 복부나 가슴이 지나치게 조여지지 않도록 주의한다.	
사지 억제대	사지의 한군데 혹은 전부를 억제하는 것이다.	
장갑 억제대	드레싱이나 신체 삽입기구를 보호하고 대상자가 가려움증으로 인해 긁는 것을 예방하기 위해 손을 억제하는 기구이다.	
팔꿈치 억제대	영아의 팔꿈치 굴곡을 막기 위한 억제대이다.	
전신 억제대	영아의 머리나 목의 검사 및 치료 시에 몸통과 사지의 움직임을 제한하도록 만들어진 억제대이다.	

한쪽 손목이 침대에 묶여 있는 대상자는 침상 난간을 넘으려 하고, 이로 인해 상해를 입게 된다. 이런 경우 억제대를 사용하는 것이 더 안전하다.

5. 억제 시 외부 노출을 최소화하는 것이 좋다. 대상자와 방문객들은 억제대 사용에 대한 이유를 이해하였음에도 불구하고 억제된 모습을 볼 때는 당황하게 된다. 따라서 노출을 최소화함으로써 대상자와 방문객을 좀 더 편안하게 해 준다.

억제대에 대한 실습은 기본간호학실습서 4장을 참조하여 수행한다. 억제대의 종류와 예는 표 12-3과 같다.

6. 화재 예방

병원은 항상 화재의 위험이 있으며, 대상자는 도움 없이 자유롭게 이동할 수 없기 때문에 특히 더 위험하다. 산소나 마취제와 같은 점화되기 쉬운 가스가 의료기관 화재 발생의 원인이 된다. 화재예방을 위해서는 전기제품 사용에 관한 교육과 규칙적인 점검을 실시하고, 병원 내 엄격한 흡연정책을 실시하여야 한다. 또한 응급서비스센터의 전화번호를 전화기 옆에 비치하고, 비상구의 위치를 알아 두고 위치를 표시해 둔다. 소화기의 위치와 화재 호스 위치, 화재 알람의 위치, 대피장비, 대피과정 및 소방대책을 알아 둔다. 만약 화재가 건강의료 기관에서 일어난다면, 간호사는 대상자를 손상으로부터 보호해야 하며, 화재의 위치와 화재의 내용을 보고한다. 모든 대상자를 급박한 위험으로부터 구출한다. 화재의 위치를 보고하기 위해 경보 절차를 사용한다.

대상자가 위험으로부터 구출되고 화재가 보고 된 후에, 직원은 반드시 화재를 제한하고 소화하기 위한 방법을 취하는데, 산소와 전기도구를 끄고, 소화기를 사용한다. 화재 가까이에 있고, 손상위험에 있는 대상자는 다른 영역으로 바로 이동해야 한다. 만약 대상자가 산소를 제공받고 있으나 생명 지지를 위한 것이 아니면, 간호사는 연소성의 화재 연료가 되는 산소를 중단한다. 만약 대상자가 생명 지지의 필요성이 있다면, 간호사는 대상자의 호흡상태를 유지하기 위해 Ambu-bag을 이용하여 대상자가 화재의 위협으로부터 벗어날 때까지 수동적으로 산소를 공급한다. 이동할 수 있는 대상자에게는 안전한 영역으로 걸어가도록 지시하고, 이동할 수 없는 대상자는 휠체어, 이동침대를 통해 화재 주위에서 벗어나도록 한다.

▶병원 내 화재(RACE)

- R(Rescue) : 즉시 위험한 환자를 구조하여 옮긴다.
- A(Activate) : 화재 경보를 가동시킨다.
- C(Confine) : 산소와 전기기구를 잠그며, 창문과 문을 닫아 화

재가 확산되는 것을 막는다.
- E(Extinguish): 소화 기구를 사용하여 최소한의 소화 작업을 한다.

7. 중독 예방

중독은 섭취와 흡입 또는 잠재적으로 문제를 유발할 수 있는 물질 흡수를 통해 건강을 위해하거나 생명을 파괴한다. 독성물질에 의해 화학반응을 통해 호흡기계, 심혈관계, 신경계, 위장관계 등 해를 끼치게 된다. 특정 해독제나 구토제는 단지 몇 가지 형태의 독극물에서만 이용 가능하므로 중독예방은 매우 중요하다. 중독으로 인한 사망률은 25~44개월 된 아동에서 가장 높기 때문에 약물은 아동-보호 캡을 사용하고, 약물 장은 아이들에게 닿지 않도록 위치해야 한다. 노인의 기억력의 감소는 유독 물질의 섭취 또는 처방된 약물의 과잉투여를 초래할 수 있다. 성인의 경우는 자살을 위한 고의적 약물 남용이 있을 수 있으며 이의 방지를 위해 약물남용을 초래하는 약물의 철저한 관리가 필요하다.

8. 전기 사고 예방

전기도구는 반드시 지시에 따라 잘 작동하여야 한다. 만일 대상자가 전기에 감전되었을 때 전류가 나갈 때까지 대상자를 만지지 말고 안전한 곳으로 옮겨야 한다. 이때 화상, 근육경축, 호흡정지가 있을 수 있다. 따라서 대상자가 전기적 충격을 받으면, 간호사는 즉각적으로 대상자의 맥박 유무를 확인한다. 만약 대상자가 맥박이 없으면, 심폐소생술이 시작되어야 하며 응급 직원에게 알려야 한다. 만약 대상자의 맥박을 감지할 수 있고 의식이 있고 지각능력이 있다면, 간호사는 빠르게 활력징후를 측정하고 열 손상의 징후를 위해 피부를 사정한다. 또한 대상자의 담당 의사에게 반드시 알려야 한다.

만약 전기 충격이 가정에서 일어나면, 간호사는 같은 절차를 따르나 대상자를 응급실로 후송한 후 담당의사에게 알린다. 전기사고를 줄이기 위한 지침은 하나의 콘센트에 많은 전기코드를 꽂지 않으며, 세면대, 욕조 등, 물이 있는 곳에서는 전기기구를 사용하지 않는다. 전기코드와 기구가 아동의 손이 닿지 않도록 보호커버를 하며 코드 사용 전에는 전선의 파손 및 벗겨짐을 확인한다. 또한 전기기구를 세척할 때는 전기를 연결하지 않은 상태에서 세척한다.

9. 방사선으로부터의 보호

방사선과 방사성 재료는 대상자의 진단과 치료에 이용된다.

의료기관은 방사선과 방사성 물질을 주입 받는 대상자의 간호를 위한 안내 지침을 가지고 있으며, 간호사는 반드시 기관의 규정을 따라야 한다. 방사능 노출과 관련된 건강상의 역효과는 선천적 기형, 암, 조직세포 파괴 등 예상치 못한 결과를 초래할 수 있으므로, 간호사의 방사선에 대한 노출시간을 최소한으로 하고, 가능한 한 멀리 떨어져 있도록 하고 납 앞치마와 같은 보호 장비를 사용해야 한다.

제5절
안전간호수행의 평가

안전에 대한 위협을 감소시키기 위한 간호중재는 각 중재의 목적에 따른 기대되는 결과에 비추어 대상자의 반응을 비교함으로써 평가한다.

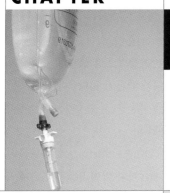

체온유지에 관한 요구

학습목표

1 체온조절기전을 설명한다.
2 체온의 변화를 설명한다.
3 열과 냉의 생리적 효과를 설명한다.
4 체온유지요구를 사정한다.
5 체온유지와 관련된 간호진단을 기술한다.
6 체온유지문제에 대한 간호를 계획한다.
7 체온유지요구와 관련된 간호중재를 수행한다.
8 열·냉요법을 수행한다.
9 체온유지간호 후 결과를 평가한다.

체온은 인간의 건강상태를 나타내는 중요한 요소이며 신체내부에서 일어나는 생리적 변화에 대한 민감한 지표이다. 인체는 신체주위의 온도변화에도 불구하고 항상 일정한 체온을 유지한다. 체온은 열생산과 열소실이 균형을 이루어 항상성을 유지함으로써 조절된다. 체내의 신진대사과정을 통해 생산되는 열생산량과 복사, 대류, 전도, 증발 등의 형태로 체외로 소실되는 열소실량이 균형을 이루게 되면 정상범위의 체온을 유지하게 된다.

신체의 전신 혹은 국소에 체온의 변화를 가져오는 경우, 간호와 치료목적으로 열(heat)과 냉(cold)이 사용된다. 체온을 유지하는 조절체계와 체온유지를 위해 신체가 열과 냉에 생리적으로 반응한다. 열·냉요법은 치유를 돕고 안위를 증진시킨다. 그러나 조직손상 혹은 체온조절장애를 가져올 수 있으며, 그 적용방법과 시간, 정도, 신체상태, 연령, 적용한 신체부위의 범위에 따라 생리적인 효과가 다르므로 대상자의 안전이 가장 중요하게 고려되어야 한다.

제1절
체온유지를 위한 간호사정

I. 체온유지사정을 위한 기본지식

1. 체온조절기전

인체의 체온조절중추는 시상하부에 있으며, 말초의 온도변화를 받아들이는 열수용기(thermoreceptor)와 열생산중추와 열소실중추가 있다. 열생산중추는 시상하부 뒷부분에 위치하여 이 부위를 자극하면 표재성 혈관수축 및 땀샘활동이 저하되며 대사활동과 근육활동이 상승한다. 열소실중추는 시상하부 앞부분에 위치하여 이 부위를 자극하면 표재성 혈관확장, 땀샘활동상승, 대사 및 근육활동이 저하된다. 정상체온은 신체혈액온도의 상승과 하강의 정도에 따라 조절되고 있다.

즉 혈액의 온도가 올라가면 체열 손실기구를 조절하여 열소실을 가져오고, 혈액의 온도가 낮아지면 체열 생성기구를 조절하여 열생산을 일으켜 체온의 항정상태(steady state)를 유지하는데,

이를 체온조절(thermoregulation)이라고 한다.

인체의 체온조절 균형기전은 열생산과 열소실 두 기전에 의해서 이루어진다. 체온을 조절하는 체계는 체표(shell)와 체내(core)의 감각수용기(sensors or sensory receptors), 시상하부 통합기(hypothalamic integrator), 열생산과 열소실을 조절하는 효과체계(effectors) 등 세 가지 주요부분에 의해 이루어진다.

1) 감각수용기

체표의 대부분의 감각수용기는 피부에 있다. 피부에는 열감각기와 냉감각기 모두 있으나 열보다는 냉감각을 더 잘 감지한다. 몸 전체에 걸쳐 피부가 차가워질 때 체온을 상승하기 위한 다음과 같은 세 가지 생리적 과정이 발생한다.

- 떨림(shivering)은 열생산을 증가한다.
- 발한은 열소실을 감소시키기 위해 억제된다.
- 혈관수축은 열소실을 감소시킨다.

체내의 감각수용기는 복막, 척수, 큰 혈관주위에 있는데, 체표의 온도에는 반응하지 않고 체내 심부온도(core temperature)에만 반응한다. 체표와 마찬가지로 열보다는 냉감각을 더 잘 감지한다.

2) 시상하부 통합기

시상하부 통합기는 체내 심부온도를 조절하는 중추이며 시상하부의 전시각 부위(preoptic area)에 위치하여 다음과 같이 조절이 이루어진다. 시상하부의 감각수용기가 열을 감지하면 열생산을 감소시키고 열소실을 증가시켜 체온을 낮추도록 신호를 보낸다. 이와는 반대로 냉감각수용기가 자극되면 열생산을 증가시키고 열소실을 감소시키도록 신호를 보낸다.

3) 효과체계

시상하부의 냉감각수용기로부터 받은 신호는 혈관수축, 떨림, epinephrine 방출 등과 같은 효과체계를 유발하여 세포의 대사작용을 촉진시켜 열생산을 증가하게 한다. 열감각수용기가 자극되면, 효과체계는 발한, 말초혈관 확장 등을 유발하는 신호를 보낸다. 효과체계의 또 다른 부분인 체성신경계(somatic nervous system)가 자극되면, 인체는 추위에 대비하여 옷을 입거나 혹은 열에 반응하여 바람을 쐬는 등의 적절한 조절을 의식적으로 하게 된다.

2. 체온의 변화

정상체온 범주 밖의 체온변화는 시상하부의 지정온도(set point, 37±0.5℃)에 영향을 준다. 이러한 변화는 과도한 열생산, 과도한 열소실, 최소한의 열생산, 최소한의 열소실 등과 관련될 수 있다. 변화의 특성은 대상자가 경험하는 임상문제의 유형에 영향을 미친다.

1) 발열 및 발열 단계

고열(hyperpyrexia) 혹은 열(fever)은 열소실 기전이 과잉 열생산을 감당하지 못하여 체온이 비정상적으로 상승하는 것을 의미하며 일반적으로 39℃ 이하일 때는 해롭지 않다.

열은 신체가 정상체온보다 내부체온을 상승시키는 조절상태로, 37.1~38.2℃ 이하는 미열(mild fever), 38.2℃ 이상은 고열(high fever), 40℃ 이상일 때는 과열(hyperthermia)로 분류한다. 37.5℃ ~ 40℃ 사이의 체온에서는 세균이나 바이러스가 높은 온도에서 잘 자라지 못하게 하기 위한 면역반응이 더욱 효율적이 되도록 대사율을 증가시킨다. 한번 측정한 것으로 열이 있다고 단정하기보다는 여러 번 측정한 수치가 감염증상 외에도 평소의 정상체온과 비교하여 높을 때 열이 있다고 본다.

(1) 발열 단계

발열단계는 열이 오르기 시작하여 최고점에 도달한 후 다시 정상으로 회복되는 과정으로 오한기, 발열기, 해열기의 단계로 설명한다.

① 오한기

열은 시상하부 지정온도의 변화로 인해 발생한다. 박테리아나 바이러스와 같이 체온을 올리는 물질을 발열물질(pyrogens)이라 한다. 발열물질은 신체에 침입하면 면역체계를 자극하는 항원으로서 활동한다. 감염에 대항하고 방어증진을 돕기 위하여 백혈구와 호르몬이 분비되면서 시상하부의 지정온도가 높게 설정된다.

신체는 새로운 지정온도에 도달할 때까지 열을 생산하고 보존하게 되는데 이 시기를 오한기(chill phase)라고 한다. 즉 체온이 점차적이거나 급작스럽게 상승하기 시작하는 시기이며 대상자는 오한, 떨림, 추위를 경험하게 된다. 오한과 더불어 피부혈관은 열의 손실을 막아 체온을 올리기 위해 수축하고 피부를 통한 열손실을 막기 위해 발한을 억제하므로 피부는 소름이 돋고 건조하며 창백하고 차갑다.

이 단계에서는 오한기전(shivering mechanism: 오한과 동시에 혈류에 epinephrine, norepinephrine의 분비를 증가시켜 세포대사가 증가된다)이 있고 기초대사율이 증가하며 전도와 대류에 의한 열소실이 감소된다.

② 발열기

체온이 시상하부의 온도조절기가 새로 상향조정한 지정온도에 도달하면 오한은 사라지고 발열기(fever or plateau phase, 열보존기)로 접어든다. 이 시기는 상승된 체온이 하강되지 않고 수일 혹은 수주간 지속되는 시기이다. 대상자는 몸이 뜨겁고 건조한 피부와 갈증을 느끼게 된다. 단백질대사의 증가로 피로와 허약, 근육통을 호소하기도 한다. 이외에도 신경세포자극으로 졸립고 안절부절못하며, 노인이나 아이들의 경우에는 섬망(delirium)이나 열성경련(febrile convulsion)이 발생할 수 있다.

③ 해열기

상향조정되었던 지정체온이 정상으로 떨어지게 되고 떨어진 지정체온에 맞추기 위해 체온소실기전이 작용하게 된다. 이때 발열물질이 제거되면 해열단계(fever break)로 혈관이 확장되어 피부가 상기되고 따뜻하며 땀을 흘리고, 근육은 더 이상 수축하지 않으며 반대로 늘어지게 된다. 발한은 증발에 의한 열소실을 증가시켜 열을 내리게 한다. 이때 발한이 지속되면서 탈수가능성이 있다. 해열단계는 분리기와 소산기의 형태로 상승되었던 체온이 정상으로 하강한다.

분리기(crisis)는 상승되었던 체온이 급격히 정상으로 떨어지는 것으로 보통 12~24시간동안에 정상으로 되며 전신적인 상태가 호전된다. 그러나 이는 상태의 호전증세가 아닌 감염에 대응

할 능력의 상실 및 위험을 알리는 신호이다.

소산기(lysis)는 상승되었던 체온이 점차적으로 떨어져 정상체온으로 회복되는 상태로 수일 혹은 수주일 걸린다. 단계적인, 불규칙적인 방법으로 하강하며 대상자의 상태가 점차적으로 좋아진다.

(2) 발열 유형

열에는 간헐열, 이장열, 계류열, 재귀열, 소모열 등 여러 유형이 있으며, 체온상승의 양상이 다르다(표 13-1).

2) 고체온

고체온(hyperthermia)은 열소실을 촉진하거나 열생산을 감소시킬 능력이 부족하여 체온이 상승하는 것으로 어떤 질병이나 시상하부의 외상이 원인이 된다.

장기간의 지속적인 열의 노출, 근육과잉, 노령, 심장질환, 근육긴장을 높이거나 열소실을 감소시키는 약물, 더운 날씨에 어린이나 영아를 밀폐된 차에 남겨둔다거나, 뇌척수 손상 등이 원인이 되어 고체온이 발생될 수 있다. 악성 고체온(malignant hyperthermia)은 유전적 소인이나 일부 마취제를 사용한 대상자가 걸리기 쉽다.

표 13-1 발열 유형

구분	정의	양상
간헐열(intermittent fever)	• 체온상승과 정상 혹은 정상이하 체온간의 변화가 규칙적으로 교대되는 상태, 적어도 24시간마다 혹은 2~3일 간격으로 정상으로 돌아오는 형태 • 주로 이른 아침에 열이 하강한다. • 1일 1℃ 이상의 차이 나타냄. 박테리아, 바이러스감염, 급성신우염, 말라리아	
이장열(remittent fever)	• 체온의 변화가 심하다(2℃ 이상). • 변화기동안에 정상으로 되돌아오지 않으며, 최저체온이 정상체온보다 높은 상태이다. • 심내막염, 폐렴	
계류열(constant fever)	• 체온상승이 계속적으로 지속되는 상태로 변화가 적다(2℃ 이하). • 성홍열, 리케차열	
재귀열(relapsing fever)	• 적어도 1~2일간 정상이다가 다시 체온이 상승되는 형태, 정상체온기간은 불규칙적으로 어느 시기에나 나타난다. • 호킨스질병, 황열	
소모열(septic fever)	• 하루동안 불규칙적인 체온상승이 있다(2.2℃정도).	

3) 열고갈

열고갈 혹은 열피로(heat exhaustion)는 심한 발한으로 인해 과도한 수분과 전해질이 손실될 때 일어난다. 더운 환경에 노출됨으로써 수분과 전해질의 부족시에 나타나는 일반적인 증상이 나타난다. 빈맥, 호흡곤란, 저혈압 등이 나타나고 피부는 창백해지고 차고 축축하다. 응급처치로 대상자를 서늘한 곳으로 옮겨 설탕을 넣지 않은 음료나 염분이 함유된 음료를 마시게 하여 수분과 전해질의 균형을 유지해야한다.

4) 열경련

열경련(heat cramps)은 심한 운동이나 발한으로 신체 염분균형에 장애를 초래하여 골격근의 통증이나 간헐적인 경축을 보이는 것이다. 체액의 염화나트륨고갈로 극도의 갈증과 오심, 창백, 현기증이 일어날 수 있다. 대상자가 열경련을 경험할 경우, 하고 있던 활동을 중단하고 염분제제나 염분이 많이 함유된 수분을 섭취하도록 한다.

5) 일사병

오랫동안 햇볕이나 더운 날씨에 노출되면 체내 열소실 기전에 이상이 생기며, 이는 시상하부의 기능부전을 가져와 열조절기능이 억압되고 발한도 감소한다. 이에 따라 체온을 감소시키려는 외부의 중재가 없는 경우 고체온은 계속된다. 이를 일사병(heat stroke)이라고 하며 체온이 41.1~42.2℃까지 상승될 때 발생하여 위험한 상태를 초래할 수 있다.

너무 어리거나 노인, 심맥관계 질환, 갑상선 기능저하증, 당뇨, 알코올중독증, 열소실을 감소시키는 약물을 복용하는 자, 격렬한 운동이나 일을 하는 사람들이 위험하다.

대상자는 현기증, 혼돈, 섬망, 과도한 갈증, 오심, 근육경련, 시력장애, 실금 등을 경험하며 가장 중요한 증상은 뜨겁고 건조한 피부이다. 체온이 하강되지 않으면 의식을 잃기도 한다. 이와 같은 고열은 뇌세포에 손상을 줄 수 있다.

6) 저체온

저체온(hypothermia)은 심부체온이 정상보다 낮은 상태이며, 장기간 추위에 노출되면서 열생산력이 떨어져 발생한다. 이는 사고나 부지불식간에 발생할 수도 있으며, 치료하기 위해 인위적으로 유도되어지기도 한다.

신체의 심부체온이 33℃ 이하로 떨어지면 체온조절은 손상되어지고 순환이 잘못되기 쉬워진다. 체온이 35℃로 떨어지면 대상자는 근육조절의 어려움, 기억력 상실, 우울, 판단력 상실 등으로 고통을 겪으며, 34.4℃ 이하가 되면 심박수, 호흡, 혈압이 떨어지며 피부는 창백해진다. 그 상태가 지속되면 심부정맥, 의식상실, 동통자극에 대한 반응력 저하가 온다. 저체온에는 유도된 저체온, 우발적 저체온, 동상 등이 있다.

(1) 유도된 저체온

유도된(인위적)저체온(induced hypothermia)은 시상하부의 체온조절을 억압하는 약물을 투여하거나 냉각담요를 사용하여 계획적으로 심부온도를 30~32℃의 범위로 낮추는 것이다.

유도된 저체온은 심장정지 상태에서 대뇌를 보호하고 산소공급 저하 상태에서 각 장기의 손상을 방지하는 세포보호효과가 있다. 면역반응에 대한 효과도 있어서 염증반응 감소에 효과가 있다.

따라서 수술 시 대사요구와 체내산소요구를 낮추기 위해 의도적으로 저체온 상태로 유도하기도 한다. 이외에 심부온도가 40℃가 넘는 대상자에게도 사용할 수 있고 신경계장애 대상자에게 뇌압상승을 방지하거나 감소시키기 위해 적용된다.

(2) 우발적 저체온

우발적 저체온(accidental hypothermia)은 추운 환경에 비의도적으로 노출될 때 발생하는데, 일반적으로 저체온 현상이 점차적으로 나타나며 여러 시간동안 알아차리지 못할 수도 있다.

저체온은 대상자의 연령과 건강상태, 추운 환경에 노출된 시간에 따라 심각성이 다르다. 또한 시상하부의 기능에 장애를 가져와 열생산이 감소되어 추위를 많이 느끼게 된다. 과도한 알코올 섭취, 약물의 사용, 외상이나 뇌혈관장애는 움직임을 억제하므로 저체온의 위험이 있다.

또한 젖은 옷은 물의 높은 전도성 때문에 열소실이 증가되므로 마른 옷으로 갈아입는다.

(3) 동상

동상(frostbite)은 피부표면이 얼 정도로 극도로 추운 환경에 노출되었을 때 생길 수 있다. 인체가 비정상적인 온도에 노출될 때 세포내 얼음결정체를 형성하여 영구적인 순환과 조직손상을 가져올 수 있다.

귀볼, 코끝, 손과 발에 걸리기 쉽고, 혈관수축과 혈관벽의 손상은 부분적인 순환을 방해하고 무산소증, 부종, 수포형성, 괴사의 원인이 된다. 얼음주머니를 부주의하게 적용하였을 때도 피부표면이 얼 수 있다.

손상부위는 창백하고 만지면 단단하며 감각이 없는 무딘 상태이다. 간호중재로 손상부위를 따뜻하게 보온을 유지하고 보호해야 한다.

표 13-2 열·냉 적용의 물의 온도

구분	온도범위	예
매우 뜨거움	41~46℃	더운물 주머니, 전기이피가
뜨거움	37~41℃	더운물 침수, 온습포
따뜻함	34~37℃	따뜻한 물 목욕
미지근함	26~34℃	알코올 목욕, 미온수 목욕
시원함	18~26℃	냉습포
차가움	15~18℃	찬물주머니
매우 차가움	15℃ 이하	얼음주머니

표 13-3 열·냉 적용 시의 치료적 효과

치료	생리적 반응	치료효과	적용의 예
열	• 혈관확장(피부발적)	• 상처부위의 혈류량 증가 • 영양소 공급 원활 • 노폐물 제거 • 상처조직의 정맥울혈 감소 • 화농과정 촉진	• 염증이나 부종이 있는 신체부위 • 수술부위, 감염된 상처 • 관절염, 퇴행성 관절질환 • 국소 관절 통증 • 근육좌상 • 요통, 생리통, 치질, 회음부 및 질 염증 • 국소적 농양
	• 혈액점도 감소 • 근육긴장 완화	• 상처부위로 백혈구와 항체운반 증진 • 근육이완 증진 • 경련이나 경직으로 인한 동통 감소	
	• 조직 신진대사의 증가 • 모세혈관 투과성 증가	• 혈류증가, 국소적 열 제공 • 노폐물 및 영양소 이동 증진	
냉	• 혈관수축 (창백하고 푸른 빛을 띤 피부)	• 상처부위의 혈류량 감소 • 부종형성방지 • 염증감소, 모세혈관 투과성 감소	• 근골격 염좌, 경축, 골절, 근육경련 등과 같은 외상직후 • 표피 열상이나 좌상 후 • 경미한 화상 후 • 손상부위나 동통부위가 악성으로 의심될 때 • 주사 후, 관절염, 관절 외상 시
	• 국소마취 • 세포 신진대사의 감소 • 혈액의 점도 증가 • 근육긴장 감소	• 국소적 동통 감소 • 조직의 산소요구량 감소 • 손상부위의 혈액응고 증진 • 동통 감소	

3. 열과 냉의 생리적 효과

간호사는 발열, 고체온증, 저체온증과 같은 불균형이 있을 때 정상체온으로 회복되도록 간호중재를 수행하기 위한 간호중재로 열·냉요법을 적용한다. 이에 따른 물의 온도와 치료적인 효과를 고려해야 한다(표13-2, 3). 열요법은 혈관확장으로 혈액순환을 증가시켜 산소와 영양소 공급을 증가시키고 노폐물 제거에 도움이 된다.

또한 통증도 완화시킨다. 통증완화의 기전은 정확히 알려지지않았으나 통증역치를 높이는 것과 관련이 되며 열의 이완효과는 안위를 촉진한다. 냉요법은 혈관수축, 혈류감소, 국소적 신진대사를 저하시켜 진통 및 항염증 효과, 발열 억제의 목적으로 사용한다.

II. 자료수집

1. 간호력

1) 객관적인 자료

객관적인 자료수집은 체온측정과 체온의 비정상이나 변화를 나타내는 신체적 증상이나 징후의 관찰이 포함된다.

(1) 체온의 사정

체온측정은 체온조절체계의 기능을 사정하는 방법이다. 신체의 다양한 위치에서 체온을 측정한다. 가장 일반적으로 체온을 측정하는 부위는 구강으로, 특히 혀 아래에 위치한 전방설하 부위이다. 체온의 변화에 따라 다른 활력징후의 변화가 어떻게 상응하여 나타나는지를 관찰해야한다.

(2) 조사 자료

체온변화의 징후를 조사하기 위해 신체부위가 조사되어져야 한다. 피부의 색깔, 온도, 습도, 기모근 수축, 홍조, 떨림 등을 관찰한다. 간호사는 피부색이나 온도의 변화가 국소적인지 혹은 전신적인지를 확인해야 한다. 일반적으로 대상자의 의식수준, 체중, 영양 및 수화(hydration)상태, 발열증상 등을 관찰해야 한다.

2) 주관적인 자료

간호사는 대상자와의 면담을 통하여 정상체온범위를 이해하고 체온변화를 야기하는 위험요인을 확인하며 실질적으로 변화된 체온상태를 확인하는 것이 필요하다.

(1) 체온의 사정

(1) 기능양상의 확인

대상자가 정상체온범위를 아는지 확인한다. 체온상승이 나타나면 간호사는 자주 체온을 측정하고 체온측정법을 교육하며, 필요시에는 정상체온 범위를 말해줄 수 있다.

(2) 위험요인의 확인

비정상적인 체온을 나타내는 위험요인을 확인한다. 과거의 고체온증이나 저체온증의 발생여부, 암이나 내분비 불균형과 같은 대사성 문제가 있는지 확인한다. 심장질환, 호흡기 질환 또는 비만과 같은 만성질환은 체온상태를 변화시킨다. 혈관관련 약물이나 의식수준에 영향을 주는 약물을 사용했는지 여부도 사정한다. 마취제를 사용한 수술의 경우 가족내 악성 고체온증의 과거력이 있는지도 조사한다. 또한 연령, 운동상태, 호르몬분비, 하루중의 변화, 스트레스 상태 등과 같이 체온에 영향을 미칠 수 있는 요인을 확인한다.

(3) 기능장애의 확인

체온이 상승하면 간호사는 대상자가 얼마나 오랫동안 상승된 체온을 의식해 왔는가 혹은 오한이나 발한, 냉기나 온기를 느끼는가를 확인해야한다. 발열양상, 발열의 원인, 발열치료방법과 기간을 이해하고 확인한다. 간호사는 심한 활동, 뜨거운 음료의 섭취, 배란, 수화(hydration)의 정도, 환경적 온도, 불안과 같이 체온상승을 야기할 수 있는 다른 요인을 고려해야 한다.

체온이 대상자의 연령에 따른 정상체온범주보다 낮다면, 저체온증 여부를 고려해야한다. 간호사는 대상자가 저체온증을 유발하는 원인을 인지하는 가를 확인해야한다. 대상자의 정서상태, 냉기와 온기의 느낌, 영양상태, 활동의 정도, 사회경제적 수준, 투여된 약물을 확인할 필요가 있다. 또한 낮은 온도의 환경, 체온측정 전 차가운 음료섭취 등과 같이 낮은 체온을 유발하는 요인을 고려해야 한다.

2. 체온측정

체온이 하강하게 되면 체열손실을 감소시키는 동시에 체열생산을 증가시켜서 체온을 조절하게 된다. 즉, 피부를 수축시켜 체표면 순환혈액량을 감소시킴으로써 복사에 의한 체열방출을 줄인다. 체온은 피부온도(skin temperature)와 심부온도(core temperature)로 구분된다.

임상적으로 고막체온이 체심부 체온을 가장 잘 반영하는 곳이다. 최근에 점막과의 접촉을 필요로 하지 않는 비침습적인 측두동맥을 이용한 측정방법이 제시되고 있다. 이는 체온이 반영된 혈액이 이마에 분포된 측두동맥을 지나며, 발생시키는 적외선의 발생량으로부터 측정된다.

짧은시간 내 체온을 측정할 수 있고 피부접촉, 귓속 삽입 등에 대한 불편감과 감염의 위험성을 줄인다는 장점이 있다.

3. 신체검진

고체온일 때 활력징후와 체중을 측정하여 체온상승으로 인한 수분결핍을 사정할 수 있다. 구강점막의 건조함, 피부 긴장도 저하는 체온상승으로 인한 체액량부족을 의미한다. 저체온일 때 피부는 냉 자극에 대해 혈관수축과 입모근 수축으로 체표면적을 줄이고 조직결연을 증가시키므로 열손실이 감소되는데 이때 혈관수축은 불편감과 통증을 느끼게 한다.

또한 피부가 탄력을 잃고 약해지면서 푸석해진다. 피부색의 변화를 통해서도 알 수 있는데 창백함은 저체온증의 증상일 수 있다.

4. 임상검사(혈액배양검사)

고체온으로 인한 탈수는 적혈구 용적률(Hematocrit)이 증가한다. 이는 세포를 희석할 수분이 적기 때문이다. 혈중요소질소(BUN)가 증가한다. 이는 혈청내에 있는 단백질 신진대사의 최종산물인 요소 수치를 측정하는 것으로 순환혈액으로부터 얻어진

다. 고체온으로 발한이 증가하면 저칼륨혈증이 온다. 이는 칼륨이 세포내에서 삼투압을 조절하는 기능을 하는데 발한으로 인한 칼륨 손실로 인함이다.

발한으로 인한 수분손실의 증가는 고나트륨혈증을 가져온다. 또한 백혈구 수치에도 영향을 준다. 림프구는 체온이 높을수록 활성화된다. 즉 체온이 38℃ 정도 열이 나는 것은 림프구를 활성화시키기 위해 몸이 체온을 상승시키고 있기 때문이다.

5. 영향요인

인체는 주변 환경온도에 상관없이 체온조절중추에서 조직 및 근육, 간으로부터의 열의 생산과 소모를 조절할 수 있기 때문에 정상체온이 유지된다. 그러므로 신체상태를 반영하는 지표가 되며 질병의 진단과 치료 및 간호에 중요한 정보가 된다.

정상범위의 체온을 유지하기 위해 생리적으로 신체는 열 균형이 이루어진다. 이대 간뇌시상하부의 조절로 기초대사율과 수의적-불수의적인 골격근의 수축 및 호르몬과 교감신경의 자극으로 인한 열 생산을 이룬다.

또한 복사, 전도, 대류, 증발에 의한 열 손실과 피부 및 주위환

표 13-4 체온유지와 관련된 간호진단

간호진단	관련요인
비정상적 체온변화	• 환경변화(예: 춥거나 더운 환경에의 노출, 주변온도의 심한 변화)
	• 감염, 탈수, 대사율 변화, 노화, 미숙, 외상이나 질병
체온유지장애 위험성	• 연령(영유아, 노인), 체중과다 혹은 미달, 춥거나 더운 환경에의 노출, 부적절한 의복착용
	• 비활동 혹은 격렬한 활동, 대사율 변화
	• 혈관수축이나 혈관이완 유발약물
	• 탈수, 진정작용
	• 체온조절에 영향을 미치는 질병이나 외상
고체온	• 격렬한 활동, 대사율 증가, 질병이나 외상
	• 탈수, 발한 감소, 투약 또는 마취
	• 고온 환경에의 노출, 부적절한 의복착용
저체온	• 혈관이완을 유발하는 약물사용
	• 노화, 영양실조, 활동부족, 기후에 부적절한 의복착용
	• 추운 환경에의 노출, 서늘한 환경에서의 피부의 수분증발
	• 시상하부 손상, 질병이나 외상, 전율기전의 감소
	• 대사율의 감소, 오한기능 감퇴 또는 불능, 음주상태

경 사이의 열 손실량을 조절하는 열 보존이 이루어져 항상 어느 일정한 범위 안에서 유지된다. 대상자의 체온에 영향을 미치는 요인으로는 연령을 들 수 있다.

영아와 어린이의 경우는 급격한 외부 환경온도 변화의 반응이 빠르고 노인의 경우는 열 조절 기능의 상실로 인해 심한 외부온도 손상시 위험이 높다. 또한 체온은 24시간 생활리듬의 변화로 오전 6시에 가장 낮고 오후 4-5시에 제일 높은편이다.

수면 중에는 근 긴장도의 감소로 열 생산이 감소하여 체온이 0.5~1℃ 감소한다. 그리고 생리적, 정신적 스트레스로 인한 신경고 호르몬 분비의 활성화로 대상율이 항진되어 열생산이 증가하며, 여성은 생리주기와 관련된다. 운동시에는 골격근의 대사율이 증가되어 열이 발생하여 체온이 상승된다.

제2절
간호진단

간호진단은 체온변화의 실제적이고 잠재적인 문제들을 확인하는 것을 돕는다. 체온변화와 관련된 간호진단은 비정상적 체온변화, 체온유지장애 위험성, 고체온, 저체온 등이다(표 13-4).

제3절
간호계획

체온조절에 대한 간호계획은 위험가능성이 있고, 체온유지의 실제적인 문제를 가진 대상자를 위해 개별화된 목표를 세워야 한다.

- 대상자는 정상범위의 체온을 유지한다.
- 대상자는 체온변화를 촉진시킬 수 있는 요인을 확인한다.
- 대상자는 정상체온으로부터의 일탈을 예방하고 치료하기 위한 대처전략을 설명한다.
- 대상자와 가족이 함께 적정체온 유지방법을 알고 수행한다.

제4절
간호수행

신체에 열·냉요법은 건적용과 습적용 등의 많은 형태와 방법으로 사용된다. 각각의 치료목적, 장·단점 및 금기사항 등의 특성을 파악하여 적절하게 적용해야 한다. 발열단계에 따라 대상자가 경험하는 증상과 징후는 다양하며, 이에 따른 적합한 간호중재를 제공해야 한다(표13-5).

1. 고체온 및 저체온 대상자 간호

1) 고체온 대상자의 간호

(1) 수분섭취 증가
대상자의 수분유지는 가장 중요하다. 일반적으로 성인은 하루 2,500~3,000ml 정도의 수분을 섭취하여야 한다. 대상자가 구강으로 섭취하기 어려운 경우에 비경구로 수분을 보충하면서 섭취량과 배설량을 기록한다.

(2) 구강간호
발열과정동안 탈수로 인하여 대상자의 입술, 혀 및 구강의 점막이 갈라지기 쉬우므로 구강간호를 철저히 함으로써 감염을 예방하고 편안함을 더해준다.

표 13-5 발열단계에 따른 간호중재

단계	증상 및 징후	간호중재
오한기	• 차가운 느낌, 떨림, 피부의 창백함, 접촉시 차가운 피부, 홍조, 체온이 상승하는 느낌, 추위경험	• 여분의 담요 덮어줌, 수분섭취의 증가, 활동제한, 활력징후 자주 관찰, 심장이나 호흡기계질환 있을 때 산소보충공급
발열기	• 뜨겁고 차가운 느낌, 구강점막 건조, 갈증, 탈수가능성, 무기력, 으스스한 느낌, 근육통, 혼미함,불안정, 경련 및 혼수 가능성	• 가볍고 따뜻한 침구로 덮음, 수분섭취 권유, 필요시 철의 섭취제한, 휴식도모, 미온수 목욕 이용, 건조한 입술과 비강점막에 윤활제 적용, 냉각을 도모하기 위한 환기, 불안정, 흥분, 경련 시 안전방법 수행
해열기	• 발한, 떨림 감소, 탈수, 피부홍조, 접촉시 따뜻한 피부	• 미온수 목욕 이용, 수분섭취 권유 • 활동제한, 가벼운 의복이나 침구로 덮음

(3) 균형잡힌 식이섭취

발열 시 대사율과 조직파괴가 증가되므로 수분과 함께 단백질과 탄수화물의 공급이 필요하다. 대상자의 체중을 정기적으로 측정하며 주의깊게 관찰한 것을 기록한다.

(4) 휴식

대상자의 에너지 요구량을 최소화하기 위해서는 휴식과 안정이 필수적이므로 신체 활동을 최소로 유지해야 한다.

(5) 신체의 노출

대상자가 더위를 느낄 때 신체를 노출시키며 오한이 없으면 서늘한 환경을 유지시키도록 한다.

(6) 신체적 안위증진

고열에 동반되는 심한 발한은 불편감을 초래한다. 땀으로 젖은 대상자의 피부를 깨끗하고 건조하게 닦아주고 젖은 환의나 침구를 갈아주어 신체적 안위를 증진시킨다.

(7) 냉요법 적용

① 얼음주머니

얼음주머니(ice bag)는 중간크기의 고무 혹은 비닐주머니에 얼음조각을 넣어 사용하는 건냉적용방법으로 체온을 감소시키고 통증경감 및 지혈작용을 한다. 또한 염증이나 화농을 지연시키고 울혈을 억제한다. 비교적 원하는 부위에 적용하기 쉽고 경제적이다. ice glove, ice collar 등을 이용하기도 한다.

② 저체온 담요

냉매코일이 순환하는 담요나 패드를 발열대상자의 전신에 적용하여 체온을 떨어뜨리는 건냉방법의 일종이다.

③ 냉팩

상품화된 냉팩은 냉동실에 얼려 사용한다. 신체적용이 용이하며 천으로 된 주머니덮개가 있어 사지 끝도 넣을 수 있다.

④ 냉습포

냉습포(cold compress)는 면으로 된 거즈나 수건을 이용하여 찬물에 적신 습포를 국소적으로 사용하는 습냉적용방법의 일종이다. 눈의 상해, 두통, 발치, 치질 등으로 인한 통증완화 및 국소 부위의 부종완화를 위해 주로 사용된다.

⑤ 알코올 스폰지 목욕

증발력이 물보다 강한 알코올을 물에 첨가하여 급히 체온을 낮추어야하는 대상자에게 체온을 쉽게 내리기 위해 사용하는 습냉방법이다. 그러나 알코올이 피부를 건조하게 하거나 자극이 있으며 폐내로 흡입되어 오심을 유발할 뿐 아니라 어린이나 노인에게는 중추신경계를 억제시키는 부작용을 일으키기도 하므로 요즈음에는 자주 시행하고 있지 않다.

⑥ 미온수 스폰지 목욕

스폰지를 이용하여 미온수(27~37℃)로 일정시간(10~30분)동

그림 13-1 얼음 주머니

그림 13-2 냉습포

그림 13-3 냉팩

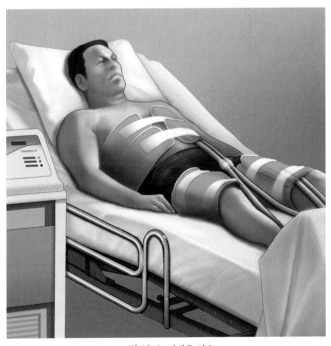

그림 13-4 저체온 담요

안 목욕시키는 것을 말하며 가정이나 병원에서 할 수 있는 간단한 습냉방법이다. 체표면에서의 수분증발, 목욕하는 과정에서 노출된 체표면에서의 열대류를 통해 열소실이 발생한다. 목욕전후에 활력징후를 측정한다.

2) 저체온 대상자의 간호

(1) 영양 및 수분섭취

체열생산을 위한 영양섭취와 충분한 수액보충이 필요하다. 구강 또는 정맥으로 따뜻한 수분을 제공해 준다.

(2) 의식적인 운동

의식적인 운동은 근골격계의 활동을 증가시켜 체열생산을 높이고 순환을 촉진시킨다.

(3) 보온

노인의 경우 수술 시에 수술실온도를 상승시키거나 정맥주사 용액을 데우거나 따뜻한 매트리스 등을 사용하여 저체온을 예방한다. 수술 중 수술부위만 노출시키고 다른 부위는 비전도성 면담요를 덮어주어 보온에 유의해야 한다.

(4) 열요법 적용

① 더운물 주머니

더운물 주머니(hot water bottle, hot bag)는 건열을 국소적으로 사용하는 방법으로 매우 손쉽고 간편하게 사용가능하나 화상의 위험이 높으므로 수건으로 주머니를 감싼 뒤 신체부위에 적용한다.

② 전기가열패드

전기가열패드(electric heating pad)는 전기를 이용하여 건열을 국소적으로 적용하는 기구로 젖은 드레싱(wet dressing)을 하고 있는 대상자에게는 금기이다. 전기줄과 플러그가 안전한가를 확인한다.

③ 가열램프

가열램프(heat lamp)는 적외선이나 40~60Watt의 백열전등을 사용하여 국소적으로 건열을 적용하는 방법이다. 적외선등은 1~3mm를 투과할 수 있으며 백열전등의 경우 더 깊이 침투될 수 있어 적용시 이를 고려해야 한다. 램프를 치료부위에서 45~76cm (18~30inch)의 거리를 유지하여 15~20분간 적용한다. 욕창치료, 회음부의 봉합치료 등에 사용되므로 적용 전 피부표면을 청결히 유지해야 하며 매 5분마다 피부를 사정해야 한다.

④ 가열크래들

가열크래들(heat cradle)은 치료부위를 둘러싸는 금속제 반원형 틀로 여러 개의 전구들로 구성되어있다. 대상자 위로 40~45cm(16~18inch)의 거리에서 신체의 광범위한 부위에 적용하는 건열법이다. 윗침구를 크래들로 싸서 열의 확산을 예방하고 약 10~15분 정도 적용한다.

⑤ 열순환 패드

열순환패드(aquathermia pad, water-flow, blanketrol pad)는 패드 안에서 따뜻한 증류수가 계속 순환하여 이를 신체에 대주어 열을 제공하는 방법이다. 적정한 물의 온도(40.5℃)로 치료목적에 따라 다르지만 대개 10~15분 정도 적용하는 건열법이다.

⑥ 열팩

열팩(heat pack)은 시중에서 시판되고 있는 일회용 물품으로 흔들거나 짜거나 주물러서 열을 내게 한 후 신체에 적용하는 국소적인 건열법이다.

⑦ 온습포

온습포(hot compress)는 거즈나 수건에 더운물을 적셔서 국소에 적용하는 습열적용법으로 순환증진과 상처치유의 촉진을 위해 사용된다. 물의 온도는 50℃를 넘지 않도록 하고 10~15분마다 수건을 교환하여 열을 유지하도록 한다. 개방형상처에는 멸균 온습포를 사용한다.

⑧ 온수욕

온수욕(body soak)은 전신 혹은 사지 등의 신체일부를 따뜻한 물이나 약용액체에 잠기게 하는 것으로 습열적용법이다. 순환을 증진시키고, 부종을 감소시키며, 근육이완을 증진시키고, 상처의 괴사조직을 쉽게 제거하며, 경우에 따라 약물용액에 신체를 담글 수도 있다. 물의 비중으로 인해 물의 양만큼 신체부위에 부력이 작용해 통증부위를 다루기 쉬운 이점이 있다. 시행전후에 활력징후를 측정한다.

⑨ 좌욕

좌욕(sitz bath, hip bath)은 대상자의 골반부위에서 배꼽까지 물에 충분히 잠기도록 하는 습열적용법이다. 물의 온도는 40~43℃가 적당하며 약 15~20분간 적용한다. 개방성 상처 시에는 좌욕기와 적용물을 멸균적으로 준비한다.

열·냉요법을 위한 간호기법은 기본간호학 실습지침서에서 구체적으로 다루고 있다.

표 13-6 열·냉요법 적용의 특성

구분		치료목적	장점	단점	적용방법	금기사항

열	습열	· 혈관의 이완
		· 상처치유 증진
		· 화농 촉진
		· 동통 및
		  근육경련 완화
		· 혈액순환 증진
		· 체온상승
			· 피부의 건조감소
			· 삼출물을 연화시킴
			· 찜질적용부위에
			  부착이 용이함
			· 조직층 속에 열이
			  깊이 침투됨
			· 발한이나 감지 못하는
			  수분 소실을 억제함
				· 피부의 침연을
				  (maceration) 일으킴
				· 습기의 증발로 열이
				  빨리 식음
				· 화상 위험이 큼
					· 온찜질, 온욕
					· 온침수, 좌욕
						· 급성염증성과정
						· 악성종양
						· 출혈가능성
						· 허약, 무의식
						· 고환, 음낭위
						· 피부자극에 둔감
						· 동·정맥기능부전
						· 임신부의 복부
						· 외상직후 개방된 상처
						· 비염증성 부종
						· 금속장치 소지자

	건열		· 습열보다 화상위험 적음
			· 피부침연 일으키지 않음
			· 열을 더 오래 보유
				· 발한 통해 체액 손실
				  증가
				· 조직층 속에 열이 깊이
				  침투되지 못함
				· 피부건조 증가
					· 더운물주머니
					· 전기가열패드
					· 가열램프
					· 가열크래들
					· Aquathermia 패드	

냉		· 혈관의 수축
		· 상처부위의 멍
		· 부종, 통증예방
		· 상처치유 촉진
			· 국소적인 출혈조절에
			  적용됨
			· 삼출물을 연화시킴
				· 피부건조 증가
				· 자극동반
				· 열감, 무감각, 피부변색,
				  창백함 초래
				· 장기간의 노출로 동상 및
				  피부침연 초래
					· 냉찜질, 냉욕
					· 얼음주머니
					· 미온수 스폰지욕
					· 일회용 냉팩
					· 저체온 담요
					· 알코올스폰지
					· 목욕
						· 혈액순환이나 조직의
						  영양공급이 부족한 경우
						· 저체온
						· 피부색이 푸르거나 차거나
						  무감각한 경우
						· 조직의 체액이 축적된경우
						· 무의식
						· 근육긴장이나 경직이있는 경우
						· 지나치게 허약한 경우
						· 냉에 대한 과민 반응
						· 개방상처가 있을 경우

3. 열·냉요법 적응증 및 금기증

신체의 열·냉요법은 건적용과 습적용 등의 많은 형태와 방법으로 사용된다. 각각의 치료목적, 장·단점 및 금기사항 등의 특성을 파악하여 적절하게 적용해야 한다(표13-6). 이를 위한 안전지침은 다음과 같다.

■ 열·냉요법이 적용되는 동안 대상자가 경험하게 될 감각에 대하여 설명한다.

■ 열·냉요법의 적용 후 감각변화나 불편감이 생기면 즉시 보고하도록 대상자에게 알린다.

■ 열·냉요법을 적용하는 동안 대상자에게 타이머나 시계를 제공하여 치료에 참여시킨다.

■ 열·냉요법을 적용하는 동안 대상자의 손이 닿는 곳에 호출 벨을 둔다.

■ 열·냉요법의 안전한 온도에 대해 확인한다.

■ 대상자가 치료온도를 마음대로 설정해서는 안 된다.

■ 대상자가 마음대로 열·냉요법의 적용부위를 바꾸거나 상처부위에 손을 대서는 안된다.

표 13-7   체온조절에 대한 간호중재의 평가 예

목표	평가측정기준
대상자는 정상범위의 체온을 유지한다.	• 정상체온 범위를 유지한다.
	• 추위나 더위의 불편감을 호소하지 않는다.
대상자는 체온변화를 촉진시킬 수 있는 요인을 확인한다.	• 저체온을 초래하는 3가지 위험요인을 진술한다.
	• 고체온을 초래하는 3가지 위험요인을 진술한다.
대상자는 정상체온으로부터의 일탈을 예방하고 치료하기 위한 대처전략을 설명한다.	• 체온변화를 방지하기 위한 환경을 조절하는 방법을 설명한다.
대상자와 가족이 함께 적정체온 유지방법을 알고 수행한다.	• 가정에서 체온을 측정하는 방법과 발열을 관리하는 방법을 논의한다.
	• 체온변화가 있을 때 언제 의료인을 찾아 상담해야 하는지를 안다.

■ 대상자의 체위를 적절히 취해주어 치료온도가 변화될 수 있는
  신체움직임을 제한한다.
■ 온도변화를 잘 감지하지 못하는 대상자는 주의 깊게 관찰한다.

제5절
간호평가

평가는 설정한 목표가 효과적으로 달성되었는가를 규명하기 위해 실시한다. 평가과정은 각 대상자의 목표설정기준과 비교함으로써 이루어진다. 체온유지를 위한 간호목표와 평가기준의 예는 다음과 같다(표 13-7).

PART III

FUNDAMENTAL OF NURSING

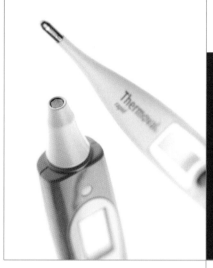

대상자 사정과
관련된 간호

대상자 사정과 관련된 간호 단원에서
는 대상자 신체상태를 사정하고 정상
과 비정상을 구분하며 건강문제를 사
정하는 신체검진의 원리 및 방법과 대
상자의 사정에 관여되는 활력징후의
측정 원리 그리고 진단검사 시 간호
지식을 다루었다.

CHAPTER 14

활력징후

신체기능의 변화는 체온, 맥박, 호흡과 혈압에서 나타난다. 이러한 변화의 기전은 인체의 생명기능의 변화에 따라 매우 민감하게 나타나므로 이를 활력징후(vital signs) 혹은 기본증상(cardinal symptoms)이라고 한다.

활력징후는 대상자의 신체적, 환경적, 심리적 스트레스원을 반영하며, 대상자의 상태가 변화할 경우 빠르게 반영한다. 한가지 활력징후의 변화는 다른 활력징후의 변화를 반영할 수 있으므로 활력징후가 정상범위에서 벗어날 때 대상자의 상태를 세밀하게 관찰하는 것이 필요하다. 이는 대상자의 건강상태의 변화, 더 나아가 생명과 직접적으로 관계가 있으므로 변화의 기전에 대한 이해를 바탕으로 정확하게 측정하여야 한다. 활력징후를 측정하는 것과 관련된 업무는 간단하고 학습하기 쉽지만 그 측정치를 해석하여 지식과 문제해결능력 및 비판적 사고, 경험 등이 요구되는 지속적인 간호와 사정에 연계되어야한다. 활력징후가 일반적으로 일상적인 간호의 일부분이기는 하지만 가치있는 귀중한 정보를 제공하므로 결코 가볍게 다루어져서는 안된다.

이에 간호사는 활력징후를 정확하게 측정하여 측정값을 해석하고 도움이 필요할 경우 중재를 하며, 결과를 적절하게 보고해야 한다.

제1절
활력징후를 위한 간호사정

I. 체온

1. 체온조절의 생리적 기전

인간은 항온동물로 외부환경의 변화와 관계없이 항상 일정온도를 유지하고 있다. 신체표면 혹은 피부온도는 외부환경조건과 신체활동에 따라 광범위하게 변화하는 반면에 신체내부온도 즉 심부온도(core temperature)는 대상자가 질병에 걸리지 않는 한 비교적 일정하게 유지된다. 신체조직의 최적의 기능을 유지하기 위해서는 이러한 일정한 내부온도가 요구된다. 세포의 생존과 기능유지에 필수적인 화학반응은 37℃ 전후에서 최적의 상태를 나타낸다.

체온이 정상범주 내에서 유지되기 위해서는 체내에서 형성되는 열생산과 체외로 방출되는 열소실이 항상 일정하게 유지되어야 한다. 체온조절은 인체의 평형기전(homeostatic mechanism)에 의한 것으로 신체의 열생산과 열 소실이 체온조절기전에 의해 균형을 이루므로써 항상성을 지니게 된다. 사람이 더운환경에 노출되면 열생산이 감소하고 열소실이 증가되며, 반대로 추운환경에 노출되면 열생산이 증가하고 열소실이 감소하는 조절기전이 동원되는데, 이것은 시상하부가 하는 중추작용에 의한다. 그러므로 시상하부는 마치 냉장고나 부하기에 있는 항온조절기(thermostat)와 같은 구실을 하며 조절온도가 37℃에 맞추어져 있다고 볼 수 있다.

체온조절중추는 피부 및 시상하부에 위치한 온도수용체(thermoreceptor)로부터 들어온 정보를 체온조절중추의 지정온도(set point, 37±0.5℃)와 비교하여 체온이 변화되었을 때 정상체온을 유지하기 위한 여러 반응들을 일으키게 된다. 따라서 0~50℃로 변화되는 주위환경에서도 체온을 일정하게 유지할 수 있다. 체온조절중추는 뇌의 뇌하수체에 위치한 시상하부에 있다.

신체의 피부, 심부장기 척수, 시상하부에는 온도자극에 대해 일차적으로 반응하는 온도수용체가 있다. 피부의 온도감지기는 냉각수용체와 온각수용체의 두 종류로, 전신의 피부와 점막표면에 다양한 밀도로 분포되어 주변환경과 신체의 접점에서 정보를 모아 중추로 보낸다. 시상하부의 전시각부위(preoptic area of hypothalamus)에는 수많은 냉·온 민감뉴런이 있어 뇌를 순환하는 혈액의 온도를 감지하는 동시에 피부나 척수, 복부혈관 및 하지 등의 온도수용체에서 도달한 구심점 정보를 통합하여 지정온도(set point)에 비교하므로서 체온조절반응이 일어난다. 전시각부위의 온도가 상승하면 열소실중추가 위치한 시상하부 전부(anterior portion)로 이 신호가 가고 주로 부교감신경으로 구성되어 있어 자동적으로 열소실 기전이 작동된다. 혈관이완과 땀샘분비를 자극하므로 헐떡거림, 발한, 피부의 혈류증대로 열의 발산을 증가시키고 옷을 벗는 것과 같은 열소실을 높이기 위한 여러 가지 행동들을 취하게 된다.

시상하부의 후부(posterior portion)에 위치한 열생산중추는 주로 교감신경을 통해 체열을 생산하는 기전이 일어난다. 추운환경에서는 혈관수축과 입모근(立毛筋, arrector pili muscle)수축으로 체표면적이 줄어들고 조직절연이 증가하여 열이동이 감소

되며 환경으로의 열소실도 줄어든다. 조직의 열전도와 혈류량이 40% 이상 감소되면 혈관수축으로 인한 불편감과 동통으로 몸을 움츠리거나 따뜻한 곳으로 옮기는 등의 행위반응이 일어나고 전율에 의한 대사성 열생산으로 체온을 상승시키게 된다. 수의적 운동도 체온을 상승시키는 방법이다.

1) 열 생산

인체의 모든 세포들은 대사를 계속하므로 열을 생산하게 된다. 더 이상의 열이 필요할 때 골격근의 수의적 활동, 전율, 호르몬이나 교감신경의 자극 또는 체세포의 활성화로 인한 근육대사율 증가에 의해 열생산(heat production)을 증가시킨다. 생산된 열의 양과 소실된 열의 양이 정확하게 같을 때까지 열의 균형이 유지된다.

(1) 기초대사율

기초대사율(Basal Metabolic Rate, BMR)은 사람이 깨어있는 상태에서 절대안정을 취하는 동안 신체가 이용하는 에너지 양을 말한다. 체표면적(m²)당 단위시간에 사용된 칼로리에 따른 기초대사율로 나타내는데, 그 비율은 사용된 산소의 양에 의해 결정된다. 따라서 대사속도는 개인의 산소소비량과 관계가 깊다. 이 기초대사율은 연령, 성별, 음식물섭취, 운동, 호르몬, 교감신경계의 활동 등에 의해 영향을 받는다. 음식물의 섭취를 통한 에너지 합성은 화학적 분해과정, 즉 대사를 거쳐 고열량을 방출하기 때문에 기초대사율이 증가할수록 체내 열생산량은 증가한다.

(2) 근육운동

운동시 근육운동과 같은 수의적인 움직임은 부가적인 에너지를 필요로 한다. 수의적인 골격근 수축은 수분이내에 열생산을 많이 증가하여 총 열생산량의 90%를 담당하게 된다. 근육활동의 에너지는 음식물의 산화 중 탄수화물과 지방의 산화에 의해 우선적으로 에너지가 생산된다.

추위에 노출되는 경우 근긴장도가 높아지다가 한계 근긴장도를 넘게 되면 불수의적으로 골격근이 10~20회/초의 빈도로 불규칙하게 수축과 이완을 반복하게 되는데 이를 전율(shivering)이라고 한다. 체온이 너무 낮으면 전율기전을 통해 체열생산이 증가된다. 전율시에 근골격이 움직이는 것은 에너지를 필요로 하며, 추위로 인하여 몸이 떨릴 경우 열생산량이 정상의 4~5배까지 증가한다. 전율직전에는 대개 모든 혈관의 수축이 선행되는데 그로 인해 오한(chilling)을 느끼게 된다.

(3) 갑상선 호르몬

갑상선호르몬인 T₄(thyroxine)와 T₃(triiodothyronine)은 신체의 세포대사율을 증가시키는데 포도당과 지방의 분해를 증진하

므로써 기초대사율을 증가시킨다.

따라서 갑상선의 기능이 항진되면 열생산을 자극하여 대사량을 증가시키고 열생산량을 증가시켜 체세포에 직접적인 영향을 준다.

(4) 교감신경계 자극

epinephrine과 norepinephrine에 의한 교감신경계(sympathetic nervous system)의 자극은 신체의 대사율을 증가시킨다. 이 두 호르몬은 간과 근육세포에 직접적으로 영향을 미쳐 체지방 파괴를 자극하는데 지방파괴시 많은 열이 생산된다.

(5) 체온

체온상승 그 자체가 세포를 자극하여서 열생산량과 대사율을 증가시킨다. 체온이 1℃ 상승되면 열 생산량은 13% 증가한다. 결과적으로 체온상승자체가 열 생산을 증가시키는 경향이 있다.

(6) 음식물 섭취

음식물을 섭취하게 되면 소화선 활동의 증가, 소화관의 운동성 증가 및 음식물 대사에 의한 특수 동력학적 작용(specific dynamic action)에 의해 열생산이 증가된다.

2) 열 소실

인체에 열을 지속적으로 생산하는 것과 마찬가지로 열을 소실(heat loss)한다. 열은 복사, 전도, 대류, 증발 등의 네 가지 과정을 통해 인체에서 소실된다.

(1) 복사

복사(radiation)는 환경에서 공기의 공간을 통한 열의 전파로서, 두 물체사이에 접촉없이 열이 많은 한 물체의 표면에서 열이 적은 또 다른 표면으로의 열의 이동이다. 즉, 인체와 그 주위물체 간에 적외선의 형태로 직접 방출되는 것을 의미한다.

추운 환경으로의 노출시 복사로 인한 열소실이 증가하며, 따뜻한 환경에서는 복사에 의한 열소실이 감소되고 오히려 환경으로부터 복사열을 신체에 받는다. 또한 짜임이 섬세하거나 어두운 색상의 옷을 입으면 복사에 의한 열소실이 감소되고, 옷을 모두 벗은 경우에는 50~70%의 열이 복사를 통해 소실된다고 한다 (검은 피부가 흰 피부보다 태양열을 더 많이 흡수한다). 인체 열소실의 약 20%가 복사에 의해 소실된다.

(2) 전도

전도(conduction)는 두 물체간의 직접적인 접촉으로 한 물질로부터 다른 물질로 열이 이동되는 것을 말하며, 접촉한 물질의 온도와 피부표면의 온도가 동일수준에 도달할 때까지 전도에 의한 열

소실이 이루어진다. 예를 들어 신체의 열이 얼음주머니로 이동되어 얼음을 녹이거나 찬 의자나 침구와의 접촉으로 열이 소실된다.

(3) 대류

대류(convection)는 밀도가 같지 않은 물질사이의 열전파로, 더운 물체에서 찬 물체로 공기, 가스 또는 수액을 통한 열의 전이형태이다. 대류를 통한 열소실율은 물체간의 온도차이에 비례하며 피부와 공기의 온도, 공기의 속도에 영향을 받는다. 바람이 불면 시원하게 느끼는 것은 공기의 대류가 커지기 때문이며, 미풍이나 선풍기와 같은 공기의 흐름을 통해 열소실이 이루어진다. 자연적 대류현상에 의해 차가워진 공기가 지나가는 자연적 대류현상을 선풍기를 통해 강압적으로 대류를 통한 열소실을 증가시키는 것이다. 휴식시 대부분의 열소실은 자연적 대류현상에 의한다. 그러나 달리기, 운동 시에는 강압적인 대류현상이 커다란 역할을 한다.

(4) 증발

증발(evaporation)은 수분이 액체에서 기체로 변화하는 현상으로, 체표면적과 호흡기관을 통한 수분의 증발은 몸의 열을 소실시킨다. 능동적인 증발현상은 땀의 형태이며 열 소실의 약 20%는 땀의 증발에 의한다. 증발을 통한 수분소실은 신체의 체온조절에 큰 영향력이 없으나 발한을 통한 열소실은 체온조절에 큰 영향을 미친다.

인체는 피부나 호흡기계와 구강점막을 통해 습기를 지속적으로 증발하며, 신체의 지속적인 불감성 수분소실(insensible water loss)은 불감성 열소실(insensible heat loss)을 동반한다. 불감성 열소실은 약 10%의 기본적인 열소실을 차지한다. 체온이 증가할 때 증발로 더 큰 열소실이 일어난다.

2. 체온에 영향을 미치는 요인

1) 하루 중 변화

많은 생리적, 환경적 변화들이 주기적으로 반복되는데 그 중 많은 일들이 24시간 주기로 발생한다. 체온은 정상적으로 하루 종일 변화하며, 이른 아침과 늦은 오후 사이에 1.0℃(1.8℉) 만큼 변화한다. 체온은 한밤중이나 새벽이 가장 낮고 늦은 오후에 가장 높다. 그러나 규칙적으로 밤에 일하는 사람은 낮 동안에 체온이 낮은 반대현상이 일어난다. 일반적으로 하루 중 변화(circadian rhythm)는 나이와는 상관없으나 노인에게 있어서 이른 아침에 체온이 제일 높다.

2) 연령

영아나 노인은 정상체온을 유지하는데 상당한 어려움이 있다. 영아는 생리적기전이 미성숙하여 체온조절이 잘되지 않는

다. 노인은 정상체온이 일반적으로 낮고 연령증가에 따라 체온조절기전이 퇴화되어 온도의 급격한 변화에 대한 민감성이 높아진다(표 14-1).

3) 성별

여성이 남성보다 체온변동이 더 심하다. 이는 호르몬의 영향으로 볼 수 있는데, 배란기에 분비되는 여성호르몬 progesterone은 기초체온을 약 0.3~0.6℃(0.5~1.0°F)이상 상승시킨다.

4) 운동

운동은 근육수축으로 체열을 발산한다. 에너지를 생성하기 위하여 탄수화물과 지방을 분해시켜 열생산을 증가시키므로 체온이 상승한다. 장거리 달리기와 같은 격렬한 운동은 일시적으로 체온이 40℃(104°F) 이상으로 올라간다.

5) 스트레스

신체적, 정신적 스트레스는 교감신경계를 자극하여 epinephrine과 norepinephrine의 분비를 증가시킨다. 그 결과 대사율이 증가되고 열생산이 증가되어 체온이 상승하게 된다.

6) 환경

차갑거나 따뜻한 환경은 체온에 영향을 줄 수 있다. 기온, 습도, 노출된 시간 등에 따라 체온이 변화하는데, 옷을 입거나 벗어줌으로써 체온조절에 도움을 줄 수 있다.

3. 체온측정부위와 방법

성인의 정상체온은 개인에 따라 다양하며 운동, 호르몬, 대사율, 외기온도 등에 따라 달라진다. 구강으로 측정했을 때, 정상성인체온은 36.5~37.5℃(97.6~99.6°F)이다. 일반적으로 구강체온은 직장체온보다 0.5℃(0.9°F) 더 낮고 액와체온보다 0.5℃(0.9°F) 더 높다.

체온측정은 측정부위, 측정기구, 측정법에 따라 달라진다. 체온은 여러 부위에서 측정할 수 있다. 체온측정을 위한 가장 일반적인 부위는 구강(oral), 고막(tympanic membrane), 직장(rectal), 액와(axillary) 등이 사용된다. 이외에도 식도, 폐동맥부위가 심부온도 부위로 사용된다.

1) 구강

구강에서의 체온측정은 임상에서 대상자에게 쉽게 접근할 수 있고 대상자가 편안감을 느끼는 방법 중에 하나로 가장 일반적으로 사용되는 측정부위이다. 이 부위는 혀밑에 있으며 설하동맥과 가장 인접한 부위이다. 체온측정시에 대상자는 가능한 한 입을 꼭 다물고 정상속도로 호흡을 하면 구강은 항상 일정하게 체온을 유지하며, 측정시간은 3~5분 동안 측정한다.

무의식대상자나 불안정한 대상자, 발작경향이 있는 대상자, 구강수술대상자, 구강으로 호흡하는 경우 또는 영아나 어린아이 경우 체온계로 인해 손상을 입을 수 있으므로 구강으로 체온을 측정하지 않는다. 만약 대상자가 뜨겁거나 찬 음식, 음료, 흡연을 했다면, 체온측정을 정확하게 하기 위하여 구강온도가 정상으로 돌아오도록 15~30분을 기다리도록 한 후 측정한다. 체온계를 놓는 부위는 sublingual pocket에 두며 설하동맥과 인접해 있어서 비교적 정확하게 측정할 수 있다(그림 14-2).

2) 고막

심부온도를 측정하는 가장 이상적인 부위로는 관류혈액량이

표 14-1 연령에 따른 정상활력징후의 변화

연령	체온(℃)(mean)	맥박(회/min)(mean)	호흡(회/min)	혈압(mmHg)	
				수축기압	이완기압
신생아	35.5~37.5(35.9)	70~190(125)	30~50	70~90	50~60
영아	37.4~37.6(36.8)	80~160(120)	30~60	74~100	50~70
유아	37.2~37.6(37.7)	80~130(100)	24~40	80~112	50~80
학령전기	37.0~37.2(37.0)	80~120(100)	20~30	82~110	50~78
학령기	36.7~37.0(37.0)	75~110(90)	18~30	84~120	54~80
청소년기	36.1~37.2(37.0)	60~90	12~20	94~140	62~88
성인기	36.1~37.2(37.0)	60~100	12~20	90~140	60~90
노년기(70세이상)	35.6~37.2(36.0)	60~100	12~20	90~140	60~90

많은 시상하부이지만 직접 측정하는 것이 불가능하기 때문에 시상하부와 구조적으로 가깝고(약 3.4cm 정도 떨어져 있고) 혈관분포가 유사한 고막의 온도를 외이도를 통해 측정한다. 고막 및 이도는 체온조절중추가 있는 시상하부와 동일한 동맥으로부터 혈액공급을 받고 있어 심부온도 측정을 위한 가장 좋은 부위로 여겨지고 있다(Lee, McKenzie & Cathcart, 1999). 이러한 이유로 고막체온은 구강과 액와보다 더 신뢰성이 높고 직장체온과 가장 근접한 체온측정부위이다(그림 14-3). 고막체온을 측정할 때는 성인은 이개를 후상방, 3세 이하 아동은 이개를 후하방으로 잡아당겨야 이개가 일직선이 되어서 고막의 적외선을 감지할 수 있다.

3) 직장

직장은 체온에 변화를 가져올 수 있는 인위적인 요인이 거의 없기 때문에 가장 신뢰성이 있는 측정부위로 간주된다. 체온측정시 체온계를 삽입한 후 2~3분 동안 측정한다.

소아나 무의식대상자, 이성이 없는 대상자에게 직장체온이 이용되며 항문수술 혹은 항문질환이 있거나 설사를 하는 대상자에게는 금기이다. 신생아에게는 직장점막의 손상이나 천공의 위험이 있어 사용하지 않는다. 직장체온계의 삽입은 미주신경을 자극하여 심박동을 느리게 할 수 있다. 또한 대부분의 대상자들에게 불쾌감을 주므로 가능하면 측정을 피한다.

4) 액와

액와체온은 팔에 가깝게 위치하고 주위환경의 영향을 많이 받으므로 심부온도를 정확히 반영하기는 어렵다. 그러나 액와 측정부위는 접근이 용이하고 안전하며 구강이나 직장에 비해 미생물을 전파할 가능성이 낮고 심리적으로도 가장 편안하다. 반면에 피부와의 밀착성이 떨어져 다른 부위에 비해 측정시간이 길고(10분 정도), 액와 부위의 땀으로 인해 정확성이 떨어진다.

체온측정을 위한 간호기법은 기본간호학 실습지침서에서 구체적으로 다루고 있다.

4. 체온측정기구

체온측정기구는 유리체온계, 전자체온계, 고막체온계, 체온감지 테이프 등 다양한 기구가 있다.

1) 전자체온계

전자체온계는 체온이 최고로 올라가면 소리를 내어 알려주므로 불필요한 시간을 낭비하지 않도록 하며 특별한 소독이 필요없고 간편하며 잘 파손되지 않는다(그림 14-7).

정확한 측정을 위해 필요한 시간이 비교적 짧기 때문에 어린이에게의 사용이 적합하다. 삽입 후 20~60초 이내에 계기판에 체온결과가 나타나 결과해석이 쉬운 반면에 값이 비싸고 유리체온계보다 정확하지 않다.

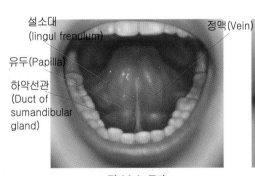

설소대 (lingul frenulum)
정맥(Vein)
유두(Papilla)
하악선관 (Duct of sumandibular gland)

그림 14-1 구강

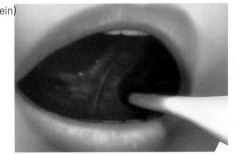

그림 14-2 체온계 위치

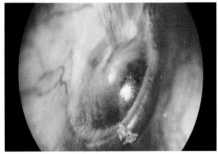

그림 14-3 고막

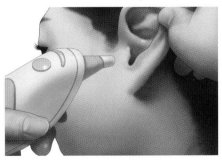

그림 14-4 성인 고막 체온 측정 방법

그림 14-5 직장 체온 측정 방법

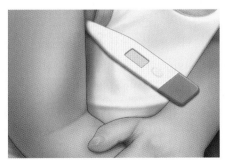

그림 14-6 액와 체온 측정 방법

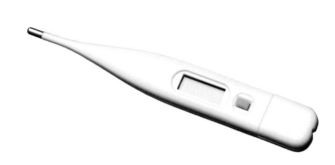

그림 14-7　전자체온계

그림 14-9　측두동맥 체온계

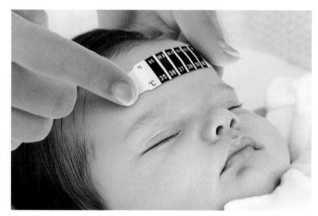

그림 14-10　체온감지 테이프

2) 고막체온계

고막체온계는 센서 소식자(sensor probe)를 외이도에 넣고 고막에서의 적외선 열 방출을 감지한다. 외부환경의 영향을 받지 않는 밀폐된 체강에서 체온을 측정하므로 측정시 체위변경을 최소화하여 대상자를 편안하게 하고, 빠른 측정(2~5초)이 가능하며 정확한 심부온도를 측정할 수 있다. 모든 연령에서 사용가능하며, 일회용 소식자 덮개의 사용으로 교차감염의 위험이 없고

그림 14-8　고막체온계

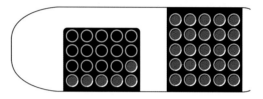

그림 14-11　일회용 종이체온계

안전하다(그림 14-8).

3) 측두동맥 체온계

측두동맥 체온계(temporal artery thermometers)는 이마를 지나는 측두동맥을 측정하는 체온계이다. 탐침을 이마의 중앙에 놓고 이마를 가로질러 귀쪽으로 문지르면 적외선센서가 달린 스캐너가 측두동맥의 온도를 감지한다(그림 14-9).

4) 체온감지 테이프

체온감지 테이프(temperature-sensitive strips)는 체표면 온도에 대한 일반적인 징후를 얻기위해 사용된다. 흔히 이마나 복부에 부착하는데 온도차이에 따라 테이프의 색상이 변하여 온도 숫자나 문자를 나타낸다.

체온계를 부착할 피부는 건조해야한다. 이러한 방법은 특히 가정에서 많이 사용하며, 유아나 어린아이들의 체온을 측정할 때 사용된다(그림 14-10).

5) 일회용 종이체온계

화학적으로 처리된 길고 가느다란 얇은 띠 모양의 일회용 종이체온계(disposable paper thermometers)는 체온측정시 보통 1분 이내에 온도를 반영하는 점들(dots)의 색깔변화로 체온을 읽을 수 있다(그림 14-11).

II. 맥박

1. 맥박조절의 생리적기전

맥박은 좌심실의 수축에 의해 동맥으로 전달되는 혈액의 파동이다. 심장수축 시에 좌심실이 수축되면서 혈액을 방출시키며 이때 압력에 의하여 동맥벽이 팽창된다. 심실수축으로 동맥벽이 팽창됨에 따라, 맥박파동(pulse wave)이 형성되어 혈관을 따라 이동한다. 맥박파동은 피부표면 가까이에 위치한 동맥에서 율동적으로 진동하듯이 느껴지는데, 이것이 맥박이다.

혈액량이 좌심실 수축시마다 방출되어 나오는데 이를 일박출량(SV; stroke volume)이라고 한다. 성인의 경우 1회 수축시 마다 방출되어 나오는 혈액의 량은 약 70ml이다. 심박출량(CO; cardiac output)은 심장이 1분 동안 뿜어대는 혈액량으로, 심박동수(HR; heart rate)와 일박출량(SV)의 곱으로 얻어진다.

$$CO = HR \times SV$$

심장 박동은 매분 약 5L의 혈액을 전신으로 순환시킨다. 다시 말해 성인의 경우, 심박출량은 일박출량이 70mL이고 1분당 심박동수가 72회 정도이므로 약 5000mL가 된다. 많은 요소들이 심박동수와 혈액량에 영향을 미칠 수 있다. 심박출량은 연령, 자세, 대사와 운동, 온도, 정서상태의 영향을 받는다.

일박출량은 펌프로서의 심장기능의 효율성과 정맥환류에 의해 조절되는데, 가령 혈액량이 적고 압력이 낮거나 혈류에 미치는 저항이 많을 때는 정맥환류량이 적어서 일박출량은 줄어들게 된다. 심박동수는 심박조정기(pacemaker)인 동방결절(sino atrial, SAnode)에서 1분 동안에 발생시키는 흥분횟수와 동방결절에 대한 자율신경의 영향에 의해 결정되는데, 교감신경은 심장박동과 심근수축력을 증가시키는 반면 부교감신경은 심근수축력과 심장박동을 감소시킨다.

2. 맥박에 영향을 미치는 요인

1) 자율신경계

교감신경계와 부교감신경계의 자극에 따라 변화한다. 교감신경계 자극은 심장박동과 심근수축력을 증가시키는 반면 부교감신경계 자극은 심근수축력과 심장박동을 감소시킨다.

2) 연령

맥박수는 영아기에서 성인기까지 나이가 들어감에 따라 점차 감소한다. 노인은 심근이 약해져서 1분당 80회 이상이 될 수 있다(표 15-1).

3) 운동과 활동

맥박수는 일반적으로 활동에 따라 증가한다. 그러나 규칙적인 유산소운동시, 심장이 적은 박동으로 충분한 산화혈을 체세포에 공급하게 되어 심박과 맥박이 평균보다 지속적으로 느려지는 훈련효과가 발생한다. 신체적으로 적응이 된 사람들은 운동중에도 느린 맥박을 보인다. 또한 운동 후에, 안정시 맥박으로 빨리 회복된다.

4) 스트레스

스트레스는 심박동률을 강하게 할 뿐만 아니라 증가시킨다. 불안, 분노, 공포 그리고 흥분 등과 같은 강한 정서적 자극은 교감신경계를 자극하여 맥박수를 증가시킨다.

5) 체온

체온이 상승하면 대사율이 증가하므로 맥박수가 빨라진다. 체온 0.5~1℃의 증가할 때 맥박수는 분당 7~10회를 증가시킨다.

6) 자세변화

서 있거나 또는 앉아있는 자세를 취할 때 혈액은 대개 정맥의 혈관에 고이게(pooling) 된다. 혈액이 고인다는 것은 심장으로 돌아오는 정맥혈을 일시적으로 감소시키며 그 결과 혈압의 감소와 심박동률의 증가를 가져온다.

7) 약물

일부 약물은 맥박에 영향을 미친다. 예를 들어 이뇨제, 카페인, 니코틴, epinephrine과 atropin 등은 심근수축을 증가시켜 맥박수를 빠르게 하고 강심제인 digitalis와 진정제는 맥박수를 느리게 한다.

8) 혈압

저혈압인 경우 맥박수는 증가하고 고혈압인 경우에는 맥박수가 감소한다. 혈압이 하강하면 심장의 혈액박출량을 증가시키기 위한 현상으로 맥박수는 증가하며 정상으로 되면 맥박수는 감소된다.

9) 출혈

혈액소실은 교감신경을 자극하여 맥박수를 증가시킨다. 세포에 산소를 전달하는 헤모글로빈이 부족하거나 적혈구가 감소하면 세포에 적절하게 공급하기 위해서 심박동수는 더 빨라진다.

3. 맥박 측정부위

맥박은 피부표면 가까이 혹은 근육이나 뼈와 같이 단단한 조직 밑에 위치한 동맥부위를 누르므로서 사정할 수 있다(그림 14-12, 13). 일반적으로 맥박측정시 이용되는 동맥은 다음과 같다(표 14-2).

4. 맥박 측정기구

1) 청진기

청진기(stethoscope)는 심첨맥박을 사정할 때 사용한다. 귀꽂이(earpieces)는 귀에 부담을 주지 않아야하고, 음성전달관은 약 30cm정도의 길이로 관이 단단하고 두꺼워 외부소음을 차단하여 최적의 소리를 전달한다. 또한 증폭장치(chestpieces)에는 종형(bell)과 판막형(diaphragm)이 있다. 종형은 저음을 잘 전달하여 혈관음 등에 사용되며 판막형은 고음을 감지하는데 유용하여 장음, 폐음, 심음청진에 주로 사용한다(그림 14-14).

2) 도플러 초음파 기기

촉진으로 사정되지 않는 맥박은 도플러 초음파 기기(ultrasonic Doppler device)를 사용한다. 사정하고자 하는 동맥 위에 기구를 놓고 먼저 피부에 젤(gel)을 발라서 소리전달의 장애요인을 감소시킨 후, 전달되는 소리는 기구에 부착된 귀꽂이(earpieces)나 스피커로 듣는다(그림 14-15). 일반적으로 도플러 초음파 기기는 수술 후 말초순환 폐색이나 혈액공급을 위협하는 폐색성 혈관질환을 사정하는데 사용된다. 또는 비만 혹은 부종으로 인하여 맥박촉지가 어려운 경우에 유용하다.

5. 맥박 측정방법

맥박은 촉진이나 청진을 통해 측정한다. 측정방법은 다음과 같다.

1) 촉진

맥박은 두 번째와 세 번째 손가락을 또는 가운데 세 개의 손가락을 이용하여 촉진한다. 단, 엄지손가락으로는 맥박을 측정하지 않는다. 엄지손가락으로 누르면 대상자의 맥박이 아닌 측정

하는 간호사 자신의 엄지를 흐르는 동맥의 맥박을 측정하기 쉽기 때문이다. 손가락을 맥박파동이 가장 강한 위치에 놓고 처음에는 가볍게 약간의 압력을 준 뒤에 보다 강한 박동을 통해 맥박의 수(rate), 리듬(rhythm), 질(quality)을 사정한다.

맥박수는 15초, 30초, 60초 단위로 다양하게 측정할 수 있으나,

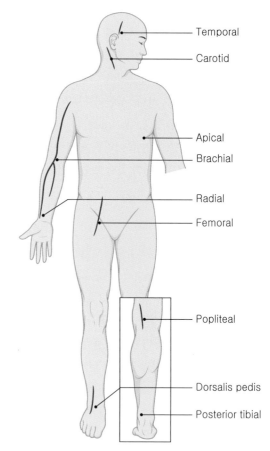

그림 14-12 맥박측정부위

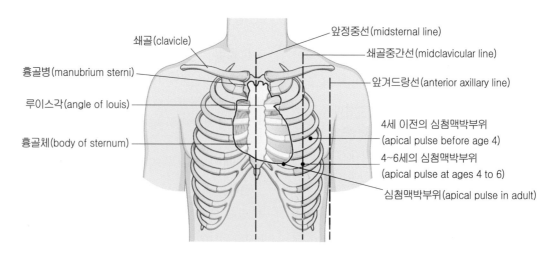

그림 14-13 심첨부위

표 14-2 맥박측정 부위

부위	사정근거
측두동맥(temporal artery)	• 머리의 측두골 위를 지나가며 귀의 상단부위 바로 앞부분에서 가장 쉽게 촉지된다. • 요골동맥으로 촉지하기 어려운 때나 어린이의 맥박측정 시 용이하다.
경동맥(carotid artery)	• 목의 측면에 있으며, 기관과 흉쇄유돌근 사이에 위치한다. 양쪽을 동시에 촉지하지 않는다. 이는 혈압 또는 맥박률을 떨어지게 하는 원인이 될 수 있다. • 영아, 심장마비시 뇌순환을 확인하기 위해 측정하는 부위이다.
심첨(apex)	• 연령에 따라 심첨부위는 늑간의 위치가 다르다.
상완동맥(brachial artery)	• 상완의 내측에 있는 이두박근과 삼두박근사이에 있다. • 혈압측정시 또는 영아의 심장마비시 측정하는 부위이다.
요골동맥(radial artery)	• 요골이나 손목 앞쪽의 엄지손가락 쪽에서 촉지한다. • 활력증상 측정시에 또는 말초맥박의 특성을 사정하거나 손의 순환 상태를 사정하기 위해 사용된다. • 가장 흔히 사용되는 측정부위이며 쉽고 편리하다.
대퇴동맥(femoral artery)	• 서혜인대(inguinal ligament) 하부에서 촉지되며 다른 부위보다 더 강하게 누른다. • 심장마비 혹은 쇼크시에 그리고 다리의 순환상태를 확인할 수 있는 부위이다.
슬와동맥(popliteal artery)	• 무릎 뒤에서 촉지되며 다리를 편안하게 펴서 무릎을 자연스럽게 구부리면 잘 촉지된다. • 하지혈압 측정시나 다리 아래쪽의 순환상태를 확인 할 수 있다.
후경골동맥(posterior tibial artery)	• 내측복사뼈의 후측 약간 아래에 위치한다. • 발의 순환상태를 사정하기 위한 부위이다.
족배동맥(dorsalis pedis artery)	• 엄지와 검지발가락의 신장선사이로 발등을 따라서 위치한다. • 발의 순환상태를 확인하기 위한 부위이며 일부 대상자에서는 선천적으로 촉지되지 않을 수 있다.

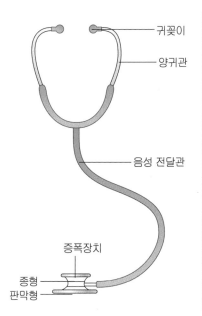

그림 14-14 청진기

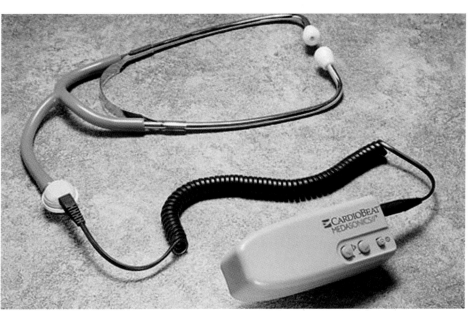

그림 14-15 초음파 청진기

대상자의 상태나 기관의 규정에 따라 측정시간을 조절한다. 맥박수가 비정상적으로 빠르거나 느릴 때에는 1분동안 측정한다.

2) 청진

심첨맥박은 심장 수축상태를 보다 정확히 사정할 수 있는 부위로 청진기를 이용하여 청진한다. 맥박수를 가장 정확하게 사정할 수 있으며, 말초동맥의 맥박수를 측정하기 어렵거나 맥박의 리듬이 불규칙할 때 사용한다. 청진기의 판막(diaphragm)을 심첨부위에 놓고 심첨맥박을 측정한다. 이때 심장소리(lub-dub)를 들을 수 있다. 심음은 각각 두 가지의 소리(S1, S2)로 구성된다. 첫 번째 심음 S1은 낮은 음으로 둔하게 "lub" 처럼 들리고, 두 번째 심음 S2는 조금 짧고 높은소리로 "dub" 같은 소리이다. "lub-dub"을 한번의 심박으로 센다. 심첨맥박은 1분 동안 lub-dub의 횟수를 측정하고 리듬을 사정한다. 맥박측정을 위한 간호기법은 기본간호학 실습지침서에서 구체적으로 다루고 있다.

6. 맥박의 특성

맥박은 맥박의 수, 리듬, 질을 사정한다. 맥박수와 리듬은 매 측정시에 일상적으로, 맥박의 질은 비정상적인 상태가 예측되는 예외적인 상황일 때 사정된다.

1) 맥박수

건강한 성인의 정상 맥박수(pulse rate)는 1분에 60~100회이다. 맥박수가 1분에 100회 이상이면 빈맥(tachycardia)이라 한다. 교감신경계의 자극이 심박동을 증가시켜 맥박수를 증가시킨다. 반면에 맥박수가 1분에 60회 이하이면 서맥(bradycardia)이라 하며, 부교감신경계의 자극은 맥박수를 감소시킨다.

2) 맥박리듬

맥박의 리듬(rhythm)은 정상적으로 양상이 규칙적이다. 심장질환, 약물 및 전해질의 불균형 등으로 정상적인 심박동리듬에 변화를 가져올 수 있다. 박동하고 멈추는 간격이 일정하지 않고 불규칙적인 것을 부정맥(부정률 不整律, dysrhythmia)이라고 한

다. 이러한 부정맥에는 규칙적인 박동과 불규칙적인 박동이 교대로 나타나는 간헐맥박(intermittent pulse), 두 번의 정상박동 후 한번 멈추었다가 다시 뛰는 이중맥박(bigeminal pulse), 박동 직전에 약한 박동이 간헐적으로 일어나는 조기박동(premature pulse) 등이 있다. 심박동의 불규칙적인 리듬이 나타나면 규칙성 여부를 사정하여 즉시 보고하고, 심첨맥박수를 청진으로 확인하여야 한다.

3) 맥박강도

맥박의 질은 일반적으로 맥박의 강도(pulse amplitude)라고 하며 각 심장 수축 때 동맥벽에 분출되는 혈액량과 맥박을 측정하는 부위의 동맥혈관의 상태를 반영한다. 맥박의 강도는 맥박이 없는 상태(0), 실낱같이 아주 가냘픈 맥박(1+), 약한 맥박(2+), 정상맥박(3+), 반동맥박(4+)의 등급으로 구분하여 숫자로 표시한다(표 15-3). 강한 맥박과 약한 맥박이 교차하는 상태를 교호맥(pulsus alterans)이라고 한다.

4) 맥박결손

심수축시에 박동간의 박출량이 다를 수 있다. 이러한 경우 맥박의 파동이 약하여 말초동맥부위에서 맥박의 박동을 인지할 수 없게된다. 이는 심장의 관류능력에 대한 정보를 제공해 주는 것이므로 이러한 상황을 인지하는 것이 매우 중요하다. 심실수축시에 관류되지 않을 때 심첨맥박과 말초맥박사이에 차이가 발생하는데 이를 맥박결손(pulse deficit)이라고 한다. 맥박결손을 확인하기 위해 두 명의 간호사가 심첨맥박과 요골맥박을 동시에 1분동안 측정하고 두 맥박간의 차이를 기록한다. 맥박결손인 경우에는 항상 요골맥박수가 심첨맥박수보다 더 낮다.

III. 호흡

1. 호흡조절의 생리적기전

호흡은 숨쉬는 행위로 산소와 이산화탄소가 가스교환되는 가

표 14-3 맥박의 강도

등급	정의	의미
0	맥박없음(absent pulse)	맥박이 촉지되지 않음
1+	실낱같은 맥박(thready pulse)	맥박이 쉽게 촉지되지 않으며, 아주 가벼운 압력에도 쉽게 소실됨
2+	약한 맥박(weak pulse)	실낱같은 맥박보다는 강하나, 가벼운 압력에도 쉽게 소실됨
3+	정상맥박(normal pulse)	맥박이 쉽게(잘) 촉지됨
4+	반동맥박(bounding, hyperactive pulse)	맥박이 강하게 촉지되며, 보통 압력에도 소실되지 않음

장 기본적인 신체대사기전이다. 호흡은 두 개의 과정 - 외호흡과 내호흡 - 에 의해 조절된다.

외호흡은 신체에 산소 O₂를 공급하고 과다한 이산화탄소 CO₂를 배설하는 과정이며 흡기(inspiration; 숨을 들이마시는 활동으로 능동적인 과정)와 호기(expiration; 숨을 내쉬는 활동으로 수동적인 과정)로 구성된다. 폐내에서 폐포와 혈액사이의 산소와 이산화탄소가 교환되는 것이다.

내호흡은 조직호흡이라고 하며, 혈액을 통하여 산소가 체세포에 공급되고 또 조직내의 이산화탄소가 혈액으로 배출되는 과정으로 혈액과 체세포사이의 가스교환이다.

호흡은 환기(ventilation), 확산(diffusion), 관류(perfusion)로 이루어진다. 환기는 외부와 폐사이의 공기이동기전이고, 확산은 폐포와 혈액사이의 산소와 이산화탄소의 이동이며, 관류는 폐의 모세혈관을 통해 혈액을 배포하는 것(폐모세혈관에서 적혈구로의 가스이동)을 의미한다. 간호사가 활력징후로 측정할 수 있는 부분은 호흡이라 부르는 폐환기이다.

호흡은 뇌의 연수에 의해 조절된다. 호흡조절은 무의식적으로 행해지지만 어느 정도 의식적으로 조절될 수 있다.

2. 호흡에 영향을 미치는 요인

호흡수, 리듬, 깊이에 영향을 미치는 요인들은 다음과 같다.

1) 연령

영아기에서 성인기로 성장함에 따라 폐용량이 보다 더 커지고 폐용량의 증가로 공기를 상호교환하는데 낮은 호흡수로도 충분하다. 노인은 폐용량이 감소하여 호흡수는 증가한다(표 14-1).

2) 약물

마약성 진통제, 진정제는 호흡운동을 억제시켜 호흡수와 깊이를 감소시키고, 코카인등은 환기량을 증가시켜 호흡수와 깊이를 증가시킨다.

3) 스트레스

스트레스는 교감신경자극으로 호흡수와 깊이를 증가시킨다.

4) 운동

운동은 호흡수와 깊이를 증가시킨다.

5) 고도상승

고도가 상승하면 대기의 산소농도는 감소되며, 이에 대한 보상으로 호흡수와 깊이를 증가시켜 조직에 이용 가능한 산소공급이 되도록 한다.

6) 성별

남성이 여성보다 폐용량이 크므로 남성의 호흡수는 보다 더 낮다.

7) 체위

구부리거나 엎드린 자세에서는 충분한 환기가 이루어지지 않아 호흡수와 깊이가 증가한다.

8) 열

발열상태에서 호흡기계는 열을 방출할 수 있는 길을 제공한다. 폐로부터 열이 소실되므로 호흡수는 증가한다.

9) 흡연

만성적인 흡연은 기도를 변화시켜 호흡수를 증가시킨다.

3. 호흡사정

호흡은 휴식 시에 측정해야한다. 정상적으로 호흡을 하는데는 숨소리가 조용하고, 특별한 노력이 요구되지 않는다. 호흡상태를 사정할 때는 대상자의 정상적인 호흡양상, 질병유무, 치료에 의해 미친 영향인지 여부를 유의하여야 한다. 또한 호흡수, 깊이, 리듬 및 특성 등이 함께 사정되어야만 한다.

1) 호흡수

호흡수는 나이에 따라 다르다. 휴식 시에 정상호흡수는 영아의 경우, 1분당 30~60회이며 성인은 1분당 12~20회이다. 빈호흡(tachypnea)는 호흡수가 빨라 분당 20회 이상 증가되고, 서호흡(bradypnea)은 비정상적으로 호흡이 느려 분당 12회 이하인 경우이다. 무호흡(apnea)은 호흡이 없는 상태이며 호흡이 중단된 시간의 길이로 기술한다(예: 10초동안 무호흡). 무호흡의 지속시 호흡정지(respiratory arrest)가 되며 4~6분이상 지속된다면 생명을 위협하는 상황이다.

2) 호흡깊이

흉벽의 움직임을 관찰함으로써 호흡의 깊이를 사정한다. 호흡의 깊이는 깊다(deep), 정상이다, 얕다(shallow) 등의 주관적인 표현을 한다. 깊은 호흡은 흡기 혹은 호기되는 공기의 량이 크며 폐가 최대한 확장된다. 얕은 호흡은 작은 양의 공기가 폐를 통하여 지나가고 환기의 움직임은 육안으로 보기가 어렵다. 정상적으로 1회의 흡기 및 호기되는 공기의 양은 500ml(또는 6~8L/min)이며 이를 기량(tidal volume)이라고 한다.

3) 호흡리듬

호흡리듬은 흡기 및 호기의 규칙성을 의미하는데, 규칙적이고 중단되지 않아야 한다. 호흡리듬은 주기가 규칙적이거나 불규칙적인 것으로 기술된다.

호흡은 정상적으로 호기지속시간(2~3초)이 흡기지속시간(1~1.5초)보다 두 배정도 더 지속된다. 비정상적인 호흡양상은 여러 가지 양상이 있다(표 14-4).

4) 호흡의 질

일반적으로 호흡은 무의식적으로 자동적이고, 조용하며, 노력을 요하지 않는다. 호흡의 질(quality)을 사정하는데는 호흡하는 데 노력하는 정도와 호흡 시의 잡음 등이 기술된다. 호흡곤란(dyspnea)은 호흡 시에 과도하게 노력을 기울여야 하는 호흡하

기 힘든 상태이다. 이는 호흡한다는 것이 고통스럽고 노동의 일부분일 수 있는 것이다.

좌위호흡(orthopnea)은 수평으로 누운 자세에서는 호흡이 곤란하여 앉거나 설 때 호흡이 쉬워지는 것이다. 숨을 쉴 때 나는 소리도 또한 중요하다. 천음(stridor)은 상기도 폐색 시에 까마귀 울음소리처럼 들리는 거칠고 높은 음조의 흡기음이다. 쿠르프(croup)가 있는 영아나 이물질 흡인 후에 들린다.

천식음(wheezing)은 호흡에 의해 나오는 높은 음조의 음악적인 피피하는 소리로서 기관지 협착과 같은 병변 시에 나타난다.

표 14-4 호흡의 양상

호흡의 종류	양상	정의 및 특성
정상호흡(eupnea)		· 호흡수와 깊이, 리듬이 규칙적이고 잡음이 없다.
빈호흡(tachypnea)		· 호흡수가 정상범위보다 빠르다. (분당 24회 이상)
서호흡(bradypnea)		· 호흡수는 규칙적이나 비정상적으로 느리다. (분당 12회 이하)
과도호흡(hyperventilation)		· 호흡수와 깊이의 증가로 폐내 공기량이 많아 이산화탄소의 부족을 초래한다. · 격렬한 운동, 두려움, 고열, 아스피린 과용 시에 나타난다.
과소호흡(hypoventilation)		· 호흡수와 깊이의 감소로 이산화탄소의 과잉을 초래한다.
Cheyne-Stokes 호흡		· 무호흡주기에 이어 과다호흡주기로 변화되며 교대로 나타난다(호흡주기가 느려지고 얕아지는 호흡을 하다가 점차 비정상적으로 수와 깊이가 증가한다. 다시 느리고 얕은 호흡을 하다가 무호흡이 있은 후에 호흡이 다시 시작되는 양상이 반복된다). · 심부전, 약물과용, 뇌압상승 시에 나타난다.
Biot's 호흡		· 얕은 호흡 후 무호흡이 나타나며 무호흡시 불규칙적이고 경련성의 호흡을 한다. · 뇌막염이나 심한 뇌손상 시 나타난다.
Kussmaul 호흡		· 분당 20회 이상의 깊이와 수가 증가한, 깊고 긴 호흡이다. · 당뇨성 케토산증, 대사성 산독증, 신부전 시에 나타난다.
호흡항진(hyperpnea)		· 호흡의 깊이가 증가되어 기량이 증가하며, 보통 운동 시에 나타난다.
무호흡(apnea)		· 호흡이 몇 초간 멈춘 상태이며, 지속되면 호흡정지가 된다.

5) 호흡 측정방법

호흡은 간호사가 호흡을 사정한다는 것을 대상자가 의식하지 못하도록 맥박을 측정한 후 그 자세로 계속해서 가슴의 움직임을 측정하는 것이 가장 좋은 방법이다. 이때 호흡의 수, 깊이, 리듬 등을 포함하여 사정한다.

대상자가 수면 중인 경우에, 대상자의 가슴에 손을 부드럽게 올려놓은 채 흉부의 움직임을 확인하여 측정한다. 영아의 경우, 영아가 울면 호흡의 변화를 가져올 수 있으므로 체온측정 전에 호흡을 사정한다. 호흡측정을 위한 간호기법은 기본간호학 실습 지침서에서 구체적으로 다루고 있다.

IV. 혈압

1. 혈압조절의 생리적기전

혈압은 혈관벽을 향하여 혈액이 미치는 힘으로, 심장에서 박출된 혈액이 혈관벽(arterial walls)에 닿았을 때 형성되는 압력이다.

혈압은 수축기압과 이완기압으로 구성되는데, 수축기압(systolic pressure)은 좌심실이 수축하여 대동맥판을 통해 대동맥궁으로 혈액이 방출될 때 동맥벽이 최대한으로 확장되는데, 이때 형성되는 압력이 가장 높다. 즉, 좌심실이 수축할 때 발생하는 가장 높은 혈액의 압력이다. 이완기압(diastolic pressure)은 수축기에 대동맥에 일시 저장되었던 혈액이 이완기에 말초혈관으로 흘러갈 때 나타내는 압력으로, 좌심실이 이완할 때 발생하는 가장 낮은 혈액의 압력이다.

수축기압과 이완기압의 차이를 맥압(pulse pressure)이라고 하며, 수축기압과 이완기압의 합을 둘로 나눈 수치를 평균압(mean pressure)이라고 한다. 예를 들어 혈압이 120/80mmHg이면 맥압은 40mmHg이 되고 평균압은 100mmHg이 된다.

혈압은 모든 혈관에 존재하며 순환계의 어느 부위를 지정하지 않고 혈압이라는 표현을 하면 대동맥과 큰 동맥의 혈압 즉, 동맥혈압을 의미한다. 혈압은 수은주의 밀리미터mmHg(millimeters of mercury)의 단위로 나타내며, 수은기둥의 높이로 수축기압과 이완기압을 읽는다. 혈압을 기록할 때에는 수축기압을 이완기압보다 먼저 기록한다(예: 120/80mmHg).

혈압은 말초저항, 심박출량, 혈액량, 혈액의 점도, 동맥의 탄력성 등의 여러 가지 혈액학적요인의 상호작용으로 유지, 조절된다. 혈압은 심박출량과 말초저항에 달려있다.

$$혈압(BP) = 심박출량(CO) \times 말초저항(PR)$$

1) 말초저항

말초저항(peripheral resistance: PR)은 혈관의 조직과 직경의 크기에 따라 결정되는 혈류에 대한 저항을 말한다. 혈관의 관강이 작을수록 혈류에 대한 말초혈관저항이 커지고 결국 동맥혈압도 올라간다. 반대로 혈관이 이완되면 저항이 적어지고 혈압은 떨어진다.

정상적으로 세동맥은 부분적 수축상태이다. 세동맥이 수축하면 모세혈관에 미치는 혈액량이 감소하고 이러한 수축상태를 혈관수축(vasoconstriction)이라고 하며, 반대로 이완된 상태에서는 세동맥에 도달하는 혈액량이 증가하며 이를 혈관이완(vasodilatation)이라고 한다. 정상이상으로 세동맥이 수축하면 혈압이 높아지고, 수축이 약해지면 혈압이 낮아진다.

2) 심박출량

심박출량(cardiac output)은 1분간 심장에서 방출되는 혈액량이다.

$$심박출량(CO) = 심박동수(HR) \times 일박출량(SV)$$

일박출량은 70ml이고 심박동수는 72회로 심박출량은 5040ml/min으로 약 5L이다. 평균 심박출량은 휴식시의 성인남성의 경우 5.5mL/min이다.

혈관처럼 밀폐된 공간에서 양이 증가하면 그 속의 압력도 증가한다. 즉, 심박출량이 증가하면 증가된 혈액으로 인해 동맥벽에 가하는 압력이 커지므로 혈압은 상승하게 된다.

3) 혈액량

출혈이나 탈수와 같이 순환하는 혈액량(blood volume)이 줄어들면 혈압이 감소하고, 과잉의 수액주입과 같이 순환하는 혈액량이 증가하면 동맥 내에 더 많은 압력을 가해서 혈압이 상승하게 된다.

4) 혈액의 점도

혈액의 점도(viscosity of blood)는 진하고 끈끈한 정도를 말한다. 헤마토크리트(hematocrit) 혹은 적혈구와 혈장내 단백질의 함유량에 따라 결정된다. 혈액의 점도가 높아지면 즉, 뻑뻑한 혈액을 밀어내기 위해 혈액이동시 필요한 압력이 높아지므로 혈압도 상승한다.

5) 동맥의 탄력성

동맥벽은 정상적으로 신장되고 확장되는 탄력적인 조직이다. 동맥벽의 탄력성(elasticity of the vessel walls)은 혈압의 심한 변동을 예방해주어 세동맥의 저항뿐만 아니라 정상혈압을 유지하도록 해준다.

혈관벽이 딱딱해지면 맥파속도가 빨라진다. 즉, 혈관벽과 맥파속도는 역관계를 형성한다. 혈관의 탄력성이 낮아지면 혈관벽이 딱딱해져 속도가 커지고 혈관내 압력을 형성하여 혈압이 상승한다. 나이가 들어감에 따라 세동맥벽의 탄력성은 줄어들어, 혈행의 흐름을 제한하고 혈관계의 압력을 상승시킨다.

2. 혈압에 영향을 미치는 요인

1) 연령

정상혈압은 일생을 통해 변하는데, 연령이 증가함에 따라 점점 더 높아진다. 나이가 들어감에 따라 동맥이 탄력성을 잃고, 점점 더 굳어지는 과정인 동맥경화증으로 인해 혈압이 높아지는 경향이 있다(표 14-1).

2) 하루 중 변화

하루 중에도 정상적으로 혈압에 변화가 있다. 새벽에 가장 낮고 낮 동안에 올라가다가 늦은 오후시간에 가장 높으며(5-10mmHg 정도 상승), 수면시간동안에 서서히 하강한다.

3) 운동

운동은 심박출량의 증가를 초래하여 혈압을 상승시킨다. 운동이나 격렬한 활동 시에 수축기압이 상승한다. 그러므로 안정된 상태에서 혈압을 신뢰성있게 사정하기 위해서는 운동 후 30~40분이 지난 뒤에 측정하는 것이 바람직하다.

4) 성별

임상적으로 남녀간에 의미있는 차이는 없다. 일반적으로 사춘기이후에는 남성의 혈압이 더 높은 경향이 있으며, 폐경기이후에는 여성이 같은 나이의 남성보다 혈압이 높은 경향이 있다.

5) 스트레스

불안, 두려움, 공포, 분노 등과 같은 강한 정서와 통증은 교감신경자극으로 심박수를 증가시켜 심박출량이 증가하고, 말초혈관수축으로 혈관의 저항이 증가되어 혈압이 상승한다.

6) 약물

약물의 약리작용에 따라 혈압을 상승시키기도 하고 하강시키기도 한다.

7) 체위변화

누워있을 때보다 앉거나 서있을 때는 혈액량이 줄어들어서 혈압이 낮아지지만, 정상적으로 그 변화는 미약하다.

8) 출혈

혈액량의 감소로 혈압이 하강한다.

9) 열 및 냉 적용

열에 노출되면 말초혈관의 저항이 감소되고 혈관확장으로 혈압이 하강한다. 냉 적용시에는 말초혈관의 저항증가와 혈관수축으로 혈압이 상승한다.

10) 발열

발열 시에는 대사율의 증가로 혈압이 상승한다.

3. 혈압사정

1) 정상혈압

정상혈압의 범위는 매우 다양하다. 개인적인 차이를 고려해야하므로 특정개인의 정상혈압을 안다는 것이 중요하다. 한 개인의 혈압이 20~30mmHg 정도 오르거나 떨어진다면, 그것이 비록 정상범위 내에 있을지라도 의미가 있는 것이다.

많은 요인들이 혈압에 영향을 미치기 때문에 단 한번의 혈압측정이 크게 의미가 있는 것은 아니다. 미국심장협회에서는 고혈압으로 진단을 내리기 전에 혈압을 두 번 이상 측정하여 평균을 내어 결정할 것을 권한다. 혈압측정 시에는 적어도 5분 이상 안정을 취하고 측정 30분 전에는 카페인섭취나 흡연을 하지 않는다.

2) 고혈압

정상보다 지속적으로 높은 혈압을 고혈압이라고 한다. 이완기압이 80~89mmHg이거나 수축기압이 120~139mmHg인 사람은 고혈압 전단계로 간주되며, 치료받지 않으면 심장질환으로 발전할 수 있다. 1단계 고혈압은 이완기압이 90~99mmHg이거나 수축기압이 140~159mmHg일 때이다(표 14-5).

성인에게 있어서 적어도 2번이상 측정한 결과의 평균으로 고혈압을 진단한다. 고혈압은 수축기혈압이 140mmHg 이상이거나 이완기혈압이 90mmHg 이상인 것을 의미한다. 고혈압상태는 광범위한 건강문제이다. 고혈압은 가족적 성향이 있으며, 비만, 흡연, 과도한 음주, 높은 콜레스테롤 수치, 지속적인 스트레스에의 노출 등과 관련이 있다.

고혈압과 관련된 많은 위험 때문에 정기적인 혈압측정의 중요성을 점차 크게 인식하고 있다. 고혈압으로 진단을 받으면 혈압수치, 정기적인 추후관리와 치료, 보편적인 고혈압의 증상, 정상 생활 유지를 위한 생활양식 계획 등의 지속적인 교육을 해주어야 한다.

지속적으로 이완기압이 높은 고혈압이 가장 심각하면서도 흔한 혈압장애이다. 이는 수많은 사람들의 조기사망과 심각한 장애의 주요원인이 되고 있다.

표 14-5 고혈압의 분류

분류	수축기혈압	이완기혈압
정상	<120	그리고 <80
고혈압 전단계	120~139	또는 80~89
제1기 고혈압	140~159	또는 90~99
제2기 고혈압	≥160	또는 ≥100

[출처] National Heart, Lung, and Blood Institute JNC-7

3) 저혈압

저혈압이란 혈압이 정상보다 낮은 것으로, 수축기 혈압이 90mmHg 이하로 떨어질 때를 말한다. 대부분의 성인에게 있어서 저혈압은 질병과 관련이 있는 비정상적인 증후이다. 약물(demerol)이나 질병, 즉 심한 혈액손실, 화상, 심한 구토와 설사, 심장마비 후 심박출량의 장애 시에 혈압이 떨어진다.

직립성 저혈압(orthostatic or postural hypotension)은 앉았다가 일어섰을 때 현기증, 가벼운 두통, 심하면 기절을 동반하는 저혈압이다. 이는 보상기전으로 심박출량이 증가하지 못한 상태에서 말초혈관의 이완으로 동맥혈압이 하강되어 나타나는 현상이다. 일반적으로 이러한 유형의 저혈압은 침상안정이후에 이동할 때 침상에서 천천히 일어나거나 움직임으로써 예방된다. 또한 머리를 낮추어 뇌로 혈류를 보내주므로써 나아질 수 있다.

4) 혈압측정도구

(1) 커프

혈압계의 커프(cuff)는 천으로 싸여진 고무로 된 공기주머니(bladder)로 구성되어 있으며, 두 개의 관이 부착되어 있다. 하나는 압력을 읽을 수 있도록 압력계와 연결되어 있고 다른 하나는 공기를 넣어 커프를 부풀릴 수 있는 공기주머니를 팽창시키는 고무구(rubber bulb)와 연결되어 있다. 이 고무구 옆에 있는 작은 밸브(valve)는 공기주머니 안에 있는 공기를 배출시킨다. 밸브가 닫혀지게 되면 공기주머니 속으로 들어간 공기는 그대로 그곳에 남아있게 된다(그림 14-16).

커프는 측정대상자의 팔의 크기에 따라 잘 선택해야 한다. 커프는 팔이나 대퇴 위의 약 2/3정도를 덮도록 충분히 길어야 정확한 혈압을 측정할 수 있는데, 커프의 너비는 상박이나 대퇴둘레의 40%이거나 상박이나 대퇴중심부의 직경보다 20%정도 넓어야 한다. 성인의 평균너비는 12~14cm이다.

길이는 팔에 충분히 감을 수 있도록 상박둘레의 80%정도가 적당하다. 만약 커프가 너무 좁다면 커프의 압력이 동맥에 제대로 전달되지 않아서 높게 측정될 수 있으며(예: 평균크기의 커프를 가지고 비만한 자의 혈압을 측정했을 때), 너무 넓다면 압력이 넓은 표면에 불균형하게 분산되어 낮을 수 있다(예, 성인커프를 가지고 어린이의 혈압을 측정했을 때).

(2) 혈압계

혈압계(sphygmomanometer)는 커프와 압력계로 이루어져 있으며, 압력계(manometer)는 공기주머니 안의 공기의 압력을 표시하여 혈압의 눈금을 읽을 수 있는 계기이다. 혈압계는 아네로이드와 전자혈압계, 도플러혈압계 등이 있다.

아네로이드혈압계(Aneroid manometer)는 밀리미터(mm)로 측정되는 다이얼에 압력을 표시하는 바늘이 달려있다(그림 14-18B). 이 바늘은 정확한 측정을 위해서 처음에 '0'에 위치해 있어야 한다.

금속계기판은 외부온도에 영향을 받기 때문에 수은혈압계보다는 정확도가 다소 떨어지지만 가볍고 휴대하기 편리한 장점이 있다. 전자혈압계는 종류나 형태가 다양하다(그림 14-19). 이는 청진기가 필요 없어 스스로 혈압을 측정해야하는 사람들에게 유용한 기구이다. 상완용, 손목용 등이 있으며 기계자체에 의한 오차가 생길 수 있음을 고려해야한다.

자동전자혈압계는 흔히 마취 시에, 위기간호 시에, 수술 후 혹은 관찰을 자주 해야하는 영역 등에서 사용된다. 이 기기의 장점은 사용하기 쉬운 점과 반복되거나 빈번한 측정이 요구될 때 효과적이라는 것이다. 그러나 혈압계를 다루는 기술은 필요하지 않으나 외부의 영향에 민감하며 오류가 나오기 쉽다.

도플러혈압계는 초음파나 소리를 증폭시키는 도플러를 사용하여 측정한다. 도플러초음파는 촉진이나 청진으로 맥박이나 혈압을 측정하기가 어려울 때 이용된다. 혈압은 단지 수축기압만 측정할 수 있다.

오늘날 중환자실이나 응급실에서 대상자 상태를 지속적으로 모니터하기 위한 patient monitor를 이용해서 혈압을 지속적으로

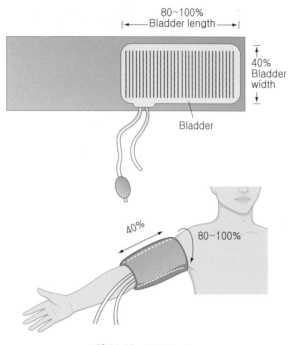

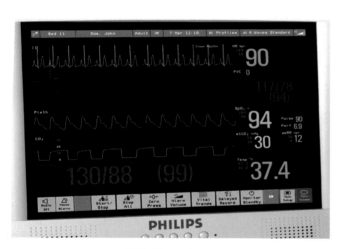

그림 14-16 혈압계의 커프

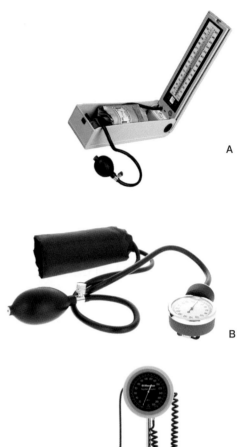

그림 14-17 patient monitor

그림 14-18 혈압계 종류
A: 무수은 혈압계 **B**: 아네로이드 혈압계 **C**: 스탠딩 혈압계

감시할 수 있다. 이 모니터에는 ABP(Arterial Blood Pressure), NIBP(Non-Invasive Blood Pressure)를 측정하게 된다. 이는 대상자의 혈압을 직접적, 비간접적으로 혈압을 측정할 수 있음을 의미한다.

(3) 청진기

청진기는 혈압측정 시에 신체의 소리를 청진하고 사정하는데 사용된다. 귀꽂이는 이관에 편안하고 잘 맞는 것을 선택하고, 음성전달관은 최적의 소리를 전달하기 위해서 12inch 길이의 두터운 관이어야 한다.

5) 혈압측정부위

(1) 상완동맥

일반적으로 혈압은 상완에서 측정하며 상완동맥에서 청진 혹은 촉진한다. 손목의 요골동맥에서도 가능하다. 유방절제술을 한 대상자는 환부 측의 팔에서 측정할 경우 혈액순환장애나 임파수종(lymphedema)의 원인이 될 수 있다.

혈액투석을 하기 위해 혈관수술을 한 대상자의 경우, 정맥염

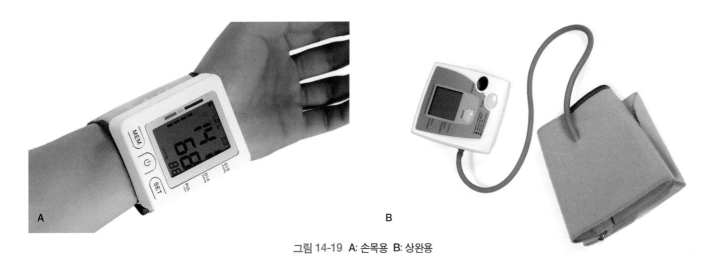

그림 14-19 A: 손목용 B: 상완용

이 있는 부위의 팔, 말초주입 중심정맥관(Peripherally Inserted Central Catheter, PICC)를 삽입한 팔은 측정을 금한다. 혈압측정 시 일반적으로 발생할 수 있는 오류를 피하기 위해서는 다음과 같은 지침사항을 잘 따르는 것이 중요하다(표 14-6).

(2) 슬와동맥

드레싱, 석고붕대, 정맥주사, 임파절 절제 등으로 상완동맥을 사용할 수 없는 경우에는 무릎 아래부분 슬와동맥(popliteal artery)에서 측정되어져야 한다.

엎드린 자세에서 적절한 크기의 커프를 대퇴의 중간 아랫부분에 감고 무릎 뒤 슬와부위의 슬와동맥에 청진기를 놓고 팔과 동일한 방법으로 측정한다. 엎드리기 어려우면 누워서 무릎을 약간 구부린 자세로 측정할 수도 있다.

이 부위의 수축기혈압은 보통 상완동맥보다 10~40mmHg 정도 더 높게 측정된다. 이때 측정부위를 기록하는 것은 중요하다.

6) 혈압측정방법

혈압을 측정하는 데는 직접 혹은 간접으로 측정할 수 있다.

(1) 직접측정법

동맥 내에 카테터를 삽입하여 연결된 전기모니터를 통해 혈압 측정치를 측정한다. 이는 대부분 위기의 대상자에게 적용된다.

(2) 간접측정법

가장 보편적인 비침습적(noninvasive)이며 간접적인 측정방법은 청진과 촉진으로 이루어진다.

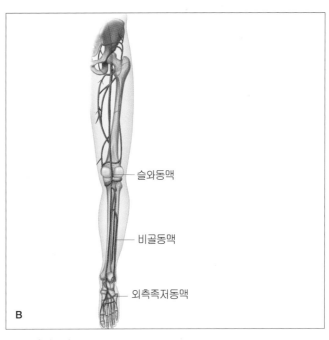

상완동맥(Brachial)

척골동맥(Ulnar artery)

동맥궁(Arterial arches)

슬와동맥

비골동맥

외측족저동맥

그림 14-20 A: 상완동맥 B: 슬와동맥

표 14-6 혈압측정시의 잠재적인 오류들

오류	원인	오류	원인
혈압이 낮게 측정되는 경우	• 환경 소음 • 팔이 심장위치(제4늑간)보다 높은 경우 • 청력 결함 • 청진기의 귀꽂이가 부적절한 경우 • 청진기의 관길이가 지나치게 긴 경우 • 수은기둥의 눈금을 내려다 보는 경우 • 맥박이 소실되는 지점 위로 20~30mmHg 　정도의 공기를 커프에 주입하지 않는경우 • 너무 넓은 커프 • 커프에서 공기를 너무 빨리 빼는 경우 • 손상되거나 꼬인 튜브를 사용한 경우 • 동맥위치를 벗어난 곳에 청진기의 판막을 　잘못 놓은 경우	혈압이 높게 측정되는 경우	• 식사, 운동 직후, 통증 및 불안하거나, 　방광이 차 있는 경우 • 팔이 심장위치보다 아래에 놓이는 경우 • 수은기둥의 눈금을 올려다 보는 경우 • 차가운 손이나 청진기 • 공기를 너무 천천히 빼는 경우 • 커프를 평평하고 느슨하게 감았을 경우 • 너무 좁은 커프 • 청진하는 동안 공기주머니에 공기를 재주입 　하는 경우(정맥울혈: 2분 기다린 후 재측정)

① 청진법

청진법은 Korotkoff Sounds를 이용하여 측정하는 방법으로, 혈압을 측정할 때 상완의 혈액흐름을 일시적으로 차단시키기 위해 커프를 팽창시킨다. 팽창된 커프의 공기를 빼어 혈행이 되돌아오면서 청진기를 통해 들을 수 있는 소리가 Korotkoff Sounds이다. Korotkoff Sounds는 5단계의 음을 들을 수 있다(그림 14-21).

1단계는 커프에서 압력이 빠지면서 소리가 들리지 않다가 처음 들리는 약하나 깨끗하면서 '뚜뚜' 하는 소리로 적어도 2번 이상 연속적으로 들리는 소리이다. 이 단계는 심장수축 동안에 동맥벽 내에서의 최고의 압력이나 수축기 압력과 일치한다.

2단계는 '뚜뚜' 하는 소리가 연속적으로 '쉿쉿' 소리로 변하는 것이 특징이다. 이 지점에서 혈관직경이 넓어져서 많은 동맥혈이 흐른다.

3단계는 소리가 보다 힘차고 분명해지며 점점 커지는 것이 특징이다. 이 단계에서는 혈액이 점진적으로 확장된 동맥을 통하여 자유롭게 흐른다.

4단계는 소리의 크기가 줄면서 바람 불듯이 부드럽게 소리가 나는 단계이다. 소리가 급격하게 작아지는 이 지점을 첫 번째 이완기 압력이라고 한다. 일반적으로 아동에서는 이 지점을 이완기 압력이라고 기록한다.

5단계는 마지막으로 소리가 들리는 지점이고 소리가 없어지는 침묵의 순간이 이어진다. 이 지점은 두 번째 이완기 압력이며,

성인에서의 이완기 압력을 가장 잘 반영한다.

② 촉진법

촉진법은 Korotkoff Sounds를 들을 수 없을 때 사용한다. 촉진법은 혈압계의 커프를 팔에 감고 청진기대신에 손가락을 동맥에 놓고 커프에 압력을 빼면서 측정하는 것이다.

처음 맥박이 촉진되는 지점을 수축기 압력으로 읽는다. 커프의 압력이 이완압 아래로 내려가면 더 이상 맥박의 진동이 느껴지지 않아, 촉진으로 변화를 감지할 수 없기 때문에 이완기압력을 측정하기가 어렵다. 혈압측정을 위한 간호기법은 기본간호학 실습지침서에서 구체적으로 다루고 있다.

V. 말초산소포화도

1. 말초산소포화도 측정 원리

말초맥박산소측정기(pulse oximeter)는 동맥 혈액내 산소포화도를 간접적으로 측정하는 기구이다(그림 14-22). 맥박산소측정기는 빛이 방출되는 전자탐침(light-emitting diode, LED)과 기계와 연결된 광감지기(photodetector)로 구성되어 있다.

산화혈색소와 산화되지 않은 혈색소분자는 LED에서 방출된 빛을 흡수한 후 반사한다. 혈색소분자가 빛을 흡수하는 차이를 감

지하고 산소측정기는 말초맥박에서의 산소포화도를 계산한다. 산소포화도는 동맥혈의 산소와 결합한 헤모글로빈의 백분율(SpO_2)이다.

2. 말초산소포화도에 영향을 미치는 요인

1) 헤모글로빈
헤모글로빈이 산소로 포화되면, 산소포화도는 전체 헤모글로빈의 수치가 낮더라도 정상으로 나타난다. 따라서 대상자가 빈혈이 심하고 조직으로의 산소공급이 부적절한 경우라도 산소포화도의 수치가 정상치를 나타낼 수 있다.

2) 순환
감지기 부착부위에 순환장애가 있는 경우, 정확하게 측정할 수 없다.

3) 활동
감지기 부착부위의 떨림이나 과도한 움직임은 정확한 측정을 방해한다.

4) 일산화탄소중독
맥박산소측정기는 일산화탄소와 산소의 헤모글로빈 포화도를 구분하지 못하므로 다른 방법으로 산소화를 측정할 필요가 있다.

3. 측정방법 및 주의사항
산소포화도를 측정하기 위해서는 산소포화도 측정기계를 켜고 센서에 불이 들어오는지 확인한다. 이는 센서를 적용한 측정기를 켜고 톤이 들리도록 조절하면 동맥 파형이 나타난다. 그리고 손톱상태를 확인한 후, 센서를 손가락에 부착하여 고정한다(매니큐어가 있는 경우 지운다). 그리고 대상자에게 주의사항을 다음과 같이 설명해준다.

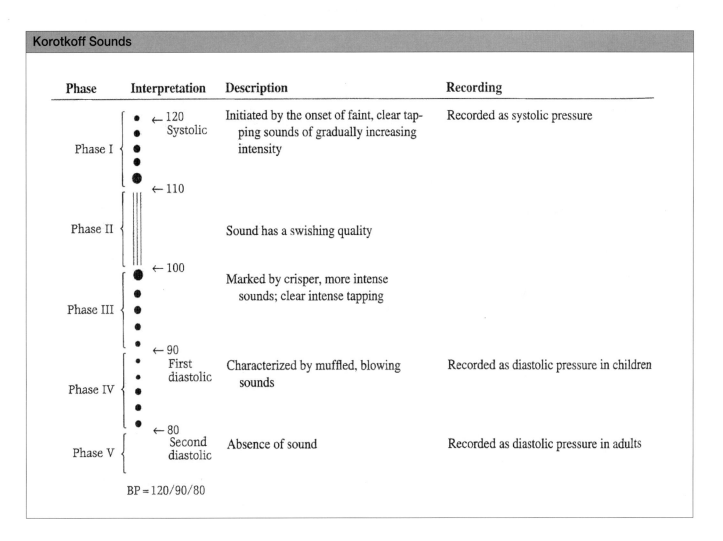

Korotkoff Sounds

Phase	Interpretation	Description	Recording
Phase I	← 120 Systolic ... ← 110	Initiated by the onset of faint, clear tapping sounds of gradually increasing intensity	Recorded as systolic pressure
Phase II		Sound has a swishing quality	
Phase III	← 100	Marked by crisper, more intense sounds; clear intense tapping	
Phase IV	← 90 First diastolic	Characterized by muffled, blowing sounds	Recorded as diastolic pressure in children
Phase V	← 80 Second diastolic	Absence of sound	Recorded as diastolic pressure in adults

BP = 120/90/80

그림 14-21 Korotkoff Sounds의 단계

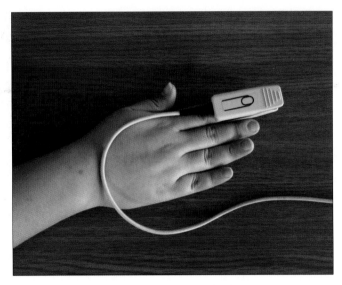

그림 14-22 맥박산소 포화도 측정기

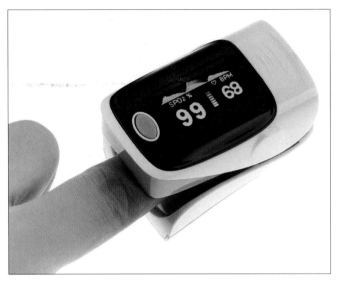

그림 14-23 휴대용 맥박 산소 포화도 측정기

표 14-7 활력징후와 관련된 간호진단

구분	간호진단	관련요인
체온	• 비정상적 체온변화	• 감염, 탈수, 대사율 변화, 노화, 환경변화, 외상이나 질병 등
	• 체온유지장애 위험성	• 연령(영유아, 노인), 체중과다 혹은 미달, 부적절한 의복착용, 탈수, 진정작용 등
	• 고체온	• 더운 기온의 노출, 대사율의 증가, 질환, 외상, 격렬한 활동, 발한감소 등
	• 저체온	• 추운환경에의 노출, 전율능력의 변화, 영양실조, 대사율의 감소, 비활동, 노령화
맥박	• 활동의 지속적 장애	• 전신쇠약, 순환장애, 산소공급장애, 빈혈, 대사율 변화, 생활양식 변화 등
	• 조직관류장애	• 동·정맥 혈류의 차단, 동·정맥 혈류의 감소, 혈량과다, 혈량감퇴, 부동 등
	• 심박출량감소	• 순환장애, 심근수축력 변화, 심박동 변화, 심장구조 변화 등
	• 체액과다	• 수분섭취 증가, 염분섭취 증가, 체액조절 기전의 장애 등
	• 체액부족	• 다량의 체액상실, 체액조절기전의 장애, 수분섭취 부족 등
	• 가스교환손상	• 환기-관류 불균형, 혈류장애, 빈혈 등
호흡	• 활동의 지속적 장애	• 전신쇠약, 순환장애, 산소공급장애, 빈혈, 대사율 변화, 생활양식 변화 등
	• 조직관류장애	• 동·정맥 혈류의 차단, 동·정맥 혈류의 감소, 혈량과다, 혈량감퇴, 부동 등
	• 가스교환 손상	• 환기-관류 불균형, 산소공급장애 등
	• 기도개방유지불능	• 흡연, 기도경련, 기도내 이물질, 분비물, 기관지벽의 과도증식, 알레르기 등
	• 비효율적인 호흡양상	• 과다환기, 과소환기, 흉벽기형, 통증, 불안, 비만, 호흡근의 피로 등
혈압	• 활동의 지속적 장애	• 전신쇠약, 순환장애, 산소공급장애, 빈혈, 대사율 변화, 생활양식 변화 등
	• 체액부족	• 다량의 체액상실, 체액조절기전의 장애, 수분섭취 부족 등
	• 조직관류장애	• 동·정맥 혈류의 차단, 동·정맥 혈류의 감소, 혈량과다, 혈량감퇴, 부동 등
	• 신체손상 위험성	• 화학적 요인(알콜, 카페인, 니코틴 등), 비정상적인 혈액상태 등
	• 심박출량 감소	• 순환장애, 심근수축력 변화, 심박동 변화, 심장구조 변화 등

■ 혈액 순환(perfusion)을 잘 측정할 수 있도록 팔을 많이 움직이지 않는다.

■ 강한 외부 빛이 센서에 비치지 않도록 한다.

■ 손가락이 아프거나 습기가 차면 알리도록 한다. 산소포화도를 확인한 후 경고음을 설정하고, 대상자에게 경고음이 울리면 간호사에게 알리도록 설명한다. 측정 기계의 줄이 당기지 않도록 정리한다.

4. 정상 범위 및 의미

산소포화도는 전체 혈색소 중에서 O2가 포함된 혈색소가 차지하는 분율을 의미하며 정상 범위는 95~100%이다.

제2절
간호진단

활력징후와 관련된 간호진단과 그 관련요인들은 다음과 같다(표 14-7).

제3절
간호계획

간호계획은 간호진단과 그 관련요인을 근거로 한다. 활력징후의 고위험성을 갖는 대상자에게는 정상상태를 유지하고 위험요인을 감소할 수 있는 개별적인 간호계획이 요구된다. 활력징후를 정상범주 내에서 확인할 수 있도록 기대되는 목표가 설정되어야 한다.

간호목표는 간호평가를 통해 목표달성을 확인할 수 있도록 측정 가능한 용어로 구체적으로 작성되어야 한다. 대상자가 적극적으로 참여할 수 있도록 하기 위해 교육을 하는 것이 중요하며, 특히 가정에서 취해야 할 방법이 필요한 대상자의 경우 더욱 중요하다.

간호계획은 정상범위 유지, 합병증 발생 최소화, 안위증진에 초점을 두어야 한다. 일례로 고체온(hyperthermia) 대상자의 간호진단에 따른 간호계획, 간호수행 및 간호평가에 대한 구체적인 예는 다음과 같다(표 14-8).

표 14-8 고체온의 간호계획, 수행, 평가의 구체적 예

고체온 : 체온이 정상범위 이상으로 상승된 상태
간호진단 : 감염과정과 관련된 고체온

간호계획		간호수행	간호평가
목표	기대되는 결과		
대상자는 3일 이내에 정상체온으로 회복될 것이다.	· 체온이 치료 이후 1일 이내에 적어도 1℃ 하강할 것이다.	· 떨림이 발생하지 않는 한 실내온도를 21℃로 유지한다.	· 간호중재 이후의 체온을 모니터한다. · 4시간마다 체온을 모니터한다.
	· 체온이 2일 이내에 적어도 24시간동안 36~38℃를 유지할 것이다.	· 체온이 39℃ 이상이면 처방에 따라 acetaminophen을 투여한다.	
수분과 전해질의 균형은 3일 이내에 유지될 것이다.	· 2일 이내에 수분섭취와 배설량이 동일 할 것이다.	· 수분을 4시간마다 섭취하도록 권장한다.	· 수분섭취 · 배설량을 측정한다. · 전해질의 정상치를 모니터한다.
	· 전해질의 수치가 정상범주를 유지할 것이다.		
	· 3일 이내에 이동 중에 직립성 저혈압이 나타나지 않을 것이다.		
대상자는 3일 이내에 안위 및 안정감에 이를 것이다.	· 대상자는 3일 이내에 휴식과 수면을 취하면서 만족감을 표현할 것이다.	· 신체적 활동과 정서적인 스트레스원을 제한한다.	· 대상자가 어떻게 느끼고 있는가를 묻는다.
		· 대상자의복과 침상린넨을 건조하게 한다.	
	· 대상자는 3일 이내에 충분한 휴식과 숙면을 취할 수 있을 것이다.	· 안위유지를 위한 구강간호를 자주 제공한다.	· 불안정감, 피로 등을 관찰한다.

제4절
간호수행

간호진단과 그 관련요인은 간호사로 하여금 적합한 간호수행을 선택하도록 한다. 선택한 간호를 수행하기에 앞서 활력징후 측정을 위한 지침에 대한 명확한 이해가 선행되어야 하며, 정확한 측정을 위해 주지하고 있어야 할 사항들은 다음과 같다.

- 평상시 대상자의 활력징후의 범위를 알아야 한다.
- 활력징후에 영향을 미칠 수 있는 환경요소를 조절하고 최소화해야 한다.
- 활력징후는 휴식과 안위가 조성될 때 가장 잘 측정된다.
- 활력징후를 측정할 때 조직적이고 체계적으로 접근한다.
- 활력징후의 정상적인 변화는 일생동안 발생한다.
- 활력징후의 중요한 변화를 확인하고 다른 의료인과 의사소통을 하여 대처한다.
- 활력징후는 간호중재에 대한 반응을 평가하기 위한 기초자료가 된다.
- 활력징후 측정결과를 분석한다.

제5절
간호평가

간호사는 활력징후 각각의 간호중재에 따른 체온, 맥박, 호흡, 혈압을 사정함으로써 그 결과로 대상자를 평가한다.

간호계획의 기대되는 결과에 대한 대상자의 실제적인 반응을 비교하여 모든 간호중재를 평가한다. 평가시점에서의 대상자의 현재상태를 지금까지 계획하여 수행해 온 것과 비교하여, 간호목표가 달성되었는지 아니면 계획의 수정이 요구되는지를 규명한다. 간호중재이후 간호사는 활력징후의 변화를 평가하기 위하여 체온, 맥박, 호흡, 혈압 등을 측정한다.

각 대상자의 연령과 상황에 따른 활력징후의 정상범주를 분명히 알아야 하고 활력징후가 정상적으로 유지되고 있는지 평가하여야 한다. 중재방법이 효과적이면 활력징후는 정상범주로 회복되어 안정상태를 유지할 것이며 또한 대상자의 안위감을 보고하게 될 것이다.

CHAPTER 15
신체검진

학습목표

1 신체검진에 적절한 체위를 선택한다.

2 신체검진을 수행한다.

3 신체검진결과를 종합하여 정상과 비정상을 구별한다.

제1절
신체검진의 기본

1. 신체검진의 목적

신체검진은 시진, 촉진, 타진, 청진 기술을 사용하여 신체의 모든 부위를 자세히 검사하고 측정하는 것이다. 간호사는 신체검진 동안 지각한 것을 해부생리의 정상과 비정상에 관한 지식에 근거하여 기능별 건강양상, 간호진단 및 임상문제의 범주와 관련해서 결과를 해석한다.

신체검진의 목적은 다음과 같다.

■ 대상자의 기초자료를 수집한다.

■ 간호력에서 얻어진 자료를 보충하고 확인한다.

■ 간호진단을 분명히 한다.

■ 대상자의 건강상태, 치료나 간호에 대한 임상적인 평가를 한다.

2. 신체검진 방법

신체검진의 일반적 순서는 시진, 촉진, 타진, 청진이다.

1) 시진

시진(inspection)은 정상과 이상 소견을 평가하기 위해 시각과 후각, 청각을 이용하는 체계적이고 신중한 관찰이다. 특정한 기구를 사용하여 효과적으로 시진을 실시할 수 있다. 예를 들어, 눈의 시진을 위해 검안경(눈보개, funduscope, opthalmoscope), 귀의 시진을 위해 이경(귀보개, ear speculum, auriscope, otoscope)을, 코의 시진을 위해서는 비경(코벌리개, nasal speculum, rhinoscope)을 사용한다. 정확한 시진을 위해서는 적절한 조명을 사용하고 신체 표면이 잘 보일 수 있도록 자세를 취해주고 시진하고자 하는 신체 부위를 노출시켜야 한다. 시진 시 색, 크기, 위치, 대칭성, 움직임, 행동, 냄새 및 소리 등에 대한 주의 깊고 세심한 관찰력이 필요하며 자료에 대하여 객관적인 결과를 얻도록 노력하여야 한다.

시진 시 지침

- 관찰에 초점을 둔다.
    - 집중하고 관찰하는데 시간과 훈련이 필요하다. 시진을 효과적으로 하기 위해 충분한 시간을 두고 관찰한다.
- 조명을 적절하게 유지한다.
- 신체부분을 노출시킨다.
    - 각 신체부분을 시진할 때 그 부분이 완전히 노출되도록 한다. 흉벽을 검진할 때는 허리까지 옷을 내린 후 실시한다.
      검진하는 부위만 노출시키되 검진 후에는 곧 다시 옷을 입도록 한다.
- 비교한다.
    - 신체의 좌우를 비교한다. 팔, 다리, 눈, 귀 등의 대칭적인 기관들의 좌우 차이를 관찰한다.

촉진 시 지침

- 손을 따뜻하게 한다.
    - 시작하기 전에 두 손을 비비거나 따뜻한 물에 손을 담근다. 손이 차면 대상자가 놀라고 근육이 긴장하게 되어 신체구조를 잘
      느낄 수 없다.
- 불편감을 최소화한다.
    - 대상자의 불안을 감소시키기 위해 조용하고 부드럽게 접근하며 실시하고 있는 과정에 대해 설명해 준다.
      통증이 있는 부위를 확인하고 그 부분은 마지막에 촉진한다.
      처음에는 가벼운 촉진을 실시하며 대상자의 표정을 관찰한다. 불편감을 느끼면 더 가볍게 촉진하거나 중단한다.
- 손의 올바른 부분을 사용한다.
    - 촉진 부위의 구조에 따라 손의 다른 부분을 사용하여 촉진한다. 피부조직, 부종, 맥박을 촉진하거나 유방이나 림프절의 덩어리를
      촉진하기 위해서는 손가락 끝을 사용한다.
      구조물이나 덩어리의 위치, 모양, 경도를 알기 위해서는 엄지손가락과 다른 손가락 끝을 사용하여 잡는다.
      손과 손가락의 등쪽은 체온을 대략적으로 측정할 때 사용한다. 진동감각은 손바닥에서 가장 잘 촉진된다.

2) 촉진

촉진(palpation)은 촉각을 사용하는 기술이다. 촉진으로 박동과 진동감, 기관과 조직의 위치, 크기, 윤곽, 온도, 운동성, 압통 등을 감지할 수 있다. 촉진 시 근육이완을 위해 편안한 상태를 유도하며 대상자의 표현과 불편한 표정 등에 주의를 기울인다. 아픈 부위는 가장 마지막에 촉진한다. 촉진을 시행하기 위해 손을 따뜻하게 유지하고 손톱을 짧게 자른다.

(1) 가벼운 촉진법

한쪽 손의 손가락 끝으로 검진 부위를 1~2 cm 정도 깊이로 가볍게 누른다.

(2) 심부 촉진법 A

검진자의 한 손은 손가락 끝에 힘을 주어 피부에서 4~5 cm 깊

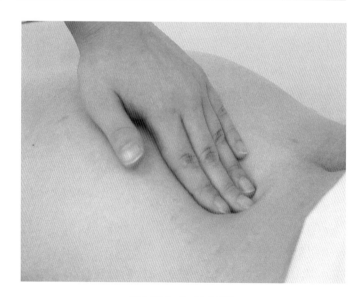

그림 15-1 가벼운 촉진법

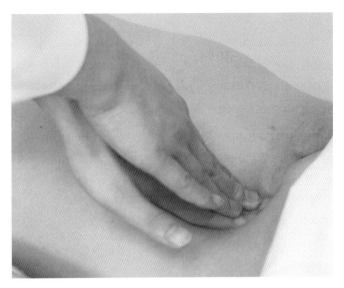

그림 15-2 심부 촉진법 A

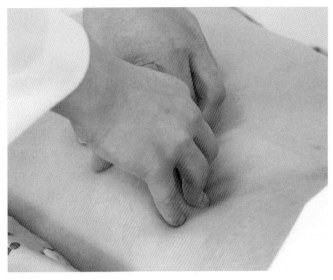

그림 15-3 심부 촉진법 B

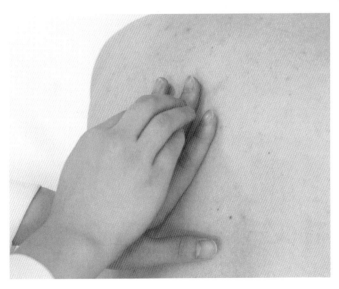

그림 15-4 간접 타진법

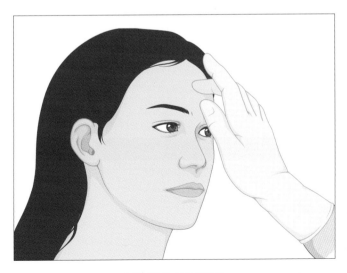

그림 15-5 직접 타진법

이로 누르고, 그 위에 다른 손을 포개어 놓은 후 위에 있는 손은 압박을 가하고 아래에 있는 손은 장기를 촉진하는 방법이다.

(3) 심부 촉진법 B

양 손 사이의 구조물을 알아내기 위해 두 손을 사용한다. 한 손은 압력을 가하고 다른 손은 구조물을 느끼는 데 사용한다. 비장, 신장 등을 촉진할 때 이용한다.

3) 타진

타진(percussion)은 흉곽(가슴우리, thoracic cage)과 복부(배, abdomen)의 체표면을 손가락이나 손으로 가볍고 예리하게 두드리는 기술이다. 신체 타진 시의 소리는 신체를 두드릴 때 5~7cm 깊이 이내 하부조직에서 발생되는 음파로, 장기나 조직의 경계선, 모양, 위치, 크기, 밀도를 알 수 있다. 타진법에는 직접, 간접, 주먹 타진법이 있는데 타진 부위에 따라 방법을 선택한다.

(1) 간접 타진법

복부와 흉곽을 타진하기 위한 것으로 손가락 끝과 다른 손의 중지를 사용하여 수행한다.

(2) 직접 타진법

성인의 부비동(코곁굴, paranasal cavity)이나 아동의 흉곽 검진 시 이용하며 손이나 손가락으로 직접 체표면을 두드린다.

(3) 주먹 타진법

신장(콩팥, bladder), 방광, 간 검진 시 압통(누름통증, tenderness)을 확인하기 위해 이용하며 한쪽 손을 타진할 부위에 놓고 다른 손은 주먹을 쥔 후 손등을 가볍게 치는 방법이다.

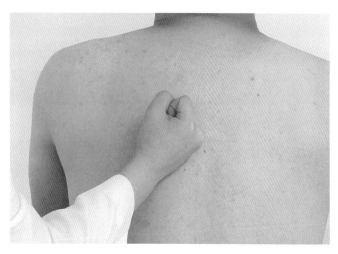

그림 15-6 주먹 타진법

4) 청진

청진(auscultation)은 폐, 심장, 혈관, 복부 장기에서 발생하는 소리를 듣는 기술이다. 일반적으로 청진은 다른 검진 기술을 시행한 후에 하지만 복부검진 시 촉진과 타진이 장음의 변화를 초래할 수 있기 때문에 시진 후에 청진을 실시한다.

청진은 사정하고자 하는 신체 부위 위에 청진기를 단단히 놓고 시행한다. 청진기의 판형(diaphragm)은 정상 폐나 장음과 같은 높은 음조를 구별하기 위해서 사용되며 종형(bell)은 심장과 혈관계에 의해서 생성되는 낮은 음조를 구별하기 위해서 사용된다.

청진으로 사정한 음의 특징은 고저, 강도, 기간, 양상으로 기술된다.

표 15-1 타진음과 특성

음조	고저	강도	지속시간	특징	부위
편평음(flatness)	높음	약함	짧음	딱딱함	근육, 대퇴
탁음(dullness)	중간	중간	중간	둔한 소리	간, 심장
공명음(resonance)	낮음	강함	김	속이 빈 듯함	정상 성인의 폐
과공명음(hyperresonance)	매우 낮음	매우 강함	매우 김	펑 울림	폐기종, 기흉
고창음 혹은 고음(tympany)	높음	강함	중간	북소리 비슷	공기가 찬 위와 장

타진 시 지침

- 검진자의 손톱은 짧게 하고 손은 따뜻하게 한다.
- 검진 전에 배뇨하여 방광을 비우게 한다.
  - 가득찬 방광은 종양으로 오진되거나 대상자에게 불편감을 줄 수 있다.
- 검진실은 조용하게 유지한다.
  - 검진에 방해되지 않도록 소음을 차단하며 보석류나 기타 소리나는 물건들을 지니지 않도록 한다.
- 주먹타진법을 실시하기 전에 대상자가 당황하거나 놀라지 않도록 방법과 이유를 설명한다.

청진 시 지침

- 적절한 청진기를 사용하여 조용한 환경에서 청진한다.
- 대상자의 옷이나 침구류가 불필요한 소리를 만들 수 있기 때문에 청진할 부위를 충분히 노출시킨다.
- 사용 전에 청진기를 따뜻하게 하여 사용한다.
  - 차가운 금속은 대상자를 경직시켜서 원하지 않는 소리를 만들 수 있다.

3. 신체검진 도구

신체검진 시 여러 가지 도구를 사용하는데 이는 깨끗하거나 무균적이어야 하며 작동이 잘 되고 사용이 편리해야 한다. 검진 전 사정순서와 사용순서에 맞게 준비하도록 하며 대상자에게 닿는 기구는 사용 전에 따뜻하게 한다.

- 검안경: 눈의 내부 구조를 볼 수 있는 기구이다.
- 이경: 외이도와 고막을 검진하는 기구이며 귀의 구조가 잘 보이도록 광선을 모아 내보내는 깔때기 모양의 speculum을 부착하여 사용한다.
- 비경: 코내부 즉, 비갑개와 비점막의 검진을 위하여 사용한다.
- 질경: 질도와 자궁경부의 검진을 위하여 사용한다. 질경의 삽입 전 온수에 담그거나 수용성 윤활제를 바른다.
- 시력표: 근시와 원시를 사정하기 위하여 사용한다.
- 음차: 청력과 진동 인지를 검사하기 위해서 사용한다.
- 타진 해머: 신경계 검진 시 심부건 반사를 사정할 때 사용한다.
- 피부 두께 측정기: 영양상태의 사정을 위해 피하조직의 두께를 측정할 때 사용한다.
- 측각계: 관절 운동범위 검진 시 관절의 각도를 측정하기 위해 사용한다.
- 펜라이트: 구강, 비강 및 인두 검진 시 또는 동공반사를 확인하기 위하여 사용한다.
- 기타: 청진기, 혈압계, 체온계, 줄자, 면봉, 멸균 안전핀, 설압자(혀누르개, tongue depressor), 일회용 패드, 덮개 등

4. 신체검진 자세

검진에 필요한 체위가 있을 때 검진자는 대상자의 연령, 건강상태, 기력, 프라이버시 등을 고려하여 적절하게 체위를 취할 수 있는 능력이 있는지 확인한다. 대상자가 불편해 하거나 당황해 하는 체위는 오랜 시간 지속하지 않도록 한다. 한 가지 체위에서 여러 계통의 검진을 실시 할 수 있도록 계획하여 대상자의 체위변경이 최소화되도록 한다(11장 참조).

- 좌위(앉은 자세 sitting position): 머리와 목, 흉부의 전면과 후면, 폐, 심장, 유방(젖, breast)과 액와(겨드랑이, axilla), 상지의 검진과 활력징후 측정
- 앙와위(누운 자세, supine position): 머리와 목, 흉부(가슴, thorax)의 전면, 폐, 심장, 유방과 액와, 복부, 사지의 검진과 말초맥박 측정
- 배횡와위: 머리와 목, 흉부의 전면, 폐, 심장, 유방과 액와, 사지의 검진과 말초맥박 측정

- 심스위: 직장, 질의 검진
- 복위: 흉부의 후면, 고관절의 검진
- 슬흉위: 직장부위의 검진
- 절석위: 여성 생식기와 직장의 검진
- 직립위: 자세, 걸음걸이, 균형의 사정

5. 신체검진 환경

신체검진을 실시하기 전에 적절한 환경을 준비하는 것은 매우 중요하다. 검진은 검진자와 대상자 모두가 편한 시간에 필요한 기구와 물품, 적절한 조명을 갖춘 상태에서 시행되어야 한다. 검진하는 방은 밝고 따뜻하며 편안히 면담할 수 있도록 조용해야 하며 방음장치가 되어 있으면 더욱 좋다. 대상자의 프라이버시를 위해 커튼 혹은 스크린을 사용하며 대상자에게 가운과 덮을 것을 제공한다.

6. 대상자 준비

신체검진 전 대상자에게 검진의 목적과 각 검진 단계에 대해 설명하여 대상자의 협조를 이끌어낸다. 검진 중 나타날 수 있는 불편감에 대한 정보를 제공하며 검진 중 대상자의 느낌을 표현하도록 격려한다. 검진을 시작하기 전에 화장실에 다녀오도록 한다. 방광과 장을 비우면 복부, 생식기, 직장 검진을 하기가 용이해진다. 또한 검진 전에 대상자의 옷이 검진하기에 적절한지 확인하고 검진을 위해 노출이 필요할 때는 프라이버시를 고려하며 홑이불 등을 준비한다.

제2절
전반적 조사

신체검진은 대상자의 외모, 행동, 활력징후, 키, 몸무게를 포함하는 전반적인 조사로 시작된다. 최근 체중변화, 맥박과 혈압의 변화가 있었는지, 고혈압 또는 저혈압의 문제가 있는지 등에 대해서도 조사한다. 비정상적인 결과 또는 문제가 발견되면 관련된 신체계통의 검진을 좀더 자세하게 시행한다.

1. 전반적 외모 및 행동

전반적 외모 및 행동은 문화, 교육정도, 사회적 상태, 현재 환경과 연관하여 사정되어야 하며, 대상자의 나이, 성별, 인종은 대상자의 상태를 해석하는데 고려되어야 할 요소이다. 자세, 체격, 걸음걸이, 질병의 징후, 개인위생과 몸단장, 의복상태, 냄새, 감정

과 기분, 신체의 움직임, 대상자에 대한 학대 여부, 약물남용 여부 등을 조사한다.

2. 활력징후

대상자의 기초자료로 활용하기 위해 측정하며, 신체검진 과정 중 특정 체위를 취하는 것과 관련한 수치 변화가 올 수 있으므로 신체부위별 검진을 하기 전에 활력징후를 측정한다. 활력징후 측정값은 대상자의 실제적, 잠재적인 건강문제에 관한 정보를 제공할 수 있다.

3. 키와 몸무게

키와 몸무게는 대상자의 일반적인 건강수준을 반영한다. 영아나 소아의 경우에는 성장 발달을 평가할 때, 노인에서는 만성 질환의 원인이나 치료 여부, 영양상태, 기능장애를 평가할 때 키와 몸무게를 이용한다. 몸무게는 체액의 손실과 정체를 반영하므로 체액균형의 중요한 지표가 되며, 표준화된 평균몸무게와 비교하여 영양상태를 사정하는데 중요한 자료가 된다.

비정상적인 몸무게의 변화를 평가하고 간호력을 통해 몸무게 변화의 원인을 파악해야 한다. 하루 2.2kg 이상 몸무게가 증가되면 체액축적과 관련된 문제를 의심할 수 있다.

몸무게의 적절한 비교를 위해 동일한 시간, 동일한 신체상태, 동일한 옷을 입고, 신발은 벗고, 동일한 체중계에서 몸무게를 측정한다.

제3절
신체부위별 검진

1. 외피

1) 피부

피부는 건강상태에 대한 일반적인 지표이며, 잠재적인 질환을 의미하는 정보를 제공한다. 피부의 검진은 시진과 촉진법으로 시행하며 피부상태에 대한 전반적인 시진으로 시작한다. 특별한 부위의 피부는 그 부위의 신체를 사정하는 동안에 사정한다.

  ※ 정상 소견: 피부의 색은 분홍빛이며, 촉촉하고 부드러우며 따뜻하고 탄력이 있다. 병변이나 변색, 과도한 비후, 외상, 악취나 부종이 없다.

2) 손톱, 발톱

조판의 모양, 조판과 조상 사이의 각도, 조판의 질감, 조상의 색, 조판 주위조직의 통합성 등을 검진한다.

  ※ 정상 소견: 조판이 무색이고 볼록하며, 조판과 조상의 각도는 160°이다. 조판의 질감은 고르고 부드러우며 조상은 혈관분포가 풍부하여 분홍색을 띤다. 조판을 둘러싼 표피조직은 통합성이 유지된다.

3) 모발

모발의 양과 분포, 결을 검진한다.

  ※ 정상 소견 : 손바닥, 발바닥, 생식기의 일부를 제외한 모든 신체 표면에 고르게 분포되어 있으며, 탄력성이 있고 지나치게 건조하거나 번들거리지 않는다.

2. 머리와 목

머리와 목의 사정에는 두개, 안면, 눈, 귀, 코, 부비동, 구강과 인두, 기관, 갑상선 및 림프절을 포함한다. 머리와 목의 구조는 대상자를 앉힌 자세에서 시진과 촉진으로 사정한다.

1) 두개와 안면(얼굴, face)

  ※ 정상 소견: 두개골(머리뼈, skull)은 두정부위와 후두부위가 튀어나온 둥근 모양이며, 압통, 병변, 덩어리가 없다. 모발은 알맞은 굵기로 고르게 분포되며 서캐(또는 이)나 비듬이 없고, 두피는 깨끗하고 병변이 없다. 안면은 좌우대칭으로 윤곽, 크기, 양측면의 위치가 조화를 이루며, 촉촉하고 부드러운 피부를 가지며 불수의적인 움직임이 없다.

2) 눈

눈은 눈의 외부와 내부 구조, 동공과 홍채, 시력, 외안운동, 주변 시력을 사정한다. 눈을 사정할 때 연령, 올바른 렌즈의 사용, 인공눈 삽입, 알레르기, 통증, 시력 장애와 고혈압 또는 당뇨와 같은 건강관련 요소 등을 고려하여야 한다.

  ※ 정상 소견 : 눈은 좌우대칭이며 배열이 평행하다. 눈썹은 고르게 분포되어 있으며 속눈썹은 바깥쪽으로 뻗어있다. 결막과 공막은 깨끗하고 분비물이 없으며, 각막은 부드러우며 깨끗하다. 홍채는 편평하고 둥글다. 동공은 검고, 동일한 크기이며 둥글고 매끄럽다. 동공은 빛을 비추면 수축하고 가까이 있는 물체를 볼 때도 수축하며 먼 곳에 있는 물체를 볼 때는 확장한다. 외안운동 사정에서 양 눈은 함께 움직이며, 조화와 평행을 이룬다. 안저(눈바닥, ocular fundus)의 정상 소견은 동일한 적색

표 15-2 피부의 검진

검진항목	검진 내용 및 방법
피부	• 색(color) : 피부색, 색소침착의 증가 또는 감소, 발적, 창백, 청색증 등 • 혈기(vascularity) : 혈관상태, 출혈 및 타박상의 유무 • 병변(lesions) : 위치와 분포, 배열, 유형(20장 상처간호 참조), 색, 분비물의 유무, 냄새 등 • 온도와 습도(temperature and moisture) : 온 · 냉, 건조 · 땀 · 기름기의 유무 • 긴장도(turgor) : 충만감 또는 탄력성 • 피부의 결(texture) : 매끈함, 부드러움, 거침, 건조 등

표 15-3 머리의 검진

검진항목	검진 내용 및 방법
두개	• 형태 : 크기, 모양, 균형, 혈종 유무 • 압통 • 머리카락 : 색, 양, 분포, 이물질, 위생상태 • 두피의 조직, 색
안면	• 안면표정, 모양, 균형, 색 • 압통

표 15-4 눈의 검진

검진항목	검진 내용 및 방법
외부구조	[눈의 배열과 위치] • 눈썹 : 눈썹의 양, 분포, 피부의 인설 등 • 안검 : 안검열의 넓이, 색깔, 부종 유무, 병변, 속눈썹의 상태와 방향 등 • 누기 : 눈의 과다한 눈물이나 건조 • 결막과 공막 : 충혈, 황달, 결절, 종창, 염증 등 • 각막과 렌즈 : 투명도 • 홍채 : 색, 밀도 • 동공 : 크기, 모양, 대칭성, 빛에 대한 반응, 조절작용
외안근(바깥눈근육, extraocular muscle) 기능검사	• 6개의 응시 방향(위와 아래, 좌측과 우측, 좌측에서 대각선으로 위와 아래, 우측에서 대각선으로 위와 아래)으로 움직이는 검진자의 손가락이나 연필을 따라 대상자가 응시하도록 한다.
주변시야 검사	• 대상자는 검진자와 60cm의 거리를 두고 마주보고 앉아 눈가리개로 한쪽 눈을 가린다. 검진자는 대상자와 반대쪽 눈을 가린 후, 손가락이나 연필을 들고 가장자리에서 중심부 쪽으로 천천히 움직이며 대상자에게 물체가 처음 보일 때 말하도록 한다. 이 과정을 위쪽에서 코 부위로, 다리 아래쪽에서 위쪽으로 반복한다.
시력측정	• 중심시력을 측정하기 위하여 대상자를 Snellen's chart로부터 6m(20feet) 떨어진 곳에 위치하게 한 후 각 눈을 사정한다. • 한쪽 눈을 교대로 가리고 가장 잘 읽을 수 있는 행의 글자에서부터 시작하여 읽도록 하고 가능한 가장 작은 글자를 읽게 한다.
검안경 검진	• 망막, 시신경 유두, 황반, 중심와와 망막혈관을 포함하는 안저를 사정하기 위해서 검안경을 사용한다.

표 15-5   귀의 검진

검진항목	검진 내용 및 방법
외이	• 이개 : 크기, 색, 덩어리, 병변, 압통 • 이도 : 분비물, 이물질, 피부의 발적, 부종 유무 • 고막 : 색, 윤곽
청력검사	• 대상자는 손가락으로 한쪽 귀의 외이도를 막는다. • 검진자는 30~60 cm 거리에서 대상자 뒤에 앉는다. • 검진자의 속삭이는 목소리 또는 째깍이는 시계소리를 들을 수 있는지 감별하게 한다.
Weber test	[편기 검사] • 음차를 가볍게 진동시켜 대상자의 머리위에 두거나 앞이마에 놓는다. • 대상자에게 음이 어디에서 들리는지 묻는다.
Rinne test	[공기전도와 골전도의 비교검사] • 가볍게 진동하는 음차의 기저부를 대상자의 유양돌기 위에 놓는다. • 대상자가 그 음이 더 이상 들리지 않는다고 말할 때 재빨리 이도 가까이 음차를 댄다. • 음이 다시 들리는지 확인한다. • 다른 귀에도 이 검사를 반복한다.

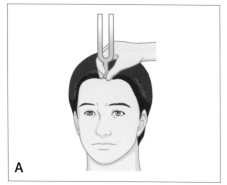
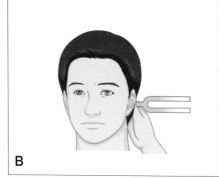
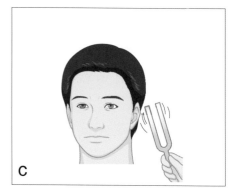

그림 15-7 음차검사. **A:** Weber test, **B:** Rinne test(골전도), **C:** Rinne test(공기전도)

반사이며 분명하고 노란 시신경 유두, 붉은색의 망막, 밝은 적색의 동맥과 검은 적색의 정맥 (동맥 크기의 약 1.5배나 되는 큰 정맥)이다.

3) 귀

귀의 사정에서는 외이(바깥귀, external ear)의 해부학적 구조의 비정상 상태 및 병변을 확인하고 평형 및 청력 기능의 이상 유무를 확인한다. 성인과 소아는 이개를 후상방으로, 영아는 후하방으로 잡아당기면 이도가 곧게 보이며, 이경을 삽입하여 보면 얇고 투명하며 진주회색 빛을 띠는 고막을 관찰할 수 있다.

귀를 사정할 때 고려해야 할 위험 요소는 화학적인 노출 또는 조절되지 않은 큰 소음과 같은 환경적인 요소이다. 대상자가 청력을 교정하기 위해 기구를 사용하고 있다면 사정할 때 기록한다.

※ 정상 소견 : 귀의 외부 표면은 부드럽고 귀의 크기와 모양은 좌우대칭이며 머리와 조화가 되어야 한다. 이도는 부드럽고 분홍색을 띠며 적은 양의 귀지가 있다. 고막은 완전하고 각 부위의 경계가 명확하고 분명하며 반투명의 빛나는 회색이다.

60cm 떨어진 거리에서 속삭이는 낮은 소리를 들을 수 있으며 Weber test에서 중앙에서 들리거나 양쪽 귀에서 동등하게 들린다. Rinne test에서 공기전도된 음이 골전도된 음보다 2배 정도 더 길게 느낀다.

표 15-6 코와 부비동의 검진

검진항목	검진 내용 및 방법
코	• 외형 : 모양, 크기, 외상, 만곡 여부 • 비강 : 막힘, 분비물 • 비점막 : 색, 부종, 출혈, 삼출물 • 비중격 : 편위, 염증, 천공 • 중비갑개 : 크기, 색, 종창
통기성 검사	• 대상자에게 손가락으로 한쪽 비공을 막은 후 입을 다물고 숨을 쉬도록 하여 통기성을 확인한다.
후각기능	• 대상자에게 눈과 입을 다물게 한 후, 동시에 한쪽 비공을 막게 하고, 각 비공 아래 냄새나는 물질(커피, 레몬즙)을 위치시켜 냄새를 맡는지 알아본다.
부비동	**[전두동과 상악동의 부종과 압통]** • 전두동은 각 눈 위에 위치한 뼈의 돌출부위를 위쪽으로 부드럽게 압박하여서 촉진한다. 이때 눈에 압력을 가하지 않도록 한다. • 상악동은 위쪽 뺨의 뼈 돌출부위 위를 부드럽게 압박하여서 촉진한다.

표 15-7 구강과 인두의 검진

검진항목	검진 내용 및 방법
구강	• 입술 : 균형, 색, 습도, 표면의 특징 • 치아 : 수, 색, 위치, 빠진 치아, 충치, 치료한 치아 • 잇몸 : 색, 부종, 상처, 궤양, 출혈 • 점막 : 색, 궤양, 결절 • 혀 : 색, 크기, 모양, 대칭성, 부종, 궤양, 유두, 백태, 결절, 운동상태
인두	• 대상자의 입을 크게 벌리게 한 후 혀는 돌출시키지 않고 대상자에게 "아" 하고 소리를 내거나 하품을 하도록 한다. 제 10 뇌신경의 검진으로 연구개가 들어 올려지는 것을 관찰한다. • 연구개, 전·후 구개궁, 구개수, 편도, 인두를 검진한다. • 색, 대칭성, 삼출물, 부종, 궤양, 편도의 비대가 있는지 주의한다.

4) 코와 부비동

코를 사정하는 동안 대상자는 머리를 약간 등쪽으로 기울이고 앉은 자세를 유지한다.

코와 부비동을 사정할 때 알레르기, 잦은 호흡기계 감염, 코의 점적과 스프레이 약물의 사용 여부를 고려해야 한다.

※ 정상 소견: 비공(콧구멍, nostril)의 양측이 대칭적이며, 냄새를 잘 맡는다. 비점막은 분홍색이고 촉촉하며, 분비물이나 병변은 없다. 부비동 부위 촉진 시 압통은 없다.

5) 구강과 인두

구강과 인두는 시진에 의해서 입술, 잇몸, 치아, 혀, 연구개(물렁입천장, soft palate), 경구개(단단입천장, hard palate)를 사정하며, 만약 시진 중에 어떤 비정상이 발견되면 촉진한다. 대상자는 머리를 과신전(과다폄, hypertension)시키고, 앉은 자세로 입을 크게 벌린다. 간호사는 대상자의 구강을 사정할 때 장갑을 착용하며 만약 대상자가 의치를 가지고 있으면 빼도록 한다.

사정 시 고려하여야 할 주요 요소는 구강위생, 식습관, 의치

표 15-8 목의 검진

검진항목	검진 내용 및 방법
목	• 양측의 대칭성, 종양, 흉터 등을 관찰한다.
	• 이하선이나 악하선의 비대, 눈에 보이는 림프절 등을 관찰한다.
림프절	• 둘째, 셋째 손가락의 첫마디 손바닥면으로 각 부위의 조직을 덮는 피부를 움직여가며 촉진한다. 양쪽을 동시에 검사하며, 다음의 순서로 촉진한다.
	• 전이개 - 후이개 - 후두 - 편도 - 하악 - 이하 - 경부표면 - 후경부 - 심경부 - 쇄골상
	• 크기와 모양, 경계, 가동성, 밀도, 표면의 특징
	• 압통, 열감, 홍반, 발적
기관	• 중앙 위치에서 옆으로 치우친 정도를 검사한다.
갑상선(갑상샘, tyroid)	• 대상자의 목을 약간 뒤로 기울이게 한 후 대상자의 턱 끝에서 아래쪽에 밝게 보이는 부분인 윤상연골 아래 부위에 있는 선(gland)을 검사한다. 대상자에게 침을 삼키거나 물 한 모금을 삼키도록 하여 이 때 갑상선이 위로 움직이는 것, 윤곽, 대칭성을 관찰한다.
	• 대상자의 뒤에 서서 대상자의 윤상연골 바로 아래에 양손의 둘째, 셋째 손가락을 놓는다. 대상자에게 침을 삼키거나 물 한 모금을 삼키도록 하며 갑상선이 움직일 때 비대가 있는지 확인한다.
	• 대상자의 머리를 검진하는 쪽으로 약간 기울이게 한 후 반대편의 기관을 부드럽게 검진하는 쪽으로 밀면서 갑상선의 각 엽을 촉진한다. 갑상선의 크기, 모양, 경도, 결절, 압통을 확인한다.
	• 갑상선 비대가 의심될 경우 갑상선의 양 엽 위에서 청진기의 종형을 사용하여 잡음을 확인한다.

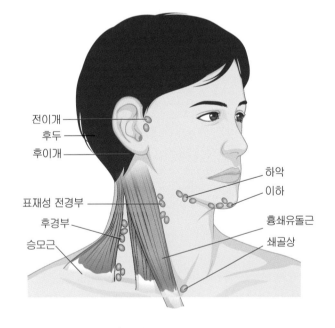

그림 15-8 목의 림프절의 부위

(틀니, denture)의 사용, 흡연, 투약 등이다.

※ 정상 소견: 측두하악관절이 통증이나 소리없이 움직이며, 입술은 분홍색으로 촉촉하고, 부드럽다. 혀와 점막은 분홍색이며 습하고 부종이나 병변이 없다. 잇몸은 분홍빛으로 부드럽다. 구개수는 정상적으로 중앙에 위치하며 자유롭게 움직인다. 편도는 작고, 분홍빛으로 좌우대칭이며, 치아는 규칙적이고, 빈 곳이 없거나 치아의 복구가 있다.

6) 목

목은 대상자가 앉은 자세에서 시진과 촉진으로 사정한다. 대상자의 목을 약간 과신전시킨다. 목의 해부학적 구조에 이상이 있는지 확인하고 림프절과 갑상선의 이상 유무를 사정한다. 목을 사정할 때 과거에 상처, 감염, 갑상선 문제나 증상이 있었는지 등을 고려한다.

※ 정상 소견: 목은 완전한 관절가동범위로 움직이며 좌우 대칭적이다. 목의 정맥은 확장되지 않고 림프절은 일반적으로 촉진되지 않는다. 기관은 상흉골절흔 중앙에 위치하며 서로 대칭적이다. 갑상선은 부드럽게 느껴지며, 통증·비대·덩어리나 결절이 없다.

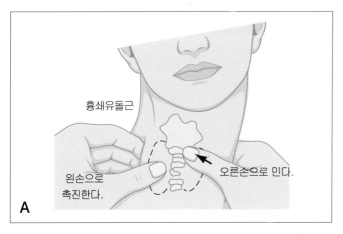
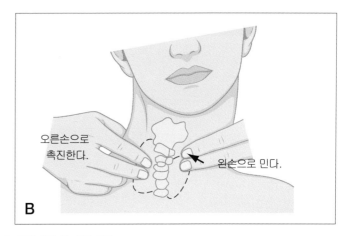

그림 15-9 갑상선의 촉진 A: 전면 촉진, B: 후면 촉진

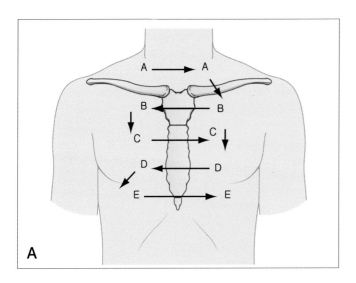
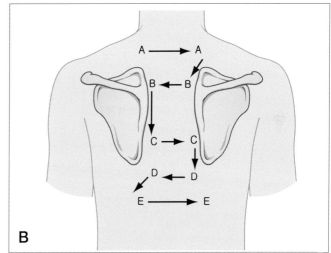

그림 15-10 흉부타진과 청진 순서 A: 흉부 전면, B: 흉부 후면

3. 흉부와 폐

흉부의 후면은 대상자가 앉은 자세에서, 흉부 전면은 앙와위에서 검사하는 것이 좋으며(특히 여성은 앙와위에서 유방의 위치가 자연스럽게 변하기 때문에 검진이 용이하다) 검진의 절차는 시진, 촉진, 타진, 청진의 순으로 한다.

흉부와 폐의 검진을 위해서 필요한 기구는 청진기와 줄자이며, 환경은 따뜻하고 적절한 조명이 있어야 한다.

※ 정상 소견: 호흡은 조용하고, 1분에 12~20회 정도이며 규칙적이다. 피부색은 고르고 대상자 안면의 색과 일치한다. 가슴은 좌우대칭으로 늑골이 아래쪽을 향하며 같은 간격으로 경사를 이루고 전후직경보다 좌우직경이 더 크다. 호흡 시 흉부는 좌우대칭으로 팽창하며 양쪽에서 동일한 촉각 진탕음이 감지된다.

어깨부위와 흉부의 전면과 후면이 대칭적 형태로 타진된다.

횡격막(가로막, diaphragma)의 호흡운동 범위는 양쪽 모두 5~6 cm 정도 범위이다. 흉부 전역에서 공명음이 타진되며 폐 양쪽 모두에서 폐포음이 청진된다.

4. 심맥관계와 말초혈간계

심맥관계와 말초혈관계의 사정을 위해 심장과 사지의 신체사정을 시행한다.

1) 심장

심장은 시진, 촉진, 청진을 통해 검진한다. 대상자는 30° 정도 머리를 상승시킨 앙와위 또는 좌위를 취하며 검진자는 대상자의 오른쪽에 선다. 이 때 사용되는 기구는 청진기와 혈압계이며 환경은 조용하고 적절한 조명이 필요하다.

※ 정상 소견: 좌측 중앙 쇄골선에서 4번째 또는 5번째 늑간의 심

표 15-9 흉부와 폐의 검진

검진항목	검진 내용 및 방법
흉부와 호흡 양상의 조사	**[시진]** • 호흡수, 리듬, 깊이, 호흡에 들이는 노력, 피부색, 흡기 동안 보조 근육 사용 여부 • 흉부의 모양 **[청진]** • 호흡음
흉부 후면	**[시진]** • 대상자의 후면 척추선을 따라 흉부의 형태, 움직임, 대칭성, 호흡운동의 장애 여부 **[촉진]** • 압통부위, 병소 확인 • 흉부의 확장운동 범위 검사 : 검진자의 엄지손가락을 대상자의 10번째 흉추와 수평이 되게 놓고 손바닥은 양옆의 　흉부를 감싸 쥐며 엄지손가락과 척주 사이에 얇은 피부주름이 생기도록 약간 중앙쪽으로 손을 밀어본다. 　대상자에게 심호흡을 하게 한 후 흡기 동안 엄지손가락의 벌어짐에 유의하고 호흡운동의 범위와 대칭 정도를 느껴본다. • 촉각 진탕음 감지 : 검진자의 양손을 폐위에 대칭적으로 놓고 대상자가 하나, 둘, 셋이라고 말하도록 지시한 후, 　손바닥으로 진탕음을 사정한다. 위, 아래, 측면 부위를 촉진하여 양쪽의 촉각 진탕음을 비교한다. **[타진]** • 상부에서 하부로 타진해가면서 양쪽의 소리를 비교한다. 타진 시에는 타진음의 강도, 고저, 기간, 질 등을 확인한다. • 대상자에게 심호흡을 하게 한 후 호기와 흡기 시 둔탁음의 위치 사이의 거리를 측정함으로써 횡격막의 　호흡운동 범위를 확인한다. **[청진]** • 대상자에게 입으로 천천히 깊게 호흡하도록 한 후 상부에서 하부로 청진기의 판형을 이용하여 호흡음을 듣는다. 　음의 높이, 강도, 위치, 호기와 흡기음의 길이에 대해 양쪽을 비교하면서 듣는다.
흉부 전면	**[시진]** • 대상자의 흉곽 형태와 흉벽의 움직임을 관찰한다. **[촉진]** • 압통이 있는 부위 확인 • 관찰된 비정상 소견의 사정 • 흉곽의 확장운동 범위 검사 : 검진자의 엄지손가락은 대상자의 검상돌기 부위에 놓고 손바닥은 늑골연을 따라 　양쪽 전·측면 흉곽 위에 놓으며 엄지손가락 사이에 약간의 피부주름이 잡히도록 중앙으로 피부를 민다. 　대상자에게 심호흡을 하게 한 후 흡기 동안 엄지손가락의 벌어짐에 유의하고 호흡운동의 범위와 대칭정도를 느껴본다. • 촉각 진탕음의 사정 : 흉부 후면에서의 검진과 같으며 양쪽 쇄골위에서부터 시작한다. **[타진]** • 양쪽의 소리를 비교해 가며 전면과 측면을 타진한다. 이 때 뼈 돌출부위의 타진은 피하도록 한다. **[청진]** • 흉부 후면에서의 검진과 같으며 폐첨부에서 기저로 전면과 측면을 청진한다.

표 15-10 호흡음의 특성

	지속시간(흡기 : 호기)	호기음 강도	호기음의 음조	정상 청진 위치
폐포음(Vesicular)	흡기음이 호기음보다 오래 지속(3 : 1)	약함	비교적 낮음	양쪽 폐의 대부분 영역
기관지폐포음 (Broncho-vesicular)	호기음과 흡기음이 거의 같음(1 : 1)	중간	중간	전면 : 1~2번째 늑간 후면 : 견갑골사이
기관지음(Bronchial)	호기음이 흡기음보다 오래 지속(1 : 3)	강함	비교적 높음	만약 들린다면 흉골병 위
기관음(Tracheal)	호기음과 흡기음의 길이가 거의 같음(1 : 1)	매우 강함	비교적 높음	경부의 기관위

비정상 호흡음

악설음(crackle)

- 흡기 중 청진되며 불연속의 부글부글거리는 소리가 특징
- 액체나 점액이 있는 기도를 공기가 통과할 때 발생

수포음(rhonchi)

- 지속적으로 그르렁거리는 소리가 특징으로 흡기와 호기 모두에서 들을 수 있으나 호기때 더 잘 들림(기침할 때 더욱 분명)
- 진한 분비물, 근육 경련, 신생물, 외부의 압박에 의해 좁아진 통로를 공기가 통과할 때 발생

천명음(wheezing)

- 지속적으로 쉬쉬하는 소리 또는 날카로운 소리가 특징이며 고음임
- 좁은 기도를 공기가 고속으로 지날 때 유발되며 흡기와 호기에 모두 들을 수 있음

마찰음(friction rub)

- 두 조각의 가죽을 서로 비빌 때 생기는 소리와 비슷함
- 흉막의 염증과 흉막 표면들 사이의 윤활층이 상실된 결과로 생기는 소리
- 흉부의 전면에서 더 잘 들리며 흡기와 호기 모두에서 들을 수 있는데 흡기 때 더 잘 들림

표 15-11 심장의 검진

검진항목	검진 내용 및 방법
대상자의 전반적인 상태 관찰	• 자세, 안위, 호흡, 피부색, 손톱색과 모양
시진 및 촉진	• 대동맥 부위(흉골 우측 제2늑간), 폐동맥 부위(흉골 좌측 제2늑간), 우심실 부위(좌측 흉골연), 심첨부위(좌심실부위, 좌측 중앙쇄골선과 제4 또는 제5 늑간이 만나는 곳), 상복부(검상돌기 아래)의 박동을 확인하여 위치, 직경, 진폭, 기간을 시진 · 촉진한다.
청진	• 대동맥 부위-폐동맥 부위-삼첨판부위(좌측 제 5늑간 흉골 부위)-심첨부위의 순으로 청진하며 박동수와 리듬, 제 1심음(승모판과 삼첨판이 닫힘)과 제 2심음(대동맥판막과 폐동맥 판막이 닫힘)의 위치, 강도, 빈도, 분열음을 확인한다. • 수축기와 이완기의 기간 및 심잡음의 부위, 방사, 강도, 음조, 음질을 확인한다.

표 15-12 말초혈관의 검진

검진항목	검진 내용 및 방법
시진 및 촉진	• 사지의 피부색, 온도, 계속성, 병변, 부종 여부 및 표피 정맥의 구조와 모양을 확인한다.
말초맥박	• 경동맥, 상완동맥, 요골동맥, 대퇴동맥, 슬와동맥, 족배동맥, 후경골동맥 맥박을 촉진한다. 박동수, 리듬, 맥박의 진폭과 윤곽, 대칭성, 동맥벽의 윤곽과 일관성을 확인한다.
혈압	• 상완동맥이나 슬와동맥에서 측정한다.
경정맥압	• 경정맥 박동이 보이는 지점에서 최대 박동 지점을 확인하고 흉골각을 기준하여 수직 높이의 길이를 측정한다.

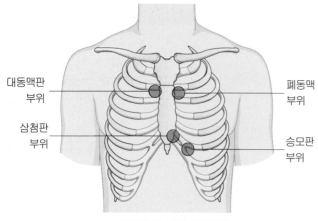

그림 15-11 심음 청진부위

대동맥판 부위

폐동맥 부위

삼첨판 부위

승모판 부위

첨부위에서 박동이 촉진되며 제 1심음과 제 2심음은 짧고 명료하며 잡음은 없다.

2) 말초혈관계

말초혈관계의 검진에서는 말초혈관 맥박과 혈압을 측정하고 말초혈관 관류를 사정한다. 사정기술은 시진과 촉진이며 대상자는 앉거나 누운 자세를 취한다.

※ 정상 소견 : 말초맥박은 분당 60~90회 범위이며, 대칭적이고 강하며, 규칙적이고 잡음이 없다. 대상자의 상부를 30° 상승시켰을 때 흉골각 위치에서 경정맥압이 측정된다. 사지는 청색증, 부종 없이 따뜻하며 정맥류나 종아리에 압통이 없다.

5. 복부

복부 검진 시에는 밝은 조명, 대상자의 이완된 상태, 검상돌기(칼돌기, xiphisternum) 윗부분부터 치골결합(두덩결합, pubic symphysis) 부위까지 완전한 복부 노출이 요구된다. 이완을 위해서 대상자는 방광을 비우며, 머리와 무릎아래에 베개를 대고 앙와위로 편안하게 자세를 취하며, 팔은 옆에 놓거나 가슴위에 포갠다. 검진자의 손톱은 짧아야 하며 손과 청진기를 따뜻하게 한다.

대상자의 오른쪽부터 복부의 시진, 청진, 타진, 촉진의 순서대로 행한다. 기관들의 위치를 잘 구분하고 구체적인 기록을 위해서 복부를 우측상부(RUQ), 우측하부(RLQ), 좌측상부(LUQ), 좌측하부(LLQ)의 4분원으로 나눈다.

복부의 사정 중에 고려해야 할 요소는 영양, 알코올 섭취, 스트레스, 소변과 대변의 특징, 배변습관, 감염 질환, 손상, 투약 등이다.

※ 정상 소견 : 제대(배꼽, umbilicus)는 중앙에 위치하며 평편하고 둥글거나 오목하다. 복부는 평편하게 둥글거나 대칭적이며 병변, 발진, 변색, 반흔, 염증이 없고 연동운동이 보이지 않는다. '꾸르륵' 물 흐르는 소리가 5~34회/분 들리며 이상음이나 혈관잡음이

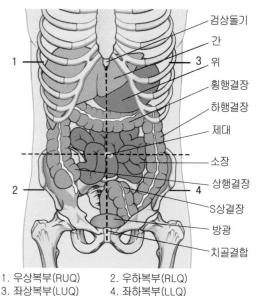

검상돌기

간

위

횡행결장

하행결장

제대

소장

상행결장

S상결장

방광

치골결합

1. 우상복부(RUQ)   2. 우하복부(RLQ)
3. 좌상복부(LUQ)   4. 좌하복부(LLQ)

그림 15-12 복부의 4분원과 장기들

들리지 않는다. 우측 중앙쇄골선의 6~12cm에서 탁음으로 간의 위치를 확인할 수 있으며 비장이나 신장은 촉진되지 않는다.

6. 유방과 액와

유방을 사정할 때 시진과 촉진을 이용하며 대상자는 좌위 또는 앙와위를 취한다. 적절한 시진을 위해서는 가슴이 완전히 노출되어야 하며 촉진 시에는 검진이외의 부위는 가린다.

※ 정상 소견: 비교적 좌우대칭이며, 유방의 모양은 둥글고 부드러우며 종괴(덩이, lump), 퇴축(퇴화, involution), 팽륜, 피부 병변이 없다. 피부색은 일정하며 결은 부드럽다. 유두가 발기되어 있으며 분비물은 없고, 유륜(젖꽃판, mammary areola) 주위는 양측이 대칭적이며 부드럽고, 동등한 색소 침착을 나타낸다. 촉진 시 액와, 쇄골상부, 쇄골하부에서 결절이 촉진되지 않는다.

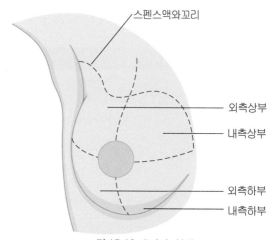

스펜스액와꼬리

외측상부

내측상부

외측하부

내측하부

그림 15-13 유방의 4분원

표 15-13 복부의 검진

검진항목	검진 내용 및 방법
시진	• 피부 : 색, 표면의 특징, 반흔(위치, 형태, 길이), 선조, 확장된 정맥, 발진과 병변 등 • 제대 : 모양, 위치, 염증이나 탈장의 징후 • 복부의 윤곽 및 대칭성 • 연동운동 • 박동
청진	• 우측 상부부터 시계방향으로 모든 4분원의 장음의 빈도와 특성을 확인한다. • 청진기의 종형을 사용하여 대동맥, 신동맥, 장골동맥 부위의 잡음을 확인한다.
타진	• 복수, 덩어리, 공기를 확인하기 위해 4분원을 시계방향으로 타진한다. • 간, 비장, 방광의 크기를 사정하기 위해 고음과 탁음의 분포를 확인한다.
촉진	**[복부 촉진]** • 가벼운 촉진으로 압통, 근 긴장도, 표면의 특징을 확인한다. • 심부 촉진으로 압통, 덩어리(위치, 크기, 모양, 경도, 압통, 유동성), 주요장기의 위치와 긴장도를 확인한다. **[간 촉진]** • 검진자의 왼손은 대상자의 등 뒤에 놓아 우측 제 11번 늑골과 12번 늑골을 평행하게 지지한다. 검진자의 왼손을 위쪽으로 들어 올려 간을 더 쉽게 촉진할 수 있도록 하고 오른손은 우측 늑골연과 평행한 위치에서 부드럽게 누르면서 위쪽으로 움직인다. • 깊은 흡기동안 우측 늑골연 심부를 촉진한다. 손끝으로 가볍게 압박을 가하면 간의 전면을 촉진할 수 있다. • 검진자가 대상자의 발쪽을 보면서 양손을 갈고리처럼 하여 우측 늑골연을 촉진하여 간의 경계면과 윤곽을 확인한다. **[비장 촉진]** • 대상자의 우측에 서서 검진자의 왼손을 대상자의 좌측 흉곽 밑에 놓고 전방을 향해 압박을 가하면서 대상자를 지지한다. 오른손은 좌측 늑골연 아래에 대면서 비장 쪽으로 압박을 가한다. 깊은 흡기동안 그에 따라 하강하는 비장의 가장자리를 만지도록 시도한다. • 압통이나 비장의 윤곽, 비장의 가장 아래 부위와 좌측 늑골연 사이의 거리를 확인한다. **[신장 촉진]** • 우측 신장의 촉진을 위해 대상자는 앙와위를 취하고 검진자는 대상자의 우측에 선다. 검진자의 왼손을 12번 늑골과 평행하게 대상자의 등뒤에 놓고 손가락 끝이 늑골척추각에 닿게 한다. 신장의 전면이 만져질 수 있도록 등뒤에 있는 왼손을 들어올린다. 대상자에게 심호흡을 하도록 한다. 흡기가 최고에 도달했을 때 늑골연 바로 아래의 우상복부를 오른손으로 깊게 압박을 가하여 오른손과 왼손 사이에 있는 신장을 잡아본다. 대상자가 숨을 내쉴 때 오른손의 압력을 천천히 줄이면서 제자리로 돌아가는 신장을 촉진한다. 신장이 촉진되면 크기, 윤곽, 압통을 기술한다(좌측 신장도 같은 방법으로 촉진). • 좌위를 취한 대상자의 후면에서 양쪽 늑골척추각을 주먹타진법을 사용하여 신장압통 여부를 확인한다.

원형(Circular)

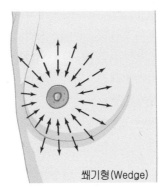

쐐기형(Wedge)

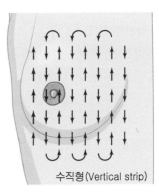

수직형(Vertical strip)

그림 15-14 유방촉진 패턴. A: 원형또는 시계방향 B: 쐐기 C: 수직

검진항목	검진 내용 및 방법

시진	• 앉은 자세에서 허리까지 옷을 내리고 유방과 유두를 시진한다. 팔을 옆으로한 자세, 팔을 머리위로 한 자세, 손으로 둔부를 짚은 자세, 앞으로 굽힌 자세에서 다음과 같은 사항을 주의깊게 시진한다.
	  - 피부 : 색, 결, 정맥의 형태, 모반 유무
	  - 유방의 크기, 대칭성, 외형, 윤곽
	  - 유륜의 크기, 형태, 표면의 특징
	  - 유두의 크기, 모양, 돌출 방향, 색, 분비물의 유무
	• 액와의 시진에서는 피부의 발진, 감염, 이상 색소침착의 여부를 확인한다.

촉진	• 대상자가 누운 자세에서 검진하고자 하는 쪽의 대상자 어깨 밑에 작은 베개를 넣고 팔을 머리 위쪽으로 올리도록 한다. • 유방의 4분원을 시계방향으로 체계적으로 촉진하여 양측을 비교한다. • 조직의 경도, 탄력성, 압통, 결절(위치, 크기, 형태, 경도, 경계), 분비물(색, 냄새, 양)을 확인한다. • 액와 검진을 위해 대상자는 앉은 자세에서 팔을 내린다. 검진자의 오른손을 컵모양으로 모아 액와 첨부 부분(중앙액와)을 깊게 촉진한다. 림프절이 촉진되면 위치, 크기, 모양, 경도, 이동성, 압통 등을 확인한다. 쇄골상, 쇄골하, 전액와, 후액와, 견갑하부 림프절을 촉진한다.

표 15-14 **유방과 액와의 검진**

7. 생식기계

1) 남성 생식기

남성 생식기 검진은 선 자세와 누운 자세 모두에서 행할 수 있는데 탈장이나 정맥류를 확인하기 위해서는 대상자가 선 자세이어야 하며 검진자는 의자에 앉아서 검진하여야 한다. 대상자의 흉부와 복부는 가리며 생식기와 서혜부(샅굴부위, inguinal region)를 노출시키고 검진자는 장갑을 착용한다.

※ 정상 소견: 포피는 귀두를 덮지 않으며 음경은 병변이 없고 경결이나 분비물이 없다. 방 온도에 따라 음낭의 크기는 영향을 받는다. 일반적으로 왼쪽 음낭이 오른쪽 보다 낮게 위치해 있고 압통이 없으며 덩어리가 촉진되지 않는다. 고환은 타원형이고 단단하며, 탄력이 있고 부드러우며, 좌우대칭이고 자유롭게 움직이며 적당한 압력에 약간의 통증이 있다. 외서혜관에 덩어리, 돌출, 압통이 없다. 전립선은 견고하고 비대하지 않으며 촉진 시 통증이 없다.

2) 여성 생식기

여성 생식기 검진을 위해서는 대상자에게 긴장을 풀도록 하는 것이 기본이다. 검진 전 대상자에게 방광을 비우도록 하고 검진용 테이블 위에서 절석위를 취하기 위해 다리를 지지대에 걸친다. 생식기만 노출되도록 덮개를 적절히 대주며, 대상자의 팔은 가슴 위에 포개거나 옆에 두도록 한다. 검사를 위해 밝은 조명과 질경, 윤활제, 진단용 검사를 위한 도구들이 필요하며 간호사는 장갑을 착용한다.

※ 정상 소견: 서혜부의 덩어리, 병변, 상처, 발진, 부종이 없고 음부

는 다른 피부보다 착색되어 있으며, 점막은 검은 분홍빛이고 습하다. 외음, 전정, 요도, 음순은 부드럽고 염증, 부종, 덩어리, 압통, 병변이 없다. 질분비물은 양이 적으면서 맑거나 흰색을 띤다. 경산부의 자궁경부는 분홍색으로 단단하고 운동성이며 병변없이 정중선에 위치하고, 질 표면은 주름이 잡혀있고 염증없이 습하다. 자궁기저부는 전방을 향하고 단단하며 윤곽은 매끄럽고 압통은 없다. 난소와 난관은 촉진되지 않으며, 촉진 시 덩어리나 압통은 없다.

8. 직장(곧창자, rectum)과 항문

직장과 항문 검진에서는 시진과 촉진을 이용한다. 밝은 조명과 윤활제가 필요하며 간호사는 장갑을 착용한다. 대상자는 측위, 심스위, 슬흉위 또는 절석위를 취할 수 있다. 대상자의 불필요한 노출을 피하기 위해 덮개로 적절히 가려준다. 검진동안 손가락을 천천히, 부드럽게, 조용하게 움직이며 대상자에게 과정 설명을 해준다.

※ 정상 소견: 항문주위 피부는 엉덩이 부위 피부보다 더 색이 진하며 거칠다. 천미골, 항문 주위 및 항문 표면에 병변, 발진, 염증, 덩어리 또는 치질이 없다. 괄약근의 긴장도가 정상이며, 항문과 직장 원위부 점막은 부드럽다.

9. 근골격계

근골격계의 사정 초점은 사지와 척추에 두며 시진과 촉진을 이용한다. 근골격계의 기능은 신체의 다른 부위와 관련시켜 평가하기도 하며, 근육을 사정할 때 신경학적 기능의 평가도 같이

표 15-15 남성 생식기의 검진

검진항목	검진 내용 및 방법
치골부위	• 치모의 분포와 특징, 피부상태를 확인한다.
음경	• 피부색과 표면의 특징을 시진하고 포피를 뒤로 젖혀 귀두(궤양, 반흔, 결절, 염증의 징후 관찰)를 검진한다. • 요도구의 위치와 분비물 유무를 확인한다.
음낭	• 음낭 피부의 발적, 유표피 낭포(epidermoid cyst) 등을 확인한다. • 음낭의 모양, 크기, 대칭성, 부종, 덩어리, 정맥을 살핀다. • 엄지와 검지를 이용하여 고환을 촉진하여 크기, 모양, 운동성, 압통, 결절의 유무를 확인한다. • 부고환과 정관을 촉진한다.
서혜부 탈장 검진	• 서혜부와 대퇴 부위에 튀어나온 부위가 있는지를 주의깊게 시진한다. • 좌우 서혜부환을 촉진하기 위해 시지를 서혜부 내측으로 삽입해 대상자에게 긴장감이 있는지 확인한다.

표 15-16 여성 생식기의 검진

검진항목	검진 내용 및 방법
외부 검진	• 치모의 모양과 분포를 확인한다. • 대상자의 치구, 음순, 회음부를 시진한 후 음순을 벌려 소음순, 음핵, 요도구, 질구를 시진한다. 　염증, 궤양, 분비물, 결절 등을 확인하며 병변이 있으면 촉진한다.
내부 검진	[질경 검사] • 질경을 흐르는 따뜻한 물에 씻어서 삽입하며 만약 조직 검사물이 필요할 경우 윤활제를 사용하지 않는다. • 질경삽입 후, 자궁경부와 경부 입구를 시진한다. 자궁경부의 색, 위치, 표면의 특성, 궤양, 결절, 덩어리, 출혈, 분비물의 　여부를 확인한다. 만약 필요하다면 자궁경부의 세포검사를 위한 표본을 채취한다. • 질을 관찰하면서 질경을 서서히 빼낸다. 질점막의 색, 염증, 분비물, 궤양, 덩어리의 여부를 확인한다. [양손 확인] • 장갑을 끼고 윤활제를 묻힌 검지와 중지(우세한 손)를 질내로 삽입하여 질벽의 결절이나 통증의 여부를 확인한다. • 자궁경부를 촉진하여 위치, 형태, 경도, 표면의 매끈함, 유동성, 압통 유무를 확인한다. 자궁경부 주위의 질원개를 촉진한다. • 다른 한손은 제대와 치골결합 사이의 복부 중앙선에 놓고 내진하는 손쪽으로 서서히 힘을 준다. 　양손 사이로 자궁의 크기, 형태, 경도, 유동성, 덩어리, 압통의 여부를 확인한다. • 오른쪽 난소를 촉진하기 위해 한 손은 우하복부에 놓고 하내측으로 누르며, 질내에 삽입한 손가락은 우측 질원개쪽으로 　위치시켜 상방으로 압력을 가한다. 만져지는 기관이나 덩어리의 크기, 모양, 경도, 운동성, 압통을 확인하며, 　이 방법을 왼쪽에서도 반복 시행한다. • 장갑을 바꾸어 끼고 윤활제를 바른 후 검지는 질 속, 중지는 직장 속으로 삽입하고 다른 손은 복부에 위치시켜 직장 질을 　검진한다. 이는 후방과 역 방향으로 이동된 자궁을 사정하는데 특히 유용하다.

표 15-17 직장과 항문의 검진

검진항목	검진 내용 및 방법
시진	• 천미골과 항문 주위에 덩어리, 궤양, 염증, 발적, 찰과상의 여부를 확인한다.
촉진	• 장갑을 끼고 시지에 윤활제를 바르고 직장 내로 삽입한다. • 직장점막의 결절, 불규칙성, 경결의 여부를 확인한다. • 항문괄약근의 힘을 사정하기 위해 대상자에게 손가락 주변의 항문을 오므려 보라고 지시한다. • 항문의 근육층을 검진하기 위해 손가락을 돌려 촉진하여 압통, 경결, 결절의 여부를 확인한다.

표 15-18 근골격계의 검진

검진항목	검진 내용 및 방법
상지(팔, upper limb, upper extremity)	• 좌우 대칭성을 확인한 후 위축, 변형, 결절이 있는지 살펴본다. • 운동범위 평가 : 견관절(굴곡, 신전, 내전, 외전, 내회전, 외회전, 회전), 주관절(굴곡, 신전, 전완의 회내, 회외), 손목(굴곡, 신전, 내전, 외전, 회전), 손가락(굴곡, 신전, 내전, 외전)
하지(다리, lower limb, lower extremity)	• 대상자가 방에 들어올 때 걸음걸이를 주의깊게 관찰한다: 무릎굽힘과 골반의 움직임, 오른발과 왼발사이의 폭 등을 관찰한다. • 좌우 대칭성을 확인한 후 위축, 변형, 결절이 있는지 살펴본다. 특히 부종에 주의한다. • 운동범위 평가 : 고관절(굴곡, 신전, 내전, 외전, 내회전, 외회전, 회전), 슬관절(굴곡, 신전), 발목(족저굴곡, 족배굴곡, 내번, 외번, 회전), 발가락(굴곡, 신전, 내전, 외전)
관절	• 관절을 신장시키고 굴곡시킴으로써 근육긴장도와 활동범위를 평가한다. • 관절과 주위조직에 결절이 형성되었는지 확인한다. • 관절을 수동적으로 운동시켰을 때 염발음(crepitus)이 발생하는지 확인한다. • 관절운동 시 제한이 있거나 통증이 있을 때는 관절낭 속에 액체가 차 있는지, 급성감염의 증상인 발열의 여부를 확인해야 한다.
경추 및 척추	**[경추]** • 운동범위(굴곡, 신전, 측굴곡, 회전)를 관찰하면서 움직임이 부드럽고 자연스러운지를 확인한다. **[척추]** • 운동범위(굴곡, 신전, 측굴곡, 회전)를 관찰하면서 대칭성 및 천추만곡을 확인한다. • 대상자가 서거나 앉은 또는 엎드린 상태에서 검진자의 손가락 끝으로 척추를 촉진하여 압통과 골성 기형이 있는지 확인한다. • 대상자의 척추 전체를 차례대로 주먹으로 가볍게 쳐서 압통이 있는지 확인한다.

표 15-19 근력의 평가

등급	상태	근력 분류
5	강한 저항에 대항하여 운동 가능	정상
4	약간의 저항에 대항하여 운동 가능	약간 허약
3	중력에 반하여 운동 가능	중정도 허약
2	수동적 관절 범위 운동	감소된 관절운동 범위
1	아주 미세한 근육 수축	심한 허약
0	근육 수축이 전혀 없음	마비

실시한다. 줄자와 측각계가 필요하며 검진동안 대상자는 서거나, 앉거나, 눕는 여러 가지 자세를 취해야 한다.

사정 시 통증이 있고 그 원인이 확실하지 않을 때는 운동범위에 대한 사정은 미루는 것이 좋으며 사지손상이 있을 경우 정상인 쪽을 먼저 한다.

※ 정상 소견: 보행이 조화로우며 신체 좌우의 근골격은 크기, 모양, 기능이 대칭적이다. 관절의 변형이 없고 압통이나 염발음이 없으며, 통증 없이 완전한 능동적 운동범위를 갖는다. 양쪽의 근력은 적절하다. 척추 촉진 시 압통이 없다.

10. 신경계

신경계 검진을 위해서는 검안경, 펜라이트, 설압자, 면봉, 안전핀, 타진 해머, 음차 등과 같은 검사기구를 준비해야 한다. 대상자는 좌위를 취하며 환경은 조용하여야 한다.

※ 정상 소견: 지남력, 판단력이 정상이며, 뇌신경 검사 시 이상 소견을 나타내지 않는다. 감각과 운동기능의 장애가 없으며, 정상 반사를 나타낸다.

표 15-20 신경계의 검진

검진항목	검진 내용 및 방법
상지	• 좌우 대칭성을 확인한 후 위축, 변형, 결절이 있는지 살펴본다.
의식수준	• 명료, 기면, 혼미, 반혼수, 혼수
뇌신경	• Ⅰ(후신경): 냄새인식 - 커피나 오렌지 같은 비자극적인 향을 구분하는지 확인
	• Ⅱ(시신경): 시력 - 시력표 또는 인쇄물을 읽을 수 있는 능력 확인, 시야 검사, 시신경 검진(안저검사)
	• Ⅲ(동안신경): 외안근 운동 - 응시방향을 사정/ 동공수축과 이완 - 대광반사와 조절을 측정
	• Ⅳ(활차신경): 안구운동 - 응시방향, 안구의 움직임 사정
	• Ⅴ(삼차신경): 안면감각 - 면봉으로 각막을 가볍게 자극, 각막반사 사정, 얼굴피부에 통증 감각과 촉각 측정/측두근과 저작근 운동 - 이를 꽉 물도록 하고 측두근을 촉진
	• Ⅵ(외전신경): 안구의 외측운동 - 응시방향을 사정
	• Ⅶ(안면신경): 맛 - 혀 앞쪽 2/3 정도에 설탕, 레몬, 소금을 맛보게 함/ 얼굴표정 - 대상자에게 웃고, 찡그리고, 볼을 부풀려 보고, 눈썹을 아래위로 움직이도록 요청하고 대칭성을 조사
	• Ⅷ(청신경): 청력 - 말한 단어를 들을 수 있는 능력 사정, 음차 검사
	• Ⅸ(설인신경): 맛 - 혀 뒤쪽 1/3 정도에 설탕, 레몬, 소금을 맛보게 함/연하능력 - 설압자로 구토반사를 일으킴
	• Ⅹ(미주신경): 목젖과 연구개 움직임 - '아' 소리를 내게 하여 구개와 인두의 움직임을 관찰/ 연하능력 - 설압자로 구토반사를 일으킴/ 성대의 움직임 - 쉰목소리 여부 사정
	• Ⅺ(부신경): 머리와 어깨 움직임 - 머리를 으쓱하게 하고 검진자의 힘에 대항해 머리를 돌리게 함.
	• Ⅻ(설하신경): 혀의 움직임 - 혀를 바깥으로 내민 후 좌우로 이동하게 함.
소뇌기능	• 걸음걸이와 선 자세
	• Romberg's 징후 : 먼저 대상자가 눈을 뜬 채로 편안하게 하고 발을 함께 모은 후 선 상태에서 눈을 감도록 지시한다.
	• 불수의 운동
	• 빠른 교대운동
	• 지적운동(finger-to-nose, finger-to-finger, heel-to-shin)
감각	• 통각, 온각, 가벼운 촉각, 이점 식별, 진동감, 입체 감각 등
연합기능	• 말하기, 쓰기, 읽기, 실행증(apraxia), 실인증(agnosia), 실조증(ataxia)
운동	• 긴장도, 강도, 속상수축(fasciculation), 진전(tremor) 등
반사	• 이두근 반사(C5,C6 검사), 삼두근 반사(C6, C7, C8 검사), 상완요골근건 반사(C5, C6 검사), 복부반사(T8, T9, T10, T11, T12 검사), 슬개골 반사(L2, L3, L4 검사), 아킬레스건 반사(S1, S2 검사)
	• 족저반사(바빈스키 반사, L5, S1 검사)

표 15-21 의식수준 평가 도구(Glasgow Coma Scale)

GCS의 점수 범위는 3~15점으로, 3점이 가장 낮고, 15점이 가장 높다. 세 개의 하부 요인인 눈뜨기 반응, 언어 반응, 운동 반응으로 구성된다.

눈뜨기 반응(4)	언어 반응(5)	운동 반응(6)
1. 전혀 눈을 뜨지 않음	1. 무반응	1. 무반응
2. 통증에 의해 눈을 뜸	2. 이해할 수 없는 소리	2. 통증에 의해 신전
3. 소리에 의해 눈을 뜸	3. 부적절한 단어	3. 통증 자극을 회피함
4. 자연스럽게 눈을 뜸	4. 혼돈된 대화	4. 통증에 의해 굴곡
	5. 지남력이 있음	5. 국소적 통증자극에 따름
		6. 지시에 따름

'E3V3M5 = GCS 11' 과 같이 각 요소의 점수를 모두 표시해야 한다.

13점은 가벼운 뇌손상, 9~12점은 중정도 뇌손상, 8점 이하는 심한 뇌손상을 의미한다.

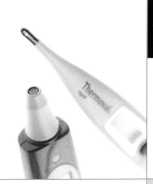

CHAPTER 16

진단검사와 간호

학습목표

1 진단검사의 종류와 목적을 설명한다.
2 검체 수집 및 관리방법을 설명한다.
3 진단적 검사 전·중·후 간호를 수행한다.

제1절
진단검사를 위한 간호

대상자에게 진단검사가 시행될 때 간호사에게는 다양한 역할과 책임이 요구된다. 대부분의 사람들은 검사를 두려워하고 불안을 느끼므로 간호사는 대상자의 요구를 사정하여 신체적, 심리적으로 준비시켜야 한다. 간호사는 검사가 필요한 이유와 검사의 내용을 대상자에게 설명하고, 시술에 필요한 기구를 준비하고 무균적으로 관리해야 하며, 검사 후 대상자의 반응을 관찰하고 기록하는 책임이 있다.

검진과 검사 동안 간호사의 일반적인 책임

- 대상자의 검진과 검사에 대한 이해 정도를 파악한다.

- 동의서가 필요한 경우 대상자의 서명을 확인한다.

- 검진과 검사에 따른 준비사항을 교육한다.

- 기구와 물품을 준비한다.

- 검사영역을 정리한다.

- 대상자의 체위를 취해주고 노출부위를 적절하게 덮어 준다.

- 검진자를 도와준다.

- 대상자에게 신체적, 심리적 지지를 제공한다.

- 검체물을 관리한다.

- 적절한 정보를 보고하고 기록한다.

I. 검진과 검사

진단검사는 진단적 검진과 임상 검사로 나눌 수 있다.

- 진단적 검진(diagnostic examination ; 신체구조나 기능에 대한 물리적인 시진)은 다음과 같은 기술적인 장비와 기법을 사용하여 쉽게 할 수 있다 : 방사선 검사(radiography), 내시경 검사(endoscopy), 컴퓨터 단층촬영(computed tomography; CT), 자기공명영상(magnetic resonance imaging; MRI), 초음파 검사(ultrasonography), 전기생리적 검사(electrophysiological studies), 핵의학 검사(nuclear medicine procedure)
- 임상 검사(laboratory test ; 체액이나 검체에 대한 검사)는 수집한 검체(specimen)의 구성요소를 정상과 비교한다.

검진은 검체의 수집을 포함할 수도 있고 포함하지 않을 수도 있다. 대상자가 진단적 검진과 검사를 받는 동안 시술의 전, 중, 후에 간호사에게는 특별한 책임이 있다.

II. 간호 역할

1. 명확한 설명

진단검사를 시행하기 전에 때때로 서명된 동의서가 필요하다. 대상자에게 검사에 관한 모든 요소를 인식시키고 처치에 관한 충분한 정보를 제공한 후 서명하게 함으로써 동의를 확인시킨다. 법적으로 정당하기 위해 동의서는 세 가지 요소를 포함해야 한다: 정신능력(capacity), 이해(comprehension), 자발성(voluntariness)

2. 대상자의 준비

어떤 진단검사는 금식이나 식이를 변경하는 것과 같이 대상자가 특별한 준비를 해야 하는 경우가 있다. 기관마다 검사를 위해 요구되는 준비가 다르므로 서면으로 된 기관의 안내서를 참고해야 한다.

만약 검사를 위한 특별한 준비가 필요하다면 간호사는 대상자와 영양과 등과 같은 병원의 관련 부서에 지침을 제공한다. 검사가 정확하게 실시되도록 하기 위해 관련된 모든 사람이 협력해야 한다. 검사를 위한 준비가 정확하게 수행되지 않았을 때는 즉시 보고하여 시술을 취소하거나 연기해야 한다.

3. 기구와 물품 준비

진단검사가 병실이나 병동의 치료실에서 행해진다면 기구와 물품을 검사 전에 준비해야 한다. 만약 검사 절차가 멸균적이라면 외과적 무균상태를 유지해야 한다. 대개 검사에 필요한 기구나 물품은 세트로 준비되어 중앙공급실에서 관리한다.

명확한 설명

- **정신능력**: 대상자가 근거 있는 결정을 할 수 있어야 한다. 안되면 배우자, 부모, 법적 후견인이 그렇게 할 수 있어야 한다.
- **이해**: 대상자는 위험부담, 유익, 그리고 가능한 대안에 대해 설명하는 의사의 말을 이해할 수 있어야 한다.
- **자발성**: 강압이나 위협이 없이 대상자가 자유의지를 갖고 행하는 것을 말한다.

검진이나 검사 결과를 무효화하는 일반적인 요인

- 부정확한 식이 준비
- 금식 실패
- 불충분한 장 세척
- 약물 상호작용
- 검체물 양의 부족
- 적당한 시기에 검체물을 전달하지 못함
- 부정확한 검사 요청이나 누락

4. 체위와 덮어주기

진단검사의 유형, 대상자의 상태, 그리고 검사자의 선호도에 따라 대상자의 다양한 체위가 요구된다. 검사 전 충분한 설명으로 대상자가 체위를 취하는데 협조할 수 있도록 한다. 체위를 취하는데 따른 노출된 부위는 적절하게 덮어주어야 한다.

5. 검사자의 보조

검사과정을 보조하는 간호사는 검사자에게 기구를 전달하고 멸균영역을 유지하며 물품을 추가로 공급할 책임이 있다. 따라서 간호사는 검사 기구와 사용되는 지시에 익숙해야만 하며 시술 동안 무엇이 필요할 지를 예상하고 검사자에게 전달하여야 한다.

6. 자료수집 및 평가

검사과정에서 대상자의 반응을 평가하기 위해 자료를 수집한다. 검사를 하는 동안 신체 반응과 심리상태를 평가하며, 이상반응을 나타내면 즉시 의사에게 보고한다. 활력징후, 산소포화도, 심전도 등을 관찰하고, 오심, 구토, 창백함, 통증 등의 발생 여부를 확인한다.

7. 신체적·심리적 지지의 제공

어떠한 진단검사가 시행될 때라도 간호사는 계속해서 대상자의 신체적·심리적 반응을 관찰하고 적절하게 대응해야 한다. 대상자의 프라이버시가 유지되도록 하며 따뜻함을 줄 수 있도록 몸을 감싸준다. 대상자의 손을 잡고 격려하여 대상자가 안심할 수 있도록 돕는다. 경우에 따라 심호흡, 기침, 안정된 자세를 취하게 함으로써 대상자가 편안할 수 있도록 한다.

8. 검사 후 간호

진단검사가 끝난 후 간호사는 안위를 고려하여 일정한 간격으로 대상자의 상태를 사정하고, 검체를 관리하며, 자료를 보고하고 기록한다.

1) 대상자 간호

활력징후는 대상자의 상태가 안정될 때까지 계속 측정한다. 약물이나 얼룩으로 더럽혀졌다면 깨끗하게 해준다. 검사 후 체위와 식이에 대한 특별한 지시 사항을 대상자와 보호자에게 자세히 설명한다.

2) 검체 관리

획득한 검체는 정확한 분석을 위해서 임상검사실에 전달한다.

다음은 검체 관리에 관한 지침내용이다.

- 적절한 보관 용기에 검체를 수집한다.
- 검체의 용기에 정확한 정보를 기술한다.
  (대상자 이름, 등록번호, 날짜, 검체 특성 등)
- 적당한 임상검사의뢰서를 첨부한다.
- 가능하면 빨리 임상검사실에 검체를 보낸다.

3) 기록과 보고

진단검사에 대하여 기록해야 할 일반적인 정보는 아래와 같다.

- 날짜와 시간
- 진단검사 전의 사정과 준비 내용
- 진단검사의 종류
- 진단검사를 시행한 사람
- 시행한 장소
- 진단검사 동안과 후의 대상자 반응
- 채취된 검체의 유형과 특성
- 검체를 전달받은 검사실

제2절
일반적인 진단적 검진

1. 골반 검진

골반 검진(pelvic examination; 질과 자궁경부의 시진, 자궁과 난소의 촉진)은 일반적으로 의사, 의사의 보조자, 간호사가 실시한다. 파파니콜로 검사(Papanicolaou test)는 자궁경부와 질의 분비물을 현미경적으로 관찰함으로써 질과 자궁경부, 자궁의 암 여부를 파악할 수 있는 검사이다(표 16-1).

파파니콜로 검사는 골반검진에서 정규적으로 시행해야 한다. 보통 18세 이상부터 혹은 성적인 활동을 한다면 일찍부터 1년에 1번 정도 검사받아야 한다. American Cancer Society에서는 2년 동안 2번 정도에서 음성이 나온 경우, 증상이 없는 여성은 그 다음부터는 65세까지 매 3년마다 검사를 받도록 권유하고 있다. 성병이 있거나 자궁경부암의 가족력이 있거나 또는 임신동안 diethylstibestrol(DES)을 복용한 산모에게서 태어난 자녀인 경우는 좀더 자주 검사를 받도록 권고하고 있다.

2. 방사선 검사

방사선 검사(radiography)는 건강상태에 대한 자료를 확보하

표 16-1 파파니콜로 검사 결과

검사요소	해석
세포검사	
Class I	• 비정상적인 세포가 없다(정상).
Class II	• 비정상이지만 암은 아니다(암세포는 없음).
Class III	• 암이 의심되지만 확실하지는 않다: 이형증
Class IV	• 암이 매우 의심된다(보다 광범위한 검사를 필요로 함) : 상피내암
Class V	• 명백한 암이다(치료를 요함) : 침윤성 암
호르몬 반응(6점 척도)	
1	• 두드러진 에스트로겐 효과
2	• 중정도의 에스트로겐 효과
3	• 약간의 에스트로겐 효과
4	• 에스트로겐 효과가 없다.
5	• 임신
6	• 분석하기에 혈액이 너무 많거나 감염되어있거나 또는 검체 양이 너무 적음
미생물 확인(5점 척도)	
1	• 정상적인 미생물
2	• 미생물이 없거나 부족함
3	• 트리코모나스 질염
4	• 캔디다(효모같은 곰팡이)
5	• 다른 미생물 혹은 혼합된 미생물

표 16-2 일반적인 방사선 검사

종류	적응증
흉부 X-선 (chest x-ray : 후전면[PA View], 전후면[AP View], 측면[lateral View])	폐렴, 늑골 골절, 폐결핵 폐암 등 발견
상부위장관 X-선 (upper gastrointestinal series, upper GI 혹은 바륨 삼키기)	궤양, 위장관 암, 식도의 협착을 진단
하부위장관 X-선 (lower gastrointestinal series : lower GI 혹은 바륨 관장)	폴립, 장의 종양, 장폐색, 장내의 구조적인 변화를 진단
담낭조영술(cholecystography)*	담석과 담즙으로 인한 폐색을 결정
정맥내신우조영술(Intravenous pyelography : IVP)*	요로계 기형, 종양, 결석, 낭, 신장과 요관의 폐색을 규명
혈관조영술(angiography)*	혈관 협착의 정도와 위치를 결정하거나 치료 후의 개선 정도를 평가
역행성 신우조영술(retrograde pyelography)*	IVP와 검사 목적이 같으나 요로카테터에 조영제를 주입
척수조영술(myelography)*	척추종양, 척추디스크의 파열, 척주골의 변성을 파악

*조영술: 조영제를 사용한 검사

기 위해 X-선을 사용하는 것이다. X-선은 물체를 통과하는 전자파로 사진필름으로 영상화된다. X-선이 인체를 투과하는 과정에서 X-선의 조직 내 흡수정도에 따라 음영의 차이가 나타난다. 표 16-2는 일반적인 방사선 검사와 적응증을 나열하였다.

X-선은 보거나 느낄 수 없지만 에너지가 세포에 흡수된다. 비록 적은 양일지라도 X-선에 자주 노출되거나 혹은 고농도에 한번 노출되면 종양세포로의 변성을 초래할 수 있는 세포의 손상을 가져오므로 X-선 검사를 받는 횟수를 조절해야 한다. 태아는 세포손상의 위험이 더 높기 때문에 임신 중에는 가능하면 X-선 검사를 받지 않아야 한다.

※ 조영제

조영제(contrast medium: 방사선 불투과 물질로 바륨이나 요오드 등)는 X-선으로 사진을 찍었을 때 비어있는 몸의 부분을 더 확실하게 보이게 한다. 어떤 사람들은 조영제에 예민해서 알레르기 반응을 보이는 경우도 있으므로 사용 전 알레르기 여부를 확인해야 한다.

조영제는 구강(입 안, oral), 직장(곧창자, rectum), 정맥, 지주막하강(거미막밑공간, subarachnoid space) 등으로 투여한다. 조영제를 삼키거나 주사할 때 조영제의 움직임을 관찰하기 위해 투시진단법이 사용된다.

컴퓨터 단층촬영(CT scan; 조직의 평면을 보여주는 X-선 촬영법)과 다른 유형의 X-선 검사는 조영제를 사용한다.

※ 간호책임

방사선 검사를 받는 대상자에 대한 간호책임은 다음과 같다.

- 활력징후를 측정하고 시술 전·후에 대상자의 상태변화를 관찰한다.
- 악세서리, 종교적인 메달, 금속이 포함된 옷은 착용하지 않게 한다. 금속은 농도가 강하게 찍혀서 조직의 비정상과 혼동을 초래한다.
- X-선을 찍는 동안 태아나 몸의 취약한 부분을 가릴 수 있는 납 앞치마(lead apron)나 납 칼라(collar)를 착용한다.
- 조영제를 투여하는 방사선 검사일 경우에는 해조류나 요오드에 알레르기가 있는지 혹은 이전에 진단검사를 하는 동안 부작용이 있었는지를 확인한다. 부작용은 경미한 오심과 구토에서 쇼크에 이르기까지 다양하다.
- 조영제에 대한 알레르기 반응이 나타날 경우를 대비해 응급장비와 약품은 즉시 사용할 수 있도록 침상 가까이에 비치한다.
- 식이제한이 필요한지 확인한다. 바륨관장과 정맥내 신우조영술과 같은 검사는 검사 전 몇시간 동안 금식할 때 더 정확한 결과를

얻을 수 있다.

- 장준비가 필요한지 확인한다. 바륨관장과 정맥내 신우조영술은 장세척이 필요하다.
- 조영제가 포함된 검사를 한 후에는 소변으로의 배출을 촉진하기 위해 검사 후 많은 양의 물을 마시게 한다.
- 바륨 조영제를 투여한 후 적어도 이틀은 장배설과 대변의 특성을 조사한다. 바륨 정체는 변비와 장폐색을 가져올 수 있다. 2일 이상 대변을 보지 못하면 보고하고, 필요하면 종종 완하제를 처방받아 투여한다. 변비를 막기 위해 수분섭취와 활동을 격려한다.

3. 내시경 검사

내시경 검사(endoscopy: 내부구조의 시각적 검사)는 눈으로 보는 기계를 사용한다. 내시경(endoscope)은 빛을 비추는 거울-렌즈 체계가 관에 부착된 것이고, 굴곡된 구조를 볼 수 있도록 쉽게 구부러진다. 내시경 검사로 신체의 장기와 인체 내부 구조를 직접 볼 수 있다. 동시에 약을 주입하거나 흡인할 수 있고 생검조직을 떼어내고 혈액을 응고시키며 사진을 찍을 수도 있다.

※ 간호책임

- 상부기관지나 상부위장관에 내시경을 삽입하기 전 흡인을 막기 위해 6~8시간 동안 금식한다.
- 진정제를 투여했다면 대상자의 활력징후, 호흡, 산소포화도, 심장리듬을 모니터한다. 산소와 응급소생기구를 준비한다.
- 내시경이 쉽게 들어가게 하기 위해 기도나 상부위장관에 국소마취제를 사용하였다면, 보통 검사 후 2시간 동안 금식하도록 한다. 연하, 구개반사가 돌아올 때까지 구강으로 수분이나 음식섭취를 허용하지 않는다.
- 인후통 감소를 위해 얼음, 음료수를 권장한다.
- 내시경으로 하부장관을 검사하기 전 완하제와 관장으로 장준비를 한다.
- 검사 후 대상자가 깨어나기 어렵거나 날카로운 통증, 열, 비정상적인 출혈, 오심, 구토, 배뇨곤란이 있으면 보고한다.

4. 컴퓨터 단층촬영

컴퓨터 단층촬영(computed tomography; CT)은 신체의 내부구조를 X-선이나 초음파를 이용하여 여러 방향에서 찍은 투영을 토대로 계산하여 영상을 재구성하는 비침습적인 방법으로, 모양, 크기, 좌우대칭, 색깔 및 위치로 구조를 구별할 수 있어 단순 X-선 영상에 비해 대조도가 높다. 검사하는 동안 움직이지 않을 것과 머리나 몸이 CT검사대 안으로 들어갈 때 폐쇄공포를 느낄 수

있음을 미리 설명하고, 검사받을 부위의 금속성 물질은 모두 제거하도록 한다.

조영제를 사용한다면 알레르기 여부 확인과 오심과 구토 예방을 위해 검사 3~4시간 전부터 금식시킨다.

5. 자기공명영상

자기공명영상(magnetic resonance imaging; MRI)은 체내의 수소원자가 자기장과 전자파와 반응하는 방식에 근거한 것으로 신체조직의 영상을 생성하기 위해 자기장을 사용하는 진단기술이다. 정상 조직과 병리 조직 간에 보다 뚜렷한 대조를 보이며, 어떤 위험도 없이 정기적으로 검사를 시행할 수 있다는 장점이 있다. 그러나 금속장치가 몸 안에 있으면 영향을 받기 때문에 금속 이식물, 인공심박동기, 금속 및 핀을 가지고 있는 사람은 이 검사를 받을 수 없다.

6. 초음파 검사

초음파 검사(ultrasonography)는 인간이 들을 수 없는 영역의 음파를 사용해서 연조직을 검사하는 방법으로 음향검사(echography)라고도 한다. 음파는 조직 내에서 진동을 초래하고 기계에 전달되어 상을 형성한다. 반사된 음파는 ultrasonogram, echogram이라고 부르는 시각적인 영상으로 전환된다.

초음파 검사는 유방, 복부, 골반내 기관, 여성 생식기관, 남성의 생식기관, 머리와 목의 구조, 심장과 판막, 눈의 구조를 보는 데 사용된다. 폐나 장과 같이 공기가 차있는 구조와 뼈처럼 농도가 매우 높은 조직은 영상이 잘 나타나지 않는다. 산과에서 일반화된 검사로 태아의 크기, 쌍둥이의 여부, 태반의 위치를 결정하며 임신 후반부에는 태아의 해부학적인 윤곽으로 태아의 성을 알 수 있다.

초음파 검사는 방사선이나 조영제를 사용하지 않기 때문에 특히 조영제에 알레르기가 있는 사람과 임신부에게 유용하다.

※ 간호책임
- 바륨이나 가스는 음파를 왜곡하고 검사결과를 변화시킬 수 있으므로, 바륨을 사용하는 검사 전에 복부나 골반 초음파 검사를 시행한다.
- 복부 초음파 검사를 받는 대상자에게는 검사 전에 3~4컵의 물을 마시게 한다. 방광이 팽만 되도록 하기 위해 검사가 끝날 때까지 소변을 보지 않도록 한다.
- 변환기(transducer)가 놓이는 곳에 반향 윤활제(acoustic gel)를 사용한다는 것을 설명한다.

7. 전기생리적 검사

전기생리적 검사(electrophysiologic studies)는 신체기관에서 발생하는 전기적 활동상태를 기록하거나 그림으로 제시하는 검사 방법이다. 심전도(electrocardiography ; ECG 또는 EKG ; 심장의 전기적 활동을 검사), 뇌파검사(electroencephalography ; EEG ; 뇌의 에너지를 검사), 근전도(electromyography ; EMG ; 근육의 자극에 의해 생성된 에너지를 검사) 등이 있다.

특정 부위 조직에서 생산되는 전기적 활동을 얻기 위해 피부에 전극을 부착한다(근전도는 근육에 부착한다). 전극은 기계를 통해서 전기적 활동을 연속적인 파형으로 전환시킨다. ECG나 EEG를 하는 동안 전극이 있다는 것을 인식하는 것 외에 다른 불편감은 없다. EMG를 하는 동안은 때때로 약간의 불편감이 있다.

※ 간호책임
- 전극을 고정하기 위해서 피부에 접착제로 부착한다.
- 뼈, 흉터, 유방조직에는 부착하지 않는다.
- 검사 8시간 전에는 커피, 차, 콜라와 같은 음료수를 마시지 않는다. 신경학적인 활동에 영향을 주는 약은 투여하지 않도록 의사와 상의한다.
- 수면박탈 EEG는 검사 전날 자정부터 깨어 있도록 교육한다.
- 검사과정 동안 특정 근육을 이완하고 수축하도록 교육한다.
- EMG를 하는 동안 근육에 전기가 흐르고 있지만 통증을 느끼지는 않는다고 설명한다. 근전극은 작은 게이지의 바늘로 10개 이상의 위치에 삽입을 하는데, 신경말단에 닿지 않는다면 통증은 없다.

8. 핵의학 검사

핵의학 검사(nuclear medicine procedure, nuclear scanning)는 방사성 동위원소라는 방사성 핵물질의 투여 후 각 조직에서 나오는 방사선을 측정함으로써 신체기관의 기능적 이상을 발견할 수 있는 검사법으로 방사성 동위원소 검사라고도 한다. 방사성 동위원소로는 131I(방사능이 있는 요오드), 99Tc(방사능이 있는 테크네튬) 등이 있다. 방사성 동위원소가 주사, 구강으로 또는 흡입으로 체내에 투여되면 특수 조직이나 기관에 흡수된다. 온점(Hot spot: 방사성 핵의 농도가 많은 곳)과 냉점(cold spot: 방사성 핵의 농도가 적은 곳)은 조직의 흡수와 관련이 있다.

핵의학 검사 영상(radionuclide imaging)은 기본적인 방사선 검사와 비교해서 2가지의 이점이 있다. 기본적인 X-선으로는 불가능한 조직과 기관을 볼 수 있게 하고, 방사선 검사보다 방사선에 덜 노출되게 한다. 그러나 임신이나 수유여성에서는 핵의학 검사를 금한다. 유아나 태아처럼 급속하게 자라는 세포에는 해롭다.

※ 간호책임

- 대상자에게 검사에 사용되는 방사성 동위원소의 양은 소량임을 설명하여 방사성 동위원소의 피폭에 대한 그릇된 우려를 갖지 않도록 한다.
- 대상자가 여성이라면 생리와 산과력을 질문한다. 대상자가 임신이나 수유 중이라면 핵의학과에 보고한다.
- 일반적으로 핵의학 검사에 요오드가 사용되기 때문에 알레르기의 기왕력을 질문한다.
- 가운과 슬리퍼를 착용하도록 돕는다. 검사를 방해하므로 금속제품은 착용하지 않게 한다.
- 방사성 동위원소의 용량은 체중에 근거하여 계산하므로 정확한 체중을 측정한다.
- 방사성 동위원소는 24시간 이내에 소변, 대변과 같은 방법으로 안전하게 빠져나간다는 것을 설명한다.
- 폐경 전의 여성에게는 방사선이 남아 있는 동안에는 피임조절을 하도록 교육한다.
- 검사 후 수분섭취를 충분히 하도록 하여 방사성 동위원소가 빨리 배출되게 하는 것이 좋다.

제3절
일반적인 임상 검사

혈액, 소변, 대변, 객담, 장액, 척수액, 상처 및 감염된 조직으로부터 얻은 배액물과 같은 검체는 간호사, 실험실 직원, 의사가 수집한다. 검체 검사는 대상자의 예후를 모니터하기 위해 일정한 간격으로 재검사한다.

1. 혈액검사

혈액은 건강상태에 관한 정보를 주는 가장 중요한 체액이다. 혈액검사는 여러 가지 신체장애를 사정하기 위해 사용되는데 흔한 검사로는 전혈구검사(complete blood count; CBC), 적혈구침강속도(erythrocyte sedimentation; ESR), 혈액응고검사, 혈액화학검사(blood chemistry), 동맥혈 가스검사(arterial blood gas analysis; ABGA) 등이 있다.

혈액 검체는 전혈, 혈장, 혈청의 상태로 검사가 시행된다. 전혈은 항응고제를 포함한 용기에 채취하여 액체성분을 제거하지 않은 상태로서 대부분의 혈액학적 검사에 이용되며, 혈장은 항응고제를 포함한 용기에 채취하여 얻은 액체성분으로 응고인자가 함유되어 있다. 혈청은 혈액 중에서 혈액응고인자가 함유되어

있지 않은 액체성분이다.

※ 간호책임

- 응급검사를 제외하면 아침 공복 시 안정된 상태에서 용혈되지 않게 채혈하는 것이 원칙이다. 따라서 대상자에게 어떤 준비가 필요한지, 금식기간에 대해 자세히 설명한다.
- 채혈은 보통 정맥혈에서 하는데, 가장 많이 이용되는 부위는 전주와(팔꿈치 앞) 부위와 손등이다.
- 채혈 시 장기간 울혈이 되지 않도록 하며, 채취된 혈액은 검사 종목에 따라 지정된 용기에 거품이 나지 않도록 관벽을 따라서 넣는다. 검사에 요구되는 정확한 용량을 넣고 항응고제와 혈액을 충분히 혼합한다. 혈액화학검사는 통상적으로 혈청을 사용하므로 항응고제를 포함하지 않은 시험관에 넣는다.
- 간호사는 검사 용기에 정확히 라벨을 붙이고 원하는 검사 종류를 표시한 검사의뢰서를 검체와 함께 보낸다.
- 혈액을 다룰 때는 혈액에 의해 전염되는 감염의 전파를 차단할 수 있도록 주의해야 한다.

※ 혈액검사 결과에 영향을 미치는 요인

- 심한 운동으로 땀을 흘리면 혈액이 농축되어 혈액 성분이 변화된다. 알부민, 유리지방산 등은 운동 직후 증가하였다가 감소하고, AST, creatine kinase의 증가는 장시간 지속될 수 있다.
- 음식의 종류와 식후 시간 경과에 따라 검사결과에 차이가 있다. 고단백식이 후에는 요소, 암모니아, 요산, 알부민, 혈당 등이 증가한다. 지질검사를 위해서는 2~3일간 고지방식이를 제한하고 10~12시간 공복 후 채혈한다.
- 장시간의 공복상태가 지속되면 혈당, 알부민, 트란스페린 등이 감소하고, 48시간 공복 시에는 혈청 빌리루빈은 증가한다.
- 누워있는 자세로 채혈한 경우 앉은 자세보다 LFT가 5~10% 감소하며 채혈 시 토니켓을 오래 묶어 두면 울혈로 인해 혈액 농축효과가 나타난다.
- 용혈이 일어난 혈청에서는 AST, ALT, potassium 등의 값이 증가한다.
- 채혈 후 혈청분리가 지연되거나 장시간 실온에 방치하는 경우 빌리루빈, 포도당, 염소 등이 감소하고 potassium, clacium, magnesium, 총단백질량 등은 증가한다.

1) 전혈구 검사

전혈구 검사는 적혈구, 백혈구, 혈소판, 백혈구 감별, 혈색소, 혈장-혈구 비율 등을 측정하는 것으로 가장 흔히 시행되는 검사이다.

2) 혈액화학검사

혈액의 혈청에서 행해지는 검사로 전해질, 효소(LDH, CK, AST, ALT 포함), 혈청 포도당, 콜레스테롤과 트리글리세리드와 같은 성분, 갑상선호르몬과 같은 여러 가지 호르몬을 분석한다. 혈청 전해질의 농도를 측정함으로써 전해질 불균형을 초래하는 각종 질병의 감별진단에 활용하고 전해질 불균형의 크기를 파악하여 전해질의 농도를 교정하는 기준으로 측정한다. 전해질의 조절에 관계가 깊은 신장의 질환과 신장에서 전해질 대사를 조절하는 내분비 기관의 질환, 그 외에 간, 심장, 소화기 질환에서도 전해질의 불균형을 초래할 수 있으며, 이뇨제 등 각종 약물들의 사용도 전해질 검사와 관련있다. 전해질 검사에서 가장 흔히 측정되는 것은 나트륨, 칼륨, 염소 및 중탄산염 이온이다.

혈청 효소 및 성분은 장기의 손상여부를 평가할 때 이용된다. (예: CPK-MB는 심근경색 시 증가, ALT는 간손상 시 증가, 혈중 요소질소 및 크레아티닌은 신장기능 손상 시 증가)

3) 동맥혈가스검사

환기상태, 가스교환, 산소화 상태 및 산-염기 상태를 평가하기 위하여 시행하는 것으로, 요골동맥(노동맥, radial artery), 상완동맥(위팔동맥, brachial artery), 대퇴동맥(넙다리동맥, femoral artery) 등에서 동맥혈을 채취하여 산도(pH), 이산화탄소분압(PCO_2), 산소분압(PO_2), 산소포화도(SaO_2), 중탄산염(bicarbonate), 염기과다(base exess) 등을 분석한다.

2. 모세혈관의 혈당 검사

모세혈관의 혈당 검사는 당뇨 조절을 감시하기 위한 것이다. 검사결과는 식이 및 투약 용량과 형태, 운동처방을 조정하는 데 사용된다.

혈당측정기(glucometer)는 모세혈관의 포도당의 양을 측정하는 기계이다. 병원에 입원하거나 장기요양시설에 있는 당뇨대상자의 혈당치는 간호사가 측정하지만 가정에서 혈당 감시를 해야 할 경우 대상자나 간병인에게 혈당치를 측정하는 방법을 교육해야 한다.

혈당 측정 시 기억해야 할 중요한 요점은 다음과 같다.

① 여러 종류의 혈당측정기가 있으므로 정확한 사용을 위해서 제조회사의 설명서를 따라야 한다.

② 혈당은 혈당치가 가장 낮은 식사 30분 전과 취침 전에 측정한다.

③ 혈당 측정은 혈액과 접촉하기 때문에 위험이 있다. 혈액은 감염성 바이러스를 포함하고 있기 때문에 이 검사를 할 때는 항상 장갑을 착용한다.

④ 영아의 발꿈치 또는 순환부전이 있는 노인에서 혈당 측정 시 따뜻한 타월로 감싸 혈액순환을 증가시킨 다음 혈액을 채취한다.

3. 소변 검사

소변 검사는 신장 기능, 당대사 및 여러 가지 호르몬 농도와 같은 많은 신체기능에 대한 가치 있는 정보를 제공해준다. 대상자가 적절하게 검체를 수집할 수 있도록 목적과 방법을 설명해야 한다.

※ 간호책임

- 정규적인 요분석을 위해서는 아침 첫 소변이 더 농축되어 있기 때문에 이것을 사용한다. 일어나자마자 배뇨하여 첫 소변 검체를 수집하도록 한다.

- 무작위 소변 검체는 아무 때나 수집할 수 있다. 보통, 낮 시간 동안 수집하며 특별한 준비는 필요 없다.

- 만일 배양 및 민감성 검사가 필요하거나 검체가 질분비물이나 출혈로 인해 오염될 가능성이 있다면 깨끗한 혹은 중간뇨 검체를 수집한다. 외적 유기체에 의한 검체 오염을 줄이기 위해 요도구를 소독솜과 멸균솜으로 닦은 후 수집할 수 있다.

- 24시간 소변검체 수집용기는 3~4 *L*의 소변을 담을 수 있고 꼭 맞는 뚜껑이 있어야 한다. 여기에 대상자의 이름, 시작한 수집 날짜와 시간, 마지막 수집 날짜와 시간, 검사명, 방부제와 수집 동안 저장상태에 대한 정보를 라벨에 붙여야 한다.

- 많은 소변을 수집할 때는 수집기간 동안 안정성을 유지하기 위해 방부제가 필요하다. 어떤 검체는 얼음이나 냉장상태로 보관하는 것이 가장 적절할 때도 있다.

- 도뇨는 배뇨할 수 없는 경우 또는 중간뇨 수집이 어려운 경우의 대상자에게 필요하다. 이 과정은 감염 위험과 대상자가 불편해 하기 때문에 선호하지 않는다.

- 유치도뇨를 하고 있는 대상자의 경우, 도뇨관이 배뇨관에 연결된 지점에 주사기를 삽입하여 검체를 수집한다. 소변을 흡인한 후 멸균 용기에 담는다. 배액 주머니에 축적되어 있는 소변은 검사에 사용할 수 없다.

- 영아와 소아에서는 보통 일회용 주머니인 U자 주머니에서 소변 검체를 수집한다. 주머니가 제위치에 있는지, 검체가 잘 수집되는지 보기 위해 15분마다 관찰한다.

- 검사결과에 영향을 줄 수 있는 약물은 검사의뢰서에 기록한다.

4. 대변 검사

대변 검사는 여러 가지 위장질환의 감별 진단에 도움이 되는 중요한 정보를 제공하며 미생물 검사, 화학적 검사 및 기생충 검사를 위해 시행한다.

※ 간호책임

- 꼭 맞는 뚜껑이 있는 깨끗한 용기에 대변 검체를 수집한다.
- 대변 검체에 소변과 화장지가 섞이지 않아야 한다. 이들은 검체를 오염시킬 수 있으며 결과에 영향을 미친다.
- 잠혈, 백혈구나 대변지방의 질에 대한 대변 분석은 적은 양의 무작위로 수집한 검체가 필요하다.
- 일일 대변 배출에 대한 정량적 검사는 최소 3일간 대변수집이 필요하다. 일일 대변 배출은 24시간 동안 대상자가 섭취한 음식의 양과는 어느 정도 무관하다. 수집기간 동안 검체는 냉장보관하거나 얼음 속에 넣어 두어야 한다.
- 일부 대변 검체는 수집 전에 식이제한이 필요하다. 예; 잠혈검사
- 대변수집을 계획할 때 여러 가지 요인들(다른 진단적 검사와 약물)을 고려한다. 예를 들면 바륨을 사용한 X-선 검사 계획이 잡혀있다면, 먼저 대변 검체를 수집한다. 여러 가지 약물(tetracycline과 지사제)은 장내 기생충 발견에 영향을 미친다.
  - 수집 후 30분 이내에 대변 검체를 정확하게 라벨을 붙여서 검사실로 보낸다. 그렇지 못할 경우에는 냉장고에 보관하여야 한다.

5. 객담검사

객담(가래, sputum)은 폐, 기관지, 기관으로부터 분비되는 점액성의 분비액이다. 객담은 특정 미생물과 약물의 민감성을 확인하기 위한 배양과 민감성 검사를 위해, 세포학적 검사를 위해, 결핵균 존재를 확인하기 위해, 치료의 효과를 사정하기 위해 수집된다.

※ 간호책임

- 검체 채취를 위한 가장 적당한 시기는 이른 아침이며, 잠에서 깨어난 직후 채취한다. 이른 밤 사이 폐에 괴어있던 객담에 병원균이 많이 농축되어 있기 때문이다.
- 검체가 구강 내 미생물로 오염되지 않도록 하기 위해 구강간호를 제공하는데, 칫솔질을 하지 않고 입을 헹구어야 한다.
- 타액이 아닌 순수한 객담 표본을 얻기 위해서 심호흡을 한 뒤 깊은 기침을 하여 객담을 뱉도록 한다.
- 기침을 하여 객담을 뱉기 힘든 대상자는 검체를 채취하기 위해 체위배액, 차가운 수증기나 분무기의 증기 흡인, 흡인 등의 방법을 사용할 수 있다.
- 검체 수집용기 안에 객담을 뱉도록 하며, 객담이 용기의 외면에 닿지 않도록 주의한다.
- 검체 수집 후 정확하게 라벨을 붙여서 검사실로 즉시 보내거나

냉장보관한다.

6. 인후배양을 위한 검체 채취

배양(culture)은 감염성 미생물이 있을 것으로 의심되는 체액이나 물질을 모아서 시행하고, 그들의 특성을 현미경으로 관찰한다. 일반적으로 소변, 혈액, 대변, 상처배액물, 인후분비물을 배양한다.

인후염의 원인균(일반적으로 연쇄상구균 박테리아)을 규명하기 위해 간호사는 인후로부터 검체를 채취한다. 인후배양 검사는 단축된 검사에서 10분 정도 소요된다. 빠른 진단으로 즉시 적절한 치료를 할 수 있다. 만약 신속검사에서 음성으로 나왔다면 검체를 검사실에 보내 배양검사를 해야 한다. 박테리아는 미생물이 충분하게 자랄 수 있도록 24~72시간 동안 배양한다.

※ 간호지침

- 배양 전에 대상자가 항생제를 투여받고 있는 지를 확인한다.
  - 근거: 항생제는 검사결과에 영향을 준다.
- 최근에 항균제로 입을 헹구었으면 검체 채취를 연기한다.
  - 근거: 진단 결과에 영향을 준다.
- 배양검사의 목적과 기법을 설명한다.
  - 근거: 불안을 감소하고 협조할 수 있게 돕는다.
- 물품을 준비한다. 멸균 배양 면봉, 유리 슬라이드, 설압자, 장갑, 대상자가 기침을 할 수 있으므로 마스크와 휴지를 준비하고, 구역질을 할 수 있으므로 곡반을 준비한다.
  - 근거: 능률적인 시간관리를 하게 한다.
- 밝은 곳에 대상자를 앉게 한다.
  - 근거: 인후의 구조를 잘 볼 수 있게 한다.
- 필요하면 마스크와 장갑을 착용한다.
  - 근거: 미생물의 전파를 막는다.
- 멸균 면봉이 들어갈 튜브의 뚜껑을 느슨하게 한다.
  - 근거: 손의 움직임을 쉽게 한다.
- 대상자에게 입을 크게 벌리고, 혀를 내밀고, 머리를 뒤로 젖히게 한다.
  - 근거: 인후의 뒤쪽에 접근하기 쉽게 한다.
- 왼손으로 설압자를 잡고 혀의 중앙을 누른다.
  - 근거: 면봉의 통로를 만든다.
- 입술, 치아, 혀에 닿지 않고 편도선과 인후의 뒤쪽을 면봉으로 문지른다.
  - 근거: 감염된 조직에서 면봉으로 미생물이 전파될 수 있다.
- 구역질을 할 수 있으므로 곡반을 준비한다.
  - 근거: 인후의 뒤쪽을 건드리는 것은 구역반사를 자극한다.

- 면봉을 꺼내고 설압자를 제거한다.
  - 근거: 미생물의 전파를 막는다.
- 면봉에 있는 점액을 유리슬라이드에 펴 바른다.
  - 근거: 속성 염색과 현미경 검사를 위해 검체를 준비한다.
- 면봉을 튜브의 바깥쪽에 닿지 않도록 튜브 안에 안전하게 넣는다.
  - 근거: 수집된 검체를 용기에 담고 관련이 없는 미생물이 수집되지 않도록 한다.
- 장갑을 벗고 손을 씻는다.
  - 근거: 미생물의 전파를 감소시킨다.
- 배양 튜브에 대상자의 이름, 날짜와 시간, 검체의 종류를 기록한다.
  - 근거: 중요한 정보를 검사실에 제공한다.
- 밀봉된 배양 튜브를 검사실에 보내거나 1시간 이상 지체되면 냉장고에 보관한다.

7. 흡인검사

1) 복강천자

복강천자(abdominal paracentesis: 복강에서 체액을 배출하는 시술)는 의사가 시행하고 간호사의 도움이 필요하다. 복강천자는 악성종양의 유무를 확인하기 위해 또는 복강내의 과도한 액체를 제거하여 복압을 감소하고 호흡을 개선하기 위해 실시한다. 복강은 정상에서는 무균상태이므로 외과적 무균술이 필수적이다. 미생물 검사를 위해 천자액은 실험실로 보내진다.

※ 간호지침

- 의사가 대상자에게 설명한 것을 명확하게 해주거나 절차를 설명한다.
  - 근거: 대상자의 불안감을 감소시키고 절차를 용이하게 하기 위함이다.
- 필요하다면 서명한 동의서를 확인한다.
  - 근거: 법적 보호를 한다.
- 대상자의 활력징후, 체중, 가장 넓은 부위의 복부 둘레를 측정하여 기록한다.
  - 근거: 시술 후와 비교할 수 있는 근거를 제공한다.
- 국소마취제와 복강천자 세트를 준비한다.
  - 근거: 능률적인 시간관리를 할 수 있다.
- 여분의 장갑, 가운, 마스크, 큰 보호안경(goggle)을 준비한다.
  - 근거: 혈액이나 다른 체액에 있을 수 있는 HIV와 같은 미생물의 접촉 시 보호해준다.
- 시술 전에 방광을 비우도록 한다.
  - 근거: 방광천공의 위험을 줄일 수 있다.

- 대상자를 좌위로 취해주거나 베개를 사용하여 등을 지지한다.
  - 근거: 복부의 체액이 복부의 아래쪽에 오게 하고 장이 등 쪽에 오게 한다.
- 천자 중에는 대상자의 반응, 체액 손실로 인한 저혈량성 쇼크를 관찰한다.
- 천자부분에 멸균 드레싱을 해준다.
  - 근거: 미생물을 막아주고 배액물을 흡수한다.
- 대상자를 편안한 체위로 취해준 다음 활력징후를 측정하고 피부색을 관찰한다.
  - 근거: 대상자의 안녕을 도모하기 위함이며, 저혈량성 쇼크, 전해질 불균형 등의 반응을 관찰하기 위함이다.
- 배출된 체액의 양을 측정한다.
  - 근거: 체액량의 정확한 사정을 가능하게 한다.
- 처방이 있으면 검체에 라벨을 붙여서 검사의뢰서와 함께 검사실에 보낸다.
  - 근거: 적절한 분석을 하게 한다.
- 날짜와 시간, 의사 이름, 배액된 체액의 양, 색, 검사 전후의 복부둘레, 대상자 상태 등을 기록한다.
  - 근거: 대상자의 의학기록에 중요한 정보를 더한다.

2) 요추천자

요추천자(허리천자, 요추뚫기, lumbar puncture, spinal tapping)는 척수의 지주막하강에 바늘을 삽입하여 뇌척수액을 채취하는 것으로 외과적 무균술이 적용되며 국소마취를 한 후 시행된다.

요추천자의 목적은 ① 뇌척수액을 분석(혈액, 농, 단백질, 포도당, 세균 등)하기 위함 ② 뇌척수압을 측정하거나 뇌척수압을 감소시키기 위함 ③ 뇌척수강내에 항생제나 약물을 주입하기 위함 등이다. 요추천자 부위는 요추 3, 4번과 요추 4, 5번 사이로, 주사바늘 삽입에 의해 척수나 신경이 손상되지 않도록 해야 하며 척추 간격을 넓히고 바늘 삽입을 쉽게 하기 위해 대상자는 무릎을 굽힌 채 옆으로 눕고 턱이 가슴에 닿도록 머리를 앞으로 구부린다(그림 16-1).

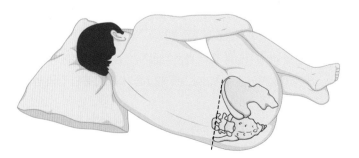

그림 16-1 요추천자 시 체위

※ 간호지침

- 대상자에게 의사의 설명을 명확하게 하거나 절차를 설명한다.
  - 근거: 대상자의 불안감을 감소시키고 절차를 용이하게 위함이다.
- 동의서가 필요하다면, 서명을 확인한다.
  - 근거: 법적 보호를 제공한다.
- 의식수준, 동공 크기, 사지의 근력, 감각 검사와 같은 기본적인 신경학적 검사와 활력징후를 측정한다.
  - 근거: 시술 후와 비교할 수 있는 자료를 제공한다.
- 대상자에게 방광을 비우도록 한다.
  - 근거: 시술 동안 안위를 도모한다.
- 처방된 진정제를 투여한다.
  - 근거: 불안을 감소시킨다.
- 국소마취제와 함께 요추천자 세트를 미리 준비한다.
  - 근거: 능률적인 시간관리를 할 수 있다.
- 여분의 장갑, 가운, 마스크, 큰 보호안경을 준비한다.
  - 근거: 혈액이나 다른 체액에 있을 수 있는 HIV와 같은 미생물의 접촉으로부터 보호한다.
- 옆으로 누워 무릎을 굽히고 턱이 가슴에 닿도록 고개를 앞으로 숙인다.
  - 근거: 척추내강을 최대로 넓혀 주고 지주막하강으로 바늘이 쉽게 들어가게 한다.
- 바늘이 삽입될 때 움직이지 않도록 대상자를 교육한다.
  - 근거: 손상을 예방한다.
- 대상자의 체위를 유지하도록 지지한다.
  - 근거: 대상자가 갑자기 움직이면 천자바늘에 의해 상처받고, 정확한 진단을 얻기 어렵다.
- 국소마취제와 바늘이 삽입되는 동안 대상자를 정서적으로 지지한다.
  - 근거: 감정이입으로 불안을 완화한다.

- 대상자에게 다리 쪽으로 향하는 주입통과 압박감을 느낄 수 있다고 설명한다.
  - 근거: 예상되는 감각을 대상자가 준비하게 한다.
- 대상자가 숨을 참거나 긴장하지 않고 조용히 숨쉬게 하고 말을 하지 않게 한다.
  - 근거: 말을 하면 뇌척수압을 증가시킬 수 있다.
- 필요시 Queckenstedt's maneuver를 수행한다.
  - 근거: 양쪽 경정맥을 손가락으로 눌렀을 때 뇌척수압이 빠르게 올라가고 손가락을 떼었을 때 이전 압력으로 빠르게 복귀되면 정상이다.
- 분석을 위한 검사가 요구될 때, 3개의 구별된 용기에 5~10 mL의 척수액이 채워지는 것을 관찰한다.
- 바늘을 뺀 후에 천자부위에 멸균 드레싱을 한다.
  - 근거: 미생물의 침입을 예방하고 분비물을 흡수한다.
- 시행 후 6~12시간 동안 베개를 베지말고 복위나 앙와위로 누워 안전을 취하도록 한다.
  - 근거: 뇌척수액의 유출을 방지하여 심한 두통의 발생을 예방한다.
- 시술 전처럼 대상자의 신경학적 상태와 활력징후를 재사정한다. 천자부위의 출혈이나 맑은 액체의 배액을 체크한다.
  - 근거: 대상자의 상태변화를 평가할 수 있는 비교자료를 제공한다.
- 구강으로 음료수를 자주 섭취하도록 한다.
  - 근거: 뇌척수액의 재생을 돕는다.
- 처방이 있다면 검체에 라벨을 붙이고 검사의뢰서와 함께 검사실로 보낸다.
  - 근거: 적절한 분석을 용이하게 한다.
- 천자 시간, 뇌척수액의 양상과 양, 압력, 천자 후의 대상자 상태를 사정하여 기록한다.
  - 근거: 대상자의 의학적 기록에 중요한 자료를 더한다.

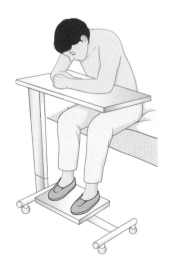
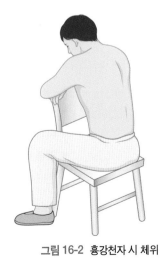
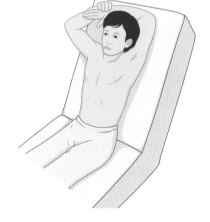

그림 16-2 흉강천자 시 체위

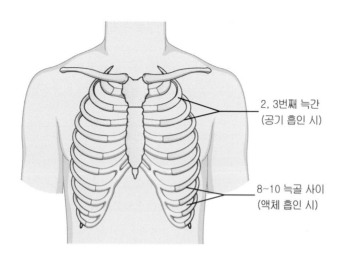

2, 3번째 늑간
(공기 흡인 시)

8~10 늑골 사이
(액체 흡인 시)

그림 16-3 흉강천자 위치

3) 흉강천자

흉강천자(가슴천자, thoracentesis)는 늑막강으로부터 액체나 공기를 흡인하는 것으로 늑막액을 채취하여 진단하거나 흉강내(가슴안, thoracic cavity) 공기 혹은 늑막액을 제거하기 위해 또는 흉강내로 약물을 투입하기 위해 시행한다.

천자는 국소마취를 한 후 무균적인 방법으로 의사가 시행하는데 대상자는 의자나 처치대 또는 침상 끝에 앉아 침상 위 테이블에 베개를 올려놓고 엎드리는 자세를 취하게 된다.

※ 간호지침

■ 대상자에게 의사의 설명을 명확하게 하거나 절차를 설명한다.
- 근거: 대상자의 불안감을 감소시키고 절차를 용이하게 하기 위함이다.
■ 흉부 X-선 촬영과 선행된 검사를 확인한다.
- 근거: 늑막액의 위치는 신체검진이나 흉부 X-선 검사, 초음파 등으로 확인될 수 있다.
■ 기침으로 검사에 장애가 될 때는 천자 30분 전에 진정제를 투여한다.
■ 검사 전 활력징후, 흡기 동안 양쪽 가슴의 호흡의 깊이와 운동 양상, 흉통, 호흡음, 호흡곤란, 기침의 형태와 빈도, 객담의 양과 양상을 사정한다.
- 근거: 시술 후 비교할 수 있는 자료를 사정한다.
■ 국소마취제와 함께 흉강천자 세트를 미리 준비한다.
- 근거: 능률적인 시간관리를 할 수 있다.
■ 여분의 장갑, 가운, 마스크, 큰 보호안경을 준비한다.
- 근거: 혈액이나 다른 체액에 있을 수 있는 HIV와 같은 미생물의 접촉으로부터 보호한다.
■ 대상자는 바로 앉아 팔과 어깨를 올려 침상 위 테이블에 놓는 자세를 취하도록 한다. 앉을 수 없는 대상자는 옆으로 눕힌 후 팔을

최대한 위로 올리게 한다(그림 16-2, 16-3).
- 근거: 늑골(갈비뼈, costa, rib)이 벌어지고 늑간(갈비사이, intercostal)을 넓혀준다.
■ 검사 동안 대상자에게 검사과정을 설명하여 지지하고, 호흡곤란, 창백, 기침과 같은 증상을 관찰한다.
■ 천자부분에 멸균드레싱을 해준다.
- 근거: 미생물을 막아주고 분비물을 흡수한다.
■ 1시간 정도 검사를 시행한 반대쪽으로 측와위를 하여 안정을 취하도록 한다.
- 근거: 흉강천자한 쪽의 폐의 팽창을 도와주기 위함이다.
■ 대상자의 활력징후, 피부색을 사정하며 기침, 객담, 호흡 깊이, 호흡음, 흉통 등을 관찰한다.
■ 배출된 늑막액의 양을 측정하며 처방이 있으면 검체에 라벨을 붙여서 검사의뢰서와 함께 검사실에 보낸다.
■ 천자 후 흉부 X-선 촬영을 한다.
- 근거: 천자 전후를 비교하고 기흉(공기가슴증, pneumothorax) 등의 합병증을 사정하기 위함이다.
■ 날짜와 시간, 부위, 늑막액의 양상과 양, 대상자의 반응 등을 기록한다.
- 근거: 대상자의 의학기록에 중요한 정보를 더한다.

※ 간호과정 적용

특수검진과 검사를 받는 대부분의 대상자는 검사결과에 대한 스트레스나 익숙하지 않은 검사에 대한 불안을 경험하고 있다. 검진 전과 검진 후에 내릴 수 있는 간호진단은 다음과 같다.

■ 불안
■ 두려움
■ 무력감
■ 영적 고뇌
■ 급성 통증
■ 지식 부족
■ 조직 통합성 장애
■ 의사결정 갈등
■ 건강관리 향상 가능성
■ 비효율적 대응
■ 감염 위험성
■ 변비 위험성

PART IV
FUNDAMENTAL OF NURSING

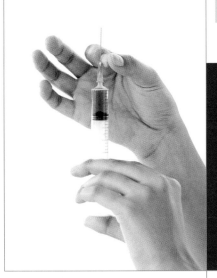

부동대상자 간호

부동대상자 간호 단원에서는 대상자 활동과 연관된 간호중재 전반을 다루었다. 이에는 대상자의 근 골격계를 이용한 운동, 대상자의 신체선열, 그리고 부동으로 초래될 수 있는 건강문제와 건강문제 예방과 중재를 위한 간호지식을 다루었다. 대상자를 간호하는 간호사의 신체선열 및 신체역학에 대한 지식을 다루었고 또한 부동상태와 깊게 연관된 욕창 관리원칙 그리고 피부손상 치유의 생리적 기전 및 관리 원칙 및 드레싱의 원리를 다루었다.

CHAPTER 17

운동과 동작

학습목표

1 활동과 운동 요구를 사정한다.
2 운동의 유형과 효과를 설명한다.
3 부동이 인체에 미치는 영향을 설명한다.
4 활동 및 운동 요구와 관련된 간호진단을 기술한다.
5 활동 및 운동 요구와 관련된 간호를 계획한다.
6 관절범위 운동을 절차에 따라 수행한다.
7 활동과 운동 간호 후 결과를 평가한다.

제1절
신체활동장애 문제해결을 위한 간호사정

I. 신체활동장애 사정을 위한 기본지식

1. 근 골격계의 구조 및 기능

뼈와 관절은 신체의 형태를 유지하고 움직일 수 있도록 지렛대의 역할을 한다. 206개의 뼈는 신체의 축을 이루고 신체에서 지지, 보호, 동작, 무기질 저장 및 조혈기능을 담당한다. 일반적으로 남자는 체중의 48%, 여자는 36% 이상의 근육을 가져야 건강한 조건으로 판정되는데, 이 수치 이하로 떨어지면 상대적으로 지방량이 많아 혈액순환에 의한 대사가 방해를 받는다고 알려지고 있다. 또한 생명유지에 필수적인 갖가지 기능을 수행하고 있는 기관들이 상호 유기적인 관계를 갖고 작용하고 있다. 인체의 근골격계는 신체의 지지 체계를 형성하고 있다. 뼈와 근육은 신체의 구성과 형태를 형성하고 있다. 중추와 말초 신경계는 운동의 복잡한 활동을 조절한다. 중력에 반하여 자세와 균형을 유지하는 것은 근육, 관절과 신경계의 조화로운 작용을 필요로 한다. 인체 골격의 뼈는 관절을 통하여 움직이게 되는데, 두 개의 뼈가 만나는 것을 관절(joint)이라 한다. 관절은 뼈 사이에 끼어 있는 조직에 따라서 섬유관절, 연골관절, 윤활관절로 나눌 수 있다.

섬유관절은 뼈 사이에 단단한 섬유조직이 있어서 거의 움직일 수가 없다. 섬유관절의 예를 들면 머리뼈 사이에 있는 봉합이다. 연골관절은 뼈 사이에 연골이 있어서 조금 움직일 수 있다. 연골관절의 예를 들면 척추 뼈 사이에 있는 척추사이원반이다. 윤활관절에서 양쪽 뼈의 관절 면은 얇은 관절연골로 덮여 있으며, 양쪽 관절연골은 윤활막으로 이어진다.

인체의 근육은 수축할 수 있는 근육세포로 이루어져 있는 조직으로 인체를 움직일 수 있게 한다. 근육세포의 생김새에 따라서 가로무늬근과 민무늬근육으로 나뉘고, 가로무늬근육은 뼈대근육과 심장근육으로 나뉜다. 근육은 하나이상의 관절을 가로질러 뼈에 붙으며, 그 근육이 수축할 때 해당관절이 움직이게 된다. 이때 움직이지 않는 쪽을 이는 곳(origin)이라 하고, 움직이는 쪽을 닿는 곳(insertion)이라고 한다. 골격근 수축에는 등장성 수축(isometric contraction)과 등압성 수축(isotonic contraction)이 있다.

인대, 건 및 연골은 골격계를 지지하는 구조이다. 인대는 희고 빛이 나는 유연한 섬유성 조직 띠로 관절들을 묶어서 뼈와 뼈 및 연골을 연결한다. 건은 희고 빛나는 섬유성 조직 띠로써 근육을 뼈에 강하게 연결하는 역할을 한다. 연골은 혈관분포가 없으며, 유연성 있는 체조직으로 체중을 지탱하고 뼈와 뼈 사이에서 충격을 흡수한다.

인체를 움직이게 하기 위해서는 신경계의 기능이 매우 중요하다. 인체의 골격근을 지배하는 뉴런의 수는 근섬유의 수보다 적다. 따라서 각각의 뉴런은 몇 개의 근섬유를 지배하기 위해 가지를 쳐야 하고 뉴런이 지배하는 근섬유를 운동단위(motor unit)라고 한다. 손의 근육과 같이 정교한 운동에 사용되는 근육은 일반적으로 하나의 뉴런이 열둘 혹은 그 이하의 비교적 적은 수의 근섬유를 지배하나 등이나 대퇴의 근육과 같이 덜 정교한 수축을 하는 근육은 하나의 뉴런이 수 백 개의 근섬유를 지배하는 운동단위를 형성한다.

2. 운동생리

운동에 따른 생리적 반응과 적응은 대부분 운동으로 발생되는 항상성의 혼란을 최소화하는 음성되먹이 기전의 결과이다. 운동생리는 인체의 구조와 기능이 단시간 혹은 장시간 운동을 수행하는 동안 생리 기능적으로 어떻게 변화하는가에 대한 것이다.

1) 운동과 심장기능

심박출량(cardiac output)은 심장의 수축에 의해 1분 동안 박출 되는 혈액량으로서 안정 시 성인의 심박출량은 4~6L 정도이다. 심박출량은 심박수에 1회 박출량을 곱하여 산출된다. 최대 운동 시 일반 성인 남녀의 경우 최대 심박출량은 거의 4배까지 증가한다.

또한 최대 운동 중 심박수는 안정 시 수준의 3배 정도(190~200회/분), 1회 박출량은 2배인 150ml 정도까지 증가하여 최대 심박출량은 30*l*/분(150ml×200회) 정도에 이르게 된다. 운동을 시작하면 심박수는 신속하게 운동 강도에 비례하여 증가된다. 일반적으로 운동 강도는 산소 섭취량으로 나타내는데 그 이유는 심박수가 산소 섭취량과 비례관계에 있기 때문이다. 그러므로 운동 강도를 정확하게 조절하고 측정할 수 있으면 산소 섭취량으로

추정될 수 있다.

심박수는 운동 강도가 증가함에 따라 완전 총력 상태에 이를 때까지 그에 비례하여 증가된다. 그 상태에 이르면 심박수는 더 이상 증가하지 않고 평온 상태를 이루는데 이것을 최대 심박수(maximum heart rate, HRmax)라고 한다. 최대 심박수는 연령으로부터 추정치를 얻을 수 있으며 220에서 자신의 나이를 빼면 최대 심박수를 얻을 수 있다. 운동 중 혈압의 변화는 지구성의 전신 운동 시 수축기 혈압이 운동 강도와 직접적으로 비례하여 증가하는데 안정 시 120mmHg인 수축기 혈압이 최대 운동 시에는 200mmHg를 능가하게 된다. 이 증가된 혈압은 혈액을 신속히 혈관으로 밀어내는데 도움이 되며 얼마나 많은 액체가 모세혈관을 떠나 조직 내로 들어가고, 필요한 물질을 운반하는가를 결정하게 된다.

2) 운동 시 혈액 변화

혈액의 여러 가지 특징은 유산소적인 지구성 운동수행에 매우 중요하다. 산소 운반의 역할을 하는 헤모글로빈량과 적혈구 수는 작업근으로서의 산소 운반량을 결정하는 중요한 요인이다. 운동과 혈장이동은 일회적인 지구성 운동 시 총 혈액량은 운동의 유형이나 단련정도, 운동 강도 및 기온에 의한 영향에 따라 다르게 나타난다.

혈액량의 일시적 변화는 혈장이 혈관을 통해 간질액 쪽으로 이동하거나 간질액 또는 세포 내액이 혈관내로 이동하는 결과로 일어나게 된다. 즉 혈장손실의 원인은 활동근육의 국부적인 수축으로 인한 정맥의 기계적 압박과 이에 따른 모세혈관 압의 상승에 의한 여과(모세혈관 밖으로의 혈장이동 증가), 조직세포로부터 삼투성 물질(칼륨, 인, 젖산)의 간질액으로의 축적에 따른 혈장이동, 땀을 통한 수분의 손실로 인한 간질액의 삼투질 농도의 증가에 의한 것이다.

적혈구 수와 헤모글로빈 농도는 혈액농축이 일어날 때 단위 면적당 적혈구 수와 헤모글로빈 농도 그리고 헤마토크리트 수치가 상승하게 되며, 혈액 희석 시에는 반대 현상이 일어난다. 안정 시 혈액의 단위 부피당 남자의 평균 적혈구 수는 500만개/mm³ 정도인데 운동 후에는 520~620만개/mm³로 10% 이상 증가한다. 이러한 적혈구의 증가로 인해 헤모글로빈 농도 역시 5~10%가 증가한다. 이처럼 혈액의 단위 부피당 적혈구수가 증가하는 요인으로는 혈액농축현상 이외에 비장에 저장되어 있던 적혈구가 방출되기 때문이다.

운동과 백혈구 수는 일회적인 운동 후 전형적으로 백혈구가 증가하는 현상이 나타나는데 일반적으로 단시간의 심한 운동 후

에는 백혈구의 일종인 림프구가 증가하고, 장시간의 운동 후에는 림프구와 호산성 백혈구는 감소하는 반면에 호중성 백혈구는 증가한다. 백혈구의 증가는 순환 혈류의 증가로 인해 폐, 골수, 간, 비장에 있는 저장 장소로부터 백혈구가 빠져 나오기 때문이다. 그러나 이러한 백혈구의 일시적인 증가는 회복기 수 시간 만에 정상수준으로 돌아간다.

운동 시 혈액의 산성도 또는 pH는 젖산 생산량의 증가를 직접적으로 반영한다. 운동의 강도가 높을수록 인체의 에너지 생산체계는 젖산과정에 의존하게 되고, 그 결과 체내 젖산축적에 의한 혈액의 pH감소는 더욱 커지게 된다. 또한 운동 시 근육 내 탄수화물과 지방분해로 얻어지는 화학적 에너지 중 일부는 열에너지로 손실되며 근 수축과정 자체에서 발생하는 열에 의해 혈액온도는 상승하게 된다.

3) 안정 시 및 운동 시 환기작용

분당 환기량이란 1분 동안 흡기되거나 호기되는 공기의 양으로서 흡기량과 호기량 중 어느 한 값을 의미하는데 대개 흡기량보다는 호기량을 의미한다.

분당 환기량은 1회 호흡량을 분당호흡수로 곱하여 얻을 수 있다. 안정 시 환기량(6L/min)은 개인차가 심하지만 안정 시 분당 호흡수는 12회 정도이므로 1회 호흡량은 0.5L 정도이다. 장시간의 지구성 운동 시 일반 성인 남자의 최대 환기량은 80~100L이고 여자는 45~80L 정도이다. 그러나 단련자의 경우에는 최대 환기량이 남녀 각각 180L와 130L에 달하는 경우가 많다.

환기량의 증가는 호흡의 빈도와 호흡의 깊이(1회 호흡량)가 증가함으로써 이루어진다. 즉, 분당 호흡수는 안정 시 12회 정도이지만 심한 운동 시에는 40~50회에 달하며 1회 호흡량은 휴식 시 0.5L에서 운동 시에는 2.5L까지 증가하게 된다. 이러한 환기량의 증가를 과호흡이라고 한다. 운동 시 나타난 환기량의 증가는 대체로 작업근에 의한 분당 산소 소비량과 이산화탄소 배출량의 증가에 비례한다.

3. 운동의 효과와 종류

1) 운동의 효과

운동은 근육의 수축과 이완을 포함하는 계획되고 구조화된 반복적인 신체 움직임으로 체력의 요소들을 유지, 증진시키는 신체활동의 한 유형으로 운동을 하게 되면 근육을 강하게 하고, 지구력이 향상되며, 에너지 소비가 증가한다. 체지방량의 증가로 운동 시 뿐만 아니라 안정 시 대사율도 늘고, 식사전후 열 발생도 많아지게 되어 비만을 관리할 수 있는 효과가 있다. 골격근에 미

치는 영향은 골격이 커지고 모세혈관 수와 혈류량이 증가하며 대사능력이 증가하여 저장지방의 활용이 증가한다. 또한 근력 및 지구력이 증가한다.

운동을 하지 않고, 식이요법만 했을 경우 초기에 수분감소로 체중감소가 일어나며 체중감소의 25% 이상이 근육과 같은 제지방조직의 감소가 일어난다. 그러나 운동을 하면 제지방조직을 보존하거나 증가시킬 수 있다. 운동의 심혈관계의 효과는 심방과 심실의 용적이 커짐으로 심장기능이 개선된다. 말초혈관의 저항력이 감소되고 혈관내의 섬유소 용해가 증가되어 혈액응고 경향이 감소된다.

운동은 또한 체내 대사에 긍정적인 효과를 준다. 운동은 HDL 콜레스테롤을 증가시키고, LDL 콜레스테롤과 중성지방의 농도를 저하시키고, 혈압을 하강시키고 인슐린 감수성을 증가시키는 효과가 있는 것으로 보고되고 있다. 운동을 처음 시작할 때 운동은 식욕을 억제한다고 알려져 있는데 이는 운동으로 인한 교감신경의 자극과 운동 시 체온의 증가가 식욕을 감소시키기 때문이다.

그러나 운동을 장기간 동안 하면 이러한 효과는 사라진다. 또한 운동의 장점은 정신적인 불안이나 우울증을 감소시켜 음식섭취 억제 시 나타날 수 있는 심리적인 문제를 해결할 수 있어 비만을 관리할 수 있다. 운동의 골격에 대한 영향은 청소년기에는 뼈의 미네랄 밀도를 증가시키며 성년 및 장년기에는 미네랄 밀도를 지속시키게 하는 효과가 있다.

2) 운동의 종류

(1) 등장성 운동 Isotonic exercise

등장성 운동은 근육의 단축과 능동적인 움직임을 포함하는 운동으로 호흡에 방해를 주지 않고 느린 속도에서 보통속도로 신체의 모든 부분을 일정한 무게의 부하로 움직이는 운동이다.

일반인에게서는 에어로빅운동이 대표적이며 수영, 걷기, 조깅, 자전거 타기 등이 포함된다. 임상에서 대상자를 대상으로 할 때 이는 능동운동과 수동운동, 보조적 능동운동으로 구분할 수 있다. 등장운동을 하는 동안 심박동수와 심박출량이 증가한다.

(2) 등척성운동 Isometric exercise

등척성운동은 근육길이의 변화는 없지만 근육긴장도를 증가시키는 운동으로 대상자 자신이 근육강도와 정맥귀환을 유지시키기 위하여 시도된다. 저항하는 힘에 대항하여 수행하는 움직임이 없는 운동으로 보디빌딩, 역기, 앉은 자세나 선 자세에서 근육군의 이완과 수축을 하는 운동이다. 등척성운동은 근육군의

표 17-1 발달단계에 따른 활동의 변화

발달단계	활동의 변화
신생아 및 유아기	Moro반사, startle, tonic neck 반사, Babinski 반사와 같은 반사적 운동은 상위 뇌기능이 성숙해 짐에 따라 소실된다. 생후 일 년 동안 동작에 대한 발달은 신경계가 성숙함에 따라 진행된다. 아이는 목을 가누다가 기고, 잡고 서고, 걷는 양상을 보여주고 각 연속 동작은 매우 조화로운 동작을 요구한다. 연령에 따라 아이가 달성하는 임무는 다양하지만 발달은 순차적인 진행으로 일어난다.
유아기	대 운동기술이 정련되고, 미세한 운동기술의 발달이 일어난다. 아이는 첫해가 지나면서 걷기 시작하고 처음에 아장거리고 걷다가 생후 2년, 3년 안에 걷고 뛰고, 타고 오르고, 혼자 음식을 먹을 수 있게 된다. 미세한 운동기술은 여아가 남아보다 더욱 빨리 발달되며 이 시기 아동은 주변 환경을 탐구하는 데, 자신의 신체적 활동 능력을 사용한다.
학령전기	대 운동기술과 미세 운동기술이 빠르게 발달하며, 대 운동 기술을 요하는 활동은 이시기에 숙련되어 자전거를 타고, 뒤로 걷고, 벽을 오르고, 뛰는 등의 활동이 가능해 진다. 미세운동기술을 사용하는 활동은 크레파스로 그림을 그리고, 구술을 꿰고, 이를 닦는 것, 지퍼를 올리거나 손을 닦는 행위를 할 수 있도록 발달한다.
학령기	6~12세까지의 신체적 성장은 일반적으로 느리다. 그러나 대 운동기술과 미세운동기술은 지속적으로 발달한다. 이시기는 운동을 통해 운동기술이 발달하게 되지만 아직 근육이 완전히 발달하지 않았으므로 지나치게 잘할 것을 기대하는 등 운동에 대한 부담을 주지 말고 운동에 흥미를 갖도록 격려한다.
청소년기	사춘기에는 급격한 신체적 성적 성장으로 이 시기 청소년은 신체 각 부분의 다양한 발달로 인해서 스스로 자신의 신체를 어색하게 느낄 수 있고 결과적으로 고르지 못한 동작 기술은 신체상에 영향을 미칠 수 있다. 이 시기 체육을 통해서나 시합을 통해서 청소년들은 경쟁적인 경기나 운동에 참여하게 된다.
성인기	성인기는 사고로 인한 운동력의 제한이나 직업상 반복적 동작 수행으로 인한 신체기관의 운동력의 제한이 있을 수 있다. 나이가 들어 중년기를 지나갈수록 근육이 줄어들고 골밀도가 줄어들게 된다. 특히 여성은 폐경기 이후의 골다공증이 증가하며 이는 골절의 위험성을 높이게 된다.
노년기	노년기 척추의 추간판사이가 내려앉으면서 앞쪽으로 자세가 굽게 되며 따라서 이러한 자세로 인해 신체의 무게중심선의 변화가 초래된다. 또한 퇴행성 관절질환과 뼈의 탈 광물화는 신체균형조절과 걸음걸이에 영향을 미치게 된다. 따라서 노인의 걸음걸이는 앞뒤로 보폭을 넓게 하지 못하면서 옆쪽으로 보폭을 넓게 하게 됨으로 넓게 잡으면서 짧게 걷는 즉 다리를 질질 끄는 듯한 걸음걸이가 되게 된다. 많은 노인들이 보행 시 관성을 극복하고, 중력 선을 효과적으로 사용하는 데 어려움을 경험하고, 이를 보상하는 과정에서 무릎이 약간 굽게 되어 자세가 앞으로 향하는 자세가 된다. 그리고 만성적인 관절질환으로 인해 신체적 활동을 스스로 제한하게 되며 그 밖에 고혈압 등 만성건강질환이나 낙상에 대한 두려움으로 노인 스스로 신체적 활동을 제한하는 경향이 있다.

양을 증가시키고 근력과 근육의 긴장도를 증가시키고 위축을 막아준다.

임상에서 이 형태의 운동은 관절의 가동성을 유지하지 못하고, 의식적으로 근육을 5~10초 동안 수축시켰다가 다시 이완시키며 이와 같은 것을 반복하며, 석고붕대를 한 대상자에게 적절하다. 이 운동은 혈류순환을 증가시키지만 심폐기능을 촉진시키지는 않으며 격렬한 등척성 운동은 일시적으로 혈압을 증가시킨다.

(3) 등속성 운동 isokinetic exercise 또는 저항운동 resistive exercise

움직이려는 힘에 대항하여 근육 활동을 초래하는 운동이다. 근육활동은 저항을 극복하도록 노력하므로 근육강도를 매우 빠르게 증가시킨다. 저항운동은 대상자 자신의 체중이나 팔, 다리를 움직이려는 반대방향으로 잡아주는 사람의 힘에 대항하여 힘과 지구력의 증진을 위해 점진적으로 저항을 높여가며 실시한다.

(4) 유산소 운동 aerobic exercise

근골격의 대사성 활동 시 에너지 원으로 산소를 필요로 하는 운동으로, 유산소 운동은 산소 운반량을 증가시키고 지속적으로 근육을 사용하기 때문에 심혈관 기능을 향상시키고 신체적 적합성을 증진시킨다. 대표적인 유산소 운동으로는 걷기, 조깅, 달리기, 자전거 타기, 수영 등이 있다.

(5) 무산소 운동 anaerobic exercise

근육이 혈액에서 산소를 충분히 제공받을 수 없을 때 단기간

표 17-2 대상자의 기동성 사정 영역 및 사정방법

사정 영역	사정 방법
관절구조와 기능	관절의 열감, 부종, 따뜻한 정도를 만져보고, 관찰한다. 관절에 윤활작용이나 보호 작용에 문제가 있으면 움직이는 동안에 뼈가 부딪치면서 소리가 날 수 있다. 움직이는 동안 불편감 정도를 사정하기 위해서 얼굴의 표정이나 비언어적 몸짓을 사정한다. 움직이는 동안 관절의 강직이 관찰되면, 정상적 관절가동 운동범위를 해보도록 하고, 관절운동시의 저항감의 정도와 불편감의 정도를 평가한다. 또한 대상자의 왼쪽과 오른쪽의 신체의 대칭성 정도를 사정한다.
근육양, 근긴장도, 근력	개인에 따라 근육양과 근 긴장도, 근력은 다양하므로 근력은 대상자가 먹고, 입고, 움직이는 등의 대상자가 자가 간호 행위를 수행하는 능력을 평가함으로 사정한다. 또한 특정한 근육은 어떤 물건을 밀게 함으로써 사정한다. 팔과 다리의 근육 크기는 관찰을 통해서 확인할 수 있다.
체위에 따른 혈압의 변화	대상자가 안전하게 침상에서 일어나거나 움직일 수 있는 것을 사정하기 위해서, 체위에 따른 혈압을 측정한다. 대상자가 앙와위에서 좌위로 체위를 바꾸었을 때, 혈압이 심각하게 떨어지는 것은 낙상의 위험을 제시하는 것이다. 어지러움, 머리 아픔, 발한, 빈맥과 같은 증상이 체위의 변화와 함께 나타나는 것은 기립성 저혈압을 의미한다.
활동내구성	비정상적 반응을 사정하기 위해서 활동 전 후, 활동기간 동안을 관찰한다. 활동내구성 정도를 사정하는 가장 좋은 지표는 맥박수와 호흡수이다. 맥박과 호흡은 일반적으로 활동과 더불어 증가한다. 안정 시 정상범위에 있다가 활동과 더불어 지나치게 빈맥과 빈 호흡을 보이거나, 혈압의 하강을 보인다면, 대상자는 활동 중에 증가되는 신체의 산소요구량을 충족시키기에는 에너지가 부족한 것이다. 대상자가 오랜 침상안정 후 활동을 하게 될 때 간호사는 맥박과 호흡수, 산소포화도를 운동기간 동안 사정하고, 수치가 처방된 범위를 넘어갈 때는 운동을 중단시킨다. 운동 후 맥박과 호흡수는 3분 안에 운동전의 수치로 돌아와야 한다.
신체선열	대상자의 신체선열이 정상적이라면, 귀, 어깨, 대퇴, 대전자, 무릎과 발목까지 일직선을 그을 수 있다. 장기와 뼈의 대칭성을 주목하고, 정상적 척추선열 즉, 경추의 오목면, 흉추의 볼록면, 요추의 오목면과 만곡의 정도를 사정한다.
균형감	대상자가 눈을 감은 상태로 앉거나 일어서게 함으로 균형감을 사정할 수 있다. 자세가 바뀔 때, 정상적인 똑바른 자세를 유지하는 능력을 사정한다.
조정력	간단한 운동을 시켜 봄으로 수행하는 신체움직임의 속도와 진행양상을 관찰한다. 단추 풀기, 또는 종이에 서명하기 등과 같은 간단한 동작을 수행하게 함으로 미세운동기술을 사정할 수 있다.
걸음걸이	대상자가 걷는 것을 관찰했을 때 정상적 걸음걸이는 고르고 율동적이다. 머리는 곧게 들려 있고, 무릎과 발은 앞으로 향하며 두 팔은 교대로 다리의 움직임과 조화롭게 앞뒤로 움직인다. 신체의 무게는 잘 지지된다. 대상자 신발의 닳은 양상을 봄으로써 또한 대상자 걸음걸이에 대한 정보를 얻을 수 있다.

에 이루어지는 운동으로 근육의 크기와 힘을 향상시키는데 효과가 있어 주로 운동선수들의 지구력 훈련에 유용하다.

4. 발달단계에 따른 활동의 변화

대상자의 연령, 근 골격계와 신경계의 발달 상태는 신체 움직임과 활동에 영향을 미친다. 이에 대한 발달단계별 활동의 변화에 대한 설명은 표 17-1과 같다.

II. 신체활동 문제 해결을 위한 자료 수집

운동과 활동에 대한 사정은 신체사정을 통한 신체선열, 균형, 조정력, 걸음걸이, 관절구조, 기능, 근육량, 근육긴장도, 근력 그

리고 활동내구성에 대한 정보를 사정하고 부동과 관련된 문제를 사정하는 것이 포함된다. 간호력과 신체검진은 사지의 경축, 부종, 통증, 전신피로 등 대상자의 움직임과 활동 상태에 영향을 미칠 수 있는 장애를 알아내는 것이다.

1. 신체사정

신체사정을 통해 신체선열, 균형, 조정력, 걸음걸이, 관절구조, 기능, 근육량, 근육긴장도, 근력 그리고 활동내구성에 대한 정보를 사정한다(표 17-2).

2. 부동으로 인한 위험요소의 확인

부동은 인체 모든 영역의 기능에 영향을 미친다. 심맥관계에

표 17-3 부동이 인체에 미치는 영향

	부동이 인체에 미치는 영향
근육 위축과 허약	근육의 힘과 내구성이 저하되어 근위축이 생긴다. 또한 근 위축, 근력의 감소, 내구력 감퇴 등이 복합되어 운동조정력이 약화된다.
섬유증과 관절의 강직	늘어진 근육은 결체조직으로 대체된다. 그 후 관절은 뻣뻣해지고 전체적인 가동범위 운동을 수행할 수 없게 되며 회복이 불가능한 변형도 초래될 수 있다. 관절의 경축은 관절에 섬유조직이 증가되고 관절이 강직과 통증이 나타나는 것이며, 근육이 짧아진다.
심부담의 증가	부동 시 기초심박동수가 증가한다. 심박동수가 증가되면 느린 심박동수 때보다 심 확장 시 채워지는 시간이 줄어 심 예비력이 감소된다.
체위성 저혈압	부동 후 기립 시 하지에 혈관수축이 원활치 않아 하지로 혈액이 모이면서 중심정맥압이 저하되어 갑자기 앉거나 서면 뇌나 심장까지 혈액공급이 힘들게 되어 현기증이나 어지러움을 느끼게 된다.
혈전형성과 색전의 증가	부동으로 인해서 혈액의 응고력이 높아지기 때문에 혈관 벽에 혈액응고물이 부착되어 혈전이 형성될 수 있으며, 부동대상자에 있어서 혈전은 보통 혈류의 속도가 느린 다리의 큰 정맥에서 생길 수 있고, 이러한 혈전이 분리되어 순환기계로 들어가게 되면 색전이 된다. 색전은 혈액순환에 장애를 주는 것으로 관상혈관, 뇌혈관, 폐혈관 등에서의 경색을 유발할 수 있다.
호흡기능의 저하	얕은 호흡으로 인해 폐 확장이 작아져 호흡운동이 저하된다. 앙와위에서는 횡격막이 복강 내 장기를 눌러서 흉곽운동이 저하되고 측위에서는 중력에 의해 산소농도가 감소하게 되며, 침대와 대상자 무게로 폐가 눌려 장애를 받는다. 또한 흉곽근육의 약화로 분비물 축적이 심해지고 심한 경우 세기관지의 분비물 축적이 심해져서, 호흡의 깊이가 저하되고 폐포의 기능이 정지되면 무기폐를 초래할 수 있다.
대사율의 저하	신체의 에너지 요구량이 저하되어서 단백질 합성의 균형이 안 맞아 점점 질소배출이 많아져서 전해질 균형이 파괴되어 세포의 대사변화가 온다.
식욕부진	식욕이 저하되어 단백질과 칼로리의 섭취가 감소되고 심해지면 저 단백혈증을 초래하여 영양결핍 상태가 나타난다.
골다공증	뼈에서 칼슘분비가 증가되고 광물질의 소실이 나타나며 쉽게 골절된다. 부동화 이후 칼슘의 배설이 증가하며 부동으로 조골 세포기능은 정지되고 파골세포기능이 강화되어 골의 구조적 변화가 초래된다.
이뇨증	항 이뇨호르몬의 장애로 일시적인 소변배출이 증가된다.
요정체	중력에 의해서 서있을 때는 소변이 방광으로 흘러가나, 누워 있으면 신우에 소변축적이 일어나 요정체가 생긴다.
요실금	방광근육과 회음부 근육의 긴장도가 저하되어, 방광이 차도 방광을 완전히 비우는 능력이 떨어지므로 요실금이 생긴다.
요로결석과 감염	요의 축적과 소변내의 무기질 상승으로 신 결석이 발생하게 된다. 또는 칼슘의 과다는 요의 PH를 상승시켜서 요로감염의 원인이 된다.
변비	근육의 탄도가 떨어져서 장의 연동운동이 저하되어 배변반사 기능이 떨어져 변비를 초래한다. 이때 복부팽만과 전신의 불편감을 동반한다.
수면의 질 저하	부동은 정상적 수면양상을 방해할 수 있다. 부동상태의 대상자는 낮 동안에 수면을 취하기 쉽고, 결과적으로 밤 동안의 수면이 이에 영향을 받아 수면의 질이 저하된다.
감각변화	감각투입의 전반적인 감소로 감각변화를 경험한다. 이 문제는 감각의 구심성 통로의 장애와 지각감퇴결과로 마비된 대상자에게 잦다. 또한 부동의 장기화로 감각이상과 통증에 대한 감지이상이 초래되기도 한다. 통증지각은 다양한 환경적 자극이 결핍될 경우, 불편감에 초점을 두게 되기 때문에 강화될 수 있다.
자율신경 불안정	부동대상자의 자율신경은 과다 활동성이거나 과소 활동화되어 결과적으로 안정된 자율 활동 상태를 가져오기 어렵다.

표 17-4 신체활동장애의 간호진단

간호진단	관련요인
손상된 기동성	투약, 처방된 운동제한, 동통이나 불편감, 활동의 비내구성, 지각/인지 손상, 신경-근육 손상, 근골격의 손상, 심한 불안, 우울
활동비내구성	침상안정, 부동, 허약, 좌식생활, 산소의 요구 수요 공급의 불균형
변비	활동부족, 부동, 생활양식변화, 환경 변화, 근골격계 장애
신체손상위험성	감각장애, 기동성장애, 조직의 저산소증, 영양장애, 정서변화
피부통합성의 손상	장기간의 피부압박, 부동, 감각장애, 기계적 요인, 처치
자가간호결핍	부동, 신체손상 및 상실, 신체기능변화, 근골격장애, 활동내구성 감소, 인지장애, 지각장애
비사용 증후군 위험성	근골격장애, 처치, 신경근육장애, 활동제한, 통증, 감각장애, 의식수준 변화, 인지장애, 정서변화
그 외 관련된 간호진단	감염의 위험, 요정체, 영양의 변화, 가스교환장애, 비효율적 기도청결, 손상의 위험, 감각지각의 변화도, 신체상의 장애, 자아 존중감의 장애, 성 기능장애, 불안, 무기력감, 역할수행의 변화, 사회적 고립, 비효율적 가족의 대처, 비효율적 대처

미치는 중요한 영향은 심장부하량을 증가시키고 기립성 저혈압, 정맥혈전의 가능성 등이 있다. 호흡기계에 미치는 영향은 환기력의 감소와 호흡분비물을 증가시켜 울혈이나 호흡기 감염을 유발시키고 특히, 오랫동안 폐조직을 사용하지 않으면 무기폐(atatectasis)를 발생시킨다.

근골격계에는 근육을 위축시키고 강도와 힘의 감소, 관절의 가동성과 유연성 등 뼈나 무기질의 유실로 병리적 골절과 활동지속에 장애를 유발시킨다.

소화기계에는 정상적인 위장운동성과 근육의 긴장도 감소로 변비, 배변반사의 감소, 변 배출의 능력이 감소된다.

대사계는 음성 질소 균형의 문제, 영양부족, 식욕부진, 영양과다, 체액의 과다 등의 부동으로 인한 문제를 동반하여 근위축과 약화를 악화시키게 된다.

이러한 비활동적인 생활양식을 가지고 있거나, 질병이나 손상 때문에 활동을 할 수 없거나 비활동적인 생활습관을 가진 사람은 신체 체계에 여러 가지 문제를 가질 수 있다. 부동의 효과는 비활동의 기간, 대상자의 건강상태에 따라 다르다.

간호사가 부동으로 인한 가능한 결과를 인식하는 것은 문제를 예방하거나 제한하도록 간호중재를 계획하게 할 수 있다. 표 17-3에 부동이 인체에 미치는 영향에 대한 설명이 제시되어 있다.

제2절
신체활동장애의 간호진단

기동성과 관련된 간호진단은 다양한 원인에 따라 내려진다. 신체활동장애를 보이는 대상자의 간호진단별 가능한 관련요인의 예시는 표 17-4와 같다.

제3절
신체활동장애 대상자의 간호목표

간호진단을 내리고 관련요인을 확인한 후에 간호사, 대상자, 가족은 중재와 그에 따른 결과를 계획한다. 그러나 간호계획은 대상자가 가진 손상의 위험성과 대상자의 이전 건강상태에 대한 고려가 포함되어야 한다. 또한 대상자의 가동성을 유지하고 향상시키는 계획에 가족 구성원을 포함시킨다.

신체활동장애 대상자에게 일반적으로 세워질 수 있는 간호목표의 예는 다음과 같다.

- 대상자는 관절범위운동이 가능하다.
- 대상자는 신체적 활동에서 내구성과 지구성이 증진된다.
- 대상자는 활동의 수행 중 정상범위의 활력징후를 갖게 된다.
- 대상자는 부동 기간 동안에 정상적인 신체 기능을 유지한다.
- 대상자는 기동력의 제한을 갖지만 나머지 신체기능은 최적의 기능을 유지한다.

표 17-5 심폐기능향상을 위한 운동 구성

간호진단	관련요인
운동의 강도	심폐기능 향상을 위한 운동 강도는 개인의 최대운동능력의 40~85%의 범위에서 수행한다. 그리고 건강한 성인의 운동 강도는 일반적으로 최대 운동능력의 60~80% 범위 내에서 결정한다. 최대 운동능력이 낮고, 운동을 처음 시작하는 사람들에게 최대운동능력의 40~60%에서 운동을 시작하는 것이 좋다.
운동시간	운동시간은 처방된 운동 강도의 수준에 의해 결정된다. 운동시간과 운동 강도는 역 상관관계로 운동 강도가 높을수록 지속할 수 있는 운동시간은 짧아지게 된다. 일반적으로 준비운동과 정리운동을 제외한 주 운동시간은 15분에서 60분 정도가 적당하다. 정상적인 성인의 경우, 최대운동능력의 40~60% 정도의 운동 강도이면 20~30분 동안 운동을 지속할 수 있다. 운동 강도와 운동시간은 운동을 마친 후 1시간 이내에 심한 피로를 느끼지 않도록 설정되어야 한다.
운동 빈도	운동 빈도는 운동 프로그램에 포함되어 있는 주당 운동회수를 가리킨다. 운동 빈도, 즉 주당 운동을 몇 번 정도 할 것인가는 각 개인의 건강과 체력수준에 달려있으나 정상성인의 경우, 최소한 1주일에 3회 정도는 운동을 실시해야 심폐지구력 향상을 꾀할 수 있다. 운동 빈도를 주당 5회 이상으로 할 경우에는 체중부담을 안고하는 운동(걷기, 달리기 등)과 체중부담 없이 하는 운동(수영, 자전거 타기 등)을 번갈아 가며 실시하는 것이 관절에 과도한 부담을 줄일 수 있다.

운동 강도 수준 결정방법

운동직후에는 6초간 측정하여 10을 곱하는 방식으로 산출한다. 일반인을 대상으로 가장 많이 쓰이는 목표심박수(target heart rate)결정방법은 Karvonen 방법이다. 이 방법은 최대심박수에서 휴식 시 심박수를 뺀 심박수, 즉 최대여유심박수(maximul heart rate reserve, MHRR)에 기초를 두고 운동 강도를 결정한다.

최대여유심박수 계산을 위해서는 최대심박수와 휴식 시 심박수가 필요하게 되는데, 최대심박수는 운동부하 검사를 통하거나 공식을 이용해서 산출한다. 최대심박수 구하는 방법은 여자 또는 운동 초기단계의 남자의 경우 최대심박수(MHR)는

220에서 나이를 빼고 체력 단련이 된 남자의 경우는 최대심박수는 205에서 나이를 둘로 나눈 수를 뺀다. 따라서 목표 심박수 결정은 운동 강도(%)를 최대심박수에서 휴식 시 심박수를 뺀 수에 곱하고 여기에 휴식 시 심박수를 더하는 것이다. 60세 남자가 안정 시 심박수 80회/분인 경우 70% 운동의 목표심박수를 구하는 계산법은 다음과 같다.

$$0.7(160-80)+80=0.7(80)+80=56+80=136회/분$$

제4절
신체활동장애의 간호수행

I. 근육긴장도 및 관절기능 유지를 위한 운동 중재

1. 능동적 운동

능동운동은 지시에 따라서 대상자가 수행하는 운동이다. 즉 유방수술을 받은 대상자에게 수술 받은 쪽의 팔에 머리 빗기를 수행하게 할 수 있다. 능동적 운동은 약화된 신체부분에서는 수행에 제한을 받는다.

능동운동은 근육을 수축하여 근육의 힘, 형태, 크기를 유지하게 하며, 관절의 가동성을 도모한다. 대상자가 스스로 할 수 있으면 불용성 위축이나 경축을 막기 위하여 능동운동을 하여야 한다.

보조적 능동운동은 대상자 자신이 움직일 수 있는 신체부분은 스스로 하도록 하고, 간호사는 정상범위까지 움직일 수 있도록 도와준다. 보조적 능동운동은 근육의 강도가 감소된 대상자에게 효과적이다.

2. 수동적 운동

수동운동은 대상자가 신체의 한 부분 혹은 그 이상을 움직일 수 없을 때 실시한다. 간호사는 혼수상태의 대상자, 척수손상이나 뇌졸중으로 마비된 대상자에게 대상자가 근육의 긴장도를 유지하고 관절을 유연하게 유지시키도록 수동적 운동을 실시한다. 수동운동은 관절의 강직과 경축을 막고 가동성을 유지해준다. 이 형태의 운동은 근육을 수축시키지 못하므로 근육의 위축이나 쇠약을 막지는 못하지만 마비된 사지운동에 유용하다.

3. 관절가동범위 운동

관절가동범위 운동(ROM Range-of-Motion Exercise)은 정상적으로 움직일 수 있는 최대한의 운동범위이다. 대상자 관절의 유연성을 사정하고 운동 전에 관절을 신전시키기 위해서도 실시하며 부동 대상자에게서는 관절의 운동성과 유동성을 유지하고 강직을 방지하기 위하여 실시한다. 목욕, 식사, 옷 입기 등 일상생활의 활동들이 관절가동범위 운동을 유지하는 데 도움이 된다.

능동적·수동적 관절범위운동은 기본간호학실습서 28장을 통해서 실습하게 된다.

II. 심폐기능 향상을 위한 운동

심폐기능을 향상시키는 운동은 성인이 일반적으로 심폐기능과 근력, 내구력을 유지하기 위해서 실시하며 개인에게 맞는 적정 운동능력을 검사하여 안전하게 운동할 수 있는 정도를 측정하면서 시작된다. 이에는 운동프로그램 처방을 받아서 수행할 수 있으며 운동프로그램 처방에는 개인의 적정 운동수준에 기반을 둔 활동에 대한 대사에너지 균형(METs: metabolic energy equivalents)과 개인의 목표심박수를 결정하는 것이 포함된다.

일반적인 심폐기능향상을 위한 단계를 설명하면 초기단계에서는 스트레칭, 유연체조 및 낮은 강도의 지구성 운동으로 이루어져야 하며, 이때의 운동 강도는 최대운동능력의 40~60% 수준이 적당하다. 노인이나 질환자는 40%선이나 그 이하에서도 시작할 수 있으며 그 후 점차로 늘려나간다. 운동시간은 처음에는 10~15분 실시하다가 2~3주가 지나면 45분으로 늘려나가며 4~6주 동안 지속해 나간다.

처음에는 운동 강도가 심하게 변하지 않는 운동종류를 선택해야 한다. 그다음 단계는 운동을 점진적으로 강도를 강화하여 수행하는데 이 단계는 12~20주 정도 실시하며, 운동 강도를 최대운동능력의 40~85% 수준에서 높이고, 운동시간 역시 2~3주 간격으로 점차 증가시켜 나간다. 심폐기능이 개인의 적정수준에 도달하면 그 다음 단계로 운동의 지루함을 방지하고, 흥미를 유지시키기 위한 노력으로 다양한 운동을 추가하게 된다.

심폐기능 향상을 위한 운동의 강도, 시간, 빈도는 표 17-5와 같다.

III. 신체적 조건에 따른 운동중재

1. 비만관리를 위한 운동중재

비만 관리를 위한 운동의 종류는 유산소 운동이면서 충격이 적은 운동이 권장된다. 걷기와 계단 오르기는 가장 쉽고 편리하게 할 수 있는 운동이며 관절손상이 별로 없다는 장점이 있다. 자전거 타기, 수영 등도 권장되는데 관절에 체중이 부하되지 않는 좋은 운동이다. 운동 강도는 저 강도로 오랜 기간 하는 것이 바람직하며 운동시간은 체지방의 감소를 위해서는 적어도 1회에 30~40분 정도 하도록 한다. 시간보다는 거리가 중요하며, 매일 3~4km가 걷기에 적당하다.

운동 빈도는 일반적으로 1주일에 3~5회지만 비만한 사람의 경우 매일 하는 것이 좋으며, 주당 최소한 900kcal 이상의 에너지를 소비할 수 있는 운동이 가장 효과적이라고 알려져 있다. 산보를 1분에 110보의 속도로 45분, 속보로는 1분에 140보의 속도로 30분, 조깅으로는 1분에 180보의 속도로 15분, 수영은 400m하는 것이 성인을 기준으로 약 200kcal가 소비되는 운동이다.

2. 골다공증 관리를 위한 운동중재

운동과 골밀도와의 관계는 중요하다. 운동은 뼈에 물리적인 스트레스를 가함으로써 물리적인 자극에 대한 반응으로 뼈는 좀 더 커지고 강해지며 운동은 뼈로의 혈액공급을 증가시켜 뼈를 구성하는 주요 영양소 공급을 원활히 해주고 새로운 뼈의 형성을 자극한다. 또한 운동은 다양한 호르몬조절에 영향을 미쳐 골재형성과정을 조절하고 이러한 효과 외에도 운동은 근육의 힘을 증가시키고 유연성과 평형감각을 증진시켜 넘어짐으로 인한 골절을 예방하는 효과도 있다.

골다공증을 예방하기 위해서는 체중부하운동이 필수적이며 근력강화운동도 도움이 된다. 특히 체중부하가 되지 않는 뼈의 밀도를 향상시키기 위해서는 근력강화운동이 더욱 필요하다.

운동은 예방적인 면과 치료적인 면으로 나누어 생각할 수 있는데 골 밀도가 낮은 경우에는 무리한 운동을 하면 오히려 골절의 가능성이 높기 때문에 주의해야한다. 그러므로 골다공증을 예방하는 운동과 골다공증으로 진단된 대상자에게 권하는 운동은 구별하여야 한다.

1) 골다공증을 예방하기 위한 운동관리

골다공증을 예방하기 위해서 권장할 만한 운동은 심폐지구성 운동과 저항성 운동을 병행하여 주당 5~6회, 30~60분 정도의 유산소성 운동이 되도록 하면서도 골에 충분한 힘이 가해지도록 하여야 한다. 운동 강도는 자신의 최대 운동능력의 50~60% 수준 또는 최대심박수의 60~70% 범위가 적절하다. 본인이 운동하면서 주관적으로 느낄 수 있는 강도는 "조금 힘들다" 정도가 적절하며 숨이 조금 가쁜 정도를 유지한다.

체중을 이용한 등장성 운동으로는 팔굽혀펴기, 몸통틀기, 윗

몸일으키기, 허리 들기, 스쿼트, 옆으로 누워 한 다리 또는 양 다리 들기, 앉아 뛰어오르기, 턱걸이, 철봉에서 팔굽혀 펴기, 계단 오르내리기, 누워 다리 들기, 상체 굽혀 들기 등이 있다.

등척성 운동은 양손 깍지 끼고 머리지탱하기, 손잡고 당기기, 손바닥으로 문틀밀기, 벽 밀기, 앉아서 발바닥으로 벽 밀기, 앉아 무릎 잡아당기기 등이 있고, 중량(웨이트) 운동은 양손 바벨 들기, 바벨 끌어올리기, 수평으로 당기기, 레그 프레스, 뒤꿈치 들기 등이 있다.

2) 골다공증으로 인한 골절위험대상자에 대한 운동관리

골다공증의 중요한 임상소견은 작은 외상에 의한 골절이다. 따라서 예방책은 일상생활에 초점을 맞추게 된다. 목적은 위험 요인을 최소화하고, 골절을 예방하고, 근골격계 상태를 증진시키는 것이다. 골량이 감소된 사람은 척추에 압박을 가하는 운동이나 무거운 것을 들어 올리는 것을 피해야 하는데 그 이유는 미세 골절이 일상생활에서 일어날 수 있기 때문이다. 몸통이 숙여질 때 요추 골은 실제 체중이상의 힘을 받게 된다. 따라서 척추를 구부리는 운동은 골다공증성 척추의 생물역학적인 능력을 초과할 수 있다. 따라서 굴곡운동은 약한 척추에 적합하지가 않다.

뼈가 심하게 약해져 있는 경우 심맥관 기능을 위해 수영이나 자전거 타기가 다른 운동보다 권장된다. 체중부하 운동이 골 밀도를 증진시키는데 수영보다 좀 더 효과적이지만 수영은 다른 운동 프로그램을 감당할 수 없는 대상자에게 관절범위나 조정기능 및 근기능 향상 등이 목표일 때 처방된다.

낙상예방에서 가장 중요한 요소는 근력의 유지다. 일반적으로 등 근력의 측정이 골다공증 대상자를 위한 운동을 처방하는데 필요하다. 등 강화 운동은 40세 이상의 대상자의 근력을 증진시키는데 효과적이다. 골다공증의 가장 뚜렷한 외형변화는 척추에 나타나기 때문에 등강화운동이 골감소로 인한 체형변화를 예방하는데 중요한 역할을 할 수 있다. 또한 환경적 요인이 낙상의 위험과 골절의 위험을 가져오는데 기여한다.

3) 골다공증이 확정된 대상자를 위한 운동 프로그램

골다공증이 확정된 대상자에서 만약 골감소의 중등도가 중력에 대항하는 운동을 방해한다면 수중운동을 시작할 수 있다. 다발성 척추골절, 심한 골다공증, 요통으로 인해 체중부하운동이 불가능하면 수영, 물속 걷기, 수중에어로빅, 자전거 타기를 시행한다. 이들 운동이 근력을 강화하고 균형감각을 높여서 낙상위험을 줄이고 관상 동맥질환을 낮춰주기 때문이다. 골다공증이 심한 대상자에게도 적절한 신전운동에 의한 근력증진이 가능하면 시도되어야 하며 요추전만을 감소시키기 위한 운동이 권장된다.

또한 복근의 약화가 골다공증으로 인한 통증을 심화시키므로 복부 근육의 등장성 강화 운동이 등 신전운동과 함께 병행되어야 한다.

3. 관절염 관리를 위한 간호중재

골관절염의 치료목표는 통증을 최소화하고, 대상자가 일상생활을 수행하는데 있어 장애를 최소화 하는 것에 입각해서 볼 때 질병의 상태와 경과에 따라서 운동량을 조절하며, 정확한 자세로 관절운동을 유지하며 통증을 줄이고 긴장을 피하는 운동이 중요하고, 매일 매일의 규칙적인 관절운동을 함으로써 피로, 관절의 뻣뻣함을 예방하고, 관절의 유연성, 관절주위 근육의 위축을 방지하며 체중을 조절하는데 이는 체중을 5kg 정도만 감량해도 관절염의 발생은 반으로 줄어들기 때문이다.

관절염 운동으로 추천되는 운동의 형태는 충격이 적고, 체중 부하를 적게 받는 운동이 바람직하다. 가정에서 할 수 있는 특히 걷기 운동, 수영, 수중운동, 고정식 자전거 운동 등이 관절부위에 충격이 적고, 안전한 운동이 된다. 운동 전후에는 스트레칭을 통하여 관절의 유연성은 늘여주도록 한다. 제한되는 운동의 형태는 달리기, 뛰기 등과 같이 충격이 큰 운동은 되도록이면 제한하며, 테니스, 축구 등과 같이 갑자기 많은 변화를 요구하는 운동도 금지한다.

4. 요통관리를 위한 간호중재

요통대상자는 신체적 상태에 맞추는 맞춤운동이 필요하다. 중심이동을 뒷받침할 허리의 근력이 약한 사람이 골프를 하거나 체중을 받치는 다리근력이 약한 사람이 에어로빅 체조를 하면 금방 요통과 같은 척추관절 통증을 호소하게 된다. 일반적으로 수영은 다리와 허리에 체중이 실리지 않아 요통에 좋은 운동으로 알려져 있다. 그러나 요통대상자의 수영법에 따라 치료에 도움이 될 수 있고 반대로 해를 끼칠 수도 있으므로 원인과 형태에 따라 각기 다른 수영법을 선택해야 한다.

등산을 한다면 낮은 산을 오르는 것이 효과적이다. 등산을 하게 되면 노화기에 접어들면서 약해지기 쉬운 뼈를 튼튼하게 하여 골다공증을 예방할 수 있으며 특별한 장비와 기술이 필요 없으며 연령에 상관없이 누구나 쉽게 할 수 있는 운동이다. 그러나 요통을 완화시킬 목적으로 등산을 할 땐 요령이 필요한 데 1주일에 2-4회 가량 하는 것이 좋으며, 쉬지 않고 한 번에 20분 이상 1-2시간가량 낮은 산을 오르는 것이 효과적이다. 또한 바르게 걷는 것을 습관화 하여야 하는데 인간의 척주는 완만한 S자 굴곡을 이루고 있는데 걸음걸이가 잘못되면 골반에 영향을 미쳐 요통을 유발할 수 있기 때문이다.

걸을 때, 발의 각도는 15~20도 정도 바깥쪽으로 벌어지게 걷는 게 좋다. 보조기를 착용할 때 보조기 착용을 오래 하지 않는다. 이는 허리를 곧게 펴주고 받쳐주어서 일시적으로 통증을 덜어 주지만 장기적으로 허리와 배의 근육을 약화시켜 허리건강에 악영향을 줄 수 있기 때문이다. 잠잘 때는 지나치게 딱딱한 침대도 좋지 않은데, 급성기 때는 푹신한 침대보다는 딱딱한 침대가 좋으나 딱딱한 것도 정도의 문제이기 때문이다. 즉, 특정 부위가 과도하게 눌리면서 허리 주변의 근육까지 수축시킬 수 있으며 적당한 쿠션이 있어야 보온효과는 물론 바닥에 닿는 신체부위가 넓어져 압력을 고루 분산 시킬 수 있기 때문이다.

제5절
신체활동장애의 간호평가

간호사는 간호계획에서 수립되었던 목표와 기대했던 결과에 대상자가 도달한 정도를 평가해야 한다. 간호진단에 따라 각각의 간호평가는 다르겠지만 운동과 활동의 요구에 대한 간호문제로 내려진 간호진단에서는 최대한의 신체 가동성을 대상자가 유지했고 손상과 부동으로 인한 위험에서 대상자가 벗어났다면 일반적으로 간호목표는 긍정적으로 달성된 것이다.

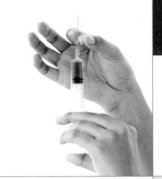

신체역학

제1절
신체역학의 기본적 지식

신체역학(body mechanics)은 균형과 자세를 유지하기 위해서 신경계와 근골격계를 조정하는 통합적 노력으로 들어 올리거나, 구부리거나, 움직이는 동안의 신체 선열을 유지하고 일상생활 동작을 수행하는 것을 말한다. 신체역학의 올바른 사용은 간호사가 대상자의 움직임을 돕거나 이동시킬 때, 근골격계의 부상위험을 줄이고 근육 긴장을 감소시킨다.

1. 신체역학의 구성 개념

1) 신체 선열

신체선열은 서 있거나, 앉거나, 누운 자세에서의 관절과 근육, 건, 인대의 위치와 연관되어 있으며 신체의 한 부위와 다른 부위와의 적절한 관계를 나타내는 기하학적 배열을 뜻한다. 올바른 신체선열은 좋은 자세를 의미하며 근 골격 구조에 긴장을 감소시키고, 적당한 근육강도를 유지하며, 균형을 이룰 수 있게 한다.

2) 신체 균형

신체선열이 올바른 신체는 균형을 유지한다. 신체 균형은 중력중심이 기저면과 가깝고 기저면이 넓고 안정된 상태로 중력중심을 지나는 수직선이 기저면을 통과할 때 균형이 유지된다. 신체가 균형을 잡지 못 하면 손상을 받거나 넘어질 위험이 있다. 신체균형은 기저 면이 넓을 때 가능하다. 중심점은 기저면 내에 있어야 한다. 중심점은 물체의 무게중심이며, 서있는 자세에서의 중심점은 배꼽과 치골결합 사이의 중간지점에 있는 고관절 중심에 위치한다. 중력선은 중심점을 통과해 그어진 가상의 수직선으로 서있는 자세에서의 머리에서부터 발까지의 몸의 중앙을 통과하는 직선이며, 기저면은 물체의 바탕을 이루고 있는 영역을 의미한다. 서있는 자세에서는 발이 차지하고 있는 영역이 기저면이 된다(그림 19-1).

좋은 자세란 대상자와 간호사 모두에게 중요하며 체력과 근골격계를 효율적으로 사용하도록 한다. 서있거나 앉아 있거나 누워있던가 간에 좋은 자세는 중력선이 넓은 기저면 내에 있으며 중심선을 통과하도록 하는 것이다. 신체균형은 무게중심을 낮추면 더 잘 유지되어진다. 균형은 자세를 유지하거나 다른 자세로

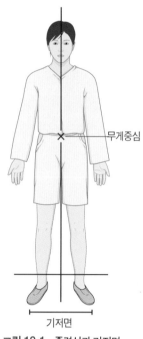

그림 19-1   중력선과 기저면

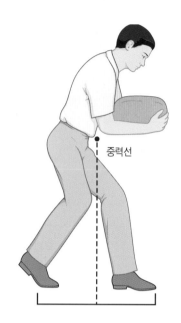

그림 19-2   중력선과 기저면이 균형을 이룬 물건이동

 표 19-1 신체역학의 원리

▶기저면이 넓으면 신체는 더 안전하다.

▶중력의 중심이 낮을수록 안정감은 더욱 커진다.

▶중심선이 물체의 기저면을 통과하면 물체의 균형상태는 유지된다.

▶강한 큰 근육군 사용이 더욱 안전하게 더 많은 일을 할 수 있다.

▶기저면이 움직이는 방향으로 향하는 것은 척추가 비정상적으로 비틀거리는 것을 예방한다.

▶허리선은 곧게 하고, 힘을 팔과 다리로 분배한 균형있는 활동은 등의 긴장을 감소시킨다.

▶지렛대를 사용하거나 물체를 굴리고 돌리고 추축으로 회전시켜 움직이는 것은 물체를 들어올리는 것 보다 노력이 적게 든다.

▶움직이려는 물체와 물체가 지나가는 표면과의 마찰력이 적으면 적을수록 물체를 움직이는 데 필요한 힘은 적어진다.

▶일을 하는 데 힘이 적게 들수록 손상의 위험은 감소된다.

▶좋은 신체 선열을 유지하면 근육군의 피로는 감소된다.

▶휴식과 활동기간이 번갈아 있는 것은 피로를 감소시키는 데 도움이 된다.

▶두 물체 간에 중력중심이 가깝고 평행하게 유지하여 이동함이 안전하다.

이동하기 위해 필요로 된다. 나쁜 자세로 일을 하게 되면 근 경련이 유발될 수 있고, 신체가 다치기 쉽다.

2. 신체 역학의 원리

신체역학은 서 있고, 당기고, 움직이는 것과 같은 활동을 수행하기 위해 선열, 자세, 균형을 유지하기 위한 조정된 노력이다. 올바른 신체역학을 사용하면 근육을 사용할 때 효율성이 증대되고 피로가 감소되며 근 골격 계 외상을 방지할 수 있다.

무게의 물리적 힘과 마찰은 신체운동에 영향을 줄 수 있다. 신체역학을 올바르게 사용하면 간호사 업무의 효율성이 증가된다. 부적절한 사용은 간호사가 대상자의 자세를 변화시키거나 이동, 들어올리는 데에 장애를 가져올 수 있다. 간호사는 기동성과 신체선열에 영향을 주는 생리적이고 병리적인 지식을 알아야 한다.

신체역학의 원리는 다양한 간호현장에서 대상자 간호에 유용

표 19-2 발달단계에 따른 신체선열

	발달단계에 따른 신체선열
영아기	신생아의 움직임은 다양하고 반사적이다. 신생아의 척추는 굴곡 되어 있고, 전후곡선이 없는 상태이다. 성장과 더불어 안정성이 증가되고 발달이 계속되면서 흉추는 똑바로 펴지고 요추만곡이 나타나 앉고 설 수 있게 된다. 평형감각의 변화와 중력 중심선의 이동이 걷기 반응을 유발한다. 성숙해짐에 따라, 영아는 조정을 배우게 되고, 걷기를 배울 때 같은 반사를 사용하게 된다. 첫 번째 척추만곡은 영아가 복위에서 목을 신전시킬 때 생긴다. 성장과 안정성이 증가함에 따라 흉추가 곧게 되고, 요추만곡이 앉거나 서 있을 때 나타난다. 영아의 근 골격 계는 유연하나 사지는 굴곡 되어 있고, 관절은 완전한 가동범위를 가지고 있다. 영아기 자세는 머리와 상체가 앞으로 전진 하므로 어색하며 체중이 중력 선을 따라 동등하게 분포되지 않아서 자세는 균형이 없고 자주 넘어지기 쉽다.
유아기	유아의 자세는 복부가 돌출되고 척추전망증이 약간 있다. 아이가 걸을 때 두 다리와 두 발은 서로 떨어져 있고 발은 약간 외전 된다. 유아기 말에 어정쩡한 자세는 보이지 않고, 경추와 요추의 곡선이 강조되고 발의 외전이 없어진다.
학령전기와 학령기	학령전기는 성장과 발달이 빠르게 계속적으로 일어난다. 복부돌출은 감소되고 두 발은 가까이 있고 팔과 다리는 길이가 길어진다. 근 골격계는 계속 발달하고 팔과 다리의 장골은 성장한다. 근육, 인대, 건은 강해져서 자세가 향상되며 근육강도가 증가한다. 아동기에는 신체 조정을 잘 함으로써 정교한 동작기술을 요하는 과업을 수행할 수 있다.
청소년기	청소년기는 보통 성장이 급격하게 시작된다. 성장은 흔히 균형적이지 않아서 청소년기는 신체조정이 잘 안 되는 것으로 보일 수 있다. 청소년기 소녀는 보통 남자아이보다 빨리 성장하고 발달한다. 골반이 커지고 지방이 상지, 대퇴, 둔부에 발달한다. 남자아이의 체형 변화는 장골의 성장과 근육의 증가 결과이다. 다리는 길어지고 골반은 좁아지며, 근육발달은 가슴, 팔, 어깨, 대퇴에서 많이 이루어 진다.
성인	건강한 성인은 올바른 자세와 신체선열을 가지며, 필요한 근 골격계가 발달되어 있어 일상생활 동작을 잘 수행한다. 여성의 경우 임신·출산과 관련하여 많은 변화가 있는 시기로, 요추전만(lordosis)이 심해져 무게중심이 앞쪽으로 이동한다. 이러한 자세와 신체선열의 변화로 인해 종종 요통을 호소하기도 한다. 중년기(40세~60세)에는, 근 긴장도(tone)와 골 밀도와 질량이 감소되며 관절은 탄력성과 유연성이 감소된다.
노인	노인은 전체의 골의 크기가 점차적으로 감소함으로 뼈가 약해진다. 골격근의 크기와 힘도 감소하고 뼈는 약해져서 골다공증이 발생해 부서지기 쉽다. 척추는 부드러워지며 압박을 받게 된다. 따라서 균형과 보행에 영향을 주어 노인은 천천히 걷고 조정이 잘 안 되는 것처럼 보인다. 노인은 보폭이 짧고, 두 발의 거리를 좁혀서 기저 면이 감소한다. 신체균형은 불안정하고 낙상이나 손상의 위험이 크다.

하다. 신체역학의 원리에 대해 표 19-1에 설명하였으며, 신체역학의 기본적인 원리는 다음과 같다.

1) 신체동작의 조절

무게는 중력에 대해 신체에 미치는 힘이다. 물체를 들어올릴 때, 들어올리는 사람은 물체의 무게와 중력의 중심을 알아야 한다. 대칭적인 물체 안에서 중력의 중심은 물체의 중심에 정확히 위치한다. 마찰은 움직이는 방향의 반대방향에서 발생하는 힘이다. 간호사는 침상에서 대상자를 옮기거나, 이동시키거나, 자세를 변경할 때 마찰을 유의해야 한다. 대상자 이동의 기본적인 원칙을 준수하여 마찰을 감소시킬 수 있다. 또한 대상물의 표면부위가 많이 이동할수록 마찰이 커진다. 대상자가 침상에서 움직이는 것을 도와 줄 수 없다면 대상자의 팔은 흉부에 교차하여 둔

다. 이러한 표면부위의 감소는 마찰을 줄인다.

수동적이거나 부동 대상자는 움직일 때 커다란 마찰을 발생시킨다. 그러므로 가능하다면 간호사는 침상에서 대상자를 움직이거나, 이동시키거나, 위로 올리거나 할 때에 대상자의 기동성과 힘을 이용하여야 한다. 대상자 이동시 대상자를 참여시킴으로써 동시성 운동이 일어나면 마찰은 감소된다.

대상자를 미는 것보다 들어올림으로 마찰을 감소시킬 수 있다. 들어올리는 것은 위로 향하는 것으로 대상자와 침상이나 의자 사이의 압력이 감소된다. 침요를 당기는 것은 대상자를 보다 더 쉽게 침대 표면을 따라 움직일 수 있기 때문에 마찰을 줄일 수 있다.

제2절
대상자 신체선열 장애 사정

신체 자세의 사정은 대상자가 서거나, 앉거나, 눕게 하여 수행한다. 사정의 목적은, 성장과 발달로 인한 신체선열의 정상 생리적 변화를 확인하는 것과 부적절한 자세로 인한 신체선열의 변화를 발견하는 것이며 결과적으로 대상자에게 자신의 자세를 관찰할 기회를 제공한다.

1. 선 자세

선 자세는 신체선열의 기본적인 자세이다. 간호사는 서 있는 대상자의 신체선열을 사정하기 위해 머리는 똑바로 하고 중심선에 있는지 뒷면에서 관찰할 때 어깨와 엉덩이는 직선이고 평형을 이루고 있는지, 뒷면에서 관찰할 때 척추는 똑바른지, 대상자를 측면에서 볼 때 머리는 똑바르고 척추 선은 역 S자형의 선인지를 사정한다. 정상적으로 경추는 앞쪽으로 볼록 나온 형태이고, 흉추는 후방으로 볼록 나온 형태이며, 요추는 전방으로 나온 형태이다.

올바른 선 자세는 양팔은 옆에 붙이고 넓은 기저면 확보를 위해 양발을 벌린 자세에서 균등하게 체중을 배분하며, 관절에 무리를 주지 않기 위해 약간 무릎을 구부린 상태를 유지한다. 둔부 양쪽은 같은 수준이며 엉덩이는 들여보내고 가슴은 약간 앞으로 하면서 올라간 상태를 유지하고 허리는 곧게 펴는데 이는 복부장기를 지지하고 등과 복부근육에 긴장을 감소시키고 좋은 척추선열을 유지하도록 하는 자세이다. 머리는 똑바로 하며 얼굴은 정면을 보고 턱은 약간 주름이 잡히도록 하는 것이 좋은 선 자세가 된다.

2. 앉은 자세

간호사는 대상자의 앉는 자세에서 대상자의 목과 척추는 곧은 선열인지를 사정하고, 체중은 둔부와 대퇴에 동등하게 분포되는지, 대퇴는 수평면과 평행선을 이루고 있는지 양측 발은 바닥 위에 지지하고 있는지를 사정한다.

앉은 자세에서 둔부와 대퇴의 상부가 기저 면이 된다. 두발은 바닥에 닿아야 하고 무릎은 구부리고 말초순환에 방해를 받지 않도록 하기 위해 슬와는 의자 모서리와 떨어져 있도록 하는 자세이다. 전완은 의자의 팔 받침대나 무릎, 또는 의자 앞 탁자 위에 놓는다.

3. 누운 자세

의식 있는 사람은 수의적인 근육조절을 하며 정상적으로 압력을 지각한다. 결과적으로 누워 있을 때가 편안한 자세로 여긴다. 의식있는 사람은 동작의 가동범위, 감각, 순환이 정상적임으로 순환 감소와 근육 염좌를 인지했을 때 자세를 변경한다.

올바르게 누운 자세는 대상자가 서있는 자세와 같다. 척추는 눈에 띄게 굽은 곳이 없고 곧은 선열을 이루어야 한다. 머리와 목은 어깨 사이의 중앙에 위치하도록 하며, 어깨는 자연스럽게 좌우 평형을 유지하고, 팔과 둔부와 무릎은 약간 굴곡 되어 있으며 다리는 적절한 각도로 발과 같이 서로 평행하게 유지하는 것이다.

4. 발달단계에 따른 신체선열

대상자의 연령 그리고 근골격계와 신경계의 발달상태는 신체 비율, 신체 움직임과 자세에 영향을 미친다. 이에 대한 발달단계별 설명은 표 19-1과 같다.

제3절
신체역학을 이용한 간호수행

적절한 신체선열을 유지하기 위해 간호사는 대상자를 올바르게 들어올리고, 적절한 자세 유지 기술을 사용하며, 침대에서 의자, 침대에서 운반차로 대상자를 안전하게 이동한다. 이 장에서 서술한 정보는 신체선열의 유지와 회복에 필요한 신체역학의 원리를 사용해야 한다.

1. 대상자 이동 시

대상자를 이동할 때 간호사는 팔과 다리의 가장 길고 강한 근육을 사용하고 체중을 지렛대로 사용하며 복부 근육을 수축시키고 횡격막을 길게 한다. 이는 큰 근육을 사용하면 일을 수행할 때 강한 힘을 제공하기 때문이며 체중을 지렛대로 활용하면 불필요한 근육긴장을 감소시키고, 복부근육을 수축시키면 복벽의 긴장과 손상을 예방할 수 있기 때문이다. 간호사는 일을 하는 동안에 대상자의 몸에 간호사의 몸을 밀착시키며 간호사 자신의 몸의 중력 선을 기저면 내에 유지하여 근육이 꼬이거나 잡아 늘여지는 것을 피하여 근육의 긴장을 줄여야 하며, 사이 사이 휴식시간을 마련하여 근육피로와 손상을 방지하여야 한다.

2. 대상자를 들어올릴 때

대상자 이동시 간호사가 다칠 수 있는 대부분의 허리손상은 요추와 주위 근육을 포함한 요추 근육 근의 긴장이다. 간호사는 부동 대상자를 들어 올리거나 옮기거나, 자세를 유지시킬 때 요추근육의 손상 위험이 있으므로 들어올리기 전에 간호사는 대상자나 물체를 들어 올리는 능력을 사정해야 하는데, 이를 위해 간호사는 간호사와 대상자의 안전과 안전하게 수행하기 위한 최대한 무게를 알고 있어야 한다. 물체의 무게가 간호사 자신의 몸무게의 35%나 그 이상일 경우에는 들어올리기에는 무거운 것이다. 물건을 들어 올릴 때는 발을 벌리고 무게 중심을 낮추며 지지면을 넓게 형성하여 안정성을 유지시킨다. 균형을 유지하기 위해 물체를 몸 가까이 밀착시키고, 척추가 물체의 무게를 감당할 준비를 하도록 무릎을 구부리고 물건을 들어 올릴 때는 허리를 구부리는 것보다 등을 곧게 유지하여 근육을 효율적으로 사용하고 중심점에 가깝게 물체의 무게 중심을 유지한다. 물체는 가능한 한 들어 올리는 것 보다 밀거나 당기거나 굴리는데 이는 들어 올리는 것이 보다 더 많은 노력이 필요하기 때문이다.

신체 역학을 이용한 대상자의 이동은 기본간호학 실습서 29장에서 실습하게 된다.

제4절
신체역학을 이용한 대상자의 이동

1. 대상자의 이동

대상자를 움직여 옮기거나 움직여 자리나 자세를 바꾸는 것을 이동이라 하는데, 특히 움직이지 못하는 대상자를 간호할 경우 자세변경이나 침상 내 이동, 침상에서 휠체어 등으로 옮길 때가 있다. 건강한 대상자는 자세를 변경하거나 이동하는데 어려움이 없지만, 아픈 대상자는 침대에서 움직이는 것에도 제한이 있을 수 있다. 이때 신체역학을 적절하게 사용하는 것은 대상자를 움직이거나 들어올리고 이동할 때 대상자와 간호사의 근골격계 부상을 예방할 수 있다.

1) 이동절차에 대한 일반적 지침
- 대상자의 능력과 한계를 사정한다.
- 이동전에 대상자와 간호사의 안전을 확신할 수 있는 이동경로를 검토한다.
- 이동절차에 대해 설명하고 대상자가 해야 할 일을 자세히 설명한다.

- 대상자에게 능력이 허락되는 만큼만 수행하도록 한다.
- 대상자의 낙상을 방지하기 위해 간호사가 서 있는 반대쪽 침상난간을 올린다.
- 이동할 때 안전하고 편안한 높이로 침상 높이를 조절한다.
- 이동 후 대상자가 적절한 신체 선열을 유지하고 안전상태를 유지하도록 한다.

2) 신체역학을 이용한 대상자 들어올리기
- 간호사는 대상자를 움직이기 위하여 최대한 침상 한 쪽에 가까이 선다: 들어 올리는 사람과 무거운 대상자를 같은 평면에 위치하게 하고 무게중심이 가까워지면 균형을 유지하게 된다.
- 대상자는 무릎을 구부리도록 한다: 무게중심을 유지하고 하지의 무게를 경감할 수 있다.
- 간호사는 상복근에 힘을 주고 골반은 당겨서 올린다: 끌어올리는 것보다 당기는 것이 힘이 덜 드며, 균형을 유지하고 등을 보호할 수 있다.
- 몸통을 바로 세우고 무릎을 굽히는 자세를 유지하여 여러 근육군이 같은 방식으로 함께 작동하게 한다.
- 비틀지 않는다: 비트는 동작은 척추에 과도한 부담을 줄 수 있고 심한 부상을 발생시킬 수 있다.

2. 보행 및 보행보조

보행은 이동의 가장 일반적인 형태로 정상보행은 균형과 평형, 자세의 조화에 의해 이루어진다. 정상 보행자세는 머리와 척추는 똑바르게 선열을 이루고, 엉덩이와 무릎은 약간 굴곡하고, 팔과 다리는 자연스럽게 교대로 전후로 흔드는 자세이다. 질환이나 외상으로 장기간 침상안정에서 회복하는 대상자는 활동지속성이 줄어들기 때문에 보행시 보조가 필요하며, 보행보조의 유의사항으로는 대상자의 옷이 보행에 적절한지 확인하고 미끄럽지 않은 신발을 신기고 보행 전 바닥의 물건, 물기 등 위험요소를 제거해야 한다. 보행을 위해 간호사는 대상자의 약한 쪽에서 보행을 도우며 대상자가 적절한 신체역학을 유지하며 걷도록 도와준다. 또한 대상자의 보행을 보조할 때는 사전에 대상자의 전반적인 상태를 사정하고 필요한 기구(예: 목발, 보행기 등)를 사용할 수 있다.

3. 보행보조기구의 종류

1) 보행기
네 개의 다리 또는 바퀴가 달려있는 보행기(walker)는 보행을 보조할 목적으로 사용되며, 걷기훈련이나 걷는 데 지탱할 수 있도록 도움을 준다. 어떤 형태의 보행기든 높이는 사용자가 잡고 섰을 때 팔꿈치 각도가 25°~30° 정도가 되게 한다. 보행기를 들어 전방으로 25cm~30cm 이동한 후 강한 다리를 전진시키고 나서 약한 다리를 전진시켜 보행하도록 한다.

2) 지팡이

지팡이(cane)은 걸을 때 몸을 지탱하기 위해 사용하는 막대기로 나무나 금속으로 가볍게 만들어 쉽게 움직일 수 있다. 적당한 지팡이의 길이는 대상자의 대전자 높이와 같다.

3) 목발

목발(crutch)는 다리가 불편한 사람이 겨드랑이에 끼고 걷는 지팡이로 목재로 된 것과 금속으로 된 것이 있으며, 흔히 사용하는 액와지지 목발과 액와 지지가 없는 전박지지 목발이 있다. 목발의 중앙에는 체중을 지탱하기 위한 손잡이가 있으며, 목발은 적절한 길이 측정, 안전한 사용법 등을 가르치는 것이 매우 중요하다.

목발의 길이는 누운 채로 잴 때는 액와로부터 손가락 3~4횡지 아래에서 뒷꿈치의 외측 15cm까지의 거리이며, 서있을 때는 액와로부터 손가락 3~4횡지 아래에서 발끝 15cm 전방으로 15cm 외방까지의 거리이다. 쥐는 위치는 팔꿈치 관절을 30° 굴곡했을 때의 높이이다. 너무 길면 어깨가 뜨고, 짧으면 앞으로 쏠리게 된다. 목발을 사용한 기립연습, 균형을 취하는 방법을 연습하고 나서 걸음을 개시한다. 4점 보행, 2점보행, 3점보행, 끌기보행, 작은보행, 큰 보행 등이 있다.

CHAPTER 19

상처간호

학습목표

1 상처유형을 설명한다.
2 상처치유에 영향을 미치는 요인을 설명한다.
3 상처상태를 사정한다.
4 상처와 관련된 간호진단을 기술한다.
5 상처와 관련된 간호진단에 따라 간호를 계획한다.
6 상처에 온·냉요법을 적용한다.
7 상처치유를 위한 지지적 방법(붕대, 바인더 등)을 적용한다.
8 상처상태에 적절한 방법으로 상처를 세척한다.
9 상처에 따라 적절한 드레싱을 적용한다.
10 수술상처부위의 배액관을 관리한다.
11 상처간호 후 결과를 평가한다.

제1절
상처간호를 위한 간호사정

I. 간호사정을 위한 기본지식

1. 피부의 해부학적 구조

피부는 표피(epidermis), 진피(dermis), 및 피하조직(subcutaneous tissue)의 3층으로 구성 되며 성인의 피부는 체중의 16%를 차지하고 피부 총면적은 남자 1.6m², 여자 1.4m²이다.

피부는 주위환경으로부터 신체를 보호하고, 온도 조절을 하며, 비타민 D합성, 알레르기 및 면역학적 기능을 가지고 있다.

1) 표피

표피는 각질(keratin)이라는 일종의 단백질을 생산하는 각질형성세포(keratinocyte)의 순서적 배열로 이루어지며, 각질층(keratin cell layer, stratum corneum), 투명층(stratum lucidum), 과립층(granular cell layer, stratum graulosum), 유극층(prickle cell layer, stratum spinosum), 기저층(basal cell layer, stratum germinativum)의 5층으로 구분된다. 기저층에는 melanocyte라는 색소형성세포가 있으며, 유극층에는 Langerhans cell이 있어 면역작용의 매개 역할을 한다. 또한 피부 부속기인 모발(hair), 피지선(sebaceous gland), 한선(sweet gland) 등을 포함하고, 림프관과 신경을 가지고 있으나, 혈관이 없는 대신에 진피층에서 영양공급을 받는다.

2) 진피

피부의 안층인 진피는 기계적 지지를 제공하고, 근육, 뼈, 기관을 보호한다. 진피는 주로 아교질(collagen)이라는 단백질로 구성되며, 유두층(papillary layer)과 망상층(reticular layer)의 2층으로 나뉜다.

태생기에 섬유모세포(fibroblast)는 망상섬유(reticular fiber), 탄력섬유(elastic fiber) 및 아교질을 합성한다. 진피층 내에는 영양공급을 담당하는 혈관, 림프관, 신경 등이 있으며, 에크린땀샘 (eccrine sweat gland), 아포크린샘(apocrine gland), 피지선도 진피 내에 있다. 진피 내에 혈관은 주로 상호 교통되는 2개의 혈관총(vascular plexus)으로 구성된다.

진피에는 신경이 풍부하다. 촉각(touch)과 압각(pressure sense)은 유두진피에 위치한 마이스너 소체(Meissner's corpuscle)와 망상진피에 위치한 파치니 소체(Pacini's corpuscle)에 의해 조정된다. 온도감각(temperature sensation), 통각(pain sense) 및 소양감(itchy sense)은 유두진피와 모낭 주위의 무수신경섬유 (unmyelinated nerve fiber)에 의해 전달된다.

3) 피하지방층

피하지방층은 지방세포(lipocyte, fat cell)의 소엽(lobule)으로 구성되어 있다.

2. 욕창의 병태 생리적 변화

1) 임상증상

욕창 형성 시 발생하는 조직의 병태 생리적) 변화는 예측 가능한 일련의 사건들이다. 임상증상은 압박을 가해도 하얗게 되지 않는 홍반(non-blanchable erythema)에서 반상출혈(ecchymosis), 괴사상태까지 다양할 수 있다.

모세혈관의 혈류가 외압에 의해 폐쇄되면 조직을 허혈상태(저산소증)로 만든다, 만일 이 때 압력이 잠깐이라도 제거된다면 혈류는 회복되고 피부에도 혈액이 충혈 된다. 이러한 현상을 '반응충혈(reactive hyperemia)'이라고 하며 이는 압력에 의해 폐쇄되었던 혈관이 허혈 상태를 극복하기 위해 이완되면서 나타나는 보상적 기전을 말한다. 반동성 충혈은 일시적인 것이며 손가락으로 눌렀을 때 하얀 부분(blanches)이 되는 홍반(blanching erythema)으로 설명할 수도 있다. 이 홍반은 압력이 가해졌던 부분에서 손가락을 떼면 하얗게 변했던 부분의 색이 다시 붉게 돌아온다. 정상적인 감각을 가진 대상자라면 이 부분에 통증이 느껴질 것이다. 이와 같은 홍반은 조직이 압력을 받는다는 증거이며 만일 압력이 감소되거나 없어진다면 조직손실 없이 회복될 것이다.

그러나 충혈 상태가 지속된다면 하부조직이 손상될 수 있다. 압력을 가해도 하얗게 되지 않는 홍반은 모세혈관 폐쇄로 혈류장애가 왔다는 심각한 증상이며, 하위조직의 파괴가 임박했거나 이미 발생했다는 것을 시사하는 증상이다. 이는 혈관이 손상되어

혈액이 조직 내로 유출되었다는 것을 의미한다. 피부의 색깔은 선홍색이거나 검 붉은색 혹은 자줏빛을 띨 수도 있다. 이와 같이 지나친 압력에 의해 나타난 홍반을 혈종이나 반상출혈(멍)과 혼동하지 않도록 해야 한다. 하부조직 손상이 있다면 홍반이 나타난 부위를 촉지 하였을 때 경결되었거나 축축한 것을 느낄 수도 있다. 조직허혈로 인해 압박을 가해도 하얗게 되지 않는 홍반은 대부분 비가역적인 상태이다.

2) 세포성 반응

압력이 모세혈관을 압박하면 일련의 사건이 발생한다. 주위조직은 산소와 영양소가 결핍되고 대사산물들이 조직에 축적되기 시작한다. 손상 받은 모세혈관은 투과성이 커져 체액이 간질 공간으로 새나가게 되어 부종을 유발한다. 부종상태의 조직을 통한 관류가 느려짐에 따라 조직의 저 산소상태가 더욱 악화된다. 이어서 세포가 죽게 되고 대사산물들이 주위조직으로 유출되면서 조직의 염증반응이 악화되며 더 많은 세포사가 연이어 발생한다.

3) 근육성 반응

근육 손상은 욕창발생시 함께 발생할 수도 있으며 피부 층 손상보다 더 심각할 수도 있다. 실제로 압력은 근육이나 근막과 같은 연조직과 뼈가 돌출된 부분 사이의 접점에서 가장 높다. 이와 같이 역삼각형 모양의 압력 경사가 나타남에 따라 깊은 욕창은 피부 표면이 아니라 뼈와 연조직의 공간에서 형성되기 시작하여 피부로 확장되게 된다. 이런 이유로 욕창에서의 피부병변은 빙산의 일각이라고 할 수 있다(그림 19-1).

근육은 피부보다도 허혈상태에 훨씬 민감하기 때문에 피부손상보다 더 광범위하게 나타난다. 혈관계의 구조를 이해하면 근육 손상의 원리를 이해할 수 있다. 혈액순환은 크게 분절계(segmental system), 천공계(perforator system), 피부계(cutaenous system)의 세부분으로 나눌 수 있다. 분절계는 대동맥으로부터

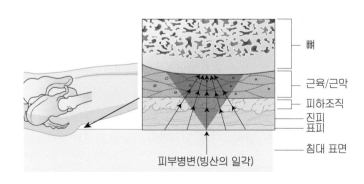

그림 19-1 피부와 근육층의 조직손상 정도

표 19-1 피부 관련 용어 및 그림

수술 전 용어	설명	그림
반점(macule)	피부색깔 변화가 원모양으로 편평하며 직경이 1cm 이하임 예: flat moles, rubella, rubeola	
구진(papule)	직경 1cm 이하로 표면이 딱딱하게 부풀어 오름 예: warts, drug-related eruption	
플라크(plaque)	직경 1cm 이상이며, 윗 부분이 편평하고 딱딱함 예: psoriasis, seborrheic, actinic kertose	
결절(nodule)	직경 1cm 이하로 조직까지 깊이 침범한 것으로 딱딱하고 부어오른 병변 예: erythema nodosum, lipoma	
수포(vesicle)	직경 1cm 이하로 액이 가득 차 부풀어 오른 물집 예: blister, varicella	
농포(pustule)	직경 1cm 이상으로 농이 포함되어 있는 수포(vesicle) 예: impetigo, acan, variola	

표 19-1 피부 관련 용어 및 그림 (계속)

피부 관련 용어	설명	그림
두드러기(wheal)	피부부종으로 인해 빠르게 진행되는 위가 평평한 구진(papule) 예: urticaria, insect bites	
인설(scale)	표피에서 각질이 떨어지면서 쌓인 것 예: psoriasis, exfoliative dermatitis	
딱지(crust)	체액, 혈액, 농의 삼출액이 말라서 형성된 딱지 예: scab on abrasion, eczema	
미란(erosion)	표피의 표면이 벗겨져 있는 병변	
궤양(ulcer)	진피 또는 그 이하까지 생긴 깊은 병변	
위축(atrophy)	진피의 소모로 인해 한선과 모발의 소실과 함께 피부가 얇아지는 것	
열창(fissure)	진피나 그 이하까지 피부의 선형의 균열 예: Athlet's foot, cheilois	

표 19-1 피부 관련 용어 및 그림 (계속)

피부 관련 용어	설명
반(patch)	직경이 1cm 이상인 반점을 말함 예: port-wine mark
종양(tumor)	직경 1cm 이상으로 조직까지 광범위하게 침범한 딱딱한 병변 예: neoplasm
물집(bulla)	직경 1cm 이상으로 표면에 액이 가득 차 부풀어 오른 물집
농양(abscess)	직경 1cm 이상으로 농을 포함하고 있는 결절(nodule)
박피(denudation)	피부의 상부 층의 소실
홍반(erythema)	전신적인 발적
긁은상처(excoriation)	피부표면에 선모양의 찰과(scratch)가 생김 예: abrasion, scratch
태선화(lichenification)	정상 피부층의 강화로 피부가 두꺼워짐 예: chronic dermatitis
과다색소침착(hyperpigmentation)	색소의 과잉 생산으로 인해 피부색이 검어짐
색소침착저하(hypopigmentation)	정상적인 색소의 소실로 인해 피부색이 엷어짐
육아조직(granulation tissue)	모세혈관망, 아교질, 그 외의 결합물질 등으로 이루어진 증식 조직
가피(eschar)	두꺼운 가죽 같은 괴사조직(thick, leathery, necrotic tissue)
딱지(slough)	물렁한 섬유질의 죽은 조직(loose, stringy, nonviable tissue)
통로(sinus tract)	상처로부터 어느 방향이든지 퍼질 수 있는 통로로서 농양 형성의 잠재적 위험을 가지고 있는 사강(dead space)을 만든다.
잠식성(undermining)	상처의 가장자리를 쭉 따라서 건강한 피부 밑의 조직을 파괴함

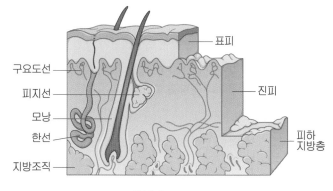

표피
구요도선
피지선
진피
모낭
한선
피하
지방층
지방조직

그림 19-2 피부의 구조

나오는 주요한 동맥으로 구성되어 있고 천공계는 근육에 혈액을 공급할 뿐 아니라, 피부와도 혈액을 교환하고 있다. 마지막으로 피부계는 모세혈관망, 세동맥, 세정맥 등으로 구성되어 체온조절, 영양공급 등의 기능을 한다. 이는 천공계가 손상되면 심각한

근육 손상을 유발하고 피부에서 약간의 허혈상태를 유발할 수 있다는 것을 의미한다. 반면 피부는 천공계와 피부계 모두에서 혈액공급을 받기 때문에 피부의 실제적인 대사 요구량보다 많은 혈액을 받게 된다. 그러므로 천공계의 폐쇄는 피부계의 폐쇄보다 더 중요한 의미를 갖게 되며 더 광범위한 조직손상을 유발한다.

만일 압력이 제거되지 않으면 조직관류가 감소함에 따른 일련의 결과로서 허혈성 변화가 나타난다. 그런데 혈관폐쇄는 조직허혈 정도를 심하게 하는 일련의 과정을 촉발하게 되어 욕창에서 나타나는 전형적인 조직손상은 압력 자체뿐 아니라 혈전, 내피세포 손상, 괴사조직의 혈액 재분배, 림프계 순환의 변화, 간질액 구성의 변화 등의 요인에 의해 더 악화된다.

외적으로 가해지는 압력은 짧은 시간이라도 혈관에 직접적인 손상을 유발하며 조직괴사를 일으킨다. 또한 정맥에 혈전이 형

성되면 정상적인 반응성 충혈이 나타나는 것을 방해하며, 압력이 완화된 이후에도 조직이 허혈상태에서 회복되기 어렵게 만든다고 하였다. 그래서 조직에는 압력이 경감된 후에도 허혈상태가 지속되는 것이다.

모세혈관 벽이 눌리면 내피세포의 손상이 일어난다. 일단 압력이 제거되고 재 관류가 시작되면 손상 받은 내피세포가 떨어져 나가 혈관이 막히게 한다. 내피세포가 떨어져 나가면서 혈소판이 아교질에 의해 활성화 되고 혈액응고과정이 촉진된다. 더구나 손상 받은 내피세포는 항 응고기전을 상실하고 혈전생성물질을 분비하게 되어 결과적으로 이 물질들은 혈관 폐쇄를 유발하고 궁극적으로 조직 허혈 상태를 악화시킨다는 것이다.

허혈상태의 피부에는 혈액공급이 재개되어도 조직의 저산소증이 심화될 수 있다. 외적으로 가해지는 압력 때문에 표면에 있는 모세혈관으로 가는 혈류가 감소되고 이는 모세혈관의 투과성을 증가시키고 더욱 더 손상받기 쉬운 상태로 만든다. 중성구가 조직에 나타날 때 중성구는 산소 요구도가 내피세포에 비해 30배나 많기 때문에 허혈 정도는 점점 더 심해진다.

림프계 및 간질액의 구성 성분의 변화도 조직괴사에 영향을 준다. 압력으로 인해 손상 받은 피부에서는 림프액의 흐름이 중단되어 간질액의 정상적인 움직임이 압력과 허혈에 의해 방해받게 된다. 결과적으로 단백질이 간질액에 남아있게 되어 간질 내 교질삼투압이 증가하고 그 결과 부종이 생기며 세포는 탈수된다.

요약하면 심각한 압력은 혈류, 림프액 흐름, 간질액의 이동을 막게 되고 조직은 산소와 영양소를 빼앗기고 독성 대사산물이 축적된다. 간질액은 단백질을 보유하게 되어 세포는 탈수되며 조직을 자극한다. 결과적으로 조직은 산증에 빠지고 모세혈관의 투과성이 증가하여 부종이 생기고 세포는 죽게 된다.

3. 상처의 분류

상처란 피부통합성의 파괴로 신체조직의 내적 및 외적 연속성이 물리적인 방법에 의하여 파괴된 정상적인 해부학적 구조와 기능의 파괴상태를 의미한다.

상처는 피부표면의 파열유무, 원인, 손상 정도, 청결정도, 상처의 모양에 따라서 다음과 같이 분류된다.

1) 손상의 원인에 따른 분류

(1) 수술에 의한 상처

상처는 수술에 따라 급성 상처는 절개술, 절단술, 피부이식제

공부위로 분류하고 만성상처는 열개되거나 감염된 수술상처로 분류한다. 수술창상의 분류는 다음과 같이 분류한다.

① 청결창상 clean wound

감염증이 전혀 없는 부위의 수술로 인한 상처로 호흡기계, 소화기계, 비뇨생식기를 포함하지 않는 수술창상으로서 계획되어진 수술이며, 외상이 없고 드레인이 있는 경우는 폐쇄 드레인이어야 한다.

② 청결-오염된 창상 clean-contaminated wound

무균적 상태에서 일어났으나 정상적으로 미생물이 있는 신체 내강에 포함된 상처이다. 즉, 수술 중 커다란 오염이나 수술 전에 감염증이 없는 호흡기계, 소화기계, 비뇨생식기의 수술창상을 말한다. 충수, 자궁, 구강의 수술과 소변배양에서 음성인 비뇨생식기의 수술, 감염된 담즙이 없는 담도의 수술, 수술 중 오염이 약간 되었거나 기계적인 드레인이 있는 경우를 말한다.

③ 오염된 창상 contaminated wound

미생물이 소규모로 존재하는 상황에서 일어난 상처로, 개방창상이나 오래되지 않은 사고 창상을 말하며 보통 4시간이내의 사고 창상을 말한다. 수술도중 명백한 오염이 발생하거나 소화기계로부터 다량 오염된 경우, 급성감염이 있으면서 농이 형성되지 않은 경우를 말한다. 감염이 있는 비뇨기계나 담도계 수술이 포함된다.

④ 불결 또는 감염된 창상 dirty infected wounds

괴사된 조직이 있거나 오래된 사고창상을 포함하며 보통 4시간 이상 지연된 사고창상을 말하며, 수술할 기관이 수술창상 감염을 일으킨 원인으로 수술도중 판단되는 경우를 말한다. 즉 상처 부위에 병원균이 존재하는 상처로 이물질이 박힌 경우나 대변 등의 오염물질에 의해 오염된 경우, 수술 중에 농양이 발견된 경우, 내장파열이 된 경우의 창상을 말한다.

(2) 타박상 Contusion, bruise

둔탁한 물체에 의한 연부 조직의 손상으로 혈관 손상으로 멍든 것처럼 보이는 폐쇄성 상처 특징을 갖는다. 조직 내의 국소출혈은 혈종을 형성할 수 있으며, 증상으로는 부종, 변색, 통증 등이 있다.

(3) 찰과상 Abrasion

표면이 긁힌 상처로 피부 중 표피층만 벗겨진 상태이며 통증을 동반한 개방상처이며 보통 반흔 없이 치유된다. 노출된 피부 표면이 오염된다면 감염의 위험이 높다.

(4) 열상 Laceration

사고로 칼, 유리 조각 등 기물에 의하여 피부가 찢어지는 것으로 가장자리가 불규칙한 개방상처의 특징을 갖는다.

(5) 자상 Stab wound

의도적이거나 비의도적으로 피부나 기저조직을 관통할 수 있는 못, 칼 등 예리한 물건으로 찔린 개방상처의 특징을 갖는다.

2) 조직손상 정도에 따른 분류

(1) 피부 부분 층의 손상Partial- thickness lesions

표피층과 진피 층의 일부가 손상된 상처로 표면적이나 통증이 심한 것이 특징이다. 이때 상처관리의 원칙은 원인적인 요소를 제거하고 축축하게 상처표면을 유지시키는 것이며 삼출물을 흡수하는 것이다.

(2) 피부 전 층의 손상Full- thickness lesion

표피층과 진피층, 그리고 피하조직이 모두 손상된 상처를 의미한다.

3) 급·만성에 따른 분류

(1) 급성 상처

급성상처는 건강한 개인이 수술이나 사고의 결과로 빨리 치유될 것으로 기대되는 상처이다.

(2) 만성 상처

만성상처는 기저가 되는 부분 혹은 전신적인 구조와 관련되어 생기는 것으로 정맥질환, 동맥질환, 당뇨, 욕창과 관련되는 경우가 많다. 비정상적인 만성상처나 치료에 실패한 상처는 감염이나 악성의 여부 판정에 도움이 되기 위해 생검이 필요할 수 있다.

4) 치유에 따른 분류

(1) 1차 유합

외과적 조작을 하여 창상을 치유시키는 것으로 열상에 대해 창상봉합술을 시행하여 치유되도록 하는 것이다. 상처의 모서리가 깨끗하게 절개되고 하부조직들의 손상이 거의 없고 상처배액이 없게 상처가 봉합되는 것을 말하며 일반적으로 특별한 합병증 없이 치유된다.

(2) 지연된 1차 유합

상처의 감염이 심하거나 많은 배액물이 있을 경우 적절히 관리한 다음 3~5일 정도 개방된 상태로 있다가 일차봉합방법으로 상처를 봉합하는 경우이다.

(3) 2차 유합

2차 유합은 상처의 범위가 크고 조직 손실이 광범위하여 가장자리가 봉합될 수 없는 경우로 오염 가능성이 높다. 외과적 조작을 하지 않고 치유시키는 것으로 1, 2도 화상에 대해 보존적 드레싱으로 치유되도록 한다. 개방된 상처의 경우, 조직 손상이 심하여 육아조직의 형성으로 손상된 부분이 채워져야 하기 때문에 훨씬 많은 시간이 소요되고 흉터가 남을 수 있는 경우이다.

(4) 3차 유합

육아조직을 유도하여 창상을 치유시키는 것이다. 피부 괴사나 3도 화상이 있을 때 괴사 조직을 제거하고 보통 4-5일 정도 기다림으로써 이 기간 동안 육아조직이 창상 결손부를 어느 정도 보충해주어 피부 이식을 가능케 하여 치유되도록 한다.

5) 상처깊이에 따른 분류

욕창을 유발하는 궤양에 관련하여 사용되는 분류로 관련 그림은 기본간호학 실습서 상처간호 편을 참고한다.

(1) 1단계

표피가 손상된 단계이다. 일반적으로 뼈 돌출부위에 회복되지 않는 홍반(non-blanchable redness)이 나타난다. 이 부위에는 통증이 있으며, 단단하거나 부드럽고 주변조직에 비해 따뜻하거나 차갑게 느껴질 수 있다. 1단계는 검은 피부색을 가지고 있는

그림 19-3 1차 유합

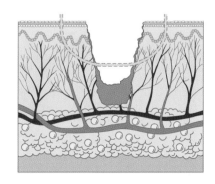

그림 19-4 지연된 1차 유합

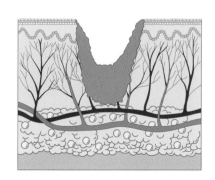

그림 19-5 2차 유합

개인에서는 발견하기 어렵다.

(2) 2단계

표피는 물론 진피가 부분적으로 손상된 단계이다. 붉은색을 띠는 얇은 궤양 또는 장액성 수포가 나타난다. 단, 이부위에 멍이 있는 경우 2단계 보다 심한 심부조직 손상을 의심해야 한다.

(3) 3단계

표피와 진피는 물론 피하조직까지 손상된 단계이다. 피하조직이 관찰되나 근육, 건, 뼈는 노출되지 않았고, 괴사조직 및 사강이 존재할 수 있다.

(4) 4단계

근막 이하의 조직이 손상된 단계이다. 근육이나 건, 뼈 등이 노출되며, 괴사조직 및 사강이 존재할 수 있다. 노출된 뼈·건은 보이거나 직접적으로 만져진다.

(5) 심부 조직손상 의심

피부의 일부분이 보라색이나 적갈색으로 변색되어 있거나, 혹은 혈액이 찬 수포가 나타난 상태로 압력이나 전단으로 인한 조직손상 때문에 발생된다. 주위조직에 비하여 단단하거나 물렁거리고 통증을 유발할 수 있으며, 따뜻하거나 차갑게 느껴질 수 있다. 증상이 심해지면 확실한 심부조직 손상으로 진행될 수 있다.

(6) 미분류 욕창

전층 피부손상 상태이나, 상처기저부가 괴사조직으로 덮혀 있어 조직 손상의 깊이를 알 수 없으므로 단계를 분류할 수 없는 상태이다.

6) 원인적 요소에 따른 분류

상처를 유발하는 원인에 따라 다음과 같이 분류될 수 있다.

(1) 압력

부동 대상자에게서 뼈가 돌출된 부분에서 잘 발생하며 상처가 깊은 것이 특징이다.

압력은 욕창발생의 주요한 원인이며, 압력이 욕창을 만드는데 중요한 역할을 하는 몇 가지 요인들이 있다. 즉, 연조직에 과도한 압력이 가해지는 병리적 효과는 압력의 강도(intensity), 압력의 지속시간(duration), 조직의 내인성(tissue tolerance) 등이다. 이 요소들이 전단력, 마찰력, 영양결핍 등 욕창을 일으키는 세 가지 요인들과 함께 어떻게 욕창을 유발시키는지 설명하는 데는 두 가지 모델이 있다.

① 압력의 강도

압력의 강도에 대한 중요성을 이해하기 위해서는 '모세혈관 압력(capillary pressure)' 과 '모세혈관 폐쇄압력(capillary clos-ing pressure)' 이라는 용어를 이해할 필요가 있다. 모세혈관 압력은 모세혈관막을 통과하여 밖으로 수분이 이동하려고 하는 경향을 말하는 것으로 정확한 모세혈관 압력은 측정하기가 어려워 알려져 있지 않다.

모세혈관 압력을 측정하기 위해 사용되는 방법은 미세한 피펫을 모세혈관 내로 직접 삽입한 후 압력측정기를 부착하여 압력을 측정하는 것이다. 동물이나 인간의 손톱 등에서 이 방법을 통해 측정한 모세혈관 압력은 세동맥분지에서 32mmHg, 세정맥 분지에서 12mmHg, 중간 모세혈관에서 20mmHg로 측정되었다(그림 19-6).

모세혈관 압력을 측정하기 위한 간접적인 방법이 사용되었고 그 결과 '기능적 모세혈관 압력' 이 17mmHg라는 결과를 얻었다. 이는 모세혈관이 개방된 상태를 유지하고 기능하기 위해 필요한 압력이라는 의미이다.

모세혈관 폐쇄압력은 모세혈관을 눌러서 막아버리는 데 필요

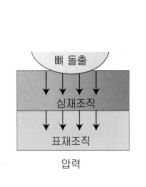

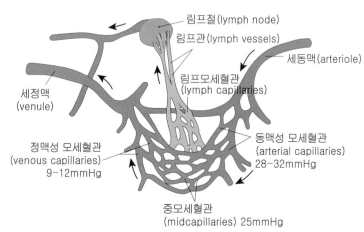

그림 19-6   모세혈관 압력

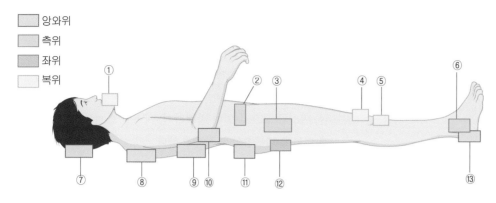

- 앙와위
- 측위
- 좌위
- 복위

① 턱(chin) 0.5%
② 장골능(iliac crest) 4%
③ 대전자(greater trochanter) 15%
④ 무릎(knee) 6%
⑤ 전경골능(pretibial crest) 2%
⑥ 종골(malleolus) 7%
⑦ 후두(occiput) 1%
⑧ 가시돌기(spinous process) 1%
⑨ 견갑(scapula) 0.5%
⑩ 팔꿈치(elbow) 3%
⑪ 천골(sacrum) 23%
⑫ 좌골(ischium) 24%
⑬ 발꿈치(heel) 8%

그림 19-7 욕창 호발 부위

한 최소한의 압력을 의미한다. 외부에서 가해지는 압력은 혈관을 폐쇄시켜서 조직의 무산소증 상태를 유발한다. 모세혈관을 폐쇄시키는 데 필요한 압력의 세기는 적어도 모세혈관 압력을 초과할 것이라고 생각되므로 일반적으로 모세혈관 압력을 1~32mmHg라고 한다면 모세혈관 폐쇄압력은 그 이상일 것으로 추측된다.

피부에 외적으로 가해지는 압력의 강도를 수량화하기 위해서는 계면압력(interface pressure)을 측정한다. 계면압력을 측정하기 위해 많은 연구가 수행되었는데, 이런 연구 결과에서 흥미로운 것은 앉아 있거나 누워있을 때 측정한 계면압력이 모세혈관 압력을 초과한다는 사실이다. 앙와위에서 천골, 두부, 팔꿈치에 40~60mmHg압력이 가해지면 2시간 후에 현미경상 욕창의 병리학적 변화가 나타난다(그림 19-7).

그러나 모세혈관 압력을 초과하는 계면압력도 조직을 허혈상태에 이르게 하지는 않는데, 정상 감각을 가지고 있는 건강한 사람은 모세혈관 폐쇄와 조직 저산소증과 관련되어 나타나는 불편감에 반응하여 체중을 이동하기 때문이다. 그러나 척추손상이나 다른 원인으로 감각기능이 떨어진 대상자에서는 이러한 불편감을 인지할 수 없고 인지하여도 반응할 수 없으므로 병리적 과정으로 진행된다. 조직 저산소증은 조직을 무산소증 상태에 빠지게 하여 결국 세포사에 이르게 된다.

② 압력의 지속시간

압력 지속시간은 압력의 해로운 효과에 영향을 주는 중요한 요소이므로 압력의 강도를 함께 고려해야 한다. 조직을 허혈상태로 만드는 데 있어서 압력 지속시간과 강도 사이에는 역상관관계가 있다. 특히 강도가 낮은 압력이 장시간 지속되는 것은 강도가 높은 압력이 단시간 적용될 때와 마찬가지로 욕창을 발생시킬 수 있다.

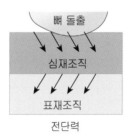

뼈 돌출
심재조직
표재조직
전단력

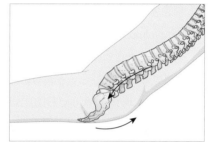

그림 19-8 전단력

③ 조직의 내인성

조직내인성은 적용된 압력을 재분배하는 피부의 능력과 허혈상태를 견뎌내는 기간을 말한다. 골격계에 가해지는 압력은 효과적인 압력 재분배를 통해 조직허혈을 막을 수 있다. 조직내인성과 관련된 연구에서는 조직이 압력에 의해 감작된다는 것을 제시하고 있다. 연구에서는 쥐의 근육에 100mmHg의 압력을 2시간 가하여 조직을 감작시키고 72시간 후에 50mmHg의 압력을 가했더니 이전에 100mmHg의 압력이 6시간 가해졌을 때 나타나던 근육 변성이 단 1시간 만에 일어남을 발견하였다. 이와 같이 두 번째 가했던 압력의 강도와 기간이 초기 압력의 강도와 기간보다 낮았지만 동일한 근육파괴가 일어난 것으로 조직 내인성의 개념이 제시되고 있다. 이 결과는 욕창발생 위험이 있는 대상자들에게 중요한 적용점을 시사하고 있다. 즉 깊은 위치의 조직허혈은 피부에 나타나는 증상 없이도 발생할 수 있다는 것과 그와 같은 조직허혈이 대상자의 피부를 감작시킬 수 있다는 것이다. 그러므로 정상적인 모세혈관 압력을 조금만 초과하는 압력의 적용도 피부손상을 유발할 수 있다.

(2) 응전력

침대나 의자에 노출된 부분에 잘 발생하며 얕거나 깊은 상처를 보인다.

응전력(shear force)은 1958년에 욕창발생에 기여하는 요소로서 처음 소개되었다. 전단력은 마찰력과 중력의 상호작용으로 생긴 물리적인 힘으로 어떤 부위의 조직 층이 다른 층 위로 미끄러질 때 작용한다(그림 19-8). 예를 들어, 대상자가 반좌위와 같이 머리부분을 높이고 있을 때 중력에 의해 아래로 밀려 내려가게 되고 침대 표면에서 발생하는 저항력은 몸을 제자리에 잡아두려고 하는 반대 방향의 힘이 발생한다.

이 결과는 골격의 무게가 신체를 계속 아래로 주요 효과가 뼈 돌출부위를 덮고 있는 조직의 근막 수준에서 나타나게 된다. 혈관은 근막을 통해 나오면서 걸려있는데 이것이 전단력에 노출될 때 심하게 당겨지고 꺾이게 된다. 이 힘이 조직을 분리시켜 버리기 때문에 임상적으로 피부손상은 적을지라도 하부조직 잠식(undermining)이 심하게 관찰된다.

응전력은 욕창에서 관찰되는 많은 손상을 일으킨다. 실제로 어떤 병변들은 욕창이라고 부르지만 전단력 자체에 의해 만들어지기도 한다. Bennett & Lee(1998)는 약 40%의 피부궤양이 실제는 전단력에 의한 궤양인데 욕창이라고 오인된다고 보고하였다.

임상적으로 압력이 가해질 때는, 대부분 전단력도 같이 동반하게 되므로 실제로는 더 짧은 시간에 욕창이 발생할 수 있고 전단력으로 인한 손상 호발부위는 천골과 미골부위이다.

전단력으로 인한 손상은 알맞은 체위를 취해줌으로써 신체표면에 압력을 감소시키고 대상자를 끌거나 잡아당기는 것과 같은 행위를 피함으로써 감소시킬 수 있다.

(3) 마찰

피부가 침대나 의자에 노출된 부분에 잘 발생하며 일반적으로 얕은 상처이다.

마찰력은(friction force) 두 개의 표면이 서로 반대편으로 움직일 때 생기는 피부에 수평적으로 가해지는 힘으로서 전단력을 일으키는 중력과 함께 작용하는 욕창발생의 중요한 요소이다. 전단의 손상과는 달리 마찰 손상은 표피나 진피 상층에 국한된 피부손상을 유발할 수 있다. 마찰력에 의한 피부손상의 예로 'Sheet burn' 과 같이 경한 화상 상태와 유사하게 표피와 진피가 벗겨지는 것을 볼 수 있다.

마찰력이 중력과 함께 작용하면 상승효과가 발생하여 결과적으로 전단력을 유발하게 된다. 즉, 마찰이 없는 응전력은 불가능한 것이다.

마찰에 의한 손상은 찰과상과 흡사하고 진피나 심부조직에는 영향이 없지만 표피층이 제거되면 진피의 부종, 감염이 생기고 습기가 많아 욕창이 쉽게 생기므로 욕창발생에 간접적인 영향을 준다. 마찰에 의한 손상은 대상자가 빈번한 움직임이 있거나 습

기가 있을 때 많이 발생하며 팔꿈치, 발꿈치에서 호발 한다.

(4) 습기나 화학반응

피부에 습기가 존재하고 경화가 있게 되면 욕창 발생의 위험을 증가시키게 된다. 피부의 습기는 상처배액, 과도한 발한, 요실금, 변실금 등으로 인해 발생하며, 지속된 습기는 피부를 연약하게 만들고 피부손상을 심하게 한다.

(5) 허혈

모세혈관에 적용된 압력이 정상 모세혈관 압력을 초과한다면, 혈관은 폐색되고, 조직 허혈이 초래된다.

손상 있는 부위의 주변조직이 차고 창백하며 맥박의 소실을 보인다.

4. 상처의 치유과정

상처치유는 세포가 재생, 분화, 증식되어 그 연속성을 다시 유지하는 통합된 생리적 과정을 포함하는 것으로 반흔 조직의 장력을 형성하는 아교질(collagen)의 합성에 관여하는 세포와 혈관의 작용을 말한다. 상처 치유과정은 일반적으로 혈관 단계, 진피 단계, 성숙 단계로 구분할 수 있으며 대상자, 환경적 여건 등에 의해 영향을 받는 복잡한 과정이다.

자연적인 치유의 진행이 지연된 경우 만성상처로 진전된다. 급성 상처가 몇 일이나 몇 주에 걸쳐 치유되는 것에 비하여 만성상처는 몇 달에서 몇 년까지 걸릴 수도 있다.

창상의 치유는 염증단계, 증식성 단계, 성숙단계로도 구분하며, 창상치유가 지연되는 경우를 제외하고는 1차 유합인 경우 대체로 14~21일 정도면 치유과정이 종료된다.

피부 부분 층의 손상인 상처인 경우 상피조직을 재형성하게 되지만 피부 전층 손상상처의 경우 치유는 좀 더 복합적이고 많은 과정이 더 포함되게 된다.

1) 염증단계 <small>Inflammatory phase, 혈관단계</small>

부분 층 피부상처(partial-thickness wound)나 전 층 피부상터(full-thickness wound)가 치유되는 과정의 첫 번째 단계는 염증반응이다. 손상을 입게 되면 국소혈관은 즉시 수축하였다가 수초 이내에 확장하고 순환하던 백혈구들은 혈관벽에 부착한다. 창상에서 방출되는 histamine, serotonin, bradykinin, prostaglandin, norepinephrine 같은 물질이 국소 혈관을 확장시킴에 따라 내피세포(endothelial cell) 사이에 틈이 생기고, 이 틈 사이로 혈장과 다형핵백혈구(polymorphonuclear leukocyte), 림프구(lymphocyte), 단핵구(monocyte)가 간질로 빠져나가 손상

된 조직 부스러기와 세균을 탐식한다. 그리고 혈장응고요소와 섬유소원(fibrinogen)이 손상된 혈관을 통해서 창상으로 들어가 섬유소 그물(fibrin network)을 형성하여 창상을 유지시킨다. 이러한 염증기는 정상적으로 약 3일에서 6일까지 지속된다. 이때 특징은 상처부위의 출혈, 홍반, 온감, 부종, 통증이다. 염증단계는 다음과 같은 반응을 거치게 된다.

(1) 지혈성 반응

상처 발생 후 5~10분간에 일어나는 반응으로 지혈을 위해 상처부위의 혈관수축, 섬유소 침전, 혈전형성으로 출혈을 조절하고 감소시킨다. 세포와 혈관의 손상은 혈액을 콜라겐에 노출시켜 응고인자들을 활성화시켜 혈소판의 응집을 유도한다. 그 결과 혈괴덩어리가 생겨 더 이상의 혈액과 체액의 손실을 막고 일차적인 상처봉합을 하게 한다.

(2) 혈관성 반응

초기 혈관수축 후 손상된 혈관에서 히스타민 유리로 혈관 이완과정이 시작되어 혈류흐름이 상승되고 혈관투과성이 증가되어 혈장이동을 통해 혈장단백질, 백혈구 등이 간질에 빠져 손상부위로 모여 삼출액이 형성된다.

(3) 세포성 반응

삼출액 증가로 백혈구가 증가되면서 중성구, 대식세포가 혈관에서 상처로 이동하여 손상조직 및 세균을 탐식, 제거하고 파괴시키며 섬유모세포(fibroblast)를 증식하고 신생혈관화에 관여하여 상처치유에 기여한다. 림프구는 염증단계의 마지막에 나타나 이물질에 대한 작용 및 면역반응을 일으키며 아교질합성과 아교질생성을 촉진하여 섬유소 그물(fibrin network)을 형성하여 상처치유 과정 중에 증식하는 섬유모세포와 모세혈관이 상처에서 활동하도록 하여 상처치유를 돕는다.

2) 증식성 단계 Proliferative phase, 섬유모세포단계, 진피단계

구축단계로선 새로운 혈관이 나타나는 증식단계는 손상 후 5-7일에 시작하여 2-3주간 지속하며 이 단계에서 아교질을 생성하여 창상에 장력이 있도록 해준다.

아교질은 진피의 섬유모세포(fibroblast)에서 생성되는 데 이 섬유모세포는 손상 후 3일이면 창상에 나타나 섬유소 그물을 따라 이동하여 들어간다. 손상 후 5-6일이 지나면 아교질을 합성하기 시작한다. 섬유모세포가 창상에 들어가서 아교질을 합성하기 전까지의 기간에 섬유모세포는 기질(ground substance)의 기본 물질인 proteoglycan을 생성하여 아교질의 생산과 정돈에 적합한 생화학적 환경을 조성한다.

외상을 받은 부위는 24-48시간이 지나면 창상연으로부터 2mm 범위 내에 있는 표피의 기저세포에서 세포분열이 평상시의 40배까지 증가하여 창상 표면이 상피로 덮이기 시작해 48-72시간에 세포분열이 최고에 달한다. 상피세포에서 생성되는 칼론(chalone)과 교원효소라는 2가지 화학물질이 이와 같은 반응에 영향을 미친다. 즉 칼론은 평상시 표피에서 생성되어 기저층의 세포분열을 억제하고 있다가 외상으로 표피가 없어지면 이 억제 요소도 없어져 세포분열이 활발하게 일어난다. 또한 손상을 입게 되면 표피에 있는 교원효소가 더 많이 방출되어 창상에 말라붙은 피 딱지를 용해한다. 이리하여 상피세포가 아메바운동을 하면서 섬유소 그물로 된 발판을 따라 창상연으로부터 창상의 중심부로 이동해 간다.

상피세포의 이동은 가장 앞서 가던 상피세포가 반대편 창상연으로부터 이동해 오는 상피세포로 완전히 포위될 때 비로소 정지된다. 이렇게 하여 상피세포의 연결이 이루어진 후에는 정상 피부 두께가 될 때까지 상피세포가 세포분열을 계속한다.

결국 상처는 상처부위에서 섬유소 망을 따라 이동한 섬유모세포(fibroblast)의 증식과 육아조직(granulation tissue)이라는 신생 결합조직으로 채워진다. 증식단계는 다음과 같은 특징으로 구분될 수 있다.

(1) 육아조직형성 Granulation

섬유모세포와 혈관내피세포가 증식하여 육아조직을 형성한다. 새로운 소혈관 증식으로 신생혈관이 생성되어 상처치유에 필요한 상피세포의 활성을 위한 산소와 영양소를 공급하며 아교질합성을 지지하여 밝고 붉은 혈관성 조직이 나타난다. 이때 섬유아세포의 이동이 동시에 일어난다.

또한 상처로 이동한 섬유모세포가 아교질-섬유합성(collagen-fibronection complex)을 형성하여 신장강도를 증가시킨다. 아교질합성이 되면 혈관이 줄어든다. 합성 시 영양소로는 단백질, 산소, 비타민C, 철분, 아연, 마그네슘, 아미노산이 필요로 된다.

(2) 상피화 Epithelization

상처의 가장자리로부터 상피세포의 이주가 일어나 손상된 부분을 덮는 과정이다. 수술 후 봉합된 상처처럼 조직 손상이 적은 상처의 경우 상피세포 이주는 콜라겐 합성과 거의 동시에 일어나지만 개방된 상처에서는 육아조직이 완전히 생성될 때까지 지연된다. 상피세포는 상처부위에서 분화를 멈추고, 세포역분화, 세포분열로 번식하고 피딱지와 그 밑에 살아있는 조직사이의 틈을 따라 이동(migration)하므로써 탈수되지 않고 영양공급을 받아 상처 표면을 덮는다. 상피화의 촉진을 위해 알맞은 습도, 청결, 온도, pH가 전제된다.

(3) 수축Contraction

상처주변의 피부와 조직이 서로 잡아당겨져 손상된 부분의 크기를 감소시키는 것을 말한다. 섬유모세포 활동으로 생기며 근섬유모세포(myofibroblast)에 의해 상처의 결손크기가 줄어든다. 개방된 상처의 경우 육아조직의 형성과 상처의 수축이 동시에 일어나지만 봉합된 상처에서는 수축이 발생하지 않는다.

3) 성숙단계

성숙단계(maturation phase, 창상개조)란 섬유모세포를 많이 가진 육아조직이 아교질 섬유로 가득 찬 반흔 조직으로 바뀌는 단계인 데 3주 정도에서부터 1년 이상 지속된다. 신생혈관의 수가 줄어들고 혈류도 감소하여 상처도 얇아지고 창백해지며 가려움도 없어진다. 반흔은 모든 방향으로부터 수축하고, 아교질은 더욱 단단해지고, 섬유모세포 수는 감소한다.

성숙단계가 활발히 진행되고 있는 동안(보통 2개월간)에는 반흔이 일과성으로 과형성되어 붉게 튀어 올라오다가 6개월쯤 지나면 차츰 아교질이 여물어지고, 혈관 분포가 줄어들면서 반흔이 점점 얇아지고 색깔이 연하게 된다. 정상 성숙단계에서는 섬유모세포에 의한 아교질 생성과 상피의 아교질분해효소(collage-nase)에 의한 아교질용해 간에 평형을 이룬다. 이러한 아교질 생성과 아교질 용해 현상은 6개월 동안은 빠르게 나타나다가 그 후에는 크게 느려진다. 그러나 6개월이 지나도 이 같은 현상이 여전히 활동성이고 정상적 평형이 없으면 비후성 반흔(hyper-trophic scar)이나 켈로이드(keloid)가 생기게 된다.

5. 상처치유에 영향을 주는 요인들

만성상처가 치유되는 것은 여러 요인들이 관여하는 복합적인 생화학적인 과정을 포함한다.

상처의 치유에 영향을 미치는 인자는 전신적인 인자와 국소적인 인자로 나눌 수 있다. 전신적인 인자에는 영양상태, 연령, 면역상태, 산화 및 순환상태 그리고 대상자의 질병상태 등이 포함된다. 상처의 치유에 영향을 미치는 국소적인 인자로는 상처의 습윤 정도, 잔설(debris)이나 괴사된 조직, 감염의 존재 여부 등이 속한다.

창상이 가장 잘 치유되게 하려면 최상의 생리적 조건을 만들어 주어야 한다. 즉 혈액량 감소증(hypovolemia)이 없는 상태, 저산소증(hypoxia)이 없는 상태, 영양실조가 없는 상태, 항염증성 스테로이드가 없는 상태가 되도록 해주어야 한다.

1) 연령

태아, 아동, 성인, 노인에 따라 치유가 다를 수 있다. 태아의 경

상처치유에 영향하는 전신적 요소

- 연령
- 영양불량
- 빈혈
- 비만
- 항염증제
- 체온
- 세포독성 약물
- 상해
- 당뇨
- 요독
- 전신적 감염
- 비타민 결핍
- 황달
- 아연결핍
- 악성질환

상처치유에 영향하는 국소적 요소

- 혈액공급
- 기계적 자극
- 신경분포
- 방사선
- 혈종
- 수술기법
- 보호부족
- 봉합물질과 기법
- 국소적 감염
- 조직의 유형

- 비타민 A의 결핍은 불충분한 염증 반응을 일으키고, 과다는 과다 염증반응을 일으킨다.
- 티아민 결핍은 장력과 섬유아세포의 감소를 초래하는 반면 교원질 형성의 감소를 가져온다.
- 비타민 E는 1일 100lu로 이상의 용량 섭취 시 치유가 지연된다.
- 아연, 철, 구리, 마그네슘도 정상적인 교원질 형성을 위해 소량이 필요하다.
- 수분섭취가 제한된 대상자를 제외하고는 적어도 하루 2,500ml 이상의 수분을 섭취해야 한다.
- 단백질은 상처 치유와 면역작용, 상처의 신장강도와 육아조직 형성작용에 관여한다.
- 탄수화물은 상처치유에 필요한 에너지 사용을 가능하게 한다.
- 비타민 C는 모세혈관의 강도유지, 교원질 합성에 필요하며 백혈구를 활성화한다. 비타민 C의 부족은 교원질의 합성을 분해 시켜 그 결과 상처는 교원질 형성이 지연되고, 오래된 상처는 벌어지게 된다.
- 비타민 A는 대식세포의 상처이동, 표피재생촉진, 교원질합성, 경우에 따라서 창상치유에 미치는 corticosteroid와 비타민 E의 나쁜 영향을 감소시킨다.
- 철분은 RBC생산과 교원질합성에 관여한다.
- 아연은 상처치유과정을 지지한다.

만성상처의 세균을 통제하는데 사용되는 도포 항생제	
• Silver Sulfadiazine	• Polysporin
• Mafenide acetate	• Mupirocin
• Nitrofurazone	• Metronidazole

우 사실상 흉터 없이 나을 수 있다. 그 이유는 정확히 알 수 없으나 염증 반응의 감소와 세포의 낮은 응집력 때문인 것으로 알려졌다. 아동기엔 성인보다 상처의 수축이 빠르며 나이가 들수록 세포의 변성이 심하게 일어난다.

노인은 표피의 재생기간이 길고 피부가 손상 받을 가능성이 높아지기 때문에 노인 피부손상이 복구되는 비율이 낮다. 또한 노인은 영양상태가 좋지 않는 경우가 많고 다른 질환을 함께 갖고 있는 경우가 흔하기 때문에 상처치유에 방해요인을 많이 포함하게 된다. 노화가 진행됨에 따라 표피세포의 혈관 수가 감소한다는 사실은 노인에게 허혈성 손상의 위험성이 높음을 시사한다.

노화과정과 관련되어 나타나는 피부의 변화는 제지방체중(lean body mass)감소, 혈청 알부민 수치 감소, 염증반응의 지연이나 손실, 조직의 탄성 감소, 표피와 진피의 결합력 감소 등이다. 이러한 변화들과 함께 조직이 물리적 압력을 분산시키는 능력도 감소된다. 이러한 변화들은 다른 노화와 관련된 변화와 함께 피부를 압력, 전단력, 마찰에 더욱 쉽게 손상 받는 상태로 만든다. 예를 들면 방석을 깔지 않은 의자에 앉아있을 때의 좌골결절 부위의 혈류는 노인과 사지마비 대상자에서 정상인보다 감소한다.

2) 산소 불포화도와 관류

산소는 상처 치유에 필수적인 것으로 상처의 산소압력은 치유 속도와 직접적인 상관관계가 있다. 순환혈류량이 감소되면 조직 산소분압이 저하되어 상처치유가 지연된다. 상처치유 과정 중에는 산소소비량이 증가하기 때문에 산소가 부족한 상태에 놓여있게 되는데 산소부족상태는 아교질합성을 저하시키고 감염방어 능력마저도 저하시킨다. 상처에 충분한 혈액이 공급되어야 함은 물론이고 혈액 그 자체가 충분한 양의 산소를 포함하고 있어야 하는데 이는 산소 그 자체가 아교질합성과 섬유모세포 분화에 중요하기 때문이다.

상처의 저산소증을 유발하는 4가지 주요 원인은 혈관폐쇄, 저혈압, 부종, 빈혈이다. 저혈압의 경우 수축기 혈압이 100mmHg 미만이고 이완기 혈압이 60mmHg 미만인 경우 욕창 발생과 관련이 있다. 저혈압인 경우는 생명유지에 필요한 중요한 장기에 우선적으로 혈액이 공급되어야 하므로 피부에 오는 혈류가 감소

되어 압력에 대한 피부 내인성을 감소시켜 계면압력보다 더 낮은 수준에서 모세혈관 폐쇄를 유발할 수 있다.

3) 흡연

흡연은 혈액의 기능적 헤모글로빈 양을 감소시켜서 저산소혈증(hypoxemia)과 저산소증(hypoxia)을 일으킨다. 저산소혈증은 혈액 내 산소 수준이 감소하는 것이고, 상처 치유에 영향을 줄 수도 또는 안 줄 수도 있지만 저산소증은 세포의 산화도가 떨어지는 것으로 상처 치유를 떨어뜨린다. 혈관 수축제로 작용하는 니코틴은 혈소판 접착력을 증가시켜 미세 혈관의 혈전과 허혈상태를 일으킨다.

흡연은 욕창 형성의 예보자라고 할 수 있다. 척추손상 집단 내에서 흡연율과 욕창 발생률 간에 양의 상관관계가 있다는 결과가 보고되고 있다. 하루 한 갑씩 일년 이상 흡연한 집단에서 욕창의 발생률이 크며 재발률도 높은 것으로 알려져 왔다.

4) 영양불량

상처치유과정과 면역반응은 단백질, 비타민 등의 다양한 영양소의 적당한 공급이 필요한 과정이다. 식이성 단백질의 결핍은 신생혈관생성, 림프액형성, 섬유모세포 증식, 아교질 합성 등의 과정을 방해한다. 노인 대상자에서는 정상적인 노화과정과 더불어 단백질 결핍이 나타나기 때문에 피부손상이 발생하기 쉽다. 단백질결핍으로 저단백질혈증이 되면 교질삼투압을 낮추어 부종을 일으키기 때문에 연조직이 국소적인 압력에 노출될 때에 손상받기 쉬운 상태가 되게 만든다. 혈중 알부민 수치가 낮음으로써 발생하는 부종은 섬유모세포의 증식을 방해하고 항체반응, 면역기능, 식균작용 등의 기능이 저하되어 상처 감염의 위험성을 증가시킨다. 또한 허혈 상태 및 부종상태에서는 산소공급과 영양소 전달 기능에 문제가 생기고 감염에 대한 저항력이 떨어진다. 상처치유를 위해서는 단백질 섭취가 필요하고 열량을 섭취해야 하며 부가적인 비타민 섭취가 필수적으로 요구된다. 또한 비타민 A결핍은 재상피화 과정, 아교질 형성, 세포응집 등을 지연시키고 비타민C가 결핍된 경우는 아교질 생산과 면역기능을 저하시키기 때문에 모세혈관이 쉽게 파괴된다. 비타민 E는 세포 중개성 면역반응을 감소시킨다. 대상자의 영양상태를 평가할 수 있는 지표로 사정되어야 하는 것은 인체계측 수치, 알부민, 트랜스페린 등의 임상병리검사, 전신부종, 점막균열, 상처치유 등의 임상증상이다. 보통 비정상적인 상처치유는 단백질 부족에서 기인한다. 단백질의 부족 시 섬유모세포의 증식이 감소하고, proteoglycan과 아교질합성이 감소하며, 혈관 형성이 줄고, 아교질

재생이 감소된다. 탄수화물의 섭취가 부족할 때, 신체단백의 이화작용이 시작된다.

5) 감염

세포 내 박테리아에 의해 대사된 배설물은 상처치유에 방해가 되는 요소 중 하나이다.

박테리아는 정상 세포에 산소와 영양분을 공급하나, 그 부산물들은 해롭다. 오염과 감염사이의 구별이 중요한데, 오염은 세포 표면의 1g당 105 이하의 균의 집락화이다.

감염은 미생물의 세포 침입 시에 일어나는 것으로, 농이나 온감, 통증, 홍조, 경화 등의 징조 시에 나타난다. 상처 배양이 특수균의 감별을 위해 이용되는데, 감염의 진단은 g당 105 이상의 균이 보이는 것이며, b용혈성 연쇄상구균의 경우 g당 103의 적은 수로도 감염을 일으킬 수 있다. 손상된 조직에서 박테리아의 증식 환경에 기여하는 요소는 세포의 약화, 상처의 파편, 농양, 혈종, 넓은 상처 면적 등이 있다. 실변은 상처 치유를 더디게 한다.

6) 과도 압력

압력, 응전력, 마찰력은 욕창과 관련되어 만성상처에 영향을 주는 주요 요소이다. 정맥염 대상자에서 압박 스타킹이나 밴드 적용시의 응전력과 마찰력이 주로 드러나는 문제가 되며 특히 손목 등의 뼈 돌출부위나 궤양 주위 피부는 더욱 취약하고 힘이 없고 손놀림이 능숙치 못한 노인들에게 특히 문제시된다.

욕창대상자들에게선 오랜 시간 동안 받은 낮은 압력과 단시간 동안의 큰 압력이 허혈과 세포괴사를 일으킬 수 있다. 따라서 부동 대상자나 침상 안정 대상자들에게 이런 위험이 있나 알아보는 것은 중요하다.

7) 정신, 신체적인 스트레스

교감 신경을 자극해서 나타나는 스트레스 역시 상처치유에 방해 요소가 된다. 스트레스는 혈관활성물질의 과도 방출과 혈관 수축을 일으킨다. 스트레스 반응에서 나타나는 카테콜아민, 노르에피네프린, 에피네프린 등이 혈관수축을 유발함으로서 말초조직에 도달하는 산소 양을 감소시키게 된다. 동기화, 정서적 에너지, 정서적 스트레스와 같은 사회 심리적 문제가 욕창 형성과 연관될 수 있다. 코르티솔은 스트레스를 받을 때 분비되는 일차적인 호르몬인데 조직 내인성을 낮추는 효과가 있으며, 적절한 대처기전을 발휘하지 못하면 스트레스와 관련된 호르몬 반응이 나타나게 된다.

코르티솔이 피부에 가해지는 물리적 힘을 흡수하는 능력을 감소시키는 것을 설명하는 두 가지 기전이 있다.

첫째, 코르티솔은 아교질 합성률보다 아교질 퇴화율을 상대적으로 증가시켜 피부의 물리적 특성에 변화를 준다. 실제로 피부의 아교질 감소는 척추손상 대상자들 간의 욕창발생과 연관이 있다.

둘째, 코르티솔은 결체조직의 구조적 변화를 유발할 수 있으며 모세혈관과 세포사이의 수분, 염기, 영양소의 확산을 방해함으로써 세포대사에 영향을 줄 수 있다.

8) 스테로이드 치료

스테로이드는 섬유모세포가 상처로 이동하는 것을 억제하고 아교질활성을 증가시키며 염증단계를 증가시킨다. 비스테로이드성 약물도 초기엔 항염증의 효과를 보이지만 후에는 정상 치유과정을 방해한다. 국소마취제는 백혈구의 활동을 감소시키며, 살균작용을 억제하고 박테리아가 증식하도록 한다.

9) 당뇨병

만성적인 고혈당증은 아교질 축적에 필요한 비타민 C가 세포로 이동하는 것을 방해하여 상처치유에 나쁜 영향을 준다.

당뇨병이 있으면 아테롬성 죽상경화증(atherosclerosis)이 된 작은 혈관의 병변으로 인해 국소조직에 허혈이 있게 되며 당뇨로 생체저항력이 약화되어 감염되기 쉽다. 또한 육아조직의 부족과 상처치유에 필요한 당질과 에너지 공급의 부족 등으로 인해 아교질생성을 잘하지 못해 상처가 잘 치유되지 않으며 피부 신장강도가 약화된다.

10) 황달과 요독증

황달이 있는 경우에는 대게 영양섭취가 잘 되지 않아 봉합한 곳이 벌어지거나 탈장이 되기 쉽다. 이런 경우 영양공급을 충분히 해줌으로써 어느 정도 이러한 합병증을 예방할 수 있다. 요독증이 있으면 육아조직의 부족, 섬유모세포 활성의 억제 등으로 인하여 상처가 치유되기가 어렵게 되기 때문에 혈액투석 등으로 요독증을 교정해 주어야 한다.

11) 악성종양 및 방사선치료

악성종양이 있을 경우에는 대사 장애로 단백질 및 칼로리가 부족해져 상처가 잘 치유되지 않고 상처의 신장강도가 약화된다. 방사선 요법을 받으면 고 에너지의 작용으로 DNA가 파괴되고 섬유조직형성과 혈관신생이 저하되어 상처가 잘 치유되지 않는다. 방사선 치료는 세포분열을 방해하고, 골수에 가장 심각한 영향을 준다.

12) 기타

혈류의 흐름이 느린 경우 조직 내인성에 심각함 위협을 주는 내적요인이 될 수 있다. 혈액의 점도가 높거나 헤마토크리트 수치가 높은 경우가 이에 해당한다. 이외에도 혈중 알부민, 변실금, 욕창의 기왕력, 치매, 기동성 장애 등의 요인이 욕창발생과 관련이 있다.

그리고 몇몇 연구 결과에 따르면 체온상승이 욕창발생과 연관이 있다고 한다. 노인에서는 약간의 체온이 상승되어도 욕창발생에 중요한 위험요인을 증가시킬 수 있다. 체온상승과 욕창발생과의 관계에 대한 기전이 규명되지는 않았으나 아마도 산소요구량 증가와 연관되었을 것으로 추측된다.

6. 상처치유에 있어서의 합병증

1) 출혈

상처 입은 즉시 나타나는 출혈은 정상이나 지혈기간 이후에 출혈이 지속되는 것은 외과적 봉합이 풀렸거나 수술부위의 응고부전증, 감염, 이물질에 의한 혈관미란 등을 의심할 수 있다. 내출혈은 조기에 발견하여야 하는데, 환부주위의 팽창이나 부종, 저혈량으로 인한 쇼크의 징후(혈압강하, 빈맥, 호흡수 증가, 불안정, 과도발한) 등은 내출혈이 있음을 암시하는 것일 수 있다. 외출혈은 보다 명백한 경우로 간호사는 상처 드레싱에 혈액성 삼출액이 고여 있음을 관찰할 수 있다. 간호사는 모든 상처를 면밀히 관찰하고 수술 후 24~48시간 내에는 출혈의 위험이 제일 크므로 특히 수술상처를 자세히 관찰해야 한다.

2) 감염

상처감염은 병원성 감염 중 제일 흔한 것 중에 하나이다. 감염된 상처와 오염된 상처를 구분하는 것은 존재하는 박테리아의 양이다. 일반적으로 조직의 g당 100,000 이상의 미생물이 있는 상처는 감염된 것으로 간주된다. 상처감염의 기회는 상처에 죽은 조직이나 괴사조직이 있을 때, 이물질이 상처 안 혹은 상처주위에 존재할 때, 혈액공급과 국소적 조직방어 기전이 감소할 때 증가한다. 감염증상은 체온상승, 통증, 백혈구수의 증가, 발적과 부종, 농성 배액등이다.

3) 열개

열개(dehiscence)는 상처층이 부분 또는 전체적으로 분리되는 것이다. 상처가 적절히 치유되지 못하면 피부 층과 조직들이 분리된다. 이는 상처 입은 후 3~11일 사이인 아교질이 형성되기 전에 제일 많이 발생한다. 비만, 복부수술 대상자인 경우에 기침이나 구토, 침상에서 일어날 때, 대상자에게 장액성 및 혈액성의 상처 배출액이 증가할 때 흔히 발생할 수 있다. 상처를 입은 조직은 원래 조직이 갖던 힘의 70~80% 정도만이 회복이 되므로 다른 정상조직에 비해 약하다.

4) 척출

상처층이 분리되었을 때 내장 장기들이 열려진 상처 밖으로 돌출되어 나오는 것을 척출(evisceration)이라고 한다. 이는 가장 심각한 수술 후 합병증이며 외과적 수술을 요하는 응급한 상태이다. 척출이 발생되면 간호사는 돌출된 조직에 세균의 침입과 조직의 건조를 감소시키기 위한 목적으로 생리식염수에 적신 멸균 소독거즈를 덮어주고 즉시 의사에게 보고하여야 한다. 상처 밖으로 장기들이 돌출된 시간이 길어질수록 조직 내 혈액공급 장애로 인한 손상이 심해진다.

5) 누공

누공(fistula)이란 두 기관 사이에 혹은 신체외부와 기관 사이에 비정상통로가 형성되어 교통됨을 말한다. 누공이 생기면 감염률도 높아지고 체액손실로 인한 수분-전해질 불균형이 초래된다. 또한 인공누공 시도로 인한 만성적인 배액으로 피부손상이 초래되기도 한다.

II. 상처사정

충분한 사정은 상처에 관련된 여러 가지를 다 포함해야 진단, 중재 방법, 그리고 후에 재 사정과 비교해 볼 수 있는 자료가 된다.

상처를 사정할 때는 위치, 크기, 가장자리 부위, 잠식성(underming)이 있는지 터널 형성(tunneling)이 있는지 괴사 조직이 있는지, 특성이 무엇인지, 삼출물의 특성, 주위 조직의 상태 그리고 재생조직과의 상피화 특성 등을 기술한다.

1. 위치

상처의 위치는 상처의 병인을 결정짓는데 중요한 것이다. 95% 이상의 욕창 대상자들에게 5군데의 현저한 상처위치가 있는데 엉치뼈/꼬리뼈 부위(sacral/coccygeal area), 대전자 부위(greater trochanter), 궁둥뼈 결절(ischial tuberosity) 부위, 발뒤꿈치 부위 그리고 가쪽복사(lateral malleolus) 부위이다. 특히 조직이 뼈가 닿은 부위의 압력으로 인해 혈관계에 변화가 생겨서 천골부위는 가장 흔한 욕창 부위이고, 대전자 부위는 가장 심한 상처가 생기는 부위이다.

정확한 해부학적인 용어가 욕창의 부위를 확실히 나타내는데 중요하다. 욕창은 주로 뼈가 돌출 된 부위에 많이 발생하나 조직이 압력을 받아 조직의 허혈이나 저산소 상태를 일으키는 어느 곳은 어디나 발생가능 하다. 특히 하체사지에 일어나는 만성상처는 혈관성이나 당뇨로 인한 경우가 많다.

2. 상처크기

가장 일반적인 상처크기 측정 방법은 범위 측정법이다. 2차원이나 혹은 3차원 측정 법 등을 이용해서 범위를 측정하는데 flow sheet에 centimeter를 이용해 길이와 넓이(또는 깊이)등을 기록한다. 범위를 측정해서 시간의 흐름에 따라 크기의 변화가 줄어드는지를 측정할 수 있게 한다. 측정 시에는 일관된 방법으로 측정하며 항상 가장 긴 부위와 가장 넓은 부위를 측정해서 결과의 신뢰도를 높이고 길이와 넓이로부터 표면의 면적을 계산해서 시간이 지남에 따라 치유되는 증거로 크기 변화를 주의 깊게 모니터 해야 한다.

주위를 측정할 때에는 아세테이트 투사를 이용하여 투명한 아세테이트를 상처위에 올리고, 상처의 주위 형태를 따라 그린다.

3. 분류

분류는 주로 조직 파괴의 정도에 따라 나뉜다. 욕창의 단계가 이용되는데, 이러한 체계적인 분류로 욕창의 심각성을 표현할 수 있는데 이는 일반적으로 조직 파괴의 깊이가 되는 기본의 위치에 따라 나뉜다. 분류는 다음과 같다.

I 단계

표피가 손상된 단계로, 피부온도, 조직경도), 감각(통증, 소양감)의 네 가지 변화 중 한 가지 이상의 변화를 포함한다. 표피가 손상된 단계이다. 일반적으로 뼈 돌출부위에 회복되지 않는 홍반(non-blanchable erythema)이 나타난다. 반면 피부색이 좀 더 어두운 대상자에게는 지속적으로 붉거나 푸른색 또는 자주색으로 나타난다. 이 부위에는 통증이 있으며, 단단하거나 부드럽고 주변조직에 비해 따뜻하거나 차갑게 느껴질 수 있다.

II 단계

표피는 물론 진피가 부분적으로 손상된 단계이다. 붉은색을 띠는 얕은 궤양 또는 장액성 수포가 나타난다. 단, 이부위에 멍이 있는 경우 2단계 보다 심한 심부조직 손상을 의심해야 한다.

III 단계

표피와 진피는 물론 피하조직까지 손상된 단계이다. 피하조직이 관찰되나 근육, 건, 뼈는 노출되지 않았고, 괴사조직 및 사강이 존재할 수 있다.

IV 단계

근막 이하의 조직이 손상된 단계이다. 근육이나 건, 뼈 등이 노출되며, 괴사조직 및 사강이 존재할 수 있다. 4단계 욕창은 잠식성이며, 통로(sinus tracts)가 생긴다.

심부 조직손상 의심 단계

피부의 일부분이 보라색이나 적갈색으로 변색되어 있거나, 혹은 혈액이 찬 수포가 나타난 상태이다. 주위조직에 비하여 단단하거나 물렁거리고 통증을 유발할 수 있으며, 따뜻하거나 차갑게 느껴질 수 있다. 증상이 심해지면 확실한 심부조직 손상으로 진행될 수 있다.

미분류 욕창 단계

전층 피부손상 상태이나, 상처 기저부가 괴사조직으로 덮혀 있어 조직 손상의 깊이를 알 수 없으므로 단계를 분류할 수 없는 상태이다.

4. 상처 가장자리

상처에 따라 가장자리 특성도 다르다. 욕창일 때. 조직이 증식 중일 때가 다르고 어떤 때는 상처 가장자리를 구별하기 쉽지 않을 때도 있다. 오래 지속된 욕창의 경우 섬유화와 흉터는 손상과 재생을 반복한 결과로 생기며 딱딱하다.

정맥성 궤양일 경우는 상처 가장자리가 보통 불규칙하고 확연히 드러나고 동맥성 궤양은 종종 규칙적이고 특징적으로 두드린 듯한 외양을 가진 상처가장자리가 있다. 신경성 궤양(neuropathic ulcer)은 전형적으로 상처주위에 딱딱한 가장자리를 나타낸다.

5. 상처 잠식성

잠식성(undermining)이 있는 상처는 치유과정에서 혐기성과 비혐기성 박테리아가 훨씬 더 많이 나타난다. 잠식성(undermining)은 욕창의 경우와 신경성 궤양의 경우에 부분적으로 발생한다. 그 정도와 양은 조직 괴사정도에 따라 다르다. 잠식성은 가장자리 부위부터 포함해서 측정하며 터널형성(tunneling)이 존재하면 그 길이가 훨씬 더 확장된다. 측정은 면봉으로 한다.

6. 괴사조직 유형과 양

조직 괴사의 특성은 냄새, 양상, 구성물 그리고 양 등을 사정할 때 반드시 해야 한다.

상처가 심해지면서 생긴 죽은 조직들은 색깔, 성분, 모양 등이 달라지게 된다. 예를 들어 피하의 죽은 지방조직은 노란 딱지(slough)가 형성된 모양이다. 근육 조직의 경우 두껍고 끈끈한 조직이 된다. 지방과 피부의 괴사, 딱지의 형성은 정상피부 상주균의 감염으로부터 나타난다. 괴사된 조직의 색깔도 다양한데,

표 19-2 상처간호에서의 간호진단과 관련요인

간호진단	관련요인
피부손상	외과적 절개, 압력, 소양감, 화학적 손상, 피부의 분비물과 배설물 노출
피부손상 위험성	신체적 부동, 상처배액
감염 위험증	영양부족, 조직손실과 환경노출
급성 통증	절개 상처, 두려움
체액부족 위험성	모세혈관 투과성 증가, 각질층 손실
조직관류 변화	부종, 순환량 감소
신체상 장애	복합열상

흰색에서 회색, 노란색, 심지어 검은색으로도 나타난다. 괴사와는 좀 더 다른 용어로 딱지와 가피(eschar)가 있는데 이는 색깔이나 성분에 의해 구분 지어진다. 딱지는 노랗고 얇은 조직으로 점액성이며 가피는 검고, 부드럽거나 딱딱하고 전체적인 손상이 있을 때 형성된다.

괴사 조직은 손상 정도가 커짐에 따라 상처 기저에 좀 더 붙어있으려 하고 가피가 노란 딱지보다 확고하게 붙어있다. 괴사조직은 치유를 지연시키는데 이유는 이것이 박테리아의 서식지이며, 상피화, 수축 또는 과립형성을 방해하기 때문이다.

7. 삼출물의 유형과 양

삼출물은 상처사정 시에 감염여부나 국소적인 치료, 치유 등을 모니터 할 수 있는 중요한 요소이다. 감염은 치유를 지연시키기 때문에 집중적으로 치료해야 한다. 건강한 상처 표면은 효소나 성장요인(growth factor)을 함유해 촉촉하고 이는 회복과정에 필요한 재상피화를 증진시키는 역할을 한다. 습윤한 환경이 표피세포의 이동을 증진시키고, 상처 손상을 막아준다. 일차 유합에 의한 급성 상처의 경우에 절개 부위에서 48~72시간 동안 삼출물이 나온다. 이 시간 후에 삼출물이 나오는 것은 치유가 지연됨을 의미한다.

만성상처의 경우에 염증이나 감염반응에 의해 양이 더욱 증가한다. 증가된 모세혈관 투과성은 수분과 기질이 손상된 조직으로 새는 것을 초래한다. 감염된 상처에서의 삼출물은 더 탁하고 농성이며 양도 증가된다. 손상된 모세혈관에서 나온 혈장 단백질의 양이 과도하게 많아져서 상처가 부어오르게 된다. 이 부종은 단백질분해효소와 박테리아, 박테리아 독소, prostaglandin, 괴사성 잔설 등을 포함하며 이는 모두 만성 염증을 지연시키게

한다. 배액 되어져 나오는 삼출물의 양과 종류는 반드시 사정되어야 하며 삼출물의 성분, 색깔 등에 따라 드레싱의 방법을 고려하여 선택해야 한다.

8. 주변조직 상태

주위 조직이 손상되었는지 치유과정에서 일어날 수 있는 또 다른 손상은 없는지를 알기 위해 조직의 색깔, 경화, 부종 등을 사정해야 한다. 압력으로 인한 손상이 더 있는지 알아보기 위해 상처주위에 눌러서 흰 부분이 나타날 수 있는 또는 없는 홍반이 있는 지 살핀다. 만성화되는 상처에서는 눌러서 희어지지 않고 푸르고 갈색으로 변화된다. 조직 경화나 부종도 조직 손상이나 감염을 나타내는 신호가 될 수 있다.

9. 육아조직과 상피화

육아 조직은 피부전층 손상 상처에서 반흔 조직을 만드는 발판이 된다. 따라서 조직의 색깔로 상처의 건강상태를 알 수 있다. 상처에 동맥혈 순환이 잘 되지 않으면 창백한 분홍을 띠고 정맥혈 순환이 부족하면 거무스레하게 붉다. 색깔로 상처가 형성된 기간도 알 수 있다. 생긴지 얼마 되지 않은 조직은 분홍색이지만 점점 붉은색으로 변한다.

피부 부분층 손상 상처는 표피의 재생으로 치료되지만 피부전층 손상상처는 반흔 조직의 형성으로 치유된다. 상처부위가 새로운 혈관과, 아교질로 채워지고 상처 가장자리 부위가 수축하고 상피화에 의해 새 표면을 형성하게 된다. 상피화 과정은 피부 부분 층 손상의 경우는 상처 기저에서 그리고 피부 전층 손상의 경우는 가장자리 부위에서부터 이루어진다.

제2절
상처간호에서의 간호진단

피부상처 및 피부장애를 가진 대상자와 관련된 NANDA의 간호진단은 대상자의 피부가 좋지 않은 상태로 변할 위험이 있는 상태인 피부통합성 장애위험성, 표피와 진피의 손상이 있는 피부통합성 장애, 외피, 각막, 점막조직의 손상이 있는 상태인 조직통합성 장애가 있다. 일반적으로 간호사정 자료를 근거로 간호사는 간호진단을 내리게 되며 상처간호와 관련하여 내려질 수 있는 간호진단과 관련요인의 예는 표 19-2와 같다.

제3절
상처간호 수행계획

간호진단에 따라 상처관련 간호계획을 세우는데 있어서는 대상자가 현재 응급상황인지, 안정 상태인지에 따라 우선순위를 설정하여야 한다. 상처간호와 관련된 간호목표의 예는 다음과 같다.

- 상처치유 증진의 증상 및 증후가 나타날 것이다.
- 감염의 증상 및 증후가 호전될 것이다.
- 상처부위의 피부통합성을 회복할 것이다.
- 상처와 드레싱을 설명하고 시범을 보일 것이다.

피부통합성 장애의 위험이 있는 대상자를 위한 간호목표는 피부통합성을 유지하고 문제가 발생하지 않도록 하는 것이다.

피부를 유지하기 위한 간호계획은 다음과 같다.

- 피부를 규칙적으로 관찰한다.
- 피부청결을 유지하고 건조하게 하며 적당한 습도를 유지하도록 한다.
- 피부에 대한 압박을 줄이도록 한다.

상처를 치유 증진하기 위한 간호계획은 다음과 같다.

- 적절한 영양을 제공한다.
- 규칙적으로 상처를 사정한다.
- 무균적이고 적절한 상처관리 및 드레싱을 적용한다.
- 상처감염 및 합병증의 징후를 사정한다.
- 통증을 관리한다.

제4절
상처간호 수행

I. 상처관리

1. 상처관리의 원칙

1) 관리순서

상처관리의 순서는 우선 발생요인을 파악하여 제거하는 것이 먼저이고 그 다음 상처치유를 위한 전신 상태를 향상시키고 상처치료에 적합한 국소요법을 수행하는 것이다.

2) 국소상처의 관리

국소상처의 관리는 상처의 괴사조직을 제거하고, 감염을 발견하여 치료한다. 즉, 지나친 삼출물을 흡수하고 사강을 채우고 치유될 때까지 상처의 개방성을 유지하여 상처치유의 방해요인을 없애는 것이다. 또한 상처표면과 상처 기저부를 습윤하게 유지하고 외부의 온도변화와 충격으로부터 상처를 보호하기 위해 드레싱을 통해 적합한 환경을 유지하는 것이다.

이는 상처가 공기에 노출된 경우에 비해 습도가 유지되면 상처치유속도가 40%이상 빨라지고 습윤한 환경은 괴사된 조직을 분해, 청소하는 효소의 활동에도 좋은 여건을 마련하게 되기 때문이다. 드레싱은 진피재생을 촉진하는데, 거식구의 침윤을 촉진하고 조직 성숙을 가속화시켜 상처치유 효과를 나타낸다. 또한 드레싱에 의한 저산소상태에 의해 혈관생성이 촉진되며 상처액의 손실을 막아 상처치유를 촉진시킨다. 급성 상처의 체액에는 성장인자가 많은 양이 포함되어 피부세포의 재생을 촉진시킨다.

3) 감염된 상처의 관리

외부 미생물의 침입을 막고 공기의 침입을 막아 상처가 산성을 띠게 하여 미생물의 성장을 억제한다. 또한 상처에 적절한 습도는 감염원으로 작용할 수 있는 건조된 괴사조직의 발생을 막을 뿐만 아니라 염증세포의 이동을 촉진하여 감염을 예방하여 준다.

4) 치료반응 관찰

치료반응을 관찰할 때는 만약 치유에 문제가 있다면 치료 방법을 바꾼다. 또한 전신상태의 호전이 없거나 발생요인이 여전히 남아있는 경우 전신 상태를 고려해서 치료반응을 관찰하며 국소요법을 바꾸기 전에 대상자의 전신 상태를 다시 사정한다.

2. 온·냉요법

열과 냉의 국소적용은 상처치유를 증진시키고 부종이나 통증을 감소시키는 효과가 있다. 그러나 온·냉요법은 조직에 손상을 주거나 체온조절에 영향을 미칠 수 있으므로 대상자의 안전을 고려하여 적용해야 한다.

1) 온요법

온요법은 혈류량을 증가시키고 영양소 공급을 원활하게하며 상처부위로 백혈구와 항체 운반을 증진시켜 연조직의 치유를 촉진하고 근육의 동통이나 경직을 완화하는 효과가 있다. 그러나 계속된 열에 대한 노출은 모세혈관 투과성을 증가시켜 부종을 초래하고 발적이나 피부수포를 만들기도 한다. 온요법은 주로 관절염이나 요통, 생리통, 회음부 및 질 염증 문제를 지닌 대상자에게 적용하며, 전기 열패드나 온수패드, 열팩(hot packs), 온찜질, 좌욕 등의 방법이 있다.

2) 냉요법

냉요법은 주로 손상 직후의 출혈이나 부종, 통증을 감소시키기 위해 사용하는데, 혈관수축을 유도하여 상처부위 혈류량을 감소시키고, 부종 형성을 방지하고 염증을 감소시키는 효과가 있다. 또한 신경전도 속도를 감소시켜 통증을 완화시킨다. 얼음주머니(ice bags)나 냉찜질 등의 적용방법이 있다. 냉에 지속적으로 노출되면 순환장애나 산소와 영양소 결핍으로 인한 조직손상, 무감각 등의 문제가 발생한다.

3. 상처 지지와 고정

붕대법과 바인더의 목적은 신체부위에 압박을 가하며, 신체부위의 운동을 제한하여 치유를 돕고 상처 또는 외과적 절개부위를 지지한다. 또한 부목이나 견인과 같은 특수기구를 유지하며 관절부위를 고정하는데도 이용된다. 또한 부종을 감소시키고 예방하며 보온을 유지한다.

1) 붕대

붕대를 감을 때는 대상자와 마주 보고 감아야 균등한 힘과 적절한 방향을 유지할 수 있으며, 붕대법은 인대 및 관절 근육의 긴장을 피하도록 약간 관절을 구부린 상태의 정상체위를 유지하면서 붕대를 감는다. 붕대는 말단에서 중심부 쪽으로 붕대를 감아야 정맥혈 귀환이 잘되며, 혈액순환에 지장을 주지 않는 범위의 압력을 주어 붕대를 감되 압력이 모든 부위에 같은 정도로 가해지도록 한다. 붕대를 감을 때 신체부위 말단은 노출해야 혈액순환 상태를 관찰할 수 있으며, 드레싱과 상처 오염을 막기 위해 드레싱의 전후방 5cm 정도를 덮도록 감는다.

2) 바인더

바인더는 신체특정부위에 맞도록 고안된 천 종류로 만들어진 붕대이다. 대부분의 바인더는 탄력성 있고 면, muslin 또는 프란넬로 만들어져 있다.

가장 흔한 바인더의 유형은 유방, 복부 바인더 그리고 T-binder 이다. 유방바인더는 탄탄하게 맞는 소매 없는 조끼같이 보인다. 유방바인더는 유방수술후 부위를 지지하기 위해 사용된다. 복부바인더는 수술후 환자가 기침하거나 움직일때 절개부위에 긴장을 초래하기 쉬운 복부수술 부위를 지지하기 위해서 적용된다. T-binder는 T자와 같이 보이는 바인더로 항문부와 회음부 드레싱 적용시 그 부위를 지지하기 위해서 사용되며 생식기의 남녀 모양이 다름에 따라 Single-T-binder는 여성환자에게, double-T-binder는 남성환자에게 적용된다.

4. 상처 세척

상처세척은 상처기저부의 치유를 저해하는 괴사조직과 오염물질, 및 화농성 삼출액을 제거하여 상처치유를 촉진하기 위해 시행하는 것으로, 이때 세척액은 섬유모세포에 해를 주지 않는 생리식염수가 가장 이상적이다.

5. 상처 드레싱

상서 드레싱은 상처를 환경으로부터 보호하기 위해 덮어주는 것으로, 드레싱 방법과 드레싱 제품을 선택시 고려할 사항은 상처의 형태, 감염여부, 상처의 위치, 삼출액 정도, 괴사조직의 제거와 간호시간, 환자의 안위정도 및 비용이 포함된다.

드레싱은 다음과 같은 목적으로 사용된다.
- 상처를 깨끗하게 하고 병원균의 침입을 막아준다.
- 상처의 혈액, 분비물, 배액을 흡수시킨다.
- 압박을 가하며 부종과 출혈을 막아준다.
- 약제의 적용을 도와준다.
- 상처조직에 습기와 보온을 제공하여 괴사조직을 제거한다.
- 물리적. 화학적 손상으로부터 상처부위를 보호한다.
- 보기 흉한 부위를 가려주어 안위를 도모한다.

드레싱의 종류는 다음과 같으며, 드레싱 종류에 따른 다양한 제품들이 시판되어 사용되고 있다.

1) **거즈(gauze)**: 휴대가 간편하고 사용하기 쉬우며, 봉합상처나 흡수와 보호를 위한 2차 드레싱 제로로도 사용 된다.

Dry-to-Dry Dressing, Wet-to-Dry Dressing, Wet-to-Wet Dressing의 드레싱 방법이 있다.

2) **투명 필름 드레싱**: 접착성이 있는 반투과성 필름 형태의 드레싱으로 산소와 수증기를 통과하고 물과 세균침입을 차단한다. 외상과 감염인자로부터 상처를 보호하지만 흡수력이 없으므로 삼출물이 있는 상처에는 부적합하다.

3) **하이드로 콜로이드**: 친수성 콜로이드 입자가 붙어있는 접착성 형태로 중정도로 깊은 상처를 치유하기 위해 상처에 습한 환경을 유지한다. 감염된 상처에는 사용이 부적합하다.

4) **하이드로젤**: 글리세린이나 수분이 있어 보습성이 좋으며, 괴사된 상처의 자가분해성 조직을 제거한다.

5) **폼드레싱**: 비접착성 친수성의 폴리우레탄 재질로 많은 양의 분비물 상처에 상처흡수제로서 사용한다.

6) **칼슘 알지네이트**: 수용성으로 점성이 있는 용액인 알지네이트를 칼슘과 결합시켜 섬유형태로 만든 것으로 삼출물과 반응하여 부드러운 젤을 형성하여 습윤 치유환경으로 조성한다. 많은 양의 상처삼출물을 흡수하고 상처의 냄새를 조절하며 지혈하고 통증을 완화한다.

7) **항균보호막**: 은을 함유한 항균물질 제품으로 감염된 상처에 사용되나 다른 재료에 비해 가격이 비싼 편이다.

6. 수술상처부위의 배액관 관리

수술상처부위 배액량이 많으면 상처 회복과 피부통합성을 방해하기 때문에 이를 제거하기 위해 배액장치를 사용한다.

1) 헤모백(Hemovac)은 폐쇄배액법으로 배액통을 연결하여 진공 흡인으로 분비물을 당겨 제거하게 된다. 헤모백은 통에서 분비물을 비운 후 손으로 눌러 음압으로 흡인시키는 기구로 다량의 분비물이 배액되는 수술상처에 사용된다. 배액관은 수술시 상처에 삽입되며 수술 후 보통 3-7일 정도 사용한다.

2) J-P흡인백은 수술부위에 과도한 배액을 흡인하기 위해 실리콘으로 만든 원형의 폐쇄배액 기구이다. 보통 100~200ml 용기로 되어있다.

3) 펜로즈(Penrose) 배액관은 개방배액법으로 상처부위의 옆쪽을 절개하여 배액관을 주입한 후, 배액관 끝 부위에 안전핀을 꽂아 상처내부로 미끄러져 들어가는 것을 방지하는 배액관이며 보통 유연한 고무, 실리콘 또는 플라스틱 제품으로 만들어져있다.

7. 상처의 감염관리

창상감염은 미생물, 숙주, 환경의 상호작용에 의해 발생된다. 특히 면역력이 저하된 대상자 군에서는 내성이 강한 병원균에 의한 감염이 쉽게 발생한다. 의료진들은 이러한 상처의 감염이 발생하는 과정에 대한 이해를 기반으로 많은 연구에서 입증된 예방법의 실천을 통하여 창상감염 발생율을 낮출 수 있도록 노력하는 것이 필요하다.

1) 상처의 감염

(1) 정의

상처에 생기는 감염은 생존 가능한 조직에 미생물이 유착되거나 침투된 상태를 말한다. 건강하고 온전한 피부 표면은 미생물의 증식이 억제되어 감염에 대한 방어 작용을 하지만 사고나 수술로 인하여 피부가 손상을 입게 되면 세균이 접근할 수 있는 통로가 생기게 된다. 만일 세균이 침투되게 되면 정상 상태에서는 오염으로부터 보호를 받던 조직이 국소적이거나 전신적인 감염을 일으키게 된다. 특히 수술 시 사용되는 봉합사나 인공 보철물은 상처를 가진 대상자가 감염에 더욱 취약하게 만든다.

1988년 미국의 질병관리 센터에서 제시한 감염의 정의를 살펴보면 감염원이나 감염원의 독소가 존재하고 이에 대한 부작용으로 발생하는 전신적인 혹은 국소적인 증세를 말하는데 병원감염의 경우는 입원 시 감염이 존재하지 않거나 잠복상태도 아니어야 하며 입원 후 보통 48시간 이후에 발생하는 것으로 수술창상감염의 경우는 피부와 피하조직의 수술절개부위는 수술 후 30일 이내에 발생한 경우이고, 그 보다 심부의 경우는 삽입물이 없으면 30일 이내, 삽입물이 있으면서 수술절차와 관련이 있는 경우는 수술 후 1년 이내에 근육층 이하의 절개 부위나 수술과정 동안 조작을 가했던 해부학적 부위에 발생한 경우이다.

(2) 진단기준

진단기준은 다음 중 한 가지 이상의 조건을 만족하는 경우 감염으로 정의한다.

- 화농성 배액
- 창상에서 나오는 배액의 배양에서 균이 분리되는 경우
- 창상이 배양음성이 아니면서 통증, 압통, 국소적인 부종, 열감, 발적 중 하나에 해당하면서 수술 창상의 심부가 저절로 파열되거나 외과의가 일부러 창상을 개방한 경우
- 직접 또는 재수술중이나 조직 병리검사, 방사선 검사 등에서 심부 절개부위, 수술한 조직, 또는 상처에 농양이나 감염된 증거를 관찰한 경우
- 의사가 진단한 창상감염

(3) 감염의 원인

상처감염의 원인은 크게 대상자 요인, 수술 요인, 세균의 요인으로 분류할 수 있으며 대상자 요인은 연령, 심한 비만 또는 영양 실조, 악성종양 및 화학요법, 기저질환(심장, 신장, 호흡기 신진대사), 부신피질 호르몬 치료, 당뇨병이며 수술 요인은 수술 전 입원기간, 수술 전 피부의 세척 및 소독, 체모제거 방법 및 시기, 예방적 배액법의 사용여부 그리고 이물질의 삽입 여부, 수술 기술 및 수술 시간, 응급 수술 여부이다. 세균의 요인으로는 오염정도(오염을 일으킨 균의 수 및 독성), 세균의 병원성 정도이다.

(4) 원인균

상처는 병원균에 의한 침윤이나 균 집락이 다른 조직들보다 용이하다. 이는 상처에 있는 장액성의 습기가 미생물이 잘 자라는 배지 역할을 하기 때문이다. 피부에 일시적으로 존재하는 미생물은 병원성 세균이거나 혹은 그렇지 않은 것들이 포함되는데 이들은 대부분 접촉에 의해 감염이 가능하다.

일반적으로 감염을 유발하는 병원균의 40%가 호기성 그람음성세균이며 이중에서 E. coli, Proteus spp. Pseudomonas 등이 치유를 지연시키는 등의 특별한 문제를 유발하며 단일 종으로는 황색포도상구균(Staphypococcus aureus)이 가장 많은 원인으로 작용하는 것으로 보고되고 있다. 또한 기타 곰팡이나 효모형태의 Candida, Cryotococcus, Aspergillus, Penicillium 등은 면역력이 저하된 대상자에서 기회감염을 일으키는 원인균으로 작용하는 것으로 보고되고 있다.

2) 감염관리

(1) 수술 전 관리방법

대상자를 준비할 때 수술 전에 감염이 있는 경우 가능한 수술 전에 치료하며 당뇨대상자의 경우 혈당을 적절하게 조절하고 특히 고혈당을 피하도록 한다. 또한 적어도 수술 30일전부터는 금연하도록 권고 하고 수술 팀은 철저한 무균술을 지킨다.

(2) 수술 후 창상 관리

드레싱교환이나 수술부위를 만지기 전과 후에는 반드시 손을 씻고 절개부위 드레싱교환이 필요할 때는 반드시 무균술을 지키며 상처와 접촉하는 모든 물품은 멸균된 것이어야 한다.

멸균 드레싱 세트는 드레싱 직전에 개방하여 사용해야 하며 개방 후 다시 포장할 때는 멸균지역과 불결지역을 구분하여야 한다. 드레싱 제거시에는 소독되지 않은 장갑을 사용해도 무방하지만 드레싱 교환시는 봉합된 창상을 제외하고 멸균장갑을 착용한다. 소독제를 사용할 때는 멸균 겸자의 끝을 가장 낮게 유지하며 상처의 중심부터 나선형으로 닦아내고 절개부위를 먼저 드레싱 한다. 소독제는 공기 중에서 30초 이상 건조되도록 한 후 거즈를 대며 드레싱이 젖었거나 감염이 우려되는 경우 반드시 교환하고 감염여부를 관찰하며 필요시 배양검사를 의뢰한다. 또한 대상자와 가족에게 적절한 절개간호, 창상감염의 증상 및 보고의 중요성을 교육한다.

제5절
상처간호 수행의 평가

간호계획의 평가는 상처간호에 있어서는 피부통합성의 유지와 대상자의 안녕, 드레싱 교환능력 등을 확인함으로써 얻어질 수 있다.

간호사는 피부의 조직손상의 예방과 욕창치유 증진을 위한 목표에 따라 기준을 설정하고 평가한다.

- 욕창치유 증진의 평가방법: 욕창발생 부위의 피부상태에 대해 시진한다.
- 욕창 감염방지의 평가방법 : 욕창 부위에서 감염의 진행과정이 발생하는지 피부의 상태와 이에 따른 증상을 확인한다.
- 피부통합성 유지 상태를 평가한다.
- 대상자나 가족의 욕창예방법에 대한 지식을 확인하고 평가한다.

대상자에게 수립한 간호계획이 달성되었는지 평가하기 위해 간호사는 대상자의 피부상태, 치유상태. 전신 상태를 평가하고 목표가 달성되지 않은 경우 사정 단계부터 그 이유를 파악하여 다시 간호계획을 수립한다.

사정단계를 파악할 때는
- 위험요소를 정확하게 확인하였는지
- 대상자의 신체 상태를 정확히 사정하였는지를 확인한다.

중재단계에서는
- 피부에 대한 적절한 압력감소 방법을 사용하였는지
- 체위변경이 잘 이루어졌는지
- 대상자의 수분 및 영양 섭취는 충분하였는지
- 실금을 통제하고 피부보호를 위한 조치가 적절했는지
- 상처가 효과적으로 지지되었는지
- 무균술을 상처 관리 시 철저하게 지켰는지
- 상처에 적절한 드레싱 기법이 사용되었는지
- 적절한 상처 감염방지 조치를 취하였는지를 점검한다.

PART V

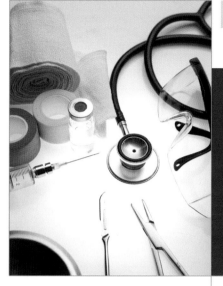

투약

투약 단원에서는 투약의 원칙, 투약 단위, 투약 시 간호행위의 근거를 다루었다. 이 단원에서는 약물을 대상자에게 투여할 수 있는 경구 및 비경구의 모든 투약 경로 시 간호유의사항을 다루었으며, 투약과 관련된 일반적 지식과 간호기술을 상세히 다루었다. 따라서 약물작용의 원리, 인간 발달단계를 고려한 약물의 투여 및 측정방법, 그리고 투약과 관련된 약어를 기술하여 투약영역에서의 필수적 간호지식을 중심으로 구성하였다.

20 투약원리

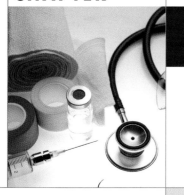

CHAPTER 20

투약원리

학습목표

일반적 원칙

1 약물투여에서 간호사의 역할과 책임을 설명한다.
2 약물작용기전과 약물유형을 설명한다.
3 약물투여경로별 특성을 설명한다.
4 약물의 용량을 정확히 계산한다.
5 투약을 위한 안전수칙을 설명한다.
6 주사약물을 정확하게 준비한다.

경구투여

1 경구투여 약물을 정확하게 준비한다.
2 경구투여 약물을 절차에 따라 투약한다.
3 경구투여 후 대상자의 반응을 평가한다.

근육주사

1 근육주사부위를 설명한다.
2 근육주사를 절차에 따라 수행한다.
3 근육주사 후 결과를 평가한다.

피하주사

1 피하주사부위를 설명한다.
2 피하주사를 절차에 따라 수행한다.
3 피하주사 후 결과를 평가한다.

피내주사

1 피내주사부위를 설명한다.
2 약물반응 검사용 희석액을 만든다.
3 피내주사를 절차에 따라 수행한다.
4 피내주사 후 결과를 평가한다.

말초정맥주사

1 안전한 말초정맥주사부위를 설명한다.
2 말초정맥주사를 절차에 따라 수행한다.
3 말초정맥주사로 인한 합병증 발생 시 적절한 간호를 수행한다.
4 말초정맥수액을 유지하는 다양한 방법을 적용한다.
5 말초정맥주사 후 결과를 평가한다.

중심정맥주입

1 중심정맥주사의 종류 및 적응증을 설명한다.
2 중심정맥주사 간호를 수행한다.

수혈

1 수혈의 목적과 혈액제제 종류를 설명한다.
2 수혈을 적합한 절차에 따라 수행한다.
3 수혈의 반응과 부작용에 따라 간호를 수행한다.

국소적 약물투여

1 피부 투여약물을 절차에 따라 수행한다.
2 코 투여약물을 절차에 따라 수행한다.
3 눈 투여약물을 절차에 따라 수행한다.
4 귀 투여약물을 절차에 따라 수행한다.
5 질 투여약물을 절차에 따라 수행한다.
6 직장 투여약물을 절차에 따라 수행한다.
7 국소투약 후 결과를 평가한다.

약물투여는 간호사의 중요한 책임을 수반한다. 약물은 대상자의 질병을 예방하고 진단 및 치료를 목적으로 사용되어진다. 약물을 올바르게 사용하면 유익하지만 어떤 약물들은 해로운 영향을 끼칠 수도 있고, 다양한 합병증과 중독을 초래하기도 한다. 간호사는 약물의 효과와 투약경로 및 투약방법을 이해하고, 약물을 정확하게 투여하며 또한 그 반응을 감시하고, 대상자가 스스로 약물을 정확하게 투약하도록 도와야 할 책임이 있다. 따라서 투약업무과정에서 안전도와 정확성을 확인함으로써 투약에 관계된 지식과 투약의 엄격성에 따른 기술을 잘 조화시켜야하며 이에 따른 간호사의 판단이 중요하다.

제1절
투약의 일반적 원칙

I. 약물투여 시 간호사 역할과 책임

1. 약물투여에서의 간호사 역할과 책임

1) 대상자의 요구 확인

약물을 안전하게 투여하기 위해서는 사정 초기에 대상자의 정보가 수집되어야 하며 치료에 대한 대상자의 이행을 증진시키기 위하여 적절한 교육을 계획하는 것이 필요하다. 간호사는 약물치료에 대한 대상자의 임상증상, 잠재적인 반응 및 요구를 확인하기 위해서 많은 요인들을 사정해야 한다.

(1) 투약력

투약력은 대상자가 평소에 복용해 온 약물이나 최근에 복용중인 약물, 술, 담배, 습관성 약물 등에 대한 정보가 포함되어, 대상자의 약물치료에 대한 정보나 금기 사항을 제공하여 준다. 대상자가 현재 복용중인 모든 약물에 대한 자세한 정보는 의사가 대상자에게 필요한 약물을 처방하는데 도움을 줄 수 있으며 특히 항 당뇨병 제재, 항 경련 제재, 심 혈관 제재를 복용하는 대상자의 경우 아주 중요하다.

대상자가 여러 가지 약물을 복합적으로 복용하거나 자신이 복용하고 있는 약물의 이름을 기억하지 못하는 경우, 혹은 자신의 임상적 증상과는 무관한 약물을 복용하는 경우에 복용하고 있는 모든 약물을 회수하여 평가할 수 있도록 대상자나 가족에게 요청해야 한다.

눈에 점적하는 약물, 비강 분무제, 피부외용약, 약초요법 등을

약물로 고려하지 않을 수 있다는 것도 고려해야 하며, 약물의존이나 알콜남용에 대한 정보를 유도해 내는 것도 중요하다. 대상자의 투약력을 자세히 조사하는 것은 약물의 효과를 최대화하고 투약에 따른 잠재적 혹은 실제적인 문제를 확인하기 위함이다.

(2) 알레르기

약물에 대한 알레르기 반응 유무를 대상자에게 확인해야 한다. 약물에 대한 알레르기 반응이 있는 대상자의 경우, 이에 따른 증상에 대한 계속적인 질문을 통해 실제로 알레르기 반응에 의한 것인지 아니면 불쾌한 부작용에 의한 것인지를 확인하게 해준다. 각각의 약물에 대한 대상자의 반응이 반드시 기록되어야 하며 건강전문인 사이의 정보교환이 필요하다. 특히 입원 중이거나 만성 질환자의 경우 알레르기 반응 약물목록과 확인밴드를 착용시키기도 한다.

(3) 질병력

약물을 투여하기 전에는 대상자의 진단명과 병력을 알아야 한다. 신장, 간, 심장, 호흡기계, 내분비계, 신경계 등의 질병에 대한 정보를 수집하는 것이 중요하다. 이러한 정보를 미리 확인함으로서 약물에 대한 독성위험이나 이상상태가 요구되는 대상자를 확인하는데 적용할 수 있다.

(4) 식이력

식이력은 대상자의 일상적인 식습관과 기호식품에 대한 정보를 나타낸다. 간호사는 보다 효율적으로 약물용량을 계획하고 특정약물과 상호작용 할 수 있는 음식물 섭취를 제한하도록 권고할 수 있다.

(5) 대상자의 약물에 대한 지식 및 태도

약물치료를 이행하려는 의지나 능력에 영향을 미치는 것은 약물에 대한 대상자의 지식정도나 태도에 의해 좌우된다. 약물에 대한 지식정도를 사정함으로써 간호사는 교육의 필요성을 확인할 수 있으며 교육을 통하여 약물의 작용이나 투여목적, 예상되는 부작용, 정확한 투여방법 등을 설명하게 된다. 가족이나 친지들도 함께 교육하는 것이 바람직한 방법이다. 또한 대상자의 약물에 대한 태도는 약물의 의존정도를 나타낸다.

약물의존의 문제를 가진 대상자는 약물에 대한 느낌을 표현하기를 꺼려하므로 간호사는 약물에 대한 태도를 사정하기 위해서 약물에 대해 갈망하는 대상자의 행위를 관찰해야 한다.

(6) 대상자의 상태

간호사는 약물을 투여하기 전에 대상자의 상태를 주의깊게 사정해야 한다. 투약에 앞서 어떤 내용을 사정하느냐 하는 것은 대

상자의 신체, 정신상태 및 약물 투여경로에 따라 좌우된다. 예를 들어 항 고혈압제를 투여하기 직전에 간호사는 반드시 대상자의 혈압을 측정해야 되며, 만약 오심이 심한 대상자라면 구강투여는 바람직하지 않을 것이다. 지각력이 저하된 대상자는 스스로 약물을 복용하는 것이 어려우므로 간호사는 이러한 경우에 가족 혹은 친지의 도움을 받을 수 있는지 여부를 확인해야 한다. 이와 같이 대상자의 상태에 대한 정확한 사정은 약물치료의 효과를 평가하는 기준이 된다.

2) 정확한 약물 측정과 계산

액성약물을 측정할 때 간호사는 표준화 된 측정용기를 사용한다. 이러한 측정과정은 실수의 기회를 줄일 수 있도록 체계적이어야 한다. 간호사는 약물준비 시에 각 약물의 용량을 세심하게 주의하여 계산하여야 하고 다른 간호활동을 하는 중에 계산을 하지 않도록 한다.

3) 약물에 대한 지식

약물은 형태에 따라서 투여방법이 정해지며 한 가지의 약물이 여러 가지 방법으로 투여될 수 있고 이는 설명서에 표시되어 있다. 약물은 의사가 지시한 경로(route)나 약물의 표시대로 투여해야 한다.

약물의 투여경로는 약물의 용량에 영향을 미친다. 약물 투여경로와 용량은 대상자의 연령, 성별, 지각능력, 의식정도, 신체조건, 질병에 따라 결정된다. 경구 투여의 용량과 피하 주사시의 용량은 다르다. 약물 투여를 안전하게 하기 위하여 해부생리학적 지식과 약물에 대한 지식, 약물의 투여 이유를 알고 있어야 한다. 예를 들어 근육주사 시 큰 혈관이나 신경을 잘못 관통하여 손상을 줄 수 있다. 또한 약물효과에 대한 지식은 약물투여시 대상자에게 일어날 수 있는 위험에 대비할 수 있다. 예를 들어 morphine을 과량 투여했을 때 대상자의 호흡이 매우 느려질 수 있다고 하는 지식은 간호사가 투약의 효과를 사정하는데 필요하다. 또한 약물의 처방 용량에 대한 지식이 중요하다. 대상자에 따라서 처방 용량과 작용에 대한 이해가 필요하며 실제적으로 예측되는 결과에 대한 설명이 필요하다. 대상자에게 설명이 필요한 것은 약물에 대한 특이체질반응, 과잉용량, 독물질의 섭취 등이 있다.

대부분의 의료기관에서는 흔히 있는 중독 물질에 대한 해독제(antidote)와 응급조치에 관한 정보를 제공하고 있다. 이러한 지식이 있으면 응급치료에 신속하게 대처할 수 있다.

4) 약품관리

투약에 필요한 모든 기구는 간호사실에서 가까운 다른 장소에 준비해 두어 투약준비시 방해를 받지 않도록 한다. 병원에서는 투약 카드나 투약 쟁반을 사용하며 특별한 꽂이대를 만들어 약카드를 세워서 쉽게 읽을 수 있도록 되어 있다. 가정의 경우에도 기구를 한 곳에 모아두어 뚜껑을 덮고 소아의 손이 닿지 않도록 한다.

병원의 약장은 대체로 잠가 두며 열쇠는 책임 간호사가 보관하거나 간호사실의 일정한 장소에 둔다. 마약이나 barbiturate는 통제구역에 보관하여 매 근무시간마다 사용한 양과 남아 있는 양을 조사하여 인계하는 등 철저하게 관리한다. 찬 곳에 보관하지 않으면 약의 효력을 상실하는 약물은 냉장고에 보관해야 한다. 오직 약사만이 약의 용기에 약명을 붙일 수 있으므로 간호사가 표지가 없는 약을 발견하거나 부분적으로 확인할 수 없는 약이 있으면 병 채로 약국에 보내어 약사가 확인케 한다. 용기에서 일단 덜어낸 약은 다시 용기에 넣지 않는 것이 안전한 방법이다. 대상자가 투약시 자리에 없으면 간호사실로 되돌아와서 적절히 표시한 다음 약장에 넣고 잠근다. 이러한 주의를 하는 이유는 실수로 오는 위험이 너무 크기 때문이다. 내용액 뿐만 아니라 모든 액체 약품을 따를 때는 라벨이 붙어있는 반대쪽으로 하여 라벨에 약이 묻어 더럽히지 않도록 하여야 한다.

2. 투약오류 예방

투약오류는 대상자에게 적절하지 않거나 해가 되는 약을 사용하게 되는 것으로 처방이 부정확하거나 다른 사람에게 잘못된 약을, 잘못된 양과 잘못된 방법으로 잘못된 시간에 투여하거나 투여해야 할 약을 투여하지 않는 것이다. 대상자에게 투약과오를 예방하고 또한 정확하고 안전한 투여를 위해서는 투약준비 시 다음과 같은 점을 유의하여야 한다.

- 처방을 완전하게 받고 이를 이해한다 : 특수한 약물은 투약시의 조건이 명시되어 있다.
- 간호사는 투약 전에 항상 손을 씻는다 : 미생물 유기체의 전염을 극소화시킨 상태에서 투약에 필요한 기구를 다루어야 한다. 약물을 투여할 때 적절한 절차와 무균법을 적용하면서 올바른 절차를 따라야 한다.
- 투약에 대한 정보를 제공한다 : 어떤 대상자는 자신의 투약에 대해 알기를 원하는 자가 있는가 하면 알려고 하지 않는 대상자도 있다. 각 개인이 필요로 하는 지식은 개인의 환경에 따라서 결정되며, 중환자는 약에 대하여 알려고 할 여유가 없다. 각 개인이 가져야 하는 약품에 대한 지식은 그의 지적수준, 연령, 교육수준, 질병, 정서적 요구에 따라 다르다.
- 약물을 정확하게 확인한다 : 투약 준비시에는 완전한 방법으로 병,

튜브, 봉지, 갑 등의 표지를 세 번 확인해야 한다. 약을 준비한 즉시 대상자에게 투여해야 실수를 예방할 수 있다. 준비해서 오래 둘수록 약품이 바뀌거나 다른 사람에게 투여될 위험성이 증가된다. 또한 약물의 겉모양을 보고 식별하는 것은 대단히 위험하다. 간호사는 언제나 자신이 투여한 약은 자신의 책임임을 기억해야 한다. 한 간호사에 의해 약물을 준비하고 투여도 하고 기록도 하는 세 과정이 이루어져야 투약 잘못을 발견할 수 있다. 따라서 투여할 때는 법적인 책임을 생각하여 자신이 감당할 수 있을 때만 투여한다. 약물을 준비할 때는 조명을 밝게 하여 환경을 안전하게 조성한다.

■ 특별한 상황을 제외하고 간호사는 경구 투약인 경우 대상자의 투약이 끝날 때까지 대상자 곁에 있어야 한다 : 약물을 대상자의 침상가에 두고 나와서는 안된다. nitroglycerine(필요시 즉시 사용해야 하는 약물)과 같이 대상자 자신이 복용하도록 하는 약물이나 정맥 주입을 하고 있는 경우는 예외에 속한다.

■ 투약으로 인해 변화될 수 있는 상황요인(대상자의 맥박 등)은 투약 전에 측정하는 것이 좋다.

■ 투약 시 문제가 되는 점을 의사나 책임간호사에게 보고해야 한다.

■ 투약은 의사가 지시한 정확한 용량을 투여해야 한다 : 간호사는 용량의 측정을 자신의 의도대로 해서는 안된다.

■ 약의 효과와 반응을 평가하기 위해서는 대상자의 상태를 관찰하는 것이 그 지름길이다 : 투약에 대한 관찰은 병록지에 자세히 기록해야 하며 투약에 대한 대상자의 부작용 등에 대하여 기록한다. 이러한 반응이 심하거나 대상자가 심하게 불편해 하거나 중요한 신체기능에 장애가 있으면 즉시 의사에게 보고하여 증상을 완화시킬 수 있는 치료법을 강구해야 한다.

■ 대상자가 투약을 거부하면 간호사는 그 이유를 알아야 한다 : 때로 대상자는 투약을 거부하며 그 이유가 정당할 때도 있다. 약물이 오심, 구토를 일으킬 때, 약물과민 반응이 있을 때, 약물이 도움이 되지 않는다고 생각할 때, 나쁜 약이라고 생각할 때, 약이 바뀌었다고 생각할 때, 주사인 경우 아플까봐, 불쾌한 맛을 낼 때, 대상자의 종교적, 문화적 신념에 위배될 때, 대상자가 이해하지 못하고 해가 될까 두려워하는 경우, 불편한 시간, 즉 방문객이 있는 동안 투약을 할 때 대상자는 투약을 거부할 수도 있다. 대상자의 투약거부는 의사와 책임 간호사에게 보고하며 그 이유를 대상자의 병록지에 기록해야 한다.

■ 약물에 대한 교육을 통해 대상자의 건강을 증진시킨다 : 간호사는 교육을 통해 대상자의 생활양식을 변화시켜 최적의 안녕 상태를 달성하도록 돕는다. 또한 약물투여 목적, 약물의 작용 및 효과에 대한 정보를 제공하여 약물이 정확하게 투여되도록 한다.

II. 약물 작용기전과 약물 유형

1. 약물명과 약물 형태

1) 약물명

하나의 약물이 화학명, 속명, 약전명(공식명), 상품명 등의 이름으로 명명된다. 약물의 화학명(chemical name)은 약물의 구성성분에 따라 정확하게 기술한 이름이다. 속명(generic name)은 약물을 처음 개발한 제조자에 의해 붙여진 이름으로 법에 의해 보호를 받는다. 약전명은 속명이 미국약전(United States Pharmacopoeia, USP)과 같은 공식적 간행물에 수록되면 공식명(official name)이 된다. 상품명(trade name, brand name)은 일반인들이 보다 쉽게 기억할 수 있도록 제약회사에서 붙인 이름으로 동일한 약제에 여러 가지 상품명을 가질 수 있다. 예를 들어 흔히 쓰는 Tylenol은 상품명이며 속명은 acetaminophen이고 화학명은 N-acetyl-para-aminophenol이다. 또한 acetylsalicylicacid는 아스피린의 속명이지만 Ecotrin, Empirin 이라는 다른 상품명을 가지고 있다. 간호사는 다양한 명명법에 의해 여러 가지 이름을 가진 약물을 접하게 되므로, 약물의 약전명 뿐만 아니라, 속명, 상품명의 정확한 이름과 철자를 잘 알고 사용할 때에 주의를 기울여야 한다.

2) 약물 형태

약물은 여러 가지 형태로 준비되어 사용되며, 그 형태에 따라 투여경로가 결정된다.

약물은 구성분이 신체 내에서 흡수와 대사가 잘 될 수 있도록 정제, 교갑, 시럽, 좌약 등의 다양한 형태로 조제된다. 따라서 간호사는 투여경로에 따라 적절한 형태의 약물을 선택해야 한다 (표 20-1).

2. 약물의 법령과 기준

1) 약물의 기준

약물의 기준은 유효성분의 함유량과 순도 등에서 일정한 기준을 정해서 약물의 안전한 사용과 정확한 효과를 보장하기 위해 만들어졌다.

우리나라는 1958년에 대한약전(Korea Pharmacopoeia, KP)을 제정하여 의료목적으로 사용되는 약물의 이름, 품질, 순도, 시험법, 사용량과 극량 및 극약물, 독약물 등에 대한 기준을 만들었다. 미국은 1906년에 미국약전(United States Pharmacopoeia, USP)을 제정하여 약물의 효력, 질, 순도, 안전, 상표, 용량, 포장에 대한 기준을 만들었다. 약물의 처방책임은 의사에게 있고 약의 조제의무는 약사에게 있으며 처방된 약을 투여하고 투여 후 대상자의 상태를 관찰하고 반응을 평가하는 것은 간호사의 책임이다. 따라서 의사, 간호사, 약사는 이러한 약물기준에 따라서 대상자가 순수한 약물을 안전하게 효과적인 복용량으로 투약 받을 수 있도록 하여야한다. 수용될 수 있는 기준에는 다음의 사항이 명시되어 있다.

- 순도(purity): 약제품에 허용된 외생물질의 형태와 농도는 순도의 기준에 부합되어야 한다.
- 효력(potency): 조제약물의 농도는 효력 혹은 강도에 영향을 준다.

- 생체내 이용률(bioavailability): 신체에 이동, 용해, 흡수된 투약 형태에서 작용부위로 유리되는 약물의 능력을 말한다.
- 효능(efficacy): 세부적인 실험연구들이 약물의 효능을 결정하는데 도움이 된다.
- 안전(safety): 모든 약물은 약물의 부작용을 측정하기 위해 지속적으로 검토되어져야 한다.

2) 약물의 법령과 통제

대한약전이 1958년에 제정되어 의료목적으로 많이 사용되는 약물을 법률로서 선포하고, 독약이나 극약을 규정하고 있다. 이 규정에 의하면 독약 혹은 극약은 사람 또는 동물에 섭취·흡입

표 20-1 약물의 형태

형태	특성
엘릭시르(elixir)	구강용으로 물, 알코올, 달콤한 성분, 향료 등을 함유하는 달콤하고 향기로운 액체
교갑(capsule)	구강용이며 분말, 액체, 기름형태의 자극성 약물을 젤라틴 성분의 용기에 넣은 고형의 약제
환제(pill)	한가지 이상의 약물을 응집물질과 함께 혼합하여 삼키기 쉽게 만든 난원형, 원형, 편평형의 구강용 약제
정제(tablet)	분말을 압축하여 크기, 모양, 중량을 여러 가지로 만든 구강용 약제
분말, 가루약(powder)	약물을 미세하게 간 것으로 내복용 또는 외용으로 사용
시럽(syrup)	불쾌한 맛을 없애기 위해 당액에 용해시킨 액상의 내복용제
함당정제(troche, lozenge)	원형 또는 타원형의 맛이 좋고 달콤한 점액성으로 입안에서 녹아 약효를 내는 빨아먹을 수 있는 구강제제
장용제피정(enteric-coated tablet)	위에서 용해되지 않고 장에서 용해되도록 정제표면에 막을 입힌 구강용 정제
수용액, 물약(aqueous solution)	한가지 이상의 약물이 물에 용해된 것으로 구강용, 주사용, 외용으로 만들어진 수용성 제제
수성 현탁액(aqueous suspension)	물에 용해되지 않는 약물의 입자가 흩어져 떠 있는 형태로, 사용 전에 가볍게 흔들어서 사용해야 한다.
침출제(extract)	식물이나 동물에서 추출한 생약의 추출액을 농축한 것
겔 또는 젤리(gel or gelly)	피부에 바르면 용해되고 맑고 투명한 반고형 약제
로션(lotion)	수성액에 약물을 미세 균등하게 분산시킨 피부보호용 연화성 약제
연고(ointment)	한가지 이상의 약물이 혼합된 반고형 약제로 피부와 점막에 도포하여 사용하며, 이고와 찰제의 중간 정도의 점도를 가진 외용약
이고(paste)	분말을 액체나 연고와 혼합한 것으로 점도가 높아 연고보다 피부 침투력이 약하다.
찰제(liniment)	이고나 연고보다 유동성이 있는 외용약으로 알코올, 유제, 연화제 등이 함유된 피부약제
좌약(suppository)	체강(직장, 질)내에 삽입할 수 있도록 한 젤라틴과 같은 고형성 약제로 체온에 의해 용해, 흡수된다.
피부접착제, 패치(transdermal patch)	피부에 붙여서 서서히 오랫동안 피부를 통해 흡수되도록 한, 반창고 형태의 약제
팅크제(tincture)	식물에서 추출한 생약을 에틸알코올과 물의 혼합액으로 조제한 약제

또는 외용된 때 그 극약이 치사량에 가깝거나 축적작용이 강하거나 약리작용이 격렬하여 사람 또는 동물의 구조·기능에 위해를 가하거나 가할 염려가 있는 의약품을 의미한다(약사법 제2조 11항, 개정 1998년)고 하였다.

간호사는 실무영역에서 약물사용에 영향을 미치는 법규를 알아야만 한다. 간호사의 투약행위는 진료보조업무의 일환으로 의사의 지시에 의해 수행할 수 있다(의료법 제2조 참조). 간호실무법령이나 자기능력의 한계를 벗어나 행동하는 것은 대상자의 삶을 위태롭게 하고 의료과오 소송의 법적책임을 지게 된다. 법률 하에서 간호사는 서면처방의 유무와 관계없이 자신의 고유행위에 대해 책임을 져야한다. 그러므로 간호사는 의심스러운 처방에 대해서는 의심을 가지고 처방이 명확해지기 전까지는 투약을 거절해야한다. 만약 의사가 약물용량이 잘못 지시된 처방을 내렸다면 잘못된 용량을 투약한 간호사도 처방한 의사와 함께 자신의 행위에 대해 책임을 져야한다. 법령에 의해 규제받는 간호실무의 또 다른 측면은 통제된 약물의 사용에 대한 것이다. 약물취급시 알고 있어야 할 법령으로는 마약법과 항정신성 의약품관리법 및 대마관리법 등이 있다. 이들 법령에서는 해당 약물의 사용과 관리를 엄격히 규정하고 있는데, 보관시에는 다른 약물과 구분해서 잠그도록 규정하고 있다.

3) 비치료적 약물사용

법적 통제에도 불구하고 어떤 사람들은 처방된 목적과는 다른 이유로 약물을 사용한다. 약물의 무분별한 사용은 사용자, 가족, 지역사회에 심각한 건강문제를 제기한다. 과거에 약물남용과 오용은 통증완화나 불안감소와 같은 치료의 질과 관련되었으나, 오늘날에는 동료집단의 압력, 호기심, 쾌락의 추구 등이 약물사용의 동기요인으로 작용하고 있다. 간호사는 약물을 적절하게 사용하지 않는 사람들의 문제점을 이해해야 할 윤리적·법적 책임이 있다. 치료목적이 아닌 약물 사용에는 약물오용, 약물남용이 문제가 된다.

약물오용(drug misuse)은 하제, 제산제, 비타민제, 진통제, 기침약, 감기약 등의 약물들을 부적절하게 사용함으로써, 즉 대상자에 의해 자가처방되거나 과용됨으로써 급·만성독작용이 초래되는 것을 의미한다.

약물남용(drug abuse)은 계속적으로나 주기적으로 알코올, 각성제, 카페인, 담배, 진정제 등의 약물을 부적절하게 복용하는 것을 의미한다.

약물의존성(drug dependence)은 계속적 혹은 주기적으로 약물을 사용함으로써, 어떤 약물을 복용하고자 하는 욕구나 의존심이 강한 것을 의미한다. 약물의존성 중에 약물을 사용하다가 사용을 중지하면 육체적으로 고통스러운 상황이 되어 그 약을 갈망하고 탐닉하는 것으로서 신체적으로 오심, 구토, 전신경련, 혼수상태, 불면 등이 나타나는 것을 신체적 의존성(physical dependence)이라 하며 신체적 의존에 의해 이물질이 사라지면 이때 나타나는 증상을 금단증상(withdrawal syndrome)이라 한다. 또는 약물을 오랫동안 사용하다가 투여를 중지하면 정신적으로 그 약물을 갈망하게 되는 것을 정신적 의존성(psychological dependence)이라 하며 이와 같이 정신적 의존성을 가져오는 약물은 향정신성 의약품이라고 한다.

약물중독(drug addiction)은 약물에 대해 신체적 혹은 정신적으로 의존하는 것을 말한다. 주기적이거나 만성적으로 약물을 남용하고 약물을 계속 사용하고자 하는 강박증이 나타나는 것이 특징이다.

약물의 습관성(drug habituation)은 정신적 의존성의 가벼운 형태를 의미한다.

3. 약물 작용

1) 약동학

약동학(pharmacokinetics)은 약물의 체내동태를 연구하는 학문으로 투여된 약물의 시간경과에 따른 흡수, 분포, 대사, 배설과정 등을 연구한다. 간호사는 약물을 투여할 때, 투여경로를 선택할 때, 약물의 작용으로 인한 위험을 판단할 때, 대상자의 반응을 관찰할 때에 약물역동에 관한 지식을 필요로 한다.

(1) 흡수

흡수(absorption)는 약물이 신체 내로 들어가 혈류로 도달하기까지의 과정이다. 혈장 내에 흡수된 약물은 처음에는 빠르게 그 농도가 증가되다가 차차 그 증가도가 둔화된 채로 최고치에 달한 후 점차 그 농도가 감소하게 된다. 약물의 흡수율이 빠르면 빠를수록 더 빠르게 최대 효과가 나타나는데, 흡수에 영향을 미치는 요인은 약물의 투여경로, 약물의 용해도, 흡수되는 부위의 상태 등을 포함한 여러 요인들이다.

① 약물의 투여경로

약물은 투여되는 부위의 조직구조에 따라 흡수에 영향을 미친다. 피부는 화학물질의 투과력이 약하므로 비교적 흡수가 더디고, 점막과 호흡기계는 모세혈관이 많이 분포되어 있어 약물의 흡수가 빠르다. 경구투약은 위장관을 통과하므로 흡수율이 늦은 반면 정맥주사는 직접 체순환으로 들어가므로 흡수가 매우 빠르다. 근육은 피하조직보다 혈관분포가 많으므로 피하조직으로 약물이 흡수되는 것보다 약물이 더 빠르게 흡수된다. 그러나 경우에 따라서는 장기간의 지속적인 효과를 위해 근육보다는 피하조직을 선택하기도 하며, 순환쇼크의 경우 정맥투여는 가장 신속하고 믿을만한 흡수를 제공한다. 흡입약물은 표적기관에 직접적으로 작용하고, 호흡기 모세혈관망을 거쳐 빠르게 흡수되므로 즉각적인 효과를 나타낸다.

② 약물의 용해도

약물이 흡수되기 위해서는 먼저 약물이 용해되어져야 한다. 약물의 성분, 첨가제의 종류, 입자의 크기, 형태(액체, 정제, 캡슐)에 따라 약물의 흡수율이 다르다. 어떤 약물은 위장액 내에서 용해되지 않아 혈류내로의 흡수율이 감소되며, 어떤 약물은 위에 도달하기도 전에 조직에 흡수되기도 한다. 경구투여는 식간에 투여될 때 더욱 쉽게 흡수되고 위에 음식물이 있다면 약물흡수는 느리다. 경구투여 한 약물의 용해도는 약물의 조제형태에 따라 크게 다르게 나타나는데, 액체상태인 수용액과 현탁액은 교갑이나 정제에 비해 흡수속도가 빠르다.

③ 흡수되는 부위의 상태

투약된 약물이 얼마나 빨리 체순환으로 들어가는가는 흡수부위의 상태에 따라 다르다. 피부찰과상을 입었을 때 국소약물은 쉽게 흡수된다. 국소적 효과를 위해 조제된 약물이 피부층을 통하여 흡수되면 위험한 반응이 일어날 수 있다.

④ 약물의 PH

약물의 PH가 흡수에 영향을 준다. 대부분의 약물은 이온화된 형태와 이온화되지 않은 형태를 취한다. 세포막의 지방성분은 전하를 띤 성분을 배척하기 때문에 이온화되지 않은 형태가 이온화된 형태에 비해 세포막에 대한 투과도가 높다. 산성약물은 소장의 알카리성 환경에서 고도로 이온화되며 위의 산성환경에서는 이온화되지 않는다. 이러한 약물은 위에서는 쉽게 흡수되지만 장에서는 별로 흡수되지 않는다. 또한 약물이 위점막을 자극하거나 장에 도달하기 전 위에서 희석하는 것을 막아야 할 필요가 있을 때도 장용제피제(enteric coated)를 사용한다. 약물의 농도가 높은 경우에는 확산 경사도가 크기 때문에 빠르게 흡수된다.

(2) 분포

분포(distribution)는 약물이 혈액 속으로 흡수되어 특정세포와 조직으로 이동되는 과정이다. 약물의 분포율과 범위는 약물의 물리적, 화학적 특성과 약물을 복용한 사람의 생리적 구조에 따라 달라진다. 순환계의 변화, 혈장단백과의 결합정도, 신체조직의 특성 등이 약물분포에 영향을 미친다.

① 체격

복용한 약물의 양과 신체조직의 양은 직접적인 관계가 있다. 대부분의 약물은 신체의 지방조직과 체액에 분포된다. 지방조직의 비율이 높은 사람일수록 약물이 서서히 분산되어 약물작용이 오래가며 지방조직과 친화력이 높은 약물은 지방조직에 결합되어 있다가 서서히 유리되므로 그 작용시간이 오래 지속된다. 체중이 적을수록 조직세포 내에서의 약물의 농도가 높아지므로 효과도 더 크게 나타난다. 체격의 변화는 약물의 분포에 중요한 영향을 미치는데, 노인의 경우 지방조직이 감소하고 키가 줄어들어 젊은이보다 더 적은 약물용량이 요구된다.

② 혈액순환의 변화

특정부위에서의 약물의 농도는 조직의 혈관분포에 의해 좌우된다. 혈관수축과 혈관확장에 따라 조직에서의 혈류흐름에 따라 약물의 농도는 달라진다. 그러므로 운동이나 국소적 부위에 열·냉의 적용은 혈액순환을 변화시켜 약물의 농도를 변화시킨다. 예를 들면 근육주사부위에 더운물찜질을 하면 혈관을 확장시켜 약물의 분포가 증가된다. 혈액-뇌장벽(blood-brain barrier, BBB)은 생물학적 막(biological membrane)으로 불리고 특수한 해부학적 장벽이 있어서 화학물질과 일부 약물이 침투하는 것을 방지한다. 예를 들면, 항불안제, 항간질제 약물은 중추신경계에 작용하기 위해 혈액-뇌 장벽을 통과하지만 대부분의 항암제는 장벽 통과가 안되서 뇌종양 치료가 어렵기도 하다.

태아-태반 장벽(Fetal placental barrier)도 마찬가지로 방어작용을 하여 태아에게 위험한 물질은 차단시킨다. 알코올, 카페인 등은 태아-태반 장벽을 통과하여 태아에게 위험을 유발하여 태아기형, 호흡기 억압을 초래할 수 있다.

③ 단백질 결합

알부민과 같은 혈장단백과 결합하는 약물의 결합정도는 약물의 분포에 영향을 미친다. 약물이 알부민과 결합하면 약리적 효과가 일어나지 않지만 혈장단백과 결합하지 않은 약물은 약리작용을 나타낸다. 나이가 들어감에 따라 혈장단백의 수준이 감소되므로 노인이 되면 간질환이나 영양불량인 대상자와 마찬가지로 동일한 용량의 약물에서도 약물의 과다복용시 나타나는 위험과 독성의 위험이 나타날 수 있다.

(3) 대사

대사(metabolism)는 약물이 분포에 의해 상호작용하게 될 조직으로 이동하고 난 후 배설이 용이하도록 비활성 형태로 전환되는 과정이다. 이러한 생체내전환(biotransformation)은 독성을 제거하고 생물학적으로 활성화되는 화학물질을 제거하거나 퇴화시키는 역할을 하는 효소에 의해 일어난다. 생체내전환된 후에는 수화(hydration)되기 때문에 지방에 대한 용해도가 감소하여 세포막을 통과할 수 없으므로 소변이나 담즙으로 배설된다. 대부분의 생체내전환은 간에서 일어나며 폐, 신장, 혈액, 장에서도 일어난다. 간에서 특수구조로 산화되거나 많은 독성물질이 전환되므로 간은 특히 중요하다. 간은 해로운 화학물질이 조직에 분포되기 전에 붕괴시킨다. 노화나 간질환과 같은 간기능 저하인 경우, 약물의 배설은 더욱 느려지고 약물이 축적되어 약물독성의 위험이 커진다.

(4) 배설

배설(excretion)은 대사산물과 약물이 체외로 배출되는 과정이다. 약물이 대사된 후 신장, 간, 장, 폐, 외분비선을 통해 몸밖으로 배설된다. 약물의 화학적 구성성분에 따라 배설되는 기관이 결정된다.

가스 형태로 쉽게 변화되는 약물은 호흡기계를 통해서 배설되는데 휘발성 마취제의 배설은 기본적으로 호흡기계 활동에 따라 다르다. 즉 호흡수가 빠를수록 배설은 증가한다. 알코올과 같은 수용성 물질의 배설은 폐에서의 혈류에 의해 배설되는데 혈류가 빠를수록 배설은 증가한다. 따라서 심호흡과 기침은 수술 후 대상자가 마취가스를 쉽게 배출하도록 돕는다.

외분비선은 지질용해성 약물을 배설한다. 약물이 한선으로 배설된다면, 피부가 자극될 수 있다. 그러므로 간호사는 청결과 피부통합성을 증진시키기 위해 대상자가 위생간호를 실시하도록 도와주어야 한다. 또한 약물이 유선으로 배설된다면, 모유수유를 하는 경우 아이에게 위험할 수 있으므로 수유를 하는 동안에는 어떤 약물이라도 안전유·무를 확인해야 한다.

위장관은 약물배설의 또 다른 경로이다. 많은 약물들이 간에서 분해되어 간순환을 거쳐 담즙으로 배설된다. 화학물질은 담관을 통해 장으로 들어온 후에 장에서 재 흡수된다. 하제나 관장같이 연동운동을 증가시키는 물질들은 대변으로 약물이 배설되는 것을 가속화하는 반면 활동을 하지 않거나 부적절한 식사와 같이 연동운동을 감소시키는 요인은 약물의 배설을 지연시킨다.

신장 또한 약물배설의 주요기관이다. 비활성화된 대부분의 대사산물은 신장을 통해 배설된다. 적절한 수분섭취는 약물의 배설을 증가시키는데, 노화로 인해 신장의 기능이 감소되면 약물독성에 대한 위험은 커진다. 따라서 신장이 적절하게 약물을 배설하지 못한다면 약물의 용량을 줄여야 한다.

2) 약물작용의 유형

(1) 치료적 효과

치료적 효과(therapeutic effects)는 약물을 투여함으로 인하여 예상되거나 의도되는 생리적 반응이며 처방 시에 기대되는 효과이다. 예를 들어 codeine phosphate의 치료적 효과는 진통이며 theophylline은 좁아진 기관지를 이완시키는 것이다.

(2) 역효과

역효과(adverse effects)는 치료적 효과 이외의 여러 다른 효과이다. 치료적 효과를 과도하게 기대하는 경우에 야기될 수 있다. 역효과가 미미하게 나타나기도 하지만 대상자의 건강상태를 심각하게 위협하기도 한다.

(3) 부작용

부작용(side effects)은 역효과가 비교적 심각하지 않게 나타나고 약을 투여할 때 의도하지 않았던 효과로서 치료작용에 불필요하고 불쾌한 작용이다. 대부분의 부작용은 인체에 해를 입히지 않아서 무시되기도 하지만 해가되는 경우도 있다. codeine phosphate는 변비를 경험하게 되고, theophylline은 두통과 현기증을 호소하지만 이러한 부작용은 인체에 해를 주지 않게 된다. 그러나 digoxin은 치명적일 수 있는 심부정률(cardiac dysrhythmias)을 초래할 수 있다. 약물의 치료적 효과보다 약물의 부작용이 더 심하게 나타나는 경우에는 약물투여를 중단해야 한다. 그러므로 간호사는 새로운 약물을 사용 또는 첨가하거나 약용량을 증가할 때 약물의 역효과 및 부작용을 유의하여야만 한다.

(4) 약물의 내성

약물의 내성(tolerance)은 어떤 약물을 장기간 복용했을 때 특정약물에 대한 생리작용이 저하됨으로써 점차 약물의 효과가 감퇴되어 동일한 치료적 효과를 얻기 위해서는 약물의 용량을 증가시키지 않으면 치료적 효과를 얻지 못하는 경우이다. 여러 종류의 진통제를 복용하면 약물에 내성이 나타나게 되어 통증을 완화시키기 위해서는 진통제의 용량을 증량해야만 하는 경우가 있다. 일반적으로 내성을 일으키는 약제는 nicotine, ethyl alcohol, opiates(아편제), barbiturates 등이다.

(5) 과민성 반응

과민성 반응(hypersensitivity reactions)이란 대상자가 약물의 치료적 효과나 이차적인 효과에 특이하게 민감한 반응을 일으키는 것이다. 과민성 반응은 항원(antigen)으로 발전될 수 있는 약물에 노출되었다가 다시 그 약물에 노출되는 경우이거나 드물게는 선천적으로 특정한 약물에 대해 과민성을 갖는다.

(6) 알레르기 반응

알레르기 반응(drug allergy)은 약물에 대한 또 다른 예측할 수 없는 반응 중의 하나로, 약물의 고유의 작용과는 관계없이 면역학적 반응이 나타나는 것을 말한다. 이는 모든 약물반응의 5~10%를 차지한다. 약물 알레르기는 알레르기를 일으키는 약물이 전에 투여된 적이 있어 항체를 가지고 있었던 대상자에게서 일어난다.

약물 알레르기 반응은 가벼운 증상에서부터 심한 증상에 이르기까지 다양하며 증상도 개인별로, 약물에 따라 다르게 나타난다. 가벼운 알레르기 반응은 약물투여 후 수 시간에서 수일 후에 나타나는 지연형 알레르기 반응으로 두드러기(urticaria), 소양증(pruritus), 비염(rhinitis)등이 나타나며 약물공급을 중단하면 회복될 수 있다.

반면 심한 알레르기 반응은 약물투여 직후에 발생하는 즉각형 알레르기 반응으로 아나필락틱 반응(anaphylatic reaction)이라고도 하며 심한 천명(wheezing), 호흡곤란, 기관지 근육의 수축, 인·후두부종, 저혈압, 빈맥 등이 특징적이다. 이러한 증상은 치명적일 수 있으므로 즉각적인 중재가 요구된다. 약물투여를 중단하든지 epinephrine, 정맥주입, 스테로이드제, 항히스타민제 등을 투여한다.

특정약물에 대해 알레르기 병력이 있는 대상자는 그 약물에 다시 노출되지 않도록 유의해야 하며 특히 무의식대상자의 경우 대상자를 확인할 수 있는 표식(팔찌, 목걸이)을 착용하여 알레르기 반응대상자임을 확인할 수 있도록 해야 한다.

(7) 약물의 독성

약물의 독성(toxicity)은 과도한 용량의 약물을 장기간 복용했거나 과량복용 했을 경우 또는 약물의 대사 및 배설장애로 인하여 혈액 내에 약물이 축적되었을 때 예기치 못한 약물에 대한 민감성으로 인해 초래된다.

약물의 독성은 대부분 약물투여 직후에 일어나지만 어떤 약물은 수일 또는 수주가 지나도 일어나지 않는 경우도 있다. 신체 내 약물의 과도한 축적은 치명적인 효과를 나타낼 수 있다. 일례로 morphine sulfate는 중추신경계를 억압하여 통증을 감소시키지만 축적됨으로 인해 호흡이 억제된다.

(8) 특이체질 반응

특이체질 반응(idiosyncratic reaction)은 특정약물에 대해 비정상적이고 특별한 반응으로, 과잉반응이나 저하된 반응을 나타내기도 하며 기대효과와는 전혀 다른 반응을 나타내기도 한다. 아주 소량을 사용한 때에도 전혀 예기치 못한 부작용이나 유해반응이 나타날 수 있다. 노인이나 어린이의 경우 약물 투여 후 예기치 않는 심각한 반응을 가져올 수 있다.

(9) 축적작용

축적효과(cumulative effect)는 약물의 흡수에 비해 배설이 늦은 경우, 다음 약물이 들어오기 전에 먼저 복용한 약물의 대사작용이 이루어지지 못하여 혈중 또는 조직에 축적되는 경우이다. digitalis 등은 축적작용을 일으키기 쉬운 대표적 약물이다.

(10) 약물의 상호작용

약물의 상호작용(interactions)은 두 종류 또는 그 이상의 약물을 동시에 투여하거나 음식물과 함께 복용함으로써 약물효과가 다르게 나타나는 것이다. 상호작용은 다른 약물의 작용을 상승 또는 감소시킬 수 있고 약물의 흡수, 대사, 배설작용을 변화시킬 수 있다.

두 가지 이상의 약물을 병용했을 때 서로의 작용을 감소시키거나 전혀 작용이 없어지는 것을 길항작용(antagonism)이라고 하며 두 가지 이상의 약물을 복용했을 때 약물상호간에 협동적으로 그 약물의 작용이 증강되거나 효과가 상승되는 현상을 협동작용(synergism)이라고 한다. 이때는 산술적인 합 이상의 효과인 상승효과 혹은 산술적인 합 정도의 상가효과(additive effect)로 나타난다. 따라서 약물의 상호작용은 유용할 수도 있고 유해할 수도 있다. 예를 들면, 아스피린과 코데인의 경우처럼 두 가지 진통제를 병용하면 상가작용에 의해 통증완화효과가 훨씬 더 크다.

(11) 의원성 질환

의원성(Iatrogenesis)은 의료행위로 인해 발생하는 장애나 질병이다. 환자를 치료해야 할 의사들이 오히려 질병을 일으키는 역설적인 이 상황은 의사 외에도 심리학자, 치과의사, 약사, 간호사 등에 의해 발생하기도 한다. 의원성 질환은 정통 의약품으로 치유되기 어려우며, 검증되지 않은 대체 의료행위에 의해 발생하기도 한다. 대표적인 사례로는 헝가리의 의사 이그나즈 제멜바이스가 발견한 외과의사들의 손에 서식하는 포도상구균에 의한 감염으로 인해 수술을 받은 환자들이 사망한 사례들을 들 수 있다.

의원성 질환은 직접적으로 발생하는 임상적 의원성 외에, 정상적인 상황이나 행위가 질병으로 간주되는 현상인 사회적 의원성, 그리고 의료행위에 길들여지면서 환자로 하여금 신체적 증상에 능동적으로 대처하는 능력을 상실케하는 문화적 의원성 등으로 나눌 수 있다.

3) 혈액수준

혈액내 약물의 농도가 치료적 범위 내에 있는지, 즉 독성효과를 나타내지 않고 건강문제를 효과적으로 치료할 수 있는 혈액내 수준인지를 보아야 한다. 약물이 치료적 범위 내에 있을 때 흡수, 분포, 대사, 배설 각 단계에서의 약물의 용량이 다르다. 약물의 혈청수준은 약물이 주어진 시간동안 혈류에서 순환하는 양이다. 혈액 내에서 약물농도가 가장 높은 수준을 약물의 최고치(peak plasma level)라고 하며 가장 마지막에 투여된 용량이 흡수되는 것과 함께 발생한다. 이 과정 후에 흡수는 멈추고 분포, 대사, 배설이 지속된다. 다음 약물이 흡수될 때까지 혈중농도는 점차 감소한다. 약물이 혈액내 순환하는 수준이 가장 낮은 것을 최저치라고 한다(그림 20-1). 약물의 작용에 대한 주요용어는 다음과 같다.

- 약물의 발효시간(onset of action): 약물 투여 후 원하는 효과가 나타나기 시작하는 시간
- 반감기(drug half-life, elimination half-life): 배설과정으로 초기 적용한 특정약물의 농도가 반으로 감소하는데 걸리는 시간(체내의 특정약물의 농도를 반으로 줄이기 위해 신체배설과정에서 요구되는 시간). 즉 반감기가 클수록 약물이 배설되는 시간은 길다.
- 최고혈중농도(peak plasma level): 1회의 투여량으로 흡수율, 배설률이 같아져서 도달하는 최고의 혈중농도
- 정체기(plateau): 약물의 농도가 일정수준에 도달하고 그 수준이 유지되는 기간

4) 약물의 작용에 영향을 미치는 요인

신체에 대한 약물작용에 영향을 미치는 요인으로는 생리적 요인, 심리적 요인, 환경적 요인, 유전적 요인 및 질병, 투여시간, 영양상태 등이 있다(표 20-2).

III. 약물의 투여경로별 특성

약물의 투여경로는 약물의 성분, 대상자의 신체적 · 정신적 상태, 약물의 특성 및 기대되는 효과에 따라 여러 가지 다른 경로로 투여될 수 있다(표 20-4). 약이 처방될 때 투여경로는 명시되어진다. 그러나 비슷한 약물이 여러 경로로 투여될 수 있으며 투여경로에 따라 약물의 효과가 달라질 수 있으므로, 간호사는 약물을 투여할 때 그 약물이 특정 투여경로에 적합한 약물인지를 분명하게 확인하여 정확하고 안전하게 투여해야 한다.

1. 경구

1) 구강투여

구강투여(oral administration)는 가장 일반적으로 사용되는 편리하고 경제적인 투여 방법으로써 투여된 약물은 주로 소장에서 흡수되나 구강과 위에서도 흡수된다. 구강투여는 음식을 다량 섭취한 후 투여하거나 약물의 농도가 너무 진하면 흡수가 느려진다. 알코올류로 희석된 용액은 위에서 흡수가 잘 된다. 대부분 알약이나 캡슐은 약 60~100cc의 물과 함께 삼킨다.

2) 설하투여

설하(sublingual)투여는 약물을 혀 밑에 놓고 용해된 후에 빠르게 혀 밑의 혈관으로 흡수되도록 하는 방법이다. 설하로 투여하는 약물은 절대로 삼켜서는 안되고 저절로 녹도록 하여야 한다. 대표적인 약물로는 nitroglycerine이 있으며 혀 밑에서 저절로 완전히 녹을 때까지 물을 먹어서는 안된다. 이 약은 혀 밑에

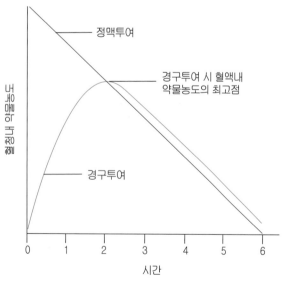

그림 20-1 약물투여 후 혈장내 약물농도

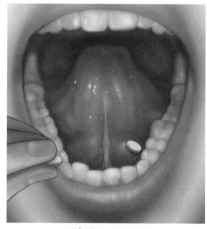

그림 20-2 설하투여

표 20-2 약물의 작용에 영향을 미치는 요인

요인	특성
생리적요인	• 약물작용에 영향하는 요인은 연령, 성별, 체중, 질병, 영양상태 등이 있다. • 어린이나 노인은 약물에 대해 상당히 민감하게 반응하여, 약물의 용량은 성인보다 적은 양을 필요로 한다. • 남녀간 호르몬의 차가 약물대사에 영향을 미친다. • 지방에 잘 녹는 약물은 여성에게서 더 잘 흡수되는 반면에 물에 잘 녹는 약물은 남성에게서 더 잘 흡수된다. • 같은 양의 약물 경우, 여성이 약물의 영향을 더 많이 받는다. • 체중이 무거울수록 약물의 용량을 증가시킬 필요가 있다.
심리적 요인	• 약물에 대해 갖고 있는 느낌, 의미나 중요성, 약물작용에 대한 신념, 약물에 대한 반응 및 과거의 사용경험, 가족, 간호사의 행동 등은 그 약물의 효과에 영향을 미친다. • 위약(placebo)이나 생리식염수와 같은 물질의 투여시 대상자의 반응은 그 의도한 약물과 동일한 효과를 나타낸다
환경적 요인	• 스트레스, 열과 냉의 노출은 약물반응에 영향을 준다. • 혈관확장제를 복용하는 대상자의 경우, 따뜻한 기후는 체온이 약물의 효과를 증강시키므로 적은 용량의 약물을 필요로 한다. • 대상자의 행동과 정서를 변화시키는 약물의 경우, 환경적 요인이 많은 영향을 미친다.
유전적 요인	• 약물에 대한 각 개인의 반응은 유전적 요인으로 인해 다르게 나타날 수 있다. • 가족구성원은 공통된 민감성을 가진다.
질병상태	• 순환계, 간, 신기능 부전시 약물작용에 변화를 가져온다. • 당뇨병의 경우, 감염시 더 많은 양의 인슐린이 요구된다. • 정상적인 약물역동과 관련된 기관의 기능을 손상시키는 질환은 약물작용을 방해한다. • 만성적인 심한 통증은 더 많은 양의 진통제를 필요로 한다.
투여시간	• 구강투여약물은 공복시에 더 빨리 흡수된다. • 철분제와 같이 위장관계를 자극하는 약물은 식후에 투여할 필요가 있다
영양상태	• 효소와 단백질의 합성 및 모든 신체기능과 약물대사작용은 적절한 영양상태에서 원활하게 일어난다. • 광유(mineral oil)는 지용성 비타민의 흡수를 감소시킨다. • 약물은 냉수나 미지근한 물과 함께 복용하는 것이 원칙이다. • 약물복용 전·후 알코올의 섭취는 대사속도 증가로 인해 약효의 지속 시간을 단축시킨다. • 비타민 K(푸른잎 채소에 함유)는 walfarin sodium(Coumadin)과 길항작용을 하여 혈액응고의 효과를 감소시킨다.

투여 시 작열감을 느끼는 것은 정상이며, 갈색병에 담아 건조하고 서늘한 곳 혹은 직사광선이 없는 곳에 보관한다.

3) 볼점막내 투여

볼점막(buccal)내 투여는 고체형태의 약물을 용해될 때까지 뺨 안쪽 볼점막내에 놓아두는 방법으로 씹거나 삼키거나 물을 마셔서는 안 된다. 점막의 자극이 있을 수 있으므로 양쪽 볼점막을 교대로 약물을 사용하도록 한다.

2. 비경구

비경구(parenteral)투여는 소화기관이외의 경로, 즉 신체조직에 주사바늘을 통해 약물을 투여하는 것을 말한다. 흔히 사용되는 비경구투여의 경로는 피하(subcutaneous, hypodermic, SQ, SC), 피내(intradermal, ID), 근육(intramuscular, IM), 정맥(intravenous, IV) 등이 있다.

1) 피하

피부 바로 밑의 피하조직에 투여한다. 인슐린주사, 예방접종 시에 사용된다.

2) 피내

소량의 주사액을 표피 바로 아래층인 진피에 투여한다. 흔히 진단을 목적으로 한 튜버큘린검사(혹은 Mantoux test)나 항생제 과민반응 검사시에 사용된다.

3) 근육

근육조직에 투여한다. 주사부위는 둔부의 복면과 배면, 외측 광근, 삼각근, 대퇴직근 등이 있다.

4) 정맥

정맥 내로 투여한다. 이외에 드물게는 심장(intracardiac), 심 낭(intrapericardial), 척수(intraspinal), 골수(intraosseous)를 통하 여 주사를 한다. 비경구투여의 경우 엄격한 무균술의 적용이 요 구되며, 멸균된 기구와 약물을 사용한다. 또한 약물의 흡수가 빠 르고 일단 투여된 후에는 환원시킬 수 없으므로 철저한 준비와 주의가 요구된다.

3. 국소

신체의 제한된 영역에만 적용하는 것으로 약물을 신체부위 에 직접적으로 바르거나 넣거나 하여 흔히 특정부위에 직접적 인 작용을 목적으로 시행한다. 국소약물투여에는 다음과 같은 부위들이 포함되며 작용은 투여하는 부위와 약물의 종류에 따 라 다르다.

(1) 피부

액체나 연고를 바르거나 담글 수 있고 패치형태로 적용한다.

(2) 체강

눈, 귀, 코, 직장 및 질에 점적 혹은 세척의 형태로 적용한다.

(3) 흡입제

가스나 분무형태의 약물을 마스크나 양압호흡기구, 분무기를 통해 호흡기계에 투여하는 것으로, 흡입제는 국소적인 효과를 나 타내지만 산소나 전신용 마취제는 일반적으로 전신효과를 나타 낸다.

IV. 약물용량 계산법

1. 약물용량 환산법

약물용량을 측정하는데 사용되는 방법은 미터법(metric), 약 국액량법(apothecary), 가정용액량법(household)이 있다. 일반 적으로 미터법을 많이 사용하고 있지만 서로 다른 방법으로도 환 산할 수 있어야 하며(표 20-3), 약물용량을 능숙하게 계산하여 투 여하는 행위는 약물치료에 필수적인 것이다. 따라서 간호사는 약을 투여하기 전에 약용량을 측정하고 대상자에게 처방된 용량 에 대해 설명해야 할 책임이 있다.

1) 미터법

미터법은 가장 많이 쓰이는 편리한 단위법으로, 십진법을 기 본으로 한 가장 논리적으로 체계화된 측정법이다. 미터법의 기 본단위는 meter(길이), liter(부피), gram(무게)이다. 약용량을 계 산할 때 간호사는 부피(L)와 무게(g) 단위만 사용한다. 소문자와 대문자를 사용하여 측정의 기본단위를 표시한다.

Gram = g or Gm

Liter = l or L

측정기본단위를 세분화된 단위로 표시하기 위해 라틴어에서 유래된 접두사를 사용한다. deci- (1/10 또는 0.1), centi- (1/100 또는 0.01), milli- (1/1000 또는 0.001)로 표시된다. 측정기본단위 를 배가시킨 단위로 표시하기 위해 그리스어에서 유래된 접두사 가 사용되는데, deka- (10배), hecto- (100배), kilo- (1000배)로 표시된다. 기타 주요단위의 세분화를 위해 소문자로 된 약자를 사용한다(예: milligram=mg, milliliter=ml). 약용량을 기록할 때 분수를 사용하지 않고 주로 소수를 사용한다. 즉 1/2g은 500mg 혹은 0.5g으로 1/100L는 10ml 혹은 0.01L로 사용된다. 또한 약물 오류를 예방하고 정확한 단위의 표시를 위해 1보다 작은 소수 앞 에는 반드시 0(zero)을 붙여 기록한다. 즉 .5g으로 기록하지 않고 반드시 0.5g으로 표시한다.

2) 약국액량법

약국액량법은 가장 오래된 측정법으로, 북미인들이 일상적으 로 사용하고 있는 가장 익숙한 측정법이다. 약국액량법에서 무 게의 기본단위는 grain으로 밀알 하나의 무게를 나타내며, dram, ounce, pound 등이 있다. 부피의 측정단위는 minim으로 1grain 의 무게에 해당하는 물의 부피를 나타낸다. 부피의 단위로는 fluid dram, fluid ounce, pint, quart, gallon 등이 있다. 물(fluid)을 측정하는 단위로는 pints와 quarts가 사용되며 무게는 pound로, 길이는 feet, inches가 사용된다.

약국액량법에서 측정단위로 사용되는 소문자 및 기호는 다음과 같다.

Grain = gr

Ounce = oz or ℥

fluid ounce = f ℥

minim = m

dram = ℨ

약국 액량법이 오랜 기간동안 광범위하게 사용되어 왔지만 최근에는 부정확성과 안전성의 문제가 제기되어 미터법으로 전환하여 사용되고 있다. 예를 들면, dram 기호는 숫자 '3' 처럼 보여지며, grain과 gram의 약자 'gr' 과 'g' 은 실수로 바꾸어 사용될 수 있고, 'minim' 의 기호는 'ml' 와 유사하다.

3) 측정단위의 환산법

간호사는 측정단위는 물론 서로 다른 측정 내에서의 등가단위를 이해하여 부피나 무게의 단위를 환산하고, 이를 확인할 수 있어야 한다(표 20-3).

약물 측정단위의 환산은 일반적으로 다음과 같은 경우에 이용된다. 수분섭취량과 배설량을 측정하기 위해서 물의 측정단위 fluid ounces를 milliliter로, 체중은 pound에서 kilogram으로 또는 kilogram에서 pound로 환산하기도 한다. 정맥주입속도를 계산하고 상처 세척액이나 관장액, 방광 세척액 등의 용량을 준비하기 위해 부피의 등가단위로 환산한다.

(1) 단일 측정법 내에서의 환산

한가지 측정법안에서 환산하는 것은 비교적 쉽다. 미터법에서는 단순히 나누거나 곱하여 계산한다. 즉 milligram을 gram으로 환산하기 위해서 milligram을 1000으로 나누거나 (예, 1000mg=1g, 350mg=0.35g) 이와는 반대로 liter를 milliliter로 환산하기 위해서는 liter를 1000으로 곱한다(예, 1L=1000ml, 0.25L=250ml).

약국 액량법이나 가정용 액량법 내에서 측정 단위를 환산하는 경우 간호사는 등가단위표를 참고로 한다(표 20-3). 예를 들어 물 1ounce를 quart로 환산하고자 할 때 간호사는 먼저 32ounces가 1quart와 등가단위라는 것을 알아야만 한다. 8ounce를 quart로 환산하기 위해서는 8을 32로 나누어, 8ounces는 1/4quart 혹은 0.25quart가 된다.

(2) 각 측정법간의 환산

투약준비 시 간호사는 하나의 측정법에서 다른 측정법으로 부피나 무게를 환산하여 적정한 약물의 용량을 결정할 수 있어야 한다. 일반적으로 대상자가 가정에서 사용할 수 있도록 약국 액량법과 미터법은 가정용 액량법의 등가단위로 환산한다. 또한 환산을 하기 전에 간호사는 처방된 약물의 측정단위를 사용할 수 있는 약물의 측정단위와 비교해보고 환산하여 정확하게 준비된 용량을 대상자에게 투여하여야 한다.

2. 아동 약물용량 계산

소아는 성인의 경우처럼 많은 약물을 용이하게 대사 시킬 수 없으므로 약물용량을 계산하는데는 세심한 주의가 요구된다. 소

표 20-3 측정법간의 부피환산표

미터법	약국 액량법	가정용 액량법
1ml	15~16minims(m)	20 drops(gtt)
4~5ml	1 fluid dram	1 teaspoon(tsp)
15ml	4 fluid drams	1 tablespoon(tbsp)
30ml	1 fluid ounce	2 tablespoons(tbsp)
240ml	8 fluid ounces	1 cup(c)
480ml(약 500ml)	1 pint(pt)	1 pint(pt)
960ml(약 1L)	1 quart(qt)	1 quart(qt)
3840ml(약 4L)	1 gallon(gal)	1 gallon(gal)

아는 체격을 기준으로 적은 용량을 필요로 한다. 대부분의 경우에 의사는 투약처방을 내기 전에 소아에게 안전한 약용량을 계산하지만, 간호사도 소아의 약물용량을 계산하는 공식을 잘 알고 있어서 약물을 투여하기 전에 모든 용량을 반드시 재확인하고 계산해 보아야 한다.

소아를 위한 약물용량은 소아의 체표면적, 체중 또는 연령에 의해 산출해 낸다.

체표면적을 이용한 방법

소아의 약물용량을 계산하는데는 체표면적을 기본으로 하는 방법이 가장 정확한 방법이다. 체표면적은 소아의 체중에 근거하여 측정된다. 소아의 체중과 신장에 근거한 소아의 체표면적을 standard nomogram에서 부여해 준다(그림 20-3).

체표면적을 이용한 소아의 약용량은 정상 성인의 평균 체표면적($1.7m^2$)에 대한 소아의 체표면적의 비율을 산출하는 공식에 의해서 구할 수 있다.

$$소아용량 = \frac{소아의\ 체표면적}{성인의\ 체표면적(1.7m^2)} \times 성인용량$$

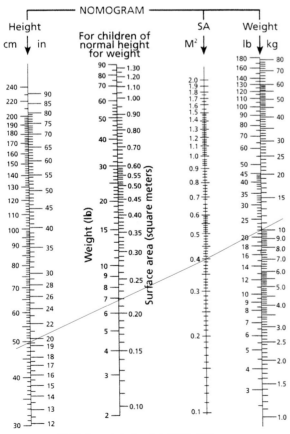

Height cm ↓ in   NOMOGRAM   SA M² ↓   Weight lb ↓ kg

For children of normal height for weight

그림 20-3 소아의 체표면적 추정을 위한 nomogram

일례로 정상 성인의 ampicillin 용량이 250mg인 경우, 체중이 10kg인 소아의 ampicillin 용량은 다음과 같다. 체중이 10kg, 신장 50cm인 소아의 체표면적은 $0.4m^2$로 nomogram에서 제시하고 있다.

체중 10kg인 소아의 용량은

$$\frac{0.4m^2}{1.7m^2} \times 250mg = 58.8mg이다.\ 이때\ m^2의\ 단위는\ 무시한다.$$

체중을 이용한 방법

체중을 이용하여 소아의 약용량을 계산하는 방법으로 Clark's rule이 있다. 이는 아동의 체중을 성인의 평균체중과 비교하여 산출하는 방법으로 성인의 평균체중을 68kg(150lb)으로 본다. 모든 연령의 아동에게 적용할 수 있으나 그리 정확하지는 않다.

$$소아용량 = \frac{소아체중}{성인평균체중(68kg)} \times 성인용량$$

3. 약물용량 계산

약물은 의사의 처방에 따라 특별한 준비과정이나 환산해야 할 필요없이 직접 준비할 수도 있으나 어떤 경우에서는 처방대로의 정확한 용량을 준비하기 위해서 투여량을 환산해야 하는 경우도 있다. 간호사는 다양한 상황에서 약물의 용량을 계산하는데 간단한 공식을 사용할 수 있다. 고형이나 용액으로 된 약물을 준비할 때 다음과 같은 공식이 적용된다.

$$투여할\ 용량 = \frac{처방된\ 1회용량}{사용할\ 수\ 있는\ 1회\ 용량} \times 사용할\ 수\ 있는\ 양$$

처방된 1회 용량은 의사가 처방한 약물의 1회 용량(부피나 무게단위)이다. 사용할 수 있는 1회 용량은 약국에서 공급된 약물의 1회 용량(부피나 무게단위)이다. 용액의 단위부피당 녹아 있는 약물의 양이나 정제, 교갑의 내용물은 약물의 라벨에 표시되어 있다.

사용할 수 있는 양은 사용할 수 있는 1회 용량에 포함되어 있는 약물의 양이나 기본단위이다. 사용할 수 있는 양은 고형약물인 경우에는 1정제나 교갑으로 표시하고, 수용성 약물인 경우에는 milliliter와 liter로 표시한다. 투여량은 사용할 수 있는 양과 같은 단위로 항상 나타낸다.

다음은 고형약물의 경우 공식을 적용하는 일례이다. 의사의 처방이 'digoxin 0.125mg po' 이다. digoxin은 정제로 1 tablet에

0.25mg이 들어있다. 처방된 0.125mg의 digoxin을 투여하기 위하여 필요한 약물의 양은 얼마인가? 의 경우, 이를 공식에 적용해 보면 다음과 같다.

$$X = \frac{0.125mg}{0.250mg} \times 1tablet \quad X = 0.5\ tablet$$

즉, 투여량은 0.5정제 또는 정제의 1/2을 투여한다.

또는 수용성 약물에 공식을 적용하는 예이다. 의사의 처방이 'erythromycin 현탁액 250mg'이다. 약은 용액으로 한 병에 100ml 단위로 포장되어 있으며, 라벨에 5ml 용액에 'erythromycin 125mg'이 포함되어 있다고 적혀있다. 이때 erythromycin 현탁액 250mg을 투여하기 위해서 필요한 약물의 양은 얼마인가? 의 경우, 이를 공식에 적용해 보면 다음과 같다.

$$\frac{250mg}{125mg} \times 5ml = 10ml(투여량)$$

위의 상황에서 간호사가 라벨에 표시된 양을 주의 깊게 보지 않고 전체량을 사용한다면, 다음과 같이 투여량을 잘못 계산할 수 있다.

$$\frac{250mg}{125mg} \times 100ml = 200ml(투여량)$$

이와 같은 잘못된 계산으로 대상자는 정확한 투여량의 20배에 달하는 양을 복용하게 된다. 그러므로 간호사는 약물용량을 계산할 때 항상 반복해서 확인하고, 의문이 갈 때는 반드시 다른 전문인과 함께 확인해야 한다.

V. 투약을 위한 안전수칙

1. 투약의 기본원칙

약물의 정확하고 안전한 투여는 대상자의 투약에 있어서 필수적인 부분으로 투약의 7원칙(7 rights)이 적용된다.

1) 정확한 약물

약물이 처방되면 간호사는 의사 처방지와 투약기록지 혹은 컴퓨터 처방과 비교하여 정확한 약물(right drug)을 확인한다. 약명은 속명이나 상품명으로 처방된다. 간호사는 약물과 약카드를

세 번 확인하는데, 약물을 약장에서 꺼내기 전(1차 확인), 처방된 약용량을 약용기로부터 꺼내기 직전(2차 확인), 약 용기를 약장의 제자리에 갖다 놓기 전(3차 확인)에 확인하여 약의 이름과 함량 및 투여경로를 분명히 확인한다.

간호사는 자신이 준비한 약물만을 투여한다. 약 표지가 불분명하거나 읽기 어려운 경우 절대로 사용해서는 안 된다. 만약 대상자가 약물에 대해 의문을 제기하는 경우 이들의 관심사를 무시해서는 안되며 처방자의 재확인이 있을 때까지 약물투여를 보류해야만 한다. 이는 잠재되어있는 투약의 오류를 예방할 수 있을 뿐만 아니라 대상자의 염려를 덜어줄 수 있는 것이다. 또한 대상자가 약물투여를 거부할 경우 약을 다시 넣는 대신 버리는 것이 바람직하다. 일회용량으로 미리 포장된 약물은 개봉되지 않았다면 그대로 보관할 수 있다.

2) 정확한 용량

정확한 용량(right dose)이란 약물이 처방된 용량으로 투여되고 대상자에게 처방된 용량이 적절한가를 의미한다. 간호사는 약물의 용량이 정확한지를 확인하기 위해서 약물 측정법에 대해 알아야 하며, 그에 따른 약용량을 정확하게 계산할 수 있어야 한다. 항상 계산할 때마다 재검사(double check)를 함으로서 용량의 부정확함으로 인해 올 수 있는 약물 투여오류를 예방할 수 있다.

3) 정확한 대상자

정확한 대상자(right client)를 확인하는 것이 안전하게 약물투여하는 가장 중요한 단계이다. 대상자에게 확인밴드를 팔목에 착용시키거나 투약 전에 대상자의 이름을 반드시 묻는 것이 안전한 방법이다. 대상자의 이름을 물을 때는 단지 이름을 부르는 것이 아니라, 대상자 스스로 자신의 이름을 분명히 말하도록 한다.

4) 정확한 경로

의사처방에는 반드시 투약경로가 포함되어져야 하며 투약경로에 의문이 생길 경우 의사에게 확인한다. 지시된 투약경로가 아닌 경로로 약물을 투여해서는 안된다. 주사로 약물을 투여할 때는 특히 정확한 경로(right route)가 중요하다. 그러므로 약물투여의 일상적인 경로를 아는 것, 처방된 경로로 약물을 안전하게 투여하는 것, 약물투여 전에 대상자의 약물투여경로를 확인하는 것은 매우 중요하다.

5) 정확한 시간

간호사는 하루 중 정해진 시간에 약물이 처방된 이유와 투약

계획이 변경될 수 있는지도 알아야 한다. 모든 정규투약은 보통 지정된 시간 30분 전·후사이에 투약하면 무방하다. 그러나 수술 전 약물투여와 같은 경우는 수술시간과 관련되므로, 반드시 지정된 시간(right time)에 투약하여야 한다.

6) 정확한 기록

간호사는 약물투여 직후에 반드시 정확하게 기록(right recording)을 해야만 한다. 약물투여 전에 절대로 기록해서는 안 된다. 투약 후 즉각적인 기록은 실수를 방지한다. 만약 대상자가 약물을 거부하였거나 신체사정 결과 약물이용이 금기되어 투여하지 못한 경우 투약기록에 반드시 기록되어야 한다.

7) 정확한 교육

투약은 임상실무에서 전문적이고 책임감이 따르는 중요한 업무로 간호사는 약물복용에 대한 정보를 제공하고 교육할 수 있는 건강행위자로서 매우 중요한 역할을 한다. 따라서 환자나 보호자에게 약에 대한 특별한 주의사항, 관찰사항 등에 대해 교육해야 한다. 환자의 상황에 따라 개별적인 교육을 할 수 있는 역량을 갖추어야 한다. 특히 노인 대상자들은 약에 대한 정보나 지식결여로 약물의 오남용에 노출될 가능성이 크다. 노인의 약물 오남용 행위로는 감량 사용, 과량 사용, 임의 시간 변경, 임의 약물 중단, 타인 약물 복용, 약 남기기 등으로 확인되었다. 이와 같이 노인 환자는 다약제 복용, 약물 부작용, 약물 복약 불이행, 약물 오남용 등 의약품 사용에 많은 문제점을 가지고 있으므로 복용력을 파악하고 교육하는 데 많은 관심을 가져야 한다.

2. 투약의 법적인 측면

실제임상에서 투약의 대부분은 간호사에 의해서 이루어지고 있다. 약물을 올바르게 처방하는 것이 의사의 책임이라면 이를 조제하는 것은 약사의 책임이며 처방 조제된 약을 투여하고 투여 후 대상자의 상태를 관찰하고 반응을 평가하는 것은 간호사의 책임이다.

의료기관에서는 관습적으로 의사의 지시를 처방지(order sheet)에 기록하여 대상자의 기록지와 함께 보관한다. 병원에 따라 의사가 처방을 전산 입력시키고 간호사는 투약계획지와 투약 스티커를 출력하여 투약한다. 처방은 간호사실의 카덱스(kardex)와 간호계획지에 기록하고 투약카드에 기재한다. 대상자의 새로운 처방을 내거나 변경할 때에는 병원에 따라서 표시를 각기 다르게 하고 있다. 투약을 중지할 때에는 의사의 처방에 "중지"의 표시를 하고 투약카드를 없앤다.

간호사는 처방에 따른 약물투여시 처방과 다른 약을 처방대상자가 아닌 다른 사람에게 투여한다든가 혹은 처방에 맞는 정확한 약이지만 약용량이나 투여방법, 투여시간, 규정된 정맥주입속도 등을 지키지 않거나 알레르기 병력이 있는지를 확인하지 않음으로서 발생할 수 있는 투약과오를 주의한다. 투약과오는 투약을 수행함에 있어서 기술이 부족하거나 혹은 어떤 전문적인 실수를 일컬으며, 약물의 작용이나 부작용에 대한 충분한 지식이 있다면 대상자의 반응이나 건강상태를 사정하는데 도움이 될 것이다. 투약과오가 발생하면 즉시 책임간호사와 의사에게 보고해야 한다.

처방의 변경이 잦은 대상자의 경우 적어도 하루에 한 번씩 처방을 확인하여야 한다. 이는 대상자의 안전을 확보하는 길이다. 때로 처방된 약물로 인해 대상자의 상태가 변화되어 대상자가 더 이상 그 약물을 복용할 수 없거나 견딜 수 없는 경우 또는 특정 약물에 과민성이 있는 대상자의 경우 간호사는 이러한 사실을 의사에게 자세히 설명하고 대상자 차트에 분명하게 기록해 놓아야 한다. 간호사는 투약처방에 대해 질문을 한 뒤에도 그 대답이 만족스럽지 못하거나 분명치 않고 완전하지 않다고 판단되는 경우에는 투약을 하기 전 반드시 다음과 같은 조치를 취해야 한다.

- 처방한 의사에게 확인하여 투약의 근거와 용량의 부적절함에 대해 논의한다.
- 의사에게 연락한 시간, 의사에게 전달한 내용, 의사의 반응 등을 기록한다.
- 의사에게 연락이 닿지 않은 경우 의사와 연락하기 위한 시도와 투약을 보류한 이유를 기록한다.
- 투약을 한 경우 투약 전 후 대상자의 상태에 대해 기록한다.
- 사고보고서를 써야 할 경우 사실적 정보를 명확하게 기록한다.

3. 투약과오

약물의 투여는 법률에 의해 규제되어지나 우리나라에는 간호업무나 간호행위 및 간호사를 위한 단독적인 법률이 없이 의료법 하나로 모든 의료인의 업무를 다루고 있어 간호사의 실무에서의 독자적인 법률이 마련되어 있지 않아 법적인 문제가 발생했을 때 어려움을 겪게 된다. 그러나 실제 임상에서는 대부분 간호사에 의해 투약이 이루어지고 있으므로 간호사는 의료법에서의 간호사의 역할, 법적인 한계, 독자적인 지식과 기술의 영역이 무엇인지 등을 인식할 필요가 있다. 투약의 법적인 측면을 이해하고 투약으로 인한 과오를 예방하기 위해 간호사가 고려해야 할 사항은 다음과 같다.

첫째, 간호력을 작성할 때나 과민반응을 일으킬 수 있는 소인을 지닌 약물의 투여시는 대상자 및 가족의 과거력, 과거에 사용한 약물의 부작용 등을 문진을 통해 확인해야 한다. 문진을 시행하지 않고 과오가 발생하면 의료인의 중대한 과실로 취급된다.

둘째, 과민반응을 일으킬 소인이 있는 약물은 사전검사(pre-test)로 피부반응검사를 한다. 사전검사의 결과 과민반응의 발생과 반드시 일치하지 않더라도, 일단 과민반응이 발생하여 법적인 문제가 생기면 사전검사의 의학적 의미보다는 부작용 예방을 위하여 사전에 얼마만한 노력과 주의를 기울였는가가 중요한 단서가 된다. 이는 주의의무태만의 법적 책임이 따른다.

셋째, 약품설명서의 주의사항을 반드시 확인해야 한다. 제약회사에서 첨부한 설명서에는 사용시 주의사항으로 금기, 부작용 및 투여하여서는 안될 대상자의 소인 등에 대하여 기재되어 있으므로 그 내용이 바로 약품사용시의 주의 의무기준이 되는 것이다.

넷째, 주사약제 투여시는 반드시 무균술을 적용하여야 하며, 주사에 필요한 기구 및 물품의 멸균상태와 주사방법 및 부위를 확인한 다음에 투약하여야 한다. 간호사의 주사기술의 과오로 인한 부작용이나 후유증이 발생하는 경우에는 법적 책임이 뒤따르게 된다.

다섯째, 의사의 처방이 의심스러울 때는 확인한 후 투약하여야 된다. 간호사는 의사의 서면처방의 옳고 그름에 관계없이 자신의 투약행위에 대한 법적 책임이 있다. 의사의 처방이나 약사의 조제과정에 잘못이 있다 하더라도 투여자는 간호사이므로 간호사에 의해 발견될 수 있다. 그럼에도 불구하고 간호사에 의해 잘못 투여되는 경우는 의사, 약사는 물론 간호사도 법적 책임이 있다. 그러므로 처방내용에 의심이 갈 때에는 처방을 낸 의사에게 문의하거나 처방내용이 분명해질 때까지 투약을 거부할 수 있다.

여섯째, 마약을 투여하는 간호사는 국가에서 제정한 마약법을 준수하여 마약과 통제약물(주사 및 행동에 영향을 미치는 약물)을 다뤄야할 책임이 있다. 마약사용 시에는 마약처방전이 반드시 필요하며 투여할 각 약물에 대한 정보가 기록되어야 한다. 즉 대상자의 이름, 약물용량, 투여시간, 처방한 의사의 이름, 투여한 간호사의 이름을 기록하도록 되어있다. 간호사는 마약 및 통제약물을 일정한 간격(예: 근무교대 시에)을 두고 용량과 수를 확인하여야 하며 사용된 약물에 대해 기록지에 정확히 기록하고 보관해야할 윤리적, 법적 책임이 있으며 분실, 도난, 파손 및 착오가 발생하는 경우 즉시 보고하여야 한다. 마약 및 통제약물은 서랍이나 약장 및 cart에 이중잠금장치를 해서 보관한다.

투여로 인한 실수는 반드시 기록되어져야 한다. 사고보고서는 각 기관의 기록양식에 의거하여 기록되어지고, 보고서내용에는 약물명, 투약용량, 방법, 투여된 시간, 특별한 사고의 내용, 의사가 사고가 난 상황을 접하게 된 시간 또는 어떤 대책이 취해졌는지 등이 포함되어야 한다. 이와 같은 점에서 볼 때, 간호사는 투약과오나 투약사고를 줄일 수 있는 중요하고도 책임있는 역할을 수행해야만 한다.

4. 투약처방 확인

일반적으로 투약은 의사의 지시에 의하여 시행된다. 이러한 지시를 처방(order)이라고 한다. 투약처방에 대한 간호사의 역할은 단순히 대상자에게 약을 주는 것 이상으로 확대되었다. 투약과 관련된 대상자의 능력을 사정하고 대상자가 투약을 잘 이행하는지, 처방약물에 대한 대상자의 반응은 어떠한지 등의 약 효과를 확인해야한다. 약물투약에 대한 책임이 전적으로 간호사에게 있는 것은 아니다. 그러나 대상자에게 안전하지 못하다고 생각되는 어떤 처방이든 거부할 수 있는 것이 간호사의 책임이다. 그러므로 간호사는 처방의 유의사항을 읽어보기 힘들 경우 추측해서 투여해서는 안되며 처방자에게 다시 한번 확인하여 확실하게 해야 한다.

또한 처방에 명시된 약물이나 용량이 대상자에게 부적당해 보이는 경우, 처방내용이 불완전하거나 불명료한 경우에는 처방자에게 질문을 함으로써 실수의 가능성을 최대한 줄일 수 있고 대상자를 보호할 수 있게 된다. 기관에 따라 처방의 방법이 약간씩 차이가 있기는 하지만 기록처방(written order)이 가장 많이 쓰이는 방법이다. 기록처방이 법적 근거물이 되므로 처방자의 서명이 반드시 기록되어야 한다. 투약처방에는 공식적으로 사용하는 약어가 있다(표 20-5). 이러한 약어는 대상자의 차트와 같은 법적 문서에 사용된다. 국제공인 의료기관인증평가기관 JCI (The Joint Commission International)에서 최근 지정한 투약과오를 막기위해 사용된 약어목록은 다음과 같다(표 20-6).

1) 처방의 종류

일반적으로 처방의 종류는 정규처방(standing order), 일회처방(single or one-time order), 즉시처방(stat order), 필요시 처방(p.r.n order), 구두 혹은 전화처방(verbal, telephone order) 등이 있다.

(1) 정규 처방

정규처방은 약물투여를 중단하라는 처방이 서면으로 있을 때까지 계속 수행하거나 처방시에 중지시기를 미리 지시하여 정해

표 20-4　투약처방에 사용되는 약어

약어	원어 또는 영어	의미	약어	원어 또는 영어	의미
ac	ante cibum, before meals	식전	q	quaque, every	매(每), ~마다
am	ante meridiem, before noon	오전	qd	quaque die, every day	매일
aq	aqua, water	물	qh(q1h)	quaque hora, every hour	매시간 마다
aq dest	aqua distillation, distilled water	증류수	qid	quater in die, four times a day	하루 네 번
AST	after skintest	피부과민반응 검사 후	qn	quaque nocte, every night	매일 밤마다
bid	bis in die, twice a day	하루에 두 번	qod	every other day	격일로
c	cum, with	함께	qs	quantum satis, sufficient quantity	충분한 양
cap	capsule	교갑	rept	may be repeated	반복
comp	compound	혼합물	Rx	recipe, take	처방
DC	discontinue	중단	s	sine, without	~없이
dil	dissolve, dilute	용해, 희석	SC	subcutaneous	피하
elix	elixir	엘릭시르	sos	si opus sit	위급 시
gtt	drop	방울	´s´s	semissen, one half	반(半)
h	hora, hour	시간	stat	immediately	즉시
hs	hora somni, at bed time	취침시간	sup or supp	suppository	좌약
IM	intramuscular	근육내	susp	suspension	현탁액
IV	intravenous	정맥내	NPO	nor par os, nothing by mouth	금식
IVPB	IV piggybag	IV piggybag	OD	oculus dexter, right eye	오른쪽 눈
KVO	keep vein open	정맥이 막히지 않도록 유지	OS	oculus sinister, left eye	왼쪽 눈
M or m	mix	혼합해서	OU	oculus uterque, both eyes	양쪽 눈
pc	post uterque, after meals	식후	tid	ter in die, three times a day	하루 세번
pm	post meridiem, afternoon	오후	tr or tinct	tincture	팅크제
po	par os, by mouth	경구로	V.O	verval order	구두지시
prn	pro re nata, whenever needed	필요시 마다			

진 날짜까지 수행하는 것이다. 정규처방은 정해진 기간을 가지고 있으며, 정해진 기간이 지나면 자동적으로 약물투여를 끝내게 되므로 계속적인 투약이 필요한 경우에는 다시 처방되어야 한다.

다음의 'vitamin C 2 tablets po q6h 2days'는 정규처방의 예이다. 이는 비타민 C 2정을 경구로 매일 6시간 간격으로 복용하되 2일간만 투여하라는 것이다.

(2) 일회 처방

일회처방은 정한 시간에 1회의 투여만으로 끝난다. 이는 수술 전이나 진단검사 전의 약물투여를 위해 사용된다. 일회처방의 예는 'Ativan 1mg IV at 10PM'로 이는 Ativan 1mg을 오후 10시에 정맥주사로 투여하라는 것이다.

(3) 즉시 처방

처방이 내려진 즉시 투여하되 단 1회에 한해서만 투여되는 처방이다. 주로 응급 상황에서 사용된다. 일례로 'Demerol 100mg 1M stat'는 Demerol 100mg을 근육 주사로 처방 즉시 한번만 투여하라는 것이다.

(4) 필요시 처방

대상자에게 그 약물이 필요할 때 간호사가 임의 판단하여 투약을 실시할 수 있는 처방이다. p.r.n. 처방은 미리 예상되는 대상자의 단순증상의 완화를 위해 투약이 필요한 경우에만 제한적으로 허용된다. p.r.n. 처방으로 약물을 투여했을 때는 투약한 이유에 대한 기록을 한다. 투여시에 투약된 시간과 그에 따른 약물의 효과에 대한 관찰 사항 및 대상자의 반응 등을 간호기록지에 잘 기록하여야 한다. 예를 들어 'Amphojel 30ml po prn for heartburn'는 대상자에게 필요하다고 간호사가 판단되면 위가 쓰릴 때 암포젤 30ml를 경구로 투여하라는 것이다.

(5) 구두 혹은 전화처방

응급상황일 경우 의사가 전화 혹은 구두로 처방을 내리기도 한다. 간호사는 모든 전화 혹은 구두 처방지에 자신의 서명을 한 후에 의사의 사인(countersign)를 반드시 받아야 한다. 대부분의 기

표 20-5 혼동하기 쉬운 약어목록

약어	문제점	사용용어
U(unit, 단위)	"0"(zero), "4", "cc"와 혼동	unit로 표기
IU(international unit)	"IV", "10"과 혼동	international unit로 표기
Q.D., QD, q.d., qd(매일)	각각 혼동	daily로 표기
Q.O.D., QOD, q.o.d., qod(격일로)		every other day로 표기
소수점 뒤의 "0" 표기(x.0mg)	소수점이 빠지면 x0mg 의미	xmg(소수점 뒤의 0은 생략)
소수점 앞의 "0" 생략(.xmg)	소수점이 빠지면 xmg 의미	0.xmg(소수점 앞의 0은 표기)
MS		morphine sulfate로 표기
MSO$_4$, MgSO$_4$		magnesium sulfate로 표기
공식적으로 사용하지 않아야 할 약어		
〉	숫자 "7" 이나 "L"과 혼동	~이상 으로 표기
〈	혼동됨	~이하 로 표기
약명의 약자표기	비슷한 약자로 해석오류	약명은 철자 모두 표기
가정용 액량단위	흔히 사용되지 않음	미터법단위 사용
@	숫자 "2"와 혼동	at로 표기
cc	잘못 쓰면 u(unit)로 혼동	mL 또는 밀리리터(milliliter)로 표기
μg	mg과 혼동하여 1000배의 과량 초래	mcg 또는 microgram로 표기
고려해야할 약어		
T.I.W(three times a week)	주2회(two times a week)와 하루 3회(three times a day)와 혼동	"3 times weekly" 또는 "three times weekly" 로 표기
AS(왼쪽 귀) AD(오른쪽 귀) AU(양쪽 귀)	OS(왼쪽 눈), OD(과량 또는 광학밀도), OU(양쪽 눈)과 혼동	왼쪽 귀(left ear), 오른쪽 귀(right ear), 양쪽 귀(both ear)로 표기
HS	"half strength", "취침시"와 혼동	half strengh, 취침 시(at bed time)로 표기
SC, SQ(피하)	"SL", "5시간마다"로 읽힘	"sub-Q", "subQ" 또는 subcutaneous로 표기
D/C	퇴원(discharge) 또는 중지(discontinue)와 혼동	discharge, discontinue로 표기

관에서는 이런 경우 처방이 주어지고 24시간 이내에 의사의 서명을 받도록 한다.

2) 투약처방의 기본요소

투약처방은 대상자의 이름, 처방일시, 약물명, 약용량, 투여경로, 투여시간 또는 투여횟수, 처방자의 서명 등이 기본요소로 구성된다.

(1) 대상자의 이름

같은 이름과 성을 가진 다른 대상자와 구별하기 위해 성과 이름 모두와 병록번호를 함께 명기한다. 대상자의 성명과 병록번호를 찍을 수 있는 압인기(imprinter)를 간호사실에 비치하여 병원에서 쓰는 모든 양식의 서류에 사용한다.

(2) 처방일시

투약처방을 한 정확한 년, 월, 일, 시간을 기록해야 한다. 처방된 날짜를 적어두면 특정한 처방이 자동적으로 끝나는 시점을 분명하게 한다. 투약과오를 포함한 어떤 사건이 발생했을 때 이 정보를 활용하면 무슨 일이 일어났는지에 대한 기록이 수월해진다.

(3) 약물명

투여될 약물의 이름은 반드시 기록되어야 한다. 흔히 속명(generic name)을 사용하지만 상품명도 널리 사용되고 있다. 비슷한 철자의 약물과 혼동을 방지하기 위해서는 철자법을 정확하게 지켜야 한다.

(4) 약용량

약용량을 정확하게 처방하기 위해서 처방시 약용량은 약물의 양, 투여횟수, 강도 및 농도까지도 포함되어야 한다. 약용량은 약국액량법이나 미터법을 사용한다.

(5) 투여경로

처방에는 투여경로가 명시되어야하며 공통의 약어를 사용하여 명기한다. 한 가지 약물이 여러 가지의 다른 경로로 투여될 수 있으므로 처방에 투여경로를 명시하는 것은 매우 중요하다.

(6) 투여시간 및 횟수

약물의 투여시간과 투여횟수는 표준약어를 사용한다. 간호사는 약물치료를 시작한 시간을 알고 있어야 한다. 만일 의사가 투약의 시간을 관례적인 시간과 다르게 처방할 때는 특별한 시간을 명시하여야 한다. 복합용량에 대한 처방은 약물투여를 위해 따로 정규적인 투여계획표를 세워야 한다.

(7) 처방자의 서명

처방을 낸 의사의 서명이 있어야 처방이 법적효력을 가지므로 처방내용에 의사의 서명이 없는 경우는 반드시 의사의 서명을 받아야 한다. 이 서명은 처방지를 법적 증거물로 만들어 준다.

5. 마약류 관리지침

모든 마약은 서랍이나 약장에 넣고 이중 잠금장치를 해서 보관한다. 마약 사용 시에는 마약 처방전이 필요하다(환자명, 투약 날짜, 시간, 약명, 용량, 처방 의사명, 조제한 약사명, 투약한 간호사명을 기록해야 함). 또한 간호사가 교대근무로 인계 시 마약의 양과 숫자를 확인해야 하고 인계받는 간호사와 함께 이중서명을 한다. 마약을 꺼내기 전에 재고 숫자와 실제 이용할 수 있는 숫자도 확인한다. 만일 마약을 분실, 도난, 파손, 착오 시 간호관리자와 약국에 보고하며 마약 투여 간호사는 국가에서 제정한 마약법을 준수해야 할 책임을 따른다. 준비한 마약이 투여되지 않아 버려야 할 경우 다

그림 20-4 마약 보관 장소

른 간호사의 입회하에 버리고 마약대장에 두 명의 간호사가 함께 서명을 하며, 사용할 경우에는 마약 처방전이 필요하다.

VI. 주사약물 준비 방법

비경구투약은 일반적으로 주사에 의해 약물을 주입하는 것을 말한다. 구강, 국소투여에 비해 약물의 효과가 신속하며 구토, 연하곤란 또는 구강으로의 섭취가 제한되어 있는 대상자의 경우에 사용한다. 모든 비경구투약은 감염의 위험을 최소화하기 위해 멸균된 기구와 멸균된 주사용액을 사용하여 철저한 무균법이 지켜져야 한다.

1. 비경구 투약도구

비경구투약을 위한 가장 중요한 도구는 주사기와 바늘이다.

1) 주사기

주사기는 외관과 내관, 주사바늘 연결부위의 세 부분으로 되

표 20-6 마약대장 서식의 예

일시	근무조	약명	환자명	인계받은수량	투약시간	투약용량	수령수량	남은수량	서명	비고
2000.00.00	D	Pethidine	비품	2A						
	인계	Morphine	비품	2A					김태희 김지선	
		Pethidine	김○○		7Am	1/2A		1/2A	김지선 김선희	비품사용, 1/2A 잔량반납
		Pethidine	김○○				1A		김지선 김선희	비품갚음

어 있다(그림 20-3).

- 외관(barrel): 약물을 보유하는 주사기의 부분으로 눈금이 표시되어 있는 곳.
- 내관(plunger): 앞, 뒤로 조절하여 약물을 주입하고 뺄 수 있는 외관 안에 포함된 부분.
- 연결부위(tip): 주사기의 주사바늘이 부착되는 부분.

표준 주사기는 3ml, 5ml, 10ml 등의 크기와 18~25gauge 바늘이 사용된다. 주사기의 크기는 0.5~60ml까지 다양하다. 주사기의 연결부위는 Luer-Lok 형과 non-Luer-Lok형으로 구분된다. Luer-Lok 주사기는 바늘이 쉽게 빠지는 사고를 피하기 위해 돌려야만 바늘이 분리되며, non-Luer-Lok 주사기는 바늘의 연결부위가 쉽게 분리되며 흔히 상처나 관을 세척할 때 사용된다(그림 20-5).

튜베르쿨린 주사기는 튜베르쿨린 및 알레르기 반응검사 시에 사용되는 주사기이다. 1ml 크기의 주사기의 외관에는 1minim을 16등분한 눈금과 1ml를 10~100등분한 눈금이 표시되어있다.

인슐린 주사기는 인슐린 용량을 측정하기에 편리하도록 고안된 눈금이 표시되어 있으며 0.5ml와 1ml의 두 가지 크기이다. 많은 용량의 인슐린을 투여할 때에는 1ml당 100unit 용의 크기를 사용하고 적은 용량의 인슐린을 투여할 때에는 50unit용의 주사기를 사용한다(그림 20-6).

플라스틱으로 만든 1회용 주사기가 많이 사용되며 무균적으로 개별 포장되어 있다. 주사기와 바늘은 함께 포장되기도 하고 분리되어 포장되기도 한다. 간혹 주사용 약물은 제조할 때 주사기에 처음부터 약물이 1회용으로 쓰일수 있도록 채워져 나온다(prefilled syringes). 그러나 이런 약물은 주사하기 전에 정확한 양을 확인해야하며 간호사는 처방 용량이 공급된 주사기의 양보다 작으면 남은 약은 버려야 한다. 이러한 약물체계는 바늘이 주사기와 붙어 있으므로 바늘의 크기나 길이를 조정할 수 없다.

2) 주사바늘

주사바늘(needle)은 세 부분으로 구분되는데 주사기의 주사바늘 연결부위(tip)와 꼭 맞도록 되어있는 중심부(hub), 중심부와 연결된 바늘기둥(shaft), 바늘 끝의 사선으로 잘라져서 경사진 부위인 바늘사면(bevel)으로 되어있다. 바늘기둥은 중심부와 바늘사면사이의 바늘의 몸체로, 기둥과 사면은 항상 무균상태가 유지되어야 한다. 주사에 사용하는 바늘은 곧고 끝이 뾰족해야 한다.

바늘의 크기는 gauge(G)로 표시하며 14~29G의 범위로 다양하다. gauge의 번호가 클수록 바늘의 직경이 작다. 바늘의 길이는 1/4~5inch(0.6~12cm)로 다양하며 간호사는 대상자의 신장, 몸무게, 주사방법, 대상자의 비만상태, 부종 유무에 따라 바늘길

이를 선택한다. 비만한 대상자에게는 긴바늘을 사용하며 수척하거나 탈수된 사람에게는 짧은 바늘을 사용한다.

3) 주사약의 형태

주사약의 형태에는 앰플과 바이알이 있다(그림 20-6, 7).

(1) 앰플

앰플(ampule)은 투명한 유리로 된 용기이며 가운데가 잘록하게 되어있고 약물이 1회 혹은 수회의 용량이 들어 있다. 앰플을

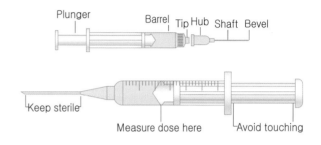

그림 20-5 주사기의 구조와 명칭

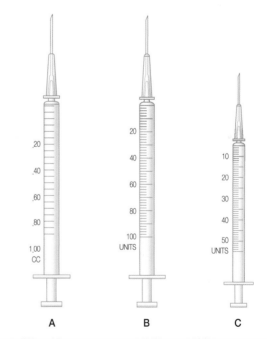

그림 20-6 주사기의 종류
A: 투베르쿨린 B: 인슐린(100units) C: 인슐린(50units)
D: Luer-Lok 주사기

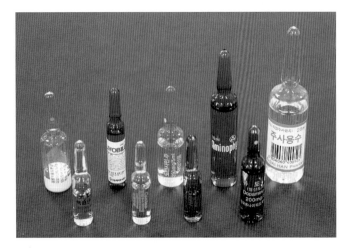

그림 20-7 앰플의 종류

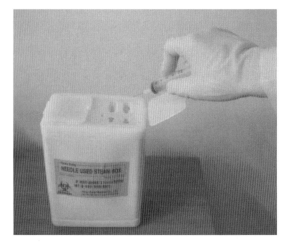

그림 20-9 한손만을 사용하고 있는 일회용 주사바늘 수집용기

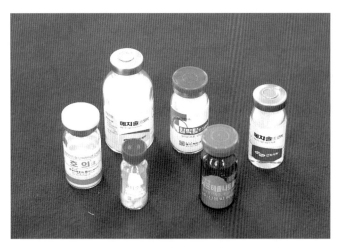

그림 20-8 바이알의 종류

그림 20-10 one-handed scoop method

열 때에는 약이 앰플의 아래 부분으로 모이게 한 후 소독된 솜으로 자르려 하는 부위를 닦고 줄로 앰플을 수 회 그어서 쉽게 잘라지게 하거나 잘록한 부위에 금이 새겨져있어 소독솜으로 그 부분을 싸고 자른다. 앰플을 자른 후에는 준비한 멸균된 주사기의 바늘이 앰플의 표면, 밑, 가장자리에 닿지 않도록 조심스럽게 넣어서 약을 뽑아낸다.

(2) 바이알

바이알(vial)은 작은 병에 고무마개 뚜껑을 덮고 알루미늄을 씌워서 밀봉한 것으로 크기는 다양하다. 약물을 준비하기 위해서는 뚜껑의 중심에 있는 알루미늄 덮개를 떼어내고 그 부분을 소독솜으로 닦은 후 주사하려는 양만큼의 공기를 주사기로 바이알에 주입하면 압력에 의해 동량의 주사액을 바이알로부터 뽑아 내는데 용이하다.

약이 분말인 경우 설명서에 적혀 있는 적당량의 증류수나 생리식염수를 바이알 속에 주입하여 용해시킨다. 어떤 약물은 바이알이

두 부분, 즉 한쪽은 분말의 약이 들어있고 다른 부분에는 용해제가 들어 있어서 바늘을 삽입하거나 압력을 가해서 액체와 분말이 섞이도록 한다. 이렇게 포장하는 것은 약물이 건조상태에서 더 안정되며 액체보다 더 오랫동안 보관할 수 있기 때문이다. 주사약물의 준비단계는 기본간호학 실습지침서에서 구체적으로 다루고 있다.

2. 주사약물 용기로 인한 위험 예방

주사바늘이나 날카로운 물품을 취급하는 의료인들이 흔히 입게 되는 위험한 상해는 주사바늘 자상(needle stick injuries)이다. 혈액매개 질환에 노출되는 가장 흔한 경로는 주사바늘 자상인 것으로 알려져 있으며 B형간염, 에이즈, 기타 다른 병원균감염의 위험도를 높인다. 주사바늘 자상은 의료인들이 주사바늘을 잘못 취급하거나 주사바늘을 대상자의 침상가에 두고 오는 경우에 흔히 발생한다. 주사바늘 자상을 예방하기 위해서는 사용한 주사기를 한 손만으로 들

고, 사용한 바늘의 뚜껑을 씌우지 않은 채 자상방지수집용기에 버려서 다른 한손의 상해가능성을 차단해야 한다(그림 20-9).

또한 사용한 주사바늘은 구부리거나 꺾어서 버리지 않는다. 응급상황의 경우와 같이, 사용한 주사바늘의 처리가 지연되는 경우에는 scoop 혹은 one-handed 기법을 사용할 수 있다. 바늘뚜껑을 편평한 바닥에 놓고 한손만을 사용하여 주사바늘을 한손으로 밀어 뚜껑 부분에 들어가게 한 다음 다른 한손으로 뚜껑을 잡아 중심부에 단단히 고정시키는 방법을 사용한다(그림 20-10).

3. 약물 혼합 방법

1) 바이알과 앰플의 약물 혼합

앰플은 약물을 뽑아내기 전에 공기를 주입할 필요가 없기 때문에 바이알의 약물을 먼저 뽑아낸 다음에 앰플의 약물을 빼내면 된다.

2) 바이알 두 개의 약물 혼합

두 개의 바이알 고무마개를 알콜솜으로 소독한 후 첫 번째 바이알에 처방받은 약물의 용량과 같은 공기를 주입한다. 바이알에 주입된 공기는 진공상태로 만들지 않아 약물이 쉽게 흘러나온다. 이때 주사바늘이 용액에 닿지 않도록 해서 공기를 주입한 후 조심스럽게 빼낸다. 바늘을 제거한 후 수직으로 주사기를 세워서 공기를 제거한 후 바늘을 새로 바꾼다. 이후 첫 번째 바이알에 주사바늘을 삽입한 후, 처방된 약물을 뽑도록 한다.

주로 인슐린을 혼합할 때 사용하며 인슐린 혼합 시 투명한 인슐린을 먼저 뽑고 혼탁한 인슐린을 그 다음에 뽑는다.

제2절

경구투여

I. 경구투여 약물 준비

1. 경구투여 가능 여부 확인

경구투여은 대상자가 위장기능이나 연하기능에 문제가 없는 한 가장 흔히 사용되는 방법으로 안전하고 편리하며 경제적인 방법이다.

- 대상자가 삼키고 기침할 수 있는지 사정하고 구개반사가 있는지 확인한다.
- 대상자는 보통 스스로 음식을 섭취하거나 경구투여을 하는 데 거의 문제가 없다. 만약 경구약물이 금기라면(예: 연하불능, gastric

suction) 대상자가 흡인하지 않도록 각별히 주의한다.

II. 경구투여 약물 절차

1. 경구투여 절차

경구투여를 위해서는 투약의 기본원칙을 알고 대상자의 경구투여 가능 여부를 사정해야 한다. 또한 대상자에게 경구투여 시 유의사항도 설명해 주어야 한다. 경구투여에 필요한 물품 등을 준비하기 위해서는 투약카트에서 대상자의 약물이 들어있는 약포지를 꺼내어 투약처방(투약카드)과 투약원칙을 확인한다. 대상자에게 약물을 투여하기 전에 반드시 이름을 개방형으로 질문하여 대상자를 확인하고 입원팔찌와 투약카드를 대조하여 대상자의 이름과 등록번호를 다시 한번 더 확인하도록 한다. 또한 대상자에게 약물의 투여목적과 작용 및 유의사항을 설명한 다음 약물에 대한 의문사항을 질문하도록 한다. 이는 약물복용으로 인한 불안감을 완화하는데 도움이 된다. 연하장애가 있는지 확인하기 위해서는 침을 삼켜보거나 물을 한 모금 마셔보도록 하며 알약은 한꺼번에 복용하지 말고 한 번에 한 알씩 복용하도록 해서 삼키기 쉽게 하고 흡인위험을 감소시킬 수 있다. 약물을 다 삼킬 때까지 대상자 옆에 있으면서, 약물복용 여부를 확인하기가 어려우면 대상자에게 말을 시켜보거나 입을 벌려보도록 한다. 투약 후 즉시 기록하여 이중 투약이 되지 않도록 한다. 투약 거절이나 투약 보류 약물에 대해서는 사유를 기록하고 의사에게 보고한다.

2. 경구투여 시 흡인 예방 간호

흡인을 예방하기 위해서는 앉거나 파울러씨 체위를 취하도록 하되 앉는 것이 금기라면 측위를 취하도록 돕는다. 구강건조로 연하곤란이 있는지 확인하기 위해 침을 삼켜보거나 물을 한 모금 마셔보도록 한다. 또한 알약은 한꺼번에 복용하지 말고, 한 번에 한 알씩 복용하도록 돕는다. 알약 복용 후에 물약을 복용하도록 해서 흡인을 예방한다. 또한 투약 후에는 대상자가 편안한 체위를 취하도록 돕는다.

3. 경구투여의 주의사항

경구투여을 하기 위해서는 다음과 같은 지침을 따라야 한다.

4. 어린이와 노인의 경구투여

약물투여 시 대상자의 성장발달수준을 특별히 고려하는 것이 중요하다. 대상자의 성장발달에 대한 지식은 간호사가 약물치료에 대한 반응을 예측하는데 도움이 된다.

경구투여의 지침

- 투약시의 7가지 원칙을 지킨다
- 의사의 서명이 없거나, 지시가 분명하지 않거나, 읽기가 어려운 경우에는 책임간호사와 상의한다.
- 대상자의 건강력, 알러지 유 · 무, 약물력, 식이력 등을 사정한다.
- 대상자가 경구투여의 어떤 금기사항이 있는지 확인한다.
- 대상자가 흡인되지 않도록 앉거나 옆으로 누인다.
- 천천히 삼키는 대상은 매번 삼킬 때마다 많은 양의 물을 주어서는 안된다.
- 투약 중에 기침을 한다면 간호사는 대상자가 쉽게 숨을 쉴 때까지 투약을 중지한다.
- enteric-coated 정제는 분쇄하거나 쪼개지 않는다.
- 약물에 침전물이 생겼거나 색깔이 변색된 약은 사용하지 말아야 한다.
- 정제나 캡슐을 병으로부터 꺼낼 때는 필요한 양만큼 병 뚜껑에 꺼낸 다음 약잔에 담는다.
- 진단검사 목적으로 검사 전에 금식을 해야되는 경우는 경구로 투여하는 약물은 투여할 수 없다.
  이때 완전히 중단시킬지, 늦게라도 투약할지는 의사의 지시에 따른다.
- 자극성의 약이나 치아착색(철분 제재)의 우려가 있는 약은 빨대를 사용하도록 한다.
- 액체약은 병을 옮겨 담아서는 안된다.
- 특별한 지시가 없는 한 두 가지 이상의 약을 함께 섞어주지 않는다.
- 쓴약을 투여할 경우 교갑에 넣거나 투약 전에 얼음조각을 물고있게 하여 맛을 둔하게 한다.
- 소아는 불쾌한 맛을 없애기 위하여 흔히 설탕, 향료 등으로 가미하여 조제한다.
- 점적기(dropper)로 약물을 투여할 때는 약물이 인두 후면에 닿아 구개반사가 일어나지 않도록 주의하여, 잇몸과 뺨 사이에 약물을 넣어준다.
- 약 맛을 희석시키기 위해 많은 양의 물이나 주스를 마신다(특별히 금기가 아닌 대상자).
- 투약준비 중에는 타인과의 이야기를 일체 금한다.
- 대상자가 일단 거부한 약이나 한번 약장에서 꺼낸 약은 다시 약병에 넣지 않는다.

1) 어린이

어린이는 나이, 체중, 체표면적 및 약물의 흡수, 대사, 배설능력 등에 따라 다양하게 투여된다. 어린이의 약용량은 성인용량보다 적으므로 약물을 준비하는데 있어서 신중한 계산을 필요로 한다. 어린이들로부터 협조를 얻기 위해서는 아동의 부모를 교육하는 것이 가장 좋은 방법이다. 간호사는 약물이 투여되기 전에 쉽고 단순한 용어로 투약절차를 설명하여 특별히 심리적으로 준비될 수 있는 지지적인 간호가 필요하다. 약을 복용한 후 어린이를 충분히 칭찬함으로써 투약시 어린이의 협조를 얻는데 도움이 된다. 어린이에게 약물을 투여하기 위해 간호사는 다음과 같은 지침을 고려해야 한다(표 20-7).

2) 노인

노인은 약물사용 시에 생리학적인 변화이외에 행동 및 경제적인 요인들이 영향을 미치므로 약물투여 시에 노인도 역시 특별한 문제가 나타날 수 있다. 간호사는 노인이 약물을 이용하는데 있어서 나타나는 다양한 태도양상을 인지하여야만 한다.

첫째, 다약요법(polypharmacy)양상이다. 다약요법이란 노인이 여러 가지 질병을 동시에 치료하기 위해서 처방 받은 약이나 처방 받지 않은 약을 함께 복용하는 것을 의미한다. 이는 다른 약물이나 음식과의 상호작용으로 인한 위험을 초래할 수 있으며 약물의 역작용(adverse reaction)의 위험도 증가시켜 과오발생의 가능성이 높아진다.

둘째, 자가처방 약물(self-prescribing of medications)양상이다. 노인은 통증, 변비, 불면증, 소화불량 등 다양한 증상을 경험한다. 이러한 증상은 일반판매약(over-the-counter medications, OTC : 의사처방 없이 합법적으로 약국에서 살수 있는 약)으로 쉽게 해결할 수 있으므로 이를 이용하여 문제들을 완화시키려고 흔히 약초나 민간요법 등을 이용하려고 한다.

셋째, 약물오용(misuse of drugs)양상이다. 노인이 약물을 오용하는 유형으로는 약물과용(overuse), 용량미달 약물(under-

표 20-7 어린이 · 노인을 위한 약물투여 지침

대상	약물 투여지침
어린이	**[경구약]** • 경구약은 물약형태로 준비하는 것이 좋으며 정제와 같이 단단한 약은 잘게 부수거나 물에 녹여 먹을 수 있게 해준다. • 쓴맛의 약은 투약전 · 후에 주스 한 모금이나 사탕 한 개 정도를 먹게 하여 쓴맛을 이길 수 있도록 한다. • 주스, 청량음료, 얼린 주스 등은 약물을 심킨 후에 준다. • 꿀이나 시럽같은 감미료와 함께 약물을 복용할 때는 아주 소량을 사용하여야 한다 - 약물을 어린이가 잘 먹는 음식이나 음료와 함께 섭취하지 않도록 한다. 나중에 이러한 음식에 대한 불유쾌한 연상으로 인해 거부할 수 있기 때문이다. • 물약은 플라스틱으로 된 일회용 용기를 이용하여 정확하게 준비한다(컵, 티스푼, 점적기 등은 정확하지 않다). • 물약을 투여할 때 스푼, 플라스틱 컵, 빨대, 주사기(바늘 없는)등이 유용하다. • 얼음을 잘게 부순 탄산음료는 오심을 경감시킨다. **[주사]** • 영아나 어린 아동은 근육발달이 미약하므로 근육주사부위 선정시 아주 신중해야 한다. • 주사를 맞는 일이 잘못한 일에 대한 벌이 아니라 꼭 필요한 것이라는 것을 간단하게 이해가능 한 수준으로 설명할 필요가 있다. • 가급적이면 재빨리 주사하도록 한다 - 공포심 및 불안감이 고조되는 것을 피할 수 있기 때문이다. 주사 후 어린이를 꼭 껴안아주고 부드럽게 이야기하는 것이 중요하다. • 통증감각을 감소시키기 위해 이야기를 나누거나 장난감을 주어 관심을 다른 곳으로 돌리도록 한다. • 어린이의 행동이 돌발적이고 비협조적이므로 필요하다면 주사하는 동안 안전 유지를 위해 다른 사람의 협조로 조심스럽게 억제를 가할 필요가 있다. • 주사하기 전에 잠이 든 어린이는 반드시 깨워야 한다.
노인	• 투약력을 확인한다: 과거의 투약 경험, 현재 복용하고 있는 약의 약명, 약물에 대한 이해(약용량, 투여경로, 복용시간, 투여목적), 알레르기 반응 등. • 흡인 가능성을 줄이기 위해 똑바로 앉은 자세를 취하도록 한다. • 구강으로 약물을 투여하기 전 · 후에 소량의 물을 마시도록 한다 : 복용 전에는 쉽게 삼킬 수 있도록 하기 위해, 복용 후에는 빨리 흡수되도록 약 5~6oz(1컵 정도)의 물을 마시게 한다. • 삼키기 어려운 큰 덩어리의 교갑이나 정제의 약물은 가능하면 물약으로 대체하도록 의사에게 요청한다 : 정제의 크기를 반으로 자르거나 부수는 경우 혹은 주스와 함께 복용하면 어떤 약물은 작용이 변할 수 있고 약용량이 감소되거나 약물입자로 인해 사레들 수도 있다. • 노인이 대체할 수 있는 약물에 대한 교육을 제공한다 : 비타민제 과복용 시 적절한 식이요법 제공, 이완제 복용대신 운동권유. 고혈압 약제보다는 체중, 염분, 지방, 스트레스, 흡연 등을 감소시키고 운동을 늘린다(의사의 인정범위 내). • 조직이 충분하거나 근육이 많은 부위를 주사부위로 선정한다. • 수액과부담의 위험성을 줄일 수 있도록 정맥주입을 신중하게 살핀다.

use), 금기약물사용 등을 말한다.

넷째, 비이행(noncompliance)양상이다. 비이행은 고의적으로 약물을 오용하는 것을 일컫는다. 대부분의 노인은 효과가 없다는 이유만으로 약물의 용량을 자신의 의도대로 조절하거나 또는 여러 가지의 약처방에 당황하기도 하고 의심하여 약을 복용하지 않는 등 약물복용을 준수하지 않는다.

그러므로 간호사는 노인에게 투약의 이유와 효과를 설명해 줌으로써 노인이 더 이상 복용할 필요가 없는 약을 필요 이상 장기간 복용하거나 약 복용기간을 임의로 단축시켜 너무 빨리 중단하는 것을 방지할 수 있다. 노인에게 약물을 투여하는데 있어서의 지침은 다음과 같다(표 20-7).

III. 경구투여 후 대상자 반응

1. 대상자 반응 평가

경구투여 후 약물의 효과는 보통 30분 정도에 평가한다. 경구

투여은 정해진 복용방법대로 투약해야 한다. 함당정제는 입 속에서 녹아야만 약효를 나타내고 볼점막 투여 시에는 약물이 녹을 때까지 입 속에 약물을 물고 있어야 하며 씹거나 삼키거나 액체와 함께 복용하지 않도록 교육해야 한다. 약병이 오염된 경우 약물은 사용하지 않아야 한다. 또한 너무 많은 양이 따라진 경우 용량을 초과하는 것은 버려야 한다. 장용제피정은 약물이 위에서 용해되는 것을 막기 위해 정제 표면에 당분을 씌워서 장에서 녹아 흡수되도록 만들었으므로 그냥 삼키도록 한다. 액체약을 따를 때는 필요시 기구를 이용하여 눈높이에서 정확한 양을 따른다. 치아에 착색되거나 손상을 주는 약물은 빨대로 복용한다.

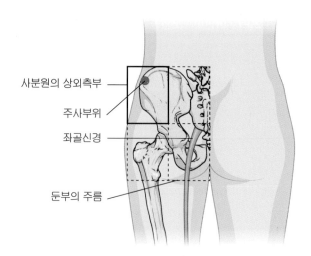

그림 20-11A 둔부의 배면부위

제3절
근육주사

I. 근육주사 부위

1. 주사부위 확인과 부위별 선정 시 주의사항

근육주사는 자극적인 약물 혹은 불용성의 약물을 주사할 때 주로 사용하는 방법으로 피하에 주사하는 것보다 대상자의 자극, 불편감, 통증을 감소시킬 수 있으며 혈관 분포가 피하보다 많아 흡수가 용이하다. 즉 피하조직에 자극을 주는 약물일 때 근육 내에 투여하는 주사방법이다. 자극성 약물 또는 불용성 약물을 근육 내에 주사하였을 때 피하에 주사하였을 때보다 더 견디기 쉽다. 근육에 혈관이 많이 분포되어 있어서 약물흡수작용이 빠르다. 피하조직보다 많은 양을 큰 불편없이 보유할 수 있어 다량의 주입이 가능하지만 신경과 혈관 손상의 위험성이 높다는 것이 단점이다.

(1) 주사부위

근육주사의 부위는 근육의 크기, 피부의 상태, 약물의 종류에 따라 결정한다. 주사부위 선택 시 간호사는 주사부위의 감염 혹은 괴사 유무, 타박상 및 찰과상 등의 유무, 뼈, 신경, 주요혈관 등의 위치, 투여될 약용량 등을 사정한다. 해부학적으로 신경과 혈관의 분포가 적고 조직에 멍이 들거나 통증이 심하거나 반흔 조직이 없어야 한다.

① 둔부의 배면부위

둔부의 배면부위(dorsogluteal site)는 두터운 근육층으로 중둔근(gluteus medius)과 일부의 대둔근(gluteus maximus)을 사용하는 방법이다.

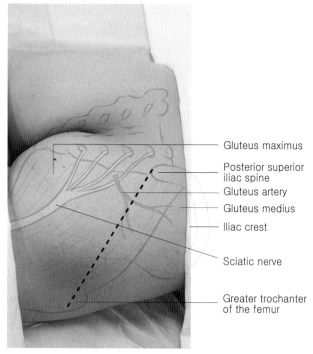

그림 20-11B 둔부의 배면부위

주사부위를 선택하는데는 두 가지 방법이 있다. 첫 번째 방법은 둔부를 상상으로 4등분한다. 수직선은 장골능(iliac crest)에서 둔부의 주름이 생기는 곳까지 긋고, 수평선은 수직선의 중앙 지점에서 외측으로 연장하여 선을 긋는다. 4등분된 둔부의 상외측 부위의 상외측면으로서 장골능아래로 약 5~8cm 되는 지점이 주사 부위이다(그림 20-11A). 두 번째 방법은 후상장골극(posterior superior iliac crest)을 촉지하여 대퇴의 대전자(greater trochanter)까지 상상의 평행선을 잇는 선의 상외측이다(그림 20-11B). 이 선은 좌골신경의 후면에서 평행으로 그어지기 때문에 외부 상측이 안전부위가 된다.

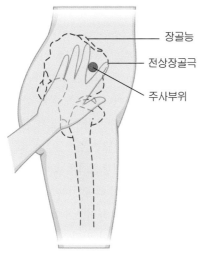

그림 20-12 둔부의 복면부위

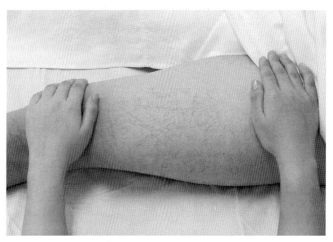

그림 20-13 외측광근 근육주사부위

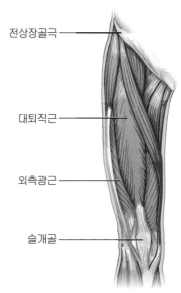

그림 20-14 대퇴직근 근육주사부위

이 부위로 주사할 때 대상자의 체위는 엎드린 상태에서 발끝을 가운데로 향하게 하거나 옆으로 누워 아래쪽 위치는 약간 펴고 위쪽 다리는 대퇴와 무릎을 구부린 자세를 취한다. 이러한 자세는 근육 이완을 도모하며 주사로 인한 통증을 감소시켜 준다. 이 부위는 둔근이 잘 발달된 성인과 소아에게 사용한다. 근육이 보행에 의해서 발달되므로 3세 이하 어린이 경우 사용하지 않는다. 그러나 이 부위는 좌골신경, 주요혈관 및 골 조직의 손상을 피하도록 주의하여야 한다. 좌골 신경에 주사가 주입되면 영구적 혹은 부분적인 다리의 마비를 초래할 수 있으므로 주의를 요한다.

② 둔부의 복면부위

둔부의 복면부위(ventrogluteal site)는 소둔근(gluteus minimus) 위에 있는 중둔근을 사용하는 방법이다. 소아나 성인 모두에서 이용할 수 있는 부위로서 큰 신경이나 혈관이 지나가지 않으며 둔부의 배면부위보다 지방조직이 적다. 이 부위는 항문과 멀리 떨어져 있어 오염의 우려가 적고 특히 소아나 실금대상자에 있어서 비교적 대소변의 오염을 피할 수 있는 부위이다.

부위를 선정하기 위해서 간호사는 대상자를 무릎을 구부린 채 옆으로 눕게 하고 대상자의 머리 쪽을 향해 서서 간호사의 손바닥이 대상자 대퇴의 대전자위에 오도록 하고 검지는 전상 장골극(anterior superior iliac crest)에 중지는 장골능(iliac crest)에 놓이게 하여 이때 생긴 삼각형이 주사 부위가 된다(그림 20-12). 왼쪽 둔부에 주사할 때는 오른손을, 오른쪽 둔부에 주사할 때는 왼손을 사용한다.

주사시 대상자의 체위는 둔근을 이완시키기 위해 누운 자세나 무릎과 둔부를 구부린 측와위를 취하도록 한다.

③ 외측광근 부위

외측광근(vastus lateralis muscle)은 두터워서 손상의 우려가 별로 없으며 큰 신경이나 혈관 그리고 관절이 지나가지 않는다. 성인, 소아, 영아에게 모두 적합한 부위이다. 이 근육은 대퇴의 외측부위로서 여러 번 반복해서 주사해야 할 경우에 적합하다.

주사부위는 성인의 경우, 무릎의 약 4인치 상부, 고관절에서 약 4인치 하측으로 대퇴의 전측면으로 길게 뻗쳐 있다. 이 근육을 삼등분한 중간지점이 가장 좋은 주사부위이다(그림 20-13). 근육을 이완시키기 위해서 간호사는 대상자로 하여금 똑바로 누워서 무릎을 가볍게 구부리게 하거나 앉은 자세를 취하게 한다.

④ 대퇴직근 부위

대퇴직근(rectus femoris muscle)은 대퇴의 전면부위로서 슬개골과 장골전극(anterior iliac cresent)사이를 이등분한 부위이

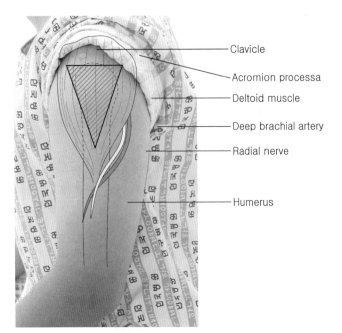

Clavicle
Acromion processa
Deltoid muscle
Deep brachial artery
Radial nerve
Humerus

그림 20-15A 삼각근의 근육주사부위

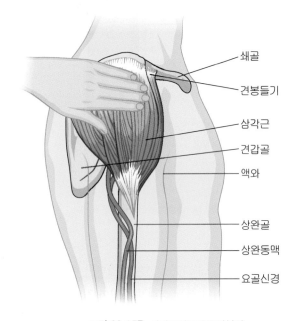

쇄골
견봉돌기
삼각근
견갑골
액와
상완골
상완동맥
요골신경

그림 20-15B 삼각근의 근육주사부위

다(그림 20-14). 대퇴직근은 보행시에 가장 많이 사용되는 근육이므로 주사 후 불편감 때문에 피하는 경향이 있으나 절대안정대상자, 자가주사를 해야 하는 대상자에서 흔히 이용된다. 체위는 앉거나 누운 자세를 취한다.

⑤ 삼각근 부위

삼각근(deltoid muscle)은 상완의 측면에 위치하고 있으며 근육의 크기가 작고 요골신경이나 요골동맥과 인접한 부위이므로 근육주사 시 자주 사용되지는 않는다. 그러나 요골동맥과 인접하

고 있기 때문에 근육주사부위 중 약물흡수 속도가 가장 빠른 부위이다. 주로 B형 간염 백신 예방접종 시에 많이 사용되는 근육주사부위이다. 그러나 영아의 경우에는 외측광근을 이용한다.

주사부위는 견봉돌기(acromion process)의 하연을 촉지하여 액와선과 상박외측의 정중선이 만나는 점을 찾아 삼각형을 형성한다. 형성된 삼각형의 중앙부위가 주사부위로서 견봉돌기 아래 2.5~5cm 부위이다(그림 20-15A). 또는 견봉돌기에 네 개의 손가락을 놓으면 첫 번째 손가락이 견봉돌기에 놓이게 되고 나머지 손가락 세 개의 넓이가 주사부위에 해당된다(그림 20-15B). 작은 근육이므로 주사액의 양이 적어야 하며(0.5~1.0cc), 위치를 잘못 선정하면 요골신경이 손상될 위험이 있다. 대상자의 자세는 앉거나 옆으로 눕는 자세를 취한다.

II. 근육주사 방법

1. 근육주사 시 주의사항

근육주사의 투여량은 약 2~3ml로서 대부분의 1회에 3ml 이상을 주사하지 않으며 3ml 이상의 약물이 처방되면 2회로 나누어 주사한다. 2cc, 5cc, 10cc의 주사기를 사용하며 주사바늘은 흔히 2.5~5cm를 사용한다. 바늘의 크기는 약물의 점도와 대상자의 민감성에 따라 다르다. 바늘의 길이는 대상자 근육의 크기와 지방조직의 양에 따라 결정된다. 근육주사에 맞는 삽입각도는 90°이다. 약물의 주사는 근육의 중심 부위에 주입하는 것이 좋다. 보통 성인에게 바늘은 22gauge의 3.5cm(1inch)의 길이를 사용한다.

근육주사는 굵은 바늘을 통해 비교적 많은 양을 주사하기 때문에 주사 바늘을 뽑은 다음 주사한 약물이 누출되는 경우가 흔히 있다.

- 반복 주사 시 피부손상으로 약물흡수가 방해되므로 자주 주사할 경우 부위를 바꿔가며 주사한다.
- 7개월 미만 영아의 근육주사 부위로 외측광근을 사용한다.
- 삼각근은 예방접종 시 가장 많이 사용되는 부위로 1ml 이상의 약물을 투여해서는 안된다.
- 감염이나 괴사가 없는 부위, 국소적인 타박상이나 찰과상이 없는 부위, 뼈, 신경, 주요 혈관이 분포하고 있지 않는 부위인지를 고려하여 주사부위를 선정한다.

2. 근육주사 절차

근육주사를 할 때는 근육주사 부위에 다음과 같은 사항을 주의 깊게 살펴봐야 한다.

- 굵은 신경, 굵은 혈관, 뼈를 피해 근육이 잘 발달한 곳에 주사한다.
- 근육이 경직되지 않고 부드러운 곳에 주사한다.
- 감염, 괴사, 흉터가 없는 곳에 주사한다.
- 같은 부위에 주사하지 않도록 한다.

약물이 피부 또는 피하조직에 자극성이 있을 때는 특수한 방법으로 주사함으로써 누출되지 않게 할 수 있다.

1) Z-track 기법

Z-track 기법은 특히 피하조직에 자극을 주는 약물의 근육주사시 추천되는 방법이다. 근육 내로 약물이 주입되는 길(track)을 차단함(sealing)으로서 조직의 자극을 최소화하는 주사 방법으로 둔부의 복면부위가 주로 사용된다.

주사 부위의 피부와 피하조직을 한쪽으로 약 2.5cm~3.5cm정도 잡아당긴 후 주사바늘을 삽입하고 10초 후에 바늘을 뽑는 것과 동시에 잡아당긴 부위의 손을 떼는 방법이다(그림 20-16). 이 방법은 약물이 피하 조직을 자극하지 않도록 주사 준비 후에 새로운 주사 바늘로 바꾼다. 새로 바꾼 주사 바늘 끝에 준비한 약물이 묻어 있지 않으므로 바늘이 근육을 통과할 때 피하 조직을 자극하지 않는다. 한 손으로 피부를 계속 잡아 당긴 채 다른 한손으로 주사기의 약물을 10초 동안 골고루 흡수되도록 주입한다. 주사 바늘을 빼면서 잡아당겼던 피부를 놓으면 피부가 정상위치로 되돌아오고 주사 바늘이 들어갔던 길(needle track)이 차단되어 약물은 길이나 피하 조직에 스며들지 않으며 피부 표면이나 피하조직으로 새어나오는 것을 예방하게 된다. 일례로, penicillin 약물은 피하조직에 남겨지면 근육에 비해 더 아프고 흡수가 잘 안되며 inferone(iron dextron injection)은 피하조직에 들어갈 때 영구적 변색을 가져오므로 이러한 방법으로 주사한다.

② 공기방울 기법

공기방울 기법(Air-lock technique)은 피하조직에 잠재적인 손상을 가져올 약물을 주사할 때 사용하는 근육주사방법으로 주사바늘 속의 약물을 모두 주사하기 위한 방법이다.

주사기에 약물을 준비한 후 0.2~0.3ml의 공기를 넣어서 공기가 주사기의 내관을 향해 약물 끝으로 올라가도록 하기 위해 주사바늘을 아래로 향하게 하고 90° 각도로 주사한다. 근육 내로 약물을 주사할 때 공기는 약물을 따라 들어가 air lock을 만든다(그림 20-17). 만약 주사바늘의 각도를 90° 미만으로 하여 주사하면, 공기는 주사기의 외관에 모여 있다가 너무 빨리 근육으로 들어가 버려 약물이 쉽게 피하조직으로 다시 새어나올 수 있다. 디프테리아, 파상풍, 백일해 예방주사 시에 농양이 형성되는 것을

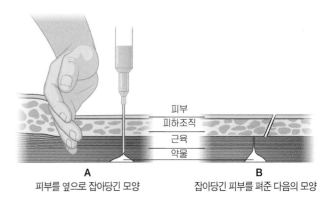

그림 20-16 Z-track을 이용한 주사방법

A 피부를 옆으로 잡아당긴 모양
B 잡아당긴 피부를 펴준 다음의 모양

피부
피하조직
근육
약물

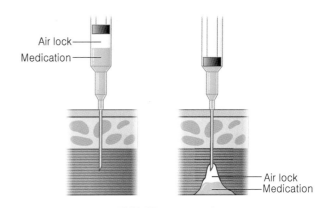

Air lock
Medication

Air lock
Medication

그림 20-17 공기방울 기법

방지하기 위해 사용된다.

3. 근육주사 통증완화 방법

- 둔부의 배면에 주사 시 근육을 이완시키기 위해서 환자에게 적절한 체위를 취하게 한다. 이는 엄지 발끝을 중앙으로 마주보게 하여 둔부근육이 이완되도록 엎드린 자세(prone position)을 취한다.
- 주사바늘이 주사부위와 90°로 유지되도록 하고 재빠르게 찔러넣고 약물은 천천히 주고 바늘은 재빨리 빼내어 불편감을 줄인다.
- 마사지는 혈액순환을 촉진하여 약물의 분산과 흡수를 돕도록 한다.
- 바이알에서 약물을 준비한 경우, 약물이 주사바늘에 묻어 있는 경우 근육층을 통과하면서 조직에 자극을 줄 수 있다. 따라서 주사기 바늘을 새 것으로 갈아끼워서 근육주사를 한다.
- 주사바늘이 휘어 있거나 손상당한 경우 근육층에 90° 각도로 들어가지 않으므로 주사바늘을 바꿔서 주사한다.
- 근육주사 후 단단한 덩어리 형태의 둔부가 만져질 때는 한 부위에 계속적인 약물주입으로 발생한 것이므로 마지막 주사한 부위, 흉터, 위축조직 등에서 적어도 2~3cm 떨어진 부위에 주사한다.
- 근육조직에 자극을 주는 penicillin은 Z-track으로 주사하고 약물

흡수를 돕기 위해 주사부위에 온찜질을 실시한다.

- 근육주사 용량이 5㎖이면 두 번에 나누어 근육주사를 하고 둔부 복면이 근육층이 풍부하므로 근육 깊이 주사하기에 적절한 부위이다.

III. 근육주사 후 결과 평가

1. 대상자 반응 등 관련 평가 내용

근육주사로 인한 합병증 등을 살펴보아야 한다. 합병증을 완화하기 위해서는 철저한 무균술을 지켜서 주사를 하며, 근육주사로 인한 통증과 불편감이 있는지 확인한다. 주로 자극성 약물을 주입할 때 발생할 수 있으므로 약물이 묻은 주사바늘을 교체해서 Z-track 방법을 사용하도록 한다. 또한 신경손상이 일시적 혹은 영구적으로 나타날 수 있다. 주로 주사 시에 신경을 건드리거나 약물이 신경 가까이에 주입되었을 때 혹은 신경이 손상되었을 때 발생할 수 있다. 이런 경우에는 주사부위를 정확히 확인하는 과정이 필요하다. 또한 기대 이상으로 빠른 약물이 흡수되는 경우에는 심박동이나 호흡의 증가, 의식소실 등이 온다. 이런 경우는 근육주사 시 주사기의 밀대를 뒤로 당겨서 확인하여 혈관 내로 약물이 주입되지 않도록 해야 한다. 무균술을 지켜서 근육주사를 해야 근육조직의 감염을 예방할 수 있다.

제4절
피하주사

I. 피하주사 부위

1. 주사부위 확인

피하주사는 진피아래의 소성결합조직(loose connective tissue)속으로 약물을 주입하는 것으로 신경수용기가 적게 분포되어 있어 바늘을 삽입해도 비교적 통증이 적다. 피하조직은 근육층만큼 혈액공급이 많지 않으므로 근육보다는 흡수가 느리지만 혈액순환이 잘되면 약물이 조직 속으로 거의 완전히 흡수된다.

주사부위는 대개 상박(upper arm), 대퇴, 하복부인데 그 부위에 소양, 발적, 열감, 부종, 통증이 없어야 하며 반흔 조직이 있는 부위도 피해야 한다. 가장 많이 사용되는 부위는 상박의 외측(어깨와 팔꿈치의 상부 2/3부위), 대퇴의 안쪽, 복부의 느슨한 조직,

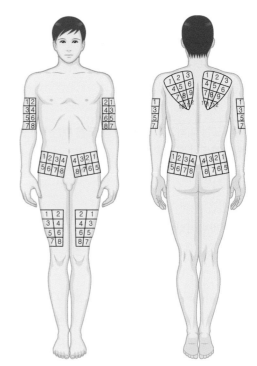

그림 20-18 피하주사 부위

견갑골하(subscapular) 부위이다(그림 20-18).

2. 피하주사 시 사용되는 약물 및 투여 시 주의사항

1) 사용 약물의 종류

피하주사 방법으로 주사할 수 있는 약물은 예방접종, 수술 전 처치 약물, 마약성 진통제, 인슐린, 헤파린이다. 특히 인슐린과 헤파린은 고위험 약물로 분류된다. 인슐린은 효과지속 시간에 따라서 초속효성, 속효성, 중간형, 지속형, 혼합형으로 구분할 수 있다. 이들 약물의 형태는 바이알과 펜 형태로 구분되어 주사할 수 있다. 인슐린은 미개봉한 상태에서는 냉장보관을 하며 개봉한 인슐린은 실온에서 4주 정도 사용할 수 있다. 2~8℃로 냉장보관하여 투여 전에 실온으로 만들기 위해 손 안에서 굴리면서 약을 혼합하여 거품이 생기지 않도록 주의해야 한다. 헤파린은 항응고제이며, 용량에 따라서 헤파린의 함유 정도가 다르다. 예를 들면 헤파린 25,000IU/20ml로 구분된다.

2) 약물 투여 시 주의사항

어느 부위에서든지 피하주사는 뼈의 돌출 부위와 큰 혈관이나 신경이 지나는 부위를 피해야 한다.

계속적으로 반복해서 주사를 할 때는 조직손상을 막고 흡수를 도와 불편감을 감소시키기 위하여 주사부위를 번갈아 교체하여야 한다. 규칙적인 주사계획시 그림으로 된 도표나(그림 20-17),

시간계획표를 이용할 수 있다.

피하조직은 자극적인 용액이나 많은 용량의 약에 대해서는 민감하므로 수용성인 소량(0.5~1ml)의 약물만을 주사해야 한다. 마른 대상자는 피하주사에 필요한 조직이 불충분할 수 있으며, 말초조직이 별로 발달하지 않았을 때는 상복부가 가장 좋은 주사부위이다. 이때는 주사부위를 회전시키는 것이 중요하다.

주사 후 주사부위를 가볍게 문지르거나 꼭 눌러주어 약물이 조직에 흡수되도록 돕는다. 그러나 헤파린 주사시에는 주사부위에 혈종을 형성하는 원인을 제공하므로 문지르지 않는다.

3. 인슐린 주사

- 인슐린의 흡수율은 복부, 상완, 대퇴, 둔부의 순서이므로 혈당상태의 변동을 줄이려면 복부에 주사하는 것이 좋다.
- 인슐린은 주사바늘의 길이가 매우 짧고 피하조직에는 혈관분포가 거의 없으므로 혈액 흡인여부를 반드시 확인할 필요는 없다.
- 인슐린은 2~8℃로 냉장보관하여 투여 전에 실온으로 만들기 위해 손 안에서 굴리면서 약을 혼합하여 거품이 생기지 않게 한다. 인슐린 주사 후 마사지하면 흡수속도를 증가시킬 수 있으므로 하지 않는다.
- 인슐린은 동일부위에 계속 주사하면 피부경화와 같은 조직손상을 일으킬 수 있으므로 주사부위를 순환해야 한다.

4. 헤파린 주사

- 헤파린은 움직임이 적은 복부에 주사하는 것이 적절하다.
- 헤파린 피하주사시 혈관 관통은 매우 드물므로 피하주사는 주사기 밀대를 당겨서 흡인하지 않는다.
- 헤파린 주사로 약물주입 후 주사부위를 마사지하지 않는다.
- 헤파린 주사시 공기방울을 주입하면 멍이 들거나 혈종이 형성되므로 공기방울 주입을 피해야 한다.

II. 피하주사 방법

1. 주사기

보통 2cc의 주사기가 사용된다. 주사량이 2cc 이상이 되면 주위조직에 압력을 주어서 통증을 느끼게 된다. 일반적으로 정상성인에게 피하주사를 할 경우에는 인슐린 주사기(100unit, 50unit)나 튜베르쿨린 주사기(1cc)를 사용한다. 25gauge, 1.5cm(5/8inch)인 주사바늘을 45° 각도로 주사하거나 1.25cm(1/2인치) 길이의 바늘을 90° 각도로 주사한다. 주사바늘의 삽입각도는 대상자의 체형에 따른 각도를 유지하면서 삽입한

다. 대상자가 비만체형인 경우, 간호사는 흔히 조직을 팽팽하게 잡아당기고 지방층을 통과하기에 충분한 길이의 주사바늘을 사용하여 주사한다. 약물이 피하조직에 주입되도록 하기 위해 피부주름이 5cm 정도 집어 올려지면 90° 각도로 삽입하고, 피부주름이 2.5cm 정도 집어 올려지면 45° 각도로 삽입한다.

2. 피하주사 절차

피하주사를 하기 전에 주사 놓을 부위의 피하조직을 잡고 들어올린다. 바늘의 길이와 주사부위의 피하조직의 양에 따라서 피부표면에 45~90° 각도로 바늘을 삽입한다. 헤파린을 포함한 약물은 항상 90° 각도로 주사해야 한다.

III. 피하주사 후 결과 평가

1. 대상자 반응 등 관련 평가 내용

인슐린을 피하주사 한 후, 마사지하면 흡수속도를 증가시킬 수 있으므로 하지 않아야 한다. 만약에 부작용이 발생한다면 저혈당, 빈맥, 경련, 신경통, 혈압하강, 간기능 이상 등이다. 이에 대한 대처방안으로는 인슐린 투여를 중단하고 혈당검사 시행 후 주치의에게 보고해야 한다.

제5절
피내주사

I. 피내주사 부위

1. 주사부위 확인

피내주사는 약물이 지나치게 빨리 순환기계로 들어가게 되어 심한 과민성반응을 일으킬 경우를 대비하여 혈류공급이 적고 흡수가 천천히 되는 진피에 약물(0.1ml 미만)을 주입하여 약물에 대한 반응을 미리 검사하는 것이다. 주사부위는 전박의 내측면(inner forearm), 흉곽의 상부, 견갑골하부이다(그림 20-17). 흔히 진단을 목적으로 한 튜베르쿨린검사(혹은 Mantoux test)나 항생제 과민반응 검사시에 사용된다. 모든 비경구투여 중 가장 흡수가 느린 경로이다.

2. 주사부위 선정 시 주의사항

- 주사할 부위에는 피부 변색, 발진, 상처가 없어야 한다.
- 찰과상, 국소적 염증, 부종, 반흔, 소양감 등의 병변이나 상처가

없는 전박 내측, 상완 외측, 흉곽 상부, 견갑골 아래를 선택한다.

II. 약물반응 검사용 희석액 만드는 방법

1. 피부과민반응 검사 약물 준비

주사용 증류수나 생리식염수로 희석해서 합성 penicillin, Carbapenem, Cephalospholin은 300mcg/ml 또는 2mg/ml, 천연 penicillin은 1만 unit/ml의 농도로 만들어 그중 0.02~0.05ml를 피내에 주사하고 15분 후 관찰한다. 약물의 종류에 따라서 희석액의 농도는 다를 수 있다.

III. 피내주사 방법

1. 피내주사 절차

피내주사는 1cc 주사기와 26G, 1.25cm(⅝inches)의 바늘이 사용된다. 튜베르쿨린 주사기는 10~100분법으로 측정되며, 바늘은 15° 각도로 삽입하여(그림20-19), 약물이 피부 내에서 작은 수포를 만들면서 주입된다. 주입용량은 경계가 분명한 소낭이 생길 때까지만 주입하면 적절한 양이 되는데 0.02-0.05ml 정도가 된다. 피내주사 방법은 주사할 부위의 피부를 엄지와 검지 손가락으로 편평하게 긴장을 준 다음, 주사 바늘의 사면이 위로 향하게 하여 피부 표면에 15° 정도의 각도로 상피에서 진피 쪽으로 2mm 정도 삽입한다. 이 때 약간의 저항감을 느끼면서 서서히 주입하여 피부가 약간 팽진되는 것을 확인한다. 그 후 볼펜으로 팽진둘레를 표시하며 시간과 약물명을 표기한 후 각 판정시간에 따라 팽진의 크기와 발적 등으로 양성을 판정한다.

- 약물반응검사(AST): 시험액을 적정량(0.02~0.05ml)을 주입하여 약 5~6mm로 팽진을 만든다. 만약 팽진형태가 생성되지 않거나 주사바늘 제거 후에 출혈이 보이는 경우 약물은 피하로 주입된 것이므로 시험부위로부터 약 3cm떨어진 곳에 다시 시행한다. 알콜

솜으로 다시 닦지 않는다. 이는 피부가 민감한 환자는 알콜에도 피부반응을 일으킬 수 있어서 결과에 영향을 줄 수 있기 때문이다. 주사 후에는 볼펜으로 팽진을 표시하며 시간(15분 후 판독)과 약물명을 기입한다.

2. 피내주사 시 주의사항

- 피내주사 후 만약 팽진이 나타나지 않거나 주사바늘을 뺀 후 약물이 새어나온다면, 약물이 피하조직으로 들어갔을 확률이 매우 높다.
- 피내로 삽입하는 주사바늘의 길이는 아주 짧기 때문에 바늘의 사면을 위로 향하여 찌르고 바늘의 사면이 안 보일만큼만 삽입한다.
- 주사 후에는 주사약물이 조직 속에서 피부 밖으로 누출될 우려가 있기 때문에 주사부위를 누르거나 문지르지 않는다.
- 가렵더라도 긁지 말도록 교육시킨다. 샤워나 목욕 등은 평소대로 해도 무방하다.

IV. 피내주사 후 결과 평가

1. 대상자 반응 등 관련 평가내용

약물에 대한 반응결과는 일반적으로 항생제는 15~30분 후에, 결핵반응검사는 48~72시간 경과 후에 판독한다.

- 항생제 판독 방법
  - 피내주사 후 약 15분 후에, 동일한 전박의 피내반응 시험부위로부터 3-4cm 부위, 또는 반대쪽 대칭부위에 대조액으로 생리식염수(0.02~0.05ml)를 피내주사하여 비교하기도 한다
  - 양성 판정방법은 다음과 같다
  - 발적직경, 팽진직경이 각각 판정수치 이상의 경우(약 10mm 이상이거나 발적 시)

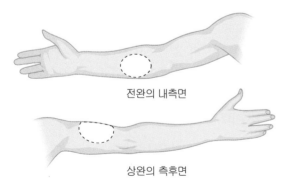

전완의 내측면

상완의 측후면

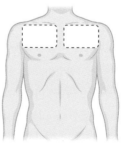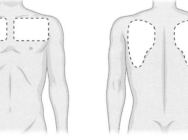

흉곽의 상부   견갑골하 부위

그림 20 -19 피내주사부위

표 20-8 정맥주입용 수액의 종류

용액	전해질	적응증
5% 포도당수액(D₅W)	전해질 없음 포도당 50g	• 17cal/L의 열량을 낸다. • 수분이 부족한 대상자에게 수액을 보충시킨다.
0.9% 염화나트륨 (생리식염수)	Na+ 154mEq/L Cl- 154mEq/L	• 등장성 생리식염수를 공급한다. • Na+, Cl-의 과량공급의 가능성이 있다.
0.45% 염화나트륨 (1/2 희석 생리식염수)		• 소량의 Na+를 함유하고 있으므로 용액이 천천히 주입되는 동안 혈장나트륨을 희석한다.
3% 염화나트륨	Na+ 513mEq/L Cl- 513mEq/L	• 심한 저나트륨 혈증치료
유산염 링거수액	Na+ 130mEq/L K+ 4mEq/L Ca++ 3mEq/L Cl- 109mEq/L Lactate 28mEq/L	• 혈장과 비슷한 전해질을 포함한 등장성에 가까운 용액 • 수액부족, 화상, 설사와 같은 수분손실시 치료에 사용
10% Aminosyn	필수아미노산 　Zsoleucine 7.2% 　Leucine 9.0% 　Lysine 9.0% 　Methionine 5.2% 　Phenylalanine 5.6% 비필수아미노산 　Alanine 7.0% 　Arginine 3.6%	• 비경구적 영양법 화상, 간부전, 화학요법을 받는 대상자, 암환자 영양불량 대상자의 수술전·후 영양지지
10% Intralipid	농도 10% 지방 (soybean oil 10) 지방산 Linoleic acid 50% 　Oleic acid 26% 　Palmitic acid 10%	• 필수지방산 결핍을 예방 또는 치료 • 농축된 칼로리 제공

제6절
말초정맥요법

I. 말초정맥주사 부위

1. 말초정맥주사 부위 선정 및 고려할 사항

1) 말초정맥주사 부위 선정

정맥주사는 약의 작용이 신속하게 나타나기를 원할 때 다량의 용액(수액, infusion)이나 혈액(수혈, transfusion)을 정맥혈관 내로 주입하는 것을 말한다. 정맥주사약물은 혈관으로 직접 주입되기 때문에 즉각적인 효과가 나타난다. 정맥을 주입하는 목적으로는 신체에 수분과 영양을 공급하고, 약물의 빠른 효과를 얻으며,

산·염기 균형을 맞추고 또한 독혈증이나 패혈증대상자의 약물을 희석하거나 독소를 해독하기 위해서이다. 정맥을 선택할 때는 처방된 치료에 적합한 혈액희석을 위해 혈관의 직경과 혈류속도를 고려하여 선택하고(그림 20-20) 손목부위에서 3손가락 이내 부위는 피하도록 하여 손목부위의 신경손상을 예방해야 한다(그림 20-21). 말초정맥주사부위는 전주척측피정맥(anticubital basilic vein) 및 전주요측피정맥(anticubital cephalic vein) 혹은 전주중심정맥(median cubital vein)이 사용되며 발목부근에 있는 복재정맥(saphenous vein)이 사용되기도 한다. 하지의 작은 정맥들은 심장에서 멀리 위치하고 있어 정맥울혈, 색전과 혈전성 정맥염을 일으킬 수 있다. 하지 정맥의 사용은 색전의 위험이 높으므로 가급적 피하도록 한다. 척측피정맥과 요측피정맥은 대상자의 팔을 신전(extension)시켜야 되므로 오랫동안 정맥주입을 실시해야 할

경우에는 대상자가 불편할 수 있다. 주사부위는 치료에 적합하고 합병증 위험이 적은 부위를 선택하고, 주로 사용하지 않는 팔을 우선적으로 선정하며 피해야하는 부위는 다음과 같다.

- 촉진 시 통증이 있는 부위
- 멍, 침윤, 정맥염이 발생한 부위
- 경화되고 딱딱해진 정맥부위
- 정맥판막이 있는 부위
- 시술이 예정된 부위

2) 고려할 사항

① 정맥의 접근성

정맥 내 투여 전에 성공적인 정맥투여 결과와 관련된 요인들인 대상자의 상태, 연령, 진단, 혈관 상태, 삽입 부위의 피부 상태, 정맥주입요법에 대한 과거력, 정맥주입요법의 유형과 기간, 정맥주입기구와 관련된 합병증 가능성 등에 대한 사정이 필요하다.

- 표재정맥: 성인은 적합하나 노인의 경우는 터지기 쉬우므로 피한다.
- 요측피정맥, 부요측피정맥, 척측피정맥:노인에게 가장 접근하기 쉬운 정맥이다.

② 정맥 상태

혈관 상태, 삽입 부위의 피부 상태를 사정하는 것이 필요하다

③ 주입용액의 유형

신체는 다양한 방법으로 수분과 전해질의 균형을 유지하게 된다. 체액의 비정상적인 손실이 있을 때 이는 정맥수액요법에 의해서 보충될 수 있다. 고장성용액은 삼투압이 340mOsm/kg보다 높은 것으로 세포내액을 감소시키거나 세포외액을 팽창하고자 할 때 사용된다. 사용되는 수액은 3%나 5%염화나트륨, 10%포도당, 20%, 40%, 50% 농축 포도당 수액이 있다. 등장성용액은 삼투압의 범위가 240~ 340mOsm/kg로 혈장과 같은 농도를 가지며 혈관 내액량을 빠르게 팽창시킬 때 사용한다. 사용되는 수액은 0.9%염화나트륨, 5%포도당 용액, 유산염 링거액이 있다. 저장성용액은 삼투압이 240mOsm/kg 보다 낮으며 과다한 전해질 불균형을 치료하기 위해 사용한다. 사용되는 수액은 0.45%염화나트륨이 있다(표 20-8).

④ 주입 속도

영향을 주는 요인은 수액의 점도, 수액의 주변조직으로 침윤, 정맥관 규격, 수액세트의 위치와 개방성, 수액의 높이, 주사부위의 위치변화 등이 있고 찬 혈액이나 자극적인 용액주입은 혈관수축을 유발하여 영향을 미치게 된다

II. 말초정맥주사 방법

1. 말초정맥주사 사용기구 선정

말초정맥기구를 선정할때는 정맥주입기간, 약물종류, 대상자의 상태와 선호도를 고려해야 하며, 특히 말초정맥관은 치료기간이 1주일 이내인 경우, 말초혈관을 이용할 수 있는 경우, 정맥주입으로 인한 합병증 발생 가능성이 낮은 경우에 선택해야 한다.

- 수액용기: 수액용기는 50, 100, 250, 500 혹은 1000ml의 크기가 다양하고 플라스틱이나 유리로 만들어져 있다. 유리용기는 공기 유입의 출구가 용기내부에 들어 있는 것과 들어있지 않는 것의 두 가지 종류가 있다. 전자는 공기출구로 공기가 들어가서 용기 내에 있는 용액이 흘러나오도록 하며, 후자는 공기출구가 용기내부에 있지 않고 수액세트의 점적통에 부착되어 있으며 용기 내로 주입되는 공기 중의 오염물질을 제거하는 필터가 달려있다.

  플라스틱 용기는 용기손상의 위험이 적어 보관이 쉬우며 사용 후에도 쉽게 폐기할 수 있다. 용액이 정맥 내에 들어가면 용기가 쭈그러지므로 공기출구가 필요하지 않다. 따라서 외부공기의 유입 없이 용액을 투여할 수 있으므로 공기 및 접촉에 대한 감염이나 공기색전의 위험이 적다.

- 수액세트 : 수액세트는 삽입침(insertion spike), 점적통(drip chamber), 조절기(roller clamp), 주입관줄, 고무로 된 주사주입구(rubber injection port), 주사바늘 연결부위(needle adaptor), 보호덮개(protective cap) 등으로 구성된다(그림 20-22). 삽입침은 무균상태로 유지되어야 하며 정맥주입 준비 시나 주입을 시작할 때에 수액용기 내에 삽입한다.

  점적통은 주입될 수액의 양을 예측할 수 있다. 보통 사용되는 점적통은 1ml당 20방울 등(macrodrip)이 주입된다. 또한 1ml당 60방울 주입되는 microdrip set도 있다. 조절기는 주입관을 압착하여 주입속도를 조절한다. 주사바늘 연결부위를 덮어주는 보호 덮개는 대상자의 정맥에 삽입되어 있는 멸균된 바늘에 부착되어 있어 주입관의 끝을 무균적으로 유지시킨다.

- 주사바늘과 카테터: 여러 종류의 바늘과 카테터가 사용되며 장기간의 정맥주입 시에는 나비바늘이나 혈관카테터가 흔히 사용된다. 카테터는 ONC와 INC 2 종류가 있다. ONC (over-the-needle catheter or angiocatheter)는 카테터 내부에 날카로운 철침(metal stylet)이 들어있어 바늘과 함께 카테터를 혈관으로 삽입한 후 바늘을 제거하면 유연한 카테터만 혈관에 남게 된다. 이 카테터의 유연성, 크기와 길이의 다양성과 안정성으로 대상자는 자유롭게 움직일 수 있어 관절 부위의 정맥에도 사용할 수 있으며 장기간의 유치가 가능하다.

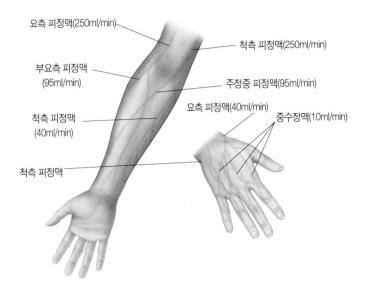

- 요측 피정맥(250ml/min)
- 척측 피정맥(250ml/min)
- 부요측 피정맥(95ml/min)
- 주정중 피정맥(95ml/min)
- 척측 피정맥(40ml/min)
- 요측 피정맥(40ml/min)
- 척측 피정맥
- 중수정맥(10ml/min)

그림 20-20 말초부위 정맥 선택을 위한 해부 및 혈류 속도

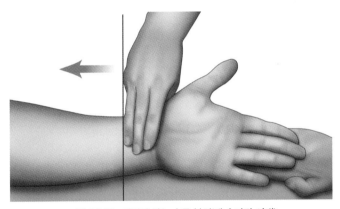

그림 20-21 피해야 하는 손목 부위(세 손가락 이내)

또한 카테터는 48시간마다 제거하며 오염 혹은 합병증 발생시에는 즉시 제거해야 한다. INC(inside-the-needle catheter)는 카테터가 놓여야 할 부위의 바람직한 길이를 잰 후 바늘을 통해 카테터를 밀어 넣은 후 바늘을 제거하게 되어 있다. 이 카테터는 혈관접근이 어렵거나 고장성 수액이나 극도의 주의를 요하는 약물을 주입할 때에 사용한다.

말초중심 정맥관 카테터(PICC)가 많이 사용된다. 나비바늘(scalp, wing-tipped 혹은 butterfly needle)은 플라스틱으로 된 유연성이 있는 날개가 달려있어 주사바늘 삽입이 용이하며, 혈관벽에 비교적 손상을 적게 주고 삽입된 후 주사바늘의 부착을 안전하게 해준다는 장점이 있다.

- 정량조절세트(volume control set): 수액의 용량을 주의 깊게 조절하여 측정된 양의 수액이 정확하게 투여되도록 하는 기기이다. 정량조절세트는 수액용기와 점적통(drip chamber)사이에 부착하여 사용하며 100~150ml의 용량을 조절하는 공기 배출구가 있고 눈금이 있는 투명한 플라스틱 점적통을 가지고 있다. 흔히 노인과 소아에게 사용된다.
- 전자식 주입기구(Electronic Infusion Devices: EID, infusion pump): 전자식 주입기구는 정맥주입속도를 조절하는 장치로 튜브나 용액에 양압을 주어 용액이 일정한 속도로 정맥에 주입되도록 하는 장치이다. 수액을 소량 주입하거나 효능이 높은 약물의 저용량 투여가 필요한 신생아, 화상 대상자, 울혈성 심부전증이나 신부전 대상자와 같은 경우에 많이 사용된다.

이 기구는 경보장치가 달려있어 주입속도의 조절은 물론 용기내의 공기방울 등을 탐지해낸다. 용기가 비었을 때 주입이 자동적으로 차단됨으로써 공기색전의 위험이 감소되며 주입속도가 조절됨으로써 순환계의 과잉부담 위험이 감소된다.

주입펌프가 수액을 일정하게 조절하기 때문에 간호사가 별도로 수액의 주입방울 수를 세거나 주입속도를 계속해서 조절해야 할 필요가 없어 간호시간이 절약된다. 그러나 경고장치가 수액의 침윤이나 일혈을 감지하지는 못하므로 경고장치에만 의존해서는 안된다. 또한 EID는 펌프에 의해 최고 정맥압보다 높은 압력을 발생하여 혈액역류를 예방하며 약물, 혈액, 완전 비경구 영양용액과 같이 점도가 높은 수액과 동맥 개방유지를 위해 많이 이용되고 있다(그림 20-23).

2. 말초정맥주사 방법

말초정맥주사를 위해서는 정맥주입 전 사정, 정맥주입기구 선정, 정맥관 삽입부위선정, 정맥관 삽입 전 피부소독, 정맥관 삽입부위 간호, 정맥주입기구 개방성 유지, 정맥관주입을 통한 채혈, 정맥주입기구의 교환과 제거, 정맥주입관련 감염 사정 및 예방, 대상자 교육, 기록과 보고 등에 의해 이루어져야 한다. 즉, 말초정맥주사를 하기 위해서는 준비실에서 간호사는 먼저 투약처방(투약카드 또는 컴퓨터 출력물 등)과 투약원칙(5 rights; 대상자 등록번호, 대상자명, 약명, 용량, 투여경로, 시간 등)을 확인하며 투약처방을 보고 수액의 유효일자, 이물질 유무 등을 확인한 후 정확한 수액, 수액주입에 필요한 물품을 준비한다. 또한 수액백에 날짜, 등록번호, 대상자 이름, 수액명, 용량, 주입속도 등이 적혀있는 라벨을 붙여서 준비를 한다. 준비된 물품을 투여하기 전에 대상자의 이름을 개방형으로 질문하여 대상자를 확인하고, 입원팔찌와 투약카드(또는 컴퓨터 출력물)를 대조하여 대상자(이름, 등록번호)를 확인한다. 그리고 투약의 목적과 약물의 효과, 주의사항, 방법을 설명해서 불안과 두려움을 감소시키도록 한다. 무균법을 준수하여 말초정맥주입을 한 후에 처방에 따라 주입속도를 조절해주도록 한다. 이는 주입속도가 너무 빠르면 조직침윤과 정맥염 발생위험이 높고 순환기계에 부담을 주어 폐부종을 초래하기 때문이다.

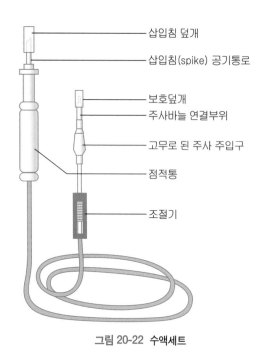

- 삽입침 덮개
- 삽입침(spike) 공기통로
- 보호덮개
- 주사바늘 연결부위
- 고무로 된 주사 주입구
- 점적통
- 조절기

그림 20-22 수액세트

3. 용액의 주입속도 조절

용액의 주입속도를 조절하는 것은 간호사의 중요한 기능이다. 용액의 주입속도를 의사가 처방하고 정해진 시간 내에 주입되어야 할 양이 지시되지만 정확한 주입속도를 계산하고 조절하는 것은 간호사의 책임이다. 여러 가지 수액세트들이 상품으로 준비되어 있으며 점적통에 떨어지는 속도를 계산하기 전에 점적통의 종류에 따른 1ml용액 당 방울수를 아는 것이 중요하다. 이 속도를 drop 또는 drip factor라고 부르며 상품으로 준비된 포장 위에 대부분 인쇄되어 있다. 수액셋트의 drip factor는 ml당 20방울로 표시된다. 느린 속도로 주입할 때나 소아에게 정맥주입을 할 때에는 ml당 60방울이 사용된다. 주입속도를 정확히 조절하기 위해서는 경보장치가 된 infusion pump에 연결하여 사용한다.

주입속도는 시간당 ml와 분당 방울수를 계산하는 두 가지 방법이 있다.

시간당 주입량

시간당 주입량은 총주입량을 총주입시간으로 나누어 계산한다. 예를 들어, 8시간동안 1L가 주입된다면 시간당 ml는

$$\frac{1000ml(총주입량)}{8시간(총주입시간)} = 125ml/ 시간이다.$$

간호사는 시간당 ml가 제대로 주입되는지 확인하기 위하여 시간에 맞추어 주입량을 표시한 테이프를 용액병에 붙이고 매 30분마다 점검하도록 한다.

그림 20-23 전자식 주입기구(Infusion pump)

분당 방울수

총주입량을 총주입시간(분)으로 나누어 1ml당 방울수를 곱한다.

$$분당방울수 = \frac{총주입량}{총주입시간(분)} \times ml당 방울수(또는 dripfactor)$$

예를 들어 125ml/hr의 용액주입이 요구되고 drip factor가 20gtt/ml이라면, 분당 방울수는

$$\frac{125(ml)}{60(분)} \times 20(gtt/ml)=41.6=42gtt/min, 1분당 42방울이다.$$

용액이 주입되는 동안 속도에 영향을 미칠 수 있는 요인들을 고려해야 한다. 주사부위의 위치, 수액세트가 꼬이거나 눌려있는지 또는 주사부위보다 아래로 늘어져 있는지의 유무, 수액병의 높이(병의 높이가 높을수록 주입되는 용액의 주입압력은 높아지므로 보통 침상에서 1m의 높이가 적당), 조직의 침윤이나 수액의 누출가능성 여부를 주의 깊게 관찰해야 한다.

III. 말초정맥주사 합병증 및 간호중재 방법

말초정맥주입 시 간호사는 대상자의 여러 가지 반응을 잘 관찰하여 정맥치료와 관련된 합병증 가능성에 대해서는 대상자로부터 정보를얻는다(표20-9).

- 정맥염(phlebitis)

정맥염은 정맥 내막의 염증으로 정맥내 혈액응고로 염증이 발생하면 혈전성 정맥염이라고 한다. 정맥염은 말초정맥주입요법의 가장 흔한 합병증으로 발생율은 50% 이상이다. 정맥염은 혈전성 정맥염, 패혈증 등과 같은 심각한 합병증을 초래하며, 재원기간을 연장시키므로 적절한 예방활동이 중요하다.

표 20-9 말초정맥내 투여와 관련된 합병증 관리

합병증과 정의	원인	증상 및 징후	간호
정맥염(phlebitis) 카테터로 인해 혈관에 염증이 발생한 것	• 바늘 또는 카테터로 인한 기계적 손상 • 용액에 의한 화학적 손상 • 오염에 의한 패혈	• 국소적 급성 압통, 열감, 경화, 화농 발적 주입부위 정맥의 가벼운 부종	• 즉시 주입중단 • 온습포 적용 • 무균술 철저히 적용 • 무리하게 세척하지 않음
침윤(infiltration) 피하조직에 수액이 스며든 것	• 잘못 위치한 바늘 • 정맥벽의 관통	• 주사 부위의 종창, 통증, 차가움, 주입속도의 저하 • 정맥귀환율 소실	• 용액 주입 중단하고 다른 부위에서 다시 시작 • 온습포 적용 • 팔지지대 사용
일혈(extravasation) 주사약물(예: vesicant)이 혈관 주위의 조직으로 스며들어 조직괴사를 일으키는 것	• 부적절한 경로의 투여, 캐뉼라를 잘못 고정한 경우, 정맥보다 너무 큰 캐뉼라 사용으로 혈관이 천공된 경우	• 냉감각, 붓거나 창백, 발적, 통증, 조직의 손상 및 괴사	• 캐뉼라 즉시 제거, 해당사지 상승, 일혈부위의 멸균드레싱 적용, 표면조직손상 발생 및 감염시 조직생성촉진치료실시 • 심부조직손상시 광범위한 절제, 변연절제, 이식, 절단 등 시행
혈전(thrombus) 혈관 속에서 피가 굳어 져서된 고형물	• 바늘 또는 카테터로 인한 조직손상	• 정맥염과 유사한 증상	• 즉시 주입중단 • 온습포 적용(의사의 지시에 의함) • 주입부위를 문지르거나 마사지하지 않음
패혈증(septicemia) 카테터 삽입부위를 통한 혈류로의 미생물 침투	• 카테터 삽입 시 무균술 결여 • 여러 관강의 카테터 • 장기간의 카테터 삽입 • 잦은 드레싱 교환	• 주입부위의 발적, 민감 발열, 허약	• 카테터 삽입부위 수시 관찰 • 철저한 무균술 적용
체액과부담(fluid overload) 과량의 체액이 순환계 주입되어 야기된 상태	• 순환계에 과다 주입된 용액의 양	• 혈압상승, 호흡곤란, 경정맥 울혈, 맥박, 호흡수 증가	• 용액 주입률 늦추고 의사에게 보고 • 활력징후 주시 • high or semi fowler's 체위 취함 • 필요시 중심정맥압 측정 • 필요시 산소공급
순환기 쇼크(speed shock) 수액이 너무 빨리 주입될 때 일어나는 전신적 반응	• 순환계로의 용액주입의 속도가 너무 빠를 때	• 혈압하강, 호흡곤란, 청색증, 기절, 맥박이 약해짐 치는 듯한 두통 (pounding headache)	• 즉시 주입중지 • 쇼크 치료한다. • 주입속도를 자주 확인 • 용액주입률 주의 깊게 주시 (infusion pump) • 활력징후 주시
색전(embolism) 순환계의 이물질 혹은 공기	• 공기가 주입선을 통해 정맥으로 들어온다	• 어깨 혹은 등의 통증 흉통, 호흡곤란, 저혈압 청색증, 약한 맥박 • 의식상태 변화, 언어능력 저하	• Trendelenburg 체위를 왼쪽으로 취함 • 의사에게 알린다. • 활력징후와 맥박산소계측을 계속 감시 • 주입 튜브 교환시 valsalva maneuver를 사용하도록 교육 • 주입선으로 공기가 들어가지 않도록 함
감염(infection)	• 주입된 용액이나 기구의 오염	• 국소적: 주사부위의 열감, 발적, 화농성배액 • 전신적: 발열, 오한, 권태, WBC상승	• 용액주입 중단하고 다른 부위에서 다시 시작 • 철저하게 손씻기 • 철저한 무균술 적용 • 혈액 채취 • 항생제 치료 • 72시간마다 튜브와 드레싱 교환

① 사정

대상자, 치료유형, 기구종류, 위험요인등을 고려하여 정맥관 삽입부위에서 정맥염의 증상과 징후를 정기적으로 사정한다. 다음의 증상이 있는 경우 정맥염을 의심하고 사정한다

- 통증 · 압통 · 발적 · 열감- 부종 ·경화 · 화농 -

② 예방

정맥염을 예방하기 위해 다음의 사항을 준수한다

- 대상자에게 적합한 가장 작은 굵기의 정맥관을 사용한다
- 드세싱으로 정맥관을 단단하게 고정한다
- 정맥관을 가능한 관절부위를 피해 삽입한다
- 무균술을 적용한다
- 느슨하거나 오염된 드레싱은 교환한다
- 말초정맥관은 72~96시간마다 교체한다
- 1일 1회 이상 정맥관 삽입부위를 관찰한다
- 정맥염의 증상이 나타나면 즉시 정맥관을 교환한다

③ 관리

- 정맥염의 원인(기계적, 화학적, 세균성 또는 정맥주입 후)을 확인하며, 말초정맥관은 제거한다
- 정맥관을 제거하면 주입후 정맥염이나 삼출물이 발생하는지 48시간 동안 정맥주입부위를 관찰한다

■ 침윤,일혈

침윤(infiltration)은 비발포성(non vesicant)용액이나 약물이 조직 주변에 스며드는 것으로, 정맥관 이탈이나 정맥파열로 일어나며 흔히 정맥관 삽입부위에 부종이 생겨 알게된다. 일혈(extravasation)은 의도하지 않게 혈관에서 조직으로 발포성(vesicant)용액이나 약물이 새어나가는 것으로 수포를 형성하고 순차적으로 근육괴사를 유발한다. 침윤,일혈의 증상은 정맥염과 혼동될 수 있다. 조기에 인식해서 피하조직으로 유출되는 양을 최소화하고 순차적으로 발생하는 조직손상을 줄이는 것이 중요하다.

① 사정

대상자, 치료유형, 기구종류, 위험요인등을 고려하여 정기적으로 정맥주입기구 삽입부위의 침윤,일혈의 증상과 징후를 정기적으로 사정한다. 다음의 증상이 있는 경우 침윤,일혈을 의심하고 사정한다.

- 정맥주입기구 삽입부위 주변, 정맥관 팁(tip) 또는 정맥로의 통증
- 작열감, 따끔거림
- 혈액역류 감소

② 예방

- 적절한 정맥주입기구를 선정하여 적절한 부위에 안전하게 삽입한다
- 약물의특성에 따라 정맥주입방법을 선택한다
- 대상자와 보호자에게 침윤일혈의 증상과 징후에 대해 교육하여 이상증상이 있을 때 즉시 알리도록 한다

③ 관리

- 즉시 정맥주입을 중단하고 수액세트를 분리하고 정맥관을 통해 작은 주사기(3㎖)를 사용하여 가능한 많은 수액을 천천히 흡인한다. 흡인 후 바로 정맥관은 제거한다.
- 마지막 침윤사정 시점을 기준으로 주입속도와 주입시간을 고려하여 조직내 침윤량을 추정한다. 침윤량이 25-50㎖이상이면 조직손상의 위험이 커진다.
- 발포제와 비발포제를 투여할 경우 혈관이 덜 자극받은 안정된 상태에서 발포제가 투여될 수 있도록 발포제를 먼저 투여한다.
- 이외 합병증으로는 패혈증, 체액 과부담 등이 있다.

IV. 말초정맥수액 유지 방법

1. side shooting 방법

Side shooting의 목적은 정맥을 통해 소량의 약물을 혼합투여하기 위함이며, 경구투여 또는 근육주사보다 신속한 효과를 얻기 위함이다. 주사기에 약물을 준비하여 수액이 제대로 들어가고 있는지 확인해야 한다. 수액세트의 조절기를 잠그고 주입구를 소독 후 주사바늘을 주입구에 찌른다. 주사기의 내관을 뒤로 당겨서 혈액이 흘러나오는지 확인하고 약물을 천천히 주입한다. 이는 약물이 혈관내로 투여되는 것을 확인하는 것이다. 약물이 주입되면 주사기를 제거하고 주입속도를 조절한다.

2. 간헐적 접근장치를 이용한 약물주입

Heparin lock을 이용한 약물투여는 정맥을 통한 약물투여의 치료효과를 유지하고 간헐적으로 IV line을 유지하고자 한다.

■ heparin lock: 주사기에 헤파린(항응고제)를 준비하여 라벨링을 한다. 또 다른 주사기에 생리식염수를 준비하고 라벨링을 한다. heparin cap을 소독솜으로 소독 한 후 마를때까지 기다린다. 생리식염수 주사기로 혈액의 역류를 확인하여 카테터가 정맥내에 있는지 반드시 확인해야 한다. 혈액역류가 확인되면 생리식염수를 주입한 후 헤파린을 주입하여 카테터의 개존상태를 유지하도록 한다.

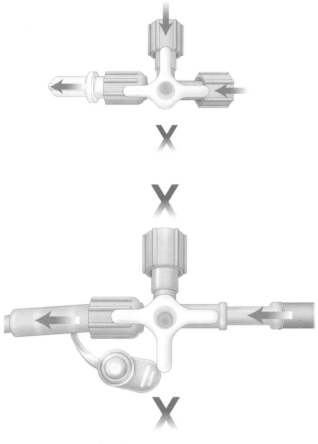

그림 20-24 3-way 폐쇄 체계 유지

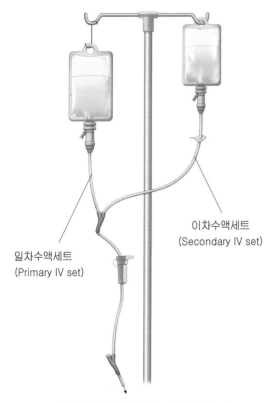

일차수액세트
(Primary IV set)

이차수액세트
(Secondary IV set)

그림 20-25 일차 수액 세트와 이차 수액 세트

■ needleless connector: 주사바늘을 사용해서는 안되는 약물주입
장치로 정맥관 관련 혈류감염을 일으킬 수 있으므로 무균적으로
다루어야 하며, 70% 알코올, 아이오다인 틴처, 또는 알코올이 함
유된 클로르헥시딘 글루코네이트를 사용하여 사용 전에 철저하
게 소독한다. 수액세트 교환시에 함께 교환하고, 다음과 같은 상
황에서는 즉시 교환한다.
· needleless connector 안에 혈액이나 잔해(debris)가 있을 때
· 정맥관에서 혈액배양 검체를 채취하기 전 오염이 되었을 때

3. 3-way를 이용한 약물주입

3-way(stopcocks)는 감염위험이 크므로 3-way를 사용할때는
주입구에 멸균캡을 부착하여(그림 20-24) 폐쇄체계를 유지하도
록 한다. 폐쇄체계에서 3-way를 통한 정맥주사시에는 통로가 개
방될 수 있도록 3-way를 조작한 후 멸균캡의 주입구 부분을 소독
하고 주사바늘을 찔러서 사용하게 된다.

4. 수액세트 교환

혈액이나 혈액성분, 지질용액 이외의 수액을 주입하는 경우
이차 수액세트(secondary IV set)와 부속기구를 포함한 모든 수
액세트는 72-96시간마다 교환한다. 그러나 수액세트의 오염이나
통합성이 의심될때는 즉시 교환한다. 또한 지질용액, 아미노산
및 포도당 수액을 함께 주입하는 TPN은 24시간마다 수액세트를
교환한다. 간헐적으로 사용하는 일차 수액세트(Primary IV set)
는 사용 후 버리거나 24시간마다 교환한다(그림 20-25)
■ 일차수액세트: 수액을 주입하기 위해 수액백에 연결하여 사용하
는 수액세트
■ 이차수액세트: 약물주입 등의 특정목적을 위해 일차 수액세트에
연결하여 사용하는 수액세트

5. 정맥주입펌프 조절

주입속도의 조절장치는 수동식(manual flow control)과 전자
식(electronic flow control)이 있다. 수동으로 조절하는 경우 간
호사는 주입속도를 계산하여 정확하게 주입되도록 조절하고 주
입속도를 모니터해야 한다. 전자조절장티의 정확도는 ±5%가
표준이므로 정맥주입요법이 이루어지고 있는 동안에 간호사는
처방된 주입속도로 정확히 주입되고 있음을 확인하기 위해 주입
속도 조절기구를 모니터해야 한다. 전자조절장치는 수액의 압력
에 의해 주입되므로 정맥 주위조직으로 수액이 침윤 또는 일혈이
일어나는 것을 감지하거나 예방할 수는 없다

V. 말초정맥수액 후 결과 평가

1. 대상자 반응 등 관련 평가내용

정맥주입에 대한 대상자 교육시에는 정맥주입기구에 대한 적절한 관리, 무균술과 손 위생을 통한 감염과 기타 합병증 예방법, 정맥염이나 발열등의 증상시 즉각 알리도록 해야 한다. 간호사는 정맥주입요법, 정맥주입기구와 약물 부작용에 대한 모든 정보를 기록해야 하며, 기록할때는 정맥주입기구 삽입, 정맥주입기구, 지속적인 관리와 유지, 정맥주입요법, 합병증 등이다. 말초정맥주입으로 인한 합병증은 정맥염(phlebitis)침윤(infiltration), 일혈(extravasation), 감염(infection), 패혈증(sepsis), 수액과다(fluid overlo, ad), 색전증(embolism), 혈종(hematoma)형성 등이다.

제7절
중심정맥요법

I. 중심정맥주사 종류 및 적응증

1. 중심정맥주사 종류

중심정맥주입(central venous catheter: CVC)은 카테터를 신체의 중심부에 위치한 큰 정맥에 삽입하는 방법으로, 쇄골하정맥, 경정맥, 대퇴정맥 등에 삽입하여 수액이나 약물을 주입하는 방법이다. 카테터 끝이 상대정맥이나 상대정맥과 우심방의 연결부위에 위치한다.

중심정맥주입은 장기간의 정맥주입이 요구되는 만성질환자(예: 항암치료, TPN, 잦은 채혈)를 관리하기 위해 사용되며 여러 번의 정맥천자로 인한 합병증 및 손상을 피할 수 있다. 또한 매번 팔에 주사를 놓는 것보다 대상자에게 편안감을 주고 주사에 대한 공포감을 감소시켜 준다. 그러나 과립구 감소증 등 면역이 억제된 상태에서는 감염의 우려가 있어 세심한 주의가 필요하다. 중심정맥관 삽입 후의 정확한 위치를 확인하기 위해 흉부촬영을 권고한다.

① 삽입부위

중심정맥주입을 위한 카테터 삽입에는 중심정맥과 말초정맥을 이용한 방법이 있다. 중심정맥을 통해 삽입되는 정맥은 쇄골하정맥, 내경정맥, 외경정맥이며 말초정맥을 통해 삽입하기 위해 선택되는 정맥은 요측피 정맥과 척측피 정맥이다. 보통 쇄골하 정맥을 많이 이용한다. 대퇴정맥은 심부정맥 혈전증(deep vein thrombosis)의 위험성이 높아 성인의 경우 가능한 사용하지 않는다.

② 중심정맥관의 종류

■ 비터널 카테터: 비터널 카테터(nontunneled catheter)는 응급상황에서 정맥을 빨리 확보하고자 할 때 쇄골하 정맥이나 경정맥을 천자하여 삽입한다. 보통 단기간(수일 - 수주간) 동안 사용되는 관이며 피부를 통하여 관이 바로 혈관으로 삽입되기 때문에 감염위험이 높은 반면에 경제적이고 쉽게 제거할 수 있다는 이점이 있다(그림 20-26).

■ 터널 카테터: 터널 카테터(tunneled catheter)는 외과적 절차에 의해 시행되며 보통 쇄골하 정맥을 천자하여 카테터를 쇄골하 정맥에서 흉골과 유두사이까지 터널을 만들어 유두선아래 흉벽위로 출구를 만든다. Broviac, Hickman 및 Groshong catheter 등이 있으며 이들 카테터는 dacron cuff(약 90cm길이)가 달려있고 여러 개의 관강을 가지고 있다(그림 20-27).

Dacron cuff는 카테터의 피하터널에 미생물의 증식을 예방한다. Groshong catheter는 둥그런 구조로 카테터 끝이 뭉툭한 3-way밸브로 되어있다. 이 밸브는 정상적인 상대정맥의 압력에 카테터의 끝이 닫혀지도록 되어있어 카테터 내로의 혈액역류를 방지한다.

터널카테터는 카테터를 고정시키고 혈전형성률이 낮으므로 감염을 예방하고, 장기간의 간헐적 또는 계속적인 약물주입에 적당하며 보통 최소한 72시간마다 드레싱을 교환한다.

■ 말초주입 중심정맥 카테터: 말초주입 중심정맥 카테터(peripherally inserted central catheter: PICC)는 전완부의 요측피 정맥이나 척측피 정맥으로 삽입되어 상대정맥까지 들어간다.

요측피 정맥보다 척측피 정맥이 보다 많이 선택되는 부위인데 이는 척측피 정맥이 쇄골하 정맥으로 진입하는 각도가 완만하여 대상자가 움직임으로 인한 카테터의 손상과 혈전형성을 줄여주기 때문이다.

시술이 간단하고 기흉, 혈흉과 같은 합병증 가능성이 적다. 삽입 후 3~6개월간 유치하여 사용할 수 있으므로 급성간호와 가정간호에서 아주 유용하게 이용된다. 카테터가 삽입되어 있는 팔에서는 혈압측정을 하지 않는다(그림 20-28).

■ 이식형 포트: 이식형 포트(implanted port)의 카테터 끝은 쇄골하 정맥과 경정맥에 위치하고 중심쪽(proximal end) 또는 port는 상부흉부 벽(upper chest wall)의 피하조직에 이식된다. 피하에 터널을 만들어 약물저장고인 포트를 피하에 매립(이식)한 후 봉합하여 외관상 포트는 밖으로 노출되지 않는다(그림 20-29).

피부표면에서 포트를 촉지하여 직각으로 된 특수바늘(huber needle)을 포트의 중심부위에 꽂아서 수액이나 약물 또는 혈액 등을 공급하거나 채혈할 수 있다. 이식형 포트는 저절로 막히는 막(septum) 혹은 포트(port), 경피용 천자바늘 및 약물과 수액을 이동시킬 수 있는 카테터로 구성되어 있으며 Port-A-Cath, P.A.S 등의 이식용기구가 있다.

대상자에게 반복적인 정맥처치가 필요한 경우에 사용하는데, 포트가 피하에 매립되어 있어 외관상 보기 좋으며 삽입부위는 대상자가 특별한 관리를 하지 않아도 되므로 편리하다. 포트를 사용하지 않을 경우 월 1회 헤파린 관류를 하여 막히지 않도록 한다. 드레싱은 huber needle과 함께 7일마다 교환한다.

2. 중심정맥주사 적응증

- 단기간 또는 장기간의 항생제, 항암제 등의 약물을 투여하기 위함이다.
- TPN 등의 영양제를 주입하기 위함이다(작은 혈관에 심한 자극을 주는 영양수액이나 약물을 투여하기 위해).
- 중심정맥압(CVP)을 측정하기 위함이다.
- 검사를 위해 혈액을 채혈하기 위함이다.
- 다량의 수액이나 혈액을 공급하기 위함이다.

II. 중심정맥주사 간호 수행

중심정맥기구의 개방성을 유지하기 위해 정맥관 관류(flushing)을 시행하게 된다. 관류는 부적합한 약물이나 용액이 섞이는 것을 예방하고 혈액이나 섬유소를 정맥관내강에서 씻어내는 방법이다. 즉 채혈 후, 약물주입 전후, 간헐적 주입전후, TPN주입 전후, 혈액성분 주입 전후에는 관류를 시행해야 하며, 관류 용량은 정맥관 용적의 2배 이상이 권장되며 채혈이나 수혈을 한 후에는 더 많은 양으로 관류해야 한다. 관류용액은 생리식염수를 사용하며 10ml 이상의 큰 주사기를 사용한다. 생리식염수와 부적합한 약물을 투여하는 경우는 5% 포도당 용액을 먼저 주입한 후 생리식염수로 다시 관류한다. 포도당은 미생물이 자랄 수 있는 영양분을 제공하기 때문에 정맥관 내강에서 씻어내야 한다.

1. 약물주입 시 주의사항

중심정맥관의 개존 여부를 확인해야 하며 이는 혈액역류로 확인이 가능하다. 개존여부가 확인이 되면 생리식염수 10ml로 관류를 시킨다. 관류가 확인되면 약물을 주입한다. 약물주입이 다 되면

공기가 들어가기 전에 생리식염수 10ml로 관류를 시킨다. 즉 약물 주입 전후에 생리식염수로 중심정맥관을 관류시키는 것이다. 모든 과정은 철저한 무균술을 준수해야 한다. 약물은 PH 5 미만 또는 9초과 용액, 600mOsm/L 이상 고삼투성 수액, 발포제는 혈관내막을 손상시킬 수 있으므로 중심정맥관으로 주입해야 한다.

2. 혈액채취 시 주의사항

중심정맥관을 통해 채혈할때는 중심정맥관의 접촉 횟수를 최소화하여 감염과 혈액손실을 줄여야 한다.

- 혈액을 채취하기 전에 수액주입을 1분 정도 중단하고 정맥관 용적의 1.5~2배의 혈액을 흡인해서 버린다. 이때 흡인한 혈액은 오염과 혈괴의 위험성이 있으므로 재주입하지 않는다
- 혈액역류 후 생리식염수로 관류를 시킨 후 5-10cc의 혈액은 버리고 새 주사기로 채혈을 한다. 채혈 후에는 생리식염수로 관류를 시키며 수액을 연결해서 주입을 한다
- 중심정맥관에서 채혈한 약물농도나 응고검사 결과가 의심스러울 때는 의사에게 알리고 직접 말초정맥에서 재검사를 시행한다

3. 중심정맥관 삽입부위 드레싱

- 중심정맥관 삽입부위 드레싱은 정맥관 관련 혈류감염을 예방하기 위해 다음과 같이 교환한다
  - 멸균투명드레싱은 3일~7일마다, 멸균거즈드레싱은 2일마다 교환한다
  - 멸균투명드레싱과 멸균거즈드레싱을 함께 적용한 경우 2일마다 교환한다
- 중심정맥관 삽입 후 다음의 경우는 드레싱을 즉시 교환하며 소독한다
  - 땀이나 혈액, 삼출물 등으로 젖었을 때
  - 드레싱의 접착이 떨어지거나 느슨해졌을 때
  - 분명한 원인이 밝혀지지 않은 열, 국소적 또는 전심감염이 있을 때
- 중심정맥관 삽입부위의 소독과 드레싱을 교환하는 경우 손위생 후 멸균장갑, 마스크를 착용하고 무균술을 적용한다
  - 멸균장갑 착용 후 기존 드레싱을 제거하고 다시 멸균장갑을 착용하고 소독 후 새 드레싱으로 교환한다
- 삽입부위는 알콜이나 클로르헥시딘을 사용하여 카테터에서 시작하여 밖으로 원을 그리면서 3회 이상 닦아내고 포비돈 솜으로 닦은 후 마르도록 기다린다
- 대상자 얼굴을 반대편으로 향하게 한 상태로 앙와위를 취하게 한다
- 중심정맥관 삽입부위의 소독과 드레싱 교환 후 다음을 드레싱 위에 표시한다

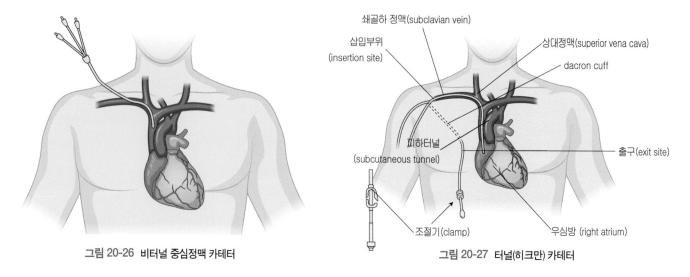

그림 20-26 비터널 중심정맥 카테터

그림 20-27 터널(히크만) 카테터

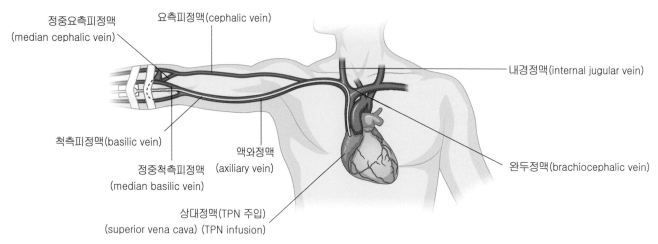

그림 20-28 말초주입 중심정맥 카테터(PICC)

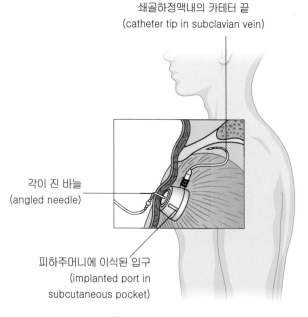

그림 20-29 이식형 포트

- 교환날짜, 시간, 교환한 간호사 이름
- 체온상승과 카테터 부위 통증과 화농성 분비물은 감염증상의 하나이므로 주의깊게 관찰한다

4. 합병증 종류 및 간호

■ 공기색전

공기색전은 공기가 혈관계내에 들어옴으로 인해 야기된다. 많은 양의 공기(3-8ml/kg)는 급성으로 우심실로부터 혈액박출을 방해하여 심인성 쇼크를 일으킨다. 즉 많은 양의 공기가 정맥 내에 들어와 우심실로 들어오면 우심실의 펌프능력이 손상되고 혈액박출량 저하로 오른쪽 심장은 과도한 혈액으로 차 있게 되어 정맥압이 증가하고 더 진행하면 쇼크에 빠진다.

■ 정맥관 색전

정맥관의 파열로 생긴 조각물에 의한 색전으로 드물게 발생한다. 대상자의 기저질환과 무관하게 심계항진, 호흡곤란, 부정맥, 기침,흉통 등의 증상이 있다. 첫 증상은 56.3%에서 정맥관 기능이상(수액주입이나 혈액역류가 안됨)으로 나타나는데 이러한 기능이상은 주사부위의 국소통증과 부종과도 관련이 된다. 국소통증이나 피하부종이 있으면서 정맥관에서 혈액이나 수액의 역류가 안되는 것은 정맥관 색전의 전구증상일 수 있고 주입부위에서 누출이 있는 경우는 정맥관 파열을 의심할 수 있으므로 이런 증상시 정맥관 상태를 평가한다. 만일 정맥관이 손상되었다면 흉부촬영검사가 필요하다.

■ 침윤

침윤은 주사부위의 종창, 창백함, 냉감, 주입률의 현저한 감소 증상을 보이는 합병증이다. 간호는 주입부위의 확인, 주입중지, 다른부위의 주입시작, 정맥주사를 놓은 사지의 움직임 제한을 해야 한다.

또한 카테터를 제거하고 제거시에 저항이 느껴지면 중단해야 한다. 특히 제거시에 카테터 파손이나 공기색전증에 신경쓰고 제거하는 동안 정맥천자 부위에 거즈 패드를 대고 문질러서는 안된다.

■ 체액과부담

체액과부담은 울혈된 경정맥, 혈압상승, 호흡곤란의 증상을 보이는 합병증이다. 간호는 주입률을 늦추고 즉시 의사에게 보고한다. 활력징후를 측정하면서 관찰하고 중심정맥압을 측정한다. 우선 주입률을 늦춘다음 상태변화에 맞추어 이차적인 대응을 한다.

제8절
수혈

I. 수혈 목적과 혈액제제 종류

1. 수혈 목적

수혈(blood transfusion)은 혈장, 적혈구, 혈소판과 같은 혈액성분이나 전혈(whole blood)을 정맥 내에 주입하는 것으로 수혈을 하는 목적은 다음과 같다.

- 순환 혈액량을 보충하기 위함이다.
- 혈액 응고인자의 결핍을 보충하기 위함이다.
- 혈액의 산소운반능력을 증강시키기 위함이다.
- 혈액의 결핍성분을 보충(감염 기회 줄이기 위한 WBC 증가, 빈혈 대상자의 Hb수치 유지 및 RBC증가 등)하기 위함이다.

2. 혈액제제의 종류 및 적응증

- 전혈(Whole blood)은 일정량의 혈액을 항응고제가 있는 채혈주머니에 채혈하는 것이다.

- 성분수혈(blood component theraphy)은 대상자에게 필요한 혈액성분만을 수혈하는 것을 말한다(표 20-10). 성분채혈기를 이용하여 필요한 성분만을 채혈하고 나머지 혈액은 헌혈자에게 돌려주는 것으로 성분수혈을 하면 공혈혈액 한 단위로 많은 대상자에게 수혈할 수 있어서 혈액의 낭비를 막을 수 있으며 특정한 성분을 다량 제공할 수 있어서 경제적이다.

3. 혈액 불출 방법

(1) 혈액 적합성

혈액형은 유전적 특성이 있어 혈액 속에 있는 항원과 항체에 의해 결정된다. 항원(응집원: agglutinogen)은 항체의 형성을 일으키는 물질이며 항체(응집소: agglutinin)는 단백질이며 항원의 출현에 대한 반응으로 신체에서 형성된 것이다. 항원이 있는 적혈구에 상응하는 항체가 있는 혈청에 놓이게 되면 응집이 발생한다. 응집반응이 항원-항체 반응으로 발생하지만 몸에서는 용혈이 일어난다. 용혈은 부적합한 혈액을 주입할 때 발생하고 치명적인 결과를 일으킨다.

ABO형

사람의 혈액은 A형, B형, AB형, O형의 네 종류로 구분되며, 이는 적혈구 표면에 있는 다당류항원에 의존한다. A형은 b응집소를 가지고 있고, B형은 a응집소를 가지고 있다. O형은 A형 또는 B형 응집원을 갖고 있지 않기 때문에 모든 혈액형에 헌혈을 할 수 있다. 따라서 O형 혈액형을 만능공혈자(universal donors)라고 한다. 반면 AB형 혈액형은 혈관 내에 a 또는 b응집소 어느 것도 존재하지 않기 때문에 만능수혈자(universal recipient)라고 한다. 수혈할 때, 공혈자와 수혈자의 혈액형은 항원-항체 반응과 적혈구의 파괴(용혈)을 피하기 위하여 반드시 일치해야 한다(표 20-11).

Rh인자

Rh 인자는 혈액의 부적합성을 예방하기 위하여 수혈 전에 확인해야하는 중요한 요인이다. Rh요소여부에 따라 Rh+와 Rh-로 분류한다. Rh항원 역시 적혈구 에 있는데 Rh요인을 가지고 있는 혈액은 Rh+라고하며 혈액 내에 존재하지 않을 때 Rh-라고 한다. ABO혈액형과 비교하여 Rh-는 선천적으로 Rh 항체를 포함하지 않지만 Rh요인을 포함하고 있는 혈액에 노출될 때 Rh항체가 형성된다. Rh+혈액에 노출될 때 대상자는 항원-항체반응과 적혈구의 용혈의 위험에 처하게 된다. Rh계에 속하는 항원에는 다섯 가지(D, C, E, c 및 e)의 항원이 있으며 ABO형과 연결되어 발견된

표 20-10 성분 수혈제

종류	성분	보존온도(℃) 및 유효기간	적응증
전혈(whole blood) 양 : 400ml/pint	RBC, plasma WBC, platelet	1~6℃ 28~35일	• 다량의 출혈시 혈액보충 • 신생아에의 교환수혈
농축적혈구(packed RBCs) 양 : 180~200ml/pint	전혈에서 혈장을 제거 70~80%의 헤마토크리트	1~6℃ 채혈 후 35일	• 산소운반능력의 복구 및 유지 • 만성빈혈치료 • 급성혈액손실 • Hb, Hct 저하
혈소판 풍부혈장 (platelet rich plasma) 양 : 200ml	혈소판 80~90%	20~24℃ 6시간	• 점상출혈 • 자반증 • 정맥출혈
혈소판 농축액 (platelet concentrate) 양 : 50ml/unit	소량의 혈장 다량의 혈소판	20~24℃ 48시간	• 요독증, 골수질환 • 대량출혈 • 혈소판 감소증
신선 동결혈장 (fresh frozen plasma, FFP) 양 :10~180ml	전혈 중 혈장만을 냉동 분리함 혈액응고인자 포함	-18℃ 12개월	• 혈액응고인자의 보충 • 간질환 • 혈량확장제(volume expander)로 사용 금지

표 20-11 혈액형에 대한 정보

혈액형(적혈구 응집원)	혈장응집소	가능한 공혈자
A	항 B	A, O형
B	항 A형	B, O형
AB	없음	AB, A, B, O형
O	항 A와 항 B	O형

다. 이들 요소 중 가장 강력한 것은 Rho(D)인자로 약 85% 정도가 적혈구의 표면에 위치하고 있다.

II. 수혈 방법

1. 수혈 준비

- 대상자를 철저하게 확인한다.

  (팔찌에 기록되어 있는 대상자의 인적사항 및 혈액형을 반드시 확인한다).

- 수혈동의서 작성여부를 확인한다.

- 수혈 전 대상자교육을 한다.

  - 수혈 중 부작용(열, 오한, 발적, 부종, 호흡곤란, 청색증)에 대하여 대상자 또는 보호자에게 설명하고 교육내용을 간호기록에 남긴다.

- 수혈할 혈액을 혈액은행에 신청한다.

- 수혈 전 활력징후를 측정한 후 기록한다.

- 수혈할 주사부위를 준비한다.

  - 수혈을 위한 물품을 준비한다: 수혈셋트, extension tube, 생리식염수, 18G needle(소아 20G), 수액걸이, 알코올솜

- 0.9% 생리식염수를 천천히 주입하기 시작한다.

  혈액제제와 혼합될 수 있는 수액제제는 생리식염수(0.9% NaCl)밖에 없다.

- 체온유지를 위해서는 중심정맥으로 주입하는 것보다 말초혈관으로 주입하는 것이 좋다.

- 수혈 전 항 히스타민제재를 준비한다.

2. 수혈 절차

① 확인 단계

- 혈액은행에서 간호사와 임상병리사에 의해 혈액과 수혈기록표를 대조하여 혈액번호, 혈액형(ABO, RH), 혈액의 유효기간을 확인한 후 혈액을 가져온다.
- 혈액은 1unit씩 불출하도록 한다.
- 혈액상태(색, 누출, 기포, 혼탁 등)를 확인한다.
- 의사의 처방을 확인한다.
- 혈액백의 ABO group, Rh type을 확인한다.
- 대상자의 ID번호와 혈액백의 ID번호를 확인한다.
  (의사와 간호사에 의해 각각 확인한 후 혈액확인지에 서명한다)
- 대상자에게 구두로 성명, 혈액형을 질문하여 확인한다.
  "성함이 어떻게 되십니까?", "혈액형은 무슨 형입니까?"

② 수혈 단계

- 수혈세트를 사용한다.
  (수혈세트에는 혈액백내의 microclots, aggregates 및 debris 등을 걸러주는 직경 170nm의 미세필터가 갖추어져 있어 이들에 의한 색전증을 예방할 수 있다)
- 수혈시작 시간을 기록한다.
- 수혈시 천천히 주입한다(15~20gtt/min).
- 수혈시작 후 15분 동안은 매우 천천히 주입하며 부작용을 관찰한다(활력징후 측정: 5분, 10분, 15분에 각각 측정하여 기록한다).
- 1unit의 수혈은 4시간이 지나지 않도록 한다.
- 만일 수혈도중 부작용이 발생되면 즉시 수혈을 중지한다.
  (남은 혈액은 사유를 명기하여 임상병리과로 보낸다)
- 부작용에 대해 간호기록을 한다.
- RBC인 경우 수혈세트 챔버의 3/4 이상을 채운다. 점적통에 떨어지는 혈액이 용혈되는 것을 줄일 수 있다.
- 혈액은 매우 조심스럽게 취급되어야하며 혈액냉장고로부터 출고된 지 30분 이내에 수혈되도록 한다
- 수혈세트는 unit마다 바꾼다(RBC를 2unit 이상 수혈할 경우 세트의 filter 능력이 떨어지므로 1unit마다 세트를 교환하는 것이 좋다).
- 수혈 중 수혈하는 라인으로 항생제 등의 다른 약물을 side shooting 하지 않는다.
- 수혈 중 수혈 받는 쪽 혈관으로 채혈하지 않는다.
- 혈액백 내에는 어떠한 약물도 혼합하지 않는다.
- 혈액보온은 꼭 필요하지는 않으나 많은 양을 빠른 시간 내 주입하거나 신생아, 소아 및 체온유지가 매우 중요한 대상자에게는

혈액보온기(blood warmer)를 사용하도록 한다.
- 수혈 종료시간을 정확히 기록한다.
- 수혈이 끝나면 용혈이나 응고를 예방하기 위해 생리식염수 10cc를 주입한다.
- 수혈이 끝나면 활력징후를 측정하여 수혈 후 대상자상태와 혈액백스티커를 간호기록에 남긴다.

3. 수혈 주의사항

- 수혈의 기본원칙, 필요성, 수혈로 인한 기대효과, 예상되는 부작용, 수혈부작용 예방 및 간호를 알아야 한다.
- 혈액성분제제별 적정 투여량, 투여방법, 금기사항을 숙지하여야 한다.
- 정확한 방법으로 혈액을 투여할 수 있는 기술과 지식을 갖춘다.
- 수혈 전, 중, 후 사정한 대상자상태, 간호중재 내용, 수혈에 대한 대상자의 반응을 정확히 기록한다.
- 수혈 전 검사를 위한 혈액 검체와 혈액, 혈액성분제제를 안전하게 취급, 관리한다.
- 대상자와 보호자에게 수혈과 관련된 정확하고 충분한 정보를 제공한다.
- 의사의 수혈처방이 부정확하거나 부적절할 경우 처방의사에게 의문점을 재확인한 후 혈액이나 혈액성분제제를 투여한다.
- 수혈시 대상자의 권리를 보호하고 대상자의 안전과 안위를 도모함으로써 대상자를 위한 옹호자로 행동한다.

III. 수혈 반응과 부작용에 따른 간호 수행 방법

수혈 반응과 부작용은 용혈성 반응이 가장 치명적이며, 그 외 순환과잉 반응, 발열설 비용혈 반응 등이 있다(표 20-12).

- 수혈을 중지하고 생리식염수로 대치하여 대상자의 정맥주입로를 확보한다.
- 사무착오 여부를 알기위해 혈액백의 표지 및 대상자의 인적사항을 확인, 점검한다.
- 즉시 주치의에게 알리고 혈액은행에 연락한다.
- 대상자에게 채취한 EDTA 검체와 plain tube 검체를 혈액은행에 보내어 용혈성 수혈부작용에 대한 검사(CBC, Direct Coombs test, plasma Hb, Hepatoglobin 등)를 시행할 수 있도록 한다.
- 필요한 경우 수혈되던 혈액백과 신선뇨를 혈액은행에 보내어 각각 세균 오염여부와 요중 혈색소 유무를 검사하도록 한다.
- 용혈성 부작용이 강하게 의심되거나 확진된 경우 급성신부전 또는 DIC의 합병증 여부를 알기 위하여 BUN, Creatinine, 혈액응고검사를 실시한다.

표 20-12　수혈 반응과 부작용에 따른 간호중재

합병증	증상	예방	간호 중재
용혈성 반응 ABO 부적합시혈관 내 일으키는 것으로 치명적임	− 맥박수 하강 − 심정지 − 오한, 두통, 빈맥, 열 − 흉부압박감 − 예리한 요통 − 경부정맥의 확장 − 빈호흡 − 저혈압 − 혈압 하강, 혈관 허탈 − 둔한 복통	− 이런 반응은 급속히 나타나므로 수혈 첫 10분 동안은 환자를 자세히 관찰 − 준비한혈액과 환자의 혈액형이 맞는지 확인	• 수혈 중단 • N/S 주입 • 의사와 혈액은행에 알림 • 15분마다 활력징후 측정(shock 관찰) • 혈압과 호흡 유지 • 이뇨 유도 • 핍뇨 및 혈뇨 관찰:시간당 소변량과 색깔 관찰 • 수분 공급 • 혈액과 소변 검사(급성 신부전 또는 DIC의 합병증 유무를 알기 위해 BUN, Creatinine, 혈액응고 검사 실시) • 공혈자와 수혈자의 혈액 재확인
순환 과잉 반응 수혈로 순환되는 혈액량이 과도하게 증가하는 경우	− 정맥압 상승 − 목주위 혈관의 확장 − 호흡 곤란 − 수포음 기침	− 혈액을 적당한 속도로 주입 − 노인, 소아, 폐질환, 심장질환 대상자는 주의 깊은 관찰 필요 "	• Rotating Tourniquet(사지에 지혈대를 묶어 • 혈액 흐름을 차단시켜 순환 혈량을 일시적으로 감소 • 수혈 중단 • 환자를 앉히고 다리를 낮게 한다. • 활력징후 측정
발열성 비용혈반응 공혈자의 백혈구에 대항하는 수혈자의 항백혈구 항체에 의해 발생	− 갑작스런 발열과 오한 − 두통 − 오심과 구토 − 소양감과 발진 − 두드러기	1회용 set 사용	〈경한 반응 시〉 • 첫 30분 동안은 관찰 〈심한 반응 시〉 • 수혈 중단 • shock 징후 관찰 • 해열제 사용 • 항히스타민제 투여
알러지 반응(단백질 분해 반응) 전체 수혈 부작용의 1/3에서 발생	− 천식성 기침 − 심한 경우 저혈압 − 두드러기		〈경한 반응 시〉 • 천천히 수혈 〈심한 반응 시〉 • 수혈 중단 • 정맥로 확보 • 항히스타민제 투여
칼륨 중독 현상	− 응혈과 심부전 − 구토, 오심, 설사 − 근육 쇠약감 − 손, 발, 혀, 얼굴 등의 이상 − 연하마비 − 불안	신선한 혈액 사용	• 수혈 중단

제9절
국소적 약물 투여

I. 피부 투여약물

1. 피부 투여약물 사용법 및 주의사항

정상피부에서 약물은 피지선 안으로 흡수된다. 약물을 피부에 바르기 전 피부부위를 비누와 물로 깨끗이 닦아 먼저번 약물을 지우고 때를 닦아내어야 흡수가 잘 일어난다. 크림이나 연고 등은 잘 문질러 바를 때 흡수가 잘 일어나고 칼라민로션 등 용해되지 않은 분말이 포함된 용액은 흔들어서 사용하며 로션은 탈지면이나 거즈로 바른다. 연고와 같은 약물은 흡수를 위해 피부에 문질러 바르는데 이를 도찰(inunction)이라 한다.

피부용 약제는 로션, 찰제, 연고, 크림, 겔이나 젤리, 이고, 분말, 패치 등이 있다.

- 로션(lotion): 다양한 농도의 액체로 맑은 액체, 현탁액 또는 유탁액 등이 있고, 칼라민로션 등은 용해되지 않은 분말이 포함되어 있어 사용 전에 흔들어서 사용해야 한다.
- 찰제(liniment): 유성비누 또는 알코올성 액체로 피부에 문지르며 바른다.
- 연고(ointment): 반고형 외용약제로 진정효과, 살균효과, 수렴효과를 위해 사용하며 피부에서 오랜 시간 피부접촉을 가능케 하고 피부를 부드럽게 해 준다.
- 크림: 바세린, 라놀린, 콜드크림 등으로 윤활제 역할 및 피부를 부드럽게 하며 피부의 건조를 막아준다. 크림은 보통 피부가 노출되는 부위나 수분이 많은 부위에 이용된다.
- 겔 또는 젤리: 피부에 바르면 액화되는 맑거나 혼탁한 반고형제로 피부가 노출되는 부위에 윤활제로 사용된다.
- 이고(pastes): 연고와 비슷하나 많은 분말을 함유하고 있어 더 단단하며 피부상처로부터 분비물을 흡수할 때 쓰일 수 있다. 영아의 경우 대소변으로 인해 피부가 벗겨지는 것을 예방하는 Zinc oxide가 있다.
- 분말: 비흡수성의 미세한 가루약으로 피부를 보호하고 건조시키거나, 대퇴사이, 가슴아래 혹은 발가락사이의 마찰을 감소시키는데 사용한다. Talcum powder나 녹말가루가 분말약제에 속한다.
- 패치: 피부에 접착제 형태의 약물을 부착함으로서 약이 흡수되도록 한다(예: 에스트로겐 패치, 니트로글리세린 패치).
- 흡입기(hand-held inhalers): 투여된 약물들은 에어로졸 스프레이(aerosol spray)나 연무(mist), 파우더의 형태로 흩어져 폐까지 스며든다. 약물은 폐포-모세혈관 망(alveolar-capillary network)에서 빠르게 흡수된다. 흡입기에 의해 약물을 투여 받는 대상자는 주로 천식, 폐기종, 기관지염 등과 같은 만성 호흡기계 질환자이다. 이들은 흡입약물을 이용하여 기관지 폐색을 조절하므로 질병조절을 위해서 상당히 약물에 의존하게 된다. 그러므로 흡입기에 의한 안전한 자가투여법을 배우도록 해야 한다. 정량식 흡입기(metered dose inhaler: MDI)는 매번 분사할 때마다 약물의 정량이 대상자에게 흡입된다. 이때 약물이 분사되기 위해서는 약 2.3~4.5kg 정도의 압력으로 흡입기의 조절장치를 눌러주어야 하는데, 노인이나 혹은 만성호흡기 질환이 있는 대상자들은 손의 힘이 약해져있다. 따라서 간호사는 대상자가 정량식 흡입기를 적절하게 사용할 수 있는 손의 힘을 가지고 있는지를 사정해야 한다.

II. 코약 투여약물

1. 코약 투여약물 사용법 및 주의사항

비점적은 대개 비강이나 부비동의 염증을 치료하거나 점막의 종창을 가라앉히기 위해 수렴효과를 내고자 할 때에 사용된다. 비강은 정상적으로 무균된 공간이 아니다. 그러나 부비동과 연결되어 있기 때문에 비강점적시 내과적 무균법이 주의 깊게 시행되어야 한다.

부비동에 변화가 생기면 스프레이, 점적기 또는 탐폰 등을 이용하여 약물을 투여한다. 비점적의 가장 흔한 형태는 부비동의 충혈을 감소시키기 위해 충혈완화용 스프레이나 점적약을 사용하는 것이다. 대상자가 스프레이를 스스로 비강 안에 넣고 조절하면서 흡입할 수 있는 자가조절용 스프레이(self-administer spray)를 사용하면 편리하다.

간호사는 반복적으로 비강스프레이를 사용하는 대상자들을 위해 비강에 자극이 있는지의 여부를 검사한다. 또한 점적 시에는 앉는 자세에서는 머리를 뒤로 젖히고 눕는 자세에서는 어깨 밑에 베개를 대어 머리를 뒤로 제치도록 하는 자세를 적절하게 조절해준다.

- 아동은 머리를 바로 세우고 약물을 적용하며 삼킬 경우 전신반응이 나타날 수 있으므로 주의한다
- 비점막 충혈완화제는 중추신경계를 자극하여 일시적 고혈압, 빈맥, 심계항진, 두통을 유발할 수 있다
- 비점막 충혈완화제가 포함된 nasal spray를 너무 빈번하게 장기간 사용할 경우, 비점막 울혈이 악화된다

■ 대상자의 자세는 한 손으로 약물병을 잡고 머리를 뒤로 젖히고 약물병의 끝이 콧구멍 입구에 오도록 한다.

III. 안약 투여약물

1. 안약 투여약물 사용법 및 주의사항

안과용 약물은 보통 액체나 연고형태로 투여되는데, 흔히 사용되는 안약과 안연고로는 인공눈물과 혈관수축제(예 : Visine, Murine)가 있다. 안약사용에 필요한 원칙은 다음과 같다.

■ 각막에는 촉각과 통각의 수용기가 많이 모여있어 어떤 물질이 들어가든 매우 민감하게 반응한다. 그러므로 각막에 직접 안약을 점적하지 않는다.

■ 한쪽 눈에서 다른 쪽 눈으로 교차감염 될 위험성이 높다. 그러므로 안약 점적기나 안연고튜브가 안검과 눈에 닿지 않도록 한다.

■ 안약은 문제가 있는 눈에만 사용한다.

■ 다른 사람의 안약은 사용하지 않도록 한다.

■ 약물 간 상호작용을 피하기 위해 동일한 눈에 동시에 약을 투여하기 보다는 적어도 5분 이상 간격을 두는 것이 좋다

■ 안연고 주입 후 약물의 흡수를 돕기 위해 눈을 감고 눈동자를 굴려준다

■ 전신효과를 나타낼 수 있는 약물투여시 손가락과 깨끗한 티슈를 이용하여 대상자의 비루관을 30~60초간 부드럽게 눌러준다. 이는 약물이 코와 인두로 흐르는 것을 예방하여 전신으로 흡수되는 것을 예방하기 위함이다.

■ 반대쪽 눈과 누관의 오염방지를 위해 눈의 내측에서 외측 방향으로 닦는다

■ 안약 점적 후에는 눈을 살며시 감아 안구를 움직이게 한 다음 내안각 쪽을 30초간 가볍게 눌러준다.

IV. 귀약 투여약물

1. 귀점적 약물 투여 사용법 및 주의사항

귀는 외이, 중이, 내이의 세 부분으로 구성되어 있다. 외이는 외부로부터 고막까지 이르는 7cm길이의 S자 모양의 관이다. 약물이나 세척은 이 외이도로 넣는 것이다. 내이는 온도변화에 매우 민감하다. 용액으로 된 약물을 국소적효과를 위해서 외이도에 넣는다. 귀지의 완화, 통증완화, 국소적 마취효과, 미생물 파괴를 목적으로 투여한다. 외이는 무균적이지는 않지만 고막이 파열된 경우에는 멸균된 점적약과 용액을 사용하는 것이 좋다. 고막은 외이와 중이를 가른다. 정상으로는 고막은 중이로부터 닫

혀있지만 고막이 터지거나 외과적 손상에 의해서 열린 상처가 되면 중이, 내이는 외이와 통하게 된다. 이런 경우 멸균되지 않은 용액이 중이나 내이로 들어가게 되면 감염을 유발할 수 있으므로 멸균수칙을 지켜 미생물이 들어가지 않도록 해야한다. 막힌 이도에 힘을 가해 약물을 주입하면 압력으로 인해 고막이 손상될 수 있다. 약물을 주입하기 위해서는 이도가 일직선이 되어야 한다.

■ 귀점적약과 세척액의 온도를 실온으로 하지 않고 투여하면 어지러움이나 오심이 유발될 수 있다.

■ 이도가 일직선이 되도록 어린이는 이개(auricle)를 후하방으로, 성인은 후상방으로 부드럽게 잡아당긴다. 이도가 일직선이 되지 않으면 귀 안쪽 깊숙이 까지 약물이 들어가지 않는다.

■ 치료받을 귀를 위로 오게 하여 약물을 투여한다

■ 약이 차거나 뜨거우면 내이를 자극하여 오심구토, 어지러움의 원인이 될 수 있다

■ 점적 후에는 손가락으로 귀의이주부위를 부드럽게 압박하면서 마사지하여 약물이 귀 안까지 잘 들어가게 한다

■ 점적기나 세척용 주사기로 이도를 막지 않도록 해야 한다.

■ 점적기 끝을 외이도에 대고 약물을 점적하며 이도를 막아 고막에 손상을 줄 수 있으므로 이도의 1cm위에서 점적한다

■ 귀지나 분비물이 있으면 미생물이 숨어있으며, 약물이 이도 내로 흡수되는 것을 방해할 수 있으므로 면봉으로 부드럽게 닦아낸다

V. 질약 투여약물

1. 질 투여약물 삽입 방법 및 주의사항

건강한 질 내에는 미생물이 존재하나 거의 비병원성 미생물이다. 이 비병원성 미생물은 병원성미생물이 침입하지 못하도록 질 내를 보호해 주고 있다. 질에서의 정상 분비물은 산성으로 pH 4~5를 유지하여 질을 미생물로부터 보호해준다.

질 점적 약물로는 좌약, 폼(foam), 젤리, 크림 등이 있으며 감염의 완화, 소양증이나 통증감소, 질의 불편감 감소를 위해 주입한다. 좌약은 장갑을 착용하여 질강에 삽입한다. 삽입된 후 체온에 의해 녹아서 흡수된다. 폼, 젤리, 크림 등은 inserter나 applicator로 투여한다. 질내로 약물투여를 할 때는 대상자의 프라이버시를 철저히 지켜줘야 한다. 질 점적 약물은 흔히 감염을 치료하기 위해 투여되므로 배출물에서 악취가 날 수 있다. 멸균법을 적용해야 하며 대상자에게 자주 회음부 청결을 위한 기회를 갖도록 해주어야 한다.

■ 약물 투여 전 소변을 보아 방광을 비우도록 한다

■ 회음부 노출을 위해 배횡와위나 심스체위를 취한다

■ 질정제 투여 후 10분 이상 베개로 둔부를 올린 앙와위를 취한다

■ 젤리나 foam형태의 질약은 내관이 달린 주입기를 사용하여 투입한다

■ 음순을 손가락으로 벌리고 좌약끝의 뾰족한 쪽이 먼저 들어가게 하여 질 내로 부드럽게 삽입한 후 검지를 질벽 쪽을 따라 쭉 밀어 넣는다(성인: 8~9cm)

VI. 직장 투여약물

1. 직장 투여약물 삽입 방법 및 주의사항

직장점적이나 직장을 통한 좌약투여는 편리하고 안전한 투약방법이다. 직장으로 투여되는 약물은 배변기능을 증진시키는 것과 같은 국소적인 효과나 오심을 완화시키는 것과 같은 전신적인 약물효과를 얻기 위해 투여하며 또한 약물을 직접 직장점막에 적용하기 위해서 투여한다. 직장좌약은 질 좌약보다 더 얇고 둥근 모양이다. 끝이 둥근 것은 삽입되는 동안 항문이 손상되는 것을 예방한다. 좌약을 삽입하기 전에 청결관장을 실시하여 좌약이 대변덩어리 속으로 밀어 넣어지지 않도록 직장을 깨끗이 하여야 한다.

■ 좌약이 효과적으로 흡수되도록 하기 위해 좌약은 직장벽을 따라 5~10cm 정도 부드럽게

밀어 넣는다(소아는 5cm 이하)

■ 좌약은 최소한 15~20분 정도 직장내에 보유하고 있어야 한다.

■ 자세는 좌측위, 심스위를 취하며 대상자에게 "아" 소리를 내도록 하거나 입으로 호흡하도록 하면 항문괄약근 이완에 도움이 된다

■ 좌약을 삽입할 때는 항문의 내괄약근을 지나 직장의 점막에 삽입되도록 한다. 그렇지 않으면 좌약이 녹아서 점막으로 흡수되기 전에 배출되어 버린다.

VII. 국소약물투여 후 간호평가

간호사는 투여되고 있는 약물에 대한 대상자의 반응을 주의 깊게 관찰하여 약물의 작용과 부작용을 파악한다. 대상자의 상태변화는 생리학적으로 건강상태와 관련하여 나타나거나 투약과 관련하여 발생할 수 있으며 또는 이 두 가지의 원인 모두로 인해 나타날 수 있다. 간호사는 대상자가 여러 가지 약물을 사용할 때 일어날 수 있는 약물의 작용을 예의 주시해야 한다. 또한 어떤 약물이 투여되는지를 염두에 두고 그 약물의 효과를 대상자와 함께 사정하여 기록지에 기록한다.

안전하고 효과적으로 약물을 투여하는 목적에는 투약방법에 대한 주의깊은 평가, 치료에 대한 대상자의 반응, 자가투여를 할 수 있는 능력 등이 포함된다. 간호계획이 수립되면 간호중재의 효과성을 평가하기 위해서 간호사는 실제의 결과를 측정할 수 있는 평가도구를 사용한다.

PART VI

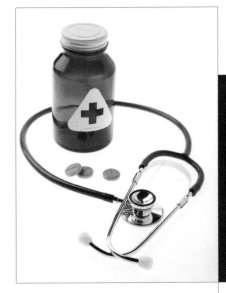

수술주기 간호

수술주기 간호 단원은 임상에서 일반적으로 수술 전.중.후기 관리와 관련된 수술 합병증을 최소화하고 수술 후 대상자 회복에 기여할 수 있는 간호지식과 간호절차를 다루었다. 따라서 수술 및 마취의 유형을 구별하고 수술위험요인 확인에 관한 지식과 수술관련 대상자교육 그리고 수술 각 주기에서의 간호사의 역할을 중심으로 구성하였다.

21 수술주기 간호

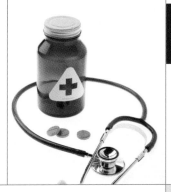

CHAPTER 21

수술주기 간호

학습목표

1 수술주기 단계를 설명한다.
2 수술유형을 설명한다.
3 마취유형을 설명한다.
4 수술과 관련된 위험요인을 기술한다.
5 수술전 간호를 설명한다.
6 수술중 간호를 설명한다.
7 수술후 간호를 설명한다.

제1절
수술주기 간호를 위한 지식

수술은 외과적으로 질병이 있거나 상처가 있는 부위를 광범위하게 치료할 수 있는 것으로, 수술주기 간호는 수술 전, 수술 중, 수술 후 동안의 간호사의 역할을 말한다. 수술 주기 동안 간호사는 대상자의 신체적, 심리적 요구에 따른 대상자의 건강 회복과 수술 목적 달성을 위한 간호를 수행한다. 수술 주기 과정동안 간호과정을 적용하여 대상자를 사정하고 중재하는 것은 건강회복 및 질병 예방에 효과적이며, 신체 구조나 기능상의 변화에 대한 적응력을 높이는데 적용된다.

수술주기 간호는 수술 전 대상자 준비, 수술 중 대상자 지지, 수술 후 회복 간호를 말한다. 각 단계에서 간호사의 역할은 간호과정 단계별로 적용하여 수행할 수 있다.

1. 수술주기 단계

수술 주기는 과정에 따라서 구별할 수 있다. 수술 주기는 수술 전체 기간을 말하며, 간호활동에 따라서 수술 전, 중, 후 단계로 분류할 수 있다. 수술 전기는 수술 전 단계로 수술이 필요하다고 결정된 시점에서 수술실에 가는 기간까지를 말한다. 수술중기는 수술실에 온 후 회복실에 옮겨지는 시기까지이며, 수술 후기는 회복실에서부터 완전한 회복이 이루어지는 시기까지를 말한다.

2. 수술 유형

수술 과정의 유형은 위험성, 긴급성, 목적성에 따라 분류할 수 있다. 경우에 따라서는 한 수술이 여러 유형에 속할수 있으며, 수술 유형에 따라서 간호의 양상이 다를 수 있다(표 21-1).

3. 마취 유형

마취는 혼수(의식상실), 진통, 이완, 반응 소실 정도에 따라 전신마취, 부분 마취, 의식진정/진통제로 분류할 수 있다. 마취제는 의사, 마취사, 마취간호사가 다루며, 마취제 및 투입경로 선택은 수술유형과 수술 시간 및 대상자의 심리적 상태 등을 고려하여 결정한다.

1) 전신마취

전신마취는 흡입, 정맥, 직장, 경구를 통해 약물을 투여함으로써

표 21-1 수술 유형 분류

유형	특성	목적	예
긴급성에 따라			
선택수술(Elective)	대상자의 선택에 의해 수술, 건강에 반드시 필요한 것은 아님	• 신체 일부 제거 및 수정 • 기능 복원 • 건강 증진 • 자아개념 증진	• 편도선절제술, 흉터제거술, 주름살 제거술, 탈장복원, 치질, 유방 재건술
긴급수술(Urgent)	대상자의 건강을 위해 필요한 수술로 24-48시간내 실시	• 신체 일부 제거 및 수정 • 기능 복원 • 건강 증진 • 조직손상 예방	• 담낭제거, 관상동맥우회, 종양제거, 대장 절제, 절단
응급수술(Emergency)	즉시 시행	• 생명 보호(위의 목적 이외)	• 출혈조절, 상처 복원, 천공된 궤양, 장폐색, 기관절개
위험성에 따라			
대수술(Major)	선택적, 긴급적, 응급적일 수 있음	• 생명보전 • 신체 일부 제거 및 수정 • 기능 복원 • 건강 증진	• 경동맥내막절제술, 자궁절제술, 담낭절제술, 신장절제술, 결장개구술, 자궁절제술
소수술(Minor)	일차적으로 선택적	• 기능 복원 • 피부병소제거 • 기형교정	• 발치, 사마귀제거, 피부조직검사, 복강경검사, 백내장 수술, 관절경검사
목적성에 따라			
진단적수술(Diagnostic)		• 외과적 절제 • 검사를 위한 조직 제거	• 시험적 개복술, 유방생검, 기관지경 검사
제거수술(Ablative)		• 신체 일부분 제거	• 충수절제술, 갑상선 부분절제, 위 부분절제술, 절단
완화수술(Palliative)		• 질병 완화 및 감소; 치료적은 아님	• 결장개구술, 괴사조직 제거, 신경근절제
복원수술(Reconstructive)		• 외상 또는 기능 손상이 있는 조직 기능 회복	• 흉터제거, 성형수술, 피부이식, 내부 골절 고정, 유방재건술
이식수술(Transplatation)		• 기능 이상인 기관 또는 구조를 가진 다른 사람이나 동물의 조직, 기관으로 대체	• 신장, 간, 심장, 각막 이식
형성수술(Constructive)		• 선천적 기형 기능 복원	• 구개파열 교정, 심장동맥중격 봉합술
미용수술(cosmetic)		• 외모개선	• 쌍꺼풀, 코 성형

중추신경계를 억압하는 것이다. 전신마취로 의식소실, 진통, 근골격 이완, 반사 억제 등의 효과를 얻을 수 있다. 마취경로 및 마취제 선택은 마취과 의사가 한다. 마취제 선택에는 많은 요소들이 영향하지만 대체로 수술 유형 및 수술 시간, 대상자의 신체적, 심리적 상태에 따라 결정하게 된다(Meeker & Rothrock, 1999).

흡입 마취는 분비물 배출이 빠른 장점이 있지만 반대 효과도 있을 수 있다. 전신마취는 다음과 같은 유도, 유지, 회복의 3단계를 거쳐 진행된다. 유도단계는 마취가 시작되는 단계로 점차 의식을 잃어 가는 단계이며, 유지단계는 과정이 마취가 완전한 시기를 말한다. 회복단계는 마취에서 회복되어 수술실을 떠날 때까지 단계를 말한다. 마취 시간은 마취의 깊이나 길이에 따라 다르다.

2) 부분마취

부분마취는 수술부위의 신경이나 신경 주위 조직에 마취제를 주사하여 중추신경계의 감각 전달을 방해하여 발생하게 된다. 대상자의 의식은 있으며 신체 특정 부위의 감각손실이나 반사 소실이 있게 된다. 부분 마취는 대신경 차단이나 척수, 경막외, 지주막하강 차단을 통해 이루어질 수 있으며 다음과 같은 특성이 있다.

- 신경차단은 수술 부위 신체부위, 이를테면, 턱, 얼굴, 사지 등과 같은 국소 부위에 직접 주사하여 이루어진다. 마취제의 종류, 농도, 양, 마취를 지속시키는 에피네프린 추가 정도에 따라 마취시작 및 지속시간이 영향을 받는다.
- 척수마취는 지주막하강에 요추천자를 통해서 국소마취제를 투여하는 것으로, 감각, 운동, 자율성 등의 차단이 발생한다. 이 유형은 주로 하복부, 회음부, 다리 등의 수술에 적용된다. 척수마취 부작용으로 저혈압, 체위성 두통, 요정체 등이 발생할 수 있다.
- 미부(caudal) 마취는 천골의 강으로 경막외강을 통해 마취제를 투여하는 것으로 하지나 회음부 시술에 주로 적용된다.
- 경막외 마취는 척추강 내에 마취제를 투여하는 것으로 주로 요추부위에 시행하지만 흉추나 경추 부위에 사용할 경우도 있다.

3) 의식진정/진통제

진통제는 단기 과정에서 주로 사용된다. 대상자는 심호흡 기능을 유지하고 언어적 요구에 반응할 수 있다. 이러한 유형의 마취는 주로 수술 전에 약물투여에 대한 대상자의 심박동 및 리듬, 호흡률, 산소포화도, 의식수준, 혈압, 피부 반응 등을 보기 위해 시행한다. 이 유형의 마취에는 피부표면 마취(Topical anesthesia), 국소마취(Local anesthesia) 등이 있다.

피부표면 마취는 주로 점막, 피부표면, 상처, 화상 부위에 적용하며 Cocain, Lidocain 등을 사용한다. 국소마취제로는 lidocain, bupivacaine, tetracaine 등을 사용하며 신체 특정 부위에 주사한다. 국소마취는 주로 소수술, 단시간 수술, 조직 생검 등과 같은 진단적 검사 등에서 의사가 시행한다.

4. 수술 위험 요인

간호사는 수술주기 동안 위험성을 증가시킬 수 있는 요인들을 알고 대상자 간호 계획 시 고려하도록 한다. 수술 위험성을 증가시킬 수 있는 요인들에는 연령, 영양상태, 비만정도, 방사선치료 여부, 임신, 수분과 전해질 균형 등이 있다.

1) 연령

어린이나 노인의 경우 수술 위험성이 증가한다. 영아의 경우 체온변화의 범위가 넓어 마취제로 인한 혈관확장의 결과 체표면의 열소실이 더 많아지게 되어 위험성이 증가된다. 영아의 경우 순환 혈량이 적어 소량의 출혈로도 산소 요구량 증가에 대해 반응하기 어렵다. 노인의 경우 신체 기능 저하로 수술에 적응하기 어려우며, 신장, 심장 질환이 많은 노인들의 수분 균형 유지가 어렵다.

2) 영양상태

영양상태에 따라서 정상조직 재생과 감염에 대한 저항성이 달라진다. 수술은 영양 요구를 증가시킨다. 영양상태가 불량할 경우 마취에 적응하기 어렵고, 상처 치유가 느리며, 혈액응고 지연, 감염, 기능 부전 등의 위험성이 증가한다.

3) 비만

비만 대상자는 환기 및 심장 기능이 저하되어 수술로 인한 위험성이 증가된다. 고혈압, 관상동맥질환, 당뇨, 울혈성 심부전 등이 비만한 사람에서 더 많이 발생한다. 비만할 경우 지방 조직으로 인해 불충분한 혈액공급을 하게 되어 상처 치유에 필요한 필수 영양소, 항체, 효소의 전달이 늦어 상처 치유가 어렵고 감염 위험성도 증가된다.

4) 방사선 치료

방사선 치료는 피부층을 얇게하므로 콜라겐을 파괴하며 신생 혈관 형성에 손상을 유발시키므로 방사선 치료를 한 후 4~6주 후에 수술 하는 것이 바람직하다.

5) 임신

임신 기간동안 인체의 모든 기관은 영향을 받는다. 대사율이 증가되어 심박출량이 증가되고, 폐의 1회 환기량이 증가하며, 위장관 운동 저하, 호르몬 수준 상승 등이 나타난다. 임신 중 혈액응고 기전이 촉진되어 심부정맥혈전증이 발생할 위험성이 증가한다.

임신 중 혈량증가로 헤모글로빈과 헤마토크리트치가 낮아지며, 임신 말기와 출산 후에는 감염되지 않아도 백혈구 수치가 상승한다. 전신마취는 태아 사망과 조산의 위험성을 증가시킨다.

6) 수분과 전해질 균형

수술시 신체는 외상에 대한 반응을 보이게 된다. 수술 범위가 넓을수록 스트레스는 많아지게 되어 수술전 수분과 전해질 불균형이 있었을 경우 수술 중 및 수술 후 위험성이 증가된다.

제2절
간호과정

I. 수술 전 간호

수술 간호 요구는 수술의 계획된 선택 수술을 하는 경우에서 상처치료를 위한 응급수술에 이르기까지 여러 가지 상황에 따라 다양하다. 수술 대상자는 전 연령층과 건강-질병 연속선상의 어느 지점에 있는 경우라도 발생할 수 있다. 간호사는 외과적 수술의 위험요인을 확인할 책임이 있다. 치료 계획을 하는데 있어서 대상자 및 가족의 신체적, 사회·심리적 요구를 사정하여 적절한 간호진단를 내리는 것이 필요하다.

중재는 회복을 촉진시키는 것이어야 하며 수술주기 전과정 동안 이루어져야 한다. 외과적 수술 대상자의 바라는 결과들을 수술간호사 협회에서는 다음과 같이 설정하였으며(AORN, 1999), 수술 대상자들의 목표는 다음과 같다.

- 상처 및 체위, 이물질 내포, 화학적, 신체적, 전기적 위험과 관련된 부작용이 없을 것
- 감염이 없을 것
- 수분 및 전해질 유지; 피부 통합성 유지
- 계획된 수술에 대한 신체적, 심리적 반응의 이해를 돕기 위한 시범

- 수술 후 재활과정에 참여

1. 수술 전 간호 사정

수술 전 간호사정은 매우 중요하다. 수술은 신체에 대한 주요한 상처이며 수술 전 사정은 수술이 진행되는 동안이나 수술 후 발생할 수 있는 위험성을 확인할 수 있게 한다.

1) 간호력

간호력은 수술 대상자의 신체적, 심리적 상태에 대한 강점과 위험요소를 확인할 수 있도록 해준다. 수술 경험에 대한 정보에는 건강력, 생활양식, 문화적, 윤리적 신념, 기능상태, 대처양상, 지지체계, 자기 인식, 수술과 지식에 대한 요구 등이 있다.

(1) 건강력
발달 단계, 병력, 투약 여부, 수술경험, 수술에 대한 인식과 지식 등

(2) 생활양식
대상자의 생활 양식 중 영양, 음주, 흡연, 일상활동, 직업 등

(3) 대처양상과 지지체계
대상자의 심리적, 사회적, 문화적, 정신적 영역 등

2) 신체 사정

대상자의 신체적 상태는 수술로 인한 위험성 및 수술 후 발생할 수 있는 합병증 발생을 감소시킨다. 외과적 수술 대상자를 위한 신체 사정에는 다음의 사항들을 포함한다(표 21-2).

3) 진단적 검사

수술 전 진단적 검사에는 일반적으로 혈청전해질 검사, 혈액응고 검사, 혈액형 및 교차시험, 혈액 화학 검사, 요분석, 심전도, 흉부 X선 검사 등이 포함된다.

표 21-2 수술 전 신체사정

부위	방법
전반적 조사	대상자의 일반적 자세, 키, 몸무게, 활력증상, 체온 등은 수술 전후를 비교
피부	피부색, 특성, 병소 부위 및 특성, 피부 탄력성, 압박 부위를 사정하는 것은 상처예방에 필요
흉곽 및 폐	압통 부위 촉진, 호흡음 청진, 흉곽의 직경 및 모양 평가
심혈관계	심첨맥박 수, 리듬, 특성, 경정맥 촉진, 말초맥박 부위 촉진; 혈관 수술대상자의 경우 수술 중 및 수술 후 사정에 필요, 말초 부종
복부	복부긴장도, 대칭성, 장음 청진
신경학적 상태	의식수준, 언어 능력 평가, 얼굴 표정, 비대칭성, 운동 및 감각 손상

2. 수술 전 간호에서의 간호 진단

수술 전기 대상자의 간호진단은 다양한 문제를 확인하게 할 수도 있다. 간호진단은 주관적, 객관적 자료 및 대상자, 가족, 건강전문팀요원 및 여러 가지 예비검사를 통해 이루어진다. 많은 진단은 수술로 인한 위험성을 반영하는 것이며 수술 동안 및 수술 후기의 대상자 요구에 대한 중재의 지침이 된다. 수술 전기 동안 간호는 지속적이어야 하며 기록해야 한다.

수술 전 간호 진단으로는 역할 수행변화, 불안, 의사결정 갈등, 공포, 체액 부족, 가족의 비효율적 대응, 지식 부족, 무력감, 절망감 등이 있다. 공포와 관련된 요인은 죽음에 대한 위협, 마취에 대한 위협, 수술 후 평소 역할 수행 불능, 수술 후 결과 등이 있을 수 있다. 지식부족과 관련된 요인들로는 수술 전 준비와 수술 후 운동 및 활동에 대한 지식 부족이 있을 수 있다. 관련 요인들은 보다 효과적인 중재 방향을 설정할 수 있으므로 정확해야 한다.

3. 수술 전 간호수행계획

수술 전기 동안의 간호계획은 기간에 의해 영향을 받는다. 응급실을 통해 입원한 대상자의 경우 포괄적 사정 및 수술 전 교육이 어렵다. 따라서 간호사는 구조화되고 표준화도 수술 전 간호계획으로 개별적인 접근을 하는 것이 필요하다. 수술 전기 동안 간호계획을 하기 위해서는 대상자, 가족과 함께 계획을 논의해야 한다. 대상자의 목표는 다음과 같다.

- 수술에 대한 신체적, 정서적 준비
- 체위교환, 기침, 심호흡 운동 시범
- 수술 후 동통 관리에 대한 언어적 이해
- 수분 섭취 및 영양 유지에 대한 요구 충족

이러한 목표들을 달성하기 위해서 간호사는 수술 전기 동안 다음의 사항들을 수행해야 한다.

- 수술 전기 동안 대상자 요구에 필요한 기초자료 및 간호계획 수립
- 대상자와 가족의 교육 요구 확인
- 신체적, 정서적 안전과 안정을 최대화하기 위한 간호중재 제공

4. 수술 전 간호수행

수술 전 간호 중재는 수술 대상자에 대한 사전 교육 및 수술 후 대상자가 시행할 내용에 대한 교육이 필요하며, 대상자가 수술을 이해하고 신체적, 심리적 준비를 할 수 있도록 한다.

1) 수술동의서

수술 전 대상자나 보호자로부터 동의서를 받아야 한다. 대상자가 수술 절차, 수술의 위험성, 기대되는 결과 및 대안적 치료에 대하여 동의할 때 의사는 법적으로 수술 할 수 있다. 대상자가 혼돈, 무의식, 정서적 불안정, 진정 상태에 있거나 미성년자일 경우 부모 또는 법적 대리인이 동의서에 서명하도록 한다.

2) 심리적 준비

수술은 삶의 위기이며 근심과 불안을 갖게 된다. 치료적 의사소통과 대상자 및 가족 교육에 초점을 두어 간호수행을 함으로써 불안을 완화시켜주고 회복을 촉진시킬 수 있다.

(1) 수술 전 교육

수술 전기 동안 수술 후 운동할 내용에 대해 교육하는 것은 간호사의 책임이다. 대상자와 가족은 외과적 수술에 관련된 사항이나 감각, 통증에 어떻게 대처해야 하는지, 수술 후 합병증을 예방하고 회복을 촉진시키기 위해서 어떤 운동을 해야하는지에 대해 알고 싶어하는 요구를 가진다.

간호사는 대상자가 받을 수술에 대한 내용, 수술 시간, 수술 절차, 수술 후 이루어질 치료 계획을 설명한다. 전신 마취 수술 후 환기 기능을 회복하고 폐합병증을 예방하기 위한 기침과 심호흡, 강화폐활량계 사용법에 대한 교육을 시행한다. 신체 기능을 회복시키기 위한 조기 이상을 권장하며, 사지의 혈액흐름 개선, 울혈 감소, 정맥귀환 증진, 혈전형성 방지를 위한 다리운동, 체위 변경, 항색전용 스타킹, 항색전용 공기스타킹장치 등을 착용하게 한다. 수술 후 통증은 정상적인 것으로 수술과 관련된 감정을 표현하도록 격려한다.

① 수술관련 정보 및 감각정보

대상자와 가족은 수술시간, 마취시간, 회복실에서 얼마나 머무르게 되는지, 투약, 절차, 장비 등에 대해서 알고싶어 한다. 선택 수술인 경우 수술실을 미리 둘러보게 하는 것은 미지의 불안 및 걱정을 감소시켜 주는데 도움이 될 것이다. 대상자들은 또한 수술 주기 동안 경험하게 될 감각정보에 대해 알기를 원한다. 물론 수술 유형에 따라서 감각은 달리 나타날 수 있지만 다음과 같은 사항들을 포함해야 한다.

- 수술 전 투약의 경험: 구강건조, 어지러움
- 수술과 마취로 인한 정상적인 감각: 기관지내 삽관으로 인한 인후통, 척수 마취후 느낌 및 운동이 서서히 정상화
- 수술 후 감각: 절개통, 구강건조, 어지러움

② 통증 관리

통증은 수술의 정상적인 한 부분이며 대상자나 가족의 주요 관심사가 된다. 급성 외과적 통증 관리 지침은 다음과 같은 세가지 원리에 기초를 두고 있다

- 통증 조절 요인은 대상자가 결정한다.
- 대수술 후 2시간마다 통증 사정을 해야 한다.
- 노인 대상자의 경우 통증에 대해 과소치료하거나 과다치료할 위험성이 있다.

통증 조절을 위한 대상자 교육에 다음과 같은 지침이 있다.

- 통증을 감소시키기 위한 약물은 의사가 지시하며 간호사가 투여한다.
- 통증조절을 위한 투약은 규칙적으로 투여하거나 필요시 투여한다. 필요시 투여하는 것(p.r.n.)이라면 2~4시간 간격을 두어 투여해야 한다.
- 통증 조절을 위한 약물은 처음 몇 일간은 일반적으로 비경구투여로 한다. 음식물 섭취를 할 수 있고 통증 수준이 낮아지면 경구투여할 수 있다.
- 수술 후 투여되는 통증 조절 약물에 대한 중독위험성이 있을 수 있다.
- 이완요법의 사용(심호흡, 음악용법, 심상요법)은 통증 조절 약물의 효과를 향상시킨다.
- 통증 약물은 통증 관리를 촉진시키고 대상자의 활동 수행 능력 및 회복에 필요한 운동을 증가시킨다.

③ 신체적 활동

수술 후 가장 많이 발생하는 합병증은 심혈관계 및 호흡기계 변화로 무기폐, 폐렴, 혈전성정맥염, 색전증 등이 주로 발생한다. 이러한 합병증 발생 가능성을 감소시키기 위한 신체적 활동으로 수술 전기 동안 심호흡, 기침, 강화폐활량계 사용, 다리 운동, 침상에서 체위변경하기 등의 교육을 시행한다. 대상자는 수술 전에 이러한 활동의 목적을 알고 시범을 보일 수 있어야 한다.

3) 신체적 준비

수술 대상자의 신체적 준비는 대상자의 신체적 상태, 특별한 요구, 수술 유형, 의사의 지시 등에 따라 다르다. 피부준비 및 위생간호, 배설간호, 수분 및 영양 간호, 수면 및 휴식 간호 등의 간호 중재는 모든 수술 대상자에게 필요하다. 간호사는 수술 당일 대상자의 준비 및 안전에 대한 책임을 지닌다.

① 위생 및 피부 간호

상처가 없는 신체 피부는 유기물로부터 방어기전을 가지며, 피부통합성의 변화가 있는 경우에는 감염 위험성이 증가된다. 그러므로 피부의 오염은 최소화하도록 준비하며 수술 후 외과적 수술 부위의 감염 위험성을 감소시키도록 한다.

수술 부위 피부는 항균비누나 용액으로 세정한다. 대상자는 통목욕이나 샤워를 할 수 있다. 일반적으로 수술 전날이나 수술 당일 아침 샤워하는 것이 권장된다. 머리를 감거나 손톱을 청결히 하는 것은 미생물 수를 감소시키는데 효과적이다.

② 배설

수술 전 장의 분변을 제거하는 것이 필수적인 것은 아니지만 간호사는 장배설을 시행해야하는 지시가 있는지를 사정해야 한다. 만일 대상자가 몇 일동안 장 배설을 하지 못했거나 수술 전 검사목적으로 바륨 관장을 시행했다면 수술 후 예상되는 변비를 예방하기 위해 시행하도록 한다.

위장관계 수술이 계획되어 있는 경우라면 청결관장을 시행한다. 수술 후 24~48시간 동안 연동 운동이 돌아오지 않을 수도 있으므로 수술 전 관장은 수술 후 변비를 예방하는데 도움이 될 것이다. 또한 장을 비우는 것은 수술 동안 외과적 수술 부위의 오염을 예방하는데 도움이 될 것이다.

유치도뇨관 삽입은 수술 전, 특히 골반내 수술을 하는 경우 방광 팽만 및 상처발생을 예방하는데 도움이 된다. 만일 유치도뇨관을 삽입하지 않는 경우라면 수술 전 투약을 받기 직전 방광을 비우게 하고 수술 동안 방광이 빈 상태가 유지되도록 해야 한다.

③ 영양 및 수분

수술 대상자는 수술 전 부적절한 섭취나 수술 동안 과다한 수분소실의 결과 수분 및 전해질 불균형 상태가 초래되기 쉽다. 대상자는 수술 전날 저녁 이후 최소한 6~8시간 이상 금식을 하여 위장관을 비우게 하여 수술동안 구토나 구토물 흡인 위험성을 최소화 시킨다.

간호사는 대상자의 침상 옆 모든 수분류와 음식을 없애고, 금식 표시를 침상에 걸어둔다. 대상자는 물을 삼키지 말고, 물이나 구강청정제로 입을 행구거나 양치질한다. 금식기간 동안 대상자가 먹거나 마신 경우 가능한 빨리 수술의사나 마취의사에게 알린다. 경구투여가 가능해질 때까지 정맥으로 용액 및 약물을 투여한다.

④ 휴식과 수면

휴식과 수면은 수술 전 스트레스를 감소시키고 수술 후 회복을 촉진시키는 가장 중요한 효소이다. 간호사는 심리적 요구, 교육실시, 조용한 환경 제공, 이완 요법 및 안위를 증진 시키는 대상자 고유의 방법, 입원한 경우는 취침시 진정제 투여 등으로 대상자의 휴식과 수면을 증진시킨다.

⑤ 수술 당일 대상자 준비

간호사는 수술 당일 수술 전 점검표를 작성해야 할 의무가 있

수술 전 점검표

PATIENT CHECKLIST / INITIATING NURSE

NPO SINCE	BP	PULSE	RESPIRATION	TEMPERATURE	IV/LOCK	□ EXISTING □ SEE PARENTERAL FLUID SHEET	□ INITIATED - SEE BELOW

GAUGE: SITE: LENGTH: SOLUTION: AMOUNT:

COMMENTS

DENTURES/PARTIALS/BRIDGE WORK □ NONE □ REMOVED □ IN PLACE
HEARING AID/SPEAKING DEVICE □ NONE □ REMOVED □ IN PLACE
EYEGLASSES OR CONTACTS □ NONE □ REMOVED □ IN PLACE
JEWELRY/HAIRPINS □ NONE □ REMOVED □ IN PLACE
MAKE-UP/NAIL POLISH □ NONE □ REMOVED □ IN PLACE
OTHER PROSTHESIS □ NONE □ REMOVED □ IN PLACE
□ GOWN ONLY
□ DISPOSITION OF BELONGINGS _____

□ I.D. AND ALLERGY BANDS ON PATIENT
□ ADDRESSOGRAPH
□ CONSENTS SIGNED AND DATED
□ LAB / EKG
□ HISTORY AND PHYSICAL
□ PHYSICIANS ORDERS
□ INPATIENT FLOW SHEETS
□ PROGRESS REPORT
□ OLD CHART SENT
□ VOIDED AT   □ FOLEY

PRE-OP MEDICATIONS	TIME	DOSAGE	INITIALS

ADDITIONAL NURSING NOTES
AUTOLOGOUS BLOOD DONATED: □ YES □ NO
AUTOLOGOUS ARMBAND IN PLACE: □ YES □ NO

MEDICATIONS SENT TO OR □ YES □ NO □ NONE ORDERED

FAMILY/SIGNIFICANT OTHER
NAME: RELATION: TELEPHONE NUMBER:
□ PRESENT
□ NOBODY AVAILABLE   LOCATION: □ WILL CALL US □ WE NEED TO CALL   TRAVEL TIME:
UNIT RN SIGNATURE   DATE

PREOP CARE UNIT

TIME IN PREOP HOLDING AREA | VITALS □ NOT INDICATED   BP   PULSE   O₂ SAT

INDWELLING LINES/TUBES:
□ NONE □ DRAINS □ TRACH □ O₂ □ CHEST TUBE □ OTHER:

AWARENESS LEVEL
□ ALERT □ DROWSY □ SEDATED □ UNRESPONSIVE □ ORIENTED □ CONFUSED □ OTHER:

ANXIETY LEVEL
□ RELAXED □ COOPERATIVE □ NERVOUS □ TALKATIVE □ CRYING □ AGITATED □ WITHDRAWN □ OTHER:

COMMUNICATION LIMITATIONS
□ NONE □ APHASIC □ UNCONSCIOUS □ HEARING IMPAIRED □ BLIND □ FOREIGN LANGUAGE □ INTERPRETER PRESENT □ OTHER:

ADDITIONAL NURSING NOTES

UNIT RN SIGNATURE   DATE

OR ASSESSMENT

□ I.D. AND ALLERGY BANDS ON PATIENT □ CONSENTS SIGNED AND DATED □ LAB / EKG □ CONFIRM CHECKLIST □ CONFIRM PLANNED PROCEDURE □ CONFIRM SITE

SKIN
□ WARM/DRY □ COLD □ RASH □ MOTTLED □ BRUISED □ REDDENED □ OTHER:

MOBILITY LIMITATIONS
□ NONE □ CAST □ TRACTION □ PARALYZED □ AMPUTEE □ OBESITY □ OTHER:

ADDITIONAL NURSING NOTES
AUTOLOGOUS BLOOD DONATED: □ YES □ NO
AUTOLOGOUS ARMBAND IN PLACE: □ YES □ NO
AUTOLOGOUS BLOOD HERE: □ YES □ NO

CIRCULATOR SIGNATURE   DATE

PT.NO.

UNIVERSITY OF WASHINGTON MEDICAL CENTERS
HARBORVIEW MEDICAL CENTER - UW MEDICAL CENTER
SEATTLE, WASHINGTON
PREOPERATIVE SURGICAL DATA / ASSESSMENT

NAME

* U 0 8 3 3 *

D.O.B.

UH 0833 REV FEB 94

다. 수술 전 점검표는 수술실로 옮기기 전에 모두 점검해야 한다. 이에 대한 내용으로는 임상기록지 기록확인, 활력징후 사정, 필요한 위생 제공여부, 모발 준비 및 화장 지우기, 수술 부위 피부 준지, 보철기 제거, 방광과 장 비우기, 항색전용 스타킹 착용여부, 귀중품 보호, 수술 전 투약 여부 등이 포함된다.

5. 수술 전 간호수행의 평가

수술 전기 간호수행에 대한 평가는 기대되는 결과에 근거하여 시행한다. 만일 대상자가 신체적, 정서적으로 수술할 준비가 되어 있고, 수술 주기 동안의 사건과 감각에 대한 언어적 표현이 가능하며, 수술 후 운동과 활동을 시범해 보일 수 있다면 간호계획은 효율적인 것이다.

II. 수술 중 간호

수술 동안 의사는 수술과 관련된 주도적인 일을 담당하게 된다. 수술중기 동안 간호사는 대상자의 요구를 충족시켜야 하는 중요한 책임을 가진다. 간호과정은 수술 전기 간호계획에 근거하여 시행하도록 한다.

대상자 간호의 주요 영역은 안전, 생리적 반응, 대상자와 가족의 행동 반응 등이다. 수술 중 간호는 수술 유형에 따라 원하는 결과, 간호진단, 사정, 간호중재 방법 등이 달라진다.

1. 수술 중 간호 사정

대상자는 수술실에서 일반적으로 수술 대기실로 가장 먼저 이송된다. 간호사는 대상자가 수술복으로 갈아입었는지 확인하고, 수술 전 점검표를 확인하며, 수술 전에 필요한 간호, 즉, 피부 준비, 정맥주사관 삽입, 수술 전 투약 여부를 확인한다. 수술실이 준비되면 수술간호사는 대상자를 수술실로 옮긴다.

2. 수술 중 간호에서의 간호 진단

수술 중 대상자에게서 발생할 수 있는 문제들은 수술과정 동안 대상자의 체위, 마취제의 효과, 사용된 장비 및 잠재적 위험, 수술 동안 조직 손상, 절개 등과 관련되어 발생할 수 있다. 다음과 같은 간호진단을 수술 중 간호와 관련하여 내릴 수 있다.

- 10cm 복부 중앙선 절개와 관련된 피부 손상
- 수술 동안 혈액 손실과 관련된 체액 부족의 위험성
- 체위, 마취, 환경적 위험과 관련된 상해 위험성

수술과 관련하여 다음과 같은 문제들이 발생할 수 있다.

- 잠재적 합병증: 출혈
- 잠재적 합병증: 수술부위 감염
- 잠재적 합병증: 신경근육 상해

3. 수술 중 간호수행계획

이 기간 동안 간호과정 계획은 잠재적 합병증을 효과적으로 예방하고, 대상자의 문제를 해결하며, 대상자의 안전을 도모하는 것에 초점을 둔다. 기대되는 목표는 다음과 같은 목표를 대상자가 성취하는 것이다.

- 신경근육 상해가 없도록 한다.
- 피부 표면의 통합성을 유지한다.
- 대칭성 호흡 양상을 가진다.
- 상처감염이 없도록 한다.

수술 기간 동안 수술 간호사는 다음과 같은 활동을 수행한다.

- 대상자의 신체적 반응을 사정하고 점검한다.
- 상해, 피부 변화, 호흡기계 기능 변화, 신경근육 기능 변화 등을 예방하기 위한 체위를 유지하도록 한다.
- 대상자의 신체적 안전을 유지시킨다.
- 무균법을 유지한다.

4. 수술 중 간호수행

수술 중 간호에서는 소독간호사(scrub nurse)와 순환간호사(circulating nurse)가 수술에 참여하게 된다. 소독간호사는 수술 절차동안 멸균영역을 유지하는 책임을 지고 엄격한 외과적 무균술을 지킨다. 수술 방포를 덮고 수술 의사에게 기구, 스폰지, 봉합사 등 수술 과정에서 필요한 물품을 제공한다. 소독간호사는 사용된 기구 및 도구의 정확한 수를 세어야 하는데, 이러한 과정은 필요한 수술절차, 기술과 기구의 정확한 이해가 필요하다.

소독간호사는 멸균가운, 모자, 마스크를 착용하며 다음과 사항을 수행한다.

- 멸균상에서 멸균기구와 물품을 수술의에게 전달해준다.
- 수술시 사용된 거즈, 주사, 바늘, 기구의 숫자를 세어 확인하고, 절개부위를 수술의사가 봉합하기 전 신체 내에 하나도 남겨두어서는 안된다.
- 사용한 기구를 처리한다.

순환간호사는 대상자가 수술을 위한 준비가 되어 있는지를 확인하고 수술 중 간호계획을 위한 기초로 세우기 위해 수술 전 사정을 한다. 대상자의 이름을 물어 이름표와 기록지를 비교한다. 순환 간호사는 알러지, 내과적 문진, 신체검진 결과 검사결과 등을 확인한다.

순환간호사는 수술실내에서 소독간호사와 수술의사를 도와주며 다음과 같은 일을 한다.

- 적절한 수술체위를 취하게 하여 수술대 위에 눕힌다.
- 수술부위만 노출되도록 대상자를 잘 덮어준다.
- 수술의사와 소독간호사가 멸균가운과 장갑을 착용하는 것을 도와준다.
- 소독간호사가 멸균물품을 잡을 수 있도록 멸균물품이 든 꾸러미를 펼친다.
- 생검한 검사물을 검사실로 보낸다.
- 수술 중 부족한 물품과 기구를 보충한다.

1) 체위

수술 대상자의 체위는 수술 종류에 따라 다르다. 체위는 수술 부위의 노출과 접근을 용이하게 하고 적절한 순환과 호흡 기능을 유지해야 한다. 체위는 신경 근육 구조나 피부 손상을 유발하지 않도록 하며, 안위 및 안전을 유지시켜 주는 것이어야 한다. 마취된 대상자는 관절 손상, 근육 신장과 긴장에 대해서 정상적 방어기전에 의한 보호를 받을 수 없다. 대상자의 근육은 이완되므로 깨어있는 동안 정상적으로 취할 수 없었던 체위를 비교적 쉽게 취할 수 있다. 특별한 체위로 대상자를 두는 것이 필요하지만 간호사는 올바른 신체 선열을 유지하고 대상자를 압력, 찰과상 및 기타 상해로부터 보호해야 한다.

특별한 체위 기구들은 적절하게 지지 및 보호를 하며, 뼈 돌출 부위의 압력 분산을 위해 사용한다. 체위는 횡경막의 정상 운동 또는 신체의 순환을 방해하지 않도록 유지시킨다.

2) 방포

방포는 수술 부위의 멸균을 유지시키고, 미생물의 통로가 되는 것을 예방하며, 멸균 영역과 비멸균 영역 사이의 액체 이동을 막아 줄 수 있다. 절개 부위만 제외하고 모든 부위를 덮도록 한다. 플라스틱 접착 방포는 피부에 완전히 접착시키도록 하며, 이것은 피부 색 변화를 알 수 있어 대상자의 신체 변화를 파악하는 데 도움이 된다.

3) 기록

수술이 진행되는 동안 수술실 간호사는 대상자 사정, 기구 세기(스폰지, 도구, 기구 등), 활력 징후, 혈액 손실 등의 자료를 감시, 체위, 투약, 드레싱 및 배액 등 수술 관정에 대한 자료들을 기록한다. 이러한 기록은 수술 간호사 활동의 계획 및 수행을 포함해야 하며, 대상자의 기대되는 결과에 대한 성취 여부를 평가하는 것이다.

4) 회복실로 이송

수술 후 대상자는 수술실에서 회복실로 주의하여 이송시킨다. 이 시기는 중요한 특별히 중요한 시기로 갑자기 사망하거나, 심한 저혈압, 잠재적인 심혈관 및 호흡기계 정지가 초래될 수 있는 시기이다. 대상자를 회복실로 옮기로 회복실 간호사와 함께 수술 전후 사정 및 중재와 관련된 사항들을 논의하도록 한다.

5. 수술 중 간호평가

수술 동안 간호에 대한 평가는 기대되는 결과에 기초를 두며, 원하는 결과와 동일할 경우 그 계획은 효과적인 것이다.

III. 수술 후 간호

수술 후기 간호는 수술 직후의 간호와 수술 후 병실에 온 후 시행하는 병실간호단계로 분류할 수 있다. 간호 사정 및 간호 중재는 수술 전기 및 수술 중기의 간호에 조화를 이루어야 하며, 기능유지, 회복 촉진, 신체 구조나 기능 변화에 대한 대처 촉진 등을 이룰 수 있는 것이어야 한다.

사정과 간호 중재는 수술 직후 간호와 수술 후 계속 간호로 나누어 생각해 볼 수 있다.

1. 수술 후 간호사정

1) 수술직후 간호사정

회복실에서 마취 후 간호는 수술 후 마취로 인해 초래될 수 있는 합병증 예방에 중점을 두어 대상자 사정을 해야 한다. 사정은 지속적으로 계속되어야 하며, 수술 전 및 수술 중 자료를 비교한다. 회복실에서 사정하는 경우 호흡기계, 심혈관계, 중추신경계, 체액, 상처, 전반적 상태 등을 포함하도록 한다. 처음에는 10~15분 간격으로 사정하고, 기관에 따라서는 머리에서 발끝까지 자료를 사정하기도 하며, 계통별 사정을 시행하기도 한다. 평균적으로 회보실에 머무르는 시간은 2시간 정도이지만, 수술 종류, 마취시간, 대상자 반응 등에 따라 다양하다.

(1) 호흡상태

호흡기계 기능사정은 호흡율, 리듬, 깊이 등을 호흡음 청진, 산소포화도 등을 모니터하여 시행한다. 전신마취 대상자는 회복실에 올 때 인공 기도를 유지하고 있다. 마취제에 따라서 호흡 억제를 유발하거나 거칠고 느린 호흡을 초래하게 할 수도 있다. 혈중 산소포화도를 사정하기 위해서 맥박산소계를 사용하는데, 92-100%의 산소포화도를 유지하도록 한다. 정상적인 구개반사가 돌아올 경우 인공기도를 제거하며, 토물 흡인, 인두에 점액분비물 축적, 후두근 부종이나 경련으로 기도폐쇄 등이 초래되지 않도록 해야 한다.

다음의 사항들은 비효율적 환기상태를 알 수 있는 지침들이다.

- 안절부절
- 부속근 사용으로 비대칭성 흉곽 확장
- 얕고 시끄러운 호흡음
- 청색증
- 빠른 맥박

(2) 심혈관 상태

심혈관 기능에 대한 평가는 혈압, 맥박, 심전도, 피부색 및 상태, 호흡, 체온, 상처 등을 사정해야 하여 수술 전 후 상황을 비교하도록 한다. 저혈압은 마취제, 수술 전 투약, 체위변경, 혈액손실, 호흡 변화 및 말초 순환 정체 등으로 초래될 수 있다. 고혈압은 마취작용이나 불완전한 호흡, 수술 절차나 마취에서 회복되는 단계로 인해 올 수 있다. 또한 수술 후 출혈량과 출혈 가능성에 대하여 세심한 주의를 기울여야 한다.

(3) 중추신경계

마취는 의식 및 반사소실을 초래한다. 중추신경계 기능 회복은 자극에 대한 반응과 지남력 회복으로 사정할 수 있다.

(4) 체액상태

체액불균형은 수술 전 수액 공급 제한, 수술 중 체액 손실, 상처배액, 염분 및 수분 정체 상태인 수술부위 스트레스 반응 등에 의해 초래될 수 있다. 너무 많거나 적은 체액량은 수술 대상자에게 매우 위험하며 특히 대상자가 어린이거나 노인일 경우 더욱 심각하다. 체액량 사정은 피부긴장도, 활력징후, 소변배설량, 상처배액, 정맥내 수분 주입 등으로 한다. 정맥내 수분 투여는 투여약의 종류, 비율, 정맥 부위, 삽관 부위의 상태, 삽관이 안전하고, 열려진 상태인지 등을 사정하도록 한다.

(5) 피부 및 상처상태

회복실 간호사는 피부상태, 발적, 점상출혈, 찰과상 등을 사정하며, 수술 상처는 상처부위를 보호하고 배액을 도울 수 있도록 드레싱으로 덮는다. 드레싱에서 배액량, 색, 냄새, 배액 성분 등을 관찰하고 평가한다.

(6) 통증 관리

전신마취에서 회복되면서 느끼게 되는 통증을 사정하고, 필요할 경우 진통제를 투여하도록 한다. 통증은 객관적이고 주관적인 경험이다. 통증사정을 위한 도구로 언어적 사정도구, 숫자사정도구, 안면 근육에 따른 사정도구 등을 사용할 수 있다. 조기 진통제 투여, 비스테로이드성 약물 및 마약제제 등을 회복실에 투여할 수 있다.

(7) 전반적 상태

여러 가지 사정 및 중재들을 신체적, 정서적 안전 및 안정을 도모하기 위해 적용할 수 있다. 수술에 대한 재확인 및 확신을 지속적으로 주는 것은 심리적 안정감을 도모하는데 도움이 된다. 세심한 사정, 적절한 체위, 침상 난간 사용 및 억제대 사용 등은 신체적 안전을 유지시켜주는데 필요할 수 있다.

신체적 상태나 의식 수준이 정상적으로 안정될 경우 병실로 이송한다. 회복실 간호사는 병실 간호사에게 수술 동안 및 수술 직후 시행한 간호 사정 및 중재에 대해 설명하도록 한다.

2) 수술 후 계속 간호사정

수술후 회복실에서 간호사는 수술 전기 및 수술동안 자료에 대한 초기 사정을 한다. 수술 후 점검표가 사용될 수 있으며 초기 사정은 수술 후 의사의 지시 수행과 다음과 같은 사항들을 포함해야 한다.

- 활력징후: 체온, 혈압, 맥박, 호흡률
- 피부색 및 피부 온도: 온도, 챙백성, 청색증, 발한
- 의식수준: 시간, 장소, 사람, 자극에 대한 반응, 사지 운동 능력
- 정맥주입액: 용액의 종류, 양, 주입속도, 주입관의 안전 및 개존 여부, 주입 부위
- 수술 부위: 드레싱 및 배액 부위
- 기타 삽관: 유치도뇨관, 위장관 흡입, 배액, 배출액의 양
- 안위 수준: 통증사정(부위, 지속시간, 강도)로 진통제 투여 필요성 사정. 오심, 구토 사정
- 체위 및 안전 : 지시된 체위 유지, 의식이 완전하지 않을 경우 측위 유지하며 침상 난간을 올려주고 침상을 낮게 유지

수술 후 회복실에서 대상자의 상태가 안정될 때까지는 15분 간격으로, 처음 24시간 동안은 1~2시간 간격으로, 그 후는 4시간 간격으로 기관의 지침에 따라 사정하도록 한다.

2. 수술 후 간호에서의 간호진단

수술 후기 간호진단은 실제적 문제나 변화된 반응에 대한 위험성 및 발생할 수 있는 합병증 예방에 초점을 두도록 한다. 수술 후 간호 진단으로는 활동 지속성 장애, 배뇨장애, 역할 수행장애, 신체상 장애, 체액 부족의 위험성, 감염 위험성, 비효율적 호흡양상, 운동 장애, 언어적 의사소통 장애, 운동 장애, 기도유지 불능, 통증 등을 들 수 있다.

3. 수술 후 간호수행계획

수술후기 간호는 간호사가 수술 후 활동 수행능력을 돕기 위한 교육과 스트레스 감소를 위한 간호활동을 시행하는 수술 전기부터 시작된다. 기대되는 결과는 구체적으로 개별화되어야 하며, 수술과정, 대상자만의 독특한 요구, 위험요소 등에 기초하여 설정해야 한다. 대수술 후에는 수술 후 기대되는 일반적인 결과들이 있으며, 대상자는 다음과 같은 목표들을 달성해야 한다.

- 2~4시간 간격으로 다리운동을 한다.
- 2시간 간격으로 효율적인 심호흡 및 기침을 수행한다.
- 통증 수준을 언어로 포현한다.
- 섭취량 및 배설량에 균형을 이룬다.
- 정상적인 장 배설 및 요배설을 한다.
- 수술 부위 상처가 잘 회복된다.
- 상처에 대한 자가간호를 설명하고 시범해 보인다.

간호의 목표는 다음과 같다.
- 대상자의 신체적, 정서적 상태를 사정한다.
- 신체적, 정서적 안정과 안전을 도모한다.
- 구조나 기능 변화에 대처양상을 촉진시킨다.
- 합병증을 예방한다.
- 건강을 회복하고 안녕감을 극대화시킨다.

4. 수술 후 간호수행

수술 후 간호는 합병증을 예방하고, 건강회복을 증진시키며 병화에 대한 대처 능력을 함양할 수 있도록 한다.

1) 수술 후 합병증 예방

수술 후 합병증을 초래할 수 있는 다양한 요인들이 있다. 수술 후 대상자에 대한 지속적인 사정과 교육은 수술 후 초래될 수 있는 합병증을 예방하는데 도움이 된다.

(1) 심혈관계 합병증 예방

수술 후기 동안 호만 징후(Homan's sign)를 자주 사정하여 심혈관계 합병증을 예방하도록 한다. 호만 징후는 대상자에게 발을 배굴시킬 때 다리에 통증이 있는 경우이다. 정맥 귀환과 순환혈류를 증가시킬 수 있는 방법들은 다음과 같다.

- 최소한 1시간 간격으로 다리운동을 한다: 발을 족저굴곡과 족배굴곡을 반복한다. 무릎을 굽혔다 폈다 하면서 족배굴곡 상태에서 무릎에 힘을 준다. 다리를 들어올릴 수 없는 대상자에게는 다리를 수축, 이완시키는 등장성 운동을 하도록 한다. 침대에서 무릎을 신전시킨채 다리를 올렸다 내렸다 하는 일명 calf pumping을 시행한다(그림 21-1).

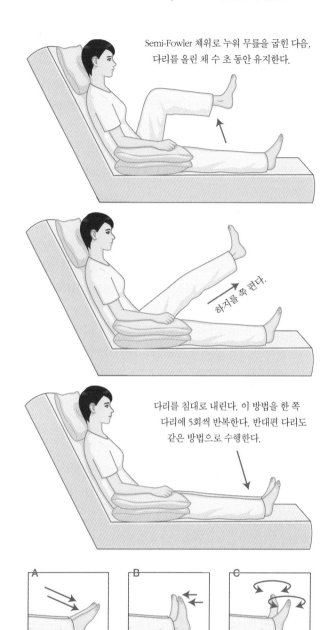

Semi-Fowler 체위로 누워 무릎을 굽힌 다음, 다리를 올린 채 수 초 동안 유지한다.

하지를 쭉 편다.

다리를 침대로 내린다. 이 방법을 한 쪽 다리에 5회씩 반복한다. 반대편 다리도 같은 방법으로 수행한다.

A 양 발가락을 침대 쪽으로 구부린다. 발 끝을 이완시킨다.
B 발가락을 발등쪽으로 당긴다. 발 끝을 이완시킨다.
C 양쪽 발목을 회전시킨다. 처음에는 오른쪽으로 다음은 왼쪽으로 회전시킨다. 3회 반복한다. 발 끝을 이완시킨다.

그림 21-1 정맥귀환 증진을 위한 다리운동

- 의사의 지시에 따라 항색전용 스타킹을 착용하게 하며 8시간마다 1시간씩 제거한다.
- 항색전용 공기스타킹 장치나 공기압박기구를 착용한다(그림 21-2).
- 사지 혈액 순환을 방해하는 체위는 금하도록 한다.
- 필요시 처방된 항응고제를 투여하도록 한다.
- 구강이나 정맥으로 수분을 주입하여 혈소판과 적혈구의 농축을 막는다.

공기압박기구 (pneumatic compression devices)

공기압박기구는 공기 펌프, 연결관 주머니로 구성된다. 주머니로 다리를 감싸거나 발에서 무릎까지 감싼다. 다양한 종류가 있으며 옆의 그림은 그 중 한 예이다. 다리쪽의 압력을 증가시켜 혈액흐름 및 정맥귀환을 촉진시켜 수술 후 발생가능한 정맥염의 위험을 감소시킨다. 이 기구는 간헐적, 또는 연속적으로 사용할 수 있다.

간헐적 공기압박기구는 한쪽 다리의 공기주머니를 팽창, 수축시키고, 다른쪽 다리도 동일하게 적용한다. 연속적 공기압박기구는 계속적으로 압력을 가한다.

양쪽 다리를 번갈아 압력을 가하거나, 동시에 두 다리에 압력을 가할 수 있다.

간호수행

- 기구의 사용 목적을 설명한다.
- 다리와 주머니 사이에 손가락 두개가 들어갈 만큼의 공간을 둔다.
- 대상자가 움직이는 동안에도 공기흐름이 방해받지 않도록 튜브위치를 고정시킨다.
- 최소한 1일 1회는 주머니를 제거하며 피부상태를 사정한다.
- 말초맥박, 부종, 감각변화, 사지의 움직임을 사정한다.
- 근무교대시마다 간격을 두고 기구의 작동 여부를 확인한다.

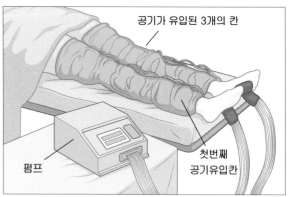

그림 22-2 항색전용 공기스타킹 장치

공기가 유입된 3개의 칸

첫번째 공기유입칸

펌프

---

(2) 호흡기계 합병증 예방

호흡기계 합병증을 예방하기 위해서는 대상자의 적극적이고 능동적인 참여가 필요하다. 폐확장과 폐분비물의 제거를 증진시키는 방법은 다음과 같다.

- 최소한 2시간 간격으로 횡경막 호흡 운동을 실시한다. 폐포가 열리도록 최대 흡기 후 3~5초 동안 참았다가 호기하도록 한다.
- 강화폐활량계를 사용하여 최대 흡기를 할 수 있도록 한다.
- 흉벽 확장과 호흡수 증가를 위해 조기 이상을 격려한다.
- 1~2시간 마다 체위 변경과 좌위를 취하도록 한다. 체위 변경은 폐의 확정을 도모하며 좌위는 중력에 의해 복부 장기를 아래로 내려 횡경막 운동과 폐확장을 촉진시킨다.
- 기침을 장려하여 분비물 배설을 용이하게 한다.
- 점액이 잘 배출될 수 있도록 구강간호를 시행한다.
- 기침이 어려울 경우 구강이나 비강으로 흡인한다.

(3) 수술 부위 감염 예방

간호사는 수술 부위의 회복 촉진과 감염 예방을 할 수 있도록 사정한다. 간호 중재는 수술 부위의 합병증 예방을 위해서 다음과 같은 사항을 감시해야 한다.

- 활력징후, 특히 체온상승을 사정한다.
- 수화(hydration)를 유지한다.
- 영양상태를 유지한다: 고단백, 탄수화물, 칼로리, 비타민 식이를 격려한다.

- 적절한 손씻기를 사용한다.
- 수술 부위의 드레싱 부위 변화, 삽관 및 배액 부위의 무균술 유지한다.

2) 건강회복 증진

수술 후 대상자의 건강 회복을 위한 중재방법은 배설요구, 영양 및 수분 유지요구, 안정과 안전 요구 등에 대한 간호에 중점을 두도록 한다.

(1) 배설 요구

장배설 및 뇨배설은 마취, 수술, 부동, 수술기간 동안 수분과 음식물 섭취 제한 등으로 변화되기 쉽다. 정상적인 장배설을 유지하기 위해서는 다음과 같은 사정 및 중재하도록 해야 한다.

- 대상자가 깨어있는 동안은 장음을 4시간 간격으로 청진하여 연동 운동이 회복되었는지를 사정한다.
- 의사의 지시가 있을 경우 쥬스나 고섬유질 식이를 특히 장려한다.
- 변기, comode, 화장실 등을 사용할 경우에는 프라이버시를 유지시켜준다.
- 좌약, 관장, 약물 등을 대변 이완제로 처방에 의해 투여한다.

정상적인 장배설을 유지하기 위해서는 다음과 같은 사정 및 중재하도록 해야 한다.

- 섭취량 및 배설량을 모니터한다.
- 변기, comode, 화장실 등에서 배뇨할 경우 중력이 아래로

향하는 정상적인 체위를 취하게 하여 배뇨를 용이하게 한다.

- 처방된 정맥 주입 속도를 유지한다.
- 처방이 있을 경우 구강 수분 섭취를 격려한다.
- 변기, comode, 화장실 등을 사용할 경우에는 프라이버시를 유지시켜준다.

(2) 수분 및 영양 요구

수분 및 영양 요구를 위해서 간호사는 다음과 같은 사항들을 사정하고 중재한다.

- 섭취량과 배설량을 모니터한다.
- 정맥주입 속도를 처방대로 유지한다.
- 필요할 경우 식사전에 구강 간호를 수행한다.
- 식욕을 증진시킬 수 있는 환경을 조성한다.
- 음식 섭취에 가족의 참여를 격려한다.

(3) 안위와 휴식 요구

수술 후 안위에 대한 요구는 우선순위를 가진다. 수술 대상자의 안위를 위협하는 요소로는 오심, 구토, 갈증, 딸꾹질, 수술 부위 통증 등이 있다. 다음과 같은 사항들은 휴식과 안위를 증진시키는데 도움이 될 것이다.

① 오심과 구토

- 한번에, 특히 금식 후 많은 양을 섭취하지 않도록 한다.
- 처방된 약물을 투여한다.
- 필요할 경우 구강간호를 수행한다.
- 깨끗한 환경을 조성한다.
- 빨대 사용을 금한다.
- 냄새가 강한 음식은 삼간다.
- 진통제나 항생제 등에 과민 반응이 있는지를 미리 사정한다.
- 장배설을 유지시킨다.

② 갈증

- 허용될 경우 금식할 때 얼음 조각을 먹는다.
- 구강 간호를 수행한다.

③ 딸꾹질

- 숨을 멈추고 물을 몇 차례 삼킨다(금식이 아닐 경우).
- 티스푼으로 설탕을 먹는다.

④ 수술 부위 통증

- 통증을 자주 사정한다: 진통제를 2-4시간마다 수술 후 처음 24~36시간동안 처방이 있을 경우 투여한다.
- 통증관리에 대한 수술 전 교육을 강화시킨다.
- 비약물적 보조 방법을 제공한다: 마사지, 체위 변경, 이완요법, 심상요법, 명상요법, 음악요법 등.

5. 수술 후 간호수행의 평가

수술 후 간호에서 회복과 재활에 대한 기대되는 결과 달성 여부에 대한 평가는 여러 가지 방법으로 가능하다. 원하는 결과를 달성했는지가 퇴원하는 시점까지 명확하지 않을 수 도 있으므로, 많은 병원에서는 전화로 추후관리 여부를 조사하거나 우편으로 확인하기도 한다. 신체적 상태에 대한 확인은 추후 병원 외래 방문시 가능하다. 만약 수술부위의 감염이 없고, 대상자는 만족스러운 통증 관리를 수행하는지와 수술 부위의 합병증 위험성이 없는지를 평가 영역에 포함해야 한다.

PART VII
FUNDAMENTAL OF NURSING

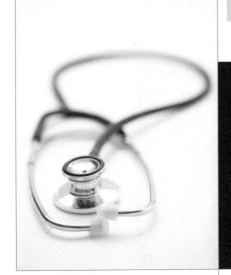

임종 간호

임종간호 단원에서는 대상자가 임종
을 맞이하기까지 겪게 되는 정신, 신
체, 사회적 변화에 대한 간호를 다루
었으며 대상자 자신뿐만 아니라 가족
을 같이 돌보는 호스피스 간호의 개념
과 원리를 다루었다. 또한 대상자 임
종 후 신체적 변화 및 이에 대한 임종
간호와 임종 후 법적 관리지침과 사후
사체관리 및 근거를 기술하였다.

CHAPTER 22

호스피스

학습목표

1 호스피스 개념을 이해한다.
2 죽음에 따른 대상자의 심리적 변화를 이해한다.
3 임종의 단계를 이해한다.
4 사별대상자 가족간호를 이해한다.
5 죽음을 맞이하는 대상자의 요구를 이해한다.
6 사별대상자 가족의 간호요구를 사정한다.

I. 호스피스의 개요

1. 호스피스의 배경

호스피스란 임종을 맞이하게 된 사람들을 돕는 프로그램으로 개발된 것이다. 어원은 라틴말로 Hospitum인데 영어로는 house of rest, 즉 쉬는 집이다. 이는 중세시대에 성지를 순례하거나 수도를 하기 위하여 떠돌아다니는 성직자들이 목적지에 도착하기 전에 쉬었다가 가는 곳으로 무료로 되어 있었다. 지금은 세상을 떠나는 사람들을 돌보아 주는 장소라는 뜻으로 호스피스가 사용되고 있다.

역사적 배경으로는 서양에서는 본래 호스피스는 중세기에 예루살렘으로 성지순례를 온 이들이 쉬어가는 숙소를 지칭하는 이름이었다. 그런데 19세기 초부터 수녀들이 임종자들을 한곳에 모아 돌보아 주는 임종의 집을 호스피스라 부르기 시작했다. 또한 20세기에 들어와 물질문명과 의학이 발전하자 의료계는 모든 질병을 고칠 수 있으며 항암제의 개발로 암도 정복할 수 있다는 기대를 갖고 질병의 완치에만 몰두 하였다. 그러다 보니 죽음이 예견되는 말기 대상자를 소홀히 하게 되어 인간존엄성에 대한 사회적 문제가 야기되었다. 이러한 시대적 요청에 부응하여 말기 치료와 죽음의 과정을 돌보아주는 운동이 일어났는데 이 운동을 호스피스라 부르게 되었다.

현대적 의미의 호스피스는 1967년 영국에서 의사인 시슬리 썬더스박사가 현대 의학을 호스피스에 접목시켜 여러분야로 구성된 근대적 호스피스로 크리스토퍼 호스피스를 세우면서 시작되었다. 한편 미국과 캐나다에서는 호스피스를 현대의학에 받아들이면서 죽음을 너무 강조하는 느낌이 드는 호스피스보다 항암 치료 같은 생명연장 치료를 포함한 '완화치료'로 부르기 시작하였다. 현재에는 독립된 호스피스병원 형태, 병원 안에 있는 호스피스 팀 또는 호스피스병동이 있는 형태, 병원 안에서 대상자의 의뢰를 받아 제공하는 상담 완화 치료서비스가 이루어지는 형태, 완화 치료 팀이 구성되어 의사, 간호사, 봉사자들의 교육프로그램 개발하는 형태, 그리고 완화치료를 전담하는 '완화의학과'라는 한 분과가 의료체계 안에 있는 형태로 된 완화치료의 조직망이 형성. 발전되어가는 추세다. 한국에서는 1964년 '마리아의 작은 자매 수도회'가 국내에서 처음으로 강릉에서 호스피스활동을 전개한 것이 호스피스 활동의 시작이다.

호스피스 대상자

- 임종이 3~6개월 이내로 예견되는 말기대상자
- 수술, 항암요법, 방사선요법을 시행했으나 더 이상 의료적 효과를 기대하기 어려운 대상자
- 통증완화, 증상관리를 주목적으로 꼭 필요한 치료만 제공함을 원칙으로 할 대상자
- 입원당시 의식이 명료하고 의사소통이 가능한 대상자
- 심폐소생술, 치유나 검사를 목적으로 하는 집중치료는 가능한 한 시행하지 않을 것을 원칙으로 할 대상자
- 단 통증완화를 목적으로 신경차단술, 항암제투여, 방사선 요법을 시행한다.
- 임종을 목적으로 입원시키지 않는다.

호스피스 자원봉사자의 자질

- 성숙되고 정서적으로 안정된 사람
- 죽음에 대한 어떤 경험이 있는 사람
- 죽음을 일생의 한 부분으로 인정하는 사람
- 동정심이 있는 사람
- 건강한 감정의 소유자
- 좌절을 잘 극복할 수 있는 사람
- 겸손한 사람
- 유머 감각이 있는 사람
- 관계를 개발시키고 유지시킬 수 있으며 전문적인 교육을 받는 사람
- 여러 가지 비유, 종교적, 문화적, 상징적인 것에 대해 지식과 이해력을 가진 사람
- 삶과 죽음에 관하여 긍정적인 태도를 가진 사람
- 여러 분야의 사람들과 함께 일할 수 있는 능력을 가진 사람

자원봉사자 선발에서 제외되는 사항

- 1년 이내에 근친 상을 당해 상실의 슬픔이 완전히 가시지 않은 사람
- 특정 종교의 목적으로 봉사활동을 하고자 하는 사람
- 죽음에 대한 호기심 때문에 호스피스에 흥미를 느끼게 된 사람
- 현재 치료 중에 있는 암 대상자

2. 호스피스의 정의

호스피스구성원의 소명은 대상자와 그 가족의 신체적, 사회적, 심리적 그리고 영적 요구를 충족시켜 줄 뿐만 아니라 임종대상자의 죽음의 과정을 변화시켜 견딜 수 있고 의미가 충만한 경험이 되도록 해주는 것이다. 근래에 와서 호스피스는 장소나 건물이 아니고 하나의 개념이며 태도로서 정의하고 있다. 그것은 아이디어의 통합이고 총체적 철학을 기반으로 한 서비스와 돌봄을 의미한다. 따라서 호스피스란 임종을 맞이하는 자들이 죽음을 받아들이고 희망 속에서 가능한 한 편안한 삶을 살도록 하는데 전념하며 삶과 죽음에 대해 총체적 접근을 하게 하는 것이다.

호스피스에서는 약물로 치료가 불가능하다고 하는 결론이 났을 때 치료(cure)를 하는 게 아니라 돌보아주는(care)프로그램이다. 이는 사회적인 면, 의학적인 면, 종교적인 면 등 여러 요인을 포괄하여 대상자의 어느 한 부분을 돌보는 것이 아니라 전인적으로 도와주는 것이다. 즉, 대상자의 남은 생애를 풍성하게 누리도록 도와주는 매우 복합적이고 포괄적인 도움을 주는 프로그램이다.

이 프로그램에는 치료가 불가능한 대상자와 더불어 대상자의 가족들이 참여해야 한다. 즉 대상자만 돌보는 것이 아니라 대상자와 연결되어 있는 가장 가까운 가족들이 참석하여 대상자를 어떻게 효율적으로 돕는가에 관심을 두게 된다. 즉 병원은 대상자를 치료하는 곳이고 호스피스는 대상자와 가족을 하나로 묶어서 돌보아 주는 장소라고 할 수 있다.

호스피스에서는 사람의 생명을 인위적으로 연장시키려고 하는 의학적인 노력을 하는 곳이 아니다. 따라서 치료실이나 수술실이 있는 것도 아니며 대신 음악치료법이나 미술치료법을 사용해서 살아있는 동안 대상자에게 풍성한 생명이 될 수 있도록 도와주는 데 초점을 두고 있다. 따라서 호스피스에서는 어떤 특정 직종이 수위를 차지하는 것이 아니라 한 그룹이 대상자가 필요로 하는, 대상자의 삶의 질을 향상할 수 있는 작업에 종사한다.

이에는 의사, 간호사, 사회사업가, 종교가, 영양사, 자원봉사자들이 이에 속한다.

아동 호스피스의 대상

- 연령: 0~18세 사이의 말기 대상자
- 질환: 말기 질환(암, 선천성 기형, 신경계 질환, 심맥관계 질환, AIDS)
- 예후: 약 1년 반 이내

임종대상자를 인터뷰한 결과에서는 임종대상자의 가장 심각한 문제는 통증, 외로움과 조절능력의 상실이라고 하였다. 즉 첫째, 임종대상자에게 있어서 통증은 무의미하고 불필요한 것이다. 죽어가는 대상자를 통증에 시달리게 하는 것은 어리석고도 비인간적인 것이다. 둘째로는 외로움인데 대부분의 의료인들은 이 점을 중요시하지 않는다. 그러나 외로움은 매우 중요한 문제이며 외로움은 신체적 통증처럼 견딜 수 없는 부분이다. 고독의 아픔은 커다란 사랑과 깊은 관심을 통해서만 예방할 수 있고 완화시킬 수 있는 것이다. 이런 이유로 호스피스에서는 가족들이 적극적으로 개입하여 임종자를 돌보며 자원봉사자로 하여금 자발적으로 대상자를 돌보도록 하는 점이 호스피스의 핵심이 된다. 셋째로 조절능력의 상실도 대부분의 사람은 중요하지 않다고 생각하나 실상 우리 모두는 자신의 삶을 조절할 능력을 가지고 살아가므로 이 문제는 매우 중요하다. 임종에 가까운 대상자들은 자신이 중요한 사람임을 느끼도록 해야 하며 그러한 면에 영향을 줄 수 있는 사소한 의사결정을 하도록 하는 것은 중요하다.

3. 아동 호스피스

아동 호스피스는 특히 아동들이 자신의 죽음에 대해 이해도가 낮고 부모의 경우에도 아동이 죽는다는 사실을 받아들이기가 힘들기 때문에 접근하기 어려운 측면이 있으나 바로 이러한 점 때문에 환아와 부모를 그 구성단위로 하여 적극적이고 필요 적절한 돌봄이 요구된다. 특히 부모에 초점을 맞추어야 하며 그 이유는 환아가 의사결정능력이 없어 부모의 도움이 절대적으로 필요하며 사별한 후 죽은 아이의 영향이 부모의 죽는 날까지 지속되기 때문이다.

아동호스피스는 말기 질환을 가진 18세 미만의 아동과 청소년 및 그 가족을 대상으로 다학제간 접근을 통해 다양한 돌봄을 제공한다. 아동호스피스의 목표는 환아와 그 가족을 구성단위로 하여 환아와 그 가족의 삶의 질을 고취시키는데 있다. 따라서 환아와 그 가족이 호스피스가 제공하는 돌봄의 과정에서 발생하는 모든 의사결정과정에 적극적으로 참여하도록 돕는다.

II. 죽음을 앞둔 말기 대상자의 요구

1. 죽음을 앞둔 말기 대상자의 요구

임종대상자에게 있어서의 삶의 의미란 가능한 한 인간다운 생활을 계속하는 것과 동통이나 불안에 압도되지 않고 가족이나 주위사람들과 즐겁게 지내는 것으로 정상인과 다름이 없는 것이다. 그들이 삶의 의미라고 말할 때 우리는 일상생활 가운데 있는 아무렇지도 않은 한 장면을 지적할 수가 있듯이 일반적인 생활이라는 것은 누구에게나 같은 것이다. 삶은 창문 너머로 보이는 일출과 석양, 새의 지저귐 소리, 꽃향기, 어린 아기의 울음소리, 사랑하는 사람과의 대화나 숲 속을 산책하는 것, 여행, 독서, 수예 등 활기찬 생의 무한한 즐거움이 포함되어 있다.

만약 우리들에게 선택권이 주어지게 된다면 대부분의 사람은 존엄성을 가지면서 죽는 것을 택할 것이다. 존엄사란 인간답게 자연인으로 '죽음을 받아들이는 감각' 이라고 하는 것일 수 있다.

2. 임종을 맞는 대상자들이 시사하는 죽음에 대한 공포

사람은 태어나면서부터 죽음에 대한 공포를 가지고 있다. 사람들의 죽음에 대한 공포감을 분석하면 기본적으로는 다음의 3가지 세부적 공포로 나누어 볼 수 있다. 즉, 보통의 임종대상자에서 보여 지는 것과 같은 육체적 고통에 대한 무서움, 사랑하는 자를 남기고 간다는 것에 대한 무서움 그리고 미지의 세계로 간다는 무서움이다.

그 외 대상자들이 막연하게 시사하는 공포는 동통에 대한 공포, 호흡곤란에 대한 공포, 치매 상태가 되지 않을 까하는 공포, 죽는 순간 혼자서 죽게 되는 것은 아닐까하는 공포, 경제적인 공포, 고독에 대한 공포, 돌보아 주지 않을 것이라는 공포, 말해주지 않을 것이라는 공포, 의료인으로부터 포기되어 버려진다는 공포, 현재의 상태는 자신에 대한 형벌이며 그에 대해 참아야 한다는 공포, 경제적인 어려움에 빠질 것이라는 공포, 추악하게 된다는 공포, 가족에게 부담을 주게 된다는 공포, 다른 사람에게 도움을 받을 수 없게 될 것이라고 생각하는 공포, 지능을 상실할 것이라는 공포, 충분한 시간이 없다는 공포, 외관의 변화와 더불어 거절되는 것은 아닌가 하는 공포, 자제심이 없어지는 것에 대한 공포, 불안해하는 가족으로부터 추궁 받는 공포, 사람을 믿지 못하게 되는 공포, 틀린 정보에 대한 공포, 자식의 수발을 못하는 공포, 약속이 이행되지 않을 것이라는 공포 등이다.

또한 임종을 맞이하는 사람은 이러한 공포에 대한 어떠한 요

표 22-1 죽음을 앞둔 말기 대상자의 요구

요구	근거
옆에 친구가 가까이 있기를 원한다.	말기대상자에게 가장 고통스러운 것은 인생의 마지막 단계에 혼자 버려진다는 느낌이다. 죽음에 대한 공포가 의사나 간호사나 가까운 가족이나 친지들도 대상자로부터 멀어지게 한다. 말기 대상자는 마지막에서 가족과 지역사회의 공동체로부터 아낌을 받는 존재이기를 원한다.
대상자는 자기 결정권을 갖기를 원한다.	인간에게 있어서 가장 중요한 것은 자기가 사는 방식을 자기 스스로 결정할 수 있는 것이다. 말기 대상자들이 공통적으로 가지고 있는 것은 자신이 개인적으로 결정을 하지 못한다는 것을 두려워하는 것이다. 생각이 혼란스럽고 자기 의심이 생기고 또 일반적으로 자기는 아무것도 할 수 없다는 감정은 대상자로 하여금 모든 것을 전문가에게 맡긴다는 소극적인 자세로 갈 수 있다. 그러나 자기 결정이라는 것이 대단히 중요한 가치라면 단순히 시간을 절약하고 효율적이라는 이유만으로 대상자와의 협의 없이 의료인들이 일방적으로 정하는 것은 문제가 있으며 실제로는 대상자의 생의 마지막 단계에서 오히려 대상자가 자신에 대해서 스스로 결정권을 가질 수 있도록 권장하고 그렇게 분위기와 조건을 마련하는 것이 중요하다.
대상자는 인간성장을 위한 요구를 가지고 있다.	죽는 순간까지 죽어가는 사람들도 뭔가 자기 자신이 유용한 존재가 되고 싶다는 욕망을 가지고 있다. 따라서 대상자 특유의 방법으로 자기의 죽음 자체를 능동적으로 적극적으로 직면해서 행동할 수 있게 도와줄 필요가 있다.
죽는 행위의 주인공으로 적극적인 역할을 하기 원한다.	저지르기 쉬운 과오 중에 하나는 말기대상자는 이제 아무 쓸모가 없고 중요하지 않은 존재라고 하지만 실제 말기 대상자는 존재가치가 없는 사람이 아니고 공동체를 위해서 어떤 중요한 역할을 하는 존재이다. 예를 들면 산다는 것이 뭔가, 삶의 의미, 시간과 영원의 뜻 이런 것들을 깊이 생각하게 도와준다. 따라서 죽음을 앞둔 사람에게 그가 죽음이라는 엄청난 인생의 가장 중요한 사건을 앞두고 그것을 능동적으로 적극적으로 승화시킬 수 있도록 도와주어야 한다.
자신의 병에 대해서 진실을 알고 싶어 한다.	대상자에게 병을 알려주지 않는 것은 대상자를 위한 것보다 말해주는 자신이 죽음에 대한 공포를 갖고 있어서인 경우가 많다. 진실을 안다는 것은 인간의 기본적 권리이고 그것은 인간에게 주어진 하나의 기본적인 가치이기 때문이다. 진실을 말해준다는 것은 대상자와 의료인간에 기본적인 신뢰관계를 유지하는 것이다. 또한 대상자가 의심을 가지고 감시하고 있는 듯한 태도는 결코 대상자자신에게 좋은 것이 아니다. 그리고 대상자는 자기의 삶이 얼마 안 남았다는 것을 미리 앎으로써 자기가 하고 싶은 일, 미처 못 했던 일들을 할 수 있고 남은 일을 정리하고 모든 사람들과 인간관계를 회복할 수 있는 계획을 세울 수 있고 실천할 수 있다는 것이다.
품위 있게 위엄성을 가지고 죽기 원한다.	죽어가는 대상자는 위엄을 갖고 임종에 임하기를 원한다.
대상자는 자기의 전 생애를 돌아보는 하나의 정신요법을 원한다.	화해를 하고 자기 생을 정리할 수 있는 시간을 주는 것은 중요하다. 해결되지 않은 인간관계 때문에 계속 고통스러워하는 대상자로 하여금 용서를 필요로 할 때는 용서를 구하게 하고 화해할 필요가 있을 때는 화해를 하도록 함으로써 편안한 마음으로 갈 수 있도록 도와주어야 한다.
고통을 통제할 수 있기를 원한다.	고통이라고 할 때는 통합적 고통이라고 할 수 있는 데 그것은 정신적 고통, 육체적 고통, 사회적 고통, 영적고통의 네 가지를 합한 것이다.
대상자는 유머나 웃음을 갖기를 원한다.	유머와 웃음은 말기대상자가 마지막 죽는 과정을 밟을 때 그 사람의 모든 정신건강을 도와주는 가장 귀중한 과정이다. 유머는 사랑의 표현이다. 신이 인간에게 준 가장 귀중한 선물 중에 하나는 웃을 수 있는 능력과 유머이다.
죽음 후에 영생에 대해 알기를 원한다.	'죽음이 모든 것의 끝이다.' 라고 생각하는 것과 '죽음은 영원한 생명에 들어가는 시작이다.' 라고 생각하는 것 사이에는 죽어가는 사람이 갖는 죽음에 대한 태도에 큰 차이가 있다. 대상자에게 가장 큰 희망을 주는 것은 사후의 영원한 세계에 대한 희망을 주는 것일 수 있다.

표 22-2 연령증가와 죽음에 대한 인지능력

연령대	죽음에 대한 인지능력
3~5세	죽음이 최종적인 것이며 완전한 종말이나 끝이라는 개념을 갖지 못하는 단계이다. 이 단계에서는 죽은 사람은 현재 잠자고 있는 상태이거나 멀리 떠나가 버린 것이며 이미 죽었다 하더라도 다시 회복되어 살아날 수 있다고 본다. 아직 추상적으로 죽음을 분명하게 이해하고 개념화시키지 못한다 하더라도 이미 죽음이라는 현상에 대하여 경험하고 있는 것만은 사실이다.
5~9세	이 단계의 아동들은 죽음이 최종적인 것이고 일단 죽고 나면 다시 살아날 수 없다는 것을 깨닫게 된다. 그러나 죽음이 반드시 불가피한 것은 아니며 모면할 수 있는 것으로 파악한다. 이 단계의 독특한 점은 아동들이 죽음을 의인화 시키는 점이다. 즉 죽음이란 사악한 사람이나 어린아이를 귀신이나 해골 등이 밤에 와서 데려가는 것이므로 착한 아이가 되거나 사람을 데려가는 귀신보다 더 강력한 인물이 되면 죽음을 피할 수 있게 된다. 그러므로 죽음보다 더 빨리 뛰어 도망치거나 방문을 꼭 걸어 잠그거나 하여 적절한 상황만 만든다면 죽지 않을 수도 있는 것이라고 생각한다.
9~10세 이후	이 시기에 도달하면 죽음이란 최종적인 것이며 원상회복이 불가능하고 아무도 회피할 수 없는 것임을 인식하게 된다.즉 죽음이란 인간에게 운명 지워진 것이며 이 지상에서의 생명의 종말을 고하는 것으로 몸이 부활할 수 없고 마치 꽃이 시들어 가듯이 죽게 된다고 본다.
12~18세	오래 끄는 죽음을 두려워하며 무모한 행동으로 죽음에 도전하면서도 죽음을 물리칠 수 있다는 공상에 잠길 수 있다. 죽음에 대해 드물게 생각하며 죽음을 종교적 철학적 용어로 생각하는 경향이 있고, 성인 수준의 죽음에 대한 태도를 지닌다.
성인기	청소년기 이후에는 죽음에 대한 명확한 관념을 갖게 됨으로 죽음에 대한 관심과 불안이 생겨난다. 한국과 미국의 대학생을 대상으로 죽음의식을 조사한 연구에 의하면 한국의 대학생들에게는 죽음을 '자연현상' 의 하나로 보고 생의 모든 것이 죽음에서 끝나는 것으로 보는 경향이 있다. 이에 반하여 미국 대학생들은 죽음을 '기독교적 관점' 에서 파악하여 모든 것이 끝나는 것이 아닌 영생을 위한 하나의 전제로 인식하고 있다는 보고가 있다.
성인기 후기(40대 이후)	성인 후기에는 죽음에 대한 태도가 달라진다. 종래에는 이들 장년기의 성인들이 단순히 죽음을 부정하거나 거부하는 태도를 보인다고 생각해 왔으나 반드시 그렇지는 않다. 오히려 시간전망의 변화로 인하여 죽음에 대한 태도가 더욱 뚜렷해진다. 이때 시간전망의 변화란 자기의 나이를 출생 시부터 지나간 기간으로 계산하기 보다는 인생의 마지막 순간을 생각하면서 앞으로 남은 기간이 어느 정도인가를 계산하는 것을 말한다. 그러므로 이미 이처럼 연령계산을 하는 장년기가 되면 죽음을 염두에 두고 살아간다고 볼 수 있다.그리고 개인이 자신의 생활환경의 스트레스에 어느 정도 적응해가면서 살아가고 있는가 하는 것으로서 이에 따라 죽음에 대한 태도가 달라진다. 특히 일상생활에 잘 적응하고 있는 경우에는 죽음에 대한 자세 역시 보다 긍정적이고 수용적이다.
노년기	장기적이고 만성적인 질환을 두려워한다. 가족원과 동료의 죽음을 직면하며 고통에서 해방하던가 앞서 죽은 가족과 재결합을 한다는 것 등 죽음에 대한 다양한 의미를 부여한다.

구를 갖고 있는데, 즉 누구라도 솔직하기를 바라는 요구, 정직함, 용태를 알고 싶다는 요구, 자신의 생사를 정하는 것에 참가하고 싶다는 요구, 고립되지 않고 어울리고 싶은 요구, 있는 그대로 자기 자신의 가치를 인정해 주기 바라는 요구, 정상이기 바라는 요구, 아픔에서 해방되고 싶은 요구, 수면의 요구, 이해받고 싶은 요구, 가족, 친구, 의사로부터 버림받지 않을 것임을 확인하고 싶은 요구, 자신의 이야기를 들어주기 바라는 요구, 사랑받고 싶은 요구, 자신의 사후에도 남은 가족이 잘 살기를 보장해 주기 바라는 요구, 계속적으로 안심할 수 있는 간호의 제공요구, 가족이 피곤해 버리지 않도록 원조를 해주기 바라는 요구, 언제라도 상담해줄 수 있는 배려의 요구, 평안과 조용함의 요구, 종교적 요구 등이다. 대상자로부터 자주 받는 질문은 다음과 같은 것이 있다.

'어떻게 되어 있는가? 어떻게 되는가? 언제 죽는가? 혼자가 되어 버리는가? 어떻게 되는지 알 수 있는 것인가? 열심히 간호해 줄 것인가? 가족은 도대체 어떻게 되어 버리는가?

이러한 무수한 공포에도 St. Christopher's Hospice의 Cicely Saunders은 명료하게 다음과 같이 말하고 있다. 「죽음이 한 치 가까이 다가 왔거나 혹은 대상자가 자기 자신의 방법으로 죽음에 임할 때 죽음은 그만큼 무서운 것은 아니다」

III. 임종의 단계와 간호

사람은 누구나 한번 태어나면 죽게 마련이다. 이것을 부정하거나 거부할 수 있는 사람은 아무도 없다. 다만 사람마다 차이가 있다면 죽음을 어느 정도로 자연스럽게 받아들이면서 '죽어 가는가.' 하는데 있다.

죽음이 도대체 무엇인가를 어느 정도의 연령에서부터 명확하게 인식할 수 있을까?

이러한 질문은 논의되어야 할 문제이다. 왜냐하면 개인의 인지능력이 어느 수준까지는 발달해야만 삶과 죽음을 구별할 수 있게 되고 죽음이 어떠한 상태인가를 판단할 수 있기 때문이다.

1. 임종의 단계

1965년 현대의 죽음에 관한 권위자중 한 사람인 Elizabeth Kubler-Ross를 4명의 신학생이 방문하였다. 그들은 인간이 직면하는 가장 큰 위험에 관한 논문을 쓰기 위해 지도를 받으러 온 것이다. 학생들은 '죽음' 을 자신의 논문테마로 하였는데 자료를 모으는 것이 곤란하여 거의 불가능에 가까웠다. 그들은 우선 어떻게 해서 '죽음' 의 연구에 임할 것인가를 검토하였다. 따라서

그들은 말기 대상자에게 모든 것을 받아내기로 하였다. 그들은 말기 대상자를 관찰하고 설문조사를 실시하였다. 종말기 대상자의 주위 사람들의 반응도 조사하였으나 가능한 한 임종대상자와 접촉하려고 노력하였다. 이렇게 해서 유명한 Kubler-Ross의 'Seminars on Death and Dying' 의 연구가 나오게 된 것이다. 연구결과 죽음의 수용단계를 5단계로 분류하였다.

1) 부정과 격리

일단 회복 불가능한 불치병에 걸렸다는 진단을 받으면 대상자는 아무 일도 없는 것처럼 행동하고 이를 인정하지 않으려 한다. 그리하여 진단이 잘못되었거나 의사의 실수라고 생각하고 다른 병원, 다른 의사들을 찾아다니게 된다. 이와 같은 죽음과 불치병에 대한 부정은 사실상 갑작스런 충격에 대하여 하나의 완충장치로서 작용하게 되고 죽음을 받아들여야 하는 현실에 대한 고통을 덜 느끼도록 하는 역할을 하게 된다. 또한 대상자는 죽음에 직면한 현실을 심리적으로 격리시켜 의식하지 않음으로써 심리적 안정을 유지하려고 노력하는데 이것은 궁극적으로 부분적으로나마 죽음을 평온하게 받아들일 수 있는 길을 터준다.

2) 분노

자신의 병증세가 점점 더 명확히 드러나고 이를 조금씩 받아들이지 않을 수 없게 될 때 대상자들은 분노의 감정을 갖게 된다. 즉 건강한 사람이나 이와 같은 불치병에 걸리지 않은 사람들에 대해서 부러워하며 분노와 원망을 느끼게 된다. 그리하여 '왜 하필 내가 이런 병에 걸렸는가?' 라는 생각에 집착하여 주위의 가족은 물론 치료진에까지 화를 내고 원망을 하게 된다. 이러한 원망과 분노는 대상자자신이 아직 '죽지 않고 살아있음을 증명' 하려는 노력으로도 해석할 수 있으므로 이 분노의 감정을 보다 충분히 이해해 주고 보살펴줄 필요가 있다.

3) 협상(타협)

죽음에 대한 부정과 분노의 시기를 거치면서 대상자는 자신에게 아무런 소득도 없으며 죽음을 모면할 길이 없음을 점차 인식하게 된다. 그래서 상실이라는 현실에 대한 지각을 미루고 상실을 막을 수 있는 것처럼 여러 가지 방법을 모색한다. 대상자는 자기에게 아직 처리해야 할 일과 과업이 남았으므로 그러한 일이 끝날 때 까지만 살 수 있게 해달라는 해야 한다. 그러한 타협의 대상은 하나님 같은 절대자일 수도 있고 의사 혹은 암과 같은 질병 그 자체 일 수도 있다. 예를 들면 막내딸이 결혼할 때까지 혹은 벌여놓은 사업과 재산을 정리할 때 까지만 더 살수 있게 해달라는 타협이다.

4) 우울

죽어가는 과정의 네 번째 단계는 대상자 자신이 여러 가지 사물을 상실하게 됨에 따라 생기는 우울증이다. 퀴블러로스(Kubler-Ross)는 이와 같은 우울반응을 특히 두 가지로 나누었는데 반응적 우울증과 예비적 우울증이 그것이다. 그중 반응적 우울증은 병으로 인하여 상실한 것에 대한 원통함, 수치심, 죄의식 등을 수반하는 것이 특징이다. 두 번째 예비적 우울증은 죽음을 인식하고 세상의 모든 애착을 끊어버려야 하는 데 대한 슬픔을 미리 나타낸 것이다.

이러한 죽음에 대한 준비로서 우울증경향은 사실상 주위의 가족과 친지 그리고 일생동안 관련지어져왔던 사물들과 결별하는 데 필요한 하나의 점진적이고 자연스러운 과정이다. 우울단계에서 사람들은 극도의 외로움을 느끼고 대인관계가 위축된다. 그러므로 이 시기에 주변의 인물들이 보다 따뜻한 자세로 대상자를 보살피는 것이 중요하다.

5) 수용

위에 제시한 네 가지 단계를 거쳐 오면서 대상자 자신은 재기를 위한 여러 가지 노력과 시도를 하여왔다. 그러나 이제 마지막 시기에 이르러서는 매우 지치고 허약하게 되어 자기 자신도 죽음을 수용하게 된다. 의사나 간호사는 물론 가족과 친지도 이 순간에 와 있는 대상자를 볼 때 죽음이란 반드시 무섭고 불쾌하며 회피해야할 것만은 아니라는 사실을 깨닫게 된다. 이와 같이 마지막 순간의 직전에 죽음을 받아들이는 자세를 취하고 미래를 내다보기 시작하면서(취함으로써) 대상자 자신이 마음의 평화를 회복한 후 임종할 수 있는 것이다. 따라서 이 단계를 최후의 성장이라 부르기도 한다.

물론 말기 대상자가 이러한 5단계를 착실히 통과하는 것은 아니다. 그러나 일반적으로 2단계 내지 3단계를 거치는 것으로 식별되었다. 그래서 이러한 5단계는 어디까지나 눈짐작에 지나지 않으며 모든 사람이 이러한 단계를 통과하는 것도 아니며 꼭 그렇다고 생각하여야 하는 것도 아닌 것으로 보고되고 있다.

이러한 죽음의 순간분류에 이견을 제기하고 있는 것이 에드윈 슈나이드먼(Edwin Shneidman)인데 그는 앞의 5가지의 명확한 단계로 말하기보다도 자기 자신의 경험에서는 그러한 것은 항상 뒤섞인 형으로 나타나고 있다고 말하고 있다. 즉 말기 대상자는 낭패와 동통에 몸을 시달리면서 불신과 희망, 고심의 대소, 공포, 격노와 선망, 흥미상실과 권태, 거짓, 실의와 도전, 죽음에 대한 동경 등이 항상 상호존재하면서 움직이고 있다고 보고 있다.

IV. 사별대상자 가족간호

사별(bereavement)은 남겨진 사람의 내적 감정과 외적 반응인 슬픔과 애도를 포함한다. 사별기간 중에 경험할 수 있는 심리적 신체적 위험요소를 초기에 확인하고 적절한 간호중재를 제공하는 것은 슬픔에 빠질 수 있는 유족의 능력을 효과적으로 향상시킬 수 있도록 한다. 고 위험 요소에는 갑작스럽고 예상치 못한 죽음, 고인과의 분노, 불균형적 의존적인 관계, 해결되지 않은 상실의 축적, 유족의 스트레스 원과 정신 건강문제, 유족이 인지한 사회적 지지 결여 등이 포함된다.

가족 구성원들은 사랑하는 사람이 죽음을 맞이하는 과정에 지지받고, 동시에 지지를 제공하도록 격려 받는다. 간호사는 자원으로서 가족 구성원들의 가치를 인식하고, 죽음에 직면한 사람과 함께 하도록 가족을 도와야 한다.

가족 구성원을 자원으로서 활용하기 전에 간호사는 가족 구성원이 대상자 간호에 관여하기를 원하는지 판단해야 한다. 그 이유는 가족들이 관여됨을 원하지 않는 경우도 있기 때문이다. 간호사는 관찰자, 안위제공자, 또는 간호제공자로서 가족의 역할을 사정한다. 왜냐하면 그들의 역할은 종종 변하기 때문이다.

가정에서 가족들은 대상자 간호에 더 밀접하게 관여된다. 이 때 그들은 무엇이 예상되는지를 알고 싶어 한다. 말기 질병으로 인해 사회적, 재정적 자원에 대한 막대한 요구가 생긴다. 정서적 긴장은 종종 정상적인 의사소통 경로를 방해한다. 그러므로 가족은 대상자와 상호 작용하는 것이 두려워질 수도 있다. 이러한 것에 영향하는 요소는 죽어 가는 것을 오래 끄는 것, 조절하기 어려운 징후, 기분 나쁜 광경과 냄새, 제한된 대처자원, 간호제공자와의 좋지 못한 관계 등이 포함된다.

1. 가족의 사망에 따른 유가족들이 받는 고통

배우자를 잃은 사람들의 사망률이 급격히 높아지는 것으로 보고 있는데 특히 부인을 잃은 홀아비의 사망률은 급격히 증가하는 것으로 알려져 있다. 정상적인 사람의 집단에서 1.2%가 1년 이내 사망하지만 부인을 잃어버린 사람의 경우에는 12.2%가 첫해에 사망한다는 통계가 있다.

로체스터 의과대학팀이 연구한 결과에 의하면 최근에 가까운 친척의 죽음을 경험하여 극단적인 고통을 당한 사람들이 희망을 상실했거나 자기는 이제 쓸모가 없다고 하는 느낌과 암의 발생이 관련이 있다는 것을 제시하였는데 51명의 경부 암으로 추정되는 여자대상자와 인터뷰하였을 때, 18명의 암 대상자 가운데

11명이 가까운 사람을 상실했을 때 고통스러운 스트레스를 경험을 했고 33명의 암을 가지지 않았다고 추정되는 사람들을 연구해보니까 25명의 경우 이러한 심리적 고통이 없었던 것으로 보고하였다.

2. 가족 상실로 인한 슬픔의 문제를 극복하는 교육

슬픔이라는 것은 단순히 수동적인 감정이 아니라 적극적으로 나서서 무언가를 성취해야 할 과제이다. 슬픔의 과정을 제대로 처리하지 못했을 때 살아있는 인간과의 관계도 부정적으로 나타나게 된다. 슬플 때 자기감정을 적절하게 표현하는 것은 중요하다. 그러나 감정을 억제하거나 표현하는 방식과 자세에 대해서 각각 다른 문화는 다른 표현방식을 갖고 있다. 슬픔은 적절하게 처리 못하면 슬퍼하는 사람 마음속에서 이것이 폭발적으로 튀어나와 그를 손상시킨다. 일년이나 몇 달 후 이것 때문에 신체적인 질병이나 정서적인 질병에 걸리게 된다.

슬픔을 정화시키는 과정을 통해서 인간이 자기의 감정을 표현해 나갈 때 죽은 사람과 감정적으로 자기 자신을 결부시키는 것이 점차적으로 축소된다. 이러한 정서적인 과정을 적절하게 처리하지 못하게 되면 죽은 사람이나 잃어버린 것에 지나치게 묶여있기 때문에 정서적인 에너지의 문제가 생기게 된다. 또한 슬픔은 단순한 수동적인 감정이 아니라 적극적으로 해결해야 할 과제로 보아야 한다. 슬픔의 고통스러운 과정을 통해서 오히려 인간의 잠재된 능력을 개발하고 인격을 성숙시킬 수 있는 기회와 도전의 기회로 삼게 되는 것이 이 슬픔의 과정이 가지고 있는 창조적인 기능이다.

슬픔 가운데서는 특별히 나쁜 시기가 있는데 사랑하는 사람의 죽음을 경험한 사람을 도와주려면 그 사람에게 특별히 견디기 어려운 시간이 언제인지를 알아야 한다.

슬픔은 또한 감정을 정화한다. 슬픔의 기능 중 하나는 감정을 청소하고 영혼을 정화하는 것이다. 이러한 감정정화의 과정을 통해서 공포감이나 걱정이나 긴장을 억압한 상태가 해소된다. 슬픔과정에서는 슬픔의 기간이 문제가 된다. 병리적인 슬픔과 고통의 슬픔을 구분하는 데 있어서 슬픔을 경험하는 기간이 어떠한 가를 파악해야 한다. 슬픔을 극복하는 최선의 방법 중 하나는 자기 스스로 자원봉사자가 되어 슬픈 사람을 도와주는 것이다. 자기 자신의 고통만을 생각하고 자기 내면만을 들여다보고 있는 사람은 자기 고통을 극복하기 어렵다.

슬픔은 또한 개인의 인격을 성숙시키는 창조적 측면이 있는데 슬픔을 경험함으로 사랑하는 사람을 잃은 충격적인 사실에 영혼에 대한 생각, 일에 대한 생각, 인간관계, 삶의 의미 등 기본적인 질문을 다시 생각할 수 있는 계기를 마련할 수 있다.

3. 어린이와 죽음

어린이들이 경험하는 가족의 죽음으로 인한 슬픔을 이해하는 것은 매우 중요하다. 많은 어린이들이 부모로부터 야단을 맞을 때 느끼는 것은 부모가 죽었으면 좋겠다고 느끼는 경우가 있다. 그러나 그러다가 부모 중 누군가가 사망하면 아이는 죄책감으로 우울증에 빠지게 된다. 어린이가 부모 중 누군가가 사망한 후 비합리적으로 생각하는 부분이 있는지 알아내야 한다.

어린이는 서로 비교를 해서 더 잘 배운다. 죽음이 온다는 것을 인식하게 될 때 어린이들은 시간을 아깝게 여기고 귀중하게 여기고 그것을 통해 더 좋은 삶을 살수 있게 된다. 어린이들이 죽음을 어떻게 이해하는가, 어린이들의 죽음이해는 어른들의 죽음이해와는 다르다. 우리가 어린이들과 죽음에 대해서 이야기 할 때 먼저 어떤 어휘를 써야 하는가는 고려되어져야 한다.

1) 2~6세까지의 어린이

이 집단의 어린이들은 죽음이 종말이 아니라고 생각한다. 죽는 것을 어디론가 여행을 갔다가 다시 돌아올 것이라고 생각한다. 또는 자는 것이라고 생각한다. 4살짜리 어린이는 무덤에 와서 '아 여기가 죽은 사람들이 사는 곳이구나.' 라고 표현할 수 있는 것이다. 이 시기 어린이들이 죽음을 경험한 후에 조심해야할 것은 가령 할머니가 돌아가신 후에 할머니가 주무신다하는 표현은 삼가 해야 한다. 왜냐하면 그 어휘대로 받아들이고 저녁에 자러갈 때 아이는 무서워하는데 잠든 후 할머니처럼 돌아오지 못할까봐 걱정하기 때문이다. 그러므로 어린이에게 죽은 사람에 대해 지금 어떤 일이 일어났다고 하는 것을 사실대로 알려준다. 이는 어린이들이 그 때 잘못된 설명을 들으면 그 죽음에 대해 과장하거나 축소하여 왜곡된 생각을 가지고 자라기 때문이다. 그리고 간호사가 유의 할 것은 이 연령의 어린이들은 사랑하는 가족의 죽음 후에 자신만이 갖고 있는 책임감이나 죄책감으로 마음에 고통을 받을 수 있다는 사실을 고려해야 한다.

2) 6~9세까지의 어린이

이 연령의 어린이들은 죽음을 어느 정도 인격화 한다. 누가 만일 죽었을 때 이 연령의 어린이는 '누가 죽였지? 라고 생각한다. 그러나 죽으면 끝이라는 것을 받아들인다. 그리고 죽음은 나에게 일어나는 일은 아니라고 생각하고 죽음을 전염성을 가진 것으로 인식한다.

슬픔과정의 12가지 단계

1단계	첫 단계는 충격과 무감각의 상태이다.-그 여자가 죽었다고 하는 것을 도저히 믿을 수가 없습니다. 하는 표현을 보인다.
2단계	부인하는 것이다.-어떻게 이러한 일이 나에게 일어날 수 있는가,이것은 실수다 하는 표현을 보인다.
3단계	겁에 질려서 허둥대는 것이다.
4단계	분노와 불의에 대한 느낌을 갖는 것이다.-분노는 외적인 것과 내적인 것이 있는데 특히 외적인 분노는 죽은 사람 스스로가 자기 건강관리를 잘못해서 죽었기 때문에 자기 스스로 책임져야한다는 분노이다. 또한 상을 당한 사람은 자기 분노의 대상을 구하고 있는 데 가장 적절한 상대가 죽은 사람 옆에 가까이 있었던 의료인이나 병원이 되는 경우가 많다. 전혀 경고 없이 갑자기 닥친 죽음인 경우에 분노는 대단히 강해진다. 교육이나 문화적 조건이나 특별한 상황이 분노를 밖으로 폭발시키는 것을 통제할 경우 분노는 내면에 존재한다. 이런 내면의 분노가 오랫동안 지속된다면 슬픔극복을 적극적으로 해나가는 데 장애가 된다.
5단계	유감을 느끼게 되고 적개심을 갖게 된다.
6단계	죄책감을 갖게 된다. 죄책감은 자신의 내면에 있는 분노이며 만일 '내가 이것을 조금 다르게 처리했다면 나에게 이런 일이 닥쳐오지 않았을 것이다.' 라는 이야기를 하게 된다.
7단계	환상을 만들고 환각 속에 빠진다.
8단계	고독과 우울에 빠진다.
9단계	방향 감각을 상실하고 무감정 상태로 빠진다.
10단계	체념을 하고 수용하는 단계이다. 사랑하는 사람이 죽었다는 사실을 받아들이는 단계로 들어가는 데는 1년이나 그 이상이 걸린다. 이 단계에서 죽은 사람과 연결된 감정적인 연결점을 끊어야 한다.
11단계	새로운 희망을 갖고 유머를 회복 하게 되고 다시 웃을 수 있게 되는 단계이다. 새로운 희망이란 미래를 향한 것이고 건전한 인간관계를 다시 쌓아나가는 것을 말한다.
12단계	새로운 자기 자신의 정체성을 얻는 단계이다. 슬픔의 작업을 이해해야 이 단계로 들어가게 된다.

 어린이와 가족의 죽음에 대해 이야기할 때 유념할 점

- 어린이의 질문에 조심스럽게, 진실 되게 대답한다(어린이의 두려움이나 환상은 진실보다 최악의 경우가 될 수도 있다).
- 어린이에게 대답하기 전에 그 아이의 질문 자체를 잘 알아들었는지 확인 하자. 만일 질문이 무엇인지 확실하지 않으면 아이에게 재차 물어보거나 다시 말하게 시켜본다.
- 말을 너무 많이 하지 않는다. 어린이가 묻는 질문에만 대답한다.
- 어린이 자신이 죽음에 대해서 원하는 만큼 마음껏 이야기 하도록 하자. 비록 그 아이의 이야기가 듣고 있는 어른을 괴롭게 할지라도 아이가 하고 싶은 만큼 말하도록 해준다.

- 말하는 자신의 감정도 숨기지 않는다("나는 참 슬프다").
- 죽음에 대한 설명을 할 때 혼동이 일지 않도록 주의한다.
- 언제나 형제가 죽었다는 말을 피하지 말고 대답해 준다(멀리 여행 갔다. 깊은 잠을 잔다. 등의 말로 죽었다는 말을 피하지 않는다).
- 어린이는 말보다도 몸짓으로 더 잘 표현한다. 어린이의 얼굴표정이나 놀이 등에서 어린이가 참으로 말하고자 하는 것에 유의한다.

3) 9~12세까지의 어린이

이 연령의 죽음을 도저히 불가피하고 누구든지 당하는 것이고 한번 죽으면 다시 돌아올 수 없는 것이라고 생각한다. 이 나이의 어린이들은 죽음이라는 것을 상당히 잘 인식하게 되고 선과 악, 정의와 불의에 대해서도 정확한 의식이 자라게 된다. 그래서 그들은 죽음이라는 것이 하나의 좋지 않은 행동의 결과가 아닌가 생각하기도 한다. 그러나 때때로 요술같이 느끼기도 한다.

이 연령의 어린이들이 부모나 사랑하는 사람이 죽었을 때 매우 우울해 있으면 그들이 갖는 죄책감, 예를 들어 아버지가 나를 때려서 아버지가 없어지기를 빌었기 때문에 돌아가신 것이 아니라는 것을 알려주어야 한다. 이 연령대의 아이들은 죽은 사람의 자리를 누가 메꿀까 하는 것에 관심을 갖는다. 그래서 어린이들은 가족 중에 누가 돌아가신 후에라도 자기를 꼭 도와줄 사람이 있다고 하는 것을 확실히 알게 말해주는 것이 이 어린이들을 도와주게 되는 것이 된다.

4) 10대의 어린이

이 연령대의 어린이들은,(어른들과 똑같이) 죽음은 도저히 피할 수 없는 것이고 이것은 육체적인 삶의 종말이라고 알게 된다. 가족의 죽음을 경험한 십대들은 다른 가족들로부터 굉장한 지지와 위로를 받아야 한다.

4. 사별과 관련된 가족의 보살핌

대상자는 대상자로서의 역할이 예상되며 다른 역할이나 일들을 뒤로하고 보다 나은 건강을 위한 노력, 치료만을 받도록 요청되기도 한다. 이에 대해서 Kubler-Ross는 많은 대상자의 가족들이 죽어가는 대상자에 대해 이해를 못하는 경우가 많다고 지적했다.

즉 대상자 본인은 죽음에 이르렀기에 모든 짐으로부터 벗어나는 듯한 생각과 모든 관계 책임으로부터 서서히 물러서는 것을 쉬워하면서 죽는다는 사실을 가족들은 잘 몰라준다고 하고 있다. 이럴 경우 대상자는 더욱 고통을 겪다가 죽게 될 수 있는데 이때 가족과의 원만한 의사소통이나 사랑스러운 대화를 하기는 어려워진다. 그러다가 자기표현을 못할 단계에 이르면 그냥 만져주고, 들려주는 말에만 의존하게 된다. 그러므로 대상자와 가족이 가능한 한 사랑스런 대화를 주고받으며 가족은 대상자에게 위로의 말을 전하도록 지지해 주어야한다. 이때 어수선한 주변 환경을 정리해주면 안정감을 찾는데 도움이 된다. 또한 죽음 전 대상자가 죽음장소를 선택할 수 있도록 그의 의사를 존중해주는 것이 바람직하다.

1) 임종직전 가족돌보기

임종이 연장되는 경우 가족들은 지치게 된다. 가족 간에 평안한 관계를 유지하면서, 시간을 나누어 쉬어 가면서 대상자를 지켜보도록 배려한다. 한편 조용하면서도 모든 준비는 주도면밀하게 진행되도록 지원한다. 이때 문화적 차이, 종교, 가치관에 따라 달리 제안되는 모든 양식이나 절차 등은 그 가족들이 주장하는

대상자 사별 후의 가족들이 경험하는 과정

- **쇼크와 무감각, 멍한 상태**

이러한 반응은 강한 분노와 돌연한 공포, 비탄의 고통에서 터져 나오는 것으로 보인다. 이 시기에는 가족들은 자기 역할을 못해내고 판단하기 어려워한다. 사랑하는 대상자를 살리려고 온갖 노력을 했는데 이제는 막 지나가 버리고만 현실을 앞에 놓고 외부에서 오는 자극에 저항을 하게 된다.예를 들면 묻는 말에 대답을 하지 않는 이런 상태는 사별 후 약 2주안에 가장 심하게 나타나며 제삿날이나 다른 기념일에 다시 나타나기도 한다. 이런 때는 일상에서의 할 일을 시키지 않도록 하며 외부 자극으로 부터 보호해 주는 것이 좋다. 장소는 집이 제일 편하다. 음식을 잘 먹으려 하지 않으므로 먹도록 하여 기운을 회복하게 한다. 이때의 신체적 반응은 입이 마르고, 가슴 떨리고 숨쉬기 어려워하거나 한숨을 쉬고, 울기도 한다.

- **그리워하고 찾는 상태**

이때는 안절부절 못하고 모든 것이 불투명한 상태이다. 흔히는 분노(타인에게 향함)와 죄의식(자신에게 향함)을 갖는다. 돌아가신 분의 목소리, 체취, 모습, 그의 현존을 찾게 된다. 이렇게 돌아가신 분을 그리워하고 찾는 것은 사실을 확인하려는 것과 같은 자연적인 시도로 볼 수 있다. 자신이 미치는 것 같이 느끼기도 한다. 때로는 망자가 돌아오는 것 같이 느낄 때도 있다. 이런 상태는 약 2주부터 4개월 사이에 가장 심하게 나타난다. 돌보는 이는 그런 반응을 보이지 말도록 하기 보다는 이 과정을 그대로 넘기도록 지켜보는 것이 바람직하다. 이들 대부분은 이때 무엇인가 하려는 생각을 갖는다고 한다. 바쁘게 지낸 다던가 슬픔을 극복하려는 방법으로 여행을 간다던가 자기생활을 근본적으로 바꾸어 보려 한다던가 등등의 반응을 보인다. 유가족 자신에게는 긴장과 신경증상이 유발될 수 있다.

- **혼란한 상태**

우울하고 죄책감을 느끼며 현실과 자기 역할에 대해 혼란스러움을 느낀다. 신체적으로는 밥맛이 없고, 입이 마르고, 피곤하고, 냉담한 상태이며 정신집중이 잘 안되고 판단내리기 어려워한다. 이때는 자신의 건강을 해치기 쉬운 때이다.

이 상태는 4~8개월 될 때 가장 어렵게 나타난다. 사람들은 이때쯤엔 유가족이 정상으로 돌아왔으면 한다. 그러나 이때가 가장 지지가 필요한 때이다. 유가족은 때로 감기증상과 같은 병발 증세를 나타내어 병원에 가기도 한다. 또한 수면장애, 신경증 등을 호소하기도 한다.

- **새 출발**

적응하고 새로운 출발을 하고 있는지의 여부는 다음과 같은 4가지 기준으로 알아 볼 수 있다.

첫째는 상실감에서 풀려난다는 주관적 느낌을 갖는 상태이다.

둘째는 제 3자가 볼 때 에너지를 다시 새롭게 나타내 보이는 것이다.

셋째는 고용주나 친구들이 볼 때 복잡한 문제도 해결해가는 가능성을 보이고 판단을 보다 쉽게 내릴 수 있게 보이는 상태이다.

넷째는 사랑하는 이의 죽음 전처럼 정상적으로 먹고 자는 경우이다. 보통 성인에게 이렇게 되기까지에는 18~24개월이 소요된다고 한다. 이상의 과정을 통하여 좀 더 성숙한 단계에까지 이르도록 지원해 주어야 하는 것이 바람직하다.

대로 하도록 존중한다.

또한 대상자는 청각이 끝까지 남아있기 때문에 애처롭고 보기에 딱하더라도 들어서 섭섭한 말은 삼가 하도록 한다.

가족들이 원하는 정보를 제공해 준다. 예를 들면 죽음이 얼만큼 가까워 왔는지 죽음대면에 생소해하는 가족들이 갖게 되는 의문점들을 주의 깊게 알아내어 도와준다.

2) 임종직후

사랑하는 이를 떠나보내는 작별의 정을 나누도록 가족끼리 있게 한다. 그러나 그들만 남겨두고 떠나지 말고 가까운 곳에 있으며 슬픔을 함께 나눈다.

3) 사후

가족이 일시적으로 기절하거나 화를 낸다든가 안절부절 하는 등등의 반응을 보일 수도 있다. 이때 침착하게 대하며 판단적으로 대하지 않는다.

상례봉사에 참여할 수 있는 한 참여해주면 도움이 된다. 수시, 염습, 입관, 출관, 하관, 사망진단서, 사망신고 등 법률적 문제 등 가족들이 당황하여 미치지 못하는 점을 지원하도록 지켜보는 것이 좋다. 장례와 관련된 의식과 행동양식을 치루면서 가족관계는 재구성 되어간다. 이러한 사별양식은 한 개인이 사별의 과정을 겪어 나가는데 도움이 된다.

V. 가정 호스피스

말기상황에 처한 대상자는 익숙한 일상생활을 더욱 그리워하고 그를 돌보는 가족 역시 심신이 더욱 지쳐있기 때문에 낯선 병원보다는 가정에서의 돌봄이 보다 용이하다.

이점은 입원치료보다 대상자와 가족에게 더 가치가 있다는 점과 아울러 개인의 비밀이 보장되고 가족이 능동적으로 참여해서 도움을 주고받을 수 있으며 죽음의 과정을 함께 겪음으로써 임종자와 자연스럽게 이별을 할 수 있다는 것이다.

1. 가정호스피스계획

의사소통을 개방적으로 할 수 있는 가족 집담회를 구성하는데에는, 의사가 대상자의 상태, 치료 계획 및 예후를 설명함으로써 시작된다. 호스피스 간호사는 대상자간호와 개인의 요구를 충족시키기 위한 간호정보를 제공하고 사회사업가는 정서적 지지와 경제적 도움 혹은 보험적용에 대한 정보를 제공한다. 원목자는 영적인 염려에 대한 지지와 지침을 제공하며 가족은 가족구성원과 대상자, 가사에 대한 정보를 제시한다. 그리고 대상자를 돌보는데 필요한 기구를 준비한다.

2. 가정호스피스 제공자의 역할

대상자와의 관계에서 간호제공자와 가족들이 능동적인 역할을 할 수 있는 관계가 형성되도록 돕는다. 간호제공자는 가족의 불안을 감소시킬 수 있고 통증관리에 대한 지식과 기타 증상에 자신 있게 대처하며 가족에게 도움을 주게 된다.

가정에서의 간호사정은 병원에서와는 달리 안전과 사회경제상태, 이웃의 도움을 받을 수 있는 가능성에 초점을 두고 가옥의 구조와 계단수와 같은 외적인 특성을 기록함으로 대상자이송에 참고자료로 사용한다. 또한 간호제공자는 가족의 대상자간호 능력을 평가하여야 한다.

3. 간호제공자를 위한 교육

간호사는 능숙한 기술로 신체간호, 목욕법, 홑이불을 이용한 대상자 옮기기, 누워있는 대상자 움직이기, 소변기나 대변기 사용법등을 가족에게 시범을 보이면서 교육하여야 한다. 간호제공자의 대상자에 대한 질병상태, 치료, 부작용에 대한 지식정도를 확인하여 도움이 되는 중요정보를 제공한다. 이외에도 투약계획표를 설정해 주는 것이 도움이 된다.

간호제공자의 위기대처 교육을 위해서는 말기대상자는 위기를 느끼게 되는 요인들을 알려주어야 한다. 최근의 상실사건, 무력감, 도움을 받을 수 없는 상태, 증상의 악화시의 대처, 새로운 역할에 대한 적응이 어려운 경우에 위기중재를 한다.

4. 가족을 위한 지지

가정 호스피스 수행 시 가족을 도울 수 있는 적절한 지역사회 자원을 알고 있어야 한다. 즉 교회 및 기타 봉사기관에서 필요한 도구나 자원봉사자들을 제공받을 수 있다.

대상자를 적극적으로 돌보는 가족은 주기적으로 긴장을 해소할 필요가 있는데 이때 경험 있고 자격을 갖춘 호스피스 봉사자들이 도움이 될 수 있다.

5. 가정에서의 임종

간호사는 죽음이 질병의 예후, 아팠던 장기, 병리상태, 기타 신체적 요소나 발달단계들에 의해 영향을 받게 된다는 것을 가족에게 알려 주어야 한다. 가족에게 강조할 것은 증상들은 조절될 수 있으며 대개 임종은 평화롭다는 것이다.

1) 장례계획

가능하다면 장례에 대한 구체적인 계획을 세운다. 임종 전 계획에는 장의사와의 연결, 임종을 선언하게 될 의사의 선정에 대한 논의도 포함되어야 한다. 또한 종교 예절도 고려한다. 필요시 이용할 수 있도록 관계기관의 연락처를 미리 가족에게 알려주는 것도 바람직하다.

2) 죽음에 임박한 증상

간호사는 임종하는 이는 수면시간이 길어지고 쉽게 깨어나지 않으며 무호흡 시간이 점차 늘어나게 되고 분비물 축적에 따라 코고는 소리가 커질 수 있음을 가족에게 알려주는 등 죽음이 임박함을 나타내는 증상을 미리 알려 주어야 한다.

죽어가는 이는 다른 감각 보다 청각이 오래 남게 되어 가족의 목소리를 들을 수 있으므로 임종자가 의식이 명료한 경우 방안에서 필요이상의 대화는 하지 않는 것이 좋다. 또한 가족들은 사랑하는 이의 임종 시 손을 잡고 대상자의 반응이 없을지라도 이야기하도록 격려한다.

3) 사후관리

가족의 요구의 다양성을 인정한다. 빌려온 병원 물품이 있다면 가능한 한 빨리 제거하는 것이 도움이 되며 알려야 할 곳에 신속히 연락을 하는 것을 돕는다. 이외에도 간호사는 그동안 사용했던 약제나 대상자의 사용물품, 드레싱 물품들을 가족의 요구에 따라 신속히 처리하여야 한다.

CHAPTER 23

임종간호

치료적인 간호사-대상자 관계가 질병과정 동안 발전하기 때문에 간호사는 대상자의 사체를 간호할 수 있는 최적의 사람이다. 그러므로 간호사는 존엄성을 갖고 사체를 간호해야 한다.

임종과 관련하여 임상적 징후가 나타나듯이 사후에도 신체적 변화가 일어난다. 이러한 변화 때문에 발생하는 사후 조직의 손상이나 결함을 막기 위해 가능한 한 빨리 사체를 간호해야 한다.

I. 임종과 관련된 징후

임종하는 대상자와 그 가족에 대한 간호와 지지는 임박한 죽음의 생리적인 징후를 정확히 사정하는 것이 포함된다. 간호사는 특히 대상자가 임종 할 때 그 가족이 대상자의 임종이 가까이 왔다는 것을 알아야 하므로 간호사는 임종이 임박했다는 정보를 가족들에게 제공하여 죽음을 준비하게 할 수 있다.

1. 임종이 임박할 때 신체적 변화

죽음이 임박하면 특징적으로 보여 지는 신체적 징후는 네 가지가 있다. 즉 근육긴장도의 상실, 순환속도의 저하, 활력징후의 변화와 감각손상이다.

1) 근 긴장도 상실

근 긴장도가 상실됨에 따라 안면근이 이완되어 턱이 늘어지게 된다. 대화가 곤란해지며, 연하곤란과 구토반사가 상실된다. 또한 위장관의 활동이 저하되어 오심을 느끼게 되고 복부에 가스가 축적되며 특히 마취제, 진정제를 사용하였을 때 복부팽만 및 대변정체가 초래된다. 괄약근의 조절력 감소로 대·소변 실금 및 실변이 초래되고 대상자의 신체 움직임이 감소된다.

2) 순환속도 저하

순환속도의 저하로 감각 소실이 있고 사지의 반점이 형성되며 청색증이 나타난다. 대상자의 발, 손, 귀, 코의 순서로 피부가 차가워지는데, 이때 대상자는 체온상승으로 따뜻함을 느낄 수도 있다.

3) 활력징후변화

활력징후가 변화되는데 맥박이 불규칙하거나 약해지고 혈압이 하강한다. 호흡은 빠르고 얕고 불규칙하거나 비정상적으로 느린 호흡양상을 보인다.

4) 감각 손상

감각 손상으로 시야가 흐려지고 미각과 후각이 상실된다. 청각은 맨 마지막에 손상되는 것으로 알려져 있다.

2. 임종대상자의 사회·심리적 반응 및 간호

인간은 죽음으로의 과정에서 여러 가지 단계를 거친다. 죽음을 부정하거나 불안이나 두려움을을 느끼고, 가족이나 의료진에게 분노나 적개심을 나타내거나 심한 우울 상태에 빠지기도 한다. 그러므로 간호사는 임종 대상자와 가족이 각각의 단계를 수용하고 자연스럽게 다음 단계로 넘어갈 수 있도록 도와야 한다.

* Kubler-Ross의 죽음에 대한 반응(1968)
1) 부정(Denial): 자신이 죽는 다는 것을 부정하고 현실로부터 자신을 고립시키는 단계
2) 분노(Anger): 울분과 적개심을 표출하는 단계
3) 협상(Bargaining): 그때까지만 살수 있기를, 이 기간동안 사적인 일을 처리하고 죽음의 다음단계로 진전한다.
4) 우울(Depression): 죽음전 비탄의 과정을 거친다.
5) 수용(Acceptance): 죽음을 수용하고 준비하면서, 평온함을 느낀다.

3. 임종대상자 생리적 간호

임종하는 사람의 생리적 간호는 신체기능과 항상성의 불균형에 초점을 둔다. 간호는 개인위생, 통증조절, 호흡간호, 기동성 간호, 영양간호, 수분제공, 배설관리 및 감각변화와 관련된 간호이다.

1) 개인위생간호

대상자가 발한이 심하면 목욕을 자주 시켜주고, 린넨을 자주 교환해 준다. 체온상승으로 인한 구강건조 시에는 잦은 구강간호를 제공한다. 눈에 눈물이 고이면 탈지면과 생리식염수로 눈을 닦아준다.

2) 통증조절

통증조절은 말기질환과 관련된 통증조절 약물(morphine, methadone, heroin 등)을 사용하며 일반적으로 의사가 약 용량을 결정하지만 대상자의 통증 내성을 고려한다. 진통제는 근육주사보다 설하 또는 직장, 정맥을 통하여 투여한다.

3) 호흡간호

무의식인 대상자는 측위를 취하여 흡인을 방지하며 필요하면 산소요법을 실시한다. 대상자가 의식이 있다면 반좌위를 취해주고 필요시 흡인을 한다.

4) 기동성 간호

대상자가 가능하다면 주기적으로 침대에서 일어나도록 도와주고, 가능하지 않은 경우 규칙적인 체위변경을 해준다. 누워있는 경우 침은 구강으로 배출되어야 함으로 앙와위보다는 측위가 좋다. 베개나 담요로 대상자 체위를 지지해주며 대상자가 일어나 앉을 때 혈액이 몰리는 것을 방지하기 위해 대상자의 다리를 올려준다.

5) 영양 간호

임종대상자는 식욕부진과 오심 및 구토 증상을 보이는데 이는 연동운동저하와 가스축적 때문이다. 진토제나 소량의 알코올성 음료를 줄 수 있으며, 고 칼로리 고 비타민 식이를 투여하고 허용되면 유동식을 권해준다. 간호사는 연하능력 파악을 위해 구토반사를 사정한다.

6) 배설관리

변비예방을 위한 완화제를 사용할 수 있고, 가능한 경우 식이섬유를 제공한다.

실금과 실변으로 인한 피부간호를 제공하며, 실금 또는 실변 대상자 둔부아래 흡수성 패드를 깔고 자주 린넨을 교환하여 청결하고 냄새 없는 환경을 유지해 준다. 필요하다면 인공배뇨를 실시하며 의식이 있는 경우 변기 사용 시 도움을 청하는 방법을 강구해 놓는다.

7) 감각변화에 대한 간호

대상자가 보지 못하게 된 후에도 청각이 소실되지 않기 때문에 분명하게 말하고 귓속말을 하지 않는다. 촉각은 감소되지만 대상자는 접촉을 느낄 수 있고, 죽음이 다가옴에 따라 시력은 흐려지고 대상자는 어두운 방보다 밝은 방을 선호하며 임종대상자는 보통 빛 쪽으로 머리를 돌린다.

4. 임종대상자 영적 간호

임종대상자는 죽기 전에 생의 의미와 목적을 발견하려고 하고 만족스럽지 못한 삶이라고 인지하면 죄책감을 느끼고 신이나 주변사람에게 용서를 구하게 된다.

임종대상자의 또 다른 영적 요구는 희망과 사랑이며 간호사와 가족은 희망을 이해하고 표현하도록 도와주어야 한다. 간호사와 가족이 영적 안위를 제공하는 방법은 치료적 의사소통기술, 감정

이입의 표현, 대상자와의 기도 등이 있다. 대상자가 성직자를 찾으면 의뢰를 해준다.

5. 임종 시 임상적 징후

임종 시 임상적 징후는 확대되고 고정된 동공, 동작이 없어지고, 반사가 소실되며, 더 빠르고 약해진 맥박과 체인-스톡스 호흡(Cheyne-Stokes breathing) 양상을 보인다. 손발이 차가워지고, 혈압이 하강되며 인두의 점액축적으로 호흡 시 소리가 난다.

6. 죽음의 판정기준

1968년 국제 의학협회가 채택한 사망의 지표는 외부자극에 대한 반사와 반응이 없음, 근육운동 소실(호흡근), 무반사 그리고 뇌파가 일직선으로 나타남이 된다. 전통적으로 사망시 나타나는 임상적 징후들은 심첨맥박, 호흡 및 혈압의 소실이며 이는 심폐사망으로 일컫는다.

죽음에 대한 또 다른 정의는 대뇌사망인데, 이는 대뇌피질이 재생 불가능하게 파괴되었을 때 일어나는 것이며 이때 대상자는 호흡을 할 수 있으나 소생할 수 없는 무의식 상태에 있다. 1993년 대한 의학협회가 제시한 뇌사판정기준은 외부자극에 무반응인 혼수상태, 불가역적 불수의적 호흡소실, 양안동공의 확대고정, 뇌간반사의 완전소실, 불가역적인 호흡정지 및 30분이상의 뇌파소실이다.

7. 사후의 신체적 변화

1) 사후 강직 rigor mortis

사망한지 2~4시간 후에 신체가 경직되는 것을 말하며, 이는 신체내의 글리코겐의 부족 때문에 ATP가 합성되지 않아 ATP의 부족 현상으로 비롯된다.

ATP는 근섬유 이완에 필요하므로 이것이 부족하면 근육이 수축되어 결국 관절을 움직이지 못하게 된다. 사후 강직(rigor mortis)은 불수의적 근육(심장, 방광 등)에서 시작되어 머리, 목, 몸통, 사지로 진행된다. 이때 사후 강직이 일어나기 전에 정상적인 해부학적 체위로 눈꺼풀과 입을 닫아 주고 의치를 삽입하여 준다. 사후강직은 보통 사망후 약 96시간이 지나면 끝난다.

2) 사후 한냉 algor mortis

사망한 후에 체온이 점차적으로 하강하는 것을 말하며, 혈액순환이 정지되고 시상하부의 기능이 정지하게 되면 체온이 실내온도가 될 때까지 1시간에 약 1℃(1.8℃)씩 하강한다. 동시에 피부는 탄력성을 상실하여 쉽게 파괴될 수 있다. 이때 조직의 손상

을 막기 위해 테이프를 제거하고 조심스럽게 옷을 입힌다. 피부나 신체부위를 잡아당기지 않는다.

3) 사후 시반 livor mortis

혈액순환이 정지된 후에 피부가 변색하게 되는 것을 말하며, 이는 적혈구의 용혈로 인한 보라빛 변색으로서 신체의 가장 낮은 부위인 발쪽부터 나타나게 된다. 이때 안면의 변색을 막기 위해 머리를 높인다.

4) 신체조직의 유연화와 액화

이는 세균성 발효에 의한 것이며 온도가 높을수록 그 변화는 더욱 빠르므로 이 과정을 지연시키기 위해서는 병원의 사체 보관소나 다른 지정된 장소의 차가운 곳에 사체를 보관한다. 사체 방부처리는 화학물질을 투입해서 부패과정을 역전시키는 것이다.

II. 사후처치

1. 사후처치의 목적

사망한 대상자의 외모를 가능한 한 단정하게하여 자연스럽고 편안한 모습으로 보존할 수 있도록 도와주고, 유가족을 도우며 죽은 사람을 존중하고, 법적으로는 필요한 내용을 정확하고 신속하게 해결하는 데 그 목적이 있다.

2. 사후처치 절차

가족이 원하면 간호사의 사후 처치를 돕도록 한다. 대상자를 앙와위로 하고 팔은 손바닥을 아래로 하여 양옆에 붙이거나 배 위에 가로질러 놓는다. 머리 밑에 베개를 고여 주거나 10~15° 정도 머리 부분을 올려 주어 혈액의 정체로 인한 얼굴 변색을 방지한다.

안검을 몇 초 동안 누르고 있으면서 감겨 준다. 이때 만약 감기지 않으면 젖은 탈지면으로 눌러주고 있도록 한다. 자연스런 얼굴 모습을 위해 제거했던 의치도 끼어 넣는다. 입을 다물게 하기 위해 턱받이를 해주거나 수건을 말아서 턱 밑에 대어준다. 각종 IV line, catheter 등을 제거하거나 튜브를 피부에서 2.5cm 이내로 자른 후 그 부위에 간단한 드레싱을 해준다. 단, 기관의 정책에 따라, 부검 여부에 따라 방법이 다를 수 있다. 더러워진 드레싱은 깨끗한 거즈 드레싱으로 교환한다.

분비물이 있으면 부패가 더 빨리 진행되므로 물수건으로 환자를 전체적으로 닦아주고, 괄약근의 이완으로 대·소변이 배출될 수 있으므로 gauze packing이나 둔부 밑에 흡수용 패드를 대어

준다. 깨끗한 환의 또는 준비된 옷으로 갈아입힌 후 머리를 빗질하여 빗기고, 얼굴이나 두피의 변색이나 손상을 유발하기 때문에 핀이나 밴드를 하고 있으면 제거한다. 보석은 제거하지만 특별한 경우에 결혼반지 등은 손가락에 테이프로 붙여 놓기도 한다. 윗 홑이불은 사체 어깨까지 말끔하게 맞추어 덮어 주고 가족을 위해 부드러운 조명과 의자를 제공 한다. 이때 대상자와 보호자의 존엄성을 유지하도록 하고 경의를 표한다. 사체에 두 개의 이름표를 부착한다. 하나는 사체의 발목이나 손목에, 다른 하나는 수의 표면에 붙인다. 사체에 대한 모든 준비가 끝나면 영안실로 보낸다. 이때 대상자의 귀중품이나 의복은 목록을 작성해서 그 가족이 가져갈 수 있도록 안전하게 보관한다.

3. 사후처치와 관련된 행정적, 법적조치

간호사는 대상자의 사망과 관련된 일을 조정할 책임이 있으므로 사후 간호에 관한 기관의 정책과 절차에 익숙해야 한다. 사망의 확인은 의사에 의해 확인되어야 하며, 이 확인이 있은 후에 생명유지를 위한 모든 장치를 제거해야 한다. 이때 간호사는 사망한 시간과 사망 전에 취한 치료나 활동, 확인한 의사명을 정확히 기록한다. 이때 간호사는 의사가 사망확인서에 서명했는지를 확인한다. 심상치 않은 사망의 경우 부검을 하게 되는데, 의사는 가족에게 부검 승낙을 요청하며, 부검에 대한 승낙은 법적 요구 사항이다. 부검을 요하는 경우는 입원 24시간 내에 사망, 자살, 살인, 그리고 사인을 모를 때 등이다. 이는 간호사의 업무는 아니며, 단지 대상자 가족에게 간단한 설명을 해 주면 된다. 의사는 사망 확인서에 서명을 하고, 이때 간호사의 책임은 의사가 사망 확인서에 서명했는지 확인하는 것이다. 법적으로 간호사는 사체에 이름표(라벨)를 붙여야 할 책임이 있다.

간호사는 대상자가 장기 기증을 약속한 경우 가족을 지지해주고 그 사항에 대해 확인한다. 장기이식 조정자, 사회사업가, 간호사 등의 이식 담당자가 가족에게 뇌사 상태의 의미를 정확히 설명하고 사망 선언 후에도 장기를 적출할 때까지 생명 유지 장치를 하고 있을 것이라고 정확하게 알려준다. 가족은 법적으로 누가 장기 기증에 최종적으로 동의할 수 있는지, 장기 기증의 조건은 무엇인지, 경비가 드는지, 장례에 어떤 영향을 미치는지에 대해 알아야한다. 각막, 피부, 장골, 중이골 같은 조직의 기증은 사망 후 인위적으로 생명유지 장치를 하지 않아도 된다. 임종 전에 대상자가 기증에 관한 기록을 남기지 않은 경우에는 가족의 동의가 있어야 기증이 가능하다. 간호사는 이러한 장기 기증에 관한 법과 기관의 정책에 대해 검토해야 한다. 사망자가 전염병일 경우 병이 퍼지지 않도록 사체의 사후 처치에 특별한 조치가 필요하다.

4. 사후처치와 관련된 윤리적 측면

최근 생명과학과 의료기술의 발전으로 인간생명의 인위적 연장이 가능하게 되고, 도덕적 가치관의 변화와 사회 환경의 변화로 인해 치료의 중단과 안락사와 같은 생명과 죽음에 대한 여러 가지 윤리적인 문제가 대두되고 있다. 임종이냐 치료연장이냐를 결정할 때 대상자와 가족들은 특히 간호사의 충고와 지지와 정보를 필요로 한다.

또한 뇌사 및 장기 이식에 대한 것도 윤리적 고려가 필요한데, 장기 이식은 인간 생명의 존엄성을 인식하고 희생적인 사랑을 바탕으로 이어져야 하는데, 뇌사 인정의 목적이 장기 이식에만 있을 때 뇌사자는 다른 이의 생명을 구하기 위한 도구로만 전락될 우려가 있고, 인간 생명의 존엄성이 훼손될 수 있기 때문이다.

▪ 참고문헌(1장)

1. 김명애, 고성희 역(1995). 간호이론, 현문사

2. 김명자, 조계화 역(2000). 간호와 이론, 현문사

3. 김순자, 이선옥, 김매자, 박점희, 장성옥, 길숙영, 진은희, 이미현, 손정태, 장은희(2001). 기본간호학(상, 하). 서울: 수문사

4. 변영순, 김애경, 성명숙, 신윤희, 이금재, 장희정, 정양숙, 유재복(2004). 기본간호학. 서울: 계축문화사

5. 최명애, 이인숙(1997). 건강증진과 실무, 현문사

6. Bowman, K., Rose, J., & Kresevic, D.(1998). Family caregiving of hospitalized patients: Caregiver and nurse perceptions at admission and discharge. Journal of Gerontological Nursing, 24(8), 8-16

7. Craven, R.F., & Hirnle, C.J.(2002). Fundamentals of Nursing: human health and function(4th ed.). Lippincott

8. Edelman, C., & Mandle, C.(1994). Health promotion throughout the life span(3rd ed.) St. Louis: Mosby

9. Davidhizar, R., Bechtel, G.A., & Juratovac, A.L.(2000). Responding to the cultural and spiritual needs of clients. Journal of Practical Nursing, 50(4), 20-24, 26

10. Dossey, B. M., Frisch, N.C., Forker, J. E., & Lavin, J.(1998). Evolving a blueprint for certification: Inventory of Professional Activities and Knowledge of a Holistic Nurse. Journal of Holistic Nursing, 16(3), 33-56

11. Dossey, B.M., Keegan, L., Guzzetta, C.E.(2000). Holistic nursing: A handbook for practice(3rd ed.). Rockville, MD: Aspen

12. Gallop, R(1998). Abuse of power in the nurse-client relationship. Nursing Standard, 12(37), 43-47

13. Guzzwtta, C.E.(1998). Reflections: Healing and wholeness in chronic illness. Journal of Holistic Nursing, 16(2), 197-201

14. Hope, A., Kelleher, C., & O'Connor, M.(1998). Lifestyle practices and the health promoting environment of hospital nurses. Journal of Advanced Nursing, 28(2), 438-447

15. Pender, N.J.(1996). Health promotion in nursing practive(3rd ed.). Stanford, CT: Appleton & Lange

16. Perry, A.G., Potter, P.A.(2010). Clinical Nursing skills & Techniques (7th ed.). Mosby.

17. Potter, P.A., Perry, A.G.(2009). Fundamentals of Nursing.(7th ed.) Mosby.

18. Stetson, B.(1997). Holistic health stress management program: Nursing student and client health outcomes. Journal of Holistic Nursing, 15(2), 143-157

19. Sundeen, S.J., Stuart, G.W., Rankin, E.A.D., & Cohen, S.A.(1998). Nurse-Client Interaction: Implementing the Nursing Process. St. Luois: Mosby

20. Taylor, C.R., Lillis, C., LeMone, P., Lynn, P(2008). Fundamentals of Nursing: the art and science of nursing care(6th ed.), Lippincott

▪ 참고문헌(2장)

1. 김매자, 최영희, 김조자, 강현숙, 이선옥(1997). 간호과정론. 서울대학교 출판부

2. 김순자, 이선옥, 김매자, 박점희, 장성옥, 길숙영, 진은희, 이미현, 손정태, 장은희(2001). 기본간호학(상, 하). 서울: 수문사

3. 김조자, 김용순, 박지원 편저(1999). 비판적 사고력 향상을 위한 간호과정 접근, 현문사

4. 변영순, 김애경, 성명숙, 신윤희, 이금재, 장희정, 정양숙, 유재복(2004). 기본간호학. 서울: 계 축문화사

5. 최영희, 이향련, 김혜숙, 박혜경(1998). 간호과정 전산화: 간호진단과 간호중재. 현문사

6. 한윤숙, 전시자, 김남초 공저(1997). 간호과정. 현문사

7. Barnett-Damewood, H., & Carlson, J.(2000). Physical activity deficit: A proposed nursing diagnosis. Nursing Diagnosis, 11(1), 24-31

8. Braunstein, M.S.(1998). Evaluation of Nursing Practice: Process and critique. Nurising Science Quartely, 11(2), 64-68

9. Chase, S.K.(1997). Teaching baccalaureate nursing students to project outcomes to nursing interventions. In M.J.Rantz & P.LeMone. Classification of Nursing diagnosis: Proceedings of the twelfth conference, North American Nursing Diagnosis Association(pp.117-225). Glendale, CA: CINAHL Information Systems

10. Correa, C.G., & da Cruz, D.(2000). Pain: A clinical validation with postoperative heart surgery patients. Nursing Diagnosis, 11(1), 5-14

11. Craven, R.F., & Hirnle, C.J.(2002). Fundamentals of Nursing: human health and function(4th ed.). Lippincott

12. Cruz, D.M., Gutierrez, B.A.O., Lopez, A.L., de Souza, T.T., & Assami. S.(2000). Congruence of terms between lists of problems and the ICNP - Alpha Version. International nursing review, 47(2), 89-96

13. Cutler, L.(2000). The diagnostic domain of nursing. Nursing Critical Care, 5(2), 59-61

14. Johnson, M., & Maas, M.L.(1997). Nursing outcomes classification(NOC). St. Louis, MO: Mosby-Year Book

15. McCloskey, JC., & Bulechek, G.M.(1994). Standarzing the language for nursing treatment: An Overview of the issues. Nursing Outlook, 42, 56-63

16. Taylor, C., Lillis, C., LeMone, P. Lynn,P(2008). Fundamentals of Nursing: the art and science of nursing care(6th ed.), Lippincott

17. Wake, M., & Coenen, A.(1998). Nursing diagnosis in the International Classification for Nursing Practice. Nursing Diagnosis, 9(3), 111-118

▪ 참고문헌(3장)

1. 김순자, 이선옥, 김매자, 박점희, 장성옥, 길숙영, 진은희, 이미현, 손정태, 장은희(2001). 기본간호학(상, 하). 서울: 수문사

2. 변영순, 김애경, 성명숙, 신윤희, 이금재, 장희정, 정양숙, 유재복(2004). 기본간호학. 서울: 계축문화사

3. Barbera, M.L.(1994). Giving report: How to sidestep common pitfalls. Nursing, 24(9), 41

4. Buckley-Womack, C.,& Godney,B.(1987). A new dimension in documentation: The PIE method. Journal of Neuroscience Nursing, 19(5), 256-260

5. Bulechek, G.M., McCloskey, J.C., Titler, M.G., & Denehey, J.A.(1994). Nursing interventions' use in practice. American Jour-

444

nal of Nursing, 94(10), 59-62, 64

6. Burke, L., & Murphy, J.(1988). Charting by exception: A cost effective quality approach. Albany, NY: Delmar

7. Capuno, T.A.(1995). Clinical pathways: Practical approaches, positive outcomes. Nursing Management, 26(1), 34-37

8. Comstock, L.G., & Moff, T.E.(1991), Cost-effective, time-effective charting, Nursing Management, 22(7), 44-48

9. Craven, R.F., & Hirnle, C.J.(2002). Fundamentals of Nursing: human health and function(4th ed.). Lippincott

10. Eggland, E.T.(1995). Charting smarter. Nursing, 25(9), 35-41

11. Eggland, E.T., & Heinemann, D.S.(1995). Nursing documentation: Charting, recording and reporting. Philadelphia: J.B. Lippincott

12. House, E.(1992). Resistance to documentation: A nursing research issue. International Journal of Nursing Studies, 29(4), 371-381

13. Iyer, P.W., & Camp, N.(1995). Nursing documentation: A nursing process approach. St. Louis: Mosby-Year Book

14. Mandell, M(1994). Not documented, not done. Nursing, 24(8), 62-63

15. Marrelli, T.M.(1996). Nursing documentation handbook(2nd ed.). St. Louise: Mosby-Year Book

16. Murphy, J., & Burke, L.J.(1990). Charting by exception: A more efficient way to document. Nursing, 20(5), 65-69

17. North American Nursing Diagnosis Association.(1994). NANDA nursing diagnoses: Definitions of classification, 1995-1996. Philadelphia

18. Potter,P.A., Perry.A.G.(2009). Fundamentals of Nursing(7th ed.). Mosby.

19. Perry.A.G., Potter,P.A.(2010). Clinical Nursing skills & Techiques (7th ed.) Mosby.

20. Rasmussen, N.(1994). Clinical pathways of care: The route to better communication. Nuring, 24(2), 47-49

21. Siegrist, L., Stocks, B., & Dettor, R.(1985). The PIE system: Complete planning and Documentation of nursing care. QRB, 11(6), 186-189

22. Sullivan, G.H.(2000) Kepp your charting on course. RN, 63(5), 75-79

23. Taylor, C., Lillis, C., LeMone, P., Lynn.P(2008). Fundamentals of Nursing: the art and science of nursing care(6th ed.), Lippincott

24. Windle, P.E.(1994). Critical pathways: An integrated documentation tool. Nursing Management, 25(9)

25. Zolot, J.S.(1999) Computer-based patient records. American Journal of Nursing, 99(12), 64-69

▪ 참고문헌(4장)

1. 경희의료원 감염관리위원회(1996). 병원감염관리지침

2. 김순자, 이선옥, 김매자, 박점희, 장성옥, 길숙영, 진은희, 이미현, 손정태, 장은희(2001). 기본간호학(상, 하). 서울: 수문사

3. 변영순, 김애경, 성명숙, 신윤희, 이금재, 장희정, 정양숙, 유재복(2004). 기본간호학. 서울: 계축문화사

4. Anonymous.(2001). Standard principles for preventing hospital acquired infections. Journal of Hospital Infection, 47(suppl), 21-37

5. Bentley, D.W., et al.(2000). Practice guidelines for evaluation of fever and infection in long term care facilities. Clinical Infectious Disease, 31, 640-653

6. Briggs, M., et al.(1996). Infection control: The principles of aseptic technique in wound care. Professional Nurse, 11(12), 805-808

7. Centers for Disease Control and Prevention(1994). CDC guidelines for preventing the transmission of TB in health care facilities, 1994. Federal Register 1994, 59(208), 54242-54303

8. Centers for Disease Control and Prevention(1998). Draft guidelines for prevention of surgical site infection. Federal Register, 63(116), 3168-3192

9. Centers for Disease Control and Prevention(1998). Guideline for Infection control in health care personnel. Infection Control and Hospital Epidemiology, 19, 407-463

10. Craven, R.F., & Hirnle, C.J.(2002). Fundamentals of Nursing: human health and function(4th ed.). Lippincott.

11. Garcia, B.S., Barnard, B., & Kennedy, V.(2000). The fifth evolutionary era in infection contol: International epidemiology. American Journal of Infection Control, 28(1), 30-41

12. Hattula, J.L., & Stevens, P.E.(1997). A descriptive study of the handwashing environment in long-term care facility. Clinical Nursing Research, 6(4), 363-374

13. Mayhall, C.G.(1999). Hospital epidemiology and infection control(2nd ed.). New York : Williams & Wilkins

14. Miller, J.M., et al.(1996). Reduction in nosocomial intravenous therapy team. Journal of Intravenous Nursing, 19(2), 103-106

15. Perry A.G., Potter P.A.(2010). Clinical Nursing skills & Techniques(7th ed.). Mosby.

16. Potter.P.A., Perry.A.G.(2009). Fundamentals of Nursing(7th ed.). Mosby.

17. Steed,C.J.(1999). Common infections acquired in the hospital. Nursing Clinics of North America, 34(2), 443-361

18. Taylor, C., Lillis, C., LeMone, P. Lynn, P(2008). Fundamentals of Nursing: the art and science of nursing care(6th ed.), Lippincott

19. Wenzel, R.P.(1995). The Lowbury Lecture: The nosocomial infections. Journal of Hospital Infections, 31(2), 79-87

20. Wenzel, R.P.(1997). Prevention and Control of Nosocomial infections(3rd ed.). Baltimore: Williams & Wilkins

21. Wenzel, R.P.(2000). Managing antibiotic resistance. New England Journal of Medicine, 343(26), 1961-1963

▪ 참고문헌(5장)

1. 김명자 외(2009). 기본간호학. 현문사, 서울

2. 신문균 외(1998). 인체해부학. 현문사, 서울

3. 손정태 외(2010). 기본간호학. 현문사, 서울

4. 송경애 외 (2011). 기본간호학(개정판), 수문사, 서울

5. 이향련 외 (2010). 성인간호학(6판 수정 보완판), 수문사, 서울

6. 홍영혜 외(2011). 최신 간호진단, 수문사. 서울

7. 대한기초간호자연과학회(2002). English-Korean Mosby's Medical, Nursing & Allied Health Dictionary. 현문사, 서울

8. Craven, R. F., & Hirnle C.J.(2008). Fundamentals of nursing : human health and function(6th ed.), Lippincott.

9. Taylor, C., Lills, C., & LeMone, P(2004). Fundamentals of Nursing : The Art & Science of Nursing Care, (5th ed.), Lippincott

- **참고문헌(6장)**

1. 김명자 외(2009). 기본간호학. 현문사, 서울

2. 손정태 외(2010). 기본간호학, 현문사, 서울

3. 송경애 외 (2011). 기본간호학(개정판), 수문사, 서울

4. 이향련 외 (2010). 성인간호학(6판 수정 보완판), 수문사, 서울

5. 홍영혜 외(2011). 최신 간호진단, 수문사. 서울.

6. 한국영양학회(1986). 한국인을 위한 식사지침. 한국영양학회지, 19(2), 81-104

7. 한국영양학회(2010). 한국인 영양섭취기준, 서울

8. 대한기초간호자연과학회(2002). English-Korean Mosby's Medical, Nursing & Allied Health Dictionary. 현문사, 서울

9. Craven, R. F., & Hirnle C.J.(2008). Fundamentals of nursing: human health and function(6th ed.), Lippincott

10. Taylor, C., Lills, C., & LeMone, P(2004). Fundamentals of Nursing : The Art & Science of Nursing Care. (5th ed.), Lippincott

- **참고문헌(7장)**

1. 김금순 외(2003). 통합적 기본간호학, 한우리

2. 김금순 외(2010). 간호사를 위한 약리학, 서원미디어

3. 김명자 외(2009). 기본간호학, 현문사

4. 변영순 외(2011). 기본간호학, 엘스비어코리아

5. 손정태 외(2010). 기본간호학, 현문사

6. 송경애 외(2009). 기본간호학, 수문사

7. 최명애 외(2004). 생리학, 현문사

8. 김시현(2004). 배변장애 대상자 간호, nursezine, 15, 76-79

9. Kozier, B., Erb, G., Berman, A.J. & Burke, K.(2000). Fundamentals of Nursing : Concept, process and practice, 6th ed., Prentice-Hall, Inc.

10. Taylor, C., Lillis, C. & LeMone, P.(2004). Fundamentals of Nursing, 5th ed., Lippincott Williams & Wilkins

- **참고문헌(8장)**

1. 김금순 외(2003). 통합적 기본간호학, 한우리

2. 김금순 외(2010). 간호사를 위한 약리학, 서원미디어

3. 김명자 외(2009). 기본간호학, 현문사

4. 변영순 외(2011). 기본간호학, 엘스비어코리아

5. 이향련 외(2010). 성인간호학, 수문사

6. 손정태 외(2010). 기본간호학, 현문사

7. 송경애 외(2009). 기본간호학, 수문사

8. 최명애 외(2004). 생리학, 현문사

9. 김시현(2004). 배뇨장애 대상자 간호, nursezine, 14, 78-81

10. Kozier, B., Erb, G., Berman, A.J. & Burke, K.(2000). Fundamentals of Nursing : Concept, process and practice, 6th ed., Prentice-Hall, Inc.

11. Taylor, C., Lillis, C. & LeMone, P.(2004). Fundamentals of Nursing, 5th ed., Lippincott Williams & Wilkins

- **참고문헌(9장)**

1. 강규숙 외(2001). 기본간호학, 신광출판사, 서울

2. 김명자 외(2009). 기본간호학. 현문사, 서울

3. 손정태 외(2010). 기본간호학, 현문사, 서울

4. 송경애 외 (2011). 기본간호학(개정판), 수문사, 서울

5. 이향련 외(2010). 성인간호학(6판 수정 보완판), 수문사, 서울

6. 홍영혜 외(2011). 최신 간호진단, 수문사. 서울.

7. 대한기초간호자연과학회(2002). English-Korean Mosby's Medical, Nursing & Allied Health Dictionary. 현문사, 서울

8. Craven, R. F., & Hirnle C.J.(2008). Fundamentals of nursing : human health and function(6th ed.), Lippincott

9. Taylor, C., Lills, C., & LeMone, P.(2004). Fundamentals of Nursing: The Art & Science of Nursing Care. (5th ed.), Lippincott

- **참고문헌(10장)**

1. 김명자 외(2009). 기본간호학. 현문사, 서울

2. 손정태 외(2010). 기본간호학, 현문사, 서울

3. 송경애 외(2011). 기본간호학(개정판), 수문사, 서울

4. 이향련 외(2010). 성인간호학(6판 수정 보완판), 수문사, 서울

5. 홍영혜 외(2011). 최신 간호진단, 수문사. 서울.

- **참고문헌(11장)**

1. 강규숙 외(2001). 기본간호학, 신광출판사

2. 김명자 외(2001). 최신 기본간호학, 현문사

3. 김병후(2003). 잠의 치유력, 이채출판사

4. 김청송(1999). 통증 심리학, 중앙적성출판사

5. 번영순 외(2002). 기본간호학, 계축문화사

6. 손영희 외(2003). 기본간호학, 현문사

7. 수면건강과 수면장애, 로렌스 J. 엡스타인/ 박용한, 신윤경 옮김. 조윤커뮤니케이션, 2008

8. 오흥근(1995). 통증의학, 대한통증학회

9. 이은옥 외(2005). 통증, 신광출판사

10. 장성옥 외(2003). 기본간호학 실습지침서, 군자출판사

11. 잠이 보약이다. 피터하우리, 셜리 린드/ 류영훈 옮김. 동토원, 2005

12. 통증의학. 대한통증학회, 신원의학서적, 2012

13. 함태수 외(1999). 수술후 통증치료, 의학문학사

• 참고문헌(12장)

1. 강규숙 외(2001). 기본간호학, 신광출판사
2. 고일선 외(2013). 기본간호학 I,II, 정담미디어
3. 김금순 외(2003). 통합적 기본간호학, 도서출판 한우리
4. 김명자 외(2001). 최신 기본간호학, 현문사
5. 변영순 외(2002). 기본간호학, 계축문화사
6. 손영희 외(2003). 기본간호학, 현문사
7. 양선희 외(2009). 기본간호학 상하, 현문사
8. Craven, R.F. & Hirnle, C.J.(2003). Fundamentals of Nursing, 4th ed., Lippincott
9. Elkin, M.K. Perry, A.G. & Potter, P.A. (1999). Nursing Interventions & Clinical Skills, 2nd ed., Mosby
10. Taylor, C., Lillis, C. & LeMone, P.(2001). Fundamentals of Nursing: The Art & Science of Nursing Care, 4th ed., Lippincott
11. Miller, C.A. (2011). Nursing for Wellness in Older Adults: Theory and Practice, 5th ed..Philadelphia:Lippincott.
12. Tabloski, P. A. (2010). *Gerontological Nursing* (2th ed.). Upper Saddle River, NJ: Pearson Education.
13. Joint Commission. (2014). About our standards. Retrieved September 1, 2014, from www.jointcommission.orf/standards_information/standards.aspx.
14. National Patient Safety Foundation. (2014). Key Facts About Patient Safety. Retrieved September 2, 2014, from http://www.npsf.org/for-patients-consumers/patients-and-consumers-key-facts-about-patient-safety/.

• 참고문헌(13장)

1. 강규숙 외(2001). 기본간호학, 신광출판사
2. 고성희 외(2002). 포켓 간호진단 가이드, 현문사
3. 김명자 외(2009). 기본간호학, 현문사
4. 변영순 외(2002). 기본간호학, 계축문화사
5. 송경애 외(2014). 기본간호학, 수문사.
6. 손영희 외(2003). 기본간호학, 현문사
7. 아산재단 서울중앙병원 간호부(1997). AMC 간호표준
8. 이명화 외(2001). 기본간호학 각론, 정담
9. 장성옥 외(2012). 기본간호학 실습지침서 3rd, 군자출판사.
10. 정영태, 정경아(2000). 인체생리학 제4판, 청구문화사
11. 최명애, 김주현, 박미정, 최스미, 이경숙(2004). 생리학 제4판, 현문사
12. Cox, H.C., Hinz, M.D., Lubno, M.A., Newfield, S.A., Ridenour, N.A., Slater, M.M., & Sridaromont, K.(1993). Clinical Applications of Nursing Diagnosis. 2nd. ed. F.A. Davis
13. Craven, R.F., Hirnle, C.J.(2003). Fundamentals of Nursing, Human Health and Function. 4th. ed. Lippincott
14. DeLaune, S.C., Ladner, P.K.(1998). Fundamentals of Nursing, Standards & Practice. Delmar Publishers
15. Elkin, M.K., Perry, A.G., & Potter, P.A.(2000). Nursing Interventions and Clinical Skills, 2nd. ed. Mosby
16. Kozier, B., Erb, G., & Bufalino, P.M.(1989). Introduction to Nursing. Addison-Wesley

17. Kozier, B., Erb, G., Blais, K., & Wilkinson, J.M.(1998). Fundamentals of Nursing, concepts, process, and practice. Addison-Wesley
18. Potter, P.A., Perry, A.G.(1997). Fundamentals of Nursing, concepts, process, and practice. 4th ed. Mosby
19. Taylor, C., Lillis, C., & LeMone, P.(1997). Fundamentals of Nursing, The Art and Science of Nursing Care, 3th. ed. Lippincott

• 참고문헌(14장)

1. 강규숙 외(2001). 기본간호학, 신광출판사
2. 고성희 외(2002). 포켓 간호진단 가이드, 현문사
3. 김명자 외(2009). 기본간호학, 현문사
4. 변영순 외(2002). 기본간호학, 계축문화사
5. 손영희 외(2003). 기본간호학, 현문사
6. 손정태 외(2013), 기본간호학, 현문사
7. 송경애 외(2014). 기본간호학, 수문사
8. 아산재단 서울중앙병원 간호부(1997). AMC 간호표준
9. 이명화 외(2001). 기본간호학 각론, 정담
10. 장성옥 외(2012). 기본간호학 실습지침서 3rd, 군자출판사
11. 정영태, 정경아(2000). 인체생리학 제4판, 청구문화사
12. 최명애, 김주현, 박미정, 최스미, 이경숙(2004). 생리학 제4판, 현문사
13. Braun, S., Preston, P., & Smith, R.(1998). Getting a better read on thermometry. RN, 61(3), 60.
14. Cox, H.C., Hinz, M.D., Lubno, M.A., Newfield, S.A., Ridenour, N.A., Slater, M.M., & Sridaromont, K.(1993). Clinical Applications of Nursing Diagnosis. 2nd. ed. F.A. Davis.
15. Craven, R.F., Hirnle, C.J.(2003). Fundamentals of Nursing, Human Health and Function. 4th. ed. Lippincott.
16. DeLaune, S.C., Ladner, P.K.(1998). Fundamentals of Nursing, Standards & Practice. Delmar Publishers.
17. Elkin, M.K., Perry, A.G., & Potter, P.A.(2000). Nursing Interventions and Clinical Skills, 2nd. ed. Mosby.
18. Kozier, B., Erb, G., & Bufalino, P.M.(1989). Introduction to Nursing. Addison-Wesley.
19. Kozier, B., Erb, G., Blais, K., & Wilkinson, J.M.(1998). Fundamentals of Nursing, concepts, process, and practice. Addison-Wesley.
20. Lee, V. K., McKenzie, N. E., & Cathcart, M.(1999, June). Ear and oral temperatures under usual practice conditions. Research for Nursing Practice, 1(1), 8.
21. Potter, P.A., Perry, A.G.(1997). Fundamentals of Nursing, concepts, process, and practice. 4th ed. Mosby.
22. Taylor, C., Lillis, C., & LeMone, P.(1997). Fundamentals of Nursing, The Art and Science of Nursing Care, 3th. ed. Lippincott

• 참고문헌(15장)

1. 김주현 외(2008). 건강사정, 정담미디어
2. 변영순 외(2011). 기본간호학, 엘스비어코리아
3. 손정태 외(2010). 기본간호학, 현문사
4. 송경애 외(2009). 기본간호중재의 적용, 수문사

5. 이강이 외(2001). 건강사정, 현문사

6. 장성옥 외(2010). 간호사를 위한 건강사정 핸드북, 군자출판사

7. Jarvis, C(2008). Physical Examination and Health Assessment, 5th ed., Elsevier Inc.

8. Fuller, J. & Schaller-Ayers, J.(1999). Health Assessment: A Nursing Approach, 3rd ed., Lippincott

9. Weber, J.R.(2008). Nurses' Handbook of Health Assessment, 6th ed., Lippincott Williams & Wilkins

▪ 참고문헌(16장)

1. 김금순 외(2003). 통합적 기본간호학, 한우리

2. 김명자 외(2009). 기본간호학, 현문사

3. 김선화 외(2011). 진단검사간호 핸드북, 정담미디어

4. 변영순 외(2011). 기본간호학, 엘스비어코리아

5. 서울대학교병원 편(2003). 간호방법, 서울대학교 출판부

6. 손영희 외(2003). 기본간호학, 현문사

7. 손정태 외(2010). 기본간호학, 현문사

8. 송경애 외(2009). 기본간호학, 수문사

9. 송미순 외(2002). 진단적 검사와 간호, 현문사

10. Kozier, B., Erb, G., Berman, A.J. & Burke, K.(2000). Fundamentals of Nursing : Concept, process and practice, 6th ed., Prentice-Hall, Inc.

11. Taylor, C., Lillis, C. & LeMone, P.(2004). Fundamentals of Nursing, 5th ed., Lippincott Williams & Wilkins

▪ 참고문헌(17장)

1. 김명자 외(2009). 기본간호학 상하, 현문사

2. 고일선 외(2013). 기본간호학 I,II, 정담미디어

3. 송경애 외(2014). 최신 기본간호학 상하, 수문사

4. 손정태 외(2010). 기본간호학 I,II, 현문사

5. 양선희 외(2009). 기본간호학 상하, 현문사

6. 김금순 외(2003). 통합적 기본간호학, 도서출판 한우리

7. 고려대학교 간호대학(2003). 가정간호 노인간호학 교재

8. 대한임상운동사협회(2000). Health & Sports Medicine-골관절 질환과 근육통 예방 및 치료에서의 운동-, 6호

9. 신문균 외(1998). 인체해부학, 현문사

10. 아주대학교 의과대학(1998). 제2회 운동처방사 교재

11. Craven, R.F. & Hirnle, C.J.(2003). Fundamentals of Nursing, 4th ed., Lippincott

12. Fox, E. & Mathews, D.(1981). The physiological basis of physical education and athletics, 3rd ed., Saunders College Publishing

13. Taylor, C., Lillis, C. & LeMone, P.(2001). Fundamentals of Nursing: The Art & Science of Nursing Care, 4th ed., Lippincott

15. 한국해부생리학 교수협의회 (2008). 인체해부학, 현문사

16. 김정기 (2008). 기능해부학과 운동학 2 근육골격계통의 해부, E PUBLIC.

17. 김도준 외 (2003). 운동 근 생리 생화학, 한미의학

18. 강현숙 외 (2014). 근거기반 기본간호학 상하, 수문사

19. Nelson, A.,, & Baptiste, A. S. (2006) Evidence-based practices for safe patient handling and movement. Clinical Reviews in Bone and Mineral Metabolism, 4(1), 55-69

▪ 참고문헌(18장)

1. 김명자 외(2009). 기본간호학 상하, 현문사

2. 고자경 외(2010). 노인간호학. 한미의학.

2. 고일선 외(2013). 기본간호학 I,II, 정담미디어

3. 송경애 외(2014). 최신 기본간호학 상하, 수문사

4. 송경애 외(2009). 기본간호중재의 적용 수문사

5. 손정태 외(2010). 기본간호학 I,II, 현문사

6. 양선희 외(2009). 기본간호학 상하, 현문사

7. 장성옥(2012). 기본간호학 실습지침서, 군자출판사

8. 김금순 외(2003). 통합적 기본간호학, 도서출판 한우리

9. Craven, R.F. & Hirnle, C.J.(2003). Fundamentals of Nursing, 4th ed., Lippincott

10. Taylor, C., Lillis, C. & LeMone, P.(2001). Fundamentals of Nursing: The Art & Science of Nursing Care, 4th ed., Lippincott

11. 윤남식 외 (1992). 신체 운동 역학 실습지침서, 교학연구사

12. 강현숙 외 (2014). 근거기반 기본간호학 상하, 수문사

▪ 참고문헌(19장)

1. 김명자 외(2009). 기본간호학 상하, 현문사

2. 고일선 외(2013). 기본간호학 I,II, 정담미디어

3. 박경희, 박승미, 전호경(2005)상처. 장루, 현문사

4. 송경애 외(2009). 기본간호중재의 적용 수문사

5. 손정태 외(2010). 기본간호학 I,II, 현문사

6. 양선희 외(2009). 기본간호학 상하, 현문사

7. 장성옥(2012). 기본간호학 실습지침서, 군자출판사

8. 강현숙 외 (2014). 근거기반 기본간호학 상하, 수문사

9. Casey, G.(1998). The importance of nutrition in wound healing, Nursing Standard, 13(3), 51-56

10. Craven, R.F. & Hirnle, C.J.(2003). Fundamentals of Nursing, 4th ed., Lippincott

11. Taylor, C., Lillis, C. & LeMone, P.(2001). Fundamentals of Nursing: The Art & Science of Nursing Care, 4th ed. Lippincott.

12. Krasner, D. & Kane, D.(1997), Chronic Wound Care, 2nd ed., Health Management Publications

13. Singer, A. J. & Clark, R.A.F.(1999), Cutaneous Wound Healing, The New England Journal of Medicine, 341(10), 738-746

14. Tallon, R.W.(1996) Wound care dressing, Nursing Management, 27(10), 68-70

15. Hess, & Cathy, T. (2013). Clinical guide to skin & wound care, 7th ed. Lippincott Williams & Wilkins

16. Flanagan, M. (2013). Wound Healing and Skin Integrity, Wiley-Blackwell

448

▪ 참고문헌(20장)

1. 강규숙 외(2001). 기본간호학, 신광출판사
2. 고성희 외(2002). 포켓 간호진단 가이드, 현문사
3. 김명자 외(2009). 기본간호학, 현문사
4. 김옥녀(1998). 임상약리학, 수문사
5. 대한간호협회 보수교육교재(2009). 안전간호, 대한간호협회
6. 문국진(1985). 간호법의학, 고려대학교 법의학연구소
7. 변영순 외(2002). 기본간호학, 계축문화사
8. 병원간호사회(2014), 근거기반 임상간호실무지침: 정맥주입요법
9. 손정태 외(2013), 기본간호학, 현문사
10. 손영희 외(2003). 기본간호학, 현문사
11. 송경애 외(2014). 기본간호학, 수문사
12. 아산재단 서울중앙병원 간호부(1997). AMC 간호표준
13. 이명화 외(2001). 기본간호학 각론, 정담
14. 장성옥 외(2012). 기본간호학 실습지침서 3rd, 군자출판사
15. 정영태, 정경아(2000). 인체생리학 제4판, 청구문화사
16. 최명애, 김주현, 박미정, 최스미, 이경숙(2004). 생리학 제4판, 현문사
17. 한국약학대학협의회 약사법규분과회편(2000). 약사법규 개정판, 학창사
18. Beyea, S.C., Nicoll, L.H.(1996). Back to basics: Administering IM injections the right way. American Journal of Nursing, 96(1), 34-35
19. Cox, H.C., Hinz, M.D., Lubno, M.A., Newfield, S.A., Ridenour, N.A., Slater, M.M., & Sridaromont, K.(1993). Clinical Applications of Nursing Diagnosis. 2nd. ed. F.A. Davis
20. Craft, K.(1990). Do you really know to handle sharps?, RN, 53(8):33-5
21. Craven, R.F., Hirnle, C.J.(2003). Fundamentals of Nursing, Human Health and Function. 4th. ed. Lippincott
22. Curren,A.M., & Munday, L.D.(1995). Math for Meds, dosages and solutions. 7th. ed. W.I. Publications, Inc
23. DeLaune, S.C., Ladner, P.K.(1998). Fundamentals of Nursing, Standards & Practice. Delmar Publishers
24. Elkin, M.K., Perry, A.G., & Potter, P.A.(2000). Nursing Interventions and Clinical Skills, 2nd. ed. Mosby
25. Kozier, B., Erb, G., & Bufalino, P.M.(1989). Introduction to Nursing. Addison-Wesley
26. Kozier, B., Erb, G., Blais, K., & Wilkinson, J.M.(1998). Fundamentals of Nursing, concepts, process, and practice. Addison-Wesley
27. Phillips, L.D.(1993). Mannual of I.V. Therapeutics. F.A. DAVIS.
28. Potter, P.A., Perry, A.G.(1997). Fundamentals of Nursing, concepts, process, and practice. 4th ed. Mosby
29. Taylor, C., Lillis, C., & LeMone, P.(1997). Fundamentals of Nursing, The Art and Science of Nursing Care, 3th. ed. Lippincott
30. Taylor, H.J.(1992). Patients deserve painless injections, Z-track technique. RN, 55(3):25-6
31. The Joint Commission on Accreditation of Healthcare Organizations. Facts about the Official "Do Not Use" List. Jun, 2011. [cited; http://www.jointcommission.org/assets/1/18/Official_Do_Not_Use_List_6_111.PDF].

▪ 참고문헌(21장)

1. 김순자, 이선옥, 김매자, 박점희, 장성옥, 길숙영, 진은희, 이미현, 손정태, 장은희(2001). 기본간호학(상, 하). 서울: 수문사
2. 변영순, 김애경, 성명숙, 신윤희, 이금재, 장희정, 정양숙, 유재복(2004). 기본간호학. 서울: 계축문화사
3. Bailes, B.K.(2000). Perioperative care of elderly surgical patient. AORN Jounal, 72, 186-207
4. Craven, R.F., & Hirnle, C.J.(2002). Fundamentals of Nursing: human health and function(4th ed.). Lippincott
5. DeFazio-Quinn, D.M.(1997). Ambulatory surgery: An evolution. Nursing Clinics of North America, 3s, 357-386
6. DeWit, S.C.(1998). Fundamentals of medical-surgical nursing(4th ed.). Philadelphia: W.B.Sauners
7. Fortunato, N.(2000). Berry & Kohn's operating techniques(9th ed.). St.Louis: C.V. Mosby Marley, R.A., & Moline, B.M.(2000).Patient discharge issues. In N. Burden, D.M. DeFazio-Quinn, D. O'Brien, & B.S. Dawes, Ambulatory surgical nursing(2nd ed., pp.504 - 526)
8. Perry.A.G., Potter.P.A.(2010). Clinical Nursing skills & Techniques(7th ed.). Mosby.
9. Potter,P.A., Perry.A.G.(2009). Fundamentals of Nursing(7th ed.). Mosby.
10. Stoelting, R. K., & Miller, R. D.(2000). Basics of Anesthesia(4th ed.). New York: Churchill Livingstone
11. Taylor, C., Lillis, C., LeMone, P. Lynn, P.(2008). Fundamentals of Nursing: the art and science of nursing care(6th ed.), Lippincott

▪ 참고문헌(22장)

1. 고려대학교 가정간호 암 환자 간호 교재
2. 김수지, 오송자, 최화숙(1997). 호스피스 사랑의 돌봄, 수문사
3. 노유자역(1997). 암환자의 가정간호 -환자와 가족을 위한 지침서-, 현문사
4. 이경식, 홍영선, 한성숙(1997). 알기쉬운 호스피스와 완화의학, 성서와 함께
5. 정진홍(1995). 죽음과의 만남, 우진출판사
6. 퀴블러 로쓰 저, 이인복 옮김(1992). 죽음과 임종에 관한 의문과 해답, 우진출판사

▪ 참고문헌(23장)

1. 강현숙 외 (2014). 근거기반 긴본간호학 상하, 수문사
2. 김명자 외(2009). 기본간호학 상하, 현문사
3. 고자경 외(2010). 노인간호학. 한미의학.
4. 송경애 외(2014). 최신 기본간호학 상하, 수문사
5. 송경애 외(2009). 기본간호중재의 적용 수문사
6. 손정태 외(2010). 기본간호학 I,II, 현문사
7. 양선희 외(2009). 기본간호학 상하, 현문사

8. 가톨릭대학교 호스피스교육연구소(2007). 호스피스 완화간호, 군자
   출판사

9. Miller, C.A. (2011). Nursing for Wellness in Older Adults: Theory
   and Practice, 5th ed..Philadelphia:Lippincott.

10. Tabloski, P. A. (2010). *Gerontological Nursing* (2th ed.). Upper
    Saddle River, NJ: Pearson Education.

INDEX

찾아보기

452